L'Officiel des
prénoms

Stéphanie Rapoport

édition
2014

FIRST

Editions

ISBN : 978-2-7540-5387-7
Dépôt légal : septembre 2013
Imprimé en Italie
Édition : Audrey Bernard
Correction : Anne-Lise Martin
Mise en page : MADmac

Éditions édi8
12, avenue d'Italie, 75 012 Paris
Tél. : 01 44 16 09 00
Fax : 01 44 16 09 01
E-mail : firstinfo@efirst.com
Site internet : www.editionsfirst.fr

Sommaire

Introduction

Le choix du prénom d'un enfant est l'une des premières grandes responsabilités que doivent assumer les parents. Ceux-ci le font souvent avec enthousiasme, mais non sans mal… Et pour cause !

Jamais le prénom n'a été autant utilisé pour désigner l'individu, qu'il soit à l'école, au travail, ou dans un cadre plus privé. Détaché du nom patronymique, le prénom introduit un contexte plus amical et chaleureux dans lequel la personne se reconnaît et s'identifie socialement. Le choix des parents n'en est que plus décisif. Or, dans le même temps, le stock des prénoms recensés n'a jamais été aussi vaste (le répertoire national compte sept fois plus de prénoms aujourd'hui qu'il y a un siècle), et la législation aussi accommodante. Les parents ont littéralement… l'embarras du choix ! Certains n'hésitent pas à tester leurs idées de prénoms sur les forums de sites internet comme celui de **MeilleursPrenoms.com**.

En treize ans, **MeilleursPrenoms.com** a considérablement évolué en fonction des demandes des parents. Leurs commentaires ont permis au site de s'adapter à leurs besoins et de mieux répondre à leurs attentes. Aujourd'hui, *L'Officiel des prénoms* poursuit le même objectif. À l'identique du site, ce guide est fondé sur une approche interactive et statistique. Il s'intéresse aux prénoms les plus répandus comme à ceux qui émergent tout juste.

1) Un guide de référence sur plus de 12 000 prénoms

Vous trouverez dans ce livre une sélection de plus de 12 000 prénoms accompagnés de leur étymologie. Dans leur grande majorité, ces prénoms sont d'origine latine, sémitique (hébraïque et arabe), germanique ou grecque. Ils constituent la base de la grande famille des prénoms « français ». Cependant, ces vingt dernières années, le patrimoine des prénoms s'est enrichi de nouvelles sonorités. L'immigration a largement contribué à cet enrichissement. C'est ainsi que l'on trouve en France une nouvelle gamme de prénoms aux accents espagnols, italiens, scandinaves, slaves ou russes, des consonances d'origine celte, irlandaise, arabe ou anglophone. Nous avons également inclus des prénoms provenant de contrées plus lointaines (Japon, Inde, Iran, Tahiti, Vietnam, Chine, Arménie, Turquie, etc.). Ainsi, cet ouvrage comprend bien des perles rares qui font parler d'elles en dehors de l'Hexagone.

◖ Les prénoms régionaux, une source d'inspiration et d'originalité

Pour trouver un prénom qui sort des sentiers battus, les parents sont de plus en plus nombreux à explorer le répertoire des prénoms régionaux : la spécificité de leurs consonances témoigne de la diversité et de la richesse culturelle de la France. Certains d'entre eux connaissent une vogue sans précédent (voir l'encadré consacré aux prénoms régionaux, p. 368). C'est la raison pour laquelle les prénoms d'origine alsacienne, basque, bretonne, corse, flamande ou occitane ont été mis en valeur dans cet ouvrage. Lorsqu'un prénom présente une identité régionale spécifique, cette information est indiquée. Au total, près de 1 000 prénoms régionaux sont répertoriés dans *L'Officiel des prénoms.*

2) EN QUOI CET OUVRAGE EST-IL DIFFÉRENT DES AUTRES ?

Les prénoms recensés dans ce livre ont la particularité d'être réellement portés* en France. Afin de donner au lecteur un maximum d'informations, la fréquence des prénoms et leur rang d'attribution actuel ont été précisés (voir les méthodes de travail p. 6). Une prévision sur la tendance à venir est également indiquée lorsque cette estimation a pu être réalisée. L'objectif est de donner une « photographie » des prénoms, tels qu'ils sont attribués en France aujourd'hui.

* Seuls quelques prénoms dont il est précisé qu'ils sont portés par moins de 30 Français(es) aujourd'hui sont susceptibles d'être encore inédits en France.

◀ TRAITEMENT DES DÉRIVÉS ET VARIANTES

Les déclinaisons les moins répandues sont référencées avec le prénom auquel elles se rapportent. Cateline apparaît sous la forme d'une variante de Catheline, la première étant portée par une trentaine de Françaises, la seconde, par 250. Notons que le classement de ces dérivés a été effectué de manière phonétique. En appliquant ce principe, Alissia et Licia se trouveront classés avec Alicia plutôt qu'Alice.

◀ ACCENTS

Nous avons accentué les prénoms, quelles que soient leurs origines, conformément à la graphie usuelle qui en est faite en France. De cette manière, un prénom comme Lucia apparaît une seule fois et non trois (Lúcia pour les Portugais, Lucía pour les Espagnols et Lucia pour les autres). Cette écriture simplifiée facilite la lecture de cet ouvrage ; elle a également permis de mettre en valeur des découvertes comme Māyā, la sœur indienne de Maya.

◀ CARACTÉROLOGIE

Les prénoms de *L'Officiel des prénoms* ont fait l'objet d'une étude caractérologique. Fondée sur la numérologie, cette analyse permet d'associer à chaque prénom cinq traits de caractère principaux.

◀ LES « ZOOMS » PRÉNOMS

Les prénoms phares du moment font l'objet d'un encadré spécial, appelé « zoom prénom ». Ces zooms abordent en profondeur l'histoire de ces prénoms. Ils analysent également leurs parcours et leurs évolutions à anticiper pour la France et les pays francophones (Belgique, Suisse, Québec).

5

◖ PRÉNOMS EN FÊTE

Les dernières pages de cet ouvrage recensent les fêtes de plus de 1 300 prénoms. Ces derniers sont classés par ordre alphabétique.

◖ SOURCES STATISTIQUES

Les informations concernant l'attribution des prénoms en France (graphiques, fréquences et tendances) sont fondées sur les données statistiques de l'Insee. L'encart dédié aux prénoms parisiens a été réalisable grâce aux données du site internet Opendata.paris.fr, publié par la mairie de Paris.

Des données statistiques internationales ont également été utilisées pour analyser l'évolution globale des pratiques d'attribution. Les données se rapportant à l'Angleterre et au pays de Galles proviennent de l'institut national anglais *National Statistics.* Le CSO, *Central Statistics Office,* établit le palmarès des prénoms les plus attribués en Irlande. Le GFDS, *Gesellschaf Für Deutsche Sprache,* fait de même pour l'Allemagne. Aux États-Unis, la *Social Security Administration* recense les prénoms les plus plébiscités, et en Australie, les gouvernements du New South Wale et du South Wale constituent nos sources d'information. Les données relatives à la Finlande émanent du *Väestörekisterikeskus.* Celles se rapportant à la Norvège proviennent du SSB : *Statistik Sentralbyå.* Enfin le palmarès des prénoms suédois est dressé par le SCB, *Statistiska Centralbyrån.*

La carrière des prénoms dans les régions francophones du Canada, de la Belgique et de la Suisse est suivie de près dans cet ouvrage. La Régie des rentes du Québec (www.rrq.gouv.qc.ca) recense les prénoms les plus attribués dans cette région. En Suisse romande, c'est l'OFS, l'Office fédéral suisse de la statistique, qui compile les données. Enfin, l'Institut national de statistique de la Belgique (www.statbel.fgov.be) établit le palmarès des prénoms attribués dans les régions et dans l'ensemble de la Belgique.

Notons que les termes de « français », « anglais », « espagnol », « allemand » et « portugais » associés aux prénoms désignent l'ensemble des pays du monde francophone, anglophone, hispanophone, germanophone et lusophone, régions dans lesquelles ces prénoms sont répandus.

3) MÉTHODOLOGIE

◖ LES PROJECTIONS

Les prénoms recensés dans cet ouvrage ont fait l'objet d'une étude approfondie et de projections statistiques. Ces projections permettent d'estimer le nombre d'attributions d'un prénom. Elles permettent également d'anticiper la position des prénoms dans le palmarès français pour les mois à venir.

◖ LES GRAPHIQUES

Les graphiques des zooms prénoms sont fondés sur les dernières données de l'Insee (fichier prénom, édition 2012). Ces données répertorient le nombre d'attributions de chaque prénom pour la période 1900-2011. Par conséquent, les données graphiques correspondant aux années 2011 et 2013 résultent d'une projection statistique.

Notons que l'échelle utilisée diffère selon la spécificité du prénom. Le graphique dédié à Louna commence en 1990 parce que ce jeune prénom n'émerge pas avant cette décennie. Par contraste, celui de Louise remonte aux années 1900 afin de retracer sa plus longue carrière.

◖ LES FRÉQUENCES

La fréquence associée à chaque prénom est précédée par le pictogramme 🌲 ; elle indique le nombre estimé de personnes qui portent ce prénom en France. Ces dernières sont nées en France et étaient toujours vivantes au moment où les statistiques de l'Insee ont été compilées.

◖ LE NIVEAU DE POPULARITÉ

Le niveau de popularité des prénoms varie selon celui de leurs attributions estimées pour 2014. Leur classement se lit selon les correspondances ci-dessous :

TOP 50 : classement entre le 1er et le 50e rang des attributions

TOP 100 : classement entre le 51e et le 100e rang des attributions

TOP 200 : classement entre le 101e et le 200e rang des attributions

TOP 300 : classement entre le 201^e et le 300^e rang des attributions

TOP 400 : classement entre le 301^e et le 400^e rang des attributions

TOP 500 : classement entre le 401^e et le 500^e rang des attributions

TOP 600 : classement entre le 501^e et le 600^e rang des attributions

TOP 700 : classement entre le 601^e et le 700^e rang des attributions

TOP 800 : classement entre le 701e et le 800e rang des attributions

TOP 900 : classement entre le 801e et le 900e rang des attributions

TOP 1000 : classement entre le 901e et le $1\,000^e$ rang des attributions

TOP 2000 : classement entre le $1\,001^e$ et le $2\,000^e$ rang des attributions

Remarques : Lorsqu'un prénom ne figure pas dans les 2 000 premiers rangs des attributions estimées pour 2014, aucun « top » ne lui est associé. C'est le cas de Christiane et René qui sont respectivement classés $3\,925^e$ et $3\,674^e$. Notons également que les prénoms masculins classés en deçà du $1\,400^e$ rang ($1\,300^e$ pour les prénoms féminins) ne devraient pas être attribués plus de 30 fois dans l'Hexagone en 2014. Cette précision est indiquée au fil des pages pour les prénoms concernés.

Comme le montre le tableau ci-dessous, le niveau d'attribution des prénoms chute fortement dès lors que le prénom ne figure pas dans le top 50 national.

Palmarès féminin			Palmarès masculin		
Rang	Prénom	Nombre de naissances estimées pour 2014	Rang	Prénom	Nombre de naissances estimées pour 2014
1er	Emma	6 239	1er	Nathan	5650
51e	Agathe	1 361	51e	Estéban	1558
101e	Manel	721	101e	Charles	768
201e	Céleste	364	201e	Célian	369
301e	Célia	228	301e	Vadim	223
401e	Élisabeth	157	401e	Hadrien	150
501e	Kamelia	122	501e	Fabien	113
601e	Adriana	96	601e	Josué	87
701e	Sohane	82	701e	Amadou	70
801e	Aude	68	801e	Abraham	57
901e	Stéphanie	58	901e	Josselin	49
1 001e	Liloo	49	1 001e	Rodrigue	43

◖ LES TENDANCES

Les tendances ont été calculées d'après l'évolution suivie par chaque prénom sur une période de six ans (on compare l'évolution du prénom au cours des trois dernières années par rapport aux trois années précédentes). Les prénoms portés par plus de 200 personnes entrent dans le champ d'application. Si l'on prend l'exemple d'Inaya ou Timéo (p. 124 et 522), on peut lire que ces prénoms sont en forte croissance. En se référant au tableau ci-dessous, on conclut que leur progression a été supérieure à 50 % au cours de ces trois dernières années :

Tendance	Signification
↑ : en forte croissance	Progression supérieure à 50 %
↗ : en croissance modérée	Progression entre 5 et 50 %
→ : stable	État stationnaire
↘ : en décroissance modérée	Diminution entre 5 et 50 %
↓ : en forte décroissance	Diminution supérieure à 50 %

À noter : Les mentions concernant les tendances et les fréquences s'appliquent toujours à la France sauf dans le cas où un autre pays est spécifié. Les prénoms qui ne montrent pas d'évolution statistiquement significative n'ont pas de tendance indiquée (exemple : Arlette n'est quasiment pas attribué depuis de nombreuses années ; aucune tendance ne lui est associée).

4) INFORMATIONS COMPLÉMENTAIRES À PROPOS DE MEILLEURSPRENOMS.COM

MeilleursPrenoms.com est consulté par plus de 300 000 internautes chaque mois. La plupart d'entre eux sont français, mais de nombreux visiteurs belges, canadiens et suisses viennent y puiser leurs inspirations de prénoms.

MeilleursPrenoms.com a été créé en février 2000. Je me suis lancée dans cette aventure avec mon mari après avoir hésité pendant des mois sur les choix de prénoms à donner à nos enfants. Nous habitions alors New York, et nous souhaitions que ces prénoms soient faciles à prononcer en français et en anglais. Cette expérience nous a donné l'envie de réaliser un site qui pourrait aider d'autres parents. Les nombreuses lettres de remerciements m'ont encouragée à poursuivre cette démarche. C'est un peu grâce à eux que *L'Officiel des prénoms* existe aujourd'hui et je les en remercie. ■

Index des encarts thématiques

Prénoms féminins

Prénoms masculins

Prénoms féminins ou masculins

Index des zooms prénoms

Prénoms féminins

Prénoms masculins

13

Prénoms féminins

A

Abby 🚩 750 **TOP 600** ↗

Souffle, respiration (hébreu). Abby est très répandu dans les pays anglophones. Caractérologie : sociabilité, optimisme, pragmatisme, communication, créativité.

Abélia

Souffle, respiration (hébreu). Ce prénom est porté par moins de 100 personnes en France. Variantes : Abela, Abelie, Abella, Abelle, Abelia, Abellia. Caractérologie : organisation, enthousiasme, pratique, communication, détermination.

Abeline

Souffle, respiration (hébreu). Dans l'Hexagone, Abeline est plus traditionnellement usité au Pays basque. Ce prénom est porté par moins de 100 personnes en France. Variantes : Abelina, Abelone. Caractérologie : organisation, résolution, pragmatisme, optimisme, communication.

Abigaël 🚩 1 500 **TOP 500** →

Source de joie (hébreu). Variantes : Aby, Abby, Abygaël, Abygaëlle, Avigaël, Gaïl. Caractérologie : énergie, détermination, innovation, autorité, bonté.

Abigaëlle 🚩 1 500 **TOP 400** ↗

Source de joie (hébreu). Caractérologie : résolution, rectitude, humanité, sympathie, rêve.

Abigaïl 🚩 1 500 **TOP 600** ↗

Source de joie (hébreu). Féminin anglais et allemand. Caractérologie : indépendance, curiosité, dynamisme, courage, organisation.

Abriana

Féminin italien d'Abraham : père des nations (hébreu). Ce prénom est porté par moins de 30 personnes en France. Caractérologie : dynamisme, direction, détermination, indépendance, assurance.

Acacia

Fleur protectrice du mal (grec). Ce prénom est porté par moins de 100 personnes en France. Caractérologie : humanité, rectitude, générosité, rêve, ouverture d'esprit.

Ada 🚩 550 ↗

Ornement (hébreu). Caractérologie : bienveillance, conscience, paix, sagesse, conseil.

Adama 🚩 650 **TOP 2000** →

Fait de terre rouge (hébreu). Féminin anglais. Caractérologie : diplomatie, loyauté, réceptivité, sociabilité, bonté.

Adara

Feu (hébreu). Ce prénom est porté par moins de 30 personnes en France. Caractérologie : sagacité, philosophie, connaissances, spiritualité, originalité.

Addison

Fils d'Adam (anglais). Addison est très en vogue au féminin aux États-Unis. Ce prénom est porté par moins de 100 personnes en France. Caractérologie : optimisme, communication, pragmatisme, volonté, résolution.

Adélaïde 🚩 8 000 **TOP 800**

De noble lignée (germanique). Cette forme médiévale d'Alice fut portée par deux reines de France et plusieurs souveraines européennes. Sainte Adélaïde, épouse d'Otton Ier, fit notamment rayonner le nom en devenant impératrice des Romains au Xe siècle. Après une longue parenthèse de retrait, Adélaïde connaît une petite vogue en France, en Italie et dans les pays anglophones au XIXe siècle. La popularité de la reine anglaise Adélaïde (reine consort, épouse de William IV) a peut-être donné des ailes au prénom. Elle est à l'origine du nom de la ville australienne Adélaïde, créée en 1836 en son hommage. Variantes : Adelaida, Adelaig. Caractérologie : énergie, décision, originalité, audace, découverte.

Adèle  20 000 **TOP 100**
Noble (germanique). Ce vieux prénom, en usage au Moyen Âge, fut porté par la fille du roi Dagobert II, la sainte fondatrice de l'abbaye de Pfalzel au VIIe siècle. Mais c'est Guillaume le Conquérant qui propage le prénom en Angleterre en l'attribuant à sa fille au début de la conquête normande (1066). Au fil des siècles, Adèle et ses différentes graphies (Adela, Adelle, Adelina, Adelia) se répandent en Europe et connaissent une certaine renaissance au XIXe siècle. Surfant sur la vogue du rétro en France, ce prénom a pris un nouveau départ et n'a pas fini de faire parler de lui. ◇ Adèle de Champagne, troisième épouse de Louis VII, fut reine de France au XIIe siècle. Variantes : Adela, Adélia, Adelise, Adelle. Caractérologie : rêve, humanité, rectitude, tolérance, générosité.

Adélie  2 000 **TOP 800**
Noble (germanique). Caractérologie : humanité, rectitude, tolérance, rêve, résolution.

Adelina 900 **TOP 1000**
Noble (germanique). Caractérologie : ambition, innovation, décision, autorité, énergie.

Adeline  49 000 **TOP 700**
Noble (germanique). Féminin français et anglais. Variantes : Adelyne, Édeline. Caractérologie : dynamisme, curiosité, indépendance, décision, courage.

Adelphine
Noble, loup (germanique). Ce prénom est porté par moins de 100 personnes en France. Variantes : Adelphia, Adelphina, Adolpha. Caractérologie : réussite, sociabilité, réceptivité, diplomatie, action.

Adena
Noble, parée de bijoux (grec), ou forme anglophone d'Éden. Ce prénom est porté par moins de 100 personnes en France. Variantes : Aderia, Adina. Caractérologie : originalité, spiritualité, connaissances, philosophie, sagacité.

Adenora
Forme bretonne d'Agenor : d'un grand courage (grec). Ce prénom est porté par moins de 100 personnes en France. Variante : Adenor. Caractérologie : méthode, volonté, détermination, ténacité, fiabilité.

Adolphine 450
Noble, loup (germanique). Caractérologie : communication, enthousiasme, réalisation, pratique, raisonnement.

Adonie
Seigneur (hébreu). Ce prénom est porté par moins de 30 personnes en France. Variante : Adonia. Caractérologie : habileté, ambition, management, passion, volonté.

Adriana  2 000 **TOP 700**
Habitant d'Adria, Italie (grec). Adriana est très répandu en Italie, dans les pays hispanophones et lusophones. C'est aussi un prénom traditionnel basque. Variantes : Adria, Adriane, Adrianna, Adrianne, Hadria. Caractérologie : décision, communication, pragmatisme, optimisme, créativité.

Adrienne 10 000
Habitant d'Adria, Italie (grec). Féminin français. On peut estimer que moins de 30 enfants

A

17

Le top 20 féminin en 2014

Afin de vous donner une image plus complète des prénoms les plus attribués aujourd'hui, deux palmarès complémentaires vous sont proposés.

Le premier établit le top 20 des prénoms féminins par ordre décroissant d'attribution. Chaque prénom est considéré comme une entité unique et classé selon sa fréquence d'attribution estimée pour 2014.

Le second fonctionne de la même manière mais il inclut, pour chaque prénom donné (exemple : Lina), la fréquence d'attribution de ses variantes (exemple : Lyna). Ce classement donne une indication complémentaire sur les dernières tendances dans les choix de prénoms.

Palmarès 1 : chaque prénom est classé selon sa fréquence d'attribution individuelle

1. Emma	6. Manon	11. Zoé	16. Alice
2. Lola	7. Jade	12. Lilou	17. Maëlys
3. Chloé	8. Louise	13. Camille	18. Louna
4. Inès	9. Léna	14. Sarah	19. Romane
5. Léa	10. Lina	15. Éva	20. Juliette

Observations

Emma pourrait, pour la dixième année consécutive, trôner sur le palmarès féminin, et battre d'un an le record de Léa, la dernière tenante du titre. Cette gloire persistante en a engendré une autre, celle des prénoms rétro. Ainsi, Louise et Alice ont dépassé Zoé et n'en finissent plus de grimper vers les cimes. Elles ne devront pas attendre longtemps pour que Léonie et Lily les rejoignent au sommet.

Le succès du rétro n'empêche pas celui des terminaisons en « a » : 8 prénoms arborent ces désinences dans le top 20. Ils éclipseraient presque le fait que 7 d'entre eux commencent par un « L ». Ajoutons à cela une rythmique composée de 2 syllabes et 5 lettres en moyenne, et nous avons toutes les clés de ce palmarès gagnant !

De son côté, Chloé n'en finit plus d'étonner par sa constance : elle se maintient 3ᵉ alors que ses co-stars des années 1990 ont plongé dans le top 30. Comme Clara, qui vient de rejoindre Anaïs. Elle cède sa place à Juliette, autre choix rétro qui surgit dans le top 20. Baroud d'honneur ou nouveau départ ? Seul l'avenir nous le dira…

.../

Le top 20 féminin en 2014 (suite)

Palmarès 2 : la fréquence d'attribution du prénom inclut celle de ses variantes

1. Emma	6. Léa	11. Lilou, *Lylou*	16. Alice
2. Chloé, *Cloé*	7. Manon	12. Léna	17. Maëlys
3. Lina, *Lyna*	8. Jade	13. Zoé	18. Lily, *Lilly, Lili(e)*
4. Lola	9. Louise	14. Camille	19. Louna
5. Inès	10. Sarah, *Sara*	15. Éva	20. Louane, *Louann(e), Lou-Ann(e)*

Dans ce classement, les variantes les plus importantes (uniquement celles dont on peut estimer qu'elles seront attribuées à plus de 400 enfants en 2014) sont indiquées en italique.

Observations

Quelle que soit la méthode utilisée, Emma est en tête dans les deux tableaux. Le reste du classement subit quelques modifications. Dans le peloton de tête, Lola ne peut résister aux assauts de Lina, de Chloé et de leurs différentes graphies. Pour leur part, Lilou et Sarah gagnent du terrain tandis que Romane et Juliette s'effacent. Elles donnent leurs places à Lily et Louane qui font les bonds les plus spectaculaires du classement.

Pour plus d'information sur les prénoms ci-dessus, voir les encadrés qui leur ont été consacrés.

seront prénommés ainsi en 2014. Caractérologie : connaissances, sagacité, originalité, spiritualité, décision.

Aela 450 **TOP 2000** →

Forme bretonne d'Ange : messagère (grec). Variantes : Aelaïg, Aélia, Aelig, Aelez. Caractérologie : dynamisme, direction, audace, indépendance, assurance.

Aëlle 110

Forme bretonne d'Ange : messagère (grec). Caractérologie : ambition, management, passion, force, habileté.

Aélys 400 **TOP 700** ↑

Forme occitane d'Alice : de noble lignée (germanique). Variante : Aelis. Caractérologie : dynamisme, direction, audace, indépendance, détermination.

Aéna

Aube (grec), violette (latin). Ce prénom est porté par moins de 100 personnes en France. Caractérologie : communication, générosité, pratique, adaptation, enthousiasme.

Aenor 200 **TOP 2000**

Forme bretonne d'Éléonore : compassion (grec). Variante : Aanor. Caractérologie : habileté, ambition, passion, décision, force.

Aéris

Nom porté par une héroïne du jeu vidéo *Final Fantasy*. Ce prénom est porté par moins de 100 personnes en France. Caractérologie : savoir, intelligence, indépendance, détermination, sagesse.

A

19

Agathe
🦅 36 000 **TOP 100** →

Bonté, gentillesse (grec). Prénom français et allemand. Pour avoir refusé les avances de Quintien, gouverneur de la Sicile, sainte Agathe fut martyrisée au IIIe siècle. Elle est la patronne des nourrices. Variantes : Agata, Agate, Agatha. Caractérologie : paix, conseil, conscience, sensibilité, bienveillance.

Aglaé
🦅 1 500 **TOP 1000** ↓

D'une beauté rayonnante (grec). Féminin français. Dans la mythologie grecque, Aglaé est la plus jeune des trois Grâces tant célébrées par les poètes. Ces divinités symbolisent la beauté, la générosité, la douceur et la sagesse. Variantes : Aglaée, Aglaïa, Aglaïane. Caractérologie : achèvement, ardeur, amitié, stratégie, vitalité.

Agnès
🦅 95 000 **TOP 800** →

Chaste, pure (grec). Jeune Romaine du IVe siècle, Agnès refusa de renier sa foi et se laissa conduire au martyre. En dehors de l'Hexagone, Agnès est répandu dans les pays anglophones, en Suède et en Allemagne. Variantes : Anessa, Agnela, Enès, Neza. Caractérologie : autonomie, innovation, énergie, autorité, ambition.

Aïcha
🦅 12 000 **TOP 200** ↗

Forme francisée d'Aïsha : celle qui vivra, vitalité (arabe). Fille d'Abou Bakr, Aïcha fut la troisième épouse de Mahomet. Ce prénom est répandu dans les cultures musulmanes. Variante : Aïsha. Caractérologie : ténacité, méthode, fiabilité, sens du devoir, engagement.

Aïda
🦅 3 000 **TOP 900** ↘

Récompense (arabe), celle qui ornera (hébreu). Féminin anglais et espagnol. Caractérologie : exigence, famille, équilibre, influence, sens des responsabilités.

Aïko

Enfant de l'amour (japonais). Ce prénom est porté par moins de 100 personnes en France. Caractérologie : idéalisme, altruisme, réflexion, dévouement, intégrité.

Aimée
🦅 10 000 **TOP 2000** ↘

Qui est aimée (latin). Féminin français. Variante : Aymée. Caractérologie : conseil, paix, bienveillance, résolution, conscience.

Aimy
🦅 950 **TOP 600** →

Travailleuse (germanique). Féminin anglais. Variante : Aimie. Caractérologie : pratique, communication, réalisation, adaptation, enthousiasme.

Aina
🦅 500 **TOP 800** ↗

Toujours (scandinave), amour (japonais), et forme catalane d'Anne. Caractérologie : volonté, philosophie, connaissances, sagacité, originalité.

Ainara
🦅 150 **TOP 2000**

Hirondelle (basque). Caractérologie : ambition, passion, habileté, décision, force.

Aines

Forme basque d'Agnès : chaste, pure (grec). Ce prénom est porté par moins de 100 personnes en France. Caractérologie : décision, communication, pragmatisme, créativité, optimisme.

Ainhoa
🦅 900 **TOP 700** ↗

Prénom basque qui désigne la Vierge Marie. Variantes : Ainoa, Idoia, Idoya. Caractérologie : communication, optimisme, pragmatisme, créativité, décision.

Airelle

Se rapporte à l'airelle, un petit arbuste montagnard de la famille des éricacées, et à son fruit, une baie comestible de couleur rouge ou noir bleuté. Ce prénom est porté par moins de 100 personnes en France. Variante : Erelle. Caractérologie : réflexion, détermination, humanité, intégrité, générosité.

Aitana
🌳 110

Père de tous les Basques (mythologie basque). Caractérologie : audace, direction, indépendance, décision, dynamisme.

Akiko

L'enfant de l'automne (japonais). Ce prénom est porté par moins de 100 personnes en France. Caractérologie : relationnel, intuition, fidélité, adaptabilité, médiation.

Akila
🌳 600

Intelligente (arabe). Caractérologie : savoir, intelligence, organisation, méditation, indépendance.

Alaia
🌳 190

Vertueuse (arabe), bonheur, joie (basque). Caractérologie : bienveillance, sagesse, conseil, paix, conscience.

Alaïs
🌳 850 **TOP 2000** ⬂

De noble lignée (germanique). Caractérologie : paix, conseil, conscience, sagesse, bienveillance.

Alana
🌳 1 500 **TOP 700** ⬇

Belle, calme (celte). Alana est plus traditionnellement usité en Angleterre, en Écosse et en Bretagne. Variante : Alanis. Caractérologie : réceptivité, sociabilité, loyauté, diplomatie, bonté.

Alara

Reine de tous (germanique). Féminin breton. Ce prénom est porté par moins de 100 personnes en France. Variante : Elara. Caractérologie : conscience, paix, bienveillance, sagesse, conseil.

Alba
🌳 900 **TOP 2000** ➡

Blanc (latin). Alba, qui signifie « aube » en espagnol et en italien, est plus particulièrement

usité dans les régions du monde où ces langues sont parlées. Alva est sa variante portugaise. Caractérologie : sagacité, originalité, connaissances, spiritualité, organisation.

Albane
🌳 7 000 **TOP 200** ➡

Blanc (latin). Féminin français. Variantes : Albana, Albanie, Albanna, Albanne, Albannie. Caractérologie : passion, ambition, organisation, force, habileté.

Alberte
🌳 5 000

Noble, brillante (germanique). En dehors de l'Hexagone, Alberte est particulièrement usité dans les pays scandinaves. On peut estimer que moins de 30 enfants seront prénommés ainsi en 2014. Variante : Alberta. Caractérologie : idéalisme, intégrité, altruisme, décision, gestion.

Albertine
🌳 7 000 ⬇

Noble, brillante (germanique). Ce prénom français a connu une certaine faveur dans l'Hexagone au XIXe siècle. Il s'est raréfié à partir des années 1940 mais pourrait bien renaître prochainement. On peut estimer que moins de 30 enfants seront prénommés ainsi en 2014. Variantes : Albertina, Albéria, Albérie, Aubertine. Caractérologie : découverte, énergie, organisation, résolution, audace.

Albina
🌳 300

Blanc (latin). Albina est plus traditionnellement usité en Allemagne et en Bretagne. Caractérologie : enthousiasme, pratique, communication, gestion, décision.

Alda
🌳 350

Noble (germanique). Variante : Alderine. Caractérologie : rêve, humanité, ouverture d'esprit, rectitude, générosité.

Aldora

Cadeau (grec). Ce prénom est porté par moins de 30 personnes en France. Caractérologie :

bienveillance, conscience, paix, conseil, analyse.

Aléa

Noble, admirable (arabe), qui monte (hébreu). Ce prénom est porté par moins de 100 personnes en France. Variante : Aleah. Caractérologie : autorité, autonomie, énergie, innovation, ambition.

Aléria

Comme un aigle (latin). Aléria est le nom d'une cité antique corse qui fut conquise par les Grecs, puis les Romains. C'est aujourd'hui une ville très visitée pour ses vestiges historiques. Ce prénom est porté par moins de 30 personnes en France. Caractérologie : direction, décision, audace, indépendance, dynamisme.

Alésia 🗺 200

Défense de l'humanité (grec). Caractérologie : intuition, relationnel, médiation, décision, fidélité.

Alessandra 🗺 600 TOP 2000

Défense de l'humanité (grec). Caractérologie : engagement, méthode, fiabilité, ténacité, sens du devoir.

Alessia 🗺 1 500 TOP 300

Défense de l'humanité (grec). Alessia est un prénom italien. Caractérologie : communication, pratique, enthousiasme, adaptation, décision.

Alethia

Vérité (grec). Ce prénom est porté par moins de 30 personnes en France. Caractérologie : médiation, intuition, résolution, relationnel, finesse.

Alexa 🗺 2 000

Défense de l'humanité (grec). Féminin anglais. On peut estimer que moins de 30 enfants seront prénommés ainsi en 2014.

Caractérologie : savoir, intelligence, indépendance, méditation, sagesse.

Alexandra 🗺 90 000 TOP 300

Défense de l'humanité (grec). En dehors de l'Hexagone, Alexandra est particulièrement répandu dans les pays anglophones et scandinaves. Variantes : Aléandra, Aleksandra, Alessandra, Alexandréa, Alexandria. Forme basque : Xandra. Caractérologie : achèvement, stratégie, caractère, vitalité, logique.

Alexandrine 🗺 7 000

Défense de l'humanité (grec). Féminin français. On peut estimer que moins de 30 enfants seront prénommés ainsi en 2014. Caractérologie : habileté, ambition, volonté, analyse, force.

Alexane 🗺 3 000 TOP 700

Contraction d'Alex et Anne. Variantes : Alexana, Alexanna, Alexanne. Caractérologie : habileté, ambition, force, passion, management.

Alexia 🗺 35 000 TOP 200

Défense de l'humanité (grec). Féminin grec, anglais, français et allemand. Variantes : Alexe, Alexide, Alexya, Olessia. Caractérologie : savoir, intelligence, méditation, analyse, résolution.

Alexiane 🗺 2 000 TOP 2000

Défense de l'humanité (grec). Caractérologie : détermination, habileté, ambition, force, raisonnement.

Alexie 🗺 950 TOP 2000

Défense de l'humanité (grec). Caractérologie : intuition, relationnel, raisonnement, médiation, détermination.

Alexine 🗺 1 000 TOP 2000

Défense de l'humanité (grec). Féminin anglais. Variante : Alexina. Caractérologie : intelligence, décision, savoir, logique, méditation.

ALICE

Fête : 16 décembre

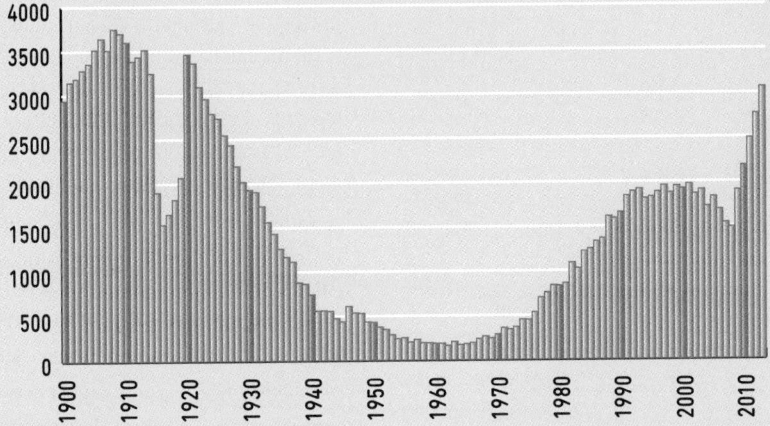

Étymologie : cet ancien dérivé d'Adélaïde vient du germain *adal*, « noble », et *heit*, « lignée », d'où la signification : « de noble lignée ». Il fut très attribué en France et en Angleterre durant le Moyen Âge, et fit prospérer de nombreuses formes du prénom. Ainsi, Alaïs, Alis, Alix, Alison, et les formes régionales bretonne (Adelice) et occitane (Aelis) connurent un bel essor durant la période médiévale. Alice resta fort en usage jusqu'au XVIIe siècle, puis se fit oublier jusqu'à ce que le roman de Lewis Carroll *Alice au pays des merveilles* contribue à sa renaissance à la fin du XIXe siècle.

Ce choix se raréfie dans les années 1930 mais revient discrètement à la fin des années 1990. Il brille déjà dans l'élite parisienne lorsqu'il s'impose dans le top 20 national en 2012. Son retour est aussi observé dans plusieurs pays européens, Suède en tête, ainsi qu'au Québec et en Wallonie. Ces succès profitent à Alicia qui prospère dans de nombreux palmarès occidentaux. Quant aux formes irlandaises Alis et Ailis, elles bourgeonnent déjà dans l'Hexagone…

Issue d'une famille aisée à Remiremont, dans les Vosges, **sainte Alice** se convertit à l'âge de 21 ans et fonda plusieurs pensionnats visant à l'éducation des jeunes filles. Leur fonctionnement perdura des siècles après sa mort, en 1622.

Personnalités célèbres : Alice Sapritch, actrice française (1916-1990) ; Alice Coltrane, musicienne et compositrice de jazz américaine (1937-2007) ; Alice Munro, femme de lettres canadienne née en 1931 ; Alice Ferney, écrivaine française née en 1967.

.../

A

23

Alice *(suite)*

Statistiques : Alice est le 34e prénom féminin le plus donné en France depuis le début du XXIe siècle. On peut estimer qu'il sera attribué à une fille sur 127 en 2014.

Aleyna 2 000 **TOP 500** →
Éclat du soleil (grec). Caractérologie : ténacité, méthode, fiabilité, engagement, bonté.

Alfréda 2 000
Noble paix (germanique). On peut estimer que moins de 30 enfants seront prénommés ainsi en 2014. Variantes : Alfredine, Frédine, Eldrida. Caractérologie : réceptivité, caractère, sociabilité, diplomatie, logique.

Alia 2 000 **TOP 500** →
Noble, admirable (arabe), qui monte (hébreu). Variantes : Allia, Aliya, Aliye. Caractérologie : dynamisme, curiosité, courage, indépendance, charisme.

Alice 95 000 **TOP 50** 🔍 ↑
De noble lignée (germanique). Variantes : Adelice, Aelis, Alis. Caractérologie : communication, pragmatisme, optimisme, résolution, créativité.

Alicia 41 000 **TOP 50** →
De noble lignée (germanique). Alicia s'envole en France et dans de nombreux pays européens, anglophones et hispanophones aujourd'hui. Voir Alice. Variantes : Allissia, Licia, Lissia. Caractérologie : stratégie, ardeur, achèvement, leadership, vitalité.

Alida 800
Noble (germanique). Caractérologie : rêve, humanité, ouverture d'esprit, rectitude, générosité.

Aliénor 3 000 **TOP 500** →
Compassion (grec). Duchesse d'Aquitaine, Aliénor épousa Louis VII et devint reine de France en 1137. Mais l'union s'avéra malheureuse et Aliénor s'empressa d'obtenir son annulation. En épousant en secondes noces Henri Plantagenêt, la belle Aliénor devint reine d'Angleterre le 18 mai 1152. Les plus connus de ses huit enfants sont Richard Cœur de Lion et Jean sans Terre. Aliénor est plus particulièrement usité en Provence et au Pays basque. Caractérologie : logique, diplomatie, sociabilité, décision, réceptivité.

Aliette 3 000 ↓
De noble lignée (germanique). On peut estimer que moins de 30 enfants seront prénommés ainsi en 2014. Caractérologie : organisation, idéalisme, altruisme, détermination, intégrité.

Alima 650 **TOP 2000** ↑
Sage, raisonnable (arabe). Caractérologie : réflexion, intégrité, altruisme, idéalisme, dévouement.

Alina 1 000 **TOP 800** →
Noble (germanique). Prénom slave et roumain. Caractérologie : autorité, innovation, énergie, décision, ambition.

Aline 69 000 **TOP 400** →
Noble (germanique). Aline est un prénom français et anglais. Variante : Alyne. Caractérologie : dynamisme, courage, curiosité, indépendance, détermination.

Aliona 170
Mon Dieu est lumière (hébreu). Prénom russe. Variante : Éliona. Caractérologie : analyse, méditation, résolution, intelligence, savoir.

Alison ⭐ 15 000 **TOP 900** ⬇
De noble lignée (germanique). En dehors de l'Hexagone, cette forme médiévale d'Alice est répandue dans les pays anglophones. Variante : Alisonne. Caractérologie : détermination, intelligence, raisonnement, savoir, méditation.

Alissa ⭐ 1 500 **TOP 900** ➡
De noble lignée (germanique). Féminin anglais. Variante : Alisa. Caractérologie : sagacité, connaissances, spiritualité, philosophie, originalité.

Alissia ⭐ 900 **TOP 2000** ↘
De noble lignée (germanique). Caractérologie : originalité, connaissances, spiritualité, philosophie, sagacité.

Alisson ⭐ 4 000 **TOP 2000** ↘
De noble lignée (germanique). Féminin anglais. On peut estimer que moins de 30 enfants seront prénommés ainsi en 2014. Variante : Alissone. Caractérologie : force, ambition, résolution, habileté, analyse.

Alix ⭐ 16 000 **TOP 100** ➡
Forme médiévale d'Alice : de noble lignée (germanique). Caractérologie : innovation, autorité, énergie, logique, ambition.

Alixe ⭐ 600 **TOP 1000** ⬆
De noble lignée (germanique). Variante : Alixen. Caractérologie : paix, bienveillance, conscience, détermination, raisonnement.

Alixia ⭐ 400 ⬇
De noble lignée (germanique). Caractérologie : sociabilité, réceptivité, diplomatie, loyauté, analyse.

Aliya ⭐ 2 000 **TOP 300** ⬆
Noble, admirable (arabe). Variantes : Aaliyah, Aliyah, Allya, Aliye. Caractérologie : communication, pragmatisme, optimisme, créativité, sociabilité.

Alizé ⭐ 2 000 **TOP 800** ➡
De noble lignée (germanique). Cette forme d'Alice se rapporte également au nom du vent qui caresse les îles des Caraïbes. Variantes : Alise, Aliséa, Alisée, Aliza, Alize, Alizia. Caractérologie : achèvement, vitalité, stratégie, ardeur, résolution.

Alizéa ⭐ 600 **TOP 2000** ➡
De noble lignée (germanique). Voir Alizé. Variante : Aliséa. Caractérologie : idéalisme, détermination, altruisme, intégrité, réflexion.

Alizée ⭐ 12 000 **TOP 300** ➡
De noble lignée (germanique). Voir Alizé. Féminin français. Caractérologie : persévérance, structure, sécurité, efficacité, détermination.

Allison ⭐ 5 000 ⬇
De noble lignée (germanique). Féminin anglais. On peut estimer que moins de 30 enfants seront prénommés ainsi en 2014. Variantes : Allisson, Allyson. Caractérologie : détermination, autorité, innovation, énergie, raisonnement.

Allyn
Belle, calme (celte). Ce prénom est porté par moins de 30 personnes en France. Caractérologie : innovation, autorité, énergie, amitié, ambition.

Alma ⭐ 1 500 **TOP 500** ↗
Nourrissant (latin). Prénom italien. Caractérologie : rectitude, rêve, humanité, ouverture d'esprit, générosité.

Almarine
Gouverner, travailler (germanique). Ce prénom est porté par moins de 30 personnes en

A

25
....

France. Variante : Almerine. Caractérologie : audace, dynamisme, direction, résolution, indépendance.

Almeda

Ambitieuse (latin). Ce prénom est porté par moins de 30 personnes en France. Variante : Almida. Caractérologie : rêve, rectitude, ouverture d'esprit, humanité, générosité.

Almeria

Princesse (espagnol, arabe). Ce prénom est porté par moins de 30 personnes en France. Caractérologie : dynamisme, indépendance, curiosité, courage, résolution.

Alna

Variante possible d'Elna (voir ce prénom). Ce prénom est porté par moins de 30 personnes en France. Caractérologie : autorité, autonomie, énergie, pionnière, ambition.

Aloïse
🇫🇷 400 (TOP 2000) ➡

Très sage (vieil allemand). Variantes : Aloïs, Aloyse, Aloysia. Caractérologie : raisonnement, méditation, intelligence, détermination, savoir.

Aloyse
🇫🇷 130

Très sage (vieil allemand). Aloyse est plus particulièrement recensé au Luxembourg. Caractérologie : curiosité, dynamisme, courage, indépendance, sympathie.

Alphanie

Se rapporte au patronyme italien Alfani, du latin *elephantus* (« éléphant »). Ce prénom est porté par moins de 30 personnes en France. Variantes : Alphania, Alphéna, Phania. Caractérologie : communication, générosité, amitié, adaptation, action.

Alphonsine
🇫🇷 3 000

Noble, vive (germanique). Féminin français. On peut estimer que moins de 30 enfants seront prénommés ainsi en 2014. Variante :

Alphie. Caractérologie : découverte, énergie, audace, ressort, analyse.

Althéa
🇫🇷 300 ➡

Guérisseuse (grec), mauve (latin). Caractérologie : diplomatie, sensibilité, réceptivité, sociabilité, organisation.

Alvina
🇫🇷 550 ⬂

Noble et fidèle (germanique). Variantes : Alvana, Alvine, Alvira, Alwena. Caractérologie : découverte, énergie, résolution, audace, originalité.

Alya
🇫🇷 2 000 (TOP 300) ⬈

Noble, admirable (arabe), qui monte (hébreu). Variante : Alyah. Caractérologie : enthousiasme, pratique, adaptation, communication, générosité.

Alycia
🇫🇷 4 000 (TOP 300) ⬈

De noble lignée (germanique). Caractérologie : équilibre, famille, sens des responsabilités, influence, exigence.

Alyson
🇫🇷 2 000 (TOP 900) ⬂

De noble lignée (germanique). Variante : Alysone. Caractérologie : curiosité, dynamisme, courage, sympathie, indépendance.

Alyssa
🇫🇷 8 000 (TOP 200) ➡

De noble lignée (germanique). Alyssa est très répandu dans les pays anglophones, notamment aux États-Unis. Caractérologie : dynamisme, indépendance, curiosité, charisme, courage.

Alyssia
🇫🇷 3 000 (TOP 400) ➡

De noble lignée (germanique). Caractérologie : découverte, énergie, séduction, audace, originalité.

Alysson
🇫🇷 1 000 (TOP 2000) ⬇

De noble lignée (germanique). Caractérologie : conscience, paix, bienveillance, amitié, conseil.

Alyzée  500 **TOP 2000** ↗

De noble lignée (germanique). Voir Alizé. Variantes : Alyséa, Alysée. Caractérologie : intuition, médiation, fidélité, relationnel, cœur.

Ama

Mère (basque), née un samedi (ghanéen). Ce prénom est porté par moins de 100 personnes en France. Caractérologie : sens des responsabilités, équilibre, exigence, famille, influence.

Amadéa

Amour de Dieu (latin). Ce prénom est porté par moins de 100 personnes en France. Variante : Amadia. Caractérologie : spiritualité, sagacité, philosophie, originalité, connaissances.

Amaëlle  450 **TOP 2000** →

Variation moderne de Maëlle : chef, prince (celte). Caractérologie : efficacité, structure, persévérance, sécurité, honnêteté.

Amaia  900 **TOP 700** →

Fin (basque). Caractérologie : connaissances, spiritualité, sagacité, philosophie, originalité.

Amal  3 000 **TOP 2000** →

Espoir (arabe), travail (hébreu). Caractérologie : réflexion, idéalisme, intégrité, altruisme, dévouement.

Amale 600

Espoir (arabe), forme basque d'Amélie. Caractérologie : découverte, originalité, audace, énergie, séduction.

Amalia 2 000 **TOP 800** →

Travailleuse (germanique). Féminin allemand, finlandais, néerlandais, espagnol, italien, grec et roumain. Aux Pays-Bas, la naissance de Catharina-Amalia (la fille du prince Willem et de Maxima) a donné des ailes à cette composition. Caractérologie : audace, direction, dynamisme, indépendance, assurance.

Amalie

Travailleuse (germanique). Ce prénom est porté par moins de 100 personnes en France. Caractérologie : découverte, résolution, énergie, audace, originalité.

Amalys

Resplendir (grec). Féminin anglais. Ce prénom est porté par moins de 30 personnes en France. Variante : Amelys. Caractérologie : ambition, force, management, passion, habileté.

Amance 170

Qui est aimée (latin). Caractérologie : ténacité, méthode, fiabilité, engagement, sécurité.

Amanda  6 000 **TOP 1000** ↘

Qui est aimée (latin). En dehors de l'Hexagone, ce prénom est particulièrement porté dans les pays anglophones. Variante : Manda. Caractérologie : méditation, savoir, indépendance, sagesse, intelligence.

Amandine  93 000 **TOP 200** ↘

Qui est aimée (latin). Féminin français. Variantes : Amande, Amandyne, Amantine. Caractérologie : méditation, décision, savoir, indépendance, intelligence.

Amane 140

Maternité (basque). Caractérologie : savoir, intelligence, méditation, sagesse, indépendance.

Amani  650 **TOP 2000** ↗

Qui aspire à quelque chose (arabe). Variante : Amany. Caractérologie : relationnel, fidélité, intuition, décision, médiation.

A

27

Amanza

Qui est aimée (latin). Amanza est plus particulièrement usité en Italie et en Corse. Ce prénom est porté par moins de 30 personnes en France. Caractérologie : bonté, diplomatie, sociabilité, loyauté, réceptivité.

Amara ⭐ 400 ◑

Dieu a parlé (hébreu), bâtisseuse (arabe), immortelle (sanscrit). Amara est plus particulièrement usité en Arménie et en Inde. Variante : Amaria. Caractérologie : savoir, intelligence, méditation, sagesse, indépendance.

Amarande ⭐ 120

Aimer (latin). Féminin français. Caractérologie : pragmatisme, communication, créativité, décision, optimisme.

Amaranthe

Plante ornementale dont le nom vient du latin *amaranthus*, et du grec *anthos* (« fleur »). Amaranthe est fêté avec Fleur, le 5 octobre. Ce prénom est porté par moins de 30 personnes en France. Variantes : Amarante, Amaranthe. Caractérologie : humanité, rectitude, générosité, sensibilité, volonté.

Amaria ⭐ 400 ◑

Dieu a parlé (hébreu), bâtisseuse (arabe). Caractérologie : sagesse, indépendance, intelligence, savoir, méditation.

Amarine

Aimer (latin). Ce prénom est porté par moins de 100 personnes en France. Caractérologie : savoir, analyse, méditation, indépendance, sagesse.

Amaris

Promise par Dieu (hébreu). Ce prénom est porté par moins de 30 personnes en France.

Caractérologie : savoir, intelligence, méditation, sagesse, indépendance.

Amaryllis ⭐ 250 ◑

Resplendir (grec). Les poètes Virgile, Théocrite et Ovide ont en commun d'avoir loué la beauté légendaire d'Amaryllis. Ce prénom français est fêté avec Fleur, le 5 octobre. Variantes : Amarillis, Amarylise. Caractérologie : relationnel, intuition, médiation, fidélité, réalisation.

Amaya ⭐ 850 (TOP 1000) →

Aimée (latin), fin (basque). Amaya est plus traditionnellement usité en Espagne et au Pays basque. Caractérologie : découverte, énergie, audace, originalité, réalisation.

Ambérine

Voir Ambre. Ce prénom est porté par moins de 30 personnes en France. Caractérologie : méthode, fiabilité, sécurité, détermination, résolution.

Ambre ⭐ 31 000 (TOP 50) ⌕ →

Se rapporte à l'ambre, substance naturelle utilisée pour faire des bijoux ou des parfums. Ce prénom est également considéré comme une forme féminine d'Ambroise, signifiant « immortel » en grec. Variantes : Ambar, Amber, Ambra. Caractérologie : optimisme, pragmatisme, communication, créativité, détermination.

Ambrine ⭐ 2 000 (TOP 500) →

Voir Ambre. Caractérologie : vitalité, ardeur, achèvement, stratégie, décision.

Ambroisine ⭐ 600

Voir Ambre. Variante : Ambrosine. Caractérologie : conscience, bienveillance, volonté, paix, détermination.

AMBRE

Fête : 7 décembre

Étymologie : cette forme féminine d'Ambroise tire ses origines du grec *ambrosios*, « immortel ». Ambre se rapporte également à une substance végétale utilisée par l'homme depuis l'aube des temps. La première Ambre de France est née en 1956 mais elle n'a guère fait d'émules avant les années 1990. Elle serait toujours inconnue si la vague des prénoms de la nature n'avait pas croisé son destin. Galvanisée par la gloire de Jade, Ambre a supplanté Océane ; elle est aujourd'hui au seuil du top 20 français.

En dehors de l'Hexagone, Ambre fait recette en Belgique, mais Amber décline dans les pays anglophones, où elle termine sa carrière. Notons qu'au cours de l'histoire les Latins appelaient l'ambre jaune *succinum* et les Arabes désignaient l'ambre gris *anber*. Cet héritage culturel fait d'Ambre un prénom arabe particulièrement prisé par les couples mixtes.

Saint Ambroise fut l'un des plus grands liturgistes de l'Église. Docteur de l'Église latine, il devint archevêque de Milan au IVe siècle.

Appelé l'or du Nord, l'ambre fut une monnaie d'échange dans la Rome antique et un précieux objet de marchandise pour les Grecs. L'ambre jaune est une résine végétale fossilisée qui est souvent utilisée pour orner des bijoux. Quant à l'ambre gris, il peut être utilisé pour fabriquer de l'encens ou des parfums.

Statistiques : Ambre est le 37e prénom féminin le plus donné en France depuis le début du XXIe siècle. On peut estimer qu'il sera attribué à une fille sur 164 en 2014.

A

Amel ⭐ 10 000 **TOP 300** →
Espoir (arabe). Caractérologie : structure, efficacité, sécurité, persévérance, honnêteté.

Amele ⭐ 500
Espoir (arabe). Caractérologie : altruisme, intégrité, idéalisme, réflexion, dévouement.

Amélia ⭐ 8 000 **TOP 200** →
Travailleuse (germanique). Grâce à la popularité de la princesse anglaise du même nom, Amelia a connu une certaine faveur en Angleterre au XVIIIe siècle. Depuis, ce prénom s'est largement répandu en Italie, en Allemagne et dans les pays anglophones, hispanophones et lusophones. Ce prénom traditionnel basque et corse pourrait prochainement supplanter Amélie dans le classement français. Caractérologie : dynamisme, courage, indépendance, résolution, curiosité.

Amélie ⭐ 81 000 **TOP 200** ↘
Travailleuse (germanique). Peu attribué par le passé, Amélie bourgeonne au XVIIe siècle grâce à la popularité de la princesse anglaise Amelia. Ce prénom fait des émules dans les familles royales et prénomme d'autres têtes couronnées (incluant quelques Marie-Amélie) avant de se répandre plus largement en France. Il revient à lui après un long sommeil, à la fin des années 1980, s'imposant dans les 20 premiers rangs à son dernier pic, en 1991. Variantes : Amelia, Amellia, Amélya, Amely, Amelys, Amilia. Caractérologie : réflexion, altruisme, résolution, intégrité, idéalisme.

Ameline ⭐ 2 000 **TOP 2000** ↘
Travailleuse (germanique). Féminin français. Variantes : Amelina, Amelyne. Formes basques et corses : Ameli, Amelia. Caractérologie : originalité, énergie, découverte, résolution, audace.

Amelle ⭐ 1 500 ↘
Espoir (arabe). On peut estimer que moins de 30 enfants seront prénommés ainsi en 2014. Caractérologie : enthousiasme, pratique, adaptation, générosité, communication.

Aménis
Se rapporte à Améni, pharaon de la XIIIe dynastie égyptienne. Ce prénom est porté par moins de 100 personnes en France. Caractérologie : résolution, connaissances, sagacité, spiritualité, originalité.

Amicie ⭐ 350 →
Qui est aimée (latin). Caractérologie : engagement, méthode, fiabilité, ténacité, sens du devoir.

Amina ⭐ 9 000 **TOP 200** →
Loyale, digne de confiance (arabe). Variante : Amine. Caractérologie : relationnel, intuition, médiation, fidélité, décision.

Aminata ⭐ 5 000 **TOP 400** →
Loyale, digne de confiance (arabe). Caractérologie : curiosité, courage, résolution, dynamisme, indépendance.

Amira ⭐ 5 000 **TOP 200** ↗
Prince (arabe), proclamée (hébreu). Caractérologie : paix, bienveillance, conscience, conseil, sagesse.

Amy ⭐ 2 000 **TOP 500** →
Qui est aimée (latin). Féminin anglais. Caractérologie : optimisme, pragmatisme, créativité, communication, réussite.

Ana ⭐ 8 000 **TOP 300** →
Grâce (hébreu). Ana est très répandu dans les pays hispanophones, lusophones et slaves méridionaux. C'est aussi un choix traditionnel basque. Variantes : Ane, Ani. Caractérologie : connaissances, spiritualité, sagacité, originalité, philosophie.

Anabel 🇫🇷 550 →
Grâce (hébreu). Prénom espagnol. Caractérologie : organisation, force, ambition, habileté, passion.

Anabelle 🇫🇷 2 000 **TOP 2000** ↗
Grâce (hébreu). Variantes : Anabela, Anabella. Caractérologie : savoir, intelligence, indépendance, méditation, organisation.

Anaé 🇫🇷 4 000 **TOP 100** ↑
Contraction d'Anne et Hanaé. Variante : Naé. Caractérologie : adaptation, communication, pratique, enthousiasme, générosité.

Anaël 🇫🇷 1 500 **TOP 2000** ↘
Grâce (hébreu). Variante : Annaël. Caractérologie : équilibre, sens des responsabilités, influence, exigence, famille.

Anaëlle 🇫🇷 20 000 **TOP 100** →
Grâce (hébreu). Cette forme bretonne d'Anne peut également être orthographiée sans tréma. Variantes : Anaële, Enaëlle. Caractérologie : curiosité, dynamisme, indépendance, courage, charisme.

Anaïa 🇫🇷 140 **TOP 2000**
Dieu a répondu (hébreu), frère (basque). Bien que ce nom apparaisse au masculin dans l'Ancien Testament, Anaia est uniquement attribué aux filles dans l'Hexagone. Caractérologie : force, ambition, habileté, résolution, passion.

Anaïg 🇫🇷 190
Grâce (hébreu). Cette forme bretonne d'Anne peut également être orthographiée sans tréma. Variantes : Anaïck, Anaïk. Caractérologie : découverte, énergie, audace, originalité, résolution.

Anaïs 🇫🇷 120 000 **TOP 50** ↘
Grâce (hébreu). Ce dérivé d'Anne fleurit en France dans les années 1980 alors que le parfum du même nom connaît un succès fulgurant. Anaïs atteint très vite son zénith, s'imposant au 4e rang du classement en 1993, avant de décliner. Ce prénom rendu célèbre par Anaïs Nin, l'écrivaine américaine d'origine cubaine (1903-77), est peu répandu dans les pays anglophones. Variante : Annaïs. Caractérologie : habileté, ambition, force, passion, détermination.

Analia 🇫🇷 150 **TOP 2000**
Contraction espagnole d'Ana et Lia. Caractérologie : résolution, diplomatie, loyauté, réceptivité, sociabilité.

Anastasia 🇫🇷 6 000 **TOP 500** →
Résurrection (grec). Anastasia est plus particulièrement répandu en Grèce, en Russie, dans les pays anglophones et hispanophones. Variantes : Anastassia, Anasthasia. Caractérologie : fiabilité, ténacité, méthode, engagement, décision.

Anastasie 🇫🇷 1 000 →
Résurrection (grec). Variante : Anasthasie. Caractérologie : vitalité, achèvement, stratégie, décision, ardeur.

Anathilde
Contraction d'Anna et Mathilde. Ce prénom est porté par moins de 30 personnes en France. Caractérologie : autorité, innovation, décision, attention, autonomie.

Anatolie
Aube, soleil levant (grec). Ce prénom est porté par moins de 100 personnes en France. Variantes : Anatolia, Anatoline. Caractérologie : audace, énergie, découverte, résolution, analyse.

Anaya 🇫🇷 250 **TOP 1000** ↑
Unique, inégalée (sanscrit), variante d'Anaia. Également un nom de lieu et un patronyme

A

31

espagnol. Prénom indien d'Asie. Caractérologie : conscience, bienveillance, conseil, paix, sagesse.

Anceline

Servante (latin). Ce prénom est porté par moins de 100 personnes en France. Caractérologie : ouverture d'esprit, rêve, décision, humanité, rectitude.

Andréa
🌟 27 000 **TOP 200** →

Force, courage (grec). Andrea apparaît dans les pays anglophones dès le XVIIe siècle, mais son attribution reste modeste jusque dans les années 1950, où il connaît un boom de popularité. Son succès se propage en France, et lui permet en 1995 de s'imposer dans le top 60 féminin. Une fortune qui a permis de révéler Andrea au masculin. Ce prénom est également répandu en Allemagne, en Hongrie, dans les pays scandinaves et au Pays basque. Variantes : Andréane, Andréanne, Andria, Andreva. Caractérologie : intelligence, savoir, méditation, indépendance, décision.

Andrée
🌟 108 000

Force, courage (grec). Ce féminin d'André se révèle au début du XXe siècle et culmine au 10e rang féminin en 1919. Bien qu'il ait grandi dans le sillon d'André, ce prénom a été trois fois moins attribué que son masculin au siècle dernier. On peut estimer que moins de 30 enfants seront prénommés ainsi en 2014. Variante : Andrette. Caractérologie : intuition, relationnel, médiation, résolution, fidélité.

Andreia
🌟 500 **TOP 2000** →

Force, courage (grec). Ce prénom est particulièrement répandu au Portugal. Caractérologie : connaissances, spiritualité, originalité, sagacité, détermination.

Andriana

Force, courage (grec). Féminin scandinave. Ce prénom est porté par moins de 100 personnes en France. Variantes : Andriane, Andrianna, Andrianne, Andrina, Andrine, Drina. Caractérologie : stratégie, motivation, management, passion, ambition.

Andriette

Force, courage (grec). Féminin scandinave. Ce prénom est porté par moins de 30 personnes en France. Variante : Andrietta. Caractérologie : équilibre, conscience, volonté, influence, exigence.

Anémone
🌟 190

Nom de fleur (grec). Caractérologie : structure, persévérance, sécurité, efficacité, volonté.

Ange
🌟 1 500 **TOP 2000** →

Messagère (grec). Variantes : Angie, Angy. Caractérologie : humanité, rectitude, rêve, générosité, tolérance.

Angel
🌟 600 **TOP 2000** →

Messagère (grec). Angel est très attribué aux États-Unis. Caractérologie : optimisme, communication, sympathie, pragmatisme, créativité.

Angéla
🌟 8 000 **TOP 300** ↗

Messagère (grec). Angela est un prénom anglais, allemand, grec, néerlandais, roumain, russe et slave. Variante : Angella. Caractérologie : efficacité, structure, persévérance, amitié, sécurité.

Angèle
🌟 29 000 **TOP 200** ↘

Messagère (grec). Prénom français. Sainte Angèle de Merici, fondatrice de l'ordre des Ursulines, vécut en Italie au XVIe siècle. Variantes : Angélia, Angélie, Angelle. Caractérologie : habileté, ambition, cœur, passion, force.

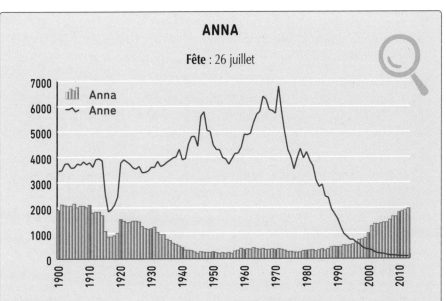

ANNA

Fête : 26 juillet

Étymologie : de l'hébreu *hannah*, « grâce ». La tradition bretonne dit que sainte Anne serait née en Bretagne, qu'elle serait allée en Judée pour y épouser Joachim, et qu'elle serait revenue terminer ses jours dans son pays natal. Avant de devenir la très populaire patronne de la Bretagne, et bien avant les débuts du christianisme, les Gaulois vénéraient Ana, la déesse de la Fertilité et la mère des dieux celtes. Son assimilation à sainte Anne, la mère de Marie dans la Bible, a épaissi la part de mystère qui lui est associée.

Ce prénom employé en Orient aux premiers siècles est très attribué au Moyen Âge dans le monde chrétien. La forme Anna apparaît à partir du XVIIIe siècle dans les pays occidentaux et dispute rapidement la suprématie d'Anne dans les pays anglophones. Elle figure aujourd'hui dans les tops 30 des classements anglophones (avec Hannah), ainsi que dans les 10 premières attributions allemandes, espagnoles, arméniennes, danoises, russes, autrichiennes, slovènes et brésiliennes. Autant dire que ce choix international rafle tous les trophées. En attendant de conquérir le Québec, Anna vient de percer dans le top 30 français. Elle attendait sans doute le reflux d'Anaïs pour prendre toute sa place.

De nombreuses saintes, princesses et reines illustrèrent ce prénom. **Anne d'Autriche**, épouse de Louis XIII, fut reine de France en 1615. À la mort de son époux, elle prit la régence du royaume de 1643 à 1651, jusqu'à la majorité de son fils Louis XIV. **Anne Boleyn**, dont le mariage avec Henri VIII est à l'origine du schisme anglican, fut reine d'Angleterre jusqu'à ce que son époux

.../

A

Anna *(suite)*

roi la fasse décapiter pour adultère, haute trahison et inceste, à Londres le 19 mai 1536. Elle est la mère d'Élisabeth Ire et l'une des reines anglaises les plus célèbres de l'histoire.

Personnalités célèbres : Anna Freud, psychanalyste britannique d'origine autrichienne (1895-1982) ; Anna Ivanovna, impératrice de Russie (1693-1740) ; Ann Radcliffe, romancière britannique (1764-1823) ; Anne Brontë, femme de lettres britannique (1820-1849) ; Anne Sylvestre, chanteuse, auteure et compositrice française ; Anne Roumanoff, humoriste française.

Ce prénom fut par le passé employé au masculin, mais il n'est plus que marginalement attribué à des garçons. **Anne-Louis Girodet**, peintre français (1767-1824), et **Anne de Montmorency** (1493-1567), figure influente de la Renaissance française, ont illustré ce prénom.

Statistiques : Anna est le 47ᵉ prénom féminin le plus donné en France depuis le début du XXIᵉ siècle. On peut estimer qu'il sera attribué à une fille sur 197 en 2014 (contre une fille sur 4 500 pour **Anne**). De son côté, **Anaïs** devrait prénommer une fille sur 173 et figurer au 13ᵉ rang du palmarès.

Angelica 🏵 1 500 (TOP 2000) →
Messagère (grec). Féminin italien, roumain, espagnol et portugais. On peut estimer que moins de 30 enfants seront prénommés ainsi en 2014. Caractérologie : sagacité, connaissances, spiritualité, résolution, sympathie.

Angelina 🏵 17 000 (TOP 200) ↓
Messagère (grec). Angelina est plus particulièrement répandu en Italie, en Russie, en Pologne, en Allemagne et dans les pays anglophones. Caractérologie : rectitude, humanité, détermination, amitié, rêve.

Angeline 🏵 11 000 (TOP 400) →
Messagère (grec). Féminin français. Caractérologie : résolution, structure, sécurité, persévérance, sympathie.

Angélique 🏵 89 000 (TOP 700) ↓
Messagère (grec). Féminin français. Caractérologie : autorité, innovation, action, énergie, cœur.

Angie 🏵 2 000 (TOP 800) ↘
Messagère (grec). Féminin anglais. Caractérologie : résolution, humanité, tolérance, rêve, rectitude.

Anh 🏵 150
Reflet, rayon lumineux (vietnamien). Caractérologie : découverte, énergie, séduction, originalité, audace.

Ania 🏵 800 (TOP 900) →
Grâce (hébreu). Ania est très répandu en Pologne et en Russie. Caractérologie : savoir, intelligence, méditation, indépendance, détermination.

Anick 🏵 3 000
Grâce (hébreu). On peut estimer que moins de 30 enfants seront prénommés ainsi en 2014. Variante : Anik. Caractérologie : sociabilité, gestion, diplomatie, décision, réceptivité.

Anie 🏵 600
Grâce (hébreu). Caractérologie : intuition, médiation, relationnel, fidélité, décision.

Aniela 🦅 350

Messagère (grec). Dans l'Hexagone, Aniela est plus traditionnellement usité au Pays basque. Caractérologie : éthique, famille, influence, équilibre, détermination.

Anissa 🦅 17 000 (TOP 300) ↘

Sociable, sympathique (arabe). Ce prénom est particulièrement répandu dans les communautés musulmanes francophones. Variantes : Anicia, Anise, Annissa, Anissia, Anyse, Anysia, Anyssa, Anyssia. Caractérologie : décision, réflexion, altruisme, idéalisme, intégrité.

Anita 🦅 27 000 (TOP 2000) →

Grâce (hébreu). Féminin espagnol, portugais, anglais, français, néerlandais et scandinave. Caractérologie : humanité, rêve, rectitude, détermination, tolérance.

Ann 🦅 550

Grâce (hébreu). Féminin anglais. Caractérologie : relationnel, intuition, médiation, fidélité, adaptabilité.

Anna 🦅 54 000 (TOP 50) 🔍 →

Grâce (hébreu). Caractérologie : adaptation, communication, enthousiasme, pratique, générosité.

Annabel 🦅 2 000

Grâce (hébreu). Féminin anglais. On peut estimer que moins de 30 enfants seront prénommés ainsi en 2014. Caractérologie : structure, persévérance, sécurité, organisation, efficacité.

Annabella 🦅 650 ↗

Grâce (hébreu). Féminin anglais. Variante : Anabella. Caractérologie : ambition, force, organisation, habileté, passion.

Annabelle 🦅 17 000 (TOP 600) →

Grâce (hébreu). En dehors de l'Hexagone, Annabelle est répandu dans les pays anglophones. Caractérologie : pragmatisme, communication, optimisme, créativité, organisation.

Annaëlle 🦅 4 000 (TOP 400) →

Forme bretonne d'Anne : grâce (hébreu). Caractérologie : innovation, autonomie, énergie, autorité, ambition.

Annaïck 🦅 1 000

Grâce (hébreu). Caractérologie : habileté, organisation, force, ambition, détermination.

Annaïg 🦅 1 000 →

Forme bretonne d'Anne : grâce (hébreu). Caractérologie : décision, audace, direction, dynamisme, indépendance.

Annalie

Contraction d'Anne et Nathalie. Ce prénom est porté par moins de 100 personnes en France. Caractérologie : médiation, relationnel, fidélité, adaptabilité, intuition.

Anne 🦅 271 000 (TOP 700) ↘

Grâce (hébreu). Anne et ses formes dérivées sont très attribuées dans les pays occidentaux du haut Moyen Âge au début du XIXe siècle. Ses occurrences fléchissent ensuite mais se maintiennent à un niveau élevé, de sorte qu'Anne a peu d'efforts à fournir pour s'imposer dans le top 20 français de 1960 à 1973. En France comme dans les pays anglophones, Anne se replie plus nettement depuis le début des années 2000. La formidable ascension d'Anna n'est pas étrangère à ce recul (voir le zoom dédié à ce prénom). ◇ Plusieurs têtes couronnées illustrèrent ce prénom. Au XVIIe siècle, Anne d'Autriche assura la régence de la France pendant treize ans jusqu'à ce que Louis XIV

A

35
·······

soit en âge de gouverner. Sainte Anne, épouse de saint Joachim, fut la mère de Marie et la grand-mère de Jésus. La tradition bretonne dit qu'elle serait née en Bretagne, serait allée en Judée pour y épouser Joachim, et serait revenue terminer ses jours dans son pays natal. Caractérologie : connaissances, sagacité, spiritualité, philosophie, originalité.

Anne-Cécile 🌟 4 000

Forme composée d'Anne et Cécile. On peut estimer que moins de 30 enfants seront prénommés ainsi en 2014. Caractérologie : vitalité, achèvement, stratégie, décision, ardeur.

Anne-Charlotte 🌟 4 000 ➡️

Forme composée d'Anne et Charlotte. On peut estimer que moins de 30 enfants seront prénommés ainsi en 2014. Caractérologie : innovation, énergie, autorité, attention, logique.

Anne-Claire 🌟 6 000 ⬇️

Forme composée d'Anne et Claire. On peut estimer que moins de 30 enfants seront prénommés ainsi en 2014. Caractérologie : énergie, innovation, résolution, autorité, ambition.

Anne-Élisabeth 🌟 600

Forme composée d'Anne et Élisabeth. Caractérologie : connaissances, sagacité, détermination, spiritualité, sensibilité.

Anne-Laure 🌟 19 000 TOP 2000 ⬇️

Forme composée d'Anne et Laure. On peut estimer que moins de 30 enfants seront prénommés ainsi en 2014. Caractérologie : résolution, innovation, autorité, ambition, énergie.

Anneliese 🌟 500

Contraction d'Anne et Élisabeth. Anneliese est plus particulièrement répandu en Allemagne. Caractérologie : communication, pratique, enthousiasme, adaptation, détermination.

Anne-Lise 🌟 8 000 TOP 2000 ⬇️

Forme composée d'Anne et Lise. On peut estimer que moins de 30 enfants seront prénommés ainsi en 2014. Caractérologie : intelligence, savoir, méditation, détermination, indépendance.

Annelyse 🌟 600

Grâce (hébreu). Caractérologie : audace, découverte, énergie, originalité, cœur.

Anne-Lyse 🌟 700 ⬇️

Forme composée d'Anne et Lyse. Caractérologie : courage, dynamisme, curiosité, indépendance, cœur.

Anne-Marie 🌟 85 000 ⬇️

Forme composée d'Anne et Marie. Féminin français. On peut estimer que moins de 30 enfants seront prénommés ainsi en 2014. Caractérologie : force, ambition, habileté, passion, détermination.

Anne-Sophie 🌟 30 000 TOP 2000 ⬇️

Forme composée d'Anne et Sophie. Féminin français. On peut estimer que moins de 30 enfants seront prénommés ainsi en 2014. Caractérologie : intelligence, résolution, méditation, savoir, ressort.

Annette 🌟 24 000 ⬇️

Grâce (hébreu). Féminin français. On peut estimer que moins de 30 enfants seront prénommés ainsi en 2014. Caractérologie : intelligence, méditation, indépendance, savoir, sagesse.

Annick 🌟 120 000

Grâce (hébreu). Féminin français. On peut estimer que moins de 30 enfants seront prénommés ainsi en 2014. Caractérologie : organisation, résolution, spiritualité, sagacité, connaissances.

Annie 🌸 194 000 ↘

Grâce (hébreu). Ce diminutif d'Anne atteint son pic de popularité dans les pays anglophones peu après avoir émergé à la fin du XIXe siècle. Il décolle dans les années 1930 en France et bondit au 8e rang féminin en 1947, son point culminant. On peut estimer que moins de 30 enfants seront prénommés ainsi en 2014. Caractérologie : intelligence, indépendance, savoir, méditation, décision.

Annik 🌸 2 000

Grâce (hébreu). On peut estimer que moins de 30 enfants seront prénommés ainsi en 2014. Caractérologie : structure, sécurité, efficacité, décision, persévérance.

Anny 🌸 8 000

Grâce (hébreu). Féminin français. On peut estimer que moins de 30 enfants seront prénommés ainsi en 2014. Caractérologie : altruisme, idéalisme, réflexion, dévouement, intégrité.

Anouchka 🌸 1 500 TOP 2000 →

Grâce (hébreu). Féminin russe et polonais. Caractérologie : sensibilité, sociabilité, réceptivité, diplomatie, organisation.

Anouck 🌸 2 000 TOP 700 →

Grâce (hébreu). Féminin français. Variante : Annouck. Caractérologie : organisation, diplomatie, réceptivité, sociabilité, loyauté.

Anouk 🌸 7 000 TOP 200 →

Grâce (hébreu). Ce prénom français est très attribué aux Pays-Bas. Variante : Annouk. Caractérologie : achèvement, vitalité, stratégie, organisation, ardeur.

Anthéa 🌸 1 500 TOP 2000 ↘

Fleur (grec). Forme corse : Antea. Caractérologie : sécurité, persévérance, structure, efficacité, attention.

Antinéa 🌸 160

Fleur (grec). Variante : Anthinéa. Caractérologie : innovation, énergie, autorité, ambition, détermination.

Antoinette 🌸 30 000 TOP 2000

Inestimable (latin), fleur (grec). Féminin français. On peut estimer que moins de 30 enfants seront prénommés ainsi en 2014. Caractérologie : équilibre, sens des responsabilités, famille, influence, détermination.

Antonella 🌸 1 000 →

Inestimable (latin), fleur (grec). Caractérologie : méthode, ténacité, engagement, fiabilité, gestion.

Antonia 🌸 5 000 TOP 2000 →

Inestimable (latin), fleur (grec). Antonia est répandu dans de nombreux pays européens et hispanophones. C'est aussi un choix basque traditionnel. Variante : Antonie. Caractérologie : résolution, intuition, relationnel, fidélité, médiation.

Antonie 🌸 160

Inestimable (latin), fleur (grec). Caractérologie : famille, influence, équilibre, détermination, sens des responsabilités.

Antonina 🌸 400

Inestimable (latin), fleur (grec). Caractérologie : méditation, intelligence, savoir, décision, indépendance.

Antonine 🌸 950 ↗

Inestimable (latin), fleur (grec). Caractérologie : intuition, médiation, fidélité, relationnel, résolution.

Any 🌸 600

Grâce (hébreu). Caractérologie : structure, sécurité, persévérance, honnêteté, efficacité.

A

Anya 🇫🇷 700 `TOP 900` →

Grâce (hébreu). Prénom russe. Caractérologie : énergie, audace, séduction, originalité, découverte.

Aoife

Très belle (irlandais). Ce prénom est porté par moins de 100 personnes en France. Caractérologie : altruisme, idéalisme, réflexion, intégrité, décision.

Aphrodite

Dans la mythologie grecque, Aphrodite est la déesse de l'Amour et de la Beauté. Ce prénom est porté par moins de 100 personnes en France. Caractérologie : équilibre, famille, sensibilité, sens des responsabilités, réalisation.

Apolline 🇫🇷 10 000 `TOP 100` ↗

Qui vient d'Apollonie (grec). Dans la mythologie grecque, Apolline se rapporte à Apollon, le dieu de la Lumière. Féminin français. Variantes : Apoline, Apollonie, Appolonie, Appollonie, Polonia, Polonie. Caractérologie : pragmatisme, optimisme, communication, sympathie, analyse.

Appoline 🇫🇷 1 000 `TOP 1000` →

Qui vient d'Apollonie (grec). Caractérologie : intelligence, méditation, sympathie, savoir, analyse.

April 🇫🇷 450 `TOP 2000` ↗

Qui bourgeonne (latin). Féminin anglais. Caractérologie : relationnel, adaptabilité, médiation, intuition, fidélité.

Araia

Nom de rivière (basque). Ce prénom est porté par moins de 30 personnes en France. Caractérologie : communication, pragmatisme, créativité, optimisme, sociabilité.

Arana

Nid d'oiseau (tahitien). Ce prénom est porté par moins de 30 personnes en France. Caractérologie : habileté, ambition, management, passion, détermination.

Araxie

De l'Araxe, fleuve arménien (arménien). Féminin arménien. Ce prénom est porté par moins de 30 personnes en France. Caractérologie : fiabilité, méthode, engagement, décision, ténacité.

Arcadia

Qui vient d'Arcadie (latin). L'Arcadie est une zone montagneuse du Péloponnèse située en Grèce. Ce prénom est porté par moins de 30 personnes en France. Variante : Arcadie. Caractérologie : innovation, énergie, autorité, autonomie, ambition.

Argane

Argent (celte). Féminin breton. Ce prénom est porté par moins de 100 personnes en France. Caractérologie : énergie, autorité, ambition, innovation, décision.

Argine

Lumière (basque). Ce prénom est porté par moins de 30 personnes en France. Variante : Argia. Caractérologie : ouverture d'esprit, humanité, rectitude, générosité, rêve.

Aria

Une aria désigne un air de musique en italien. Ce prénom est porté par moins de 100 personnes en France. Variante : Arya. Caractérologie : intuition, médiation, relationnel, fidélité, adaptabilité.

Ariana 🇫🇷 350 `TOP 2000`

Sacré (grec). Variante : Arianna. Caractérologie : stratégie, achèvement, détermination, ardeur, vitalité.

Ariane  9 000 TOP 900

Sacré (grec). Ariane est un prénom français et allemand. Variante : Arianne. Caractérologie : communication, enthousiasme, pratique, adaptation, décision.

Aricie

La meilleure (grec). Dans la mythologie grecque, la princesse Aricie est l'épouse d'Hippolyte, le fils du roi d'Athènes. Ce prénom est porté par moins de 30 personnes en France. Caractérologie : humanité, rectitude, rêve, tolérance, résolution.

Arielle  3 000 TOP 2000

Lionne de Dieu (hébreu). Féminin français. Variante : Ariel. Caractérologie : achèvement, vitalité, ardeur, stratégie, décision.

Arima

L'âme (basque). Ce prénom est porté par moins de 30 personnes en France. Caractérologie : conscience, bienveillance, paix, conseil, sagesse.

Aristée

Le meilleur (grec). Ce prénom est porté par moins de 30 personnes en France. Caractérologie : indépendance, curiosité, dynamisme, courage, décision.

Arlène 450

Promesse (irlandais). Féminin anglais. Variantes : Arléna, Arlina, Arline. Caractérologie : indépendance, audace, direction, dynamisme, résolution.

Arlette 63 000

Promesse (irlandais). Féminin français. On peut estimer que moins de 30 enfants seront prénommés ainsi en 2014. Variante : Arletty. Caractérologie : détermination, rêve, rectitude, humanité, organisation.

Armance  600 TOP 2000

Forte, armée (germanique). Caractérologie : direction, audace, indépendance, dynamisme, détermination.

Armande 5 000

Forte, armée (germanique). Féminin français. On peut estimer que moins de 30 enfants seront prénommés ainsi en 2014. Variante : Armanda. Caractérologie : sociabilité, décision, diplomatie, loyauté, réceptivité.

Armandine  1 500

Forte, armée (germanique). On peut estimer que moins de 30 enfants seront prénommés ainsi en 2014. Variante : Armantine. Caractérologie : sagacité, originalité, connaissances, spiritualité, résolution.

Armelle 25 000 TOP 2000

Prince, ours (celte). Féminin français et breton. Variantes : Armel, Armeline. Caractérologie : pragmatisme, créativité, décision, communication, optimisme.

Armonie 350

Harmonie, unité (latin). Variante : Armony. Caractérologie : pragmatisme, optimisme, communication, volonté, détermination.

Artéa

Arbre, verdure (basque). Ce prénom est porté par moins de 30 personnes en France. Caractérologie : humanité, rectitude, ouverture d'esprit, rêve, détermination.

Arthémise

Divine (latin). Artémis, la fille de Zeus et Léto dans la mythologie grecque, est la déesse de la Chasse. Elle est l'équivalent grec de la déesse romaine Diane. Ce prénom est porté par moins de 100 personnes en France. Caractérologie : achèvement, vitalité, stratégie, détermination, sensibilité.

Arthurine

Ours (celte). Féminin français. Ce prénom est porté par moins de 30 personnes en France. Variante : Arthuria. Caractérologie : finesse, conscience, paix, bienveillance, résolution.

Arwen 🎌 1 000 **TOP 700** ↘

Surnommée « Étoile du Soir », Arwen, l'Elfe immortelle du *Seigneur des anneaux*, a été inventée par J. R. R. Tolkien. Caractérologie : indépendance, méditation, savoir, intelligence, résolution.

Arya

Noble, honorée (sanscrit), variante d'Aria. Ce prénom est porté par moins de 100 personnes en France. Caractérologie : rêve, générosité, tolérance, intégrité, humanité.

Arzu 🎌 450

Ours (celte). Prénom breton. Caractérologie : enthousiasme, communication, pratique, générosité, adaptation.

Asha

Espoir (sanskrit). Asha est répandu en Inde. Ce prénom est porté par moins de 100 personnes en France. Caractérologie : médiation, intuition, fidélité, adaptabilité, relationnel.

Ashley 🎌 3 000 **TOP 300** ↗

Frênes dans un pré (anglais). Ce prénom mixte est très en vogue aux États-Unis. En France, Ashley est plus fréquemment attribué aux filles. Caractérologie : intelligence, méditation, savoir, amitié, indépendance.

Asia 🎌 450 **TOP 2000** →

Celle qui guérit (arabe), résurrection (grec). Féminin anglais. Variante : Azia. Caractérologie : pragmatisme, communication, optimisme, créativité, sociabilité.

Asma 🎌 6 000 **TOP 300** ↗

Sublime, de haut rang (arabe). Variantes : Assma, Smahen. Caractérologie : spiritualité, philosophie, connaissances, sagacité, originalité.

Asmaa 🎌 1 500 **TOP 700** ↑

Sublime, de haut rang (arabe). Variante : Asmae. Caractérologie : passion, management, force, habileté, ambition.

Asmin 🎌 170 **TOP 600**

Fleur de jasmin (persan). Caractérologie : intuition, loyauté, adaptabilité, médiation, détermination.

Assia 🎌 11 000 **TOP 100** ↗

Celle qui guérit (arabe). Dans la tradition islamique, Assia est l'épouse du pharaon qui recueillit Moïse du Nil et en fit son fils adoptif. Ce prénom est attribué de longue date dans les cultures musulmanes. Variantes : Assa, Hassya, Essia, Essya. Caractérologie : ténacité, sens du devoir, méthode, fiabilité, engagement.

Assya 🎌 1 500 **TOP 400** ↑

Celle qui guérit (arabe). Caractérologie : intuition, relationnel, médiation, fidélité, adaptabilité.

Astrid 🎌 16 000 **TOP 600** ↘

Divine (scandinave). Ce prénom a été illustré par Astrid, la très populaire reine des Belges au début du XXe siècle. Astrid est particulièrement répandu dans les pays scandinaves et en Allemagne. Variante : Astrée. Caractérologie : ambition, force, habileté, management, passion.

Asya 🎌 750 **TOP 900** ↗

Celle qui guérit (arabe), résurrection (grec). Caractérologie : autorité, innovation, énergie, ambition, autonomie.

Atéa

Déesse du Firmament (tahitien). Ce prénom est porté par moins de 100 personnes en France. Caractérologie : humanité, rectitude, générosité, rêve, ouverture d'esprit.

Athalie

Dieu est exalté (hébreu). Ce prénom est porté par moins de 100 personnes en France. Variante : Athalia. Forme basque : Atalia. Caractérologie : sociabilité, réceptivité, diplomatie, attention, décision.

Athéna 🏆 850 (TOP 900) →

Dans la mythologie grecque, Athéna est la déesse de la Sagesse, des Sciences et des Arts. En 2012, la princesse Marie et le prince Joachim de Danemark ont prénommé leur fille Athena. Variantes : Athène, Athénéa, Athina. Caractérologie : finesse, méthode, fiabilité, ténacité, engagement.

Athénaïs 🏆 2 000 (TOP 600) →

Contraction d'Athéna et Anaïs. Prénom français. La plus célèbre des Athénaïs est sans aucun doute la marquise de Montespan. Longtemps favorite de Louis XIV, avec lequel elle eut sept enfants, Athénaïs de Montespan veilla à établir une cour fastueuse, raffinée et dominée par le bel esprit (Molière, La Fontaine). Libre d'esprit, elle choisit d'être appelée par son deuxième prénom, Athénaïs, au détriment du premier (Françoise). Variantes : Athanaïs, Athanasia, Athanase, Athanaïse, Athanasie, Athénaïse. Caractérologie : audace, découverte, décision, attention, énergie.

Atika 🏆 600

Noble, pure, d'une grande beauté (arabe). Caractérologie : paix, bienveillance, conscience, sagesse, conseil.

Aubane 🏆 650 (TOP 2000) ↘

Blanc (latin). Variante : Aube. Caractérologie : organisation, achèvement, vitalité, stratégie, ardeur.

Aubeline

Blanc (latin). Ce prénom est porté par moins de 100 personnes en France. Caractérologie : organisation, sens des responsabilités, équilibre, famille, détermination.

Aude 🏆 31 000 (TOP 900) ↓

Richesse (germanique). Féminin français. Variantes : Audélia, Audélie, Audeline, Haude. Forme occitane : Auda. Caractérologie : ténacité, méthode, engagement, fiabilité, sens du devoir.

Audrey 🏆 139 000 (TOP 500) ↓

Noble, puissante (germanique). Ce prénom est apparu au VIIe siècle mais il ne s'est pas vraiment propagé avant le XXe siècle. Il décolle dans les pays anglophones, puis en France, où son apogée date de 1984 (au 6e rang). Audrey est depuis retombé dans les profondeurs du classement. ◊ Au VIIe siècle, sainte Audrey rompit le mariage royal auquel on l'avait contrainte et fonda l'abbaye d'Ely, en Angleterre. Variantes : Audray, Audrée, Audréane, Audren, Audrena, Audrène, Audrina, Audrine, Audrie, Audry. Caractérologie : relationnel, intuition, cœur, médiation, réussite.

Augusta 🏆 4 000

Vénérable, grande (latin). Féminin allemand, italien, portugais et anglais. On peut estimer que moins de 30 enfants seront prénommés ainsi en 2014. Caractérologie : idéalisme, réflexion, intégrité, altruisme, gestion.

Augustine 🏆 7 000 (TOP 400) ↗

Consacré par les augures (latin). Féminin français. Variantes : Agustina, Augustina.

A

41
....

Caractérologie : altruisme, idéalisme, intégrité, détermination, bonté.

Aurane 🌟 500 **TOP 2000** →
En or (latin). Caractérologie : sens des responsabilités, équilibre, influence, décision, famille.

Aure 🌟 500 ↘
En or (latin). Variantes : Aura, Auréa. Caractérologie : intégrité, idéalisme, réflexion, détermination, altruisme.

Aurégane 🌟 130
De haute naissance (celte). Prénom breton. Variante : Aurégan. Caractérologie : altruisme, idéalisme, intégrité, détermination, bonté.

Aurélia 🌟 17 000 **TOP 800** ↘
En or (latin). Féminin français, anglais, hongrois, italien et roumain. Variantes : Aurela, Orélia. Caractérologie : détermination, ténacité, fiabilité, méthode, engagement.

Auréliane 🌟 300
En or (latin). Variantes : Aurélienne, Aurelne. Caractérologie : curiosité, dynamisme, indépendance, courage, détermination.

Aurélie 🌟 176 000 **TOP 700** ↓
En or (latin). Adopté par les puritains anglophones au XVIe siècle, Aurelia est, comme l'Aurélie française, peu visible dans l'Hexagone avant la fin du XXe siècle. Au terme d'une envolée fulgurante, Aurélie s'impose au 1er rang national de 1983 à 1986, entre les règnes de Céline et Julie. Le palmarès féminin devient alors nettement dominé par les terminaisons en « ie ». Sa chute, aussi vertigineuse que son ascension, ne s'explique pas vraiment. ◇ Fille d'Hugues Capet et sœur du roi Robert le Pieux, sainte Aurélie échappa au mariage en se retirant dans un ermitage construit par l'évêque

de Ratisbonne (XIe siècle). Variantes : Aurèle, Aurelle, Aurely, Aurielle, Oriel. Forme bretonne : Aourell. Caractérologie : détermination, ardeur, stratégie, vitalité, achèvement.

Auréline 🌟 800 ↘
En or (latin). Caractérologie : efficacité, persévérance, structure, sécurité, détermination.

Auria 🌟 250
En or (latin). Dans l'Hexagone, Auria est plus traditionnellement usité au Pays basque. Caractérologie : découverte, audace, séduction, énergie, originalité.

Auriana 🌟 200 →
En or (latin). Caractérologie : intuition, médiation, fidélité, détermination, relationnel.

Auriane 🌟 5 000 **TOP 600** ↘
En or (latin). Variantes : Auriana, Aurianna, Aurianne. Caractérologie : sens des responsabilités, famille, influence, détermination, équilibre.

Aurora 🌟 600 ↗
En or (latin). Dans la mythologie romaine, Aurora est la déesse du Matin. Aurora est plus traditionnellement usité en Espagne, dans les pays anglophones et au Pays basque. Caractérologie : intuition, relationnel, raisonnement, fidélité, médiation.

Aurore 🌟 63 000 **TOP 300** →
En or (latin). Voir Aurora. Féminin français. Caractérologie : équilibre, famille, sens des responsabilités, analyse, résolution.

Automne 🌟 130
Désigne la saison qui succède à l'été. Né en 1995 dans l'Hexagone, ce nouveau prénom est porté par environ 115 personnes en France. Caractérologie : force, passion, volonté, loyauté, ténacité.

Les prénoms féminins les plus portés aujourd'hui

Les prénoms les plus portés en France ne sont pas ceux qui y sont les plus attribués aujourd'hui. Le tableau ci-dessous nous en fait la démonstration. Ces prénoms sont classés par ordre décroissant, du 1er au 50e prénom le plus porté en 2013.

Les dates entre parenthèses indiquent les années record d'attribution de chaque prénom pour la période de 1900 à 2013.

1. Marie *(1901)*	18. Céline *(1979)*	35. Jeannine *(1930)*
2. Nathalie *(1966)*	19. Chantal *(1954)*	36. Corinne *(1963)*
3. Isabelle *(1965)*	20. Christiane *(1947)*	37. Élodie *(1988)*
4. Catherine *(1963)*	21. Patricia *(1961)*	38. Christelle *(1972)*
5. Sylvie *(1964)*	22. Julie *(1987)*	39. Sarah *(2000)*
6. Monique *(1946)*	23. Annie *(1947)*	40. Caroline *(1978)*
7. Françoise *(1949)*	24. Brigitte *(1959)*	41. Manon *(1995)*
8. Martine *(1954)*	25. Jeanne *(1920)*	42. Denise *(1927)*
9. Jacqueline *(1946)*	26. Hélène *(1920)*	43. Danielle *(1947)*
10. Anne *(1971)*	27. Aurélie *(1983)*	44. Cécile *(1971)*
11. Christine *(1963)*	28. Émilie *(1980)*	45. Florence *(1968)*
12. Nicole *(1947)*	29. Laurence *(1966)*	46. Laura *(1988)*
13. Valérie *(1969)*	30. Camille *(1998)*	47. Laetitia *(1982)*
14. Sandrine *(1971)*	31. Virginie *(1974)*	48. Claudine *(1949)*
15. Sophie *(1971)*	32. Michèle *(1947)*	49. Yvette *(1930)*
16. Stéphanie *(1974)*	33. Léa *(2001)*	50. Colette *(1937)*
17. Véronique *(1963)*	34. Dominique *(1955)*	

Malgré la chute actuelle de ses attributions, **Marie** est le seul prénom féminin qui soit porté par plus d'un million de Françaises. Largement distancés, les prénoms allant de **Nathalie** à **Martine** se placent dans la tranche des 300 000 personnes. Viennent ensuite les prénoms qui, de **Jacqueline** à **Patricia**, désignent plus de 200 000 femmes. Au 50e rang, **Colette** est porté par près de 140 000 Françaises.

A

43

Auxane 750

Hospitalier (grec). Variantes : Auxanne, Euxane. Caractérologie : communication, pratique, enthousiasme, adaptation, générosité.

Ava  2 000

Vie, donner la vie (hébreu). Ava est plus particulièrement attribué dans les pays anglophones. Variantes : Avelina, Aveline. Caractérologie : sagesse, bienveillance, conscience, conseil, paix.

Avara

La plus jeune (sanscrit). Féminin indien d'Asie. Ce prénom est porté par moins de 30 personnes en France. Caractérologie : connaissances, sagacité, originalité, philosophie, spiritualité.

Aven

Noble amie (irlandais). Ce prénom est porté par moins de 30 personnes en France. Caractérologie : bienveillance, conseil, conscience, sagesse, paix.

Aventine

Avènement (latin). Ce prénom est porté par moins de 30 personnes en France. Caractérologie : intégrité, réflexion, altruisme, détermination, sagesse.

Avia

Aïeule (latin). Féminin anglais. Ce prénom est porté par moins de 30 personnes en France. Caractérologie : famille, sens des responsabilités, équilibre, influence, exigence.

Aviva   170

Printemps (hébreu). Caractérologie : direction, audace, dynamisme, indépendance, assurance.

Avril   550 TOP 2000

Qui bourgeonne (latin). Féminin français et anglais. Caractérologie : achèvement, stratégie, ardeur, vitalité, leadership.

Awa   2 000 TOP 600

Vie, donner la vie (hébreu). Variante : Ava. Caractérologie : sagacité, connaissances, spiritualité, originalité, philosophie.

Awena   450 TOP 2000

Noble amie (irlandais). Awena est plus traditionnellement usité en Irlande et en Bretagne. Caractérologie : force, habileté, passion, ambition, management.

Axelle   22 000 TOP 200

Mon père est paix (hébreu). Voir Axel. Variantes : Axelane, Axele, Axelia, Axeliane, Axeline, Axella, Axellane. Caractérologie : énergie, audace, découverte, originalité, séduction.

Aya   7 000 TOP 100

Soie tissée, couleur (japonais), vertu (arabe). Ce prénom est également usité au Ghana et en Côte d'Ivoire pour désigner les filles nées un jeudi. Ancien prénom biblique masculin, Aya renaît dans les communautés musulmanes francophones actuellement. Variante : Ayana. Caractérologie : altruisme, idéalisme, dévouement, réflexion, intégrité.

Ayame

Iris (japonais). Ce prénom est porté par moins de 100 personnes en France. Caractérologie : intégrité, idéalisme, altruisme, réalisation, réflexion.

Ayla   550 TOP 2000

Gazelle (hébreu). Caractérologie : pragmatisme, créativité, sociabilité, communication, optimisme.

Aylin   1 500 TOP 400

Clair de lune (turc). Variante : Ayline. Caractérologie : amitié, méditation, savoir, détermination, intelligence.

Azélie   300 TOP 2000

Sec (grec), forme dérivée de Zélie. Variante : Azéline. Caractérologie : résolution, sécurité, persévérance, structure, efficacité.

Azeline   400 TOP 2000

Jeune âne (latin). Prénom breton. Caractérologie : humanité, rectitude, détermination, ouverture d'esprit, rêve.

Aziliz 🗺 850 (TOP 2000) ➡
Forme bretonne de Cécile : aveugle (latin).
Variantes : Azilis, Azylis. Caractérologie :
fidélité, relationnel, adaptabilité, intuition,
médiation.

Aziza 🗺 2 000 ⬇
Aimée, précieuse, puissante (arabe). On
peut estimer que moins de 30 enfants seront
prénommés ainsi en 2014. Variante : Azizée.
Caractérologie : ouverture d'esprit, rectitude,
humanité, rêve, générosité.

Azora
Ciel bleu (persan). Ce prénom est porté par
moins de 30 personnes en France. Caractérologie : indépendance, intelligence, savoir,
méditation, sagesse.

B

Babette 🗺 200
Dieu est serment (hébreu). Féminin français. Forme basque : Babe. Caractérologie :
direction, indépendance, dynamisme, audace,
assurance.

Bahia 🗺 650 (TOP 2000) ⬆
Belle (arabe). Caractérologie : créativité,
pragmatisme, communication, optimisme,
sociabilité.

Baïa
Serment (arabe). Ce prénom est porté par
moins de 100 personnes en France. Caractérologie : ténacité, méthode, engagement,
fiabilité, sens du devoir.

Bao
Protection, précieux (vietnamien). Ce prénom est porté par moins de 100 personnes en
France. Caractérologie : rectitude, humanité,
générosité, ouverture d'esprit, rêve.

Baptistine 🗺 1 000 ➡
Immerger (grec). Variante : Baptista. Caractérologie : sagacité, spiritualité, connaissances, originalité, détermination.

Barbara 🗺 25 000 (TOP 2000) ⬂
Étrangère (grec). En dehors de l'Hexagone,
Barbara est très répandu dans les pays anglophones, en Italie et en Allemagne. Caractérologie : intelligence, savoir, indépendance,
méditation, sagesse.

Bathilde 🗺 300
Audacieuse, combattante (germanique).
Variante : Bathilda. Caractérologie :
connaissances, sagacité, sensibilité, spiritualité, détermination.

Baya 🗺 1 000 (TOP 2000) ➡
Noble, distinguée (turc). Caractérologie :
relationnel, adaptabilité, intuition, médiation, fidélité.

Béatrice 🗺 125 000 (TOP 900) ➡
Heureuse, qui rend heureuse (latin). Nièce
d'une reine de Castille au XVe siècle, sainte
Béatrice de Silva quitta la Cour et ses préten-
dants pour fonder une congrégation dédiée
à l'Immaculée Conception. En dehors de
l'Hexagone, Beatrice est plus particulièrement répandu en Italie et dans les pays
anglophones. Forme diminutive : Béa. Caractérologie : rectitude, humanité, organisation,
rêve, détermination.

B

45

Beatrix 🎖 2 000

Heureuse, qui rend heureuse (latin). Féminin anglais et néerlandais. On peut estimer que moins de 30 enfants seront prénommés ainsi en 2014. Caractérologie : originalité, connaissances, sagacité, spiritualité, résolution.

Beatriz 🎖 600 **TOP 1000** ⬆

Heureuse, qui rend heureuse (latin). Féminin italien, portugais, breton et occitan. Caractérologie : intégrité, détermination, altruisme, sensibilité, idéalisme.

Belinda 🎖 4 000 **TOP 2000** ⬇

Belle (italien), doux (germanique). Féminin italien et anglais. On peut estimer que moins de 30 enfants seront prénommés ainsi en 2014. Variante : Béline. Caractérologie : intuition, médiation, organisation, détermination, relationnel.

Bella 🎖 650 **TOP 400** ⬆

Dieu est serment (hébreu), belle (latin). Féminin italien et anglais. Variante : Belle. Formes basques : Bela, Belen. Caractérologie : audace, découverte, énergie, originalité, gestion.

Bénédicte 🎖 33 000 **TOP 2000** ⬇

Bénie (latin). Féminin français. On peut estimer que moins de 30 enfants seront prénommés ainsi en 2014. Variantes : Benedetta, Benedite, Benita. Forme basque : Benedita. Caractérologie : engagement, ténacité, méthode, fiabilité, sens du devoir.

Benjamine 🎖 600

Fils du Sud (hébreu). Caractérologie : indépendance, direction, détermination, audace, dynamisme.

Benoîte 🎖 700

Bénie (latin). Caractérologie : intelligence, indépendance, savoir, sagesse, méditation.

Bérangère 🎖 7 000 ⬇

Esprit, ours (germanique). On peut estimer que moins de 30 enfants seront prénommés ainsi en 2014. Caractérologie : pratique, communication, adaptation, enthousiasme, résolution.

Bérengère 🎖 8 000 ➡

Esprit, ours (germanique). Féminin français. On peut estimer que moins de 30 enfants seront prénommés ainsi en 2014. Caractérologie : savoir, intelligence, méditation, sagesse, indépendance.

Bérénice 🎖 9 000 **TOP 400** ➡

Qui apporte la victoire (grec). Bérénice est un prénom français, anglais et italien. Variante : Bernice. Caractérologie : méditation, savoir, intelligence, indépendance, sagesse.

Bernadette 🎖 116 000

Force, ours (germanique). Féminin français et anglais. On peut estimer que moins de 30 enfants seront prénommés ainsi en 2014. Variantes : Bernarde, Bernadeta. Caractérologie : ténacité, fiabilité, méthode, engagement, décision.

Bernardine 🎖 500

Force, ours (germanique). Caractérologie : altruisme, réflexion, idéalisme, intégrité, résolution.

Bertha 🎖 600

Brillante, illustre (germanique). Forme basque : Berta. Caractérologie : altruisme, résolution, idéalisme, intégrité, finesse.

Berthe 🏵 14 000

Brillante, illustre (germanique). Reine des Francs et mère de Charlemagne, Berthe de Laon eut une grande influence sur les décisions de son époux, Pépin le Bref, puis sur celles de ses fils lorsqu'ils accédèrent au pouvoir. C'est son pied bot qui lui valut le surnom de « Berthe au grand pied ». Ce prénom ancien a connu son dernier apogée au XIXᵉ siècle. On peut estimer que moins de 30 enfants seront prénommés ainsi en 2014. Caractérologie : persévérance, sécurité, finesse, structure, efficacité.

Bertille 🏵 4 000 TOP 500 ➜

Qui brille au combat (germanique). Variantes : Berthilde, Berthille. Caractérologie : médiation, intuition, relationnel, fidélité, adaptabilité.

Bertrande 🏵 170

Brillant, corbeau (germanique). Caractérologie : bienveillance, paix, conscience, détermination, conseil.

Béryl 🏵 600 TOP 2000 ➜

Pierre précieuse vert pâle (grec). Féminin anglais. Caractérologie : stratégie, vitalité, ardeur, achèvement, bonté.

Béthanie 🏵 110

Maison de la pauvreté (araméen). Caractérologie : direction, résolution, dynamisme, audace, finesse.

Betsy 🏵 300

Dieu est serment (hébreu). Féminin anglais. Variantes : Bess, Besse, Bessie, Beth. Caractérologie : ardeur, vitalité, achèvement, stratégie, leadership.

Bettina 🏵 3 000 ➜

Dieu est serment (hébreu). On peut estimer que moins de 30 enfants seront prénommés ainsi en 2014. Caractérologie : passion, ambition, force, habileté, décision.

Betty 🏵 14 000 TOP 2000 ↘

Dieu est serment (hébreu). En dehors de l'Hexagone, ce prénom est particulièrement porté dans les pays anglophones. On peut estimer que moins de 30 enfants seront prénommés ainsi en 2014. Variante : Bettie. Caractérologie : ouverture d'esprit, générosité, rectitude, rêve, humanité.

Beverly 🏵 900 TOP 2000 ➜

À proximité de castors (anglais). Féminin anglais. Variante : Beverley. Caractérologie : habileté, ambition, passion, force, cœur.

Bianca 🏵 1 500 TOP 600 ↗

Clair (germanique). Bianca est très répandu en Italie et dans les pays slaves. Variante : Bianka. Caractérologie : pratique, communication, gestion, décision, enthousiasme.

Bienvenue

Celle qui est bienvenue (latin). Ce prénom est porté par moins de 100 personnes en France. Caractérologie : philosophie, sagacité, connaissances, originalité, spiritualité.

Blanca 🏵 130

Clair (germanique). Blanca est répandu dans les pays hispanophones. C'est aussi un choix traditionnel basque et occitan. Variante : Blanka. Caractérologie : organisation, équilibre, famille, éthique, influence.

Blanche 🏵 11 000 TOP 400 ➜

Clair (germanique). Deux reines de France ont illustré ce prénom au XIIIᵉ siècle. Blanche de Castille assuma la régence du royaume à la mort de Louis VIII jusqu'à ce que son fils, le futur Saint Louis, soit en âge de gouverner. Blanche de Bourgogne ne régna que quelques mois : elle fut enfermée dans la forteresse

B

Les thématiques dans le vent

Une vague de prénoms courts déferle en France depuis la fin des années 1990. Qu'ils soient anciens, nouveaux, issus du terroir français ou du monde entier, ces choix enrichissent le répertoire collectif de sonorités inédites. Alors que les prénoms d'origine irlandaise ou celte font monter les terminaisons en « an », l'engouement des Français pour les prénoms régionaux est sans précédent. Celui-ci a répandu des sonorités jusqu'alors spécifiques à la Bretagne, au Pays basque ou à l'Occitanie (voir l'encadré sur les prénoms régionaux). Sans avoir disparu, les prénoms médiévaux sont un peu éclipsés par la renaissance du rétro (Jules, Léo, Louise, Alice, Zoé, etc.). Au masculin, la gloire de Gabriel, Adam, Noah et Raphaël marque une vogue des prénoms de l'Ancien Testament inédite en France.

Les tendances qui influencent la mode des prénoms peuvent être rassemblées autour de plusieurs thématiques. Voici un aperçu des choix qui les composent. Des perles rares qui apparaissent tout juste en France ont été incluses.

Les courts (une à deux syllabes)

Filles : Alix, Ambre, Anna, Ava, Aya, Camille, Charlie, Chloé, Emma, Em(m)y, Éden, Éva, Flora, Inès, Iris, Jade, Julia, Kenza, Lana, Léna, Lila, Lilou, Lily, Louison, Loane, Lola, Lou, Louane, Louna, Lina, Lucie, Luna, Lya, Maya, Mia, Mila, Nina, Nora(h), Nour, Romy, Rose, Sara(h), Sasha, Sofia, Tess, Thaïs, Zélie, Zoé.

Garçons : Aaron, Achille, Adam, Arthur, Clovis, Côme, Éden, Eliott, Ethan, Evan, Gabin, Ilan, Jules, Kenzo, Liam, Lino, Louis, Lucas, Maé, Maël, Mahé, Malo, Marius, Milo, Nathan, Noa, Noah, Noam, Noé, Nolan, Oscar, Pablo, Paul, Rayan, Renan, Romain, Ruben, Ryan, Sacha, Solal, Swan, Tao, Tilio, Tom, Victor, Yaël, Yoan.

Les celtes et les irlandais

Filles : Alana, Allyn, Arlene, Armaëlle, Armelle, Brenda, Brianna, Ciara, Clervie, Cliona, Dara, Edna, Éloane, Erin, Érine, Évana, Falone, Fiona, Glenda, Iseult, Isolde, Kacie, Kelly, Kiara, Kyla, Loane, Lou, Louane, Maé, Maëlle, Maëlys, Mahé, Maylis, Nara, Nola, Nuala, Olwen, Orla, Rihana, Shannon, Tara, Youna.

Garçons : Aidan, Alan, Armel, Arthur, Audren, Awen, Corentin, Darren, Donovan, Douglas, Elouan, Eoghan, Erwan, Evan, Fergus, Gildas, Glenn, Keny, Kerian, Kevin, Killian, Kyle, Kylian, Liam, Loan, Logan, Lou, Maël, Maëlan, Malo, Malone, Malory, Neal, Nolan, Odran, Renan, Ronan, Ryan, Tanguy, Tristan, Youen.

.../

Les thématiques dans le vent *(suite)*

Les rétro

Filles : Adèle, Agathe, Aimée, Alice, Angèle, Antoinette, Apolline, Augustine, Blanche, Céleste, Célie, Clarisse, Églantine, Élise, Émilie, Emma, Eugénie, Félicie, Hortense, Irène, Jeanne, Joséphine, Léontine, Léopoldine, Louise, Lucie, Madeleine, Marguerite, Mathilde, Ophélie, Pauline, Rose, Sidonie, Suzanne, Victoria, Victorine, Zélie, Zoé.

Garçons : Alfred, Alphonse, Amédée, Antoine, Aristide, Auguste, Augustin, Barthélémy, Charles, Constant, Cyprien, Émile, Eugène, Félix, Ferdinand, Fernand, Firmin, François, Gustave, Henri, Honoré, Irénée, Isidore, Joseph, Jules, Justin, Léandre, Léon, Léopold, Louis, Lucien, Mathurin, Max, Oscar, Pierre, Théodore, Théophile, Victor, Virgile.

Les médiévaux

Filles : Adélaïde, Adèle, Agathe, Aliénor, Alice, Alix, Aloyse, Anne, Bathilde, Béatrice, Beatrix, Berthe, Blanche, Clémence, Clothilde, Colombe, Constance, Éléonore, Elizabeth, Florie, Hélène, Héloïse, Irène, Isabeau, Iseult, Isolde, Jeanne, Jehanne, Mahaut, Margot, Marguerite, Mathilde, Mélissande, Pétronille, Yolande.

Garçons : Aloys, Amaury, Ambroise, Amédée, Anastase, Aurèle, Archambault, Arnaud, Arthur, Augustin, Aymeric, Béranger, Bertrand, Clément, Clotaire, Clovis, Édouard, Enguerrand, Étienne, Eudes, Fulbert, Gautier, Geoffroy, Ghislain, Grégoire, Guillaume, Hugues, Léon, Lothaire, Louis, Perceval, Raoul, Robin, Roland, Théobald, Thibaut, Tristan.

Les prénoms de source biblique (Ancien Testament)

Filles : Abigaël, Dana, Daria, Déborah, Dinah, Éden, Élisabeth, Elona, Esther, Ève (Éva), Hannah, Héléa, Ilana, Jessica, Judith, Léa, Liorah, Myriam, Noa, Noémie, Rachel, Rébecca, Ruth, Salomé, Sarah, Sharon, Talia, Yaël, Yona.

Garçons : Aaron, Abel, Adam, Ariel, Benjamin, Dan, Daniel, David, Éden, Élie, Emmanuel, Ethan, Gabriel, Ilan, Isaac, Jacob, Jérémie, Joachim, Jonas, Joseph, Manoah, Moïse, Nathan, Noa, Noam, Noé, Raphaël, Ruben, Samuel, Simon, Zacharie.

B

49
....

---

de Château-Gaillard pour cause d'infidélité, et son mariage avec le roi Charles IV fut rapidement dissous. Variante : Blanchette. Caractérologie : humanité, rêve, rectitude, organisation, sensibilité.

Blandine 🔺 26 000 **TOP 1000** ⬇
Caressant, flatteur (latin). Féminin français. Caractérologie : intelligence, méditation, détermination, organisation, savoir.

Bleuenn  🔺 1 000 **TOP 1000** ➡
Fleur blanche (vieux breton). Selon la tradition du pays bigouden, Bleuienn était la cuisinière de Santez Berc'hed (Brigitte d'Irlande). Une chapelle aurait porté son nom à Peumeurit. Caractérologie : audace, direction, dynamisme, indépendance, assurance.

Bleuette 🏵 500

Nom courant du bleuet (latin). Variante : Bluette. Caractérologie : ténacité, engagement, méthode, fiabilité, sens du devoir.

Blondine 🏵 200

Caressant, flatteur (latin). Caractérologie : caractère, communication, optimisme, pragmatisme, logique.

Blue

Bleu (anglais). Ce prénom est porté par moins de 100 personnes en France. Caractérologie : sécurité, efficacité, patience, structure, honnêteté.

Boécia

Qui vient de la Boétie (latin). Ce prénom est porté par moins de 30 personnes en France. Caractérologie : logique, achèvement, vitalité, stratégie, décision.

Bonnie 🏵 550 (TOP 2000) ↗

Belle (écossais/anglais). Féminin anglais. Variante : Bonny. Caractérologie : originalité, énergie, découverte, séduction, audace.

Bouchra 🏵 2 000 (TOP 2000) ↘

Bonne nouvelle (arabe). On peut estimer que moins de 30 enfants seront prénommés ainsi en 2014. Variante : Bosra. Caractérologie : découverte, énergie, audace, organisation, raisonnement.

Brandy 🏵 170

Forme féminine de Brandon ou Brendan. Féminin anglais. Caractérologie : innovation, autorité, énergie, détermination, réalisation.

Brenda 🏵 4 000 ↓

Prince (celte), épée (scandinave). Brenda est très répandu en Suède, en Norvège et dans les pays anglophones. On peut estimer que moins de 30 enfants seront prénommés ainsi en 2014. Variantes : Branda, Brandana, Brendana. Caractérologie : résolution, achèvement, vitalité, stratégie, ardeur.

Briana 🏵 350 ↓

Puissance, noblesse, respect (celte). Féminin anglais. Variantes : Brianna, Brianne. Caractérologie : réflexion, décision, intégrité, idéalisme, altruisme.

Brigitte 🏵 192 000 →

Force (celte). Ce prénom émerge au XIXᵉ siècle dans plusieurs pays européens mais il reste longtemps invisible en France. Il se révèle dans les années 1930 et s'envole si haut qu'il met fin au règne incontesté de Marie en 1959. Il surfe ensuite sur la vague de Brigitte Bardot, actrice sex-symbol des années 1960, avant de s'éclipser. ◇ Déesse de la Forge, de la Poésie, de la Médecine et de la Fertilité dans la mythologie celtique, Brigid, sous ses nombreuses graphies, est vénérée en Irlande, en Écosse et en Bretagne aux premiers siècles. Son culte fut si important qu'au VIᵉ siècle, les évangélisateurs chrétiens nommèrent ainsi une sainte homonyme, fondatrice du couvent de Kildare, qui devint la sainte patronne de l'Irlande. Une sainte du XIVᵉ siècle, Brigitte de Suède, a également été désignée comme l'une des trois patronnes de l'Europe. On peut estimer que moins de 30 enfants seront prénommés ainsi en 2014. Variantes : Brigit, Brigite, Brigitta, Bridget. Forme bretonne : Berched. Formes basques : Brigita, Brita. Caractérologie : humanité, rectitude, rêve, générosité, tolérance.

Brina

Protection (slave). Féminin slave et anglophone. Ce prénom est porté par moins de 30 personnes en France. Caractérologie : ambition, force, habileté, passion, résolution.

Brine

Puissance, noblesse, respect (celte). Ce prénom est porté par moins de 30 personnes en France. Caractérologie : pragmatisme, communication, créativité, optimisme, sociabilité.

Britney 300

Qui vient de Grande-Bretagne (latin). Cette forme familière de Brittany a été attribuée pour la première fois dans l'Hexagone en 1999. La chanteuse britannique Britney Spears a indéniablement contribué à sa découverte. Caractérologie : communication, pragmatisme, créativité, optimisme, sociabilité.

Brittany 550

Qui vient de Grande-Bretagne (latin). Brittany et ses formes dérivées furent très en vogue dans le monde anglophone au XVIIIᵉ siècle. Aujourd'hui, Britany (avec un seul « t ») est sur le point de devenir aussi répandu que sa sœur dans l'Hexagone. Variantes : Britanie, Britany, Britanny, Brittanie. Caractérologie :

innovation, ambition, autorité, énergie, décision.

Bruna 1 500

Armure, couleur brune (germanique). Féminin italien, portugais et occitan. On peut estimer que moins de 30 enfants seront prénommés ainsi en 2014. Variante : Brunaëlle. Caractérologie : relationnel, intuition, médiation, organisation, détermination.

Brune 🗺 1 000 TOP 700 ↗

Armure, couleur brune (germanique). Variantes : Brunette, Brunella, Brunelle. Caractérologie : équilibre, exigence, famille, sens des responsabilités, influence.

Brunehilde 🗺 200 ↓

Armure, couleur brune (germanique). Dans l'Hexagone, Brunehilde est plus traditionnellement usité en Alsace. Variantes : Brunhild, Brunhilde. Caractérologie : ambition, force, habileté, passion, finesse.

C

Caitlin 🗺 350 ↓

Pure (grec). Caitlin est une forme irlandaise et galloise de Catherine. Variantes : Catriona, Caitline, Kaitlin, Riona. Caractérologie : organisation, détermination, audace, énergie, découverte.

Calandra

Parc, espace vert (grec). Ce prénom est porté par moins de 30 personnes en France.

Variante : Calantha. Caractérologie : rêve, humanité, rectitude, ouverture d'esprit, détermination.

Caledonia

Se rapporte à un ancien lieu-dit en Grèce. Ce prénom est porté par moins de 30 personnes en France. Caractérologie : direction, dynamisme, volonté, audace, analyse.

Calie 1 000

Qui a une belle voix (grec), énergie (sanscrit). Prénom indien d'Asie. Variantes : Cali, Calia. Caractérologie : détermination, pragmatisme, communication, optimisme, créativité.

CAMILLE

Fête : 14 juillet

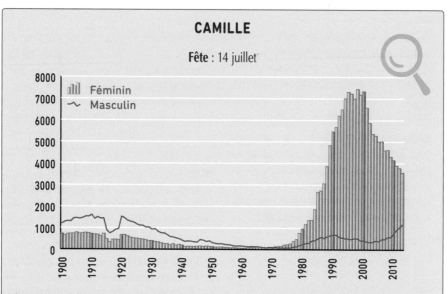

Étymologie : l'étymologie de Camille est obscure, mais on lui attribue généralement une origine étrusque. À Rome, *camillus* était le nom donné au jeune assistant des prêtres pendant les cérémonies. Après deux décennies de gloire française, Camille devrait descendre à la 13e place du podium 2014.

Devrions-nous préciser qu'il s'agit du classement féminin ? D'aucuns se le rappellent, Camille est mixte. Ce vieux prénom a même longtemps désigné une majorité de garçons, comme au XIXe siècle et au début du XXe, où Camille était attribué à un tiers de Françaises. Il a fallu attendre le début des années 1960 pour atteindre la parité, puis 1965 pour que la version féminine soit prédominante. Mais Camille n'a pas fini de nous surprendre. En effet, alors que cette étoile des années 1990 poursuit son reflux, une proportion grandissante de garçons naissent sous ce nom. On peut même estimer qu'en 2014 un Camille sur quatre né en France sera un garçon. Du jamais vu depuis 1976 ! Serait-on en train d'assister à la renaissance de Camille au masculin ?

En attendant son changement de sexe, Camille se maintient encore en haut des tableaux féminins wallon, suisse romand et québécois.

Infirmier au XVIe siècle, **saint Camille** se rendit célèbre en créant l'ordre des Camilliens. Grâce à cet ordre religieux, les conditions de soins prodigués dans les hôpitaux s'améliorèrent. Le pape Léon XIII l'a déclaré protecteur des hôpitaux, des infirmes, des infirmiers et des infirmières.

.../

Camille *(suite)*

Dans l'histoire : journaliste et membre du club des Cordeliers, Camille Desmoulins appela le peuple aux armes le 14 juillet 1789, incitant la foule à se rassembler devant les portes de la Bastille. Cette date charnière de la Révolution est aujourd'hui la Fête nationale française. Accusé de comploter pour rétablir la royauté, il fut guillotiné le même jour que Danton à Paris en 1794.

Dans la littérature : Camille est le prénom choisi par Corneille pour incarner l'héroïne forte et passionnée d'*Horace*. Elle est tantôt une petite fille modèle, tantôt une jeune fille pure et idéalisée dans de nombreux romans de la comtesse de Ségur.

Personnalités célèbres : Camille Pissarro, peintre français (1830-1903) ; Camille, compositrice et chanteuse française contemporaine ; Camille Laurens, romancière française.

Statistiques : Camille est le 5e prénom féminin le plus donné en France depuis le début du XXIe siècle. On peut estimer qu'il sera attribué à une fille sur 109 (contre un garçon sur 350) en 2014.

Caline
🌸 140

Victoire du peuple (grec). Caractérologie : ardeur, achèvement, vitalité, résolution, stratégie.

Calista

La plus belle (grec). Ce prénom est porté par moins de 30 personnes en France. Variantes : Calisté, Calistée, Calysta. Caractérologie : organisation, relationnel, fidélité, gestion, affection.

Callie
🌸 400 **TOP 600** ⬆

Qui a une belle voix (grec), énergie (sanscrit). Caractérologie : influence, équilibre, exigence, famille, détermination.

Calliope
TOP 2000

Fille de Zeus et de Mnémosyne (déesse de la Mémoire), Calliope est la muse de la Poésie épique. Ce prénom est porté par moins de 100 personnes en France. Caractérologie : dynamisme, direction, raisonnement, indépendance, assurance.

Callista
🌸 450 **TOP 2000** ⬇

La plus belle (grec). Variante : Calixte. Caractérologie : découverte, énergie, audace, originalité, organisation.

Calypso
🌸 1 000 **TOP 2000** ⬈

Qui dissimule (grec). Dans l'*Odyssée* d'Homère, la nymphe Calypso, reine d'Ogygie, recueillit Ulysse lorsqu'il fit naufrage sur son île. Éperdument amoureuse du héros, elle tenta de lui faire oublier son royaume (Ithaque) et son épouse (Pénélope). Elle alla jusqu'à lui promettre l'immortalité pourvu qu'il reste auprès d'elle, en vain. Résignée, elle relâcha son prisonnier au bout de sept ans. Variante : Calipso. Caractérologie : ambition, autorité, innovation, énergie, autonomie.

Camélia
🌸 6 000 **TOP 200** ⬈

Jeune assistante de cérémonies (étrusque). Camelia est très répandu en Roumanie. Variantes : Camélie, Camellia. Caractérologie : ambition, force, passion, habileté, décision.

C

53

Caméo
Pierres précieuses sculptées, portées comme bijou (latin). Féminin anglais. Ce prénom est porté par moins de 30 personnes en France. Caractérologie : autorité, innovation, ambition, volonté, énergie.

Cameron ⭐ 300 →
Nez crochu (écossais). Cameron est très répandu dans les pays anglophones. Caractérologie : volonté, raisonnement, équilibre, sens des responsabilités, famille.

Camilia ⭐ 1 500 TOP 600 →
Jeune assistante de cérémonies (étrusque). Variantes : Camila, Camilla, Kamilia. Caractérologie : générosité, communication, pratique, adaptation, enthousiasme.

Camille ⭐ 167 000 TOP 50 🔎 →
Jeune assistante de cérémonies (étrusque). Variante : Cammie. Caractérologie : énergie, innovation, ambition, résolution, autorité.

Camillia ⭐ 450 TOP 2000 →
Jeune assistante de cérémonies (étrusque). Caractérologie : paix, bienveillance, conscience, conseil, sagesse.

Candice ⭐ 17 000 TOP 200 ↘
D'un blanc éclatant (latin). En dehors de l'Hexagone, ce prénom est particulièrement porté dans les pays anglophones. Variantes : Candyce, Kandys. Caractérologie : pragmatisme, communication, créativité, optimisme, détermination.

Candie ⭐ 400
D'un blanc éclatant (latin). Féminin anglais. Caractérologie : humanité, ouverture d'esprit, rectitude, rêve, décision.

Candy ⭐ 2 000 TOP 2000
D'un blanc éclatant (latin). Féminin anglais. On peut estimer que moins de 30 enfants seront prénommés ainsi en 2014. Caractérologie : médiation, relationnel, sympathie, réalisation, intuition.

Cannelle ⭐ 1 000 ↓
Substance aromatique contenue dans l'écorce du cannelier (français). Variante : Canelle. Caractérologie : pratique, adaptation, communication, enthousiasme, générosité.

Capucine ⭐ 14 000 TOP 100 🔎 →
Cape, capuchon (latin). Caractérologie : rêve, rectitude, humanité, cœur, décision.

Cara ⭐ 160
Chère à quelqu'un (latin). Féminin anglais. Variantes : Kara, Karah. Caractérologie : énergie, audace, séduction, découverte, originalité.

Carène ⭐ 500
Pure (grec). Variantes : Caren, Carenne. Caractérologie : ambition, autorité, innovation, énergie, résolution.

Carina ⭐ 900 →
Pure (grec). Carina est répandu en Allemagne, dans les pays scandinaves et anglophones. C'est aussi un prénom traditionnel corse. Caractérologie : résolution, direction, audace, dynamisme, indépendance.

Carine ⭐ 45 000 ↓
Pure (grec). Féminin français. On peut estimer que moins de 30 enfants seront prénommés ainsi en 2014. Variante : Carin. Caractérologie : décision, dynamisme, curiosité, indépendance, courage.

Carinne ⭐ 1 500
Pure (grec). On peut estimer que moins de 30 enfants seront prénommés ainsi en 2014. Caractérologie : audace, direction, indépendance, dynamisme, décision.

CAPUCINE

Fête : 5 octobre

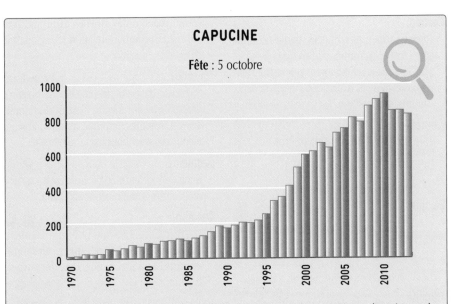

Étymologie : du latin *cappa*, « cape, capuchon ». Originaire des montagnes d'Amérique du Sud, cette plante à feuilles rondes et à fleurs orangées fut remarquée par les conquistadores au XVIe siècle ; elle ne tarda pas à orner de ses couleurs vives les jardins européens. L'éperon de la fleur, qui rappelait l'habit à capuche des moines capucins, est à l'origine du nom.

Le calendrier révolutionnaire aurait pu faire figurer Capucine aux côtés d'Anémone, de Jasmin ou Valériane, mais son concepteur, le poète Fabre d'Églantine, en a jugé autrement. C'est bien plus tard, en 1868, qu'un chansonnier communard l'a placée au cœur d'une comptine populaire, *Dansons la capucine*. Si son succès n'a pas transformé Capucine en prénom, celui de la chanson, encore chantée de nos jours, a transcendé les siècles.

Nées dans les années 1960, les premières Capucine de France font peu d'émules avant les années 1980, où le prénom décolle véritablement. Il s'est imposé dans les 50 premiers rangs parisiens en 2012 et atteint le 85e rang national aujourd'hui.

Personnalités célèbres : Capucine, née Germaine Lefebvre, actrice française (1928-1990) ; Capucine Ruat, écrivaine française née en 1975.

Sainte Fleur est la patronne de Capucine.

Statistiques : Capucine est le 86e prénom féminin le plus donné en France depuis le début du XXIe siècle. On peut estimer qu'il sera attribué à une fille sur 471 en 2014.

C

Carla 🔻 24 000 **TOP 400** ⬇
Force (germanique). Ce dérivé italien de Charlotte émerge en Provence et en Corse dans les années 1980. L'engouement pour ce nouveau venu ne tarde pas à faire des émules, et Carla s'impose dans le top 50 français de 2001 à 2005. Carla est très répandu en Italie, dans les pays lusophones et hispanophones, mais on le rencontre également en Allemagne et dans les pays anglophones. Caractérologie : force, passion, ambition, management, habileté.

Carline 🔻 500 ⬇
Force (germanique). Variantes : Carlana, Carlène, Carlia, Carlie. Forme corse : Carlina. Caractérologie : ambition, habileté, force, passion, décision.

Carlotta 🔻 200 ➡
Force (germanique). Carlotta est plus traditionnellement usité en Italie et en Corse. Variante : Carlota. Caractérologie : humanité, rêve, organisation, rectitude, raisonnement.

Carlyne 🔻 250
Force (germanique). Variantes : Carley, Carly, Carlyn. Caractérologie : bienveillance, paix, conscience, sympathie, résolution.

Carmela 🔻 1 500 ➡
Vigne divine (hébreu). Féminin italien et espagnol. On peut estimer que moins de 30 enfants seront prénommés ainsi en 2014. Variantes : Carmélia, Carmella. Caractérologie : vitalité, achèvement, ardeur, détermination, stratégie.

Carmelle 🔻 200
Vigne divine (hébreu). Variantes : Carmel, Carmeline. Caractérologie : conseil, bienveillance, paix, conscience, résolution.

Carmen 🔻 20 000 **TOP 500** ➡
Chanson, hymne (latin). Carmen est un prénom espagnol. Variante : Carmina.

Caractérologie : idéalisme, détermination, altruisme, réflexion, intégrité.

Carol 🔻 3 000
Force (germanique). Féminin anglais. On peut estimer que moins de 30 enfants seront prénommés ainsi en 2014. Variante : Caroll. Caractérologie : fiabilité, ténacité, engagement, méthode, logique.

Carola 🔻 110
Force (germanique). Caractérologie : audace, découverte, énergie, originalité, analyse.

Carolane 🔻 1 000 ⬇
Contraction de Carole et Anne. Féminin anglais et français. Variantes : Carolann, Carolanne, Karolane. Caractérologie : famille, équilibre, sens des responsabilités, détermination, raisonnement.

Carole 🔻 104 000 ⬇
Force (germanique). Féminin français et anglais. On peut estimer que moins de 30 enfants seront prénommés ainsi en 2014. Caractérologie : intégrité, détermination, altruisme, idéalisme, raisonnement.

Carole-Anne 🔻 700
Forme composée de Carole et Anne. Variante : Carol-Ann. Caractérologie : intelligence, raisonnement, méditation, détermination, savoir.

Carolina 🔻 900 **TOP 2000** ➡
Force, douceur (germanique). Féminin italien, espagnol, portugais, anglais et scandinave. Variantes : Carolie, Karolina. Caractérologie : résolution, direction, audace, analyse, dynamisme.

Caroline 🔻 147 000 **TOP 500** ⬇
Force, douceur (germanique). Ce féminin de Charles commence sa carrière en Angleterre au XVIIᵉ siècle, lorsque le roi George II épouse Caroline de Brandebourg-Ansbach

(1683-1737). La popularité de la reine suscite un tel engouement que le prénom reste en faveur outre-Manche jusque dans les années 1970. Ce choix devenu classique finit par faire des émules en France. Caroline bondit au 11ᵉ rang féminin en 1978, avant de décroître lentement. Caractérologie : courage, curiosité, dynamisme, raisonnement, détermination.

Carolyn  400

Force, douceur (germanique). Féminin anglais. Variante : Carolyne. Caractérologie : finesse, sagacité, amitié, connaissances, raisonnement.

Carry

Force, douceur (germanique). Féminin anglais. Ce prénom est porté par moins de 100 personnes en France. Variantes : Carrie, Cary. Caractérologie : diplomatie, sociabilité, loyauté, réceptivité, bonté.

Cassandra  22 000 **TOP 200**

Qui aide les hommes (grec). Ce prénom a surgi en France dans les années 1980 et s'est imposé dans le top 50 national en 1993. Il est bien plus rarement attribué dans l'Hexagone aujourd'hui. Cassandra est très répandu dans les pays anglophones. Variantes : Casandra, Cass, Cassendra. Caractérologie : ambition, force, résolution, habileté, passion.

Cassandre 10 000 **TOP 200**

Qui aide les hommes (grec). Dans la mythologie grecque, la belle Cassandre avait le don de prophétie, mais elle rejeta Apollon qui, pour se venger, la condamna à ne jamais être crue. C'est ainsi que les Troyens, faisant fi de ses prédications, ouvrirent les portes de la ville au cheval de bois piégé qui entraîna la destruction de Troie. Cassandre renaît dans les années 1990 au moment de la percée de l'anglophone Cassandra. Il talonne ce dernier dans le classement français aujourd'hui. Caractérologie : communication, optimisme, pragmatisme, créativité, résolution.

Cassidy 800 **TOP 700**

Se rapporte au patronyme gaélique O'Caiside. Variantes : Cassie, Kassidy. Caractérologie : vitalité, achèvement, stratégie, ardeur, réalisation.

Cassie 2 000 **TOP 300**

Qui aide les hommes (grec). Voir Cassandre. Cassie est répandu dans les pays anglophones. Variantes : Casia, Cassia, Kasia, Kassia. Caractérologie : intuition, relationnel, fidélité, médiation, résolution.

Cassiopée 550 **TOP 1000**

Large constellation d'étoiles dans la Voie lactée (grec). Féminin français. Caractérologie : réceptivité, sociabilité, sympathie, analyse, diplomatie.

Cassy 1 500 **TOP 500**

Qui aide les hommes (grec). Voir Cassandre. Féminin anglais. Caractérologie : engagement, méthode, ténacité, sens du devoir, fiabilité.

Catalina 600 **TOP 2000**

Pure (grec). Catalina est plus particulièrement répandu dans les pays hispanophones, en Occitanie et au Pays basque. Variante : Catalin. Caractérologie : savoir, intelligence, méditation, organisation, résolution.

Catarina 700

Pure (grec). Catarina est particulièrement attribué en Italie, au Portugal, en Galice, en Corse et en Occitanie. Caractérologie : méthode, ténacité, fiabilité, organisation, résolution.

C

Catharina 🎗 250

Pure (grec). Catharina est particulièrement usité dans les pays néerlandophones et scandinaves. Variantes : Caterina, Caterine, Catharine, Catherina, Catrina, Katrina. Caractérologie : pragmatisme, optimisme, communication, décision, attention.

Catheline 🎗 250

Pure (grec). Variantes : Cateline, Cathel, Cathelle, Cathelyne. Caractérologie : énergie, finesse, audace, découverte, résolution.

Catherine 🎗 353 000 TOP 2000 ↘

Pure (grec). Durant le Moyen Âge, les croisés de retour d'Orient ravivent le culte de sainte Catherine, vierge d'Alexandrie martyrisée au IVe siècle pour avoir tenté de convertir l'empereur Maximien. Porté par cette ferveur, Catherine (Katherine, Katharine, etc.) se répand dans toute l'Europe et en France, où le prénom est largement attribué jusqu'au début du XIXe siècle. Catherine revient en force dans les années 1950 et s'impose au 1er rang français en 1960. Il est alors attribué à une fille sur 23 et reste massivement choisi jusqu'à la fin de cette décennie. ◇ Dans l'histoire, plusieurs reines ont porté ce prénom, dont trois qui épousèrent le roi d'Angleterre Henri VIII. Patronne de l'Europe, sainte Catherine de Sienne lutta pour la restauration de l'unité de l'Église au XIVe siècle. Elle incita notamment le pape Grégoire à quitter Avignon pour s'installer à Rome. On peut estimer que moins de 30 enfants seront prénommés ainsi en 2014. Caractérologie : diplomatie, sociabilité, réceptivité, détermination, sensibilité.

Cathia 🎗 1 500

Pure (grec). On peut estimer que moins de 30 enfants seront prénommés ainsi en 2014. Variantes : Catia, Cathya. Caractérologie : organisation, famille, équilibre, sens des responsabilités, influence.

Cathie 🎗 2 000 ↓

Pure (grec). Féminin français. On peut estimer que moins de 30 enfants seront prénommés ainsi en 2014. Caractérologie : audace, direction, attention, dynamisme, décision.

Cathleen 🎗 250

Pure (grec). Féminin anglais et irlandais. Caractérologie : courage, curiosité, gestion, dynamisme, attention.

Cathy 🎗 27 000 TOP 2000 ↓

Pure (grec). Féminin anglais et français. Caractérologie : pratique, communication, enthousiasme, adaptation, organisation.

Caty 🎗 700

Pure (grec). Variantes : Cati, Catie, Catty. Caractérologie : méthode, organisation, fiabilité, engagement, ténacité.

Cayla

Couronne (hébreu). Féminin anglais. Ce prénom est porté par moins de 30 personnes en France. Variante : Caïla. Caractérologie : équilibre, famille, sens des responsabilités, influence, exigence.

Cécile 🎗 143 000 TOP 600 ↓

Aveugle (latin). Le nom Caecili, dont Cécile est dérivé, était celui d'une puissante famille romaine. Le prénom, peu attribué au Moyen Âge, se diffuse plus largement du XVe au XVIIIe siècle. La légende de sainte Cécile, martyre à Rome aux premiers siècles est, durant cette période, véhiculée par de nombreux tableaux, dont un très célèbre de Raphaël. Moyennement attribué au XIXe siècle, Cécile prend tout son temps pour décoller dans les années 1960. Le succès de *Cécile ma fille*, chanté par Claude Nougaro, accélère son envol jusqu'aux portes du top 20 féminin dans les années 1970. Aujourd'hui encore, Cécile est connue pour être la patronne des musiciens.

Caractérologie : autorité, innovation, ambition, autonomie, énergie.

Cécilia
🏆 19 000 (TOP 500) ⬈

Aveugle (latin). Se rapporte également à Caecili, nom d'une famille aristocratique romaine ayant vécu au Ier siècle. Cecilia est un prénom anglais, italien, espagnol, français et scandinave. Variante : Cecillia. Caractérologie : résolution, sens des responsabilités, équilibre, famille, influence.

Céléna
🏆 1 000 (TOP 700) ➡

Lune (grec). Caractérologie : structure, persévérance, sécurité, honnêteté, efficacité.

Céleste
🏆 5 000 (TOP 300) ➡

Qui se rapporte au ciel (grec). Ce prénom français est également recensé dans les pays anglophones. Caractérologie : éthique, équilibre, influence, gestion, famille.

Célestine
🏆 4 000 (TOP 400) ➡

Qui se rapporte au ciel (grec). Féminin anglais. Caractérologie : résolution, relationnel, intuition, organisation, médiation.

Célia
🏆 52 000 (TOP 50) ⬊

Aveugle (latin). Ce diminutif de Cecilia est apparu au XVIIe siècle dans les pays anglophones et a sombré dans l'oubli après un pic de popularité au XIXe siècle. Son succès est beaucoup plus récent en Italie, dans les pays hispanophones et lusophones. Son envol français, concomitant au déclin de Cécile, a débuté dans les années 1980, et n'a sans doute pas atteint son apogée. Variantes : Celya, Cilia, Selya. Caractérologie : communication, pratique, adaptation, enthousiasme, décision.

Céliane
🏆 850 ⬇

Contraction de Célia et Anne. Variantes : Céliana, Cyliane. Caractérologie : engagement, ténacité, méthode, fiabilité, décision.

Célie
🏆 1 000 (TOP 2000) ➡

Aveugle (latin). Voir Cécile. Féminin français. Caractérologie : sagacité, philosophie, originalité, spiritualité, connaissances.

Célina
🏆 3 000 (TOP 800) ⬊

Lune (grec). Prénom slave et anglophone. Caractérologie : habileté, force, ambition, détermination, passion.

Céline
🏆 225 000 (TOP 600) ⬇

Lune (grec). Peu usité par le passé, Céline connaît un mini-boom durant la première moitié du XIXe siècle. Alors qu'il était en voie de disparition, ce prénom renaît dans les années 1960 et croît de manière exponentielle en 1967, un an après le succès d'Hugues Aufray et de la chanson du même nom. Céline détrône Stéphanie en 1978 et gardera sa couronne jusqu'en 1981 pour la céder à Aurélie. ◇ Sainte Céline fut la mère de saint Remi, évêque de Reims au Ve siècle. Variantes : Célimène, Célanie, Célenie, Célinie, Celinda, Celynda, Celyne, Ceylin. Forme basque : Ismene. Caractérologie : enthousiasme, pratique, communication, générosité, adaptation.

Cellia
🏆 250 ⬊

Aveugle (latin). Voir Cécile. Caractérologie : bienveillance, paix, conscience, détermination, conseil.

Célya
🏆 2 000 (TOP 400) ➡

Aveugle (latin). Voir Cécile. Variante : Céllya. Caractérologie : autorité, innovation, énergie, ambition, sympathie.

Cendrine
🏆 3 000

Défense de l'humanité (grec). On peut estimer que moins de 30 enfants seront prénommés ainsi en 2014. Caractérologie : rêve, humanité, tolérance, rectitude, générosité.

C

Cerise 🌸 900 **TOP 2000** ⬇
Ce prénom issu du calendrier révolutionnaire désigne le fruit du cerisier. Caractérologie : énergie, découverte, audace, originalité, décision.

Césarine 🌸 500 ⬊
Tête aux cheveux longs (latin). Variantes : Césarie, Cézarine. Caractérologie : intuition, relationnel, médiation, fidélité, détermination.

Ceylan 🌸 200
Prénom moderne mixte qui désigne le Sri Lanka. Caractérologie : conseil, conscience, amitié, bienveillance, paix.

Cézanne
Origine possible : clown (italien). Ce prénom est porté par moins de 100 personnes en France. Caractérologie : énergie, découverte, audace, séduction, originalité.

Chadia 🌸 1 000 ⬊
Au chant mélodieux (arabe). Caractérologie : force, habileté, passion, management, ambition.

Chafia 🌸 300
Apaisante, réconfortante (arabe). Caractérologie : innovation, logique, énergie, autorité, ambition.

Chahinez 🌸 1 500 **TOP 500** ↗
Prénom perse d'origine arabe signifiant : « la préférée ». Variantes : Chahinaz, Chahinaze, Chahines, Chahinese, Chahineze, Chahnez, Chaïna, Chaïnez, Chaïnaze, Chaïnes, Chaïnese, Chaïness, Chaïnesse, Chaïnez, Chaïneze. Caractérologie : sociabilité, décision, diplomatie, loyauté, réceptivité.

Chaïma 🌸 6 000 **TOP 300** ⬊
D'une grande beauté (arabe). Variantes : Chama, Shayma, Sheyma. Caractérologie :

achèvement, ardeur, vitalité, stratégie, leadership.

Chaïmaa 🌸 600 ⬇
D'une grande beauté (arabe). Variantes : Chaïmae, Chaymae. Caractérologie : humanité, rectitude, rêve, ouverture d'esprit, générosité.

Chaïnez 🌸 550 **TOP 2000** ➔
Prénom perse d'origine arabe signifiant : « la préférée ». Caractérologie : résolution, optimisme, pragmatisme, communication, créativité.

Chan
Explication, exposition (chinois), arbuste aromatique (cambodgien). Patronyme très courant en Chine. Ce prénom est porté par moins de 100 personnes en France. Caractérologie : ambition, management, habileté, passion, force.

Chandra
Lune (sanscrit). Chandra est répandu en Inde. Ce prénom est porté par moins de 100 personnes en France. Caractérologie : sécurité, structure, persévérance, résolution, efficacité.

Chanel 🌸 1 500 **TOP 700** ➔
Patronyme devenu prénom. Gabrielle « Coco » Chanel, la fondatrice de la célèbre maison de couture française, et saint Pierre Chanel, un missionnaire parti évangéliser l'île de Futuna au XIXᵉ siècle, ont porté ce nom. Féminin anglais et français. Variantes : Chanael, Chanaelle, Chanele, Channel, Shanel. Caractérologie : sagesse, intelligence, savoir, méditation, indépendance.

Chanelle 🌸 750 **TOP 2000** ⬊
Voir Chanel. Caractérologie : équilibre, influence, famille, sens des responsabilités, exigence.

Chani 🌟 170

Rouge (hébreu). Variante : Chany. Caractérologie : ambition, habileté, force, passion, résolution.

Chantal 🌟 218 000 →

Pierre (occitan), patronyme devenu prénom. Ce prénom, nouveau dans les années 1930, s'envole si vigoureusement qu'il atteint le firmament en deux décennies. Rivalisant avec Marie et Martine, Chantal se place troisième pendant deux ans et figure parmi les 10 premiers choix français de 1946 à 1959. Chantaloun est sa forme provençale. ◇ Aristocrate née à Dijon en 1572, sainte Jeanne-Françoise Frémyot de Chantal fonda l'ordre de la Visitation-Sainte-Marie, congrégation destinée aux femmes de santé fragile. On peut estimer que moins de 30 enfants seront prénommés ainsi en 2014. Caractérologie : organisation, découverte, audace, énergie, sensibilité.

Chantale 🌟 4 000

Voir Chantal. On peut estimer que moins de 30 enfants seront prénommés ainsi en 2014. Caractérologie : autorité, innovation, énergie, finesse, organisation.

Charleen 🌟 250 ↑

Force (germanique). Féminin anglais. Caractérologie : pratique, enthousiasme, communication, résolution, adaptation.

Charlène 🌟 32 000 TOP 400 →

Force (germanique). En dehors de l'Hexagone, Charlene est répandu dans les pays anglophones. Variantes : Charlaine, Charleyne. Caractérologie : communication, pragmatisme, optimisme, décision, créativité.

Charlette 🌟 2 000

Force (germanique). On peut estimer que moins de 30 enfants seront prénommés ainsi en 2014. Caractérologie : résolution, intuition, relationnel, médiation, finesse.

Charlie 🌟 3 000 TOP 200 ↑

Force (germanique). Ce prénom a émergé au féminin dans les années 1980 et s'envole actuellement en France. Sa percée, plus récente aux États-Unis, n'en est pas moins fulgurante. Voir Charlie au masculin. Variante : Charly. Caractérologie : médiation, relationnel, intuition, fidélité, détermination.

Charline 🌟 27 000 TOP 200 →

Force (germanique). Féminin français. Caractérologie : méditation, savoir, indépendance, intelligence, détermination.

Charlotte 🌟 108 000 TOP 50 →

Force (germanique). Attribué dès le Moyen Âge, ce féminin de Charles est devenu très courant en France et dans les pays anglophones du XVIIe au XIXe siècle. Après une période moins faste, Charlotte revient parmi les 30 premiers choix français dans les années 1980, et s'y maintient encore aujourd'hui. Ce prénom classique est très répandu dans l'ensemble des pays occidentaux. C'est en l'honneur de la reine consort Charlotte de Mecklembourg-Strelitz (1744-1818), épouse de George III, que le dessert du même nom aurait été créé. ◇ Épouse de Louis XI, Charlotte de Savoie n'eut guère l'existence dorée d'une reine. Elle donna la vie à sept enfants, mais seuls trois d'entre eux survécurent à leur naissance. Elle se consacra à l'éducation de ces derniers et vécut simplement à Amboise, loin de la Cour et de son mari distant. Elle mourut en 1483 à l'âge de 38 ans. Une sainte portant ce nom fut guillotinée avec ses sœurs du Carmel de Compiègne en 1794, sous le règne de la Terreur. Variantes : Charmaine, Lote, Lotte, Lottie. Caractérologie : optimisme, communication, pragmatisme, attention, logique.

C

Charlyne ⭐ 3 000 (TOP 700) ↗
Force (germanique). Féminin anglais. Caractérologie : énergie, audace, cœur, action, découverte.

Chayma ⭐ 1 500 (TOP 500) →
D'une grande beauté (arabe). Variante : Chaymaa. Caractérologie : sens des responsabilités, famille, réalisation, influence, équilibre.

Cheïma ⭐ 800 ↓
D'une grande beauté (arabe). Variante : Cheyma. Caractérologie : pratique, enthousiasme, communication, adaptation, décision.

Chelsea ⭐ 1 000 (TOP 700) →
Port de mer (anglais). Chelsea est aussi le nom d'un quartier branché de la ville de New York. Variante : Chelsy. Caractérologie : stratégie, achèvement, vitalité, ardeur, leadership.

Chérazade ⭐ 350 ↓
Femme de la haute ville (prénom arabe d'origine perse). Variante : Charazed. Caractérologie : achèvement, stratégie, résolution, vitalité, ardeur.

Chérifa ⭐ 1 500
De haut rang (arabe). On peut estimer que moins de 30 enfants seront prénommés ainsi en 2014. Variante : Charifa. Caractérologie : raisonnement, courage, dynamisme, curiosité, détermination.

Cherine ⭐ 1 500 (TOP 700) →
Charmante, agréable (arabe, perse). Caractérologie : leadership, achèvement, vitalité, stratégie, ardeur.

Cheryl ⭐ 700 ↑
Cerisier (latin). Féminin anglais. Caractérologie : force, ambition, sympathie, habileté, ressort.

Cheryne ⭐ 350 (TOP 2000) ↓
Charmante, agréable (arabe, perse). Caractérologie : sens des responsabilités, équilibre, famille, action, cœur.

Chesna
Calme (slave). Ce prénom est porté par moins de 30 personnes en France. Caractérologie : dynamisme, indépendance, curiosité, courage, charisme.

Cheyenne ⭐ 2 000 (TOP 1000) ↓
Langage inintelligible (amérindien). Variante : Sheyenne. Caractérologie : originalité, sympathie, spiritualité, connaissances, sagacité.

Chiara ⭐ 7 000 (TOP 200) →
Illustre (latin). Dans l'Hexagone, ce prénom italien est plus traditionnellement usité en Corse. Caractérologie : méthode, ténacité, fiabilité, sens du devoir, engagement.

Chine
Se rapporte au nom du pays (français). Ce prénom est porté par moins de 100 personnes en France. Variante : China. Caractérologie : vitalité, détermination, stratégie, ardeur, achèvement.

Chirine ⭐ 1 000 (TOP 1000) ↓
Charmante, agréable (arabe, perse). Caractérologie : pratique, enthousiasme, communication, adaptation, générosité.

Chloé ⭐ 129 000 (TOP 50) 🔍 →
Jeune pousse (grec). Variantes : Chloée, Chloélia, Cloélia, Kloé. Caractérologie : savoir, méditation, intelligence, indépendance, sagesse.

Chris ⭐ 200
Diminutif des prénoms formés avec Chris. Féminin anglais et néerlandais.

CHLOÉ

Fête : 5 octobre

Étymologie : du grec *chloê*, « jeune pousse ». Dans la mythologie grecque, Chloé était l'autre nom de Déméter, la déesse protectrice des Moissons. C'est en son honneur que les Athéniens célébraient la fête des Chloeïa à la fin de chaque hiver. Les parents anglais et américains font renaître ce prénom antique au XIXe siècle, bien avant que Boris Vian l'attribue à l'héroïne de *L'Écume des jours*. Et c'est le succès posthume de l'œuvre qui lance la carrière française du prénom dans les années 1960. Indélogeable du top 5 depuis 1997, Chloé devrait revenir à la 3e place du podium en 2014. L'élan redonné à sa longue carrière est en partie nourri par une floraison tardive à Paris. En effet, il a fallu attendre 2005 pour voir ce prénom accéder au 5e rang dans la capitale.

En dehors de l'Hexagone, Chloé est en vogue en pays wallon, romand et québécois. Elle est en plein essor dans le monde anglophone, notamment en Australie où elle a rejoint l'élite. À noter : les variantes Kloé, Cloé et Cléo ont perdu leur *momentum*, mais Cléa s'élève vers le top 100 français.

Personnalités célèbres : Chloé Sainte-Marie, chanteuse contemporaine canadienne ; Chloé Delaume, écrivaine française née en 1973.

Littérature : Longus, auteur grec du IIe siècle, écrivit *Les Amours de Daphnis et Chloé*. Ce roman retraduit au XIXe siècle inspira Maurice Ravel lorsqu'il composa *Daphnis et Chloé* pour les Ballets russes.

.../

C

63
....

Chloé *(suite)*

Statistiques : Chloé est le 4ᵉ prénom féminin le plus donné en France depuis le début du XXIᵉ siècle. On peut estimer qu'il sera attribué à une fille sur 82 en 2014.

Caractérologie : pratique, communication, enthousiasme, adaptation, générosité.

Christa 🎏 1 000 ⬇
Messie (grec). Caractérologie : bienveillance, paix, conscience, conseil, organisation.

Christel 🎏 21 000
Messie (grec). En dehors de l'Hexagone, ce prénom est particulièrement porté dans les pays anglophones. On peut estimer que moins de 30 enfants seront prénommés ainsi en 2014. Variante : Christal. Caractérologie : méthode, fiabilité, ténacité, décision, attention.

Christèle 🎏 13 000
Messie (grec). Féminin français. On peut estimer que moins de 30 enfants seront prénommés ainsi en 2014. Caractérologie : décision, idéalisme, altruisme, intégrité, attention.

Christelle 🎏 154 000 (TOP 2000) ⬇
Messie (grec). Si Crystal apparaît dans les pays anglophones dès le XIXᵉ siècle, les premières Christelle de France voient le jour en 1940. Ce prénom met une vingtaine d'années à émerger avant de s'envoler dans les années 1960. Il figure parmi les 10 premiers choix féminins dans les années 1970 et s'éclipse nettement depuis le début du troisième millénaire. On peut estimer que moins de 30 enfants seront prénommés ainsi en 2014. Caractérologie : pragmatisme, optimisme, communication, détermination, sensibilité.

Christiana 🎏 600 ➔
Messie (grec). Christiana est plus particulièrement répandue dans les pays anglophones et

en Grèce. Caractérologie : décision, communication, pratique, attention, enthousiasme.

Christiane 🎏 214 000 ⬇
Messie (grec). Quasi inconnu avant le XXᵉ siècle, Christiane s'élance dans les années 1920 et s'impose avec force dans les 10 premiers rangs féminins de 1935 à 1952. Sa gloire entraîne celle de Christian, qui se maintiendra bien après que son féminin a disparu des radars, dans les années 1980. On peut estimer que moins de 30 enfants seront prénommés ainsi en 2014. Variante : Chrystiane. Caractérologie : méditation, intelligence, savoir, résolution, finesse.

Christianne 🎏 6 000
Messie (grec). Féminin français. On peut estimer que moins de 30 enfants seront prénommés ainsi en 2014. Caractérologie : communication, pragmatisme, optimisme, détermination, sensibilité.

Christie 🎏 800 ⬇
Messie (grec). Féminin anglais. Variantes : Chrislaine, Chrislène, Chryslène, Chrissie, Chrissy, Christy. Caractérologie : innovation, autorité, énergie, détermination, sensibilité.

Christina 🎏 7 000 (TOP 900) ➔
Messie (grec). Christina est un prénom anglais, allemand, scandinave, grec et néerlandais. Caractérologie : médiation, intuition, décision, relationnel, attention.

Christine 🎏 268 000 (TOP 2000) ⬇
Messie (grec). Ce prénom porté par plusieurs saintes est attribué au Moyen Âge, mais son

âge d'or est bien plus récent. C'est en effet dans les années 1950 qu'une vague venue d'Angleterre accroît fortement son essor. Christine se hisse en peu de temps au 5ᵉ rang français, et reste un choix prisé jusqu'à son repli dans les années 1980. ◇ Christine l'Admirable, mystique flamande en Belgique, aurait été à l'origine de plusieurs miracles au XIIIᵉ siècle. Elle est fêtée le 24 juillet. On peut estimer que moins de 30 enfants seront prénommés ainsi en 2014. Caractérologie : paix, bienveillance, conscience, décision, attention.

Chrystel 🚩 4 000
Messie (grec). On peut estimer que moins de 30 enfants seront prénommés ainsi en 2014. Variantes : Chrystal, Crystelle. Caractérologie : relationnel, sensibilité, intuition, action, médiation.

Chrystelle 🚩 10 000
Messie (grec). Féminin français. On peut estimer que moins de 30 enfants seront prénommés ainsi en 2014. Caractérologie : innovation, autorité, action, énergie, attention.

Ciara 🚩 600 **TOP 700** →
Brune (irlandais). Ciara est très répandu en Irlande. Caractérologie : dynamisme, charisme, courage, indépendance, curiosité.

Cilia 🚩 350 →
Aveugle (latin). Se rapporte également à Caecili, nom d'une famille aristocratique romaine ayant vécu au Iᵉʳ siècle. Caractérologie : sagacité, spiritualité, connaissances, originalité, philosophie.

Cindy 🚩 63 000 **TOP 1000** ↓
Divine (latin). Cindy est très répandu dans les pays occidentaux et anglophones. Variantes : Cindie, Cindel, Cinderella, Cindia, Cinnie. Caractérologie : dynamisme, audace, indépendance, cœur, direction.

Cladie
Boiteuse (latin). Ce prénom est porté par moins de 100 personnes en France. Variante : Clady. Caractérologie : savoir, méditation, intelligence, indépendance, résolution.

Claire 🚩 134 000 **TOP 300** ↓
Illustre (latin). Forme française dérivée du latin Clarus, Claire est particulièrement attribué en France durant le haut Moyen Âge. À partir du XIIᵉ siècle, plusieurs saintes portant ce prénom alimentent sa popularité, comme sainte Claire, la disciple de saint François d'Assise fondatrice de l'ordre des Clarisses. Après une période de retrait, Claire renaît dans les années 1950 et devient en 1984 l'un des 20 choix préférés des Français. En dehors de l'Hexagone, ce prénom est essentiellement porté dans les pays anglophones. Variantes : Claira, Clairette, Clare, Clarie, Clarine, Clarinda. Forme bretonne : Clair. Caractérologie : communication, pragmatisme, créativité, optimisme, résolution.

Claire-Marie 🚩 1 000 ↓
Forme composée de Claire et Marie. Caractérologie : engagement, méthode, ténacité, décision, fiabilité.

Clara 🚩 83 000 **TOP 50** 🔍 ↓
Illustre (latin). Forme occitane : Claramonda. Caractérologie : ambition, passion, force, habileté, management.

Clarence 🚩 800 **TOP 2000** ↘
Illustre (latin). Féminin anglais. Caractérologie : sagacité, connaissances, spiritualité, originalité, résolution.

Clarice 🚩 550 **TOP 2000** →
Illustre (latin). Féminin anglais. Variantes : Clarie, Clarine. Caractérologie : équilibre, influence, famille, décision, sens des responsabilités.

C

Clarissa ⭐ 500 **TOP 2000** ➡
Illustre (latin). Caractérologie : ambition, autorité, innovation, autonomie, énergie.

Clarisse ⭐ 25 000 **TOP 200** ⬊
Illustre (latin). Ce prénom attesté au Moyen Âge connaît une modeste résurgence au XIXe siècle dans l'Hexagone et les pays anglo-saxons. Son dernier pic de popularité le plaçait au 77e rang féminin français en 2001. ◇ Au VIe siècle, sainte Clarisse fonda dans les Vosges un monastère dont elle fut la première abbesse. Variantes : Clarys, Clarysse, Klarissa. Caractérologie : courage, dynamisme, indépendance, curiosité, décision.

Claude ⭐ 48 000
Boiteuse (latin). Féminin français. On peut estimer que moins de 30 enfants seront prénommés ainsi en 2014. Caractérologie : audace, direction, indépendance, dynamisme, assurance.

Claudette ⭐ 40 000
Boiteuse (latin). Féminin français. On peut estimer que moins de 30 enfants seront prénommés ainsi en 2014. Variante : Clodette. Caractérologie : autorité, innovation, énergie, ambition, organisation.

Claudia ⭐ 13 000 **TOP 1000** ⬇
Boiteuse (latin). En dehors de l'Hexagone, Claudia est particulièrement porté en Italie, en Espagne, en Roumanie, et dans les pays anglophones et germanophones. Caractérologie : conscience, paix, sagesse, conseil, bienveillance.

Claudie ⭐ 23 000 ⬇
Boiteuse (latin). Féminin français. On peut estimer que moins de 30 enfants seront prénommés ainsi en 2014. Caractérologie : ambition, innovation, énergie, autorité, décision.

Claudine ⭐ 140 000 ➡
Boiteuse (latin). Ce prénom français émerge au début du XXe siècle, mais son essor est contrarié lorsque Claudine devient l'héroïne d'une série de nouvelles de Colette qui font scandale. Ce faux départ est vite oublié lorsque l'écrivaine est élue à l'académie Goncourt. Coïncidence ou non, l'année suivant sa consécration (en 1946), les attributions du prénom se trouvent multipliées par deux. Claudine atteint les portes du top 10 féminin en 1949 avant de décliner lentement. ◇ Religieuse au XVIIIe siècle, sainte Claudine fut prise dans la tourmente de la Révolution ; elle fut décapitée avec ses sœurs du Carmel de Compiègne en 1794. On peut estimer que moins de 30 enfants seront prénommés ainsi en 2014. Variantes : Claudelle, Claudiane, Claudina, Clodia, Clodine, Gladie, Klaudia. Forme occitane : Gladia. Caractérologie : bienveillance, paix, conscience, conseil, résolution.

Claudy ⭐ 750
Boiteuse (latin). Caractérologie : pratique, communication, adaptation, réalisation, enthousiasme.

Cléa ⭐ 7 000 **TOP 200** ➡
Clef (latin). Féminin français. Caractérologie : adaptation, communication, pratique, enthousiasme, générosité.

Clélia ⭐ 5 000 **TOP 400** ➡
Clef (latin). Clelia est un prénom italien. Caractérologie : bienveillance, paix, conscience, conseil, résolution.

Clélie ⭐ 800 **TOP 2000** ➡
Clef (latin). Caractérologie : direction, dynamisme, audace, assurance, indépendance.

CLARA

Fête : 11 août

Étymologie : du latin *clarus*, « illustre ». Cette forme latine de Claire connaît une faveur particulière au XIIIe siècle, grâce à la popularité d'une sainte qui illustra ce nom. Disciple de saint François d'Assise, cette dernière renonça à une vie privilégiée pour fonder l'ordre des Clarisses, un ordre pour les pauvres dames. Au XIXe siècle, Clara est très répandue dans de nombreux pays européens, mais elle reste très discrète en France.

Elle prend son envol dans les années 1980, au moment où Claire termine sa carrière. La vogue des prénoms courts en « a » l'élève de telle sorte qu'elle culmine à la 3e place du classement en 2006. Malgré son repli, Clara reste l'un des premiers choix des parents français. Elle est très attribuée en Italie et dans de nombreux pays occidentaux aujourd'hui.

Notons que ce prénom international est également un choix traditionnel catalan et corse.

Personnalité célèbre : Clara Wieck Schumann (1819-1896), pianiste virtuose et compositrice. Épouse de Robert Schumann, elle est sans doute la plus grande pianiste femme du XIXe siècle.

Statistiques : Clara est le 8e prénom féminin le plus donné en France depuis le début du XXIe siècle. On peut estimer qu'il sera attribué à une fille sur 161 en 2014.

C

67

Clémence 🎏 63 000 (TOP 50) ⊙ →
Douceur, bonté (latin). Caractérologie : paix,
conscience, bienveillance, conseil, sagesse.

Clémentine 🎏 26 000 (TOP 200) →
Douceur, bonté (latin). Féminin français.
Variantes : Clémente, Clemmie. Caractérologie : audace, direction, indépendance, assurance, dynamisme.

Cléo 🎏 3 000 (TOP 300) ↗
Gloire, célébrité (grec). En dehors de l'Hexagone, Cleo est recensé dans les pays anglophones. Variante : Cléonice. Caractérologie :
achèvement, leadership, vitalité, stratégie,
ardeur.

Cléophée 🎏 650 (TOP 800) ↗
Célébrer (grec). Caractérologie : amitié, bienveillance, paix, conseil, conscience.

Cléore
Gloire, célébrité (grec). Ce prénom est porté
par moins de 100 personnes en France. Caractérologie : raisonnement, ténacité, précision,
organisation, fiabilité.

Clervie 🎏 250 ↓
Pierre précieuse, bijou (celte). Féminin breton. Caractérologie : sociabilité, réceptivité,
loyauté, diplomatie, bonté.

68

Clio 🎏 350
Gloire, célébrité (grec). Dans la mythologie
grecque, Clio, fille de Zeus et de Mnémosyne
(déesse de la Mémoire), est la muse de l'Histoire. Prénom italien. Caractérologie : optimisme, communication, créativité, logique,
pragmatisme.

Cliona
Dans la légende irlandaise, Cliona est une
déesse d'une grande beauté qui s'éprend d'un
mortel, Ciabhan, et quitte pour lui la Terre

promise. Ce prénom est porté par moins de
30 personnes en France. Caractérologie :
rectitude, humanité, rêve, logique, décision.

Cloé 🎏 15 000 (TOP 200) →
Jeune pousse (grec). En dehors de l'Hexagone,
Cloé est recensé dans les pays lusophones et
hispanophones. Variante : Cloée. Caractérologie : achèvement, vitalité, ardeur, stratégie, leadership.

Clorinde 🎏 110
Verdure (grec). Variantes : Chlora, Chloris,
Clorinda, Chloris. Caractérologie : habileté,
ambition, force, volonté, raisonnement.

Clothilde 🎏 5 000 (TOP 900) ↓
Célèbre, combattante (germanique). Féminin
français. Caractérologie : finesse, connaissances, sagacité, spiritualité, analyse.

Clotilde 🎏 16 000 (TOP 600) ↓
Célèbre, combattante (germanique). Peu
après avoir épousé Clovis, le roi des Francs,
Clotilde convainquit son époux de se convertir avec son armée au christianisme. Clovis fut
baptisé par l'évêque de Reims en 496 et devint
le premier roi chrétien de France. Dans l'Hexagone, Clotilde est plus traditionnellement usité
dans les Flandres. Variante : Clotilda. Caractérologie : force, volonté, ambition, analyse,
habileté.

Colette 🎏 140 000 (TOP 1000) ↗
Victoire du peuple (grec). Ce dérivé de Nicole
est usité au Moyen Âge, mais il se révèle véritablement au début du XXe siècle. Il monte
dans la vague des Ginette, Odette, Paulette
et Yvette, s'imposant dans le top 20 féminin peu avant de les dominer du haut de son
6e rang (en 1937). Il disparaîtra du groupe de
tête en 1951, non sans avoir tenu compagnie
au deuxième flux des désinences en « ette »

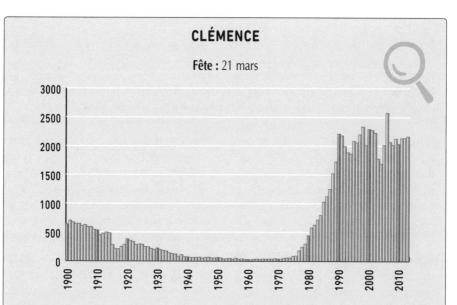

CLÉMENCE

Fête : 21 mars

Étymologie : du latin *clemens*, « douceur, bonté ». À l'exception d'une brève envolée au XIXᵉ siècle, la diffusion de Clémence a toujours été modeste. Ou insignifiante, comme dans les années 1950 où elle a failli disparaître des registres d'état civil. Ce qui ne l'a pas empêchée de renaître dans le sillon de Clément. Son envol, singulièrement lent, franchit un cap en 2006 : alors que Clément s'essouffle graduellement, elle bondit avec fracas dans le top 30 français. Elle pourrait rejoindre l'élite des classements parisien et national en 2014.

À l'international, Clémence peine à s'imposer en dehors de l'Hexagone. Contrairement à Lawrence, que l'on recense aux États-Unis, Clémence n'est pas anglophone. Une aubaine pour les amateurs de prénoms français. Au demeurant, son absence des palmarès franco-phones est surprenante. En attendant mieux, elle se satisfera d'une modeste avancée dans le palmarès wallon.

Notons que Clémentine n'a pas profité de l'essor de sa cousine pour rebondir. Ce prénom ancien, redécouvert dans les années 1990, devrait prénommer près de 600 Françaises aujourd'hui. Il retrouvera ainsi son niveau d'attribution du début du XXᵉ siècle.

Clémence de Hongrie devint reine de France et de Navarre en épousant Louis X en 1315. Veuve un an plus tard, elle mit au monde un fils, Jean Iᵉʳ le Posthume, qui ne vécut que quatre jours. Elle se retira de la Cour et entra au couvent des Dominicains d'Aix-en-Provence.

Veuve du comte de Spanheim au XIIᵉ siècle, **sainte Clémence** se fit religieuse dans un couvent de Trèves, en Allemagne, où elle termina ses jours.

.../

C

69

Clémence *(suite)*

Personnalités célèbres : Clémence Boulouque, romancière française née en 1977 ; Clémence Saint-Preux, chanteuse française née en 1988.

Statistiques : Clémence est le 31e prénom féminin le plus donné en France depuis le début du XXIe siècle. On peut estimer qu'il sera attribué à une fille sur 179 en 2014.

(Josette, Bernadette). ◇ Née en Picardie en 1381, sainte Colette de Corbie réforma l'ordre des Clarisses au moment où le grand schisme d'Occident opposait les partisans du pape de Rome et ceux du pape d'Avignon. Caractérologie : achèvement, stratégie, ardeur, vitalité, leadership.

Coline 🗼 18 000 (TOP 200) ⬇
Victoire du peuple (grec). En dehors de l'Hexagone, Coline est recensé dans les pays anglophones. Variantes : Colline, Collyne, Colyne. Caractérologie : méthode, engagement, fiabilité, ténacité, raisonnement.

Colleen 🗼 1 500 (TOP 1000) ⬇
Victoire du peuple (grec). Féminin anglais. Variante : Coleen. Caractérologie : pragmatisme, communication, créativité, optimisme, sociabilité.

Colombe 🗼 2 000 (TOP 700) ➡
Colombe (latin). Caractérologie : relationnel, intuition, médiation, volonté, fidélité.

Colombine 🗼 200 ⬇
Colombe (latin). Forme corse et occitane : Colomba. Caractérologie : intelligence, méditation, savoir, volonté, raisonnement.

Constance 🗼 17 000 (TOP 100) ➡
Constante (latin). Prénom français et anglais. Aussi belle que revêche, Constance d'Arles devint reine de France en épousant Robert II le Pieux en 1003. Mère du futur roi Henri Ier, elle manigança en vain pour que son second fils, Robert, accède au trône (il devint duc de Bourgogne). Pour sa part, Constance de Castille prit la succession d'Aliénor d'Aquitaine à la tête du royaume en épousant Louis VII en 1154. Variante : Connie. Forme occitane : Constancia. Caractérologie : méthode, engagement, ténacité, fiabilité, gestion.

Constantine 🗼 110
Constante (latin). Variante : Constantina. Caractérologie : ambition, force, habileté, décision, logique.

Consuelo 🗼 350
Consolation (latin). Prénom espagnol. Caractérologie : audace, découverte, énergie, originalité, séduction.

Cora 🗼 500
Jeune fille (grec). Féminin anglais et allemand. Caractérologie : direction, audace, dynamisme, analyse, indépendance.

Coralie 🗼 54 000 (TOP 400) ⬇
Jeune fille (grec). Féminin français. Variantes : Coralia, Corélia, Corélie, Koralie. Caractérologie : altruisme, idéalisme, intégrité, décision, logique.

Coraline 🗼 8 000 (TOP 800) ➡
Jeune fille (grec). Féminin français. Variante : Coralyne. Caractérologie : courage, curiosité, détermination, dynamisme, raisonnement.

Coraly 🗼 700 ⬇
Jeune fille (grec). Caractérologie : sociabilité, réceptivité, diplomatie, loyauté, logique.

Corantine

Amie (celte). Féminin français. Ce prénom est porté par moins de 100 personnes en France. Caractérologie : rectitude, humanité, rêve, raisonnement, détermination.

Cordélia 🎌 180

Cœur (latin). Caractérologie : persévérance, sécurité, analyse, volonté, structure.

Corentine 🎌 950 ⊗

Amie (celte). Féminin français. Caractérologie : engagement, méthode, ténacité, fiabilité, raisonnement.

Corina 🎌 170

Jeune fille (grec). Féminin anglais, allemand et roumain. Caractérologie : famille, décision, logique, équilibre, sens des responsabilités.

Corine 🎌 17 000

Jeune fille (grec). Féminin français. On peut estimer que moins de 30 enfants seront prénommés ainsi en 2014. Caractérologie : innovation, énergie, autorité, ambition, logique.

Corinne 🎌 159 000 ⊕

Jeune fille (grec). Corinne est le nom d'une poétesse grecque à laquelle Ovide adressait ses poèmes au Ier siècle. C'est pourtant le succès littéraire de Mme de Staël (*Corinne ou l'Italie*, paru en 1807) qui sort le prénom de l'anonymat. Devenant relativement usité à la fin du XIXe siècle dans les pays anglophones, il émerge en France avec un temps de décalage, dans les années 1940. Corinne atteint le sommet de sa carrière dans les années 1960 et se maintient durant sept années dans le top 10 féminin. On peut estimer que moins de 30 enfants seront prénommés ainsi en 2014. Variantes : Coria, Corie, Cory, Corianne, Corinna, Corrinne, Korine. Caractérologie : bienveillance, paix, conseil, conscience, logique.

Corisande

Corisande est l'héroïne du roman de chevalerie *Amadis de Gaule*, écrit en 1508 par Garci Rodríguez de Montalvo. Diane d'Andoins (1554-1620), comtesse de Guiche, dite « la belle Corisande » prit ce surnom après avoir lu le roman. Henri IV tomba follement amoureux d'elle. Ce prénom est porté par moins de 100 personnes en France. Caractérologie : raisonnement, philosophie, décision, connaissances, originalité.

Cornélia 🎌 500 ⊕

Cornue, corneille (latin). Féminin italien et anglais. Variante : cornélie. Caractérologie : curiosité, analyse, dynamisme, résolution, courage.

Corrine 🎌 650

Jeune fille (grec). Caractérologie : autorité, énergie, innovation, logique, ambition.

Cosette 🎌 1 500

Victoire du peuple (grec). On peut estimer que moins de 30 enfants seront prénommés ainsi en 2014. Caractérologie : conscience, conseil, bienveillance, paix, organisation.

Cosima 🎌 170

Univers (grec). Prénom italien. Caractérologie : famille, raisonnement, influence, équilibre, sens des responsabilités.

Courtney

Enclos (latin). Plus fréquent sous forme de patronyme anglophone. Féminin anglais. Ce prénom est porté par moins de 100 personnes en France. Caractérologie : fiabilité, sympathie, méthode, ténacité, analyse.

Cristel 🎌 750

Messie (grec). Variante : Crystel. Caractérologie : audace, découverte, énergie, détermination, organisation.

C

71

Cristelle 🌟 2 000
Messie (grec). On peut estimer que moins de 30 enfants seront prénommés ainsi en 2014. Caractérologie : structure, sécurité, persévérance, organisation, détermination.

Cristina 🌟 3 000 **TOP 2000** ↗
Messie (grec). Cristina est répandu dans les pays hispanophones. Caractérologie : pratique, communication, gestion, enthousiasme, décision.

Crystal 🌟 1 000 **TOP 1000** →
Messie (grec). Aux États-Unis, ce prénom anglophone est plus particulièrement attribué dans la communauté noire américaine. Variante : Cristal. Caractérologie : vitalité, achèvement, stratégie, gestion, réalisation.

Cybélia 🌟 300 ⬇
Prophétesse (grec). Caractérologie : communication, pragmatisme, amitié, créativité, sociabilité.

Cylia 🌟 1 000 **TOP 700** ↘
Aveugle (latin). Voir Cécile. Variante : Cyliane. Caractérologie : énergie, originalité, séduction, audace, découverte.

Cyndel 🌟 200
Divine (latin). Variante : Cyndelle. Caractérologie : ouverture d'esprit, rectitude, humanité, rêve, bonté.

Cyndie 🌟 1 500
Divine (latin). On peut estimer que moins de 30 enfants seront prénommés ainsi en 2014. Variantes : Cyndia, Cyndy. Caractérologie : sens des responsabilités, cœur, équilibre, famille, influence.

Cynthia 🌟 22 000 **TOP 900** ⬇
Divine (latin). Ce prénom très répandu dans les pays anglophones s'est propagé en France et dans de nombreux pays occidentaux. Variantes : Cinthia, Cinthya, Cyntia, Synthia. Caractérologie : achèvement, vitalité, stratégie, attention, action.

Cyprienne 🌟 450
Qui vient de Chypre (grec). Variantes : Cypriane, Cyprielle, Cyprine. Caractérologie : dynamisme, audace, indépendance, direction, sympathie.

Cyra
Soleil (persan), seigneur (grec). Ce prénom est porté par moins de 30 personnes en France. Variantes : Kira, Kyra. Caractérologie : relationnel, médiation, fidélité, adaptabilité, intuition.

Cyriane 🌟 550 **TOP 2000** ↘
Soleil (persan), seigneur (grec). Variantes : Cyrianne, Cyrienne, Cyrine, Cyrinne. Caractérologie : communication, enthousiasme, pratique, résolution, sympathie.

Cyrielle 🌟 11 000 **TOP 500** →
Seigneur (grec). Féminin français. Variantes : Cyriel, Cyrièle. Caractérologie : cœur, achèvement, stratégie, ardeur, vitalité.

Cyrille 🌟 1 500
Seigneur (grec). On peut estimer que moins de 30 enfants seront prénommés ainsi en 2014. Variantes : Cirila, Cyrilla. Caractérologie : communication, pragmatisme, optimisme, cœur, créativité.

Cyrine 🌟 800 **TOP 1000** ↗
Seigneur (grec). Caractérologie : fidélité, bonté, médiation, relationnel, intuition.

D

Dagmar

Servante de jour (scandinave). Ce prénom est porté par moins de 100 personnes en France. Caractérologie : force, ambition, passion, habileté, réalisation.

Dahlia 600 **TOP 2000** →

Rameau en fleur (hébreu). Prénom italien. Caractérologie : passion, force, management, ambition, habileté.

Daïna 300 **TOP 2000** →

Sagesse, jugement (hébreu), nom donné aux chansons folkloriques lettonnes traditionnelles. Féminin letton et lituanien. Variante : Daïana. Caractérologie : fidélité, relationnel, médiation, détermination, intuition.

Daisy 4 000 **TOP 2000** →

Fleur (anglais). Féminin anglais et néerlandais. On peut estimer que moins de 30 enfants seront prénommés ainsi en 2014. Caractérologie : méthode, fiabilité, engagement, réussite, ténacité.

Dalia 1 000 **TOP 700** →

Fleur, vigne (arabe), rameau en fleur (hébreu). Prénom italien. Variantes : Dalhia, Dalya, Daly. Caractérologie : humanité, rectitude, rêve, générosité, tolérance.

Dalila 11 000 **TOP 2000** →

Guide (arabe), coquette (hébreu). Ce prénom est particulièrement répandu dans les communautés musulmanes francophones. On peut estimer que moins de 30 enfants seront prénommés ainsi en 2014. Variante : Dalilah. Caractérologie : adaptation, pratique, enthousiasme, générosité, communication.

Dalla 300 →

Rameau en fleur (hébreu). Caractérologie : communication, pragmatisme, optimisme, créativité, sociabilité.

Damaris 250

Mollet (grec). Caractérologie : relationnel, fidélité, médiation, intuition, adaptabilité.

Damia 160

Dompter (grec). Dans la mythologie grecque, Damia est la déesse de la Terre et de la Fertilité. Caractérologie : dynamisme, audace, direction, indépendance, assurance.

Damienne 550

Dompter (grec). Variante : Damiane. Caractérologie : intuition, médiation, relationnel, fidélité, résolution.

Dana 1 500 **TOP 1000** ↘

Les origines de ce prénom répandu en Israël, dans les pays slaves, scandinaves et anglophones sont multiples. Dana est un lointain dérivé de Dan, d'où son origine hébraïque : « Dieu fait justice ». C'est une variante probable de Danu, déesse celte de l'Eau dont la notoriété fut si grande qu'elle inspira le nom du fleuve Danube en Europe. Dana(h) désigne également la perle précieuse en arabe alors que Dane signifie « qui vient du Danemark » en vieux norrois. Notons que Dana est usité dans les deux sexes dans les cultures persanes. Variantes : Danaëlle, Danna. Caractérologie : réceptivité, loyauté, sociabilité, diplomatie, bonté.

Danaé 1 500 ↓

Dans la mythologie grecque, Danaé est la mère de Persée. On peut estimer que moins de 30 enfants seront prénommés ainsi en 2014. Variante : Danaée. Caractérologie :

D

connaissances, spiritualité, originalité, sagacité, philosophie.

Dania 🏵 750 (TOP 2000) ⬆

Dieu est mon juge (hébreu). Prénom espagnol. Forme basque : Dani. Caractérologie : sociabilité, loyauté, diplomatie, décision, réceptivité.

Danica

L'étoile du matin (slave). Féminin serbe, croate, slovaque, tchèque et macédonien. Ce prénom est porté par moins de 100 personnes en France. Caractérologie : découverte, originalité, résolution, audace, énergie.

Danie 🏵 550

Dieu est mon juge (hébreu). Féminin français. Variante : Dannie. Caractérologie : paix, conscience, conseil, bienveillance, détermination.

Daniela 🏵 2 000 (TOP 900) ⬈

Dieu est mon juge (hébreu). Féminin allemand, slave, roumain, italien, portugais, espagnol et anglais. Caractérologie : direction, audace, indépendance, dynamisme, détermination.

Danièle 🏵 77 000

Dieu est mon juge (hébreu). Danièle a grandi en même temps que Danielle mais son succès, avec un seul « l », a été beaucoup plus modeste. Néanmoins, Danièle est parvenu à s'imposer dans le top 20 féminin en 1947. On peut estimer que moins de 30 enfants seront prénommés ainsi en 2014. Caractérologie : courage, dynamisme, curiosité, indépendance, détermination.

Daniella 🏵 1 500 (TOP 2000) ⬆

Dieu est mon juge (hébreu). Féminin anglais. Caractérologie : persévérance, efficacité, sécurité, structure, décision.

Danielle 🏵 144 000 (TOP 2000)

Dieu est mon juge (hébreu). Inexistant au début du XXᵉ siècle, Danielle émerge dans le sillon de Daniel et culmine au 5ᵉ rang féminin en 1947. Plus fréquent que Danièle mais nettement moins attribué que sa forme masculine, Danielle disparaît des radars dans les années 1980. On peut estimer que moins de 30 enfants seront prénommés ainsi en 2014. Caractérologie : achèvement, vitalité, ardeur, stratégie, résolution.

Danny 🏵 550

Dieu est mon juge (hébreu). Féminin anglais. Caractérologie : persévérance, structure, sécurité, efficacité, réalisation.

Dany 🏵 7 000

Dieu est mon juge (hébreu). On peut estimer que moins de 30 enfants seront prénommés ainsi en 2014. Caractérologie : achèvement, vitalité, réussite, stratégie, ardeur.

Daphné 🏵 7 000 (TOP 200) ⬈

Laurier (grec). Dans la mythologie grecque, Daphné se métamorphose en laurier afin d'échapper aux avances incessantes d'Apollon. En la trouvant figée sur les rives du fleuve Pénée, ce dernier la supplie d'orner sa chevelure de ses rameaux. Une consolation qu'elle lui octroie. En dehors de l'Hexagone, Daphne est plus particulièrement usité dans les pays anglophones et néerlandophones. Variantes : Dafné, Daphney. Caractérologie : adaptation, communication, pratique, enthousiasme, réussite.

Daphnée 🏵 2 000 (TOP 900) ➡

Laurier (grec). Caractérologie : passion, ambition, force, réussite, habileté.

Dara 🏵 120

Chêne (celte), perle de sagesse (hébreu), étoile (cambodgien), chef (turc), riche (persan), belle (swahili), jeune fille (indonésien). Caractérologie : bienveillance, conscience, paix, conseil, sagesse.

Daria 🌺 650 (TOP 2000) →
Instruite, cultivée (arabe), détentrice du bien (grec). Daria est particulièrement recensé en Italie, en Russie, en Corse et dans les pays slaves et anglophones. Variante : Dari. Caractérologie : bienveillance, conscience, paix, conseil, sagesse.

Darina 🌺 300 ◐
Détentrice du bien (grec). Prénom slave méridional, essentiellement répandu en République tchèque et en Slovaquie. Variantes : Dariane, Darie, Darine. Caractérologie : sociabilité, réceptivité, loyauté, détermination, diplomatie.

Darlène 🌺 450
Tendrement aimée (anglais). Féminin anglais. Variante : Darline. Caractérologie : décision, curiosité, dynamisme, courage, indépendance.

Davina 🌺 1 500 (TOP 2000) →
Aimée, chérie (hébreu). Féminin anglais. Variante : Davia. Caractérologie : famille, sens des responsabilités, équilibre, influence, décision.

Dawn 🌺 130
Aube (anglais). Féminin anglais. Caractérologie : influence, équilibre, famille, sens des responsabilités, exigence.

Day
Journée (anglais). Féminin anglais. Ce prénom est porté par moins de 30 personnes en France. Caractérologie : optimisme, pragmatisme, créativité, réalisation, communication.

Daya
Oiseau (hébreu), compassion, empathie (sanscrit). Daya est plus particulièrement usité dans les pays anglophones et en Inde. Ce prénom est porté par moins de 100 personnes en France. Caractérologie : méthode, ténacité, engagement, réalisation, fiabilité.

Dayana 🌺 500 (TOP 2000) →
Lumière éclatante (arabe). Variante : Dayane. Caractérologie : énergie, innovation, autorité, réalisation, ambition.

Déa 🌺 120
Déesse (scandinave), forme diminutive anglophone de Deana. Caractérologie : autorité, autonomie, énergie, innovation, ambition.

Deanna
Vallée ou doyen (vieil anglais), ou variante anglophone de Diane. Féminin anglais. Ce prénom est porté par moins de 100 personnes en France. Variantes : Déana, Déanne. Caractérologie : communication, pragmatisme, sociabilité, créativité, optimisme.

Débora 🌺 1 500 (TOP 2000) →
Abeille (hébreu). Féminin italien, allemand et portugais. Caractérologie : altruisme, détermination, volonté, idéalisme, intégrité.

Déborah 🌺 30 000 (TOP 700) ◐
Abeille (hébreu). Prophétesse et juge dans la Bible, Déborah mène les Israélites vers la victoire sur l'armée cananéenne. Sous son égide, le peuple hébreu connaît une période de paix de quarante années. Ce prénom est très répandu dans les pays anglophones. Variantes : Debbie, Devora. Caractérologie : stratégie, vitalité, achèvement, caractère, attention.

Debra 🌺 300
Abeille (hébreu). Caractérologie : communication, pratique, adaptation, enthousiasme, résolution.

D

75
·······

Les prénoms parisiens

La mairie de Paris a publié la liste des prénoms déclarés à l'état civil entre 2004 et 2012 sur son site internet **Opendata.paris.fr**. Ci-dessous le classement des 20 prénoms les plus attribués dans la capitale en 2012 :

Filles		Garçons	
1. Louise	11. Lina	1. Gabriel	11. Lucas*
2. Chloé	12. Léa	2. Adam	12. Gaspard
3. Inès*	13. Adèle	3. Arthur	13. Hugo
4. Alice	14. Jade	4. Louis	14. Mohamed
5. Sarah*	15. Manon	5. Raphaël*	15. Jules
6. Emma	16. Éva	6. Paul	16. Sacha
7. Camille	17. Charlotte	7. Alexandre	17. Thomas
8. Jeanne	18. Julia	8. Victor	18. Augustin
9. Juliette	19. Zoé	9. Antoine	19. Nathan
10. Anna	20. Joséphine	10. Maxime	20. Léo

Commentaires et observations

Dans ce millésime 2012, Gabriel et Louise poursuivent leur règne entamé en 2004. Ils devancent largement Emma et Nathan qui, malgré leur gloire nationale, peinent à s'imposer dans la capitale. Le cru parisien se distingue de bien des manières. Son bouquet, plus multicolore, reflète les choix d'une population plus diverse. En témoigne Mohamed, marqueur identitaire des familles musulmanes, qui se place 14e alors qu'il est 32e à l'échelle nationale. En témoigne le triomphe des choix multiculturels qui, d'Adam à Inès/Ines ou Lina, n'ont jamais autant brillé. En témoigne enfin l'essor singulier des prénoms de l'Ancien Testament. Ces derniers séduisent les familles de confessions juive et chrétienne, ainsi qu'un large éventail de parents non pratiquants. Restent Charlotte, Zoé, Nina, Jules, Alexandre et Victor, qui font florès parce qu'ils sont à la fois classiques et internationaux.

L'attrait du classique, moteur d'une innovation toute parisienne, a déjà lancé la carrière française de Louis, Arthur, Gabriel, Alice, Juliette et Louise. Quant à l'engouement pour les prénoms de l'Ancien Testament, il s'est lui aussi propagé à l'ensemble de l'Hexagone. Certains d'entre eux (Nathan, Aaron, Noah, etc.) ont même rattrapé leur retard : ils brillent désormais plus haut dans le tableau français que dans la ville de Lutèce. Mais dans le sens

.../

Les prénoms parisiens *(suite)*

inverse, les tendances nationales influencent également les choix parisiens. Ainsi, Emma, Chloé, Lucas et Léo se sont envolés dans Paris bien après avoir fait leurs preuves dans les autres villes françaises.

De là à penser que toutes les stars nationales peuvent conquérir la capitale, il y a un pas que nous ne franchirons pas. Car les Parisiens se méfient des innovations et boudent les prénoms nouveaux. Ainsi, Lilou et Timéo ne figurent même pas dans les 100 premiers choix parisiens ! Une attitude qui affecte les sonorités les plus en vogue. Ainsi, les terminaisons d'Ethan et Nolan n'ont guère fait d'émules, pas plus que les désinences en « éo ». Seul Léo, avec son côté rétro, a pu se hisser au 20ᵉ rang**.

Mais revenons au millésime parisien. En 2012, Adrien, Clément et Noah ont chuté dans le top 30 au profit d'Augustin, Gaspard et Léo. Chez les filles, Adèle, Julia et Joséphine se sont emparées des places laissées vacantes par Anaïs, Mathilde et Nina. Que de bouleversements en une année ! Et dire que d'autres étoiles s'élèvent à l'horizon. Sentinelles postées aux portes du top 20, Gabrielle, Maya/Maïa, Rose et Joseph ont toutes les chances d'intégrer le classement 2013. Affaire à suivre…

* Si l'on prenait en compte les variantes, Sara(h) se classerait 3ᵉ devant Inès/Ines, Raphaël/Rafaël se placerait 4ᵉ et Luca(s) 8ᵉ.

** Si l'on prenait en compte les trois graphies d'Eliott (Eliot, Elliot), ce prénom prendrait la place de Léo au 20ᵉ rang.

Deidra
Jeune fille (irlandais). Ce prénom est porté par moins de 30 personnes en France. Caractérologie : bienveillance, détermination, paix, sagesse, conseil.

Délia 1 500 **TOP 700** →
Fleur, vigne (arabe). En dehors de l'Hexagone, Delia est particulièrement usité au Portugal. Variantes : Delhia, Dhelia. Delya. Caractérologie : persévérance, structure, sécurité, décision, efficacité.

Delphine 123 000 **TOP 2000**
Dauphin (latin). En intitulant son premier roman *Delphine* en 1802, Mme de Staël donne une existence à ce prénom jusqu'alors méconnu. Delphine devient plus visible, même si sa vraie carrière débute bien plus tard, dans les années 1970. Une poussée soudaine le propulse au 7ᵉ rang féminin en 1977, et l'on ne saurait expliquer la chute qui le fait disparaître aussi rapidement qu'il était apparu.
◇ Née dans le Vaucluse en 1280, sainte Delphine épousa Éléazar de Sabran et persuada ce dernier de ne pas consommer leur mariage. Veuve, elle se consacra aux œuvres charitables et termina sa vie dans une grande pauvreté. Variantes : Dauphine, Delfine, Delphe, Delphie, Delphina, Delphy. Forme bretonne et corse : Delfina. Caractérologie : innovation, énergie, action, autorité, cœur.

Delta

Désigne la quatrième lettre de l'alphabet grec. Féminin anglais. Ce prénom est porté par moins de 30 personnes en France. Caractérologie : équilibre, sens des responsabilités, famille, influence, organisation.

Denise 🌟 149 000 ➡

Fille de Dieu (grec). Ce féminin de Denis surgit à la fin du XIXe siècle en France. Il rencontre un tel engouement qu'il figure parmi les 5 premiers rangs de 1924 à 1935. C'est alors que sa vogue se propage aux pays de langue anglaise. Il disparaît totalement dans les années 1980 mais reste aujourd'hui plus porté que son masculin. Denise est le 18e prénom le plus attribué du XXe siècle en France. On peut estimer que moins de 30 enfants seront prénommés ainsi en 2014. Variantes : Denia, Deniz, Denize, Dionne. Forme occitane : Danisa. Caractérologie : intuition, relationnel, médiation, fidélité, détermination.

Denyse 🌟 750

Fille de Dieu (grec). Caractérologie : rectitude, humanité, ouverture d'esprit, rêve, réussite.

Déotille

Dieu, tilleul (latin). Ce prénom est porté par moins de 100 personnes en France. Caractérologie : raison, innovation, ambition, indépendance, énergie.

Désirée 🌟 2 000 ↘

Désirée (latin). On peut estimer que moins de 30 enfants seront prénommés ainsi en 2014. Caractérologie : intuition, relationnel, fidélité, résolution, médiation.

Déva 🌟 500 TOP 2000 ➡

Deva est le terme qui désigne les dieux en sanscrit. Les *deva* font partie intégrante de la culture hindoue. Prénom indien d'Asie.

Caractérologie : originalité, séduction, découverte, énergie, audace.

Diana 🌟 7 000 TOP 400 ➡

Divine (latin). Diana est très répandu dans les pays européens et occidentaux. Variante : Dianna. Caractérologie : fidélité, intuition, relationnel, médiation, résolution.

Diandra 🌟 110

Fleur de Dieu (grec). Caractérologie : bienveillance, conscience, conseil, résolution, paix.

Diane 🌟 17 000 TOP 200 ➡

Divine (latin). Dans la mythologie romaine, Diane, la déesse de la Chasse, est l'équivalent de la déesse grecque Artémis. En dehors de l'Hexagone, Diane est très répandu dans les pays anglophones. Variante : Dianne. Caractérologie : éthique, famille, influence, résolution, équilibre.

Dianthe

Fleur de Dieu (grec). Ce prénom est porté par moins de 30 personnes en France. Caractérologie : spiritualité, connaissances, résolution, finesse, sagacité.

Dilan 🌟 350 ➡

Mer (gallois). Variantes : Dillan, Dilane, Dilhan, Dylane. Caractérologie : méthode, fiabilité, ténacité, engagement, résolution.

Dilara 🌟 1 000 TOP 2000 ↘

Aimante (turc). Caractérologie : idéalisme, altruisme, réflexion, dévouement, intégrité.

Dima 🌟 110

Pluie fine (arabe). Caractérologie : humanité, rêve, rectitude, générosité, ouverture d'esprit.

Dina 🌟 5 000 TOP 200 ↑

Celle pour laquelle justice a été faite (hébreu). Dina est très répandu en Italie et dans les pays anglophones. Variantes : Dinah, Dinna, Dyna. Caractérologie : direction, indépendance, audace, résolution, dynamisme.

Divine 🏳️ 650 (TOP 2000) →
Divine (latin). Variantes : Déva, Diva, Divina. Caractérologie : ouverture d'esprit, rêve, générosité, humanité, rectitude.

Dixie
Fille de Dick (anglais). Ce prénom est porté par moins de 100 personnes en France. Caractérologie : sagesse, ténacité, conscience, conseil, harmonie.

Djamila 🏳️ 6 000 (TOP 2000) →
D'une grande beauté physique et morale (arabe). On peut estimer que moins de 30 enfants seront prénommés ainsi en 2014. Variantes : Djamela, Djamella, Djamilla. Caractérologie : curiosité, charisme, dynamisme, courage, indépendance.

Djemila 🏳️ 750
D'une grande beauté physique et morale (arabe). Variante : Djemilla. Caractérologie : résolution, intégrité, altruisme, idéalisme, réflexion.

Dolly 🏳️ 800
Douleur (latin). Féminin anglais. Caractérologie : découverte, énergie, audace, originalité, séduction.

Dolorès 🏳️ 9 000 (TOP 2000) →
Douleur (latin). Dolorès est un prénom espagnol. On peut estimer que moins de 30 enfants seront prénommés ainsi en 2014. Caractérologie : caractère, intelligence, savoir, méditation, logique.

Domenica 🏳️ 300
Qui appartient au Seigneur (latin). Prénom italien. Caractérologie : dynamisme, volonté, audace, direction, analyse.

Dominica 🏳️ 350
Qui appartient au Seigneur (latin). Dominica est plus traditionnellement usité en Italie et au Pays basque. Caractérologie : audace, énergie, découverte, volonté, raisonnement.

Dominique 🏳️ 160 000 →
Qui appartient au Seigneur (latin). En France, ce prénom mixte est porté par une majorité d'hommes (58 %), mais il a connu un beau succès au féminin. Dans les deux genres, il a figuré dans le top 10 national dans les années 1950, faisant jeu égal, à 600 naissances près, en 1955. Sa retraite sonne avant celle de son masculin, mais un nouvel élan le porte dans les pays anglophones, où Dominique est exclusivement féminin. On peut estimer que moins de 30 enfants seront prénommés ainsi en 2014. Variantes : Doma, Domitienne, Domitilde. Forme occitane : Domenga. Formes basques : Dominixa, Dominixe. Caractérologie : caractère, force, ambition, habileté, logique.

Domitie
Celle qui a soumis (latin). Féminin français. Ce prénom est porté par moins de 100 personnes en France. Caractérologie : caractère, pragmatisme, créativité, communication, optimisme.

Domitille 🏳️ 3 000 (TOP 500) ↗
Celle qui a soumis (latin). Féminin français. Caractérologie : rectitude, humanité, volonté, raisonnement, rêve.

Dona 🏳️ 350 ↘
Présent de Dieu (latin). Féminin anglais. Variantes : Donata, Donatella. Caractérologie : originalité, spiritualité, connaissances, sagacité, caractère.

Donatienne 🏳️ 850
Présent de Dieu (latin). Caractérologie : intuition, volonté, médiation, résolution, relationnel.

Donia 🌟 3 000 **TOP 2000** ⬊

Source de vie, richesse (arabe), qui appartient au Seigneur (latin). Féminin anglais. Variante : Dounia. Caractérologie : savoir, méditation, volonté, intelligence, résolution.

Donna 🌟 650 ⬇

Présent de Dieu (latin). Féminin anglais et italien. Caractérologie : communication, enthousiasme, adaptation, pratique, caractère.

Donya 🌟 300 ➡

Source de vie, richesse (arabe), qui appartient au Seigneur (latin). Caractérologie : curiosité, volonté, dynamisme, réalisation, courage.

Dora 🌟 1 500 ⬇

Don de Dieu (grec). Féminin anglais, espagnol et grec. On peut estimer que moins de 30 enfants seront prénommés ainsi en 2014. Caractérologie : relationnel, médiation, intuition, fidélité, adaptabilité.

Dorcas 🌟 250 ⬊

Gazelle (hébreu). Caractérologie : paix, bienveillance, conseil, raisonnement, conscience.

Doreen 🌟 400 ⬇

Don de Dieu (grec). Féminin anglais. Caractérologie : connaissances, caractère, originalité, sagacité, spiritualité.

Doria 🌟 850 ⬇

Grecque (latin). Féminin anglais. Caractérologie : sociabilité, diplomatie, réceptivité, loyauté, bonté.

Doriana 🌟 300 ⬇

Grecque (latin). Caractérologie : achèvement, volonté, vitalité, résolution, stratégie.

Doriane 🌟 10 000 **TOP 1000** ⬇

Grecque (latin). Féminin français et anglais. Variante : Doryane. Caractérologie : pragmatisme, communication, décision, optimisme, caractère.

Dorianne 🌟 900 ⬇

Grecque (latin). Variantes : Dorienne, Dorielle. Caractérologie : habileté, résolution, ambition, volonté, force.

Dorienne

Grecque (latin). Ce prénom est porté par moins de 100 personnes en France. Caractérologie : caractère, communication, adaptation, pratique, enthousiasme.

Dorina 🌟 190

Don de Dieu (grec). Prénom roumain. Variante : Dorinda. Caractérologie : connaissances, sagacité, spiritualité, décision, caractère.

Dorine 🌟 6 000 **TOP 2000** ⬇

Don de Dieu (grec). Féminin anglais et français. Variantes : Dorie, Dorinne, Doryne. Caractérologie : sociabilité, réceptivité, loyauté, diplomatie, volonté.

Doris 🌟 5 000 ➡

Grecque (latin). En dehors de l'Hexagone, Doris est plus particulièrement porté dans les pays anglophones et germanophones. On peut estimer que moins de 30 enfants seront prénommés ainsi en 2014. Variantes : Dorice, Dorys. Caractérologie : relationnel, médiation, intuition, fidélité, adaptabilité.

Dorothée 🌟 18 000 ⬇

Don de Dieu (grec). Féminin français. On peut estimer que moins de 30 enfants seront prénommés ainsi en 2014. Variantes : Dorothé, Dot, Dottie, Dorothea. Caractérologie : idéalisme, altruisme, intégrité, volonté, finesse.

Dorothy 🌟 300

Don de Dieu (grec). Féminin anglais. Caractérologie : conscience, paix, bienveillance, conseil, ressort.

Dorra 200

Don de Dieu (grec). Caractérologie : intuition, relationnel, médiation, fidélité, adaptabilité.

Dounia 8 000  TOP 500

Source de vie, richesse (arabe). Variante : Dounya. Caractérologie : volonté, analyse, innovation, autorité, énergie.

Dova

Colombe (anglais). Féminin anglais. Ce prénom est porté par moins de 30 personnes en France. Caractérologie : exigence, équilibre, famille, sens des responsabilités, influence.

Dulce 200

Douce (latin). Variantes : Dulcie, Dulcina. Caractérologie : rectitude, humanité, ouverture d'esprit, générosité, rêve.

Dulcie

Douce (latin). Ce prénom est porté par moins de 100 personnes en France. Caractérologie : intelligence, méditation, sagesse, savoir, indépendance.

Dune 350

Prénom attribué à Frank Herbert, auteur du livre de science-fiction *Dune*. Caractérologie : stratégie, achèvement, vitalité, ardeur, leadership.

Dylane

Mer (gallois). Ce prénom est porté par moins de 100 personnes en France. Caractérologie : amitié, sagacité, spiritualité, connaissances, réalisation.

E

Eda 1 500 TOP 800

Richesse, combat (germanique), bien élevée (turc). Caractérologie : audace, direction, indépendance, dynamisme, assurance.

Éden  6 000 TOP 200

Paradis (hébreu). Dans l'Ancien Testament, le jardin d'Éden désigne le lieu où vécurent Adam et Ève, le premier couple de l'humanité. Ce prénom, largement usité par les puritains anglais au XVIIe siècle, apparaît pour la première fois en France en 1977, au masculin d'abord, puis au féminin à partir de 1986. Son succès dans les deux genres en fit un prénom mixte pionnier. Aujourd'hui, Éden est attribué à une majorité de garçons. Variantes : Edena, Édène. Caractérologie : énergie, innovation, autonomie, ambition, autorité.

Edia

Riche amie (germanique). Féminin anglais. Ce prénom est porté par moins de 30 personnes en France. Caractérologie : direction, audace, dynamisme, détermination, indépendance.

Édina 130

Prospère, plaisante (germanique). Variante : Édine. Caractérologie : sens des responsabilités, famille, influence, équilibre, détermination.

Édith 45 000 TOP 2000

Richesse, combat (germanique). En dehors de l'Hexagone, Edith est plus particulièrement recensé dans les pays anglophones, germanophones et scandinaves. On peut estimer que moins de 30 enfants seront prénommés ainsi en 2014. Variantes : Edita, Edite. Caractérologie : direction, audace, dynamisme, indépendance, finesse.

Edmée
🌸 2 000

Riche protectrice (germanique). On peut estimer que moins de 30 enfants seront prénommés ainsi en 2014. Variante : Edma. Caractérologie : dynamisme, courage, indépendance, curiosité, charisme.

Edmonde
🌸 3 000

Riche protectrice (germanique). On peut estimer que moins de 30 enfants seront prénommés ainsi en 2014. Variantes : Edmonda, Edmondine. Caractérologie : équilibre, sens des responsabilités, volonté, influence, famille.

Edna
🌸 250

Amande (irlandais), rajeunissement (hébreu). Féminin anglais. Variante : Etna. Caractérologie : équilibre, sens des responsabilités, famille, influence, exigence.

Édréa

Prospère, puissante (germanique). Féminin anglais. Ce prénom est porté par moins de 30 personnes en France. Caractérologie : équilibre, famille, détermination, influence, sens des responsabilités.

Edwige
🌸 19 000

Richesse, combat (germanique). Féminin français. On peut estimer que moins de 30 enfants seront prénommés ainsi en 2014. Variantes : Edvige, Edwig. Caractérologie : habileté, ambition, force, management, passion.

Edwina
🌸 600

Riche amie (germanique). Variante : Edvina. Caractérologie : réceptivité, loyauté, sociabilité, résolution, diplomatie.

Effie
🌸 110 TOP 2000

Qui parle avec justesse (grec). Féminin anglais. Caractérologie : fiabilité, sens du devoir, méthode, ténacité, engagement.

Églantine
🌸 3 000 TOP 600

Nom de fleur à épines (latin). Variantes : Égléa, Églée. Caractérologie : paix, détermination, amitié, conscience, bienveillance.

Eileen
🌸 1 000 TOP 800

Éclat du soleil (grec). Variante : Aileen. Caractérologie : courage, curiosité, dynamisme, indépendance, charisme.

Elaia
🌸 700 TOP 600

Hirondelle (basque). Caractérologie : innovation, énergie, autorité, ambition, détermination.

Élaine
🌸 300

Éclat du soleil (grec). Féminin anglais. Variantes : Élana, Élauna, Éléana. Caractérologie : direction, audace, indépendance, dynamisme, décision.

Elaura
🌸 350 TOP 2000

Éclat du soleil (grec). Elaura est plus traditionnellement usité au Pays basque. Caractérologie : persévérance, structure, efficacité, résolution, sécurité.

Éléa
🌸 9 000 TOP 100

Dieu (hébreu), ou honneur (celte). Éléa pourrait également être une cousine d'Éléana ou Eleanor. Éléa est un prénom français. Variantes : Elléa, Iléa. Caractérologie : curiosité, indépendance, courage, dynamisme, charisme.

Éléana
🌸 950 TOP 500

Éclat du soleil (grec). Variante : Éléane. Caractérologie : médiation, intuition, relationnel, adaptabilité, fidélité.

Eleanor
🌸 950 TOP 700

Compassion (grec). Féminin français et anglais. Variantes : Eleanore, Éléanora. Caractérologie : analyse, sagacité, connaissances, spiritualité, résolution.

Électra

Étoile brillante (grec). Dans la mythologie grecque, Électra aide son frère Oreste à venger l'assassinat de leur père, Agamemnon. Ce prénom est porté par moins de 100 personnes en France. Caractérologie : dynamisme, organisation, direction, résolution, audace.

Elen 🌷 550 ⊘

Éclat du soleil (grec). Caractérologie : humanité, ouverture d'esprit, rectitude, rêve, générosité.

Éléna 🌷 15 000 TOP 50 ↑

Éclat du soleil (grec). Cette forme internationale, basque et occitane d'Hélène est en vogue dans de nombreux pays européens, slaves, anglophones et hispanophones. Elle s'envole également en France et devrait percer, avant 2014, dans le top 50 féminin. Variantes : Elene, Ellena, Elenie, Elenoa. Caractérologie : autorité, innovation, ambition, autonomie, énergie.

Éléona 🌷 130 TOP 2000

Compassion (grec). Caractérologie : sagacité, philosophie, spiritualité, connaissances, originalité.

Éléonora 🌷 350 ↗

Compassion (grec). Prénom italien. Variantes : Elenore, Éléona, Ellinor, Elna, Elnora. Caractérologie : structure, décision, sécurité, persévérance, logique.

Éléonore 🌷 16 000 TOP 200 →

Compassion (grec). En dehors de l'Hexagone, Éléonore est très répandu en Allemagne. Variantes : Aenor, Alienore, Alianor, Elinor, Elinore, Eleonor, Élénore, Héléonore. Caractérologie : ardeur, vitalité, stratégie, achèvement, logique.

Elfie 🌷 450 TOP 2000 ⊘

Noble paix (germanique). Variantes : Elfi, Elphie. Caractérologie : innovation, analyse, autorité, énergie, ambition.

Elfy 🌷 180

Noble paix (germanique). Caractérologie : pratique, adaptation, enthousiasme, communication, cœur.

Elga

Heureuse (germanique). Ce prénom est porté par moins de 100 personnes en France. Caractérologie : méditation, indépendance, intelligence, savoir, bonté.

Élia 🌷 4 000 TOP 300 ↗

Le Seigneur est mon Dieu (hébreu). Élia est plus traditionnellement usité en Italie et en Corse. Malgré sa mixité, Élia est très largement féminin. Caractérologie : idéalisme, réflexion, altruisme, détermination, intégrité.

Éliana 🌷 1 000 TOP 400 ↑

Voir Éliane. Eliana est particulièrement usité en Italie, dans les pays hispanophones, lusophones et anglophones. Caractérologie : paix, bienveillance, conseil, conscience, résolution.

Éliane 🌷 91 000 TOP 2000 ↗

Ce prénom d'origine hébraïque pourrait être une forme d'Élia ou d'Élisabeth. Féminin français. Variantes : Élyana, Élyane, Élyanne. Caractérologie : ambition, innovation, résolution, autorité, énergie.

Élianne 🌷 1 500

Voir Éliane. On peut estimer que moins de 30 enfants seront prénommés ainsi en 2014. Caractérologie : paix, bienveillance, conseil, conscience, décision.

Éliette 🌷 6 000 →

Le Seigneur est mon Dieu (hébreu). Féminin français. On peut estimer que moins de

E

Les sonorités d'aujourd'hui et de demain

Penchons-nous sur les sonorités, les rythmes et les parcours empruntés par les prénoms dont la gloire est confirmée ou dont l'existence est à découvrir. Composés de deux syllabes et de cinq lettres, les prénoms qui triomphent depuis la fin des années 1990 sont courts. Le millésime 2014 confirme leur formidable longévité. Les terminaisons en « a » tiennent le haut du pavé, mais de nouvelles sonorités pourraient bientôt leur voler la vedette.

Les « a »

Après l'apogée d'Emma, l'avènement de Lola, Lina et Éva confirme la domination des terminaisons en « a ». Pour ne laisser aucune place au doute, huit d'entre elles se sont imposées dans le top 20 national. Leur triomphe est conforté par l'essor de Louna, Elena, Mélina, Inna, Luna, Léana, Mila, Aya, Maya, Maïssa, Lya et Kenza, pour ne citer que quelques étoiles filantes du top 100.

Les « L »

L'engouement pour les prénoms en « L » a propulsé de jeunes étoiles au firmament : un tiers des prénoms du top 20 français arbore cette première lettre. Avant les années 1960, seules Lucienne, Louise et Liliane avaient occasionnellement percé dans l'élite. Mais jamais en même temps. Il a fallu attendre 1997 pour que Léa, Laura et Lucie s'illustrent ensemble dans ce classement. Aujourd'hui, la vague des « L » est alimentée par le jaillissement de Lola, Lilou, Léna, Lina, Louna... et le retour de Louise.

Les « ia »

Qu'elles soient rares ou répandues, anciennes ou nouvelles, les désinences qui riment avec Julia gravissent des montagnes. Et pas seulement en France. Du moderne branché (Lya, Mia, Tia, Zia) au plus traditionnel (Alicia, Amélia, Julia, Olivia, Sonia, Sofia et Victoria), la montée des « ia » s'observe à l'échelle planétaire. Restent des perles plus ou moins rares dont la prospérité est plus spécifiquement française. Aélia, Clélia, Izia, Inaya, Lilia, Mélia, Noélia, Oria et Sélénia rencontrent un engouement national croissant. Giulia, le prénom choisi par Carla Bruni Sarkozy pour sa fille en 2011, devrait de son côté bondir au 141e rang féminin.

Les juxtapositions de voyelles

Malgré sa décrue, Léa continue de soutenir des juxtapositions de voyelles au registre varié. Ainsi, Zoé, Lilou, Léonie, Inaya, Olivia, Maya, Zélie, Izia, Lexie, Charlie, Giulia et Naïla sont portées par de vives courbes de croissance.

.../

Les sonorités d'aujourd'hui et de demain *(suite)*

Les « ie »

Le repli de Marie et Lucie n'a pas empêché les sonorités en « ie » de s'épanouir. Surfant sur la vague de Léonie, Zélie monte dans le top 100 alors que Charlie, Lexie, Maélie et Noélie n'ont jamais prénommé autant de filles. Le succès de Lily, qui rime avec elles, alimente le succès de cette désinence. À quand le rebond de Julie et Sophie ?

La fronde des autres sons

Dans cet ensemble de sonorités bien orchestrées, des rebelles clament leur différence. Adèle, Victoire, Apolline, Lily et Rose forment un bouquet de sonorités plurielles et gravissent néanmoins les échelons du top 100 français. Gageons que Charlie, Romy et Nour les y rejoindront prochainement.

---

30 enfants seront prénommés ainsi en 2014. Caractérologie : sécurité, persévérance, efficacité, structure, honnêteté.

Elif  3 000 **TOP 300** ↗

Prénom turc se rapportant à l'alif, la première lettre de l'alphabet arabe. Caractérologie : logique, découverte, audace, originalité, énergie.

Élina 8 000 **TOP 100** →

Divine (hébreu), et forme scandinave et italienne d'Hélène. Caractérologie : découverte, originalité, détermination, audace, énergie.

Éline 6 000 **TOP 200** ↗

Éclat du soleil (grec). Éline est répandu aux Pays-Bas et en Norvège. Variantes : Élin, Héline. Caractérologie : humanité, rêve, rectitude, ouverture d'esprit, générosité.

Élinoa

Contraction d'Ellie et Noa. Ce prénom est porté par moins de 30 personnes en France. Caractérologie : intuition, médiation, relationnel, résolution, analyse.

Éliona

Mon Dieu est lumière (hébreu). Ce prénom est porté par moins de 100 personnes en France.

Caractérologie : décision, logique, relationnel, médiation, intuition.

Éliora  180 **TOP 2000**

Dieu est ma lumière (hébreu). Variante : Éléora. Caractérologie : équilibre, influence, raisonnement, exigence, sens des responsabilités.

Elis

Le Seigneur est mon Dieu (hébreu). Féminin suédois, norvégien, danois et occitan. Ce prénom est porté par moins de 100 personnes en France. Caractérologie : idéalisme, altruisme, réflexion, volonté, intégrité.

Élisa 41 000 **TOP 50** →

Dieu est serment (hébreu). Diminutif d'Élisabeth, Élisa ou Eliza connaît une longue période de prospérité dans les pays anglophones. De la Renaissance à la fin du XIXe siècle, on le rencontre souvent dans les choix vedettes. Dans l'Hexagone, Élisa n'a jamais connu de grand succès avant les années 2000. C'est alors qu'il dépasse Élise pour briller une année dans le top 30. En léger repli aujourd'hui, Élisa maintient un niveau constant d'attribution, mais c'est Élise qui a repris l'ascendant. Variantes : Alisha, Éliséa,

E

Élisia, Elisha, Élicia, Élissia, Eliza. Caractérologie : énergie, ambition, autorité, innovation, décision.

Élisabeth ⭐ 131 000 `TOP 500` →

Ce prénom biblique vient de l'hébreu Elisheva, d'où la signification « Dieu est serment ». Dans de nombreux pays d'Europe, Élisabeth a été très répandu au Moyen Âge et durant les siècles qui ont suivi. C'est, au moment du règne d'Élisabeth Ier (1558-1603), le choix féminin le plus attribué en Angleterre. Au XVIIe siècle, Elizabeth est massivement choisi par les puritains anglophones qui sèment sa gloire outre-Atlantique. Ce prénom est encore très fréquent lorsque Élisabeth de Wittelsbach (1837-1898), impératrice d'Autriche, prend le célèbre surnom de Sissi. Ce prénom devenu classique dans de nombreux pays occidentaux finit par faire des adeptes en France. Élisabeth monte aux portes du top 20 féminin au milieu des années 1950 avant d'être éclipsé par son dérivé Isabelle. ◇ Dans le Nouveau Testament, Élisabeth est la cousine de Marie et l'épouse de Zacharie. Alors qu'elle se résigne à ne jamais avoir d'enfant, elle parvient à engendrer quatre fils à un âge avancé. Jean, le futur saint Jean-Baptiste, est son premier-né. ◇ Dans l'Ancien Testament, Elisheva est la femme du grand prêtre Aaron, le frère de Moïse. ◇ Sainte Élisabeth de Hongrie, surnommée « reine des pauvres », se consacra aux plus démunis au XIIIe siècle. Variantes : Babette, Bess, Bessie, Beth, Bettina, Betty, Betsy, Elisabetta, Elisheva, Elixane, Elixanne, Helixane, Helixanne, Liese, Lisbeth, Lillibeth, Libby. Caractérologie : détermination, altruisme, idéalisme, intégrité, sensibilité.

Élise ⭐ 75 000 `TOP 50` →

Dieu est serment (hébreu). Beethoven (1770-1827) aurait souhaité dédier sa *Bagatelle en la mineur* à une jeune fille prénommée Thérèse, mais cette œuvre, présentée après sa mort, est intitulée *Lettre à Élise*. Loin d'empêcher son succès, cette erreur en favorise un autre, celui du prénom, qui connaît un mini-boom dans toute l'Europe à la fin XIXe siècle. Après une période plus discrète, Élise revient en force et s'impose dans le top 40 français en 2001. Son niveau d'attribution reste assez constant aujourd'hui. Caractérologie : découverte, audace, énergie, résolution, originalité.

Élisée ⭐ 200 ↘

Dieu a aidé (hébreu). Caractérologie : audace, direction, dynamisme, indépendance, détermination.

Élissa ⭐ 900 `TOP 700` ↗

Dieu est serment (hébreu). Princesse phénicienne, Élissa (Didon en latin) fuit la tyrannie de son frère Pygmalion, le roi de Tyr, et devient la reine fondatrice de la ville de Carthage. Refusant le mariage avec Larbas, Didon s'immolera afin de rester fidèle à son mari défunt. Ce personnage mythologique a inspiré nombre d'œuvres artistiques, comme l'*Énéide* de Virgile. Caractérologie : sociabilité, réceptivité, diplomatie, détermination, loyauté.

Elizabeth ⭐ 4 000 `TOP 2000` ↗

Dieu est serment (hébreu). Féminin allemand, néerlandais, scandinave et anglais. Caractérologie : méditation, intelligence, décision, savoir, attention.

Ella ⭐ 4 000 `TOP 200` ↗

Éclat du soleil (grec). Ella est particulièrement répandu dans les pays anglophones. Caractérologie : enthousiasme, communication, pratique, adaptation, générosité.

Ellen ⭐ 900 →

Éclat du soleil (grec). Ellen est très répandu dans les pays anglophones. Voir Hélène.

Caractérologie : communication, pratique, enthousiasme, générosité, adaptation.

Ellie ⭐ 800 TOP 400 ⬆
Éclat du soleil (grec). Féminin anglais. Variantes : Ellia, Elya. Caractérologie : intelligence, méditation, sagesse, savoir, indépendance.

Elly ⭐ 350 TOP 1000 ↗
Éclat du soleil (grec). Caractérologie : amitié, intégrité, altruisme, réflexion, idéalisme.

Ellyn ⭐ 450 TOP 2000 ↗
Éclat du soleil (grec). Variantes : Elyn, Ellynn. Caractérologie : dynamisme, curiosité, courage, indépendance, bonté.

Elma ⭐ 500 TOP 2000 ➡
Protection, casque (germanique), ou contraction d'Elizabeth et Mary. Elma est plus particulièrement répandu dans les pays néerlandophones, germanophones et anglophones. C'est aussi un prénom usité au Pays basque. Variante : Helma. Caractérologie : persévérance, structure, efficacité, sécurité, honnêteté.

Elmas ⭐ 130
Diamant (persan). Caractérologie : curiosité, dynamisme, indépendance, courage, charisme.

Elmire ⭐ 200
Princesse exaltée (arabe), qui vient de la ville d'Almeria (Andalousie, Espagne). Variantes : Almira, Elmira, Almyre, Elmyre. Caractérologie : vitalité, achèvement, stratégie, ardeur, leadership.

Elna
Éclat du soleil (grec). Féminin scandinave. Ce prénom est porté par moins de 100 personnes en France. Caractérologie : indépendance, dynamisme, charisme, courage, curiosité.

Éloa ⭐ 400 TOP 700 ⬆
Lumière (celte). Caractérologie : sagesse, bienveillance, conseil, paix, conscience.

Éloane ⭐ 2 000 TOP 300 ↗
Lumière (celte). Prénom breton. Variante : Élouane. Caractérologie : sagacité, connaissances, originalité, spiritualité, philosophie.

Élodie ⭐ 157 000 TOP 400 ⬇
Propriété (latin). Bien qu'il soit ancien, ce prénom n'est guère attribué en France avant le XXᵉ siècle. Élodie jaillit dans la vague des terminaisons en « ie » dans les années 1970, culminant au 1ᵉʳ rang féminin de 1988 à 1990. Sa décrue s'accentue depuis 2005. ◇ Sainte Élodie refusa d'apostasier sous l'émirat d'Abd al-Rahman II ; elle fut décapitée à Cordoue au IXᵉ siècle. Variantes : Alodia, Elodia, Lodie. Forme basque : Elodi. Caractérologie : énergie, audace, caractère, découverte, logique.

Élody ⭐ 1 000 ⬇
Propriété (latin). Caractérologie : sagacité, connaissances, volonté, sympathie, spiritualité.

Éloïse ⭐ 26 000 TOP 100 ➡
Illustre au combat (germanique). Féminin français. Variante : Éloïsa. Caractérologie : réceptivité, sociabilité, diplomatie, détermination, raisonnement.

Élona ⭐ 1 500 TOP 500 ➡
Chêne (hébreu). Caractérologie : intuition, relationnel, adaptabilité, fidélité, médiation.

Élora ⭐ 3 000 TOP 500 ➡
Éclat du soleil (grec). Variantes : Eloria, Elorie. Caractérologie : conscience, paix, résolution, bienveillance, analyse.

Elorri ⭐ 400 ➡
Épine (basque). Variante : Elorie. Caractérologie : courage, curiosité, dynamisme, indépendance, raisonnement.

E

87

Elsa
🎯 37 000 **TOP 100** →

Dieu est serment (hébreu). Ce dérivé d'Élisabeth émerge dans les pays de langues anglaise et allemande au XIXᵉ siècle. Son envol, promu par le succès de *Lohengrin* (opéra de Wagner dans lequel un personnage apparaît sous ce nom), n'a pas d'effet immédiat en France. Il faut attendre 1988 – et le succès de la chanteuse Elsa – pour voir ce choix briller dans le top 60 national. Aujourd'hui, Elsa est également attribué en Italie et dans les pays scandinaves. Variantes : Ellie, Else, Elsie, Elssa, Elza, Elsy, Ilsa et Ilse. Caractérologie : direction, indépendance, dynamisme, assurance, audace.

Elsie
🎯 550 **TOP 2000** ↑

Dieu est serment (hébreu). Caractérologie : curiosité, courage, indépendance, dynamisme, résolution.

Elvan
🎯 180

Rose (turc), variante bretonne d'Elouan : lumière (celte). Variantes : Elva, Elvie. Caractérologie : rectitude, humanité, rêve, tolérance, générosité.

Elvina
🎯 1 500 **TOP 2000** →

Noble et fidèle (germanique). Féminin anglais. Variante : Elvine. Caractérologie : altruisme, idéalisme, détermination, intégrité, réflexion.

Elvira
🎯 1 000 **TOP 2000** ↗

Noble et fidèle (germanique). Prénom espagnol. Variantes : Elbira, Elvia. Caractérologie : structure, persévérance, sécurité, efficacité, décision.

Elvire
🎯 3 000 ↓

Noble et fidèle (germanique). On peut estimer que moins de 30 enfants seront prénommés ainsi en 2014. Variante : Elwire. Caractérologie : passion, force, ambition, management, habileté.

Ely
🎯 350 **TOP 2000** ↘

Le Seigneur est mon Dieu (hébreu). Caractérologie : bienveillance, paix, conscience, conseil, sympathie.

Elya
🎯 1 500 **TOP 300** ↑

Le Seigneur est mon Dieu (hébreu). Caractérologie : connaissances, sagacité, spiritualité, cœur, originalité.

Élyna
🎯 1 500 **TOP 300** ↑

Éclat du soleil (grec). Caractérologie : communication, sympathie, adaptation, enthousiasme, pratique.

Élyne
🎯 2 000 **TOP 300** ↑

Éclat du soleil (grec). Variante : Elynn. Caractérologie : connaissances, sagacité, spiritualité, amitié, originalité.

Élysa
🎯 950 **TOP 1000** →

Dieu est serment (hébreu). Variante : Élyssa. Caractérologie : vitalité, sympathie, ardeur, stratégie, achèvement.

Élyse
🎯 1 500 **TOP 2000** →

Dieu est serment (hébreu). Caractérologie : pragmatisme, créativité, communication, optimisme, sympathie.

Ema
🎯 4 000 **TOP 300** →

Universelle (germanique). Ema est répandu dans les pays hispanophones, lusophones et slaves méridionaux. Caractérologie : autorité, ambition, innovation, énergie, autonomie.

Émelie
🎯 800 ↘

Travailleuse (germanique). Variantes : Émel, Émelia. Caractérologie : méthode, ténacité, fiabilité, engagement, sens du devoir.

Émeline
🎯 33 000 **TOP 300** ↓

Travailleuse (germanique). Féminin français. Variantes : Aimeline, Émel, Émelia, Émelie, Emelina, Emmelie, Émmeline, Hemeline.

EMMA

Fête : 19 avril

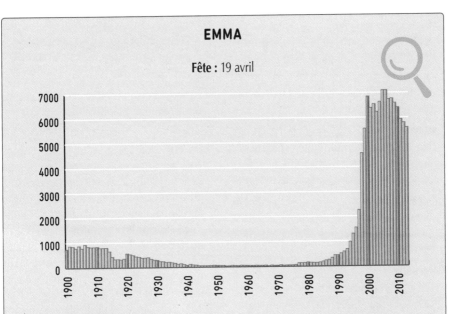

Étymologie : du germain *ermen*, « universelle ». Ce choix corse, germanique et slave est devenu l'un des prénoms phares du Vieux Continent. Rien ne semble ébranler son lustre dans les pays scandinaves, en France, en Allemagne, aux États-Unis et au Canada, où Emma brille de mille feux. Ne nous étonnons pas de sa large diffusion en Grande-Bretagne puisque *Emma*, le roman de Jane Austen, en est originaire. Ce livre parut au XVIIIᵉ siècle, au moment où la popularité du prénom battait son plein dans les milieux aristocrates. Un siècle plus tard, Gustave Flaubert relança sa carrière française en l'attribuant à l'héroïne de *Madame Bovary*.

Oubliée pendant près d'un siècle, Emma revient de plus belle dans les années 1990. Elle détrône Léa en 2005 et pourrait régner, pour la dixième année consécutive, sur le palmarès français.

Emma est en grande faveur dans les régions francophones : première en Suisse romande et au Québec, elle brille également dans les tout premiers rangs wallons. Mais sa vogue est telle qu'elle gagne aussi l'Espagne et l'Italie, les derniers bastions qui lui résistaient encore.

Sainte Emma vécut en Allemagne au XIᵉ siècle. Devenue veuve prématurément, elle décida de se consacrer aux plus déshérités. Elle fit construire plusieurs églises et un monastère en Westphalie.

Personnalités célèbres : Emma Thompson, actrice anglaise ; Emma de Caunes, actrice française ; Emma Bonino, politicienne italienne.

.../

E

89

Emma *(suite)*

Statistiques : Emma est le 2e prénom féminin le plus donné en France depuis le début du XXIe siècle. On peut estimer qu'il sera attribué à une fille sur 72 en 2014.

Caractérologie : générosité, rectitude, humanité, rêve, tolérance.

Émelyne 🌺 3 000 **TOP 900**
Travailleuse (germanique). Variantes : Emmelyne, Emelyn. Caractérologie : idéalisme, bonté, réflexion, sympathie, intégrité.

Émerance 🌺 150
Qui mérite (latin). Caractérologie : audace, dynamisme, direction, indépendance, résolution.

Émeraude 🌺 550 **TOP 2000** ↘
Désigne l'émeraude, pierre précieuse en français. Variante : Emeralda. Caractérologie : humanité, rectitude, ouverture d'esprit, détermination, rêve.

Émerence 🌺 110
Qui mérite (latin). Variantes : Émerentienne, Émerentine. Caractérologie : énergie, découverte, audace, séduction, originalité.

Emi 🌺 400 **TOP 2000** →
Bienfait, beauté (japonais). Bienfait, beauté (japonais). Caractérologie : dévouement, rectitude, rêve, humanité, réflexion.

Émie 🌺 3 000 **TOP 400** →
Travailleuse (germanique). Caractérologie : curiosité, indépendance, courage, charisme, dynamisme.

Émilia 🌺 4 000 **TOP 800** →
Travailleuse (germanique). Emilia est particulièrement attribué dans les pays hispanophones, lusophones et slaves. C'est aussi un prénom en faveur en Grèce, en Occitanie et au Pays basque. Variante : Emili.

Caractérologie : fiabilité, méthode, engagement, ténacité, détermination.

Émilie 🌺 171 000 **TOP 100** ↘
Travailleuse (germanique). En France comme dans les pays anglophones, Émilie (et Emily) connaît un petit élan de popularité au XIXe siècle avant de s'éclipser nettement. À la suite d'un jaillissement fulgurant, Émilie s'impose dans les 3 premiers rangs français de 1980 à 1986. Il ne détrône pas Aurélie mais réussira sa deuxième carrière outre-Atlantique, où il régnera sur le palmarès américain de 1996 à 2007. ◇ Née en Auvergne au XIXe siècle, sainte Émilie fonda plusieurs institutions religieuses visant à éduquer les filles pauvres et à soigner les malades. Caractérologie : stratégie, achèvement, vitalité, ardeur, leadership.

Émilienne 🌺 15 000
Travailleuse (germanique). Féminin français. On peut estimer que moins de 30 enfants seront prénommés ainsi en 2014. Variantes : Amalie, Émiliana, Émiliane, Émilianne, Émiliette, Émmilienne. Caractérologie : énergie, découverte, audace, séduction, originalité.

Émiline 🌺 170
Travailleuse (germanique). Variante : Émilyne. Caractérologie : efficacité, persévérance, sécurité, honnêteté, structure.

Émily 🌺 4 000 **TOP 600** →
Travailleuse (germanique). Après avoir connu une certaine faveur en Angleterre au XIXe siècle, Emily s'est élancé vers la gloire un siècle plus tard outre-Atlantique. Ce prénom

a trôné sur le palmarès américain de 1996 à 2006. Caractérologie : énergie, innovation, autorité, ambition, bonté.

Émine 🎖 1 500 (TOP 2000) ↘
Loyale, digne de confiance (arabe). Prénom turc. On peut estimer que moins de 30 enfants seront prénommés ainsi en 2014. Variante : Emina. Caractérologie : autorité, autonomie, innovation, énergie, ambition.

Emma 🎖 111 000 (TOP 50) 🔍 →
Universelle (germanique). Caractérologie : découverte, énergie, originalité, séduction, audace.

Emmanuela 🎖 200 →
Dieu est avec nous (hébreu). Prénom italien. Variante : Emanuela. Caractérologie : efficacité, persévérance, sécurité, honnêteté, structure.

Emmanuella 🎖 1 000 (TOP 2000) →
Dieu est avec nous (hébreu). Caractérologie : sagacité, spiritualité, connaissances, originalité, philosophie.

Emmanuelle 🎖 78 000 (TOP 600) ↘
Dieu est avec nous (hébreu). Féminin français. Variante : Emanuele. Caractérologie : intuition, adaptabilité, fidélité, relationnel, médiation.

Emmeline 🎖 1 500 ↓
Travailleuse (germanique). On peut estimer que moins de 30 enfants seront prénommés ainsi en 2014. Variantes : Emmelie, Emmelyne. Caractérologie : fiabilité, ténacité, sens du devoir, engagement, méthode.

Emmie 🎖 2 000 (TOP 300) ↑
Travailleuse (germanique). Féminin anglais. Variantes : Emme, Emmi. Caractérologie : dévouement, idéalisme, altruisme, intégrité, réflexion.

Emmy 🎖 7 000 (TOP 100) ↗
Travailleuse (germanique). En dehors de l'Hexagone, ce prénom est particulièrement porté dans les pays anglophones. Caractérologie : réceptivité, diplomatie, sociabilité, loyauté, bonté.

Emna 🎖 1 000 (TOP 400) ↑
Emna est le prénom de la mère du prophète Mahomet (arabe). Caractérologie : famille, équilibre, sens des responsabilités, influence, exigence.

Emrys
Immortelle (grec). Ce prénom est porté par moins de 30 personnes en France. Caractérologie : force, habileté, ambition, détermination, réalisation.

Emy 🎖 7 000 (TOP 100) ↗
Travailleuse (germanique). En dehors de l'Hexagone, ce prénom est particulièrement porté dans les pays anglophones. Caractérologie : savoir, intelligence, méditation, indépendance, sagesse.

Éna 🎖 250 (TOP 2000) ↑
Amande (irlandais), ou forme diminutive d'Eugénia ou Héléna. Variante : Enna. Caractérologie : réceptivité, loyauté, bonté, diplomatie, sociabilité.

Énaëlle 🎖 180 (TOP 2000)
Combinaison de la sonorité « én » et des prénoms se terminant en « aëlle ». Caractérologie : rêve, générosité, rectitude, ouverture d'esprit, humanité.

Enara
Hirondelle (basque). Ce prénom est porté par moins de 30 personnes en France. Caractérologie : communication, pragmatisme, créativité, résolution, optimisme.

E

91

Énéa 🇫🇷 600 **TOP 700** ↗

À moi (basque), exceptionnelle (écossais), je félicite (grec). Variante : Énée. Caractérologie : savoir, intelligence, méditation, sagesse, indépendance.

Énola 🇫🇷 7 000 **TOP 100** ↑

Celle qui est noble (vieux français). *Enola Gay* est le nom de l'avion américain qui a lâché la bombe atomique au-dessus d'Hiroshima et de Nagasaki durant la Seconde Guerre mondiale. En dehors de l'Hexagone, ce prénom est essentiellement recensé dans les pays anglophones. Variante : Inola. Caractérologie : adaptabilité, intuition, relationnel, médiation, fidélité.

Enora 🇫🇷 10 000 **TOP 200** →

Forme bretonne d'Éléonore ou d'Honorine : compassion (grec), honneur (latin). Variantes : Azenor, Enor, Enorig, Norane, Norig. Caractérologie : vitalité, stratégie, ardeur, achèvement, détermination.

Enya 🇫🇷 250 →

Amande (irlandais). Variantes : Ena, Enia. Caractérologie : rectitude, humanité, générosité, rêve, ouverture d'esprit.

Enza 🇫🇷 1 000 **TOP 1000** ↓

Maîtresse de maison (germanique). Caractérologie : innovation, autorité, autonomie, ambition, énergie.

Éolia 🇫🇷 350 ↓

Soleil (breton), vent (grec). Dans la mythologie grecque, Éole est le dieu du Vent. Caractérologie : détermination, raisonnement, équilibre, famille, éthique.

Éoline

Soleil (breton), vent (grec). Ce prénom est porté par moins de 100 personnes en France. Caractérologie : équilibre, famille, sens des responsabilités, analyse, influence.

Épona

Chevaux (gallois). Dans la mythologie celtique, Épona est la déesse des Chevaux. Ce prénom est porté par moins de 30 personnes en France. Caractérologie : équilibre, sens des responsabilités, influence, exigence, famille.

Éponine 🇫🇷 300 ↓

Se rapporte à Épona, déesse gauloise des Chevaux. Épouse de Sabinus, Éponine est une héroïne gauloise du Iᵉʳ siècle. Sabinus s'était révolté contre les Romains ; victime d'une trahison, il fut capturé et mis à mort par Vespasien. Après avoir imploré l'empereur d'épargner son mari, Éponine l'insulta et fut à son tour exécutée. ◇ Éponine est l'une des héroïnes des *Misérables*, de Victor Hugo. Variante : Éponyne. Caractérologie : famille, éthique, équilibre, influence, exigence.

Erell 🇫🇷 1 000 **TOP 2000** ↓

Pointe, extrémité (celte), variation possible d'Airelle. Prénom breton. Caractérologie : intelligence, savoir, sagesse, méditation, indépendance.

Erelle

Pointe, extrémité (celte), variation possible d'Airelle. Féminin français et breton. Ce prénom est porté par moins de 100 personnes en France. Caractérologie : sociabilité, optimisme, pragmatisme, communication, créativité.

Érica 🇫🇷 1 500 **TOP 2000** →

Noble souveraine (germanique). Féminin anglais et scandinave. On peut estimer que moins de 30 enfants seront prénommés ainsi en 2014. Caractérologie : idéalisme, résolution, altruisme, intégrité, réflexion.

Éricka 🇫🇷 1 000 **TOP 2000** ↓

Noble souveraine (germanique). Féminin anglais. Caractérologie : diplomatie, réceptivité, sociabilité, organisation, résolution.

Erika 🎌9 000 (TOP 600) →
Noble souveraine (germanique). Erika est très répandu en Allemagne et dans les pays scandinaves. C'est aussi un prénom traditionnel basque. Caractérologie : achèvement, décision, stratégie, ardeur, vitalité.

Erin 🎌1 500 (TOP 600) ↘
Paisible (irlandais). Erin se rapporte également à une expression poétique celte désignant l'Irlande. Variante : Eryn. Caractérologie : innovation, autorité, énergie, ambition, autonomie.

Érina 🎌450 (TOP 2000) →
Paisible (irlandais). Caractérologie : sociabilité, réceptivité, loyauté, diplomatie, résolution.

Érine 🎌3 000 (TOP 400) ↘
Paisible (irlandais). Voir Erin. Féminin français. Variantes : Eryn, Eryne. Caractérologie : bienveillance, paix, conscience, conseil, sagesse.

Ermeline
Honneur, doux (germanique). Ce prénom est porté par moins de 100 personnes en France. Caractérologie : réflexion, altruisme, idéalisme, intégrité, dévouement.

Ermine
Se rapporte à Irmin, dieu païen (germanique). Ce prénom est porté par moins de 100 personnes en France. Variantes : Ermina, Erminie. Caractérologie : dynamisme, indépendance, audace, direction, assurance.

Erna 🎌950
Enthousiaste (vieux norrois), ou variante d'Ernestine. Prénom scandinave. Caractérologie : intuition, relationnel, médiation, fidélité, détermination.

Ernestine 🎌3 000 (TOP 2000)
Qui mérite (germanique). Féminin français. On peut estimer que moins de 30 enfants seront prénommés ainsi en 2014. Variante : Ernesta. Caractérologie : décision, audace, dynamisme, direction, indépendance.

Eryl
Celle qui élève (hébreu). Féminin anglais. Ce prénom est porté par moins de 30 personnes en France. Caractérologie : paix, sympathie, bienveillance, conscience, conseil.

Esma 🎌1 500 (TOP 500) →
Sublime, de haut rang (arabe), également utilisé comme diminutif d'Esméralda. Prénom turc. Caractérologie : sociabilité, loyauté, réceptivité, diplomatie, bonté.

Esméralda 🎌1 500 ↘
Ce nom signifie « émeraude » en espagnol et en portugais. Esméralda est l'héroïne du célèbre roman *Notre-Dame de Paris*, de Victor Hugo. On peut estimer que moins de 30 enfants seront prénommés ainsi en 2014. Caractérologie : sens des responsabilités, famille, équilibre, détermination, influence.

Espérance 🎌850 →
S'attendre à (latin). Féminin français. Variantes : Esperanza, Sperenza. Caractérologie : audace, décision, découverte, énergie, cœur.

Esra 🎌1 500 (TOP 900) ↗
Qui aide (hébreu). Caractérologie : connaissances, sagacité, spiritualité, originalité, résolution.

Essia 🎌250 ↗
Celle qui guérit (arabe). Variantes : Essie, Essy. Caractérologie : achèvement, stratégie, vitalité, résolution, ardeur.

E

93

Estella 🌟 550 ⬇
Étoile (latin). Caractérologie : sociabilité, réceptivité, loyauté, diplomatie, gestion.

Estelle 🌟 69 000 **TOP 200** ➡
Étoile (latin). Féminin français et anglais. La tradition veut que sainte Estelle ait parrainé la création du Félibrige, une école littéraire qui promeut, depuis le XIXᵉ siècle, la langue et la culture des pays de langue d'oc. Née en 2012, Estelle de Suède est également la plus jeune princesse héritière du trône suédois. Variantes : Essie, Essy, Estée, Estel, Estéla, Estèle, Estelline. Caractérologie : influence, équilibre, famille, gestion, éthique.

Esther 🌟 13 000 **TOP 400** ↘
Étoile (hébreu). Orpheline et fille de Juifs déportés en Assyrie, Esther devint l'épouse préférée du roi perse Assuérus. Lorsqu'elle apprit que le vizir Haram souhaitait faire massacrer la population judéenne de l'Empire, elle dévoila ses origines au roi et l'implora d'épargner son peuple. Assuérus pardonna à Esther de lui avoir caché ce secret et châtia Haram et ses partisans. Un grand banquet fut organisé à cette occasion. C'est en sa mémoire que les Juifs célèbrent la fête de Pourim au mois de mars chaque année. Variantes : Ester, Esthère. Caractérologie : enthousiasme, pratique, communication, sensibilité, détermination.

Estrella 🌟 300 **TOP 2000** ⬆
Étoile (latin). Caractérologie : intuition, médiation, organisation, détermination, relationnel.

Ethel 🌟 850 **TOP 700** ⬆
Noble (germanique). Ethel est plus traditionnellement usité en Angleterre et en Alsace. Variante : Étheline. Caractérologie : énergie, audace, originalité, attention, découverte.

Étiennette 🌟 4 000
Couronnée (grec). Féminin français. On peut estimer que moins de 30 enfants seront prénommés ainsi en 2014. Forme occitane : Esteva. Caractérologie : rêve, ouverture d'esprit, générosité, rectitude, humanité.

Eudeline
Noble, fortunée (latin). Ce prénom est porté par moins de 100 personnes en France. Variantes : Eudia, Eudine. Caractérologie : enthousiasme, communication, adaptation, pratique, générosité.

Eudora
Beau présent (grec). Nom d'une nymphe dans la mythologie grecque. Ce prénom est porté par moins de 30 personnes en France. Caractérologie : audace, volonté, direction, dynamisme, analyse.

Eudoxie 🌟 300
Qui est estimée (grec). Variantes : Eudocie, Eudoxia. Forme occitane : Eudoxi. Caractérologie : médiation, intuition, relationnel, volonté, analyse.

Eugénie 🌟 20 000 **TOP 300** ➡
Bien née (grec). Ce féminin d'Eugène est relativement peu attribué en Europe jusqu'au XVIIᵉ siècle. Il est en plein essor lorsque Balzac le choisit pour l'héroïne de son roman *Eugénie Grandet* et que la princesse Eugénie (1826-1920) conforte sa notoriété croissante. Eugénie avait tous les atouts pour faire une belle carrière en France. Ce prénom rétro est encore prisé en 1902, au seuil de son dernier déclin. Il est rarement choisi pour un nouveau-né aujourd'hui. Variante : Eugénia. Caractérologie : enthousiasme, communication, pratique, adaptation, bonté.

ÉVA

Fête : 6 septembre

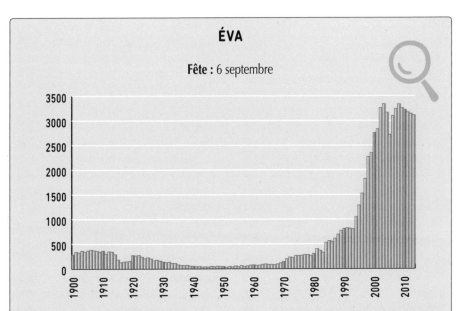

Étymologie : de l'hébreu *h'ava*, « vie, donner la vie ». Le livre de la Genèse raconte l'histoire d'Ève, la première femme créée par Dieu. Ève coule des jours heureux et paisibles avec Adam dans l'abondance du jardin des Délices. Mais ce bonheur tranquille s'interrompt lorsque, tentée par le serpent, elle goûte au fruit défendu de l'arbre de la connaissance et le partage avec Adam. Pour les punir de leur désobéissance, Dieu les chasse du jardin d'Éden, vouant Ève et ses descendantes à enfanter dans la douleur.

Ce prénom ancien a été plus particulièrement attribué au XIXe siècle dans les pays anglophones. En France, son usage reste confidentiel jusqu'à la fin des années 1990, où son essor est fulgurant. Il devrait figurer parmi les 15 choix préférés des Français en 2014.

En dehors de l'Hexagone, Éva se place en haut des tableaux francophones et slovènes, mais sa carrière internationale pourrait pâtir de l'envol d'Ève et Evie. Du Québec aux pays anglophones, en passant par de nombreux pays européens, ce duo accumule les naissances. Mais toute cette gloire n'empêchera pas Ava de leur voler la vedette. Cette étoile filante domine déjà les palmarès finlandais et irlandais. De plus, elle vient de s'imposer dans les tops 5 américain et canadien. Nul doute qu'Ava jaillira bientôt dans l'Hexagone…

Notons que, conformément à son orthographe internationale, Éva n'est pas systématiquement accentuée dans l'Hexagone.

.../

E

95

┌─ **Éva** *(suite)* ─┐

Personnalités célèbres : Eva Gabor, actrice américaine d'origine hongroise (1919-1995). Eva Perón (1919-1952), femme politique argentine célèbre pour avoir pris la défense des plus défavorisés. Son action à la tête du ministère du Travail est à l'origine de nombreux progrès sociaux en Argentine.

Statistiques : Éva est le 15e prénom féminin le plus donné en France depuis le début du XXIe siècle. On peut estimer qu'il sera attribué à une fille sur 125 en 2014. De son côté, **Ève** prénommera moins d'une fille sur 1 000.

Eulalia 120
Belle parole (latin), beau langage (grec). Féminin espagnol, italien et anglais. Caractérologie : savoir, intelligence, méditation, indépendance, décision.

Eulalie 3 000
Belle parole (latin), beau langage (grec). Prénom français, basque et occitan. Variantes : Eulali, Laïa, Laya, Olaia. Caractérologie : réceptivité, diplomatie, sociabilité, détermination, loyauté.

Eunice 550
Qui apporte la victoire (grec). Féminin français et anglais. Caractérologie : pratique, communication, enthousiasme, adaptation, générosité.

Eunoé
Fille de magistrat originaire de Volubilis (au Maroc), Eunoé devint reine de la Mauritanie occidentale en épousant le roi Bogud. Douée d'un sens exceptionnel des affaires, elle aurait aussi conseillé Jules César lorsqu'il devint son amant. Ce prénom est porté par moins de 30 personnes en France. Caractérologie : sens des responsabilités, famille, influence, équilibre, exigence.

Euphémie 110
Qui parle avec justesse (grec). Variantes : Eufemia, Euphémia, Fimia. Caractérologie : innovation, énergie, autorité, amitié, action.

Euphrasie 550
Qui construit bien ses phrases (grec). Variantes : Euphrasine, Euphroisine, Euphrosine. Caractérologie : communication, cœur, action, optimisme, pragmatisme.

Euranie
Bonne (grec). Ce prénom est porté par moins de 30 personnes en France. Caractérologie : direction, raisonnement, audace, détermination, dynamisme.

Eurielle 130
Dieu est ma lumière (hébreu). Prénom breton. Variantes : Euria, Euriel, Euriell. Caractérologie : sens des responsabilités, équilibre, famille, influence, exigence.

Europa
Dans la mythologie grecque, Europe est la mère de Minos. Ce prénom est porté par moins de 30 personnes en France. Variante : Europe. Caractérologie : fiabilité, méthode, cœur, logique, ténacité.

Eurydice  450

Justice étendue (grec). Dans la mythologie grecque, Eurydice meurt d'une morsure de serpent et Orphée, son mari, en est d'autant plus inconsolable qu'il tente, en vain, de la ramener du royaume des Enfers. Variante : Euridice. Caractérologie : altruisme, idéalisme, intégrité, réflexion, cœur.

Eusébie

Pieuse (grec). Ce prénom est porté par moins de 30 personnes en France. Variante : Eusébia. Caractérologie : pragmatisme, communication, optimisme, organisation, résolution.

Éva  65 000 TOP 50

Vie, donner la vie (hébreu). Caractérologie : ambition, énergie, autonomie, autorité, innovation.

Évaëlle  400 TOP 2000

Contraction d'Éva et Maëlle. Évaëlle a été attribué pour la première fois dans l'Hexagone en 1998. Caractérologie : force, management, ambition, habileté, passion.

Evana 400 TOP 1000

Féminin d'Evan et contraction d'Éva et Anna. Caractérologie : connaissances, sagacité, philosophie, originalité, spiritualité.

Évane 600

Féminin d'Evan et contraction d'Éva et Anne. Variantes : Evana, Evanne. Caractérologie : sociabilité, réceptivité, diplomatie, bonté, loyauté.

Ève

Vie, donner la vie (hébreu). Féminin anglais et français. Dans la Bible, Ève, la première femme de l'humanité, goûte avec Adam au fruit défendu de l'arbre de la connaissance, ce qui provoque la colère divine. Voir le zoom dédié à Éva. Ce prénom est porté par moins de 30 personnes en France. Variantes : Évodie, Évodia, Évolène. Caractérologie : rectitude, rêve, générosité, tolérance, humanité.

Évelina  150

Vie, donner la vie (hébreu). Caractérologie : courage, dynamisme, curiosité, résolution, indépendance.

Éveline 15 000

Vie, donner la vie (hébreu). Féminin anglais et français. On peut estimer que moins de 30 enfants seront prénommés ainsi en 2014. Caractérologie : rectitude, humanité, générosité, rêve, tolérance.

Évelise 120

Contraction d'Ève et Lise. Caractérologie : résolution, indépendance, curiosité, dynamisme, résolution.

Évelyne 121 000 TOP 2000

Vie, donner la vie (hébreu). Féminin français et anglais. On peut estimer que moins de 30 enfants seront prénommés ainsi en 2014. Variantes : Éveline, Evelyn. Caractérologie : intelligence, méditation, savoir, indépendance, sympathie.

Evie 450 TOP 2000

Vie, donner la vie (hébreu). Féminin anglais. Variantes : Evi, Evita. Caractérologie : indépendance, curiosité, courage, dynamisme, charisme.

Evin 200

Se rapporte à un nom de dieu gaulois. Caractérologie : courage, indépendance, dynamisme, curiosité, charisme.

E

Evodie 🎌 250 ⬇
Qui prend le bon chemin (grec). Variante : Evodia. Caractérologie : volonté, caractère, influence, famille, exigence.

Evora
Nom de la chanteuse capverdienne Cesaria Evora, nom d'une ville du Portugal. Ce prénom est porté par moins de 100 personnes en France. Caractérologie : spiritualité, résolution, connaissances, volonté, sagacité.

Evy 🎌 600 **TOP 900** ➡
Vie, donner la vie (hébreu). Caractérologie : originalité, spiritualité, connaissances, sagacité, philosophie.

Ewa 🎌 300 ➡
Se rapporte à un nom de dieu gaulois, variante d'Awa ou Iwa. Caractérologie : réceptivité, sociabilité, diplomatie, loyauté, bonté.

F

Fabienne 🎌 102 000 ➡
Fève (latin). Féminin français. On peut estimer que moins de 30 enfants seront prénommés ainsi en 2014. Forme basque : Fabiana. Caractérologie : sociabilité, diplomatie, réceptivité, résolution, loyauté.

Fabiola 🎌 2 000 ↘
Fève (latin). Féminin italien, espagnol, français et allemand. On peut estimer que moins de 30 enfants seront prénommés ainsi en 2014. Caractérologie : dynamisme, audace, direction, gestion, logique.

Fabricia 🎌 110
Fabricatrice (latin). Dans l'Hexagone, Fabricia est plus traditionnellement usité en Occitanie. Caractérologie : fiabilité, méthode, ténacité, raisonnement, organisation.

Fadela 🎌 700 ↘
Vertueuse (arabe). Variantes : Fadella, Fadhila. Caractérologie : fidélité, relationnel, médiation, caractère, intuition.

Fadia 🎌 250
Celle qui porte secours (arabe). Caractérologie : enthousiasme, pratique, communication, adaptation, générosité.

Fadila 🎌 3 000
Vertueuse (arabe). On peut estimer que moins de 30 enfants seront prénommés ainsi en 2014. Variantes : Fadilah, Fadilha. Caractérologie : famille, équilibre, sens des responsabilités, influence, analyse.

Faïrouz 🎌 400 ➡
Turquoise (arabe). Variantes : Faïrouza, Faïrouze, Fayrouz, Fayrouza, Férouz, Férouze. Caractérologie : influence, équilibre, famille, raisonnement, sens des responsabilités.

Faïza 🎌 3 000 **TOP 2000** ↘
Victorieuse (arabe). On peut estimer que moins de 30 enfants seront prénommés ainsi en 2014. Variantes : Fahiza, Faysa, Fayza, Fasia, Fassia, Fazia, Fazzia, Feïza. Caractérologie : intelligence, savoir, méditation, indépendance, sagesse.

Fallone 🎌 300 ➡
La petite fille du chef (irlandais). Variantes : Fallon, Falone. Caractérologie : bonté, sociabilité, diplomatie, réceptivité, loyauté.

Fanchon 🌟 350 ⊘
Forme bretonne de Françoise : libre (latin). Caractérologie : finesse, sagacité, originalité, connaissances, philosophie.

Fanette 🌟 750 ⬇
Libre, française (latin). Variante : Phanette. Caractérologie : achèvement, vitalité, stratégie, leadership, ardeur.

Fannie 🌟 1 000 ⬇
Libre, française (latin). Féminin français. Variantes : Fania, Fanie. Caractérologie : ténacité, méthode, fiabilité, résolution, engagement.

Fanny 🌟 75 000 **TOP 300** ⊘
Libre (latin). Cette forme française de Françoise est également une forme finlandaise et anglaise de Frances. Féminin français. Caractérologie : famille, sens des responsabilités, équilibre, exigence, influence.

Fanta 🌟 1 500 **TOP 700** ➡
Forme bretonne de Françoise : libre (latin). Caractérologie : bienveillance, conscience, conseil, sagesse, paix.

Fantine 🌟 2 000 **TOP 500** ⊘
Enfant (latin). Héroïne tragique qui apparaît dans *Les Misérables*, de Victor Hugo. Caractérologie : équilibre, sens des responsabilités, influence, décision, famille.

Fany 🌟 2 000 ⬇
Libre, française (latin). On peut estimer que moins de 30 enfants seront prénommés ainsi en 2014. Variante : Fanya. Caractérologie : audace, direction, dynamisme, assurance, indépendance.

Farah 🌟 7 000 **TOP 300** ➡
Bonheur, satisfaction (arabe). Variantes : Fara, Farha, Farra, Farrah. Caractérologie :
savoir, intelligence, méditation, sagesse, indépendance.

Farida 🌟 8 000 ➡
Unique (arabe). On peut estimer que moins de 30 enfants seront prénommés ainsi en 2014. Caractérologie : enthousiasme, communication, adaptation, pratique, générosité.

Fathia 🌟 750
Jeune fille (arabe). Variantes : Fatia, Faty. Caractérologie : ouverture d'esprit, humanité, rêve, rectitude, générosité.

Fatiha 🌟 8 000 **TOP 2000** ↗
Victorieuse (arabe). Variantes : Fatéha, Fétiha. Caractérologie : rectitude, ouverture d'esprit, humanité, rêve, générosité.

Fatima 🌟 25 000 **TOP 300** ↗
Petite chamelle qui vient d'être sevrée (arabe). Fille préférée de Mahomet et de Khadija, Fatima épousa Ali, le quatrième calife de l'islam. Le fondateur de la dynastie des Fatimides se réclame de sa lignée. Fatima est un prénom répandu dans les cultures musulmanes. Variantes : Fatim, Fatime. Caractérologie : découverte, énergie, originalité, audace, séduction.

Fatimata 🌟 1 000 **TOP 2000** ↗
Petite chamelle qui vient d'être sevrée (arabe). Variante : Fatimatou. Caractérologie : leadership, ardeur, vitalité, achèvement, stratégie.

Fatima-Zohra 🌟 750 **TOP 2000** ➡
Forme composée de Fatima et Zohra. Caractérologie : autonomie, ambition, innovation, autorité, énergie.

Fatine 🌟 400 ⊘
Belle, charmante (arabe). Variantes : Fatin, Fatina. Caractérologie : indépendance, direction, audace, dynamisme, détermination.

Le palmarès des prénoms mixtes en 2014

Ci-dessous le top 20 des prénoms mixtes français, estimé pour l'année 2014. Le classement a été effectué par ordre décroissant d'attribution. La seconde colonne indique le pourcentage d'attribution au féminin. Les prénoms dont l'attribution est supérieure à 97 % dans un genre (Marie, Maël, etc.) ne figurent pas dans ce palmarès.

Prénom	% féminin	Prénom	% féminin
1. Camille	75	11. Maé	20
2. Sacha	3	12. Andréa*	66
3. Noa	8	13. Charly	4
4. Lou	93	14. Mahé	7
5. Éden	32	15. Louison	57
6. Sacha	44	16. Marley	24
7. Charlie	49	17. Élie	9
8. Alix	82	18. Yaël	50
9. Loan	4	19. Ange	15
10. Thaïs	85	20. Cameron	6

Rarement attribués de nos jours, Claude, Dominique et Frédérique figurent bien en deçà de l'élite du top 20. Et pour cause : une multitude de nouveautés leur ont volé la vedette. Après Charlie, Éden et Noa, Thaïs surprend en bondissant dans le top 10, alors que ce choix était exclusivement féminin jusqu'à la fin des années 1980. Cette nouveauté n'empêche pas Marley de faire sensation : il perce pour la première fois dans le top 20 mixte, au grand dam de Swann qui perd sa place. Sacha et Camille prénomment une proportion grandissante de garçons depuis plusieurs années. Camille franchit même un cap important cette année : un quart des Camille qui naissent aujourd'hui en France sont des garçons ! Pareille chose ne s'était pas produite depuis 1976.

Comme l'an passé, ce palmarès fait la part belle aux jeunes prénoms et révèle des méthodes d'attribution étonnantes. Car la pratique qui consiste à attribuer un prénom d'un genre établi au sexe opposé est, plus que jamais, d'actualité. Ce phénomène ne suffit heureusement pas à semer le doute sur le sexe des prénoms les plus répandus. Une poignée d'attributions ne saurait modifier l'identité établie d'un prénom donné par milliers. Il n'empêche, on peut difficilement se réjouir du fait qu'Emma, Clara ou Chloé puissent être attribués à des garçons, ne fût-ce qu'une poignée d'entre eux. Tout comme on n'enviera pas les

.../

Le palmarès des prénoms mixtes en 2014 *(suite)*

quelques filles qui ont été prénommées Enzo, Lucas ou Nathan ces dernières années. N'en déplaise à leurs parents, ces prénoms à contresens ne seront jamais considérés comme des choix innovants.

Contrairement à ce qui prévaut pour les grands prénoms, les perles rares ne sont pas à l'abri de confusions gênantes. Prenons l'exemple de Noa : on ne peut pas tenir rigueur aux personnes qui ignorent sa mixité. Et encore moins blâmer celles qui l'imaginent féminin. D'autant que les trois premiers Noa de France sont... des filles nées en 1982 ! Or aujourd'hui, Noa** est largement masculin. Loan, autre exemple typique, s'est féminisé en 2002 et 2003 avant devenir résolument masculin à partir de 2004. Qu'on se le dise, l'immense majorité des prénoms émergents sont susceptibles de changer de sexe en grandissant. Cela n'est pas sans compliquer l'identification des prénoms mixtes originaux.

Le saviez-vous ?

En dehors de Camille et Marie, nombre de prénoms féminins furent par le passé employés au masculin. C'est le cas d'Anne et Solène, choix féminins très répandus aujourd'hui, et dont le genre ne fait plus aucun doute... Du moins pour le moment ! D'autres grands noms ont par ailleurs fait l'objet d'attributions à contre-emploi. Ainsi, en 1900, Jean, Louis et Pierre ont prénommé une poignée de filles. Au même moment, Jeanne et Marguerite ont été donnés à quelques garçons (on compte trois Jeanne nés en 1902 et quatre Marguerite nés en 1903). En la matière, les parents d'aujourd'hui n'ont rien inventé.

* Au masculin, Andrea s'orthographie sans accent.
** Contrairement à ce qui prévaut à l'échelle nationale, 56 % des Noa nés à Paris étaient des filles.

Fatma  6 000
Petite chamelle qui vient d'être sevrée (arabe). Variante : Fathma. Caractérologie : curiosité, indépendance, courage, charisme, dynamisme.

Fatna 1 000
Belle, charmante (arabe). Caractérologie : exigence, famille, équilibre, sens des responsabilités, influence.

Fatou 2 000 TOP 800
Petite chamelle qui vient d'être sevrée (arabe). Caractérologie : altruisme, réflexion, intégrité, idéalisme, gestion.

Fatouma 750
Petite chamelle qui vient d'être sevrée (arabe). Caractérologie : audace, découverte, énergie, organisation, originalité.

Fatoumata 7 000 TOP 300
Petite chamelle qui vient d'être sevrée (arabe). Caractérologie : organisation, vitalité, achèvement, ardeur, stratégie.

Faustine 14 000 TOP 100
Heureuse, fortunée (latin). Impératrice romaine, épouse d'Antonin le Pieux, Faustine l'Ancienne vécut au IIe siècle. Elle fut, comme sa fille Faustine la Jeune (femme de

l'empereur Marc Aurèle), divinisée après sa mort. Variantes : Fausta, Fauste, Faustina. Caractérologie : résolution, courage, dynamisme, curiosité, analyse.

Faye
Fidèle, digne de confiance (anglais). Féminin anglais. Ce prénom est porté par moins de 100 personnes en France. Variantes : Faith, Fay, Faya. Caractérologie : ambition, autorité, autonomie, innovation, énergie.

Fedora 120
Présent de Dieu (grec). Prénom italien. Caractérologie : ténacité, méthode, résolution, fiabilité, volonté.

Félicia  2 000 **TOP 900** →
Heureuse (latin). Féminin espagnol, anglais, néerlandais, roumain et scandinave. Variantes : Féliciana, Féliciane, Félisa. Caractérologie : idéalisme, altruisme, intégrité, détermination, raisonnement.

Féliciane
Heureuse (latin). Ce prénom est porté par moins de 100 personnes en France. Caractérologie : raisonnement, énergie, détermination, autorité, innovation.

Félicie  4 000 **TOP 900** →
Heureuse (latin). En dehors de l'Hexagone, Félicie est répandu en Allemagne. Variantes : Félice, Felicidad, Félixine. Caractérologie : persévérance, sécurité, structure, analyse, efficacité.

Félicienne 900
Heureuse (latin). Caractérologie : innovation, autorité, énergie, analyse, ambition.

Félicité 1 500 →
Heureuse (latin). Féminin français. On peut estimer que moins de 30 enfants seront

prénommés ainsi en 2014. Caractérologie : sens des responsabilités, famille, influence, équilibre, raisonnement.

Félixia
Heureuse (latin). Ce prénom est porté par moins de 100 personnes en France. Variante : Félixiane. Caractérologie : savoir, méditation, intelligence, résolution, analyse.

Ferdinande 150
Courageuse, aventurière (germanique). Caractérologie : achèvement, vitalité, stratégie, volonté, détermination.

Ferial  180
Vérité, justice (persan). Variantes : Feriale, Ferielle, Feryal, Feryel. Caractérologie : paix, résolution, bienveillance, conscience, analyse.

Feriel 1 000 **TOP 800** →
Vérité, justice (persan). Fériel est un prénom féminin très ancien qui fut porté par la fille du roi Farouk d'Égypte. Caractérologie : ambition, énergie, autorité, raisonnement, innovation.

Ferielle 190
Vérité, justice (persan). Caractérologie : altruisme, analyse, idéalisme, réflexion, intégrité.

Fernanda 900
Courageuse, aventurière (germanique). Caractérologie : rêve, volonté, humanité, rectitude, résolution.

Fernande 26 000
Courageuse, aventurière (germanique). Féminin français. On peut estimer que moins de 30 enfants seront prénommés ainsi en 2014. Variantes : Fernandine, Ferrera. Caractérologie : persévérance, structure, sécurité, décision, caractère.

Fideline 🌸 160
Foi (latin). Variante : Fidélia. Caractérologie : dynamisme, audace, direction, caractère, logique.

Fidji 🌸 300
Nom géographique qui désigne les îles Fidji. Caractérologie : sociabilité, réceptivité, diplomatie, loyauté, bonté.

Fiona 🌸 11 000 **TOP 900** ⬇
Fille à la peau claire (gaélique). Fiona est très répandu en Écosse et dans les pays anglophones. Variante : Fyona. Caractérologie : rectitude, humanité, rêve, détermination, tolérance.

Fiorella 🌸 400 ➡
Floraison (latin). Variantes : Fiora, Fiorina. Caractérologie : équilibre, décision, sens des responsabilités, famille, logique.

Firmine 🌸 250
Fermeté, rigueur (latin). Variantes : Firma, Firmina. Caractérologie : intuition, relationnel, fidélité, adaptabilité, médiation.

Flavia 🌸 1 000 **TOP 2000** ⬇
Couleur jaune, blonde (latin). Féminin italien, espagnol et roumain. Caractérologie : équilibre, famille, sens des responsabilités, influence, analyse.

Flavie 🌸 16 000 **TOP 300** ⬇
Couleur jaune, blonde (latin). Féminin français. Variantes : Flavienne, Flavy. Caractérologie : énergie, innovation, volonté, autorité, raisonnement.

Fleur 🌸 4 000 **TOP 500** ➡
Fleur (latin). Prénom français et néerlandais. Sainte Fleur, une religieuse auvergnate, vécut au XIVe siècle. Caractérologie : ambition, force, habileté, analyse, passion.

Fleurine 🌸 450 ⬇
Floraison (latin). Variantes : Fleurentine, Fleurestine, Fleuriane, Fleurice, Floréale, Florella, Florenzia, Flori, Florrie. Caractérologie : rêve, rectitude, ouverture d'esprit, logique, humanité.

Flora 🌸 17 000 **TOP 300** ↘
Fleur (latin). Dans la mythologie romaine, Flora était la déesse de la Végétation et des Fleurs. En dehors de l'Hexagone, Flora est particulièrement répandu dans les pays anglophones, en Allemagne, en Grèce et en Italie. Caractérologie : intelligence, savoir, logique, méditation, indépendance.

Florane 🌸 400 ⬇
Floraison (latin). Féminin français. Caractérologie : ambition, décision, habileté, logique, force.

Flore 🌸 9 000 **TOP 500** ↘
Fleur (latin). Féminin français. Variantes : Flor, Florès, Florette. Caractérologie : diplomatie, réceptivité, sociabilité, loyauté, raisonnement.

Florence 🌸 142 000 **TOP 2000** ➡
Floraison (latin). Attribué outre-Manche au Moyen Âge, Florence renaît au XIXe siècle et devient très fréquent dans les pays anglophones jusqu'au début des années 1930. Sa floraison, plus tardive en France, le placera dans le top 20 national de 1962 à 1973. ◇ Espagnole de Séville au VIIe siècle, sainte Florence fut orpheline très jeune. Ses trois frères, les saints Léandre, Fulgence et Isidore, veillèrent sur elle et lui donnèrent une éducation religieuse. Elle se retira dans un couvent de Séville et termina sa vie abbesse de l'abbaye d'Agisti, en Andalousie. Variante : Florencia. Caractérologie : éthique, équilibre, influence, famille, raisonnement.

103

Florentine 🌟 1 500 ⬇
Floraison (latin). Féminin français. On peut estimer que moins de 30 enfants seront prénommés ainsi en 2014. Variante : Florestine. Caractérologie : dynamisme, logique, direction, indépendance, audace.

Floria 🌟 350
Floraison (latin). Caractérologie : sagacité, logique, originalité, connaissances, spiritualité.

Floriana 🌟 300 ⬇
Fleur (latin). Prénom italien. Variantes : Florelle, Floria, Florielle. Caractérologie : méthode, ténacité, analyse, résolution, fiabilité.

Floriane 🌟 19 000 **TOP 900** ⬇
Fleur (latin). Féminin français. Variante : Floryane. Caractérologie : force, habileté, analyse, ambition, résolution.

Florianne 🌟 1 000 ↘
Fleur (latin). Féminin français. Caractérologie : ténacité, méthode, fiabilité, logique, décision.

Florida 🌟 250
Floraison (latin), nom d'un État américain. Florida est recensé dans les pays anglophones. Variantes : Floride, Florinda. Caractérologie : intuition, médiation, relationnel, analyse, fidélité.

Florie 🌟 3 000 ➡
Fleur (latin). On peut estimer que moins de 30 enfants seront prénommés ainsi en 2014. Caractérologie : diplomatie, réceptivité, sociabilité, loyauté, raisonnement.

Florine 🌟 12 000 **TOP 600** ↘
Fleur (latin). Féminin français. Variante : Floryne. Caractérologie : méditation, intelligence, savoir, indépendance, logique.

Fortuna 🌟 170
Chanceuse (latin). Prénom espagnol. Variante : Fortune. Caractérologie : curiosité, dynamisme, détermination, courage, raisonnement.

Fouzia 🌟 2 000 ⬇
Qui aura du succès (arabe). On peut estimer que moins de 30 enfants seront prénommés ainsi en 2014. Variante : Fawsia. Caractérologie : conscience, paix, bienveillance, conseil, logique.

Framboise
Se rapporte au nom du fruit (latin). Ce prénom est porté par moins de 100 personnes en France. Caractérologie : connaissances, spiritualité, caractère, sagacité, originalité.

Franca 🌟 850
Libre, française (latin). Franca est très répandu en Italie. Caractérologie : savoir, intelligence, résolution, méditation, analyse.

France 🌟 19 000 ⬇
Libre, française (latin). Féminin français. On peut estimer que moins de 30 enfants seront prénommés ainsi en 2014. Caractérologie : sociabilité, diplomatie, réceptivité, décision, logique.

Franceline 🌟 900
Libre, française (latin). Variante : Francelyne. Caractérologie : équilibre, famille, analyse, sens des responsabilités, résolution.

Francesca 🌟 3 000 **TOP 2000** ↘
Libre, française (latin). Francesca est un prénom italien. C'est aussi un choix traditionnel corse. Caractérologie : sagacité, raisonnement, connaissances, spiritualité, détermination.

F

Francette 🍁 7 000

Libre, française (latin). Féminin français. On peut estimer que moins de 30 enfants seront prénommés ainsi en 2014. Variantes : Francès, Francila, Francilia, Francille, Franckie, Frankie. Caractérologie : intuition, médiation, analyse, relationnel, résolution.

Franciane 🍁 1 500

Libre, française (latin). On peut estimer que moins de 30 enfants seront prénommés ainsi en 2014. Caractérologie : raisonnement, force, habileté, ambition, détermination.

Francine 🍁 69 000 ⊘

Libre, française (latin). Féminin français. On peut estimer que moins de 30 enfants seront prénommés ainsi en 2014. Caractérologie : résolution, intelligence, savoir, méditation, analyse.

Françoise 🍁 339 000 ⊘

Libre, française (latin). Ce féminin de François connaît une grande faveur en France du XVIIᵉ siècle au début du XIXᵉ. Comme Frances dans les pays anglophones, Françoise jaillit de nouveau après la Seconde Guerre mondiale, s'imposant au 2ᵉ rang national entre Marie et Monique. Françoise se maintiendra dans le top 10 jusqu'en 1962, une longévité qui lui vaut d'être le 3ᵉ prénom féminin le plus attribué du XXᵉ siècle en France. ◇Au risque de sa vie, sainte Françoise prit soin des malades de la peste en 1414. Veuve, elle se retira dans le monastère de bénédictines qu'elle avait fondé. On peut estimer que moins de 30 enfants seront prénommés ainsi en 2014. Caractérologie : altruisme, idéalisme, logique, intégrité, décision.

Frederica 🍁 250

Pouvoir de la paix (germanique). Prénom suédois, danois et portugais. Variantes : Federica, Frederika. Caractérologie : caractère, famille, logique, sens des responsabilités, équilibre.

Frédérique 🍁 48 000 ➔

Pouvoir de la paix (germanique). Féminin français. On peut estimer que moins de 30 enfants seront prénommés ainsi en 2014. Caractérologie : raisonnement, rêve, humanité, volonté, rectitude.

Frida 🍁 550 ⬈

Pouvoir de la paix (germanique). Frida est plus traditionnellement usité en Allemagne, dans les pays scandinaves et en Alsace. Variantes : Freda, Freddie. Caractérologie : intuition, médiation, relationnel, adaptabilité, fidélité.

Frieda 🍁 900

Noble paix (germanique). Caractérologie : savoir, intelligence, méditation, détermination, volonté.

Fulgence

Fulgurant (latin). Ce prénom est porté par moins de 30 personnes en France. Caractérologie : direction, dynamisme, audace, cœur, indépendance.

Fulvia

Couleur jaune, blonde (latin). Féminin italien. Ce prénom est porté par moins de 100 personnes en France. Caractérologie : habileté, logique, force, passion, ambition.

G

Gabriela 🎈 1 000 **TOP 700**
Force de Dieu (hébreu). Caractérologie : direction, détermination, dynamisme, audace, bonté.

Gabriella 🎈 1 500 **TOP 500**
Force de Dieu (hébreu). Gabriella est très répandu dans les pays anglophones. Variantes : Gabie, Gabia, Gabriela, Gabriele. Caractérologie : ténacité, méthode, amitié, fiabilité, détermination.

Gabrielle 🎈 44 000 **TOP 100**
Force de Dieu (hébreu). Ce féminin de Gabriel connaît un certain engouement à la fin du XIXᵉ siècle en France et dans les pays anglophones. Il renaît depuis peu dans le sillon de Gabriel. ◇ Religieuse au XVIIIᵉ siècle, sainte Gabrielle fut prise dans la tourmente de la Révolution ; elle fut décapitée avec ses sœurs du Carmel de Compiègne en 1794. Gabrielle est l'un des prénoms de l'écrivaine Colette. . Caractérologie : vitalité, sympathie, achèvement, résolution, stratégie.

Gaby 🎈 1 500 **TOP 2000**
Force de Dieu (hébreu). Féminin anglais. Caractérologie : force, ambition, habileté, passion, management.

Gaëla 🎈 180
Seigneur généreux (celte). Voir Gaëlle. Féminin français et breton. Variantes : Gaélane, Gaëlla. Caractérologie : vitalité, achèvement, stratégie, sympathie, ardeur.

Gaële 🎈 700
Seigneur généreux (celte). Voir Gaëlle. Féminin français et breton. Caractérologie : communication, optimisme, pragmatisme, sympathie, créativité.

Gaëlle 🎈 59 000 **TOP 600**
Seigneur généreux (celte). Ancien peuple celte, les Gaëls s'établirent en Irlande à la fin du Vᵉ siècle. En Bretagne, ce prénom s'orthographie souvent sans tréma. Caractérologie : bienveillance, conseil, paix, conscience, bonté.

Gaétane 🎈 5 000 **TOP 1000**
De Gaète, ville d'Italie (latin). Ce prénom français s'orthographie également avec un tréma. Caractérologie : leadership, vitalité, achèvement, stratégie, ardeur.

Gaïa 🎈 1 500 **TOP 600**
Dans la mythologie grecque, Gaia est la déesse qui symbolise la terre nourricière, celle d'où provient la vie. Gaïa un prénom italien. C'est aussi un choix occitan en vogue. Variantes : Algaïa, Gaya. Caractérologie : rectitude, humanité, générosité, tolérance, rêve.

Gaïane 🎈 200
Voir Gaïa. Caractérologie : autorité, innovation, énergie, ambition, décision.

Gala 🎈 170
Diminutif de Galina, féminin de Galen, nom porté par Claudius Galenus, docteur romain au IIᵉ siècle avant J.-C. Prénom russe. Caractérologie : pragmatisme, communication, créativité, optimisme, sociabilité.

Galatée 🎈 140
Couleur du lait (grec). Caractérologie : conscience, paix, gestion, bienveillance, cœur.

Galia
Dieu est clément (hébreu). Ce prénom est porté par moins de 100 personnes en France. Variantes : Gallia, Galya. Caractérologie : générosité, communication, enthousiasme, adaptation, pratique.

Vous avez dit « désuet » ?

Bien des prénoms dont la gloire est révolue ont brillé au cours des siècles. Certains d'entre eux renaissent à la faveur de vagues médiévales (Arthur, Aliénor, Clémence) ou rétro (Emma, Zoé, Jules, Louis). D'autres se complaisent dans l'oubli : il faudrait remonter au XIIe siècle pour retrouver Cunégonde ou Cunibert dans toute leur splendeur. Inversement, nous pouvons observer l'évolution de prénoms dont la désuétude est d'autant plus captivante qu'ils sont encore d'actualité. Ci-dessous le palmarès des prénoms qui sont portés par plus de 120 000 Français(es) et qui devraient être attribués moins de 50 fois dans l'Hexagone. Ces derniers ont été classés par ordre croissant d'attribution estimée pour 2014. Didier et Monique remportent la palme du palmarès cette année.

Prénoms masculins		Nombre estimé d'attributions pour 2014		Prénoms féminins		Nombre estimé d'attributions pour 2014	
Didier	4	Fabrice	21	Monique	0	Françoise	13
René	7	Pascal	23	Jeannine	0	Michèle	16
Bernard	8	Yves	24	Yvette	0	Sylvie	17
Gérard	8	Dominique	25	Josette	0	Annie	17
Hervé	8	Gilles	25	Annick	2	Virginie	17
Guy	9	Francis	25	Corinne	4	Danielle	17
Jean-Claude	10	Thierry	28	Brigitte	5	Évelyne	17
Roger	13	Robert	28	Dominique	5	Sandrine	18
Serge	14	Alain	44	Jacqueline	6	Valérie	24
Patrice	14	Patrick	44	Chantal	6	Christelle	24
Claude	18	Jérôme	45	Geneviève	6	Christine	28
Jean-Pierre	18	Frédéric	49	Christiane	7	Patricia	29
				Claudine	7	Catherine	32
				Martine	8	Delphine	38
				Laurence	8	Nicole	42
				Véronique	12	Nadine	46
				Denise	12	Florence	47

Note : le nombre de prénoms qui sont portés par plus de 120 000 personnes en France est supérieur au féminin. Les prénoms dont le nombre d'attributions estimé est le même sont classés par ordre décroissant de fréquence. Ainsi, Bernard apparaît avant Gérard parce que le premier est plus répandu que le second.

Garance 🚩 8 000 **TOP 200** ↗
Nom d'une plante herbacée des régions chaudes et tempérées, dont la racine est rouge. Garance est un prénom issu du calendrier révolutionnaire. Caractérologie : sécurité, résolution, structure, persévérance, sympathie.

Gatienne 🚩 150
Accueillante (germanique). Caractérologie : résolution, communication, enthousiasme, adaptation, pratique.

Gayane 🚩 150
Voir Gaïa. Également le nom d'une martyre chrétienne (arménien). Caractérologie : leadership, vitalité, stratégie, achèvement, ardeur.

Gemma 🚩 350 ↗
Pierre précieuse (latin). Gemma est répandu en Italie. C'est aussi un prénom traditionnel basque. Variantes : Gema, Gemme. Caractérologie : créativité, optimisme, communication, pragmatisme, réalisation.

Gen
Source (japonais), claire, douce (celte). Ce prénom est porté par moins de 30 personnes en France. Caractérologie : passion, ambition, management, habileté, force.

Gena 🚩 250 →
Petit oiseau (arabe), claire, douce (celte). Variante : Genna. Caractérologie : audace, originalité, séduction, découverte, énergie.

Geneviève 🚩 123 000 →
Claire, douce (celte). Féminin français. On peut estimer que moins de 30 enfants seront prénommés ainsi en 2014. Forme bretonne : Genoveva. Caractérologie : honnêteté, sécurité, structure, persévérance, efficacité.

Génia 🚩 130
Claire, douce (celte). Variantes : Génie, Genny, Ginia. Caractérologie : humanité, ouverture d'esprit, rêve, rectitude, résolution.

Gentiane 🚩 200
Plante des prés (latin). Caractérologie : pratique, communication, enthousiasme, adaptation, résolution.

Georgette 🚩 60 000
Labourer le sol (grec). Féminin français. On peut estimer que moins de 30 enfants seront prénommés ainsi en 2014. Caractérologie : pratique, enthousiasme, communication, adaptation, générosité.

Georgia 🚩 1 000 **TOP 2000** →
Labourer le sol (grec), nom d'un État américain. Georgia est très répandu dans les pays anglophones. Variantes : Georgiane, Georgie, Giorgia. Forme bretonne : Jorane. Caractérologie : habileté, ambition, force, détermination, passion.

Georgina 🚩 1 500
Labourer le sol (grec). Féminin anglais et espagnol. On peut estimer que moins de 30 enfants seront prénommés ainsi en 2014. Caractérologie : persévérance, structure, sécurité, efficacité, résolution.

Géraldine 🚩 43 000 ↓
Lance, gouverner (germanique). Féminin français et anglais. On peut estimer que moins de 30 enfants seront prénommés ainsi en 2014. Variante : Géralde. Caractérologie : optimisme, pragmatisme, réalisation, sympathie, communication.

Gérardine 🚩 500
Lance puissante (germanique). Variantes : Gérarda, Gérarde. Caractérologie : altruisme, intégrité, détermination, idéalisme, réalisation.

Gerda 🚩 150
La protégée (scandinave). Féminin allemand, néerlandais et scandinave.

Caractérologie : ambition, force, habileté, résolution, réalisation.

Germaine 🌟 50 000

De même sang (latin). Ce prénom ancien a connu son dernier pic de popularité au début des années 1900 et s'est maintenu dans les 5 premiers rangs féminins jusqu'en 1910. Il se démode après la Seconde Guerre mondiale et disparaît des maternités françaises à partir des années 1980. On peut estimer que moins de 30 enfants seront prénommés ainsi en 2014. Variantes : Germana, Germane, Germanie, Germina, Germinie, Hermana. Caractérologie : rectitude, rêve, humanité, décision, réussite.

Gersende 🌟 800 →

Lance acérée (germanique). Variante : Gersande. Caractérologie : découverte, réalisation, audace, séduction, originalité.

Gertrude 🌟 2 000

Lance loyale (germanique). Féminin français. On peut estimer que moins de 30 enfants seront prénommés ainsi en 2014. Variantes : Trude, Trudie, Trudy. Caractérologie : ambition, force, habileté, passion, bonté.

Gervaise 🌟 900

Prête au combat (germanique). Caractérologie : énergie, détermination, découverte, réalisation, audace.

Ghania 🌟 250

Jardin de Dieu (hébreu). Caractérologie : ténacité, action, méthode, fiabilité, décision.

Ghislaine 🌟 59 000

Douce (germanique). Féminin français. On peut estimer que moins de 30 enfants seront prénommés ainsi en 2014. Caractérologie : pratique, communication, enthousiasme, cœur, action.

Ghizlane 🌟 600

Douce (germanique). Caractérologie : sympathie, dynamisme, direction, audace, ressort.

Gianna 🌟 200 ⬆

Dieu fait grâce (hébreu). Gianna est un prénom italien. Variante : Giacomina. Caractérologie : audace, direction, indépendance, dynamisme, résolution.

Gilberte 🌟 31 000

Promesse brillante (germanique). Féminin français. On peut estimer que moins de 30 enfants seront prénommés ainsi en 2014. Caractérologie : cœur, famille, équilibre, sens des responsabilités, influence.

Gilda 🌟 2 000

Chevelure (celte), ou doré (vieil anglais). Féminin italien, portugais et anglais. On peut estimer que moins de 30 enfants seront prénommés ainsi en 2014. Caractérologie : sens des responsabilités, famille, équilibre, influence, réalisation.

Gilliane 🌟 500

De la famille romaine de Iule (latin). Variantes : Gilian, Giliane, Gill, Gilliane, Gillianne. Caractérologie : bienveillance, conscience, résolution, paix, sympathie.

Gin

Argent (japonais). Ce prénom est porté par moins de 30 personnes en France. Caractérologie : communication, pragmatisme, sociabilité, optimisme, créativité.

Gina 🌟 5 000 **TOP 800** →

Claire, douce (celte). Gina est plus particulièrement répandu en Italie et dans les pays anglophones. Variante : Jina. Caractérologie : structure, sécurité, persévérance, efficacité, résolution.

Ginette 98 000

Pure, vierge (latin). Féminin français. On peut estimer que moins de 30 enfants seront prénommés ainsi en 2014. Caractérologie : force, ambition, habileté, management, passion.

Ginger 200

Pure, vierge (latin). Caractérologie : conscience, paix, bienveillance, conseil, sagesse.

Giovanna 1 500 **TOP 2000**

Dieu fait grâce (hébreu). Giovanna est un prénom italien. On peut estimer que moins de 30 enfants seront prénommés ainsi en 2014. Variantes : Jovana, Jovanna. Caractérologie : réceptivité, sociabilité, diplomatie, caractère, réussite.

Gisèle 99 000

Épée (germanique). Prénom français. Veuve de saint Étienne de Hongrie au XIe siècle, sainte Gisèle se retira dans un monastère où elle termina ses jours. On peut estimer que moins de 30 enfants seront prénommés ainsi en 2014. Variantes : Gisela, Giselda, Gisella, Gigi, Gizèle. Caractérologie : communication, pragmatisme, résolution, sympathie, optimisme.

Giselle 3 000

Épée (germanique). Féminin français et anglais. On peut estimer que moins de 30 enfants seront prénommés ainsi en 2014. Caractérologie : équilibre, sens des responsabilités, famille, amitié, détermination.

Gislaine 5 000

Douce (germanique). On peut estimer que moins de 30 enfants seront prénommés ainsi en 2014. Variante : Gyslène. Caractérologie : méthode, fiabilité, ténacité, détermination, bonté.

Giulia 3 000 **TOP 200**

De la famille romaine de Iule (latin). Giulia est un prénom italien. Caractérologie : dynamisme, charisme, curiosité, courage, indépendance.

Giuliana 500 **TOP 500**

De la famille romaine de Iule (latin). Prénom italien. Caractérologie : sympathie, diplomatie, sociabilité, résolution, réceptivité.

Gladys 9 000 **TOP 500**

Richesse (celte). En dehors de l'Hexagone, ce prénom gallois est usité dans les pays anglophones. Variantes : Gladez, Gladis, Glady. Caractérologie : énergie, découverte, audace, réussite, originalité.

Glannon

Pure, neuvième (latin). Féminin breton. Ce prénom est porté par moins de 30 personnes en France. Caractérologie : courage, curiosité, dynamisme, indépendance, cœur.

Glenda

Vallée boisée (irlandais). Féminin anglais. Ce prénom est porté par moins de 100 personnes en France. Caractérologie : sagacité, réussite, cœur, connaissances, spiritualité.

Gloria 3 000 **TOP 900**

Gloire (latin). Féminin anglais et italien. Caractérologie : logique, achèvement, stratégie, ardeur, vitalité.

Glwadys 600

Richesse (celte). Variante : Glawdys. Caractérologie : audace, dynamisme, direction, amitié, réalisation.

Glynis

Petite vallée (gallois). Ce prénom est porté par moins de 100 personnes en France. Caractérologie : découverte, énergie, audace, détermination, bonté.

Golda

Dorée (anglais). Ce prénom est porté par moins de 100 personnes en France. Caractérologie : enthousiasme, pratique, communication, réalisation, adaptation.

Gordana 🌟 250

Colline triangulaire (anglais). Caractérologie : sens des responsabilités, famille, réalisation, équilibre, volonté.

Grace 🌟 3 000 (TOP 500) →

Grâce (latin). Féminin anglais. Caractérologie : finesse, connaissances, sagacité, cœur, décision.

Gracianne 🌟 250

Grâce (latin). Variantes : Gracia, Graciane, Gracie, Gracienne. Caractérologie : rectitude, humanité, rêve, résolution, sympathie.

Grazia 🌟 350

Grâce (latin). Ce prénom italien est traditionnellement usité dans le Pays basque. Variantes : Graze, Grazi. Caractérologie : achèvement, vitalité, ardeur, stratégie, action.

Graziella 🌟 7 000 ⬇

Grâce (latin). Prénom italien. On peut estimer que moins de 30 enfants seront prénommés ainsi en 2014. Caractérologie : ressort, sympathie, direction, audace, dynamisme.

Gregoria 🌟 110

Veilleur, vigilant (grec). Dans l'Hexagone, Gregoria est plus traditionnellement usité au Pays basque. Caractérologie : ambition, habileté, passion, décision, force.

Greta 🌟 300 ⬆

Perle (grec). Ce prénom allemand est également répandu dans les pays scandinaves. Variantes : Gretchen, Gretel, Grethel. Caractérologie : conscience, paix, bienveillance, conseil, résolution.

Guénaelle 🌟 2 000

Blanc, heureux, prince (celte). Prénom breton. On peut estimer que moins de 30 enfants seront prénommés ainsi en 2014. Variantes : Guénael, Guénaele. Caractérologie : dynamisme, direction, audace, indépendance, cœur.

Guénola 🌟 700

Blanc, heureux, valeur (celte). Prénom breton. Caractérologie : créativité, pragmatisme, optimisme, communication, sympathie.

Guila 🌟 150 (TOP 2000)

Joie (hébreu). Caractérologie : énergie, découverte, originalité, séduction, audace.

Guilaine 🌟 3 000

Douce (germanique). Féminin français. On peut estimer que moins de 30 enfants seront prénommés ainsi en 2014. Variante : Guilène. Caractérologie : paix, détermination, bienveillance, conscience, bonté.

Guillemette 🌟 3 000 (TOP 2000) ↘

Protectrice résolue (germanique). On peut estimer que moins de 30 enfants seront prénommés ainsi en 2014. Variantes : Guillaumette, Guillemine. Caractérologie : pragmatisme, communication, créativité, optimisme, cœur.

Guislaine 🌟 1 000

Douce (germanique). Caractérologie : intelligence, cœur, méditation, savoir, décision.

Gustavie

Combattante (germanique). Ce prénom est porté par moins de 100 personnes en France. Variante flamande : Gusta. Caractérologie : énergie, audace, découverte, réalisation, sympathie.

G

111
·······

Le palmarès des prénoms de la Suisse romande

Ces palmarès sont fondés sur les dernières données diffusées par l'Office fédéral suisse de la statistique (OFS). Les prénoms sont classés par ordre décroissant d'attribution. Afin de vous donner une image plus complète des prénoms les plus attribués en 2012, deux palmarès complémentaires vous sont proposés.

Le premier établit le top 20 féminin par ordre décroissant d'attribution. Chaque prénom est considéré comme une entité unique et classé selon sa fréquence d'attribution.

Le second fonctionne de la même manière mais il inclut, pour chaque prénom donné (exemple : Mathilde), la fréquence d'attribution des variantes les plus attribuées (exemple : Matilde). Pour ce faire, seules les graphies figurant dans le top 50 suisse romand ont été prises en compte. Ce classement donne une indication complémentaire sur les dernières tendances dans les choix de prénoms.

Palmarès 1 : chaque prénom est classé selon sa fréquence d'attribution individuelle

1. Emma	**6.** Eva	**11.** Olivia	**16.** Julie
2. Léa	**7.** Charlotte,	**12.** Anaïs	**17.** Juliette, Sara*
3. Chloé	Clara, Sofia*	**13.** Camille,	**18.** Lucie
4. Zoé	**8.** Alice, Alicia*	Manon, Nora*	**19.** Sarah
5. Lara	**9.** Élisa	**14.** Mathilde	**20.** Lisa
	10. Émilie	**15.** Giulia, Jade*	

Palmarès 2 : la fréquence d'attribution du prénom inclut celle de ses variantes

1. Léa, *Lea*	**6.** Zoé	**11.** Élisa	**16.** Giulia, Jade*
2. Emma	**7.** Lara	**12.** Émilie	**17.** Julie
3. Mathilde,	**8.** Eva	**13.** Olivia	**18.** Juliette
Matilde	**9.** Charlotte,	**14.** Anaïs	**19.** Lucie
4. Sara, *Sarah*	Clara, Sofia*	**15.** Camille,	**20.** Lisa
5. Chloé	**10.** Alice, Alicia*	Manon, Nora*	

* Ces prénoms ont été attribués le même nombre de fois et se placent au même rang.

Commentaires et observations

Emma règne sur le palmarès romand pour la cinquième année consécutive et galvanise, cette année encore, le succès des terminaisons en « a ». Celles-ci forment un front d'autant plus solide que d'anciennes stars, comme Léa ou Éva, ont repris du galon. Dans

.../

Le palmarès des prénoms de la Suisse romande *(suite)*

ce contexte, Clara s'est envolée au 7e rang, Nora s'est imposée dans le tableau, et Nina devrait bientôt les y rejoindre. Elles auront besoin de toute leur énergie pour contenir l'assaut des désinences en « ia ». D'un seul pas de géant, Giulia (+ 38 places en un an) a donné à ces dernières une visibilité éclatante. Cela n'enlève rien à Alicia, Sofia et Olivia qui poursuivent leur ascension du sommet. Sont-elles influencées par Mia, la reine des choix féminins suisses allemands ?

Restent les sonorités multiples qui tirent leur épingle du jeu cette année. Charlotte rebondit dans le top 10, Juliette revient dans le classement, et finalement, Chloé et Zoé se maintiennent dans les premières places.

Dans le deuxième tableau, Léa s'impose de nouveau en tête grâce à sa graphie inaccentuée Lea. De leur côté, Mathilde, Sara et leurs homophones jaillissent dans le top 5.

Horizon 2015

L'essor des terminaisons en « ia » propulse Alessia et Julia vers les cimes. Mais de nouvelles désinences en « a » s'élèvent à l'horizon : Lina, Lana et Mélissa ont toutes les chances de rejoindre l'élite romande d'ici 2015.

Guylaine 🚩 7 000
Douce (germanique). Féminin français. On peut estimer que moins de 30 enfants seront prénommés ainsi en 2014. Variante : Gilaine. Caractérologie : sécurité, structure, persévérance, résolution, sympathie.

Guylène 🚩 3 000
Douce (germanique). On peut estimer que moins de 30 enfants seront prénommés ainsi en 2014. Caractérologie : achèvement, vitalité, ardeur, stratégie, cœur.

Guyonne 🚩 140
Forêt (germanique). Caractérologie : relationnel, intuition, médiation, amitié, fidélité.

Gwen 🚩 300 🔽
Blanc, heureux (celte). Féminin gallois, français et breton. Caractérologie : fiabilité, ténacité, engagement, méthode, sens du devoir.

Gwenael 🚩 700
Blanc, heureux, prince (celte). Prénom breton. Caractérologie : sécurité, efficacité, persévérance, structure, bonté.

Gwenaelle 🚩 22 000 **TOP 700** 🔽
Blanc, heureux, prince (celte). Prénom breton. Variantes : Gwanaelle, Gwenaela, Gwenaele, Gwendaline, Gwendeline. Caractérologie : adaptation, pratique, enthousiasme, communication, bonté.

Gwendoline 🚩 20 000 **TOP 600** 🔽
Cercle blanc (celte). Féminin gallois, français et breton. Caractérologie : humanité, rectitude, rêve, analyse, volonté.

Gwendolyne 🚩 750 ➡️
Cercle blanc (celte). Variantes : Gwendolina, Gwendolyn, Gwendolyne. Caractérologie : intelligence, savoir, méditation, caractère, cœur.

G

113

H

Gwenhael

Blanc, heureux, généreux (celte). Féminin breton. Ce prénom est porté par moins de 100 personnes en France. Variante : Guénhaelle. Caractérologie : enthousiasme, communication, adaptation, amitié, pratique.

Gwenn 1 000 **TOP 2000** ⬇

Blanc, heureux (celte). Prénom breton. Variante : Gwennaïg. Caractérologie : réflexion, dévouement, altruisme, intégrité, idéalisme.

Gwennaelle 1 500 ⬇

Blanc, heureux, prince (celte). Prénom breton. On peut estimer que moins de 30 enfants seront prénommés ainsi en 2014. Variante : Gwennael. Caractérologie : ardeur, vitalité, achèvement, stratégie, cœur.

Gwenola 3 000 ⬇

Blanc, heureux, valeur (celte). Prénom breton. On peut estimer que moins de 30 enfants seront prénommés ainsi en 2014. Variantes : Gwennola, Gwennoline. Caractérologie : audace, énergie, découverte, originalité, sympathie.

Gwladys 6 000 **TOP 2000** ↘

Richesse (celte). Variantes : Gwaldys, Gwladis. Caractérologie : audace, direction, dynamisme, amitié, réalisation.

Gypsie

Bohémienne (anglais). Ce prénom est porté par moins de 100 personnes en France. Variante : Gypsy. Caractérologie : altruisme, intégrité, idéalisme, réflexion, résolution.

Gysèle 130

Épée (germanique). Caractérologie : audace, dynamisme, amitié, direction, indépendance.

Habiba 2 000 **TOP 2000**

Aimée, généreuse (arabe). On peut estimer que moins de 30 enfants seront prénommés ainsi en 2014. Variantes : Habibata, Habibatou, Habibe. Caractérologie : curiosité, indépendance, courage, dynamisme, charisme.

Haby 700 **TOP 2000** ➡

Aimée, généreuse (arabe). Caractérologie : rectitude, rêve, humanité, ouverture d'esprit, générosité.

Hada 200

Offrande (arabe), myrte (hébreu), ou ornement (hébreu). Caractérologie : décision, indépendance, vitalité, curiosité, courage.

Hadassa 160

Myrte (hébreu). Variante : Hadassah. Caractérologie : ambition, force, habileté, management, passion.

Hadia 350 ➡

Qui guide au droit chemin (arabe). Variante : Hadaya. Caractérologie : énergie, découverte, séduction, originalité, audace.

Hafida 2 000

Celle qui protège (arabe). On peut estimer que moins de 30 enfants seront prénommés ainsi en 2014. Caractérologie : relationnel, intuition, adaptabilité, médiation, fidélité.

Haïfa 300

Gracieuse (arabe). Variante : Hayfa. Caractérologie : savoir, indépendance, intelligence, méditation, sagesse.

Hajar 3 000 **TOP 300** ↗

Variante arabe d'Agar. Dans la Bible, Agar, la concubine d'Abraham et la mère d'Ismaïl, est répudiée deux fois par sa maîtresse Sarah. D'où l'origine hébraïque de ce prénom qui signifie : « l'étrangère ». Variantes : Agar, Hadjar, Hagar, Hajare, Hajer, Hajere. Caractérologie : réceptivité, sociabilité, loyauté, diplomatie, bonté.

Hakima  2 000
Qui est juste et sage (arabe). On peut estimer que moins de 30 enfants seront prénommés ainsi en 2014. Caractérologie : spiritualité, connaissances, sagacité, originalité, philosophie.

Hala 250
Lumière (arabe). Variante : Hela. Caractérologie : sécurité, persévérance, structure, efficacité, honnêteté.

Haley 150 **TOP 2000**
Héros (scandinave). Féminin anglais. Variantes : Hailey, Halie, Hallie, Hally. Caractérologie : conseil, bienveillance, paix, conscience, cœur.

Halima 4 000 **TOP 700**
Indulgente (arabe). Variantes : Halimata, Halimatou, Halime. Caractérologie : force, ambition, habileté, passion, management.

Hama
Bord de plage (japonais). Ce prénom est porté par moins de 100 personnes en France. Caractérologie : curiosité, dynamisme, courage, indépendance, charisme.

Hamako
L'enfant du bord de plage (japonais). Ce prénom est porté par moins de 30 personnes en France. Caractérologie : fiabilité, ténacité, méthode, engagement, sens du devoir.

Hana 2 000 **TOP 400**
Grâce (hébreu), réjouissances (arabe), fleur (japonais). Caractérologie : influence, équilibre, sens des responsabilités, famille, exigence.

Hanaé 3 000 **TOP 200**
Fleur (japonais). Hanaé peut être écrit de trois façons différentes selon les kanji utilisés. Les trois significations les plus courantes sont : « fleur majestueuse », « à l'image de la fleur », et « branche fleurie ». C'est le « é » final qui différencie Hanaé de Hana, la fleur. Variantes : Anaé, Annaé, Hanaa, Hannaé. Caractérologie : adaptabilité, médiation, relationnel, fidélité, intuition.

Hanako
L'enfant fleur (japonais). Ce prénom est porté par moins de 100 personnes en France. Caractérologie : indépendance, curiosité, dynamisme, courage, sensibilité.

Hanan 1 500
Mansuétude (arabe). On peut estimer que moins de 30 enfants seront prénommés ainsi en 2014. Caractérologie : adaptabilité, relationnel, intuition, médiation, fidélité.

Hania 650 **TOP 1000**
Heureuse, affectueuse (arabe). Caractérologie : famille, équilibre, sens des responsabilités, détermination, influence.

Hanna 4 000 **TOP 300**
Grâce (hébreu). Hanna est particulièrement répandu dans les pays scandinaves. Caractérologie : intuition, adaptabilité, fidélité, médiation, relationnel.

Hannah 3 000 **TOP 600**
Grâce (hébreu). Prénom anglais, allemand et néerlandais. Personnage biblique, Hannah désespère d'avoir un jour un enfant. C'est à un âge avancé qu'elle voit ses prières exaucées et qu'elle met enfin au monde son fils Samuel. Hannah est particulièrement répandu dans

H

les pays anglophones. Variante : Annah. Caractérologie : énergie, autorité, innovation, autonomie, ambition.

Harmonie
 2 000 **TOP 2000** →

Harmonie, unité (latin). On peut estimer que moins de 30 enfants seront prénommés ainsi en 2014. Caractérologie : médiation, intuition, décision, caractère, relationnel.

Harmony
 1 500 **TOP 2000** →

Harmonie, unité (latin). Féminin anglais. Caractérologie : persévérance, structure, sécurité, caractère, réussite.

Harriet

Maîtresse de foyer (germanique). Féminin anglais. Ce prénom est porté par moins de 100 personnes en France. Variante : Harriette. Caractérologie : finesse, décision, sagacité, connaissances, attention.

Hasna
 1 500 **TOP 2000** →

Belle (arabe). Variante : Hasnaa. Caractérologie : sagacité, connaissances, spiritualité, philosophie, originalité.

Hassiba
 450

Noble (arabe). Caractérologie : découverte, énergie, audace, originalité, séduction.

Hassina
850

Vertueuse (arabe). Caractérologie : ardeur, achèvement, vitalité, décision, stratégie.

Hava
 600 ↑

Vie, donner la vie (hébreu), variante d'Hawa. Caractérologie : courage, charisme, indépendance, curiosité, dynamisme.

Hawa
 4 000 **TOP 400** →

Attente (africain). Équivalent arabe d'Ève. Variante : Awa. Caractérologie : conseil, bienveillance, paix, conscience, sagesse.

Haya
 500 **TOP 2000** →

Rapide (japonais), vertu (arabe). Caractérologie : vitalité, achèvement, leadership, stratégie, ardeur.

Hayat
 1 500 **TOP 2000** →

Vertu (arabe). On peut estimer que moins de 30 enfants seront prénommés ainsi en 2014. Variantes : Hayate, Hayatte, Hayet. Caractérologie : influence, famille, sens des responsabilités, équilibre, attention.

Hazal
300 **TOP 2000** ↗

Noisetier (anglais). Variante : Hazel. Caractérologie : optimisme, pragmatisme, sociabilité, créativité, communication.

Heather
600 **TOP 2000** →

Bruyère (anglo-saxon). Féminin anglais. Caractérologie : relationnel, résolution, intuition, médiation, finesse.

Hedia
250

Voix, écho de Dieu (hébreu). Variante : Hediah. Caractérologie : décision, rêve, rectitude, ouverture d'esprit, humanité.

Hedwige
900

Richesse, combat (germanique). Féminin allemand. Variantes : Hedvige, Hedwig. Caractérologie : connaissances, spiritualité, ressort, originalité, sagacité.

Heidi
 2 000 **TOP 2000** ↘

Richesse, combat (germanique). Heidi est usité en Allemagne et en Suisse alémanique. Variantes : Heidie, Heidy. Caractérologie : force, management, passion, ambition, habileté.

Helen
650

Éclat du soleil (grec). Féminin anglais. Variantes : Hélénia, Héliéna, Hélin, Helonna, Hellen. Caractérologie : leadership, vitalité, achèvement, stratégie, ardeur.

Héléna 🚩 13 000 (TOP 300) ➡

Éclat du soleil (grec). Héléna connaît une certaine faveur dans plusieurs pays chrétiens au Moyen Âge mais reste longtemps invisible en France. Il émerge sur les traces d'Hélène dans les années 1980 et, depuis 2005, lui tient le haut du pavé. Ce prénom est très répandu en Europe et dans les pays slaves. Variante : Hélina. Caractérologie : humanité, ouverture d'esprit, générosité, rêve, rectitude.

Hélène 🚩 187 000 (TOP 500) ↘

Éclat du soleil (grec). Ce prénom apparaît sous différentes graphies (Ellen, Helen, Helena, etc.) dans les pays chrétiens au Moyen Âge. Sa diffusion, alimentée par le culte de sainte Hélène, s'étend sur plusieurs siècles. Durant la Renaissance, Helen ressuscite en Angleterre mais pas en France, où Hélène reste discret jusque dans les années 1850. Il prend alors une ampleur grandissante tout en s'abstenant de faire de grandes vagues. Hélène maintient une visibilité constante tout au long du XXe siècle, prénommant autant de filles (4 000) en 1920 qu'en 1980, de sorte que ce prénom a acquis une allure tout à fait classique. Depuis le début des années 2000, sa fortune s'est inversée ; c'est aujourd'hui Héléna (ou Helena) qui lui est préféré. ◇ Sainte Hélène, la mère de Constantin le Grand, se convertit au christianisme et défendit ardemment la cause des chrétiens au IVe siècle. ◇ Fille de Zeus, Hélène est si belle qu'elle est courtisée par les plus grands héros de la mythologie grecque. Elle choisit Ménélas pour époux mais est enlevée par le prince troyen Pâris, ce qui provoque la guerre de Troie. Homère a placé cet épisode tragique au cœur de l'*Iliade*. Caractérologie : persévérance, structure, sécurité, honnêteté, efficacité.

Helga 🚩 550

Pieuse (germanique). Helga est particulièrement répandu en Allemagne et dans les pays scandinaves. Caractérologie : conscience, paix, bienveillance, conseil, cœur.

Hélia 🚩 500 (TOP 2000) ⬇

Éclat du soleil (grec). Ce prénom est particulièrement répandu au Portugal. Variante : Héliade. Caractérologie : ardeur, résolution, achèvement, vitalité, stratégie.

Hella 🚩 250 ↗

Lumière (arabe). Variante : Hela. Caractérologie : relationnel, intuition, médiation, fidélité, adaptabilité.

Héloïse 🚩 18 000 (TOP 200) ➡

Illustre au combat (germanique). Féminin français. Caractérologie : innovation, autorité, détermination, raisonnement, énergie.

Hena

Gracieuse (hébreu). Ce prénom est porté par moins de 100 personnes en France. Variante : Henna. Caractérologie : autorité, innovation, ambition, énergie, autonomie.

Henka

Phénix (arabe). Ce prénom est porté par moins de 30 personnes en France. Caractérologie : créativité, sensibilité, optimisme, communication, pratique.

Henria 🚩 250

Maîtresse de maison (germanique). Caractérologie : dynamisme, résolution, direction, audace, indépendance.

Henriette 🚩 40 000

Maîtresse de maison (germanique). Ce prénom était en faveur en France à la fin XIXe siècle. Il s'est éclipsé dans les années 1960 mais pourrait bien renaître prochainement.

H

117

En dehors de l'Hexagone, Henriette est usité en Allemagne, aux Pays-Bas et dans les pays scandinaves. On peut estimer que moins de 30 enfants seront prénommés ainsi en 2014. Variantes : Ariette, Hariette, Henriet, Henrietta, Henrika. Caractérologie : indépendance, curiosité, courage, dynamisme, sensibilité.

Hermance 🎌 800 TOP 2000 ⬇
Soldat (germanique). Variante : Hermence. Caractérologie : structure, efficacité, persévérance, sécurité, décision.

Hermine 🎌 3 000 TOP 900 ➡
Soldat (germanique). Féminin français et allemand. Variantes : Hermeline, Hermione. Caractérologie : altruisme, réflexion, intégrité, idéalisme, dévouement.

Herveline 🎌 700
Forte, combattante (celte). Prénom breton. Variantes : Hervea, Hervée. Caractérologie : stratégie, vitalité, achèvement, ardeur, leadership.

Hiba 🎌 1 000 TOP 500 ↗
Cadeau (arabe). Caractérologie : sociabilité, diplomatie, réceptivité, bonté, loyauté.

Hila
Louanges (hébreu). Ce prénom est porté par moins de 100 personnes en France. Caractérologie : communication, pragmatisme, optimisme, créativité, sociabilité.

Hilal 🎌 800 ⬇
Croissant de lune somptueux (arabe). Caractérologie : équilibre, famille, sens des responsabilités, influence, exigence.

Hilda 🎌 750 ⬇
Bataille (germanique). Hilda est particulièrement répandu dans les pays anglophones, germanophones, néerlandophones et scandinaves. Variantes : Hida, Hide, Hilde. Caractérologie : savoir, indépendance, intelligence, méditation, sagesse.

Hildegarde 🎌 550
Bataille (germanique). Variante : Hildegonde. Caractérologie : ressort, innovation, réalisation, énergie, autorité.

Hillary 🎌 250 ⬇
Joyeuse (latin). Féminin anglais. Variantes : Hilarie, Hilary. Caractérologie : ressort, structure, sécurité, persévérance, efficacité.

Hilma
Protectrice résolue (germanique). Ce prénom est porté par moins de 100 personnes en France. Caractérologie : séduction, découverte, audace, énergie, originalité.

Hina 🎌 300 TOP 1000 ⬆
Déesse tahitienne de la Lune (tahitien), gracieuse (hébreu). Caractérologie : découverte, énergie, audace, originalité, décision.

Hind 🎌 2 000 TOP 400 ↗
Câline (arabe). Hind fut l'une des épouses du prophète Mahomet. Caractérologie : force, ambition, habileté, passion, management.

Hinda 🎌 900 ⬇
Cerfs (germanique). Caractérologie : réflexion, sagesse, intégrité, détermination, altruisme.

Hiroko
Enfant magnanime, généreuse (japonais). Ce prénom est porté par moins de 30 personnes en France. Caractérologie : ténacité, fiabilité, méthode, sens du devoir, engagement.

Hisaé TOP 2000
Qui vivra longtemps (japonais). Ce prénom est porté par moins de 100 personnes en France.

Caractérologie : équilibre, famille, sens des responsabilités, influence, décision.

Hoela

Noble, au-dessus (celte). Féminin breton. Ce prénom est porté par moins de 100 personnes en France. Caractérologie : audace, énergie, découverte, originalité, séduction.

Holly
110

Houx (anglo-saxon). Féminin anglais. Variante : Hollie. Caractérologie : rectitude, humanité, générosité, ouverture d'esprit, rêve.

Honorine
5 000

Honorée (latin). Féminin français. Variantes : Honora, Honorée. Caractérologie : stratégie, vitalité, achèvement, ardeur, leadership.

Horia
500

Feu (persan), d'une grande beauté (arabe). Variantes : Horya, Houriya. Caractérologie : bienveillance, conscience, conseil, paix, sagesse.

Hortense
6 000

Jardin (latin). Féminin français et anglais. Variantes : Hortence, Hortensia, Orthense. Caractérologie : décision, curiosité, attention, dynamisme, courage.

Hoshi

Étoile (japonais). Ce prénom est porté par moins de 30 personnes en France. Caractérologie : découverte, originalité, énergie, audace, séduction.

Houmana

Soleil (tahitien). Ce prénom est porté par moins de 30 personnes en France. Caractérologie : dynamisme, audace, direction, indépendance, volonté.

Houria
3 000

Feu (persan), d'une grande beauté (arabe). Houria est très répandu en Arménie, dans les cultures persanes et musulmanes. On peut estimer que moins de 30 enfants seront prénommés ainsi en 2014. Variante : Hourya. Caractérologie : intégrité, idéalisme, altruisme, réflexion, logique.

Huberte
800

Esprit brillant (germanique). Féminin français. Caractérologie : sagacité, spiritualité, attention, originalité, connaissances.

Huguette
66 000

Esprit, intelligence (germanique). Féminin français. On peut estimer que moins de 30 enfants seront prénommés ainsi en 2014. Variantes : Huga, Hugoline, Hugone. Caractérologie : amitié, habileté, ambition, force, sensibilité.

Hyacinthe
650

Pierre (grec), nom de fleur. Féminin français. Variantes : Giacinto, Jacinto, Yacinthe. Caractérologie : enthousiasme, communication, pratique, ressort, finesse.

Iana

Dieu fait grâce (hébreu). Cette forme écossaise de Jeanne a été attribuée pour la première fois en France en 1997. Ce prénom est porté par moins de 100 personnes en France. Caractérologie : spiritualité, sagacité, culture, résolution, caractère.

INÈS

Fête : 10 septembre

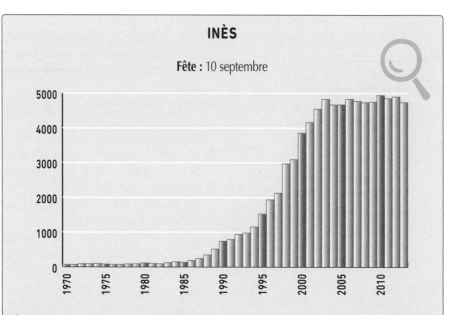

Étymologie : du grec *agnos*, « chaste, pure ». Solidement ancrée en Espagne et au Portugal, cette forme hispanique d'Agnès émerge en France à la fin des années 1980. Elle prend la relève d'Agnès d'autant plus aisément que le mannequin Inès de La Fressange en devient l'ambassadrice. Ses dernières fluctuations ne devraient pas l'empêcher de figurer parmi les 5 premiers rangs nationaux et parisiens.

En dehors de l'Hexagone, Inès est inconnue en Suisse italienne et allemande, mais elle a percé en Romandie et en Wallonie. On peut s'étonner que les parents espagnols aient tardé à la redécouvrir. Peu importe, puisqu'elle arpente les sommets ibériques aujourd'hui.

Ce tour d'horizon serait incomplet s'il n'incluait pas Ines. Cette dernière ressemble à sa jumelle comme deux gouttes d'eau, à ceci près qu'elle n'arbore pas d'accent grave. C'est pourtant tout ce qui fait la différence. Sans accent, Ines puise ses origines dans l'arabe ancien et signifie « sympathique, généreuse ». C'est un prénom prisé par les couples mixtes qui le choisissent aussi sous sa forme accentuée. Dans ce contexte, il n'est pas étonnant que ces deux homonymes soient en vogue dans les communautés musulmanes francophones. Celle de Bruxelles a propulsé Ines dans le top 10 bruxellois dès 2001. En France, son succès a favorisé l'apparition de deux perles rares en forte croissance : Ynes et Yness.

.../

Inès *(suite)*

Chrétienne japonaise au VIIe siècle, **sainte Inès Takeya** fut exécutée en 1622 pour sa foi.

Personnalité célèbre : Inès de La Fressange, ancienne mannequin, aujourd'hui femme d'affaires et créatrice de mode.

Statistiques : Inès est le 6e prénom féminin le plus donné en France depuis le début du XXIe siècle. On peut estimer qu'il sera attribué à une fille sur 82 en 2014.

Ida
🎖6 000 🔽

Travailleuse (germanique). Ida est répandu dans les pays scandinaves. C'est aussi un prénom traditionnel basque et corse. On peut estimer que moins de 30 enfants seront prénommés ainsi en 2014. Variantes : Idaia, Idda, Idalia, Idaline, Idy. Caractérologie : audace, énergie, découverte, originalité, séduction.

Ide

Soif (irlandais). Ce prénom est porté par moins de 100 personnes en France. Caractérologie : altruisme, dévouement, idéalisme, réflexion, intégrité.

Idoia
🎖200 ↗

Prénom basque qui désigne la Vierge Marie. Variante : Idoya. Caractérologie : réceptivité, loyauté, diplomatie, bonté, sociabilité.

Idora

Don d'Isis (grec). Ce prénom est porté par moins de 30 personnes en France. Caractérologie : fidélité, médiation, adaptabilité, relationnel, intuition.

Idra

Figuier (araméen). Ce prénom est porté par moins de 30 personnes en France. Caractérologie : indépendance, dynamisme, curiosité, courage, charisme.

Ielena

Variante russe d'Elena : éclat du soleil (grec). Ce prénom est porté par moins de 100 personnes en France. Caractérologie : audace, direction, dynamisme, indépendance, décision.

Ikram
🎖2 000 **TOP 700** ➡

Respectueuse (arabe). Variante : Ikrame. Caractérologie : connaissances, sagacité, originalité, spiritualité, philosophie.

Ilana
🎖3 000 **TOP 400** ↗

Arbre (hébreu). Variantes : Élana, Ilanna. Caractérologie : direction, audace, indépendance, décision, dynamisme.

Ilayda
🎖900 **TOP 2000** 🔽

De noble lignée (germanique). Caractérologie : savoir, indépendance, intelligence, méditation, réalisation.

Ilda
🎖550 ⬆

Bataille (germanique). Prénom italien. Caractérologie : habileté, passion, force, ambition, management.

Iléa
🎖140

Éclat du soleil (grec). Variantes : Illoa, Iloa. Caractérologie : indépendance, logique, dynamisme, direction, audace.

121

Iléana 🇫🇷 800 (TOP 900) →
Éclat du soleil (grec). Une princesse roumaine du XXᵉ siècle a illustré ce prénom roumain. Caractérologie : conscience, conseil, résolution, bienveillance, paix.

Ilena 🇫🇷 650 (TOP 900) →
Éclat du soleil (grec). Caractérologie : énergie, décision, découverte, audace, originalité.

Ilham 🇫🇷 2 000 (TOP 2000) ↓
Inspiration (arabe). Caractérologie : connaissances, spiritualité, sagacité, philosophie, originalité.

Ilhem 🇫🇷 1 000 (TOP 900) →
Inspiration (arabe). Caractérologie : relationnel, intuition, médiation, adaptabilité, fidélité.

Ilia
Dans la mythologie romaine, Ilia (plus connue sous le nom de Rhea) est la mère de Romulus et Remus. Féminin russe, slave et bulgare. Ce prénom est porté par moins de 100 personnes en France. Caractérologie : sécurité, persévérance, honnêteté, structure, efficacité.

Iliana 🇫🇷 2 000 (TOP 400) →
Forme féminine d'Ilian ou variante d'Ilana. Iliana est répandu en Grèce. Variantes : Iléane, Iliona, Ilyana, Ilyane. Caractérologie : autorité, détermination, innovation, ambition, énergie.

Iliane 🇫🇷 120
Qui vient de Dieu (arabe), le Seigneur est mon Dieu (hébreu). Caractérologie : découverte, énergie, originalité, audace, décision.

Illana 🇫🇷 350 (TOP 2000) ↗
Arbre (hébreu). Caractérologie : méthode, ténacité, engagement, fiabilité, détermination.

Illona 🇫🇷 1 000 (TOP 2000) ↘
Éclat du soleil (grec). Caractérologie : raisonnement, idéalisme, altruisme, détermination, intégrité.

Iloa 🇫🇷 110
Éclat du soleil (grec). Variantes : Eloa, Illoa. Caractérologie : indépendance, logique, dynamisme, direction, audace.

Ilona 🇫🇷 11 000 (TOP 300) →
Dérivé hongrois d'Hélène : éclat du soleil (grec). Ilona est très répandu en Hongrie. Variantes : Ilhona, Ilouna, Llona. Caractérologie : famille, équilibre, éthique, détermination, raisonnement.

Ilse 🇫🇷 150
Noble (germanique). Caractérologie : humanité, rectitude, ouverture d'esprit, rêve, résolution.

Ilyana 🇫🇷 2 000 (TOP 200) ↑
Variation féminine d'Ilyas ou variante d'Iliana. Caractérologie : achèvement, stratégie, sympathie, vitalité, résolution.

Imaé
Génération actuelle (japonais). Ce prénom est porté par moins de 30 personnes en France. Variante : Ima. Caractérologie : énergie, innovation, autorité, ambition, décision.

Imako
L'enfant du présent (japonais). Ce prénom est porté par moins de 30 personnes en France. Caractérologie : ténacité, engagement, sens du devoir, fiabilité, méthode.

Imane 🇫🇷 9 000 (TOP 300) ↘
Croyance, foi (arabe). Variantes : Iman, Imanne, Ymane. Caractérologie : décision, bienveillance, paix, conscience, conseil.

Le palmarès des prénoms de la Wallonie

Ces palmarès sont fondés sur les dernières données diffusées par l'Institut national de statistique de la Belgique. Afin de vous donner une image plus complète des prénoms les plus attribués en 2009, deux palmarès complémentaires vous sont proposés.

Le premier établit le top 20 féminin par ordre décroissant d'attribution. Chaque prénom est considéré comme une entité unique et classé selon sa fréquence d'attribution.

Le second fonctionne de la même manière mais il inclut, pour chaque prénom donné (exemple : Sarah), la fréquence d'attribution des variantes les plus attribuées (exemple : Sara). Pour ce faire, seules les graphies figurant dans le top 100 wallon ont été prises en compte. Ce classement donne une indication complémentaire sur les dernières tendances dans les choix de prénoms.

Palmarès 1 : chaque prénom est classé selon sa fréquence d'attribution individuelle

1. Léa	6. Camille	11. Lola	16. Alice
2. Clara	7. Manon	12. Sarah	17. Charlotte
3. Emma	8. Louise	13. Juliette	18. Jade
4. Lucie	9. Éva	14. Célia	19. Anaïs
5. Chloé	10. Zoé	15. Émilie	20. Laura

Palmarès 2 : la fréquence d'attribution du prénom inclut celle de ses variantes

1. Léa	6. Chloé	11. Célia, *Celia*	16. Émilie
2. Clara	7. Camille	12. Zoé	17. Alice
3. Emma	8. Manon	13. Lola	18. Charlotte
4. Sarah, *Sara*	9. Louise	14. Inès, *Ines*	19. Jade
5. Lucie	10. Éva	15. Juliette	20. Léna, *Lena*

Commentaires et observations

L'hégémonie des désinences en « a » est plus que jamais d'actualité : ces dernières s'affichent à 8 reprises dans le tableau. Certaines, comme Sarah, s'offrent même le luxe de rebondir dans le top 5 (grâce à Sara sans « h »). Cela ne perturbe pas l'évolution de prénoms rétro qui, tels Zoé, Lucie, Louise ou Juliette, gagnent des points. Ni celle d'Alice qui vient de remplacer Victoria dans le top 20. Preuve que le registre rétro a lui aussi de beaux jours devant lui.

.../

Le palmarès des prénoms de la Wallonie *(suite)*

Dans le deuxième tableau, Léa reste en tête des attributions et Célia se place plus avantageusement. Grâce à leurs graphies inaccentuées, Inès et Léna jaillissent dans le palmarès et font plonger Anaïs et Laura dans le top 30.

Horizon 2015

Quelques prénoms courts se distinguent sur la ligne d'horizon. En 2015, les petites Lily et Lina devraient fleurir dans les maternités wallonnes !

Imelda
 350

Soldat (germanique). Féminin italien, espagnol et allemand. Variante : Ymelda. Caractérologie : habileté, ambition, force, résolution, passion.

Imen
 3 000 TOP 700

Croyance, foi (arabe). Caractérologie : curiosité, dynamisme, charisme, courage, indépendance.

Imene
 4 000 TOP 400 →

Croyance, foi (arabe). Caractérologie : autorité, autonomie, innovation, énergie, ambition.

Imma

Variante germanophone d'Irma ou forme diminutive d'Emmanuelle. Ce prénom est porté par moins de 100 personnes en France. Caractérologie : réflexion, altruisme, intégrité, idéalisme, dévouement.

Ina
 350  TOP 700 ↑

Diminutif des prénoms se terminant par « ina » (Angélina, Célina, Carolina, etc.). Ce prénom a connu une certaine popularité au XIXᵉ siècle dans les pays anglophones, mais il est tout nouveau en France. Caractérologie : sens des responsabilités, famille, influence, équilibre, décision.

Inaïa
TOP 2000

Attention, sollicitude (arabe). Ce prénom est porté par moins de 100 personnes en France.

Caractérologie : sagacité, résolution, culture, intelligence, liberté.

Inaya
 6 000 TOP 50 ↑

Attention, sollicitude (arabe). Inaya est connu dans les pays arabes mais on le recense également en Afrique et en Amérique latine. En France, ce prénom en forte expansion est exclusivement féminin. Variante : Innaya. Caractérologie : dynamisme, curiosité, courage, indépendance, résolution.

India
 800 TOP 2000 →

India est le nom anglais qui désigne l'Inde. Variantes : Indie, Indy. Caractérologie : innovation, énergie, résolution, autorité, ambition.

Indiana
500 →

Divin (latin), nom d'un État américain. On rencontre plus particulièrement ce prénom aux États-Unis. Caractérologie : spiritualité, connaissances, originalité, sagacité, résolution.

Indira
500 ↓

Beauté, splendeur (sanscrit). Dans la mythologie hindoue, Indra est le dieu de la Pluie et du Tonnerre. Prénom indien d'Asie. Variante : Indra. Caractérologie : direction, résolution, dynamisme, indépendance, audace.

Iné

Riz (japonais). Ce prénom est porté par moins de 30 personnes en France. Caractérologie :

dynamisme, audace, direction, assurance, indépendance.

Inès  82 000
Chaste, pure (grec). Sans accent, Ines signifie « sympathique, généreuse » en arabe. Caractérologie : relationnel, intuition, fidélité, détermination, médiation.

Iness 1 500
Sympathique, généreuse (arabe). Variantes : Yness, Ynesse. Caractérologie : enthousiasme, communication, pratique, résolution, adaptation.

Inesse 350
Sympathique, généreuse (arabe). Caractérologie : achèvement, vitalité, ardeur, stratégie, détermination.

Inge 200
Fille de héros (scandinave). Ing est également le nom d'un dieu scandinave. Caractérologie : achèvement, leadership, vitalité, ardeur, stratégie.

Ingrid 27 000
Fille de héros (scandinave). En dehors de l'Hexagone, Ingrid est très répandu en Allemagne et dans les pays scandinaves. On peut estimer que moins de 30 enfants seront prénommés ainsi en 2014. Variantes : Inga, Inge. Caractérologie : connaissances, spiritualité, sagacité, originalité, philosophie.

Inna 950
Nom d'un disciple de saint André qui mourut martyr en Scythie (la Russie actuelle). Ce patronyme est devenu un prénom féminin très connu en Russie et dans les pays slaves. Inna Shevchenko, l'une des fondatrices du mouvement Femen en Ukraine, porte ce prénom. Étymologie probable : eau jaillissante (russe). Caractérologie : détermination, intuition, médiation, loyauté, sociabilité.

Inoa
Variante moderne d'Ainhoa, née dans l'Hexagone en 2004. Voir Ainhoa. Ce prénom est porté par moins de 100 personnes en France. Caractérologie : motivation, pratique, communication, enthousiasme, générosité.

Insaf 550
Équité, justice (arabe). Variante : Inssaf. Caractérologie : persévérance, détermination, structure, efficacité, sécurité.

Intissar 200
Triomphante (arabe). Caractérologie : direction, dynamisme, indépendance, audace, détermination.

Ioana 140
Dieu fait grâce (hébreu). Prénom roumain, russe et slave. Caractérologie : bienveillance, sagesse, conseil, conscience, paix.

Iola
Aube (grec), violette (latin). Ce prénom est porté par moins de 100 personnes en France. Variante : Iole. Caractérologie : énergie, raisonnement, ambition, innovation, autorité.

Iona 700
Couleur pourpre, aube (grec). Iona est également le nom d'une île écossaise. Féminin anglais et écossais. Variantes : Iola, Ione, Ionia, Ionna. Caractérologie : pratique, détermination, communication, enthousiasme, adaptation.

Iora
En or (latin). Ce prénom est porté par moins de 30 personnes en France. Caractérologie : méditation, savoir, indépendance, intelligence, sagesse.

Iphigénie 110
Courageuse (grec). Caractérologie : autorité, innovation, énergie, ambition, action.

Irem 🎌1 000 **TOP 700** ⬇
Jardin du paradis (turc). Caractérologie : idéalisme, altruisme, réflexion, dévouement, intégrité.

Iréna 🎌1 500 ➡
Paix (grec). Iréna est particulièrement répandu dans les pays slaves et néerlandophones. On peut estimer que moins de 30 enfants seront prénommés ainsi en 2014. Variantes : Irenca, Irénéa, Iriena. Caractérologie : réceptivité, sociabilité, diplomatie, loyauté, résolution.

Irène 🎌48 000 **TOP 2000** ⬇
Paix (grec). En dehors de l'Hexagone, Irene est particulièrement répandu en Italie, en Allemagne, en Grèce, dans les pays slaves, hispanophones et anglophones, ainsi que dans les pays néerlandophones et scandinaves. Variantes : Irenne, Yrène. Caractérologie : paix, sagesse, conseil, conscience, bienveillance.

Irénée 🎌750
Paix (grec). Caractérologie : adaptabilité, intuition, médiation, fidélité, relationnel.

Iriana
Paix (grec). Ce prénom est porté par moins de 100 personnes en France. Caractérologie : savoir, méditation, détermination, indépendance, intelligence.

Irina 🎌2 000 **TOP 500** ➡
Paix (grec). Irina est très répandu dans les pays slaves, en Roumanie et en Finlande. Caractérologie : famille, équilibre, éthique, influence, décision.

Iris 🎌8 000 **TOP 200** ➡
Arc-en-ciel (grec). Iris est un prénom anglais, français et néerlandais. Variantes : Iréa, Irès. Caractérologie : direction, assurance, audace, indépendance, dynamisme.

Irma 🎌4 000
Féminin d'Irmin : dieu païen (germanique). Féminin letton, hongrois et allemand. On peut estimer que moins de 30 enfants seront prénommés ainsi en 2014. Variantes : Irmina, Irmine. Caractérologie : indépendance, curiosité, dynamisme, charisme, courage.

Irvine
Belle (celte). Ce prénom est porté par moins de 100 personnes en France. Caractérologie : dynamisme, courage, indépendance, curiosité, charisme.

Isabeau 🎌200
Dieu est serment (hébreu). Caractérologie : structure, persévérance, gestion, sécurité, décision.

Isabel 🎌4 000 ➡
Dieu est serment (hébreu). Féminin espagnol, portugais, néerlandais et allemand. On peut estimer que moins de 30 enfants seront prénommés ainsi en 2014. Caractérologie : optimisme, communication, pragmatisme, détermination, organisation.

Isabella 🎌1 000 **TOP 700** ⬆
Dieu est serment (hébreu). Ce prénom italien est également répandu dans les pays hispanophones et anglophones, en Allemagne et en Corse. Caractérologie : méditation, savoir, organisation, résolution, intelligence.

Isabelle 🎌358 000 **TOP 800** ⬇
Dieu est serment (hébreu). Cette variation française d'Isabel (une forme d'Élisabeth venue d'Espagne) connaît une certaine faveur du XIIᵉ au XVIᵉ siècle. Dans plusieurs pays européens, plusieurs reines et princesses illustrent alors ce prénom sous différentes graphies. En devenant reine d'Angleterre, Isabelle de France (1295-1358) contribue notamment au succès d'Isabel outre-Manche. Dans

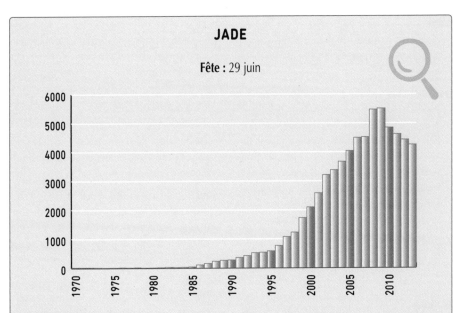

JADE

Fête : 29 juin

Étymologie : désigne une pierre fine qui doit à sa composition (silicate naturel, aluminium et calcium) une coloration verte. Les premières Jade de France naissent en 1973, au moment où les prénoms inspirés de la nature font jaillir Marine et Ondine. Ce duo déclenche une vague océanique qui happe bientôt Dylan, Morgan, puis Océane vers la gloire. N'ayant pas le pied marin, Jade prend la relève de cette thématique dans un registre plus minéral. Elle devrait occuper la 7e place du classement national en 2014. Un succès qui en appelle un autre, celui d'Ambre, dont on attend la consécration.

En dehors de l'Hexagone, Jade s'est envolée dans les tops 20 wallon, romand et québécois. Elle chute en Espagne et dans les pays anglophones à l'issue d'une glorieuse décennie.

À noter : par sa proximité avec Jad, prénom arabe essentiellement masculin, Jade est également apprécié des parents de culture mixte. Jad signifie « excellence, générosité » en arabe.

À travers les civilisations, le jade a été utilisé de multiples manières. Les Espagnols, qui le broyaient pour réaliser des décoctions, l'appelaient *piedra de hijada*, « pierre contre les douleurs rénales ». S'inspirant de cette pratique, les Français l'appelèrent *ejade*, puis jade. Il y a 5 000 ans, le jade était considéré comme une pierre royale en Chine. Il était un symbole d'amour, de vertu et de statut social. En Amérique centrale, le jade a été utilisé pour créer

.../

Jade (*suite*)

des sculptures et des masques, notamment chez les Aztèques. En Europe, l'usage du jade en joaillerie remonterait au XVIe siècle.

Statistiques : Jade est le 9e prénom féminin le plus donné en France depuis le début du XXIe siècle. On peut estimer qu'il sera attribué à une fille sur 91 en 2014.

---

l'Hexagone, Isabelle se replie à partir du XVIIIe siècle mais ne disparaît pas, contrairement à son ancien rival Isabeau. Isabelle rejaillit subitement au cœur du XXe siècle et s'impose dans les 3 premiers rangs de 1964 à 1969. C'est le 3e prénom féminin le plus porté dans l'Hexagone aujourd'hui. Variantes : Bella, Belle, Ilse, Isabel, Isabela, Isobel, Izabel, Ysabel. Caractérologie : sociabilité, diplomatie, décision, gestion, réceptivité.

Isadora 450 →
Don d'Isis (grec). Féminin anglais. Caractérologie : engagement, méthode, fiabilité, sens du devoir, ténacité.

Isaline 2 000 **TOP 600** →
Dieu est serment (hébreu). Variantes : Isalia, Isalyne, Isolina, Izaline, Ysalia. Caractérologie : paix, conseil, conscience, bienveillance, décision.

Isalys  250 **TOP 2000** →
Dieu est serment (hébreu). Variantes : Isalis, Ysalys. Caractérologie : efficacité, sécurité, honnêteté, persévérance, structure.

Isana
Souveraine (sanscrit), contraction possible d'Isabelle et Anna. Isana est usité en Inde. Ce prénom est porté par moins de 100 personnes en France. Caractérologie : détermination, stratégie, vitalité, résolution, ardeur.

Isaura  300 →
Habitante d'Isaurie, région d'Asie Mineure (grec). Isaura est particulièrement répandu

au Portugal et en Espagne. Caractérologie : famille, influence, éthique, équilibre, exigence.

Isaure  3 000 **TOP 400** →
Habitante d'Isaurie, région d'Asie Mineure (grec). Variantes : Isaura, Isaurie, Isore. Caractérologie : autorité, innovation, énergie, ambition, décision.

Isciane 140
Déesse, souveraine (grec). Variante : Iscia. Caractérologie : équilibre, influence, détermination, famille, sens des responsabilités.

Isée 160
Orateur athénien du IVe siècle avant J.-C. Élève d'Isocrate, Isée se rendit célèbre pour ses excellentes plaidoiries. Variante : Ysée. Caractérologie : fidélité, relationnel, intuition, médiation, résolution.

Iseline 160
Dieu est serment (hébreu). Caractérologie : dynamisme, audace, direction, indépendance, décision.

Iseult 250 **TOP 2000**
Belle (celte). Dans la légende médiévale de *Tristan et Iseut*, Tristan était éperdument amoureux d'Iseut la blonde mais il dut se résoudre à épouser Iseut aux blanches mains. Le récit de cette passion tragique a transcendé les siècles et inspiré nombre de poètes et musiciens. Variantes : Iseut, Isolde. Caractérologie : décision, énergie, découverte, audace, gestion.

Isia 🏆 300 **TOP 600** ↑
Déesse, souveraine (grec). Variante : Isïa. Caractérologie : sociabilité, réceptivité, diplomatie, bonté, loyauté.

Isidora
Don d'Isis (grec). Féminin slave, espagnol, portugais et anglais. Ce prénom est porté par moins de 100 personnes en France. Variante : Isidorine. Caractérologie : communication, pratique, enthousiasme, générosité, adaptation.

Isis 🏆 2 000 **TOP 400** ↗
Déesse, souveraine (grec). Isis est la mère protectrice des phararons dans la mythologie égyptienne. Isis est plus particulièrement recensé aux Pays-Bas aujourd'hui. Caractérologie : réceptivité, sociabilité, diplomatie, loyauté, bonté.

Isma 🏆 500 ↘
Protection (arabe). Caractérologie : équilibre, famille, exigence, sens des responsabilités, influence.

Ismelda
Dieu est serment (hébreu). Ce prénom est porté par moins de 30 personnes en France. Caractérologie : rêve, résolution, humanité, ouverture d'esprit, rectitude.

Isolde 🏆 140
Belle (celte). Féminin anglais et allemand. Variante : Isold. Formes bretonnes : Izold, Izolda. Caractérologie : innovation, autorité, analyse, volonté, énergie.

Isoline 🏆 300 ↘
Dieu est serment (hébreu). Caractérologie : sociabilité, réceptivité, diplomatie, résolution, analyse.

Ivana 🏆 1 500 **TOP 800** →
Dieu fait grâce (hébreu). Ivana est répandu dans les pays slaves méridionaux. Variantes : Iva, Ivanie, Ivanna, Ivanne, Ivanka, Ivannie, Ivanny. Caractérologie : détermination, intuition, fidélité, relationnel, médiation.

Ivonne 🏆 130
If (celte). Variantes : Iveline, Ivelyne, Ivone. Formes bretonnes : Ivona, Ivonig. Caractérologie : intelligence, savoir, méditation, indépendance, volonté.

Ivy 🏆 200 **TOP 2000** ↗
Lierre (anglais). Féminin anglais. Variante : Ivie. Caractérologie : médiation, relationnel, intuition, fidélité, adaptabilité.

Iwa
Solide comme un roc (japonais), Dieu fait grâce (hébreu). Iwa est plus particulièrement usité en Pologne et au Japon. Ce prénom est porté par moins de 30 personnes en France. Caractérologie : bienveillance, conscience, paix, conseil, décision.

Ixia
Nom de fleur d'origine grecque. Ce prénom est porté par moins de 30 personnes en France. Caractérologie : indépendance, intelligence, savoir, sagesse, méditation.

Izia 🏆 1 000 **TOP 200** ↑
Déesse, souveraine (grec). Caractérologie : intégrité, altruisme, idéalisme, réflexion, dévouement.

Izzie 🏆 170 **TOP 2000**
Dieu est serment (hébreu). Le succès de *Grey's Anatomy* et de son héroïne Izzie est lié à l'apparition de ce diminutif d'Elizabeth dans l'Hexagone. Caractérologie : adaptation, pragmatisme, optimisme, communication, créativité.

129

J

Jacinthe 🌟 500 →
Pierre (grec), nom de fleur. Féminin français. Variante : Jacinte. Caractérologie : sensibilité, savoir, intelligence, méditation, détermination.

Jackie 🌟 1 500
Diminutif de Jacqueline : supplanter, talonner (hébreu). On peut estimer que moins de 30 enfants seront prénommés ainsi en 2014. Variante : Jacquie. Caractérologie : communication, optimisme, pragmatisme, détermination, organisation.

Jacqueline 🌟 281 000 ↓
Supplanter, talonner (hébreu). Diminutif féminin de Jacques exclusivement français à ses débuts, Jacqueline connaît, comme son étymon, un succès croissant du XIIIe au XVIIe siècle. Ce n'est toutefois pas avant le XXe siècle qu'il s'épanouit pleinement, trustant les 20 premiers rangs français de 1920 à 1954, avec des pics d'attribution en 1927 (3e rang) et en 1946 (5e rang). Cette vogue s'étend aux pays anglophones, notamment aux États-Unis, où il sera attribué à l'emblématique Jacqueline Kennedy (1929-1994). ◇ Riche veuve d'un seigneur, Gratien Frangipani, Jacqueline de Septisoles consacra sa fortune aux œuvres de saint François au XIIIe siècle. Elle donna son nom (frangipane) à la fameuse crème aux amandes qu'elle confectionnait pour saint François. On peut estimer que moins de 30 enfants seront prénommés ainsi en 2014. Variantes : Jacquelène, Jacquelyne, Jacquemine, Jacquine, Jaqueline. Caractérologie : finesse, connaissances, originalité, sagacité, décision.

Jade 🌟 61 000 (TOP 50) 🔍 →
Désigne une pierre fine de couleur verte. Variante : Giada. Caractérologie : réceptivité, diplomatie, sociabilité, bonté, loyauté.

Jaël 🌟 300 ↑
Chèvre sauvage (hébreu). Caractérologie : dynamisme, audace, direction, assurance, indépendance.

Jaïda
Celle qui a un cou gracieux (arabe). Ce prénom est porté par moins de 100 personnes en France. Variante : Jayda. Caractérologie : indépendance, méditation, intelligence, savoir, sagesse.

Jalila 🌟 450 ↓
Qui est grande (arabe). Caractérologie : altruisme, intégrité, idéalisme, réflexion, dévouement.

Jamila 🌟 5 000 (TOP 2000)
D'une grande beauté physique et morale (arabe). On peut estimer que moins de 30 enfants seront prénommés ainsi en 2014. Variantes : Jamela, Jamella, Jamilah, Jamilla, Jémila. Caractérologie : audace, indépendance, dynamisme, assurance, direction.

Jana 🌟 1 000 (TOP 400) ↑
Dieu fait grâce (hébreu). Prénom slave. Dans l'Hexagone, Jana est plus traditionnellement usité en Occitanie et au Pays basque. Variante : Janna. Caractérologie : ambition, force, habileté, passion, management.

Jane 🌟 4 000 (TOP 1000) ↘
Dieu fait grâce (hébreu). Féminin anglais. Caractérologie : pratique, adaptation, communication, générosité, enthousiasme.

Janelle 🌟 1 500 (TOP 600) →
Dieu fait grâce (hébreu). Féminin français. Caractérologie : séduction, audace, énergie, découverte, originalité.

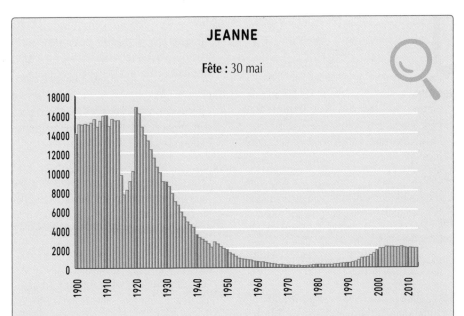

JEANNE

Fête : 30 mai

Étymologie : forme féminine de Jean, de l'hébreu *Yohanân*, « Dieu fait grâce ». Ce prénom riche en histoire a été porté par sept reines de France et de nombreuses saintes. Il se propage dès le Moyen Âge à l'ensemble des pays chrétiens, où il est orthographié de nombreuses manières : Jehan(ne) en France, Joan en Angleterre, Juana en Espagne, et Giovanna en Italie. Popularisée par Jeanne d'Arc au XVe siècle, Jeanne prend toute son ampleur et éclipse ses variantes françaises. Elle devient ainsi la plus grande rivale de Marie.

Glorieuse au XIXe siècle, Jeanne s'évanouit dans les années 1940 pour mieux renaître en fin de siècle. Arrivée à point, la vague du rétro la propulse dans le top 30 français et, depuis 2005, dans les 10 premiers rangs parisiens. Cette percée ne se limite pas à l'Hexagone : son ascension wallonne est en cours et son rebond québécois se confirme. Renforcée par ces succès, Jana pourrait s'imposer dans le top 60 espagnol prochainement… Bien avant la renaissance de Jane dans les pays anglophones.

Le 30 mai célèbre **sainte Jeanne d'Arc**, la bergère la plus célèbre de France. Jeanne d'Arc fut élevée à Domrémy, en Lorraine, pendant la guerre de Cent Ans. Selon son témoignage, elle entendit des voix célestes qui lui ordonnèrent de libérer la France du joug anglais. Après avoir convaincu Charles VII de lui confier une armée, elle délivra Orléans et ouvrit la voie au sacre de Charles VII à Reims. Mais après avoir volé au secours de Compiègne, elle fut capturée

.../

J

131

Jeanne *(suite)*

par les Bourguignons, vendue aux Anglais et emprisonnée à Rouen. Malgré les maigres chefs d'accusation qui lui furent reprochés (notamment celui de porter des habits d'homme), le tribunal, conduit par l'évêque de Beauvais Pierre Cauchon, la condamna pour hérésie. Elle fut brûlée vive en public place du Vieux-Marché le 30 mai 1431.

Personnalités célèbres : Jeanne Moreau, actrice française ; Jeanne Bourin, romancière et historienne française ; Jeanne Lanvin, styliste fondatrice de la maison de couture Lanvin.

Statistiques : Jeanne est le 33ᵉ prénom féminin le plus donné en France depuis le début du XXIᵉ siècle. On peut estimer qu'il sera attribué à une fille sur 195 en 2014.

Janice 🎌 850 **TOP 2000** ↘
Dieu fait grâce (hébreu). Féminin anglais. Variante : Jannice. Caractérologie : paix, bienveillance, conscience, conseil, détermination.

Janick 🎌 2 000
Dieu fait grâce (hébreu). On peut estimer que moins de 30 enfants seront prénommés ainsi en 2014. Variantes : Janik, Janis, Jeanick. Caractérologie : détermination, communication, pratique, enthousiasme, organisation.

Janie 🎌 750
Dieu fait grâce (hébreu). Forme bretonne : Janig. Caractérologie : optimisme, créativité, communication, détermination, pragmatisme.

Janine 🎌 52 000
Dieu fait grâce (hébreu). Féminin français. On peut estimer que moins de 30 enfants seront prénommés ainsi en 2014. Variante : Janinne. Caractérologie : ardeur, achèvement, vitalité, stratégie, résolution.

Janis 🎌 600 **TOP 2000** ↘
Dieu fait grâce (hébreu). Féminin anglais. Caractérologie : ambition, passion, habileté, détermination, force.

Janna 🎌 1 500 **TOP 500** ↗
Dieu fait grâce (hébreu). Féminin scandinave. Caractérologie : engagement, ténacité, sens du devoir, méthode, fiabilité.

Jannine 🎌 700
Dieu fait grâce (hébreu). Variantes : Janina, Janinna, Janyne. Caractérologie : fiabilité, méthode, ténacité, engagement, détermination.

Jany 🎌 2 000
Dieu fait grâce (hébreu). Féminin français. On peut estimer que moins de 30 enfants seront prénommés ainsi en 2014. Caractérologie : découverte, audace, énergie, séduction, originalité.

Jasmine 🎌 7 000 **TOP 300** →
Fleur de jasmin (persan). Jasmine est répandu dans les pays anglophones. Variantes : Jasmée, Jasmina. Caractérologie : ardeur, vitalité, achèvement, stratégie, détermination.

Jaya 🎌 250 **TOP 2000** ↑
Victorieuse (sanscrit). Prénom indien d'Asie. Caractérologie : dynamisme, direction, audace, indépendance, assurance.

Jeanine 🇫🇷 39 000
Dieu fait grâce (hébreu). Féminin français. On peut estimer que moins de 30 enfants seront prénommés ainsi en 2014. Caractérologie : ténacité, méthode, fiabilité, engagement, résolution.

Jeanne 🇫🇷 192 000 **TOP 50** 🔍 ➜
Dieu fait grâce (hébreu). Variantes : Ioanna, Ioena, Ioenna, Janka, Janne, Jayne, Jeanie, Jeanick, Jeannick, Jeanna, Jeannice. Forme basque : Xana. Caractérologie : méthode, fiabilité, ténacité, engagement, sens du devoir.

Jeanne-Marie 🇫🇷 2 000 ⬇
Forme composée de Jeanne et Marie. On peut estimer que moins de 30 enfants seront prénommés ainsi en 2014. Caractérologie : découverte, décision, audace, énergie, originalité.

Jeannette 🇫🇷 14 000 **TOP 2000** 🔽
Dieu fait grâce (hébreu). Féminin français. On peut estimer que moins de 30 enfants seront prénommés ainsi en 2014. Variantes : Janet, Jeanette. Caractérologie : méthode, ténacité, fiabilité, engagement, sens du devoir.

Jeannie 🇫🇷 2 000
Dieu fait grâce (hébreu). Féminin français. On peut estimer que moins de 30 enfants seront prénommés ainsi en 2014. Caractérologie : ténacité, méthode, fiabilité, engagement, résolution.

Jeannine 🇫🇷 160 000
Dieu fait grâce (hébreu). Ce diminutif de Jeanne émerge dans les années 1920 et se place, derrière Jacqueline, au 3e rang français en 1930. Pionnière des terminaisons en « ine », Jeannine a facilité la montée de Micheline (13e en 1931), avant de tirer sa révérence. On peut estimer que moins de 30 enfants seront prénommés ainsi en 2014.

Caractérologie : humanité, ouverture d'esprit, rêve, rectitude, décision.

Jehanne 🇫🇷 1 000 **TOP 2000** 🔽
Dieu fait grâce (hébreu). Féminin français. Variante : Jehane. Caractérologie : communication, créativité, pragmatisme, sociabilité, optimisme.

Jelena 🇫🇷 350 🔽
Éclat du soleil (grec). Prénom russe. Caractérologie : réceptivité, sociabilité, loyauté, diplomatie, bonté.

Jemma
Colombe (hébreu). Ce prénom est porté par moins de 100 personnes en France. Variantes : Jema, Jemima. Caractérologie : conscience, paix, bienveillance, conseil, sagesse.

Jenna 🇫🇷 3 000 **TOP 200** 🔼
Dieu fait grâce (hébreu). Jenna est très en vogue en Finlande. Variante : Jena. Caractérologie : habileté, management, force, passion, ambition.

Jennifer 🇫🇷 65 000 **TOP 2000** 🔽
Claire, douce (celte). Jennifer est répandu dans les pays anglophones et occidentaux. Variante : Jenifer. Caractérologie : ouverture d'esprit, humanité, rectitude, rêve, résolution.

Jenny 🇫🇷 7 000 **TOP 2000** 🔽
Claire, douce (celte). En dehors de l'Hexagone, ce prénom est particulièrement porté dans les pays anglophones. Variante : Jennie. Caractérologie : dynamisme, curiosité, courage, indépendance, charisme.

Jennyfer 🇫🇷 3 000
Claire, douce (celte). On peut estimer que moins de 30 enfants seront prénommés ainsi en 2014. Variante : Jenyfer. Caractérologie : sagacité, connaissances, spiritualité, originalité, résolution.

J

JULIETTE

Fête : 30 juillet

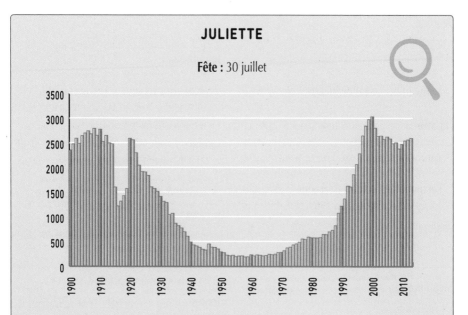

Conformément à ses origines latines, ce dérivé féminin de Jules se rapporte à la grande famille romaine de Iule. Ce prénom fut porté par une sainte martyre à Césarée (Turquie) au IVe siècle, mais il n'est pas vraiment répandu lorsque Shakespeare lance sa carrière avec *Roméo et Juliette*. Depuis la parution de cette tragédie au XVIe siècle, le prénom connaît des hauts et des bas. Il renaît dans les pays anglophones au XIXe siècle et remporte des succès en France jusqu'au début des années 1920. Juliette revient en faveur dans les années 1980, se hissant en deux décennies au seuil du top 20 français, mais la suprématie de Julie, au 11e rang, contrarie ses ambitions. L'héroïne de Shakespeare attend la chute de Julie pour prendre un nouveau départ. Elle s'est imposée dans le top 10 parisien en 2008 et pourrait bientôt faire de même sur le plan national.

En dehors de l'Hexagone, Juliette brille au 8e rang québécois mais Juliet n'a pas encore ressuscité aux États-Unis ou en Angleterre.

Littérature : l'histoire de *Roméo et Juliette* est devenue universellement connue. Elle se situe à Vérone, en Italie, à la fin du XVIe siècle. Deux adolescents, Roméo Montaigu et Juliette Capulet, tombent éperdument amoureux l'un de l'autre alors que leurs familles se haïssent. Lorsque Roméo est banni, Juliette refuse le mariage arrangé avec un noble nommé Pâris. Elle boit une potion qui lui permet de simuler sa mort en attendant de fuir avec Roméo. Mais ce dernier, la

.../

Juliette (suite)

croyant morte, se suicide à ses côtés. *Roméo et Juliette* a connu de nombreuses adaptations dans divers domaines : théâtre, cinéma, opéra, comédie musicale.

Sainte Julitte ou **sainte Juliette**, riche veuve de Césarée de Cappadoce (aujourd'hui en Turquie), voulait poursuivre en justice un homme d'affaires qui l'avait dépouillée. Mais au IVe siècle, les chrétiens ne pouvaient témoigner à un procès qu'en reniant leur foi. Elle refusa d'abjurer et fut condamnée au bûcher. Elle est la mère de saint Cyr. Plusieurs communes françaises portent son nom, dont Sainte-Juliette, dans le Tarn-et-Garonne, et Sainte-Juliette-sur-Viaur, dans l'Aveyron.

Personnalités célèbres : Juliette Gréco, chanteuse française née en 1927 ; Juliette Binoche, actrice française née en 1964 ; Juliet Richardson, chanteuse américaine née en 1980.

Statistiques : Juliette est le 24e prénom féminin le plus donné en France depuis le début du XXIe siècle. On peut estimer qu'il sera attribué à une fille sur 150 en 2014.

Jéromine 🎖 800
Nom sacré (grec). Caractérologie : achèvement, vitalité, stratégie, volonté, résolution.

Jessica 🎖 69 000 TOP 400 ↘
Un présent (hébreu). Ce prénom français et allemand se rapporte également à Jessé, le père de David dans l'Ancien Testament. Variantes : Jess, Jesse, Jessi, Jessia, Jessalyn, Jessye, Djessy, Djessica, Djessie, Jessyka, Jessyca. Caractérologie : créativité, communication, optimisme, décision, pragmatisme.

Jessie 🎖 5 000 TOP 1000 ↘
Un présent (hébreu). En dehors de l'Hexagone, ce prénom est particulièrement porté dans les pays anglophones. Caractérologie : sécurité, persévérance, structure, efficacité, décision.

Jessika 🎖 800 ↓
Un présent (hébreu). Caractérologie : sociabilité, résolution, réceptivité, diplomatie, loyauté.

Jessy 🎖 4 000 TOP 1000 →
Un présent (hébreu). Féminin anglais. Caractérologie : équilibre, sens des responsabilités, famille, influence, exigence.

Jezabel 🎖 450
Impassible (hébreu). Féminin anglais. Variantes : Jésabel, Jésabelle. Caractérologie : intelligence, méditation, organisation, savoir, finesse.

Jihane 🎖 2 000 TOP 500 ↗
La vie sur terre (prénom arabe d'origine perse). Variantes : Jihan, Jihanne. Caractérologie : sociabilité, diplomatie, réceptivité, décision, loyauté.

Jihène 🎖 300 →
La vie sur terre (prénom arabe d'origine perse). Variantes : Jihen, Jihenne. Caractérologie : conscience, paix, bienveillance, décision, conseil.

Jill 🎖 550 TOP 2000 ↑
Diminutif des prénoms formés avec Jill. Féminin anglais et néerlandais. Variante : Jil. Caractérologie : savoir, intelligence, indépendance, méditation, sagesse.

Jin
Tendre, affectueuse (japonais). Ce prénom est porté par moins de 30 personnes en France.

Caractérologie : conscience, bienveillance, conseil, paix, résolution.

Joan 🎖 900 →

Dieu fait grâce (hébreu). Forme médiévale anglophone de Jeanne, Joan est également un prénom traditionnel catalan et occitan. Caractérologie : sens du devoir, engagement, méthode, ténacité, fiabilité.

Joana 🎖 4 000 **TOP 500** ↗

Dieu fait grâce (hébreu). Joana est particulièrement usité dans les pays lusophones. C'est aussi un prénom traditionnel basque et occitan. Caractérologie : audace, découverte, originalité, énergie, séduction.

Joanie 🎖 350 **TOP 2000** ↑

Dieu fait grâce (hébreu). Variantes : Joannie, Joanny, Johanie. Caractérologie : rêve, rectitude, humanité, ouverture d'esprit, détermination.

Joanna 🎖 7 000 **TOP 1000** ↘

Dieu fait grâce (hébreu). En dehors de l'Hexagone, ce prénom est particulièrement porté dans les pays anglophones. Caractérologie : audace, indépendance, direction, dynamisme, assurance.

Joanne 🎖 3 000 **TOP 900** →

Dieu fait grâce (hébreu). Féminin anglais. Variantes : Joane, Joann, Johane. Caractérologie : dynamisme, curiosité, courage, indépendance, charisme.

Joceline 🎖 1 500

Étymologie possible : douce princesse (germanique). Voir Josse. Féminin français et anglais. On peut estimer que moins de 30 enfants seront prénommés ainsi en 2014. Caractérologie : énergie, innovation, autorité, raisonnement, détermination.

Jocelyne 🎖 97 000

Étymologie possible : douce princesse (germanique). Voir Josse. Prénom français et anglais. Saint Josse, fils du roi des Bretons Judaël, refusa, comme son frère saint Judicaël, le trône de son père. Il consacra sa vie à la religion. On peut estimer que moins de 30 enfants seront prénommés ainsi en 2014. Caractérologie : achèvement, vitalité, sympathie, stratégie, ardeur.

Jocya 🎖 300

Étymologie possible : douce princesse (germanique). Variantes : Jocia, Jocie. Caractérologie : altruisme, idéalisme, intégrité, réflexion, dévouement.

Jodie 🎖 1 500 **TOP 1000** →

Louée, félicitée (hébreu). Féminin anglais. Variante : Jody. Caractérologie : savoir, intelligence, méditation, résolution, volonté.

Joële 🎖 1 000

Dieu est Dieu (hébreu). Variantes : Joéla, Joélie, Joélina, Joéline, Joélyne. Caractérologie : bonté, sociabilité, loyauté, réceptivité, diplomatie.

Joëlle 🎖 89 000 →

Dieu est Dieu (hébreu). Féminin français et anglais. On peut estimer que moins de 30 enfants seront prénommés ainsi en 2014. Caractérologie : énergie, audace, originalité, découverte, séduction.

Joéva

Jupiter, jeune (latin). Féminin breton. Ce prénom est porté par moins de 100 personnes en France. Caractérologie : ambition, force, habileté, passion, volonté.

Johana 🎖 3 000 **TOP 1000** ↘

Dieu fait grâce (hébreu). Féminin anglais. Caractérologie : fiabilité, méthode, ténacité, engagement, sens du devoir.

Le palmarès des prénoms du Québec

Ces palmarès sont fondés sur les données diffusées par la Régie des rentes du Québec.

Afin de vous donner une image plus complète des prénoms les plus attribués en 2012, deux palmarès complémentaires vous sont proposés.

Le premier établit le top 20 féminin par ordre décroissant d'attribution. Chaque prénom est considéré comme une entité unique et classé selon sa fréquence d'attribution.

Le second fonctionne de la même manière mais il inclut, pour chaque prénom donné (exemple : Mia), la fréquence d'attribution des variantes les plus attribuées (exemple : Mya). Pour ce faire, seules les graphies figurant dans le top 100 québécois ont été prises en compte. Ce classement donne une indication complémentaire sur les dernières tendances dans les choix de prénoms.

Palmarès 1 : chaque prénom est classé selon sa fréquence d'attribution individuelle

1. Emma	6. Zoé	11. Laurence	16. Victoria
2. Léa	7. Rosalie	12. Charlie	17. Maélie
3. Olivia	8. Juliette	13. Jade	18. Béatrice
4. Florence	9. Camille	14. Alicia	19. Éva
5. Alice	10. Mia	15. Anaïs	20. Chloé

Palmarès 2 : la fréquence d'attribution du prénom inclut celle de ses variantes

1. Emma	6. Alicia, *Alycia*	11. Zoé	16. Charlie
2. Léa	7. Sofia, *Sophia*	12. Rosalie	17. Jade
3. Olivia	8. Maélie, *Maély*	13. Juliette	18. Anaïs
4. Mia, *Mya*	9. Sarah	14. Camille	19. Victoria
5. Florence	10. Alice	15. Laurence	20. Béatrice

Commentaires et observations

Comme on l'avait prédit l'an passé, Léa cède sa couronne à Emma après sept ans de règne. Ainsi, celle qui a déjà conquis les Français, les Wallons et les Suisses romands a fait tomber l'un des rares bastions francophones qui lui résistaient encore. La vogue des juxtapositions de voyelles n'en reste pas moins d'actualité : dans les deux tableaux, la moitié des prénoms arborent ces caractéristiques. En résultent des sonorités rondes et douces, parmi lesquelles les désinences en « ia » se sont fait une place de choix.

.../

Le palmarès des prénoms du Québec *(suite)*

Horizon 2015

Léonie vient de gagner 10 places de classement en un an. Elle a toutes les chances d'intégrer le top 20 québécois avant 2015. Pour sa part, Sofia pourrait se passer du soutien de Sophia pour s'imposer à elle seule dans le premier tableau.

Johanna 🚩 25 000 **TOP 400** →

Dieu fait grâce (hébreu). Johanna est répandu dans les pays germanophones, scandinaves et néerlandophones. Caractérologie : rectitude, humanité, tolérance, rêve, générosité.

Johanne 🚩 4 000 **TOP 900** ↗

Dieu fait grâce (hébreu). Féminin danois, norvégien et allemand. Variantes : Johane, Johann, Johannie, Johanny. Caractérologie : structure, honnêteté, efficacité, sécurité, persévérance.

Jorah

Pluie d'automne (hébreu). Féminin anglais. Ce prénom est porté par moins de 30 personnes en France. Variante : Jora. Caractérologie : méditation, intelligence, savoir, indépendance, sagesse.

Jordane 🚩 1 500 **TOP 2000** ↘

Descendre (hébreu). Variantes : Jordana, Jordaine, Jordanne. Caractérologie : persévérance, structure, sécurité, décision, caractère.

José 🚩 1 500

Dieu ajoutera (hébreu). Épouse d'Humphrey II, Marie-José de Savoie fut la dernière reine d'Italie (1906-1946). José est un prénom mixte en France. On peut estimer que moins de 30 enfants seront prénommés ainsi en 2014. Caractérologie : méthode, fiabilité, sens du devoir, ténacité, engagement.

Josée 🚩 3 000

Dieu ajoutera (hébreu). Féminin français. On peut estimer que moins de 30 enfants seront prénommés ainsi en 2014. Caractérologie : humanité, rêve, tolérance, rectitude, générosité.

Joseline 🚩 2 000

Dieu ajoutera (hébreu). Féminin français. On peut estimer que moins de 30 enfants seront prénommés ainsi en 2014. Caractérologie : achèvement, vitalité, stratégie, logique, décision.

Joselyne 🚩 3 000

Dieu ajoutera (hébreu). Féminin anglais. On peut estimer que moins de 30 enfants seront prénommés ainsi en 2014. Caractérologie : paix, conscience, bienveillance, conseil, bonté.

Josépha 🚩 2 000 ↗

Dieu ajoutera (hébreu). Josepha est plus particulièrement répandu dans les pays anglophones. On peut estimer que moins de 30 enfants seront prénommés ainsi en 2014. Variante : Joséfa. Caractérologie : intuition, médiation, adaptabilité, relationnel, fidélité.

Joséphine 🚩 32 000 **TOP 200** →

Dieu ajoutera (hébreu). En l'absence de personnages historiques ou de saintes célèbres avant le XIXe siècle, ce féminin de Joseph émerge tardivement. C'est en devenant impératrice à la fin du XVIIIe siècle que Joséphine Bonaparte donne l'impulsion qui manquait au prénom. Ce dernier connaît une certaine vogue en France, en Allemagne et dans les pays anglophones. Si sa carrière française est moins durable que celle de Joseph, Joséphine figure encore au 14e rang féminin au seuil de son déclin (en 1902). Ce prénom reprend depuis peu une courbe ascendante. ◇Esclave née au Soudan au XIXᵉ siècle, sainte Joséphine fut libérée par l'agent consulaire italien qui l'avait achetée. Elle se convertit au christianisme et termina sa vie en paix dans un couvent. Variantes : Fifi, Joséfina, Joséphina, Joséfine. Caractérologie : médiation, résolution, ressort, intuition, relationnel.

Josette 🏵 125 000
Dieu ajoutera (hébreu). Féminin français. On peut estimer que moins de 30 enfants seront prénommés ainsi en 2014. Caractérologie : structure, honnêteté, persévérance, sécurité, efficacité.

Josiane 🏵 111 000 ⊙
Dieu ajoutera (hébreu). Féminin français. On peut estimer que moins de 30 enfants seront prénommés ainsi en 2014. Variantes : Josane, Josanne, Josine, Josune, Josyane. Caractérologie : indépendance, audace, direction, dynamisme, décision.

Josianne 🏵 4 000
Dieu ajoutera (hébreu). On peut estimer que moins de 30 enfants seront prénommés ainsi en 2014. Caractérologie : sens des responsabilités, équilibre, famille, détermination, influence.

Josie 🏵 750
Dieu ajoutera (hébreu). Féminin anglais. Variantes : Josia, Jossie, Josy. Caractérologie : engagement, fiabilité, ténacité, méthode, résolution.

Josseline 🏵 4 000
Étymologie possible : douce princesse (germanique). Féminin français et breton. On peut estimer que moins de 30 enfants seront prénommés ainsi en 2014. Variante : Josce.

Caractérologie : humanité, rêve, raisonnement, rectitude, détermination.

Josselyne 🏵 2 000
Étymologie possible : douce princesse (germanique). Féminin français et breton. On peut estimer que moins de 30 enfants seront prénommés ainsi en 2014. Caractérologie : sympathie, sagacité, connaissances, originalité, spiritualité.

Joy 🏵 3 000 (TOP 300) ⬆
Allégresse (latin). Féminin anglais. Caractérologie : audace, découverte, énergie, séduction, originalité.

Joyce 🏵 2 000 (TOP 300) ⬆
Allégresse (latin). Féminin anglais. Variante : Joye. Caractérologie : ténacité, méthode, engagement, fiabilité, bonté.

Juana 🏵 800 ⬆
Dieu fait grâce (hébreu). Juana est très répandu dans les pays hispanophones. C'est aussi un prénom traditionnel basque. Caractérologie : relationnel, médiation, fidélité, intuition, adaptabilité.

Judicaëlle 🏵 500
Seigneur généreux (celte). Prénom breton. Variante : Jezekela. Caractérologie : audace, indépendance, direction, décision, dynamisme.

J

Judith 🏵 8 000 (TOP 500) ➡
Louée, félicitée (hébreu). En dehors de l'Hexagone, Judith est plus particulièrement usité dans les pays anglophones et en Allemagne. Lorsque les troupes de Nabuchodonosor encerclèrent la cité juive de Béthanie, Judith décida d'en tuer le commandant. Jeune veuve d'une grande beauté, elle se présenta au général Holopherne lors d'un banquet. Lorsque ce dernier, ivre, l'invita dans sa tente, elle le décapita.

L'armée leva le siège dès le lendemain et Judith fut acclamée par son peuple. ◇ Sainte Judith, ermite en Prusse, vécut au XIIIᵉ siècle. Caractérologie : idéalisme, réflexion, altruisme, intégrité, organisation.

Judy
🎌 250 ➡

Louée, félicitée (hébreu). Féminin anglais. Variantes : Jude, Judie, Judite, Judithe. Caractérologie : paix, conscience, bienveillance, réalisation, conseil.

Julia
🎌 40 000 **TOP 50** ↗

De la famille romaine de Iule (latin). Forme féminine du Julius latin, Julia était en usage au temps de Rome. Mais à la fin de l'Empire romain, ce nom, qui évoque celui de César, ne survit pas pendant le Moyen Âge. Il se réveille au XVIᵉ siècle en Allemagne et dans les pays anglophones avant de se propager à toute l'Europe. En France, Julia a longtemps grandi dans l'ombre de Julie, mais l'impulsion qui la porte aujourd'hui semble plus vive. Julia vient de dépasser Julie et promet, avec Giulia, de se hisser plus haut. Variante : Julya. Caractérologie : achèvement, stratégie, vitalité, leadership, ardeur.

Juliana
🎌 3 000 **TOP 400** ↗

De la famille romaine de Iule (latin). Juliana est plus particulièrement répandu dans les pays hispanophones, en Occitanie et au Pays basque. Caractérologie : indépendance, courage, dynamisme, curiosité, détermination.

Juliane
🎌 3 000 **TOP 2000** ⬇

De la famille romaine de Iule (latin). Juliane est répandu en Allemagne. Variantes : Jolianne, Julene, Juli, Julianie, Julianna. Caractérologie : humanité, détermination, tolérance, rectitude, rêve.

Julianne
🎌 1 500 **TOP 2000** ↘

De la famille romaine de Iule (latin). Féminin anglais. On peut estimer que moins de 30 enfants seront prénommés ainsi en 2014. Caractérologie : curiosité, dynamisme, indépendance, détermination, courage.

Julie
🎌 192 000 **TOP 100** ⬇

De la famille romaine de Iule (latin). Forme française de Julia (la forme latine originelle, en usage au temps des Romains), Julie connaît un certain succès au XIXᵉ siècle. À l'aube du XXᵉ siècle, Julie est même préféré à Julia dans plusieurs pays occidentaux. En France, la prééminence de Juliette l'empêche de s'épanouir pleinement. Il lui faudra attendre la vague des prénoms en « ie » dans les années 1980 pour s'élever au sommet avec Aurélie et Émilie. Julie leur tiendra tête en 1987, le temps qu'Élodie se prépare à les supplanter toutes. ◇ Au début du XIXᵉ siècle, sainte Julie fonda plusieurs instituts religieux visant à l'éducation des enfants pauvres en France et en Belgique. Caractérologie : optimisme, communication, créativité, pragmatisme, décision.

Julie-Anne
🎌 400 ➡

Forme composée de Julie et Anne. Caractérologie : innovation, énergie, autorité, ambition, résolution.

Julienne
🎌 9 000 ⬇

De la famille romaine de Iule (latin). Féminin français. On peut estimer que moins de 30 enfants seront prénommés ainsi en 2014. Caractérologie : rêve, ouverture d'esprit, humanité, rectitude, détermination.

Juliette
🎌 91 000 **TOP 50** 🔍 ➡

De la famille romaine de Iule (latin). Variantes : Juliet, Julietta. Caractérologie : enthousiasme, pratique, communication, organisation, détermination.

Juline 🏵3 000 (TOP 400) →
De la famille romaine de Iule (latin).
Variante : Julina. Caractérologie : achève-
ment, vitalité, ardeur, stratégie, décision.

July 🏵750 ↘
De la famille romaine de Iule (latin). Féminin anglais. Caractérologie : indépendance,
curiosité, dynamisme, courage, charisme.

Jun
Qui dit la vérité (chinois). Ce prénom est porté
par moins de 30 personnes en France. Caractérologie : rectitude, humanité, générosité,
ouverture d'esprit, rêve.

Juna
Nom d'une sainte galloise qui établit un
ermitage en Bretagne au VIe siècle. Féminin breton. Ce prénom est porté par moins

de 100 personnes en France. Caractérologie : direction, audace, dynamisme, indépendance, assurance.

June 🏵500 (TOP 800) ↗
Mois de juin (latin). Féminin anglais et
français. Variante : Junie. Caractérologie :
charisme, curiosité, dynamisme, courage,
indépendance.

Justine 🏵83 000 (TOP 100) ↘
Juste (latin). Prénom français, néerlandais
et allemand. Sainte Justine fut martyrisée
au IVe siècle après s'être convertie au christianisme. Justine est également répandu aux
Pays-Bas et en Allemagne. Variantes : Justa,
Justina, Justyne. Caractérologie : force, habileté, ambition, organisation, résolution.

K

Kacie
Courageuse (irlandais). Féminin anglais.
Ce prénom est porté par moins de 100 per-
sonnes en France. Variantes : Kacia, Kacey,
Kacy. Caractérologie : engagement, gestion,
méthode, ténacité, fiabilité.

Kadia 🏵200 (TOP 2000) ↑
Cruche (hébreu). Kadia est également une
variante de Khadija. Variantes : Kadi, Kadiah,
Kadiatou, Khadia. Caractérologie : ambition,
passion, habileté, management, force.

Kadija 🏵800 (TOP 2000) ↑
Enfant née prématurée (arabe). Caractérologie : rectitude, humanité, rêve, générosité,
ouverture d'esprit.

Kae
Pure (grec). Féminin anglais. Ce prénom est
porté par moins de 30 personnes en France.
Caractérologie : habileté, management, passion, force, ambition.

Kaela
Aimée (hébreu, arabe), variation de Kaelia. Ce
prénom est porté par moins de 100 personnes
en France. Caractérologie : enthousiasme,
pratique, organisation, communication,
adaptation.

Kaelia
Seigneur généreux (celte). Féminin breton.
Ce prénom est porté par moins de 100 personnes en France. Caractérologie : pragmatisme, résolution, communication, optimisme,
organisation.

K

141

Kaena
 300

Prêtresse (kabyle, hébreu). Caractérologie : audace, énergie, originalité, séduction, découverte.

Kahéna
150

Prêtresse (kabyle, hébreu). Caractérologie : ténacité, engagement, fiabilité, attention, méthode.

Kahina
3 000 **TOP 400**

Prêtresse (kabyle, hébreu). À noter : les Kabyles francophones choisissent Kahina plus massivement que les anglophones, qui lui préfèrent « Kahena » pour des raisons de phonétique. Caractérologie : sensibilité, force, ambition, détermination, habileté.

Kaïa

Mer (hawaïen), et forme norvégienne de Catherine : pure (grec). Kaia est usité à Hawaï et dans les pays scandinaves. Ce prénom est porté par moins de 100 personnes en France. Variante : Kaya. Caractérologie : ténacité, méthode, fiabilité, engagement, sens du devoir.

Kaiko

L'enfant du pardon (japonais). Ce prénom est porté par moins de 30 personnes en France. Caractérologie : médiation, relationnel, fidélité, adaptabilité, intuition.

Kaïla
450 **TOP 900**

Couronne (hébreu). Variantes : Kayla, Kaylia, Keylia. Caractérologie : finesse, sagacité, connaissances, originalité, gestion.

Kaïlane

Couronne (hébreu). Ce prénom est porté par moins de 30 personnes en France. Variante : Kaylane. Caractérologie : stratégie, gestion, vitalité, décision, achèvement.

Kaïna
2 000 **TOP 600**

Rebelle (hébreu). Caractérologie : décision, rectitude, humanité, ouverture d'esprit, rêve.

Kaira

Brune (irlandais). Ce prénom est porté par moins de 100 personnes en France. Caractérologie : engagement, méthode, sens du devoir, fiabilité, ténacité.

Kala

Flamme (hawaïen), art (sanskrit), brune aux yeux sombres (arabe). Ce prénom est porté par moins de 30 personnes en France. Caractérologie : indépendance, intelligence, gestion, savoir, méditation.

Kaléa

Clair, brillant (hawaïen). Ce prénom est porté par moins de 100 personnes en France. Caractérologie : pratique, gestion, adaptation, communication, enthousiasme.

Kali
400 **TOP 2000**

Énergie (sanscrit). Épouse de Shiva et déesse de la Mort dans la mythologie hindoue, Kali symbolise le concept de « force vitale universelle ». Notons que Kali est également le nom d'une rivière turque et d'une île croate. Prénom indien d'Asie. Variante : Kalie. Caractérologie : paix, bienveillance, conseil, gestion, conscience.

Kalinda

Lunettes (sanscrit). Féminin indien d'Asie. Ce prénom est porté par moins de 30 personnes en France. Caractérologie : spiritualité, connaissances, sagacité, gestion, décision.

Kalinka
110

Nom d'une chanson populaire russe datant des années 1860, dont le refrain, « Kalinka », désigne l'arbuste boule-de-neige. Prénom russe. Caractérologie : organisation, curiosité, audace, courage, découverte.

Kama 140

Amour, désir (sanscrit), chaleur, brûlé (araméen, hébreu). Prénom indien d'Asie. Caractérologie : force, ambition, management, habileté, passion.

Kamara

Lune (arabe). Ce prénom est porté par moins de 30 personnes en France. Variantes : Kamar, Kamaria, Kamra. Caractérologie : rectitude, ouverture d'esprit, rêve, humanité, générosité.

Kaméa

Pierres précieuses sculptées et portées comme bijou (latin). Ce prénom est porté par moins de 30 personnes en France. Caractérologie : ténacité, engagement, fiabilité, méthode, sens du devoir.

Kameko

L'enfant tortue (japonais). Au Japon, la tortue est un symbole de longévité. Ce prénom est porté par moins de 30 personnes en France. Caractérologie : diplomatie, réceptivité, caractère, sociabilité, loyauté.

Kamelia  2 000 TOP 600 →

Jeune assistante de cérémonies (étrusque). Variante : Kamelya. Caractérologie : sagacité, connaissances, spiritualité, organisation, détermination.

Kamila  750 TOP 700 ↑

Parfaite, achevée (arabe), variante slave de Camille. Caractérologie : médiation, intuition, organisation, relationnel, fidélité.

Kana

Plante (hébreu), belle (hawaïen). Ce prénom est porté par moins de 100 personnes en France. Caractérologie : idéalisme, altruisme, réflexion, dévouement, intégrité.

Kanika

Molécule (sanscrit). Nom de fleur jaune au parfum agréable. Féminin indien d'Asie et cambodgien. Ce prénom est porté par moins de 30 personnes en France. Caractérologie : intuition, relationnel, décision, médiation, fidélité.

Kanna

Plante (hébreu), belle (hawaïen). Ce prénom est porté par moins de 30 personnes en France. Caractérologie : courage, dynamisme, curiosité, charisme, indépendance.

Kanoa

Liberté (hawaïen). Ce prénom est porté par moins de 30 personnes en France. Caractérologie : exigence, équilibre, famille, sens des responsabilités, influence.

Kany 190

Un son (hawaïen). Variante : Kani. Caractérologie : paix, bienveillance, conscience, conseil, sagesse.

Kanza 190

Trésor (arabe). Caractérologie : stratégie, achèvement, finesse, vitalité, ardeur.

Kara 180 TOP 2000

Chère à quelqu'un, bien-aimée (latin). Féminin anglais. Caractérologie : ténacité, fiabilité, sens du devoir, engagement, méthode.

Karelle 1 000 →

Pure (grec). Féminin anglais. Variantes : Carelle, Karel, Karèle, Karell, Karyl. Caractérologie : innovation, énergie, autorité, gestion, décision.

Karen  13 000 TOP 2000 ↓

Pure (grec). Karen est particulièrement répandu au Danemark, en Allemagne et dans les pays anglophones. En Arménie, ce prénom

K

143

d'origine iranienne est masculin. Caractérologie : structure, persévérance, décision, sécurité, efficacité.

Karène 1 000
Pure (grec). Variantes : Kareen, Kariane, Karianne. Caractérologie : rectitude, ouverture d'esprit, rêve, humanité, décision.

Karima 11 000
Bien née, généreuse (arabe). Ce prénom est particulièrement répandu dans les communautés musulmanes francophones. On peut estimer que moins de 30 enfants seront prénommés ainsi en 2014. Variantes : Karama, Karem, Karema. Caractérologie : achèvement, vitalité, stratégie, ardeur, leadership.

Karin 2 000
Pure (grec). En dehors de l'Hexagone, Karin est particulièrement répandu dans les pays scandinaves. On peut estimer que moins de 30 enfants seront prénommés ainsi en 2014. Caractérologie : vitalité, ardeur, achèvement, décision, stratégie.

Karina 3 000 **TOP 2000**
Pure (grec). Ce prénom est plus particulièrement répandu dans les pays scandinaves, hispanophones et en Allemagne. On peut estimer que moins de 30 enfants seront prénommés ainsi en 2014. Caractérologie : ouverture d'esprit, rectitude, humanité, décision, rêve.

Karine 119 000 **TOP 2000**
Pure (grec). Féminin français. On peut estimer que moins de 30 enfants seront prénommés ainsi en 2014. Caractérologie : méthode, engagement, décision, fiabilité, ténacité.

Karla 1 000
Force (germanique). Karla est plus particulièrement usité en Allemagne, dans les pays slaves et scandinaves, et dans le Pays

K
144

basque. Caractérologie : originalité, sagacité, connaissances, spiritualité, gestion.

Karline 190
Force, douceur (germanique). Variantes : Karlyn, Karlyne. Caractérologie : décision, intelligence, méditation, gestion, savoir.

Kassandra 4 000 **TOP 600**
Qui aide les hommes (grec). Kassandra est plus particulièrement répandu dans les pays anglophones et en Grèce. Variantes : Kasandra, Kassandre. Caractérologie : intelligence, méditation, indépendance, décision, savoir.

Kassy 550 **TOP 800**
Qui aide les hommes (grec). Variante : Kassie. Caractérologie : adaptation, pratique, communication, enthousiasme, générosité.

Katarina 1 000 **TOP 2000**
Pure (grec). Katarina est très répandu en Allemagne, dans les pays slaves et scandinaves. Variante : Katharina. Caractérologie : communication, enthousiasme, pratique, adaptation, décision.

Kate 500 **TOP 2000**
Pure (grec). Caractérologie : direction, assurance, dynamisme, audace, indépendance.

Kateline 350
Pure (grec). Féminin anglais. Variantes : Katalina, Katelina, Katerina, Kati, Katja, Kattalin, Kataline, Katelyne, Katheline, Kathelyne, Katline, Katlyne. Caractérologie : gestion, dynamisme, décision, curiosité, courage.

Katell 3 000 **TOP 2000**
Pure (grec). Dans l'Hexagone, Katell est plus traditionnellement usité en Bretagne. Variantes : Kate, Katel. Caractérologie : méditation, indépendance, gestion, intelligence, savoir.

Katherine 🗺 1 500 ➡
Pure (grec). Dans l'Hexagone, ce prénom anglais est plus traditionnellement usité en Alsace. On peut estimer que moins de 30 enfants seront prénommés ainsi en 2014. Caractérologie : audace, dynamisme, direction, sensibilité, détermination.

Kathia 🗺 1 500
Pure (grec). On peut estimer que moins de 30 enfants seront prénommés ainsi en 2014. Variante : Kathya. Caractérologie : dynamisme, courage, indépendance, charisme, curiosité.

Kathleen 🗺 5 000 (TOP 2000) ↘
Pure (grec). Kathleen est très répandu dans les pays anglophones et en Irlande. Variantes : Katheleen, Kathelyne, Kathlène, Kathline, Kathlyn, Kathlyne, Katleen. Caractérologie : méthode, fiabilité, ténacité, organisation, finesse.

Kathy 🗺 4 000 ➡
Pure (grec). Féminin anglais. On peut estimer que moins de 30 enfants seront prénommés ainsi en 2014. Caractérologie : relationnel, intuition, fidélité, adaptabilité, médiation.

Katia 🗺 30 000 (TOP 2000) ↓
Pure (grec). En dehors de l'Hexagone, Katia est particulièrement répandu en Russie et dans les pays slaves. Variante : Katya. Caractérologie : famille, équilibre, influence, éthique, exigence.

Katty 🗺 800
Pure (grec). Féminin anglais. Variante : Kitty. Caractérologie : énergie, audace, découverte, originalité, séduction.

Katy 🗺 6 000 ➡
Pure (grec). En dehors de l'Hexagone, ce prénom est particulièrement porté dans les pays anglophones. On peut estimer que moins de 30 enfants seront prénommés ainsi en 2014. Caractérologie : générosité, pratique, enthousiasme, communication, adaptation.

Kay
Pure (grec). Féminin anglais. Ce prénom est porté par moins de 100 personnes en France. Caractérologie : audace, dynamisme, indépendance, direction, assurance.

Kaya 🗺 200 ➡
Heureuse, réjouie (latin/grec). En Asie, Kaya s'emploie au masculin et signifie « rocher, roc ». Variante : Kaye. Caractérologie : médiation, relationnel, fidélité, intuition, adaptabilité.

Kayla 🗺 1 000 (TOP 400) ↗
Couronne (hébreu). Féminin anglais. Caractérologie : énergie, découverte, audace, organisation, originalité.

Kayline
Élancée (irlandais). Ce prénom est porté par moins de 100 personnes en France. Variantes : Kaïlin, Kaylin. Caractérologie : curiosité, détermination, indépendance, courage, charisme.

Kayna 🗺 900 (TOP 500) ↗
Rebelle (hébreu). Caractérologie : originalité, spiritualité, philosophie, sagacité, connaissances.

Kéala
Chemin (hawaïen). Ce prénom est porté par moins de 30 personnes en France. Caractérologie : pragmatisme, générosité, créativité, adaptation, organisation.

Keara
Brune (irlandais). Ce prénom est porté par moins de 30 personnes en France. Caractérologie : humanité, rêve, ouverture d'esprit, décision, rectitude.

Keiko
L'enfant qui respecte (japonais). Ce prénom est porté par moins de 100 personnes en France. Caractérologie : sens des responsabilités, famille, équilibre, exigence, influence.

Keira 🏴 500 **TOP 2000** ↗
Brune (irlandais). Féminin anglais. Variante : Kerry. Caractérologie : force, habileté, ambition, passion, décision.

Kélia 🏴 2 000 **TOP 300** ↗
Contestation ou église (irlandais). Kelia est répandu dans les pays anglophones. Caractérologie : détermination, sociabilité, réceptivité, diplomatie, organisation.

Kelila
Brune aux yeux sombres (arabe). Ce prénom est porté par moins de 30 personnes en France. Variante : Kalila. Caractérologie : audace, énergie, détermination, organisation, découverte.

Kellie 🏴 200 ↓
Contestation ou église (irlandais). Féminin anglais. Caractérologie : idéalisme, altruisme, intégrité, réflexion, dévouement.

Kelly 🏴 23 000 **TOP 200** →
Contestation ou église (irlandais). Kelly est très répandu dans les pays anglophones. Variantes : Kaley, Kaylia, Kélian, Kéliana, Kéliane, Kellia, Kelliane, Kellie, Kellina, Kelline, Kellya, Kellyah, Kellyna, Kellyne, Kellyan, Kellyane, Kelyna, Kelyne, Kelyan, Kélyana, Kélyane, Kellyanna, Kély, Kelyn, Kélyna, Kélyne, Kiliane. Caractérologie : loyauté, diplomatie, réceptivité, sociabilité, cœur.

Kélya 🏴 2 000 **TOP 200** ↑
Contestation ou église (irlandais). Kelya est répandu dans les pays anglophones. Variantes : Keyla, Keylia. Caractérologie :

idéalisme, altruisme, intégrité, sympathie, organisation.

Kena
Très belle (irlandais). Ce prénom est porté par moins de 100 personnes en France. Caractérologie : méthode, sens du devoir, ténacité, fiabilité, engagement.

Kendra 🏴 950 **TOP 600** ↑
Dérivé féminin de Kendrick : puissante (gallois). Variante : Kendria. Caractérologie : ardeur, achèvement, stratégie, vitalité, détermination.

Kenza 🏴 14 000 **TOP 100** →
Trésor (arabe). Ce prénom, attribué pour la première fois en France en 1951, a tardé à s'épanouir jusque dans les années 1990. Qu'importe, puisque cette étape est désormais franchie. En vogue dans les cultures musulmanes francophones, Kenza est aussi apprécié des couples mixtes. Kenza fut la mère du Moulay Idris II (791-828), le fondateur de l'État marocain. Caractérologie : communication, enthousiasme, pratique, adaptation, finesse.

Kenzy 🏴 180
Trésor (arabe), légère (écossais). Variante : Kenzie. Caractérologie : idéalisme, altruisme, intégrité, réflexion, finesse.

Keren 🏴 950 **TOP 1000** ↘
Rayon de soleil (hébreu). Caractérologie : force, habileté, passion, management, ambition.

Kerima
Fille (turc), variante de Karima. Ce prénom est porté par moins de 100 personnes en France. Caractérologie : optimisme, pragmatisme, communication, créativité, résolution.

Keshia
Arbuste dont l'écorce produit des épices (hébreu). Keshia est assez répandu dans les

communautés noires américaines. Ce prénom est porté par moins de 100 personnes en France. Caractérologie : ambition, décision, attention, force, habileté.

Kessy ⭐ 1 500 **TOP 500** ↗
Pure (grec). Caractérologie : connaissances, spiritualité, originalité, sagacité, philosophie.

Ketsia ⭐ 750 **TOP 2000** →
Arbuste dont l'écorce produit des épices (hébreu). Caractérologie : sociabilité, réceptivité, détermination, loyauté, diplomatie.

Ketty ⭐ 4 000 **TOP 2000**
Pure (grec). On peut estimer que moins de 30 enfants seront prénommés ainsi en 2014. Variantes : Keti, Ketti. Caractérologie : altruisme, intégrité, idéalisme, dévouement, réflexion.

Ketura
Encens (hébreu). Ce prénom est porté par moins de 100 personnes en France. Variante : Keturah. Caractérologie : pratique, communication, détermination, enthousiasme, sensibilité.

Keva
Fleur de lotus (sanscrit). Féminin indien d'Asie. Ce prénom est porté par moins de 30 personnes en France. Caractérologie : pratique, adaptation, enthousiasme, communication, générosité.

Kévine ⭐ 110
Belle fille (irlandais). Variante : Kelvine. Caractérologie : communication, pragmatisme, optimisme, créativité, sociabilité.

Keya
Fleur (sanscrit). Keya est usité en Inde. Ce prénom est porté par moins de 100 personnes en France. Caractérologie : équilibre, sens des responsabilités, exigence, influence, famille.

Kezia ⭐ 450 **TOP 2000** ↗
Arbuste dont l'écorce produit des épices (hébreu). Variantes : Késia, Keshia, Keziah, Kesya, Kessya. Caractérologie : connaissances, sagacité, attention, spiritualité, décision.

Khadidja ⭐ 1 500 **TOP 900** ↗
Voir Khadija. Variantes : Kadidja, Kadija, Khedidja. Caractérologie : générosité, adaptation, pratique, enthousiasme, communication.

Khadija ⭐ 6 000 **TOP 300** ↗
Prénom arabe. Khadija fut la première épouse du Prophète et la première femme à embrasser l'islam. Caractérologie : ambition, force, habileté, passion, management.

Khadra ⭐ 300
Rayonnante (arabe). Caractérologie : savoir, intelligence, méditation, indépendance, sagesse.

Khalida ⭐ 300
Éternelle (arabe). Variante : Kalida. Caractérologie : innovation, énergie, autorité, gestion, ambition.

Khéira ⭐ 3 000 **TOP 800** ↗
Celle qui excelle (arabe). Variante : Khaïra. Caractérologie : sensibilité, intelligence, savoir, méditation, détermination.

Kia
Diminutif anglophone de Kiana et diminutif scandinave de Kristiana. Ce prénom est porté par moins de 100 personnes en France. Variante : Kiah. Caractérologie : optimisme, communication, créativité, sociabilité, pragmatisme.

Kiana ⭐ 150
Ancien (irlandais). Kiana est également un prénom perse se rapportant aux quatre éléments de la vie : l'eau, la terre, le feu et l'air.

K

147

Caractérologie : altruisme, intégrité, idéalisme, détermination, réflexion.

Kiara 2 000 (TOP 300) ⬈

Brune (irlandais). Kiara est très répandu en Irlande et dans les pays anglophones. Variantes : Kiera, Kiria, Kiriah, Kyara. Caractérologie : persévérance, structure, sécurité, efficacité, honnêteté.

Kim 4 000 (TOP 300) ⬈

Plaine royale (afrikaans), de l'or (vietnamien). Variante : Kym. Caractérologie : influence, famille, équilibre, sens des responsabilités, exigence.

Kimberley 6 000 (TOP 800) ⬇

Plaine royale (afrikaans). Kimberley est très répandu dans les pays anglophones. Variante : Kimberlay. Caractérologie : dynamisme, audace, direction, indépendance, cœur.

Kimberly 1 500 (TOP 800) ➡

Plaine royale (afrikaans). Kimberly est le nom d'une ville d'Afrique du Sud connue pour sa richesse en kimberlites (une roche contenant des diamants). Caractérologie : dynamisme, curiosité, courage, indépendance, sympathie.

Kimiko

L'enfant est juste (japonais). Ce prénom est porté par moins de 100 personnes en France. Variante : Kimi. Caractérologie : découverte, séduction, originalité, audace, énergie.

Kimy 350 (TOP 2000) ⬈

Plaine royale (afrikaans). Féminin anglais. Variante : Kimmy. Caractérologie : structure, persévérance, sécurité, honnêteté, efficacité.

Kindra

Celle qui est juste (anglais). Ce prénom est porté par moins de 30 personnes en France. Caractérologie : communication, décision, optimisme, créativité, pragmatisme.

Kinsey

De la même famille (anglais). Ce prénom est porté par moins de 100 personnes en France. Caractérologie : réceptivité, sociabilité, diplomatie, résolution, loyauté.

Kiona

Colline dorée (amérindien). Ce prénom est porté par moins de 100 personnes en France. Caractérologie : sociabilité, réceptivité, volonté, diplomatie, loyauté.

Kira 200 (TOP 2000) ➡

Soleil (persan). Kira est particulièrement répandu en Russie et dans les pays anglophones. Variante : Kyra. Caractérologie : communication, pratique, générosité, enthousiasme, adaptation.

Kitra

Couronne (araméen). Ce prénom est porté par moins de 30 personnes en France. Caractérologie : curiosité, dynamisme, courage, indépendance, charisme.

Kiyo

Heureuse génération (japonais). Ce prénom est porté par moins de 30 personnes en France. Caractérologie : conseil, bienveillance, paix, conscience, sagesse.

Klara 1 500 (TOP 900) ⬂

Illustre (latin). Klara est particulièrement répandu en Hongrie, en République tchèque, en Slovaquie, en Ukraine, en Autriche et dans les pays scandinaves. Caractérologie : indépendance, intelligence, savoir, méditation, organisation.

Klervi 900 ⬇

Pierre précieuse, bijou (celte). Prénom breton. Variantes : Kler, Klervia, Klervie. Caractérologie : énergie, audace, découverte, originalité, séduction.

Kohana

Petite fleur (japonais). Ce prénom est porté par moins de 30 personnes en France. Caractérologie : courage, dynamisme, curiosité, indépendance, sensibilité.

Koko

Cigogne (japonais). Ce prénom est porté par moins de 100 personnes en France. Caractérologie : intelligence, indépendance, méditation, savoir, sagesse.

Koto

Harpe (japonais). Ce prénom est porté par moins de 30 personnes en France. Caractérologie : sagacité, connaissances, spiritualité, originalité, philosophie.

Kristel 🇫🇷 1 000

Messie (grec). Féminin anglais. Variantes : Kristal, Kristèle. Caractérologie : méthode, fiabilité, ténacité, organisation, résolution.

Kristell 🇫🇷 1 500

Messie (grec). Féminin anglais. On peut estimer que moins de 30 enfants seront prénommés ainsi en 2014. Variante : Kristelle. Caractérologie : connaissances, résolution, spiritualité, organisation, sagacité.

Kristen 🇫🇷 400 TOP 2000 ➡

Messie (grec). Caractérologie : famille, équilibre, influence, sens des responsabilités, détermination.

Kristina 🇫🇷 900 ⬊

Messie (grec). Kristina est particulièrement répandu dans les pays scandinaves, dans les pays slaves et en Allemagne. Variantes : Kristen, Kristie, Kristy, Kristiana, Kristiane, Kristine. Caractérologie : relationnel, intuition, fidélité, résolution, médiation.

Krystal 🇫🇷 600 TOP 2000 ➡

Messie (grec). Caractérologie : sagacité, connaissances, originalité, spiritualité, organisation.

Krystel 🇫🇷 750

Messie (grec). Variante : Krystèle. Caractérologie : réceptivité, sociabilité, décision, cœur, diplomatie.

Kylia 🇫🇷 250 TOP 2000 ⬊

Variation de Kayla, Kylie ou Kyla. Féminin anglais. Caractérologie : organisation, ténacité, engagement, fiabilité, méthode.

Kyliane

Contestation ou église (irlandais). Ce féminin de Kylian est apparu en France à la fin des années 1990. Malgré sa discrétion, de nombreuses variantes sont nées dans son sillon (Killiane, Kyliana, Kylianna, Kylliane, Kyla, etc.). Celles-ci sont toutefois plus rarement attribuées que Kylian dans l'Hexagone. Ce prénom est porté par moins de 100 personnes en France. Caractérologie : assurance, ambition, direction, innovation, détermination.

Kylie 🇫🇷 250 TOP 2000 ⬆

Élancée (irlandais). Féminin anglais. Variantes : Kylia, Kyliana, Kyliane. Caractérologie : force, passion, sympathie, ambition, habileté.

Kyra 🇫🇷 350 TOP 900 ⬆

Soleil (persan). Caractérologie : direction, audace, dynamisme, assurance, indépendance.

Kyria 🇫🇷 130

Cité (hébreu). Variantes : Kiria, Kiriah. Caractérologie : audace, indépendance, direction, assurance, dynamisme.

K

149

L

Laela 🌟 160
Se rapporte à Laelianu, patronyme d'une famille espagnole noble du IIIᵉ siècle. Caractérologie : fiabilité, méthode, sens du devoir, engagement, ténacité.

Laelia 🌟 150
Se rapporte à Laelianu, patronyme d'une famille espagnole noble du IIIᵉ siècle. Laelia est également le nom d'une orchidée originaire d'Amérique centrale. Variantes : Laéliana, Laéliane. Caractérologie : méthode, fiabilité, décision, engagement, ténacité.

Laeticia 🌟 2 000 **TOP 2000** ⬇
Allégresse (latin). On peut estimer que moins de 30 enfants seront prénommés ainsi en 2014. Caractérologie : organisation, équilibre, famille, sens des responsabilités, résolution.

Laetitia 🌟 141 000 **TOP 500** ⬂
Allégresse (latin). Ce prénom émergeait tout juste en France lorsque Serge Gainsbourg en fit une chanson. En 1963, ce tube accélère la croissance de Laetitia qui atteint son zénith au 4ᵉ rang féminin en 1982. Variantes : Laeticia, Letitia, Letizia, Liesse, Tish, Tisha. Caractérologie : énergie, gestion, découverte, décision, audace.

Laïa 🌟 250 **TOP 2000** ⬈
Forme catalane d'Eulalie : belle parole (latin), beau langage (grec). Variantes : Laya, Layana, Layane. Caractérologie : dynamisme, courage, indépendance, curiosité, charisme.

Laïla 🌟 6 000 **TOP 700** ➔
Née pendant la nuit (arabe). Caractérologie : vitalité, achèvement, stratégie, ardeur, leadership.

Laïna 🌟 850 **TOP 500** ⬆
Éclat du soleil (grec). Féminin anglais. Variante : Layna. Caractérologie : dynamisme, direction, indépendance, audace, détermination.

Laïs 🌟 250 **TOP 2000** ➔
Courtisane dans l'Athènes antique, Laïs de Corinthe était si belle que tous les peintres et sculpteurs la suppliaient de poser pour eux. Elle compta, parmi ses nombreux amants, le philosophe Aristippe. Caractérologie : charisme, découverte, originalité, séduction, énergie.

Lali 🌟 300 **TOP 2000** ⬊
Belle parole (latin), beau langage (grec). Caractérologie : spiritualité, philosophie, originalité, connaissances, sagacité.

Lalia 🌟 600 **TOP 2000** ⬆
Belle parole (latin), beau langage (grec). Caractérologie : achèvement, ardeur, stratégie, vitalité, leadership.

Lalie 🌟 3 000 **TOP 300** ⬊
Belle parole (latin), beau langage (grec). Variantes : Lali, Lallie. Caractérologie : communication, résolution, pratique, enthousiasme, adaptation.

Laly 🌟 4 000 **TOP 200** ➔
Belle parole (latin), beau langage (grec). Variante : Lally. Caractérologie : audace, séduction, découverte, originalité, énergie.

Lamia 🌟 3 000 **TOP 600** ➔
Celle qui a des lèvres sombres (arabe). Variantes : Lama, Lamiae, Lamya. Caractérologie : altruisme, réflexion, intégrité, idéalisme, dévouement.

Lana 🌟 14 000 **TOP 50** ➔
Éclat du soleil (grec). Ce prénom anglais, russe et croate rencontre un succès grandissant

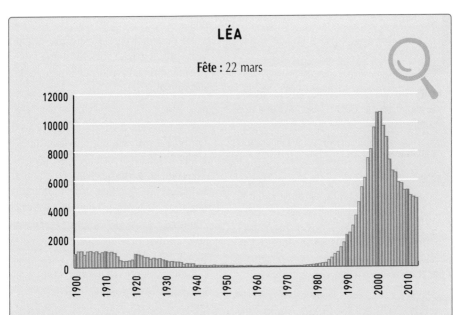

LÉA

Fête : 22 mars

Étymologie : l'origine est hébraïque mais la signification est controversée. Léa pourrait signifier « gazelle », « vache sauvage », ou bien encore « fatiguée ». Bien que Léa soit la première femme de Jacob dans l'Ancien Testament, ce vieux prénom a longtemps été inusité. C'est dans les années 1900 que Colette le fait renaître en le choisissant pour l'héroïne de deux romans. Après une brève envolée, son niveau d'attribution décroît jusque dans les années 1930, où il devient insignifiant. Oubliée pendant des décennies, Léa émerge de nouveau en fin de siècle. De quelle manière orchestre-t-elle son retour !

Elle prend la tête du palmarès en 1997 et domine ce dernier pendant neuf ans. Un bien long règne pour une époque où la valse des prénoms n'offre guère de stabilité. Malgré son déclin subséquent, Léa reste l'un des 5 choix français les plus fréquents, et la source d'inspiration de maintes graines de stars. À la 55e place, Léana devance Léane, dont l'attribution (près de 1 000 naissances attendues en 2014) a doublé en dix ans.

Léa brille dans les palmarès wallon, suisse romand, québécois et allemand, mais son reflux s'accentue dans les pays anglophones et scandinaves.

Léa, l'épouse de Jacob dans l'Ancien Testament, donna naissance à six garçons qui devinrent les fondateurs des six premières tribus d'Israël.

L

151
········

.../

Léa *(suite)*

Veuve romaine au IVe siècle, **sainte Léa** distribua toute sa fortune aux pauvres avant d'entrer dans un monastère où elle termina ses jours.

Dans la littérature, Léa est l'héroïne de *Chéri* et *La Fin de Chéri* de Colette. Le succès de *La Bicyclette bleue*, roman de Régine Deforges, a favorisé l'avènement de ce prénom dans les années 1980.

Statistiques : Léa est le premier prénom féminin le plus donné en France depuis le début du XXIe siècle. On peut estimer qu'il sera attribué à une fille sur 83 en 2014.

---

en France depuis le début des années 2000. Variantes : Laïna, Lanna, Layna. Caractérologie : ambition, autorité, innovation, énergie, autonomie.

Laora 🎌 550 **TOP 2000** →
Couronnée de lauriers (latin). Féminin français et breton. Caractérologie : réceptivité, diplomatie, sociabilité, logique, loyauté.

Lara 🎌 8 000 **TOP 300** →
Mouette (grec). Prénom russe, anglais, allemand, italien, espagnol, néerlandais, slovène, corse et breton. Caractérologie : audace, énergie, découverte, séduction, originalité.

Larissa 🎌 1 500 ↘
Mouette (grec). Larissa est très répandu en Russie. On peut estimer que moins de 30 enfants seront prénommés ainsi en 2014. Caractérologie : sagacité, originalité, spiritualité, philosophie, connaissances.

Laudine 🎌 180
Dans les légendes arthuriennes, Laudine, surnommée Dame de la forêt, épouse le chevalier Yvain. Celui-ci déploiera maints efforts pour conquérir son amour. Caractérologie : motivation, communication, pratique, optimisme, partage.

Laura 🎌 141 000 **TOP 100** ↘
Couronnée de lauriers (latin). Après avoir brillé dans de nombreux palmarès occidentaux, Laura fléchit nettement aujourd'hui. L'immense succès de *Laura*, chanté par Johnny Hallyday, a contribué à la gloire du prénom à la fin des années 1980. Laura est très répandu à l'échelle internationale aujourd'hui. Caractérologie : achèvement, vitalité, ardeur, leadership, stratégie.

Laurane 🎌 2 000 ↓
Couronnée de lauriers (latin). Féminin français. On peut estimer que moins de 30 enfants seront prénommés ainsi en 2014. Variantes : Laurana, Lauriana, Laurina, Laurinda. Caractérologie : rêve, ouverture d'esprit, rectitude, humanité, décision.

Lauranne 🎌 1 500 →
Couronnée de lauriers (latin). On peut estimer que moins de 30 enfants seront prénommés ainsi en 2014. Caractérologie : détermination, audace, découverte, originalité, énergie.

Laure 🎌 72 000 **TOP 400** ↓
Couronnée de lauriers (latin). Féminin français. Caractérologie : adaptation, pratique, décision, communication, enthousiasme.

LÉNA

Fête : 18 août

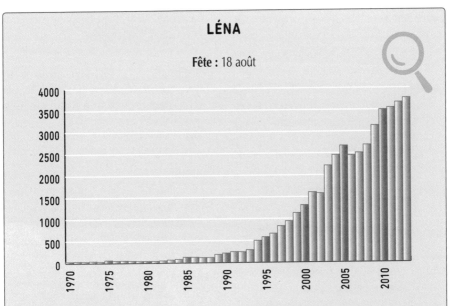

Étymologie : du grec *hêlê*, « éclat du soleil ». La Lena que les Bretons connaissent est un diminutif d'Elena, mais cette forme internationale d'Hélène est usitée depuis longtemps dans les pays slaves, dans les pays scandinaves et en Allemagne. Malgré cette renommée internationale, Léna ne prénomme pas plus de 50 Françaises par an avant les années 1980. Son envolée est d'autant plus spectaculaire qu'une décennie lui suffit pour s'imposer dans l'élite. Soutenue par la vague des sonorités courtes en « a » et son identité bretonne, Léna devrait occuper le 9e rang du palmarès 2014.

L'essor de Léna a encouragé nombre de découvertes et quelques feux de paille. Telle Ilona, qui s'est enflammée si vite qu'elle a été victime de son succès (elle se classe désormais au 217e rang national). Ou Léane, qui ne peut pas maintenir sa course effrénée. Plus constante, Lana s'est élevée dans le top 40 féminin.

Lena est le nom d'un fleuve russe qui alimente essentiellement la Sibérie centrale.

Personnalité célèbre : Lena Ka, chanteuse française née en 1977.

Statistiques : Léna est le 20e prénom féminin le plus donné en France depuis le début du XXIe siècle. On peut estimer qu'il sera attribué à une fille sur 99 en 2014. **Lana** devrait prénommer une fille sur 240 et figurer au 62e rang de ce palmarès.

L

153

Laure-Anne 🌟 800 ⊗
Forme composée de Laure et Anne. Caractérologie : innovation, autorité, énergie, ambition, détermination.

Laureen 🌟 5 000 TOP 1000 ⊗
Couronnée de lauriers (latin). En dehors de l'Hexagone, ce prénom est particulièrement porté dans les pays anglophones. Caractérologie : sécurité, efficacité, persévérance, structure, résolution.

Laureline 🌟 3 000 TOP 600 ⬆
Couronnée de lauriers (latin). Variantes : Lauralee, Lauralie, Lauraline, Laurela, Laureleen, Laurelène, Laurelenn, Laurélia, Laurélie, Lore, Laurelyne, Loraline. Caractérologie : sagacité, spiritualité, connaissances, originalité, détermination.

Lauren 🌟 4 000 TOP 2000 ⊗
Couronnée de lauriers (latin). Féminin anglais. Variantes : Lauraine, Laurenn, Laurenne. Caractérologie : passion, ambition, force, décision, habileté.

Laurena 🌟 1 500 TOP 2000 ⊗
Couronnée de lauriers (latin). Féminin anglais. Caractérologie : humanité, rêve, rectitude, résolution, tolérance.

Laurence 🌟 171 000 ⬇
Couronnée de lauriers (latin). Peu attribué par le passé, Laurence surgit dans le sillon de Laurent et Florence dans les années 1960. Il figure dans les 10 premiers choix français durant une décennie avant de décliner lentement. Dans les pays anglophones, Laurence a longtemps prénommé les garçons avant d'être abandonné pour Lawrence. On peut estimer que moins de 30 enfants seront prénommés ainsi en 2014. Variantes :

Laurencia, Laurentia, Laurentine, Laurenza, Loredana. Caractérologie : originalité, sagacité, connaissances, décision, spiritualité.

Laurène 🌟 8 000 TOP 900 ⊗
Couronnée de lauriers (latin). En dehors de l'Hexagone, ce prénom est particulièrement porté dans les pays anglophones. Caractérologie : ténacité, méthode, engagement, décision, fiabilité.

Laurette 🌟 7 000 ⬇
Couronnée de lauriers (latin). Féminin français. On peut estimer que moins de 30 enfants seront prénommés ainsi en 2014. Caractérologie : pratique, enthousiasme, communication, détermination, organisation.

Lauriane 🌟 13 000 TOP 900 ⬇
Couronnée de lauriers (latin). Féminin français. Variantes : Lauria, Lauriana, Laurina, Laurinda, Lauryane, Lauro. Caractérologie : réflexion, altruisme, intégrité, détermination, idéalisme.

Laurianne 🌟 5 000 TOP 2000 ⊗
Couronnée de lauriers (latin). Variante : Lauryanne. Caractérologie : découverte, énergie, originalité, audace, décision.

Laurie 🌟 29 000 TOP 1000 →
Couronnée de lauriers (latin). En dehors de l'Hexagone, Laurie est plus particulièrement répandu dans les pays anglophones et néerlandophones. Caractérologie : adaptation, communication, enthousiasme, pratique, résolution.

Laurine 🌟 24 000 TOP 300 ⬇
Couronnée de lauriers (latin). Féminin français. Variante : Laurinne. Caractérologie : ardeur, vitalité, stratégie, achèvement, décision.

Laury ⭐ 4 000 (TOP 2000)
Couronnée de lauriers (latin). Féminin anglais. On peut estimer que moins de 30 enfants seront prénommés ainsi en 2014. Caractérologie : découverte, originalité, séduction, énergie, audace.

Lauryn ⭐ 2 000 (TOP 2000) ↓
Couronnée de lauriers (latin). Féminin anglais. Caractérologie : énergie, innovation, cœur, autorité, décision.

Lauryne ⭐ 4 000 (TOP 700) ↘
Couronnée de lauriers (latin). Lauryne est répandu dans les pays anglophones. Caractérologie : famille, équilibre, sens des responsabilités, décision, cœur.

Lavinia ⭐ 170
Laver (latin). Lavinia est plus particulièrement recensé dans les pays anglophones et en Corse. Caractérologie : audace, énergie, originalité, découverte, détermination.

Layana ⭐ 800 (TOP 400) ↑
Belle parole (latin), beau langage (grec). Caractérologie : cœur, rêve, ouverture d'esprit, humanité, rectitude.

Layla ⭐ 1 500 (TOP 900) ↗
Née pendant la nuit (arabe). Layla est l'héroïne de *Majnun Layla*, l'équivalent poétique oriental de *Tristan et Iseut*. Caractérologie : paix, conscience, conseil, sagesse, bienveillance.

Léa ⭐ 160 000 (TOP 50) 🔍 →
Gazelle, vache sauvage, ou fatiguée (hébreu). Caractérologie : générosité, rectitude, rêve, humanité, tolérance.

Leah ⭐ 950 (TOP 2000) ↗
Gazelle, vache sauvage, ou fatiguée (hébreu). Féminin anglais. Variante : Lhéa.

Caractérologie : force, habileté, management, ambition, passion.

Léa-Marie ⭐ 200 →
Forme composée de Léa et Marie. Caractérologie : détermination, dynamisme, audace, direction, indépendance.

Léana ⭐ 9 000 (TOP 100) ↑
Lion (latin). Caractérologie : paix, sagesse, bienveillance, conscience, conseil.

Léandra ⭐ 550 (TOP 1000) ↑
Homme-lion (grec). Prénom italien. Variante : Léandre. Caractérologie : innovation, énergie, autorité, ambition, résolution.

Léane ⭐ 13 000 (TOP 100) ↘
Lion (latin). Féminin français et anglais. Variante : Léana. Caractérologie : indépendance, direction, assurance, audace, dynamisme.

Léanna ⭐ 900 (TOP 600) ↑
Lion (latin). Caractérologie : bonté, loyauté, réceptivité, sociabilité, diplomatie.

Léanne ⭐ 2 000 (TOP 400) →
Lion (latin). Sans accent, Leanne est assez répandu dans les pays anglophones. Variante : Léanna. Caractérologie : sens des responsabilités, famille, influence, équilibre, exigence.

Lee ⭐ 160
Clairière (anglais), poétique (irlandais), force, tranchant, debout (chinois). Lee est également un patronyme chinois très répandu. Variante : Li. Caractérologie : sens du devoir, méthode, fiabilité, engagement, ténacité.

Leelou ⭐ 1 500 (TOP 600) ↘
Voir Lilou. Variantes : Lee-Lou, Leeloo. Caractérologie : connaissances, originalité, sagacité, philosophie, spiritualité.

Leïa 🗺️ 2 000 (TOP 300) ↗
Lien (corse). *La Guerre des étoiles*, de George Lucas, a popularisé ce prénom porté par la princesse de cette trilogie. Caractérologie : rêve, humanité, détermination, rectitude, tolérance.

Leïla 🗺️ 25 000 (TOP 200) →
Née pendant la nuit (arabe). Ce prénom est particulièrement porté dans les cultures musulmanes. Variante : Leïlah. Caractérologie : communication, résolution, pragmatisme, optimisme, créativité.

Leilani
Fleur du paradis (hawaïen). Ce prénom est porté par moins de 100 personnes en France. Variante : Lei. Caractérologie : passion, force, ambition, habileté, détermination.

Leïna 🗺️ 1 500 (TOP 300) ↗
Qui s'adapte (arabe). Variante : Leyna. Caractérologie : curiosité, courage, indépendance, décision, dynamisme.

Lélia 🗺️ 1 000 (TOP 900) →
Lys (latin), qui témoigne (grec). Prénom italien. Variante : Léliane. Caractérologie : adaptation, communication, enthousiasme, pratique, décision.

Léna 🗺️ 41 000 (TOP 50) 🔍 ↗
Éclat du soleil (grec). Variantes : Lehna, Leina, Lenna. Caractérologie : dynamisme, courage, curiosité, indépendance, charisme.

Lenaëlle 🗺️ 400 (TOP 2000) ↓
Éclat du soleil (grec). Caractérologie : communication, pragmatisme, optimisme, créativité, sociabilité.

Lenaïg 🗺️ 1 500 (TOP 2000) →
Éclat du soleil (grec). Cette forme bretonne d'Hélène est également orthographiée sans tréma. Caractérologie : communication, résolution, sympathie, enthousiasme, pratique.

Lenka
Diminutif tchèque et slovaque d'Hélène ou de Madeleine. Ce prénom est porté par moins de 100 personnes en France. Caractérologie : organisation, connaissances, sagacité, originalité, spiritualité.

Lennie 🗺️ 400 (TOP 2000) →
Diminutif d'Hélène ou de Léonarde. Variante : Léni. Caractérologie : charisme, dynamisme, curiosité, indépendance, courage.

Lénora 🗺️ 200 ↘
Compassion (grec). Féminin anglais. Caractérologie : intuition, médiation, détermination, relationnel, raisonnement.

Léocadie 🗺️ 1 000 ↗
Se rapporte au nom d'une île grecque. Caractérologie : rêve, rectitude, raisonnement, volonté, humanité.

Léoda
Peuple courageux (germanique). Ce prénom est porté par moins de 30 personnes en France. Variante : Léodie. Caractérologie : ambition, énergie, autorité, caractère, innovation.

Leokadia
Se rapporte au nom d'une île grecque. Ce prénom est porté par moins de 30 personnes en France. Caractérologie : caractère, logique, persévérance, structure, sécurité.

Léola
Contraction de Léonie et des prénoms se terminant par le suffixe « la ». Ce prénom est porté par moins de 30 personnes en France. Caractérologie : rêve, rectitude, humanité, tolérance, générosité.

L

156

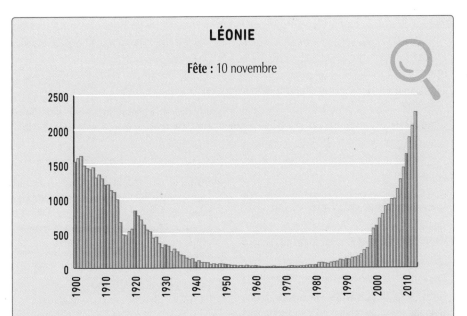

LÉONIE

Fête : 10 novembre

Étymologie : du latin *leo*, « lion ». Léon et Léontia sont attestés par les inscriptions latines dès les premiers siècles et se sont répandus dans de nombreux pays. Bien après la chute de Rome, Léontia, une impératrice de l'Empire byzantin, illustra ce prénom au VIIe siècle.

Léonie, la forme germanophone de Léon, est usitée dans de nombreux pays européens au Moyen Âge. Elle renaît au XIXe siècle et cultive une certaine vogue en France jusque dans les années 1920. C'est l'essor de Léo et des prénoms rétro qui la fera décoller de nouveau dans les années 1990. Avec 2 240 attributions estimées pour 2014, Léonie a triplé le nombre de ses naissances en dix ans. Sa percée dans le top 20 national est imminente.

En dehors de l'Hexagone, ce prénom revient au Québec et brille dans les 10 premiers choix allemands. Ayant déserté les registres d'état civil américains depuis 1910, Leonie a toutes les chances de renaître outre-Atlantique.

Personnalités célèbres : Léonie Bathiat, dite Arletty, actrice française (1998-1992) ; Léonie Adams (1899-1988), poétesse américaine ; Léonie Sachs, dite Nelly, écrivain suédois qui obtint le prix Nobel de littérature en 1966 ; Léonie Swann, écrivain allemand né en 1975 ; Léonie Simaga, comédienne française.

Sainte Léonce (ou **Léontia**), la fille de l'évêque Germanus, fut martyrisée en Afrique du Nord au Ve siècle. Elle est fêtée le 6 décembre.

.../

L

Léonie *(suite)*

Religieuse, **Léonie Aviat** fonda la congrégation des Oblates de saint François de Sales en 1974. Canonisée par le pape Jean-Paul II en 2001, elle est fêtée le 10 janvier.

Statistiques : Léonie est le 57e prénom féminin le plus donné en France depuis le début du XXIe siècle. On peut estimer qu'il sera attribué à une fille sur 173 en 2014. Au 34e rang des attributions parisiennes en 2012, Léonie a gagné 50 places de classement en un an dans la capitale.

Léolia

Lion (latin), ou contraction de Léo et Lia. Ce prénom est porté par moins de 100 personnes en France. Variante : Léola. Caractérologie : rectitude, humanité, raisonnement, générosité, ouverture d'esprit.

Léona ⭐ 2 000 `TOP 400` ↗

Lion (latin). En dehors de l'Hexagone, Leona est plus particulièrement attribué en Italie et dans les pays anglophones, germanophones. Caractérologie : sociabilité, réceptivité, loyauté, diplomatie, bonté.

Léonarde

Lion (latin). Ce prénom est porté par moins de 100 personnes en France. Caractérologie : réceptivité, diplomatie, volonté, sociabilité, analyse.

Léonce ⭐ 550

Lion (latin). Variante : Léoncia. Caractérologie : altruisme, idéalisme, intégrité, réflexion, dévouement.

Léone ⭐ 11 000 →

Lion (latin). Féminin anglais et français. On peut estimer que moins de 30 enfants seront prénommés ainsi en 2014. Caractérologie : bienveillance, conscience, conseil, sagesse, paix.

Léonie ⭐ 24 000 `TOP 50` 🔍 ↗

Lion (latin). Variantes : Éléonie, Léonella, Léonelle, Léonne, Léone, Léonia, Léonine, Léonnie, Léonille, Lonnie. Caractérologie : influence, logique, famille, éthique, équilibre.

Léonne ⭐ 900

Lion (latin). Caractérologie : médiation, fidélité, relationnel, intuition, adaptabilité.

Léonor ⭐ 1 000 `TOP 700` →

Compassion (grec). Ce prénom est particulièrement répandu au Portugal et en Espagne. Caractérologie : spiritualité, sagacité, originalité, analyse, connaissances.

Léonora ⭐ 250 →

Compassion (grec). Leonora est très répandu en Italie et dans les pays slaves. Variantes : Léore, Lonora. Caractérologie : force, confiance, logique, décision, ambition.

Léonore ⭐ 2 000 `TOP 600` →

Compassion (grec). En dehors de l'Hexagone, Leonore est plus particulièrement répandu en Allemagne. Variantes : Lénora, Léonora. Caractérologie : pragmatisme, optimisme, créativité, communication, raisonnement.

Léontine ⭐ 4 000 `TOP 1000` ↗

Lion (latin). Féminin français et anglais. Variante : Léondine. Caractérologie : structure, efficacité, persévérance, sécurité, logique.

Léopoldine 🌟 1 000 TOP 2000 →
Peuple courageux (germanique). Féminin français. Caractérologie : volonté, ambition, force, habileté, raisonnement.

Léora
La lumière est à moi (hébreu). Ce prénom est porté par moins de 100 personnes en France. Caractérologie : famille, équilibre, analyse, sens des responsabilités, résolution.

Léria 🌟 110
Comme un aigle (latin). Voir Aléria. Prénom corse. Caractérologie : idéalisme, réflexion, résolution, altruisme, intégrité.

Leslie 🌟 15 000 TOP 900 ↓
Forteresse grise (écossais). Leslie est très répandu dans les pays anglophones. Caractérologie : habileté, passion, ambition, décision, force.

Lesly 🌟 1 500 TOP 2000 →
Forteresse grise (écossais). Variantes : Lesley, Leslye. Caractérologie : énergie, innovation, autorité, ambition, bonté.

Léticia 🌟 1 000 TOP 2000 ↗
Allégresse (latin). En dehors de l'Hexagone, Leticia est plus particulièrement attribué en Espagne et au Portugal. Caractérologie : audace, découverte, énergie, gestion, décision.

Létitia 🌟 650
Allégresse (latin). Variante : Letizia. Caractérologie : persévérance, structure, sécurité, organisation, détermination.

Lévana 🌟 750 TOP 2000 →
La lune (hébreu). Variante : Lévanah. Caractérologie : audace, dynamisme, assurance, direction, indépendance.

Lexane 🌟 400 →
Défense de l'humanité (grec). Féminin anglais. Variantes : Lexa, Lexi, Lexia, Lexie, Lexina, Lexy. Caractérologie : sagacité, spiritualité, connaissances, originalité, philosophie.

Lexie 🌟 500 TOP 200 ↑
Défense de l'humanité (grec). Caractérologie : raisonnement, dynamisme, audace, indépendance, direction.

Leyla 🌟 2 000 TOP 500 ↗
Née pendant la nuit (arabe). Caractérologie : indépendance, audace, dynamisme, direction, cœur.

Lia 🌟 2 000 TOP 400 ↗
Diminutif de Nathalia, variation italienne et portugaise de Léa. Caractérologie : méthode, ténacité, fiabilité, engagement, sens du devoir.

Liana 🌟 1 500 TOP 400 ↗
Lys (latin). Liana est plus particulièrement usité en Italie, dans les pays lusophones et anglophones. Variante : Lyana. Caractérologie : innovation, autorité, détermination, ambition, énergie.

Liane 🌟 500
Lys (latin). Féminin anglais. Variantes : Lianne, Lyane. Caractérologie : énergie, découverte, décision, audace, originalité.

Libbie
Dieu est serment (hébreu). Féminin anglais. Ce prénom est porté par moins de 30 personnes en France. Variante : Libby. Caractérologie : enthousiasme, pratique, communication, générosité, adaptation.

Liberty
Liberté (anglais). Liberty est apparu pour la première fois dans l'Hexagone en 1976. Ce prénom est porté par moins de 100 personnes en France. Variante : Liberté. Caractérologie : innovation, énergie, ambition, autorité, sympathie.

L

Lida
🌟 190

Dame (grec). Féminin anglais et italien. Variante : Leda. Caractérologie : achèvement, stratégie, ardeur, leadership, vitalité.

Lidia
🌟 2 000 →

Qui vient de Lydie (grec). Lidia est répandu en Italie et en Corse. On peut estimer que moins de 30 enfants seront prénommés ainsi en 2014. Caractérologie : stratégie, vitalité, ardeur, achèvement, leadership.

Lidwine
🌟 950

Peuple accueillant (germanique). Féminin allemand et néerlandais. Variante : Lydwine. Caractérologie : engagement, méthode, sens du devoir, fiabilité, ténacité.

Lidy
🌟 250

Qui vient de Lydie (grec). Dans l'Hexagone, Lidy est plus traditionnellement usité en Alsace. Variante : Lidie. Caractérologie : courage, curiosité, dynamisme, indépendance, charisme.

Lila
🌟 10 000 **TOP 200** ↗

Lys (latin), ce qui m'appartient est à elle (hébreu). Lila est également une variation de Leïla et un prénom indien signifiant : « beauté ». Variante : Lyla. Caractérologie : connaissances, sagacité, originalité, philosophie, spiritualité.

Lilas
🌟 3 000 **TOP 400** ↗

Lys (latin). Le lilas est un arbuste dont les fleurs blanches ou violettes sont très parfumées. Féminin français. Variantes : Lilac, Lylas. Caractérologie : vitalité, stratégie, achèvement, ardeur, leadership.

Lili
🌟 5 000 **TOP 300** ↘

Lys (latin). En dehors de l'Hexagone, Lili est très répandu en Allemagne. C'est aussi un prénom en vogue dans l'ensemble des pays occidentaux. Caractérologie : sens des responsabilités, équilibre, influence, famille, exigence.

Lilia
🌟 8 000 **TOP 200** →

Forme russe de Lily, du latin *lilium*, lys. Lilia est également une variation de Leïla et Lila. En dehors de l'Hexagone, Lilia est particulièrement usité en Russie et dans les pays slaves. Variantes : Lilias, Lilla, Lilya. Caractérologie : connaissances, spiritualité, philosophie, originalité, sagacité.

Liliana
🌟 1 000 **TOP 800** ↗

Lys (latin). Féminin italien, espagnol, portugais, roumain et polonais. Caractérologie : résolution, fiabilité, méthode, ténacité, engagement.

Liliane
🌟 94 000

Lys (latin). Prénom français. Au milieu de la Seconde Guerre mondiale, Léopold III, le roi des Belges, épousa secrètement Liliane de Rethy. Le couple attendit plusieurs mois avant de révéler publiquement son union. On peut estimer que moins de 30 enfants seront prénommés ainsi en 2014. Variantes : Lilian, Lillia, Lillian, Lilliane. Caractérologie : achèvement, stratégie, vitalité, détermination, ardeur.

Lilianne
🌟 1 500

Lys (latin). Féminin français. On peut estimer que moins de 30 enfants seront prénommés ainsi en 2014. Caractérologie : engagement, méthode, ténacité, résolution, fiabilité.

Lilie
🌟 1 500 **TOP 400** →

Lys (latin). Caractérologie : adaptabilité, fidélité, médiation, relationnel, intuition.

Lili-Rose
🌟 1 500 **TOP 600** →

Forme composée de Lily et Rose. Caractérologie : humanité, rectitude, générosité, rêve, volonté.

L

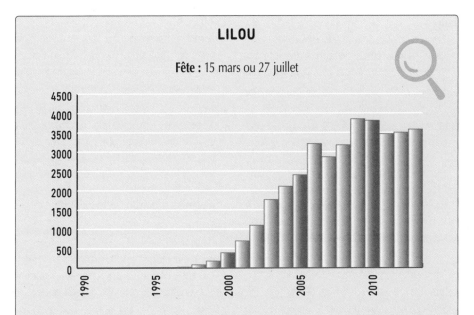

LILOU

Fête : 15 mars ou 27 juillet

Étymologie : la première Lilou de France est née en 1994, mais cette étoile n'aurait jamais brillé si Luc Besson n'en avait pas fait l'héroïne de son film *Le Cinquième Élément*. C'est donc au cinéaste français que l'on doit l'essor prodigieux de Lilou et de ses dérivés (Lylou, Lee-lou, etc.).

Les origines de Lilou sont controversées. Selon une enquête menée sur le site internet MeilleursPrenoms.com, la majorité des parents affirme avoir choisi ce prénom parce qu'il fusionne Lili et Lou. Cette piste, tout à fait recevable, confère à Lilou les origines germaniques et latines de ces dernières. Mais on ne peut ignorer que le suffixe « Li » soit une composante courante de nombreux prénoms chinois. Auquel cas il faut ajouter à l'aura de Lilou beauté et jasmin. Reste qu'une origine anglaise n'est pas à exclure. Dans les pays anglophones, la composante Lee signifie « clairière », ou « poétique » si l'on se tourne vers le vieil irlandais. Enfin, des origines celtiques moins connues peuvent lui donner le sens plus symbolique de « lumière » (c'est précisément l'image que Lilou incarne dans *Le Cinquième Élément*).

Difficile donc de trancher en faveur d'une étymologie précise. Peu importe, puisque ce prénom séduit tout en gardant sa part de mystère. En 2014, Lilou devrait s'afficher au 12e rang du palmarès français. Sa percée dans le top 20 wallon augure peut-être une conquête des pays francophones.

Statistiques : Lilou est le 25e prénom féminin le plus donné en France depuis le début du XXIe siècle. On peut estimer qu'il sera attribué à une fille sur 113 en 2014.

L

161

Lilly
🎖 3 000 **TOP 200** →

Lys (latin). En dehors de l'Hexagone, Lilly est particulièrement répandu dans les pays anglophones et scandinaves. Variantes : Lilie, Lillie. Caractérologie : connaissances, sagacité, philosophie, originalité, spiritualité.

Lilo
🎖 300 **TOP 2000** ↗

Dérivé de Liselotte (une contraction d'Elizabeth et Charlotte), cet ancien prénom allemand est apparu pour la première fois dans l'Hexagone en 2001. On doit sans doute son avènement au film de Disney *Lilo et Stitch*, découvert au cinéma la même année. Lilo est un prénom mixte dont la signification diffère au masculin. Caractérologie : logique, optimisme, sociabilité, communication, créativité.

Liloo
🎖 600 **TOP 2000** ↘

Voir le zoom dédié à Lilou. Caractérologie : découverte, audace, courage, indépendance, séduction.

Lilou
🎖 32 000 **TOP 50** 🔍 →

Voir le zoom qui lui est dédié. Féminin français. Caractérologie : famille, influence, équilibre, analyse, sens des responsabilités.

Lilwenn
🎖 1 000 **TOP 300** ↑

Contraction de Lily et Nolwenn apparue dans l'Hexagone en 2002. Variantes : Lilwen, Lylwen, Lilwene. Caractérologie : achèvement, stratégie, leadership, ardeur, vitalité.

Lily
🎖 13 000 **TOP 50** 🔍 ↗

Lys (latin). Caractérologie : persévérance, structure, sécurité, honnêteté, efficacité.

Lilya
🎖 2 000 **TOP 300** ↑

Lys (latin). Caractérologie : énergie, originalité, audace, séduction, découverte.

Lily-Rose
🎖 3 000 **TOP 200** 🔍 ↗

Forme composée de Lily et Rose. Variantes : Lili-Rose, Lilly-Rose. Caractérologie : amitié, intelligence, savoir, méditation, raisonnement.

Li-May

Forme composée de Li et May. Ce prénom est porté par moins de 30 personnes en France. Caractérologie : courage, dynamisme, indépendance, charisme, aboutissement.

Lina
🎖 35 000 **TOP 50** 🔍 ↗

Messagère (grec), souple, tendre (arabe), concentrée (sanscrit). De plus, Li Na est un prénom chinois qui, selon les caractères utilisés, peut signifier : « beauté précieuse », ou « fleur de jasmin ». Caractérologie : humanité, rêve, tolérance, décision, rectitude.

Linaëlle
TOP 2000

Contraction de Lina et Maëlle. Ce prénom est porté par moins de 100 personnes en France. Caractérologie : connaissances, sagacité, philosophie, détermination, intelligence.

Linda
🎖 30 000 **TOP 500** →

Belle (germanique). Ce prénom espagnol est répandu dans le monde anglophone et occidental. Caractérologie : fiabilité, méthode, résolution, ténacité, engagement.

Lindsay
🎖 7 000 **TOP 300** →

Terres de Lincoln (vieil anglais). Lindsay est répandu dans les pays anglophones. Variantes : Lindsey, Linsay, Linsey. Caractérologie : pratique, sympathie, communication, enthousiasme, réalisation.

Lindsey
🎖 1 500 **TOP 1000** ↗

Terres de Lincoln (vieil anglais). Ce prénom répandu dans les pays anglophones est encore attribué à une majorité de garçons en Écosse. Caractérologie : intelligence, savoir, méditation, réussite, cœur.

Lindy
🎖 350 →

Voir Linda. Caractérologie : énergie, bonté, ambition, innovation, autorité.

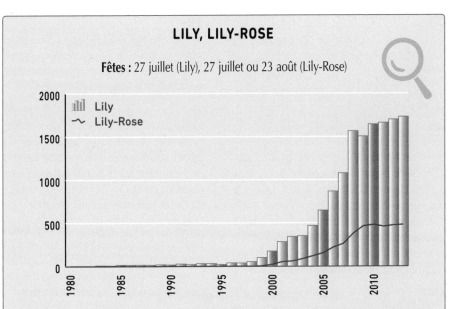

LILY, LILY-ROSE

Fêtes : 27 juillet (Lily), 27 juillet ou 23 août (Lily-Rose)

Étymologie : du latin *lilium*, « lys ». Si Lily devait être associée à une couleur, le blanc lui irait à merveille : symbole de pureté et de vertu, le lys devient, dès le Moyen Âge, l'emblème de la famille royale française. Au XIXe siècle, sa vogue est plus marquée dans les pays anglophones qu'en France, mais c'est un peu partout qu'elle disparaît le plus clair du siècle suivant. La fin des années 1990 l'élève de nouveau à la faveur d'une vague rétro. Propulsée par une croissance vigoureuse, Lily pourrait s'imposer dans le top 30 français avant 2015. Elle distance largement Lila qui se place aux portes du top 100.

En dehors de l'Hexagone, ce nom de fleur s'épanouit dans le monde anglophone. Lil(l)y est montée sur la première marche du podium anglais en 2009. Elle fleurit largement en Irlande, en Australie et aux États-Unis. Mais Lily n'est pas en reste dans les pays francophones : elle figure dans les 40 premiers rangs wallons et s'envole depuis peu au Québec et en Romandie. Sa progression en Allemagne et en Suède pourrait marquer le début d'une conquête européenne.

LILY-ROSE

La renaissance de Lily a engendré nombre de compositions nouvelles. Née en 1999, Lily-Rose se distingue rapidement de ces formations fleuries. Ce duo* connaît un tel engouement qu'il est désormais le prénom composé le plus attribué en France. En 2014, Lily-Rose devrait s'établir devant Lou-Ann(e) dans le top 100 national.

.../

L

Lily, Lily-Rose (suite)

La naissance de la première Lily-Rose a suivi de près celle de Lily Rose**, une graine de star engendrée par des connaisseurs (Vanessa Paradis et Johnny Depp). Sa notoriété a gagné les terres francophones, notamment le Québec, où Lily-Rose se plaçait 63e en 2012. Cet assemblage a encore un bel avenir à l'échelle internationale. Ne s'élance-t-il pas déjà outre-Manche derrière Lily-May ? Notons par ailleurs que Lilirose et Lilyrose ont été enregistrées dans les fichiers d'état civil en 2003.

Personnalités célèbres : Lily Pons, soprano française (1898-1976) ; Lily Allen, chanteuse anglaise née en 1985 ; Lily Boulanger, élève prodige de Gabriel Fauré et compositrice française (1893-1918).

Statistiques : Lily est le 67e prénom féminin le plus donné en France depuis le début du XXIe siècle. On peut estimer qu'il sera attribué à une fille sur 225 en 2014. **Lily-Rose** est désormais le prénom composé le plus attribué en France.

* Les attributions de Lili-Rose et Lilly-Rose ont été prises en compte.

** Les faire-part de naissance américains font apparaître le prénom d'usage, suivi du deuxième prénom. Une différence culturelle avec la tradition française qui ne révèle que le premier. En assemblant Lily et Rose, les parents français ont créé une composition inédite.

Line
🏳 11 000 **TOP 300** →

Messagère (grec). En dehors de l'Hexagone, Line est très répandu dans les pays scandinaves et aux Pays-Bas. Caractérologie : sécurité, persévérance, efficacité, structure, honnêteté.

Linéa

Se rapporte au nom de fleur de la famille des *Linea Borealis* (scandinave). Ce prénom est porté par moins de 100 personnes en France. Variante : Linnea. Caractérologie : découverte, originalité, énergie, détermination, séduction.

Linette
 🏳 850 **TOP 2000** →

Messagère (grec). Féminin anglais et français. Caractérologie : honnêteté, organisation, sécurité, persévérance, efficacité.

Linoa
🏳 400 **TOP 1000** ↗

Contraction de Li et Noa (« mouvement divin » en hébreu). Caractérologie : conscience, résolution, conseil, paix, sagesse.

Lio
🏳 160

Jour de la naissance (latin). Caractérologie : intégrité, réflexion, idéalisme, raisonnement, altruisme.

Lior

La lumière est à moi (hébreu). Ce prénom est porté par moins de 100 personnes en France. Variantes : Liora, Liorah. Caractérologie : analyse, humanité, rectitude, rêve, ouverture d'esprit.

Lisa
🏳 59 000 **TOP 50** →

Dieu est serment (hébreu). Ce diminutif anglais d'Élisabeth rencontre une certaine

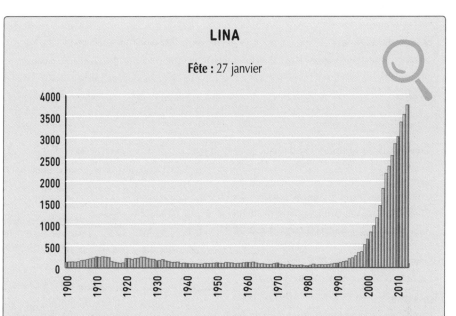

LINA

Fête : 27 janvier

Étymologie : ce prénom multiculturel présente plusieurs origines. Il est le diminutif d'Angelina qui, par ses origines grecques, signifie « messager », mais sa signification diffère en arabe (« souple, tendre »), ou en sanscrit (« concentrée »). De plus, Li Na est un prénom chinois qui, selon les caractères utilisés, peut signifier « beauté précieuse », ou « fleur de jasmin ». Principalement attribué dans les pays anglophones au XIXe siècle, ce prénom réapparaît en Europe dans les années 1980. L'engouement que les Suédois lui manifestent se propage à la Finlande et au Danemark avant d'atteindre l'Hexagone. Le retour de Line y étant compromis (son apogée, en 1957, est encore trop récent), la voie de Lina est toute tracée. Surfant sur la vague des prénoms courts en « a », Lina rejoint le top 20 national en 2008. C'est aujourd'hui l'un des 15 choix préférés des Français et des Parisiens.

Lina n'est pas bretonne comme sa rivale Léna, mais elle a d'autres atouts. Elle a pour ambassadrice de charme l'actrice et bienfaitrice universelle Angelina Jolie. De plus, ses racines plurielles sont un avantage qui lui permet de séduire un éventail élargi de parents (en évoluant dans l'élite parisienne, Lina confirme l'attrait exercé par son multiculturalisme). Enfin, son statut d'héroïne dans le jeu vidéo de Riviera *The Promised Land* a joué en sa faveur : le nombre de ses attributions s'est accru chaque année qui a suivi la publication du jeu, en 1991.

Ce prénom, disparu des registres d'état civil américains dans les années 1940, semble y renaître discrètement. En attendant de percer au Québec, Lina brille dans l'élite des prénoms allemands et vient de percer dans les tops 40 wallon et suisse romand.

L

.../

Lina *(suite)*

Personnalités célèbres : Lina Cavalieri, soprano italienne (1874-1944) ; Line Renaud, chanteuse et comédienne française née en 1928 ; Lina Saneh, metteuse en scène et comédienne libanaise née en 1966 ; Li Na, joueuse de tennis professionnelle chinoise née en 1982.

Statistiques : Lina est le 29ᵉ prénom féminin le plus donné en France depuis le début du XXIᵉ siècle. On peut estimer qu'il sera attribué à une fille sur 103 en 2014.

faveur dans les années 1960 dans de nombreux pays européens. En France, Lisa a dû prendre l'ascendant sur Lise avant de pouvoir s'imposer dans le top 20 français au début des années 2000. Aujourd'hui, Lisa maintient un bon niveau d'attribution et conserve son avantage sur Lise. Variantes : Lis, Liesel, Lisanne, Lisenn. Caractérologie : curiosité, dynamisme, courage, indépendance, charisme.

Lisa-Marie 🌟 1 000 ⬊
Forme composée de Lisa et Marie. Caractérologie : famille, sens des responsabilités, équilibre, influence, résolution.

Lisandra 🌟 200 ⬈
Contraction de Lise et Sandra. Féminin anglais. Variantes : Alisandra, Alisandre, Lisandre, Lissandra, Lissandre, Lysandra. Caractérologie : décision, bienveillance, paix, conseil, conscience.

Lisanne
Contraction de Lise et Anne. Lisanne est plus particulièrement répandu aux Pays-Bas. Ce prénom est porté par moins de 100 personnes en France. Caractérologie : relationnel, résolution, fidélité, adaptabilité, médiation.

Lisbeth 🌟 450
Dieu est serment (hébreu). Lisbeth est particulièrement répandu en Allemagne et dans les pays anglophones. Variantes : Lizbeth, Lysbeth. Caractérologie : résolution, finesse, communication, pratique, enthousiasme.

Lise 🌟 28 000 **TOP 100** ➡
Dieu est serment (hébreu). Voir Élisabeth. En dehors de l'Hexagone, Lise est plus particulièrement répandu dans les pays scandinaves et anglophones. Variantes : Lisette, Lisie, Lisy, Lysie, Liz, Liza, Lizzie, Lizzy. Caractérologie : réflexion, intégrité, idéalisme, décision, altruisme.

Liséa 🌟 700 **TOP 800** ➡
Dieu est serment (hébreu). Féminin français. Caractérologie : direction, raisonnement, audace, détermination, dynamisme.

Lise-Marie 🌟 650 ⬇
Forme composée de Lise et Marie. Caractérologie : direction, dynamisme, audace, indépendance, résolution.

Lisette 🌟 4 000 ➡
Dieu est serment (hébreu). Féminin français et anglais. On peut estimer que moins de 30 enfants seront prénommés ainsi en 2014. Caractérologie : résolution, rectitude, organisation, rêve, humanité.

Lison 🌟 7 000 **TOP 200** ⬈
Dieu est serment (hébreu). Féminin français. Variante : Lyson. Caractérologie : paix, conscience, détermination, bienveillance, raisonnement.

Liv 🌟 750 **TOP 500** ⬆
Refuge, protection (vieux norrois). Prénom scandinave et néerlandais. Caractérologie : indépendance, intelligence, sagesse, savoir, méditation.

Livia 🌟 3 000 TOP 200 ↑
Olive (latin). Une racine scandinave (*olafr*) pourrait également lui conférer le sens d'« ancêtre » en vieux norrois. Féminin anglais. Variante : Livie. Caractérologie : leadership, vitalité, aspiration, achèvement, stratégie.

Liza 🌟 3 000 TOP 700 →
Dieu est serment (hébreu). Dans l'Hexagone, Liza est plus traditionnellement usité en Bretagne. Caractérologie : pragmatisme, communication, créativité, sociabilité, optimisme.

Lizéa 🌟 1 000 TOP 800 →
Dieu est serment (hébreu). Variante : Lyséa. Caractérologie : paix, bienveillance, conscience, conseil, sagesse.

Loan 🌟 2 000 TOP 2000 ↓
Lumière (celte). Loan était mixte au début de sa carrière, mais il est aujourd'hui attribué à une majorité de garçons. Caractérologie : influence, équilibre, famille, éthique, exigence.

Loana 🌟 850 TOP 2000 →
Lumière (celte). Variantes : Loana, Loanna, Lohana. Caractérologie : savoir, sagesse, intelligence, méditation, indépendance.

Loane 🌟 9 000 TOP 200 ↓
Lumière (celte). Prénom breton. Variantes : Loann, Lohane. Caractérologie : fidélité, médiation, relationnel, adaptabilité, intuition.

Loanne 🌟 2 000 TOP 700 ↓
Lumière (celte). Féminin français et breton. Caractérologie : intelligence, sagesse, savoir, indépendance, méditation.

Loé 🌟 160 TOP 2000
Diminutif des prénoms assemblés avec Loé. Caractérologie : dynamisme, curiosité, courage, indépendance, charisme.

Loeiza 🌟 350 TOP 2000 ↗
Forme bretonne de Louise : illustre au combat (germanique). Variante : Lizig. Caractérologie : énergie, résolution, analyse, découverte, audace.

Loélia 🌟 750 TOP 800 →
Clef (latin), variation de Laelia. Caractérologie : rêve, rectitude, humanité, analyse, résolution.

Loélie 🌟 250 TOP 1000 ↑
Clef (latin). Variante : Loély. Caractérologie : fiabilité, ténacité, raisonnement, méthode, engagement.

Loéline
Combinaison de Loé et Line. Ce prénom est porté par moins de 100 personnes en France. Caractérologie : altruisme, intégrité, clémence, réfexion, raison.

Loeva 🌟 550 TOP 900 →
Sainte Sève, dont une commune bretonne porte le nom, était appelée Loeva. Variante : Loève. Caractérologie : énergie, ambition, autorité, innovation, volonté.

Loevane
Voir Loeva. Ce prénom est porté par moins de 30 personnes en France. Variante : Loevanne. Caractérologie : caractère, réceptivité, diplomatie, loyauté, sociabilité.

Logane 🌟 450 ↓
Prairie (gaélique). Féminin écossais et anglais. Variante : Logan. Caractérologie : sympathie, rectitude, humanité, ouverture d'esprit, rêve.

Loïcia 🌟 400 TOP 2000 ↗
Illustre au combat (germanique). Prénom breton. Variante : Loïca. Caractérologie : structure, persévérance, sécurité, logique, efficacité.

Loïs 🎖 2 000 **TOP 500** →
Illustre au combat (germanique). Ce prénom mixte est plus traditionnellement usité en Occitanie. Caractérologie : innovation, autorité, analyse, ambition, énergie.

Loïse 🎖 1 500 **TOP 800** →
Illustre au combat (germanique). Forme occitane : Loïsa. Caractérologie : équilibre, famille, sens des responsabilités, logique, décision.

Lola 🎖 52 000 **TOP 50** 🔍 ↗
Douleur (latin). Variantes : Loli, Lolie, Loly. Caractérologie : structure, sécurité, persévérance, honnêteté, efficacité.

Lolita 🎖 7 000 **TOP 2000** ↘
Douleur (latin). Prénom espagnol. Caractérologie : paix, bienveillance, conscience, organisation, raisonnement.

Lomane 🎖 130
Enfant nue (gaélique). Voir Loman. Caractérologie : conscience, bienveillance, conseil, paix, sagesse.

Lona 🎖 400 **TOP 2000** →
Solitude (anglais). Féminin anglais. Caractérologie : sens des responsabilités, équilibre, exigence, famille, influence.

Loona 🎖 1 000 **TOP 300** ↑
Amour (germanique). Caractérologie : enthousiasme, pratique, générosité, communication, adaptation.

Lora 🎖 1 000 **TOP 2000** ↘
Couronnée de lauriers (latin). Féminin italien et allemand. Variantes : Loraline, Lore. Caractérologie : énergie, autorité, ambition, analyse, innovation.

Lorea 🎖 250 →
Fleur (basque). Variantes : Lauréa, Lora. Caractérologie : décision, paix, logique, conscience, bienveillance.

Lorelei 🎖 1 500 **TOP 900** →
Attirante (germanique). Dans la mythologie germanique, Lorelei est une sirène dont le chant envoûte les marins naviguant sur le Rhin. Variantes : Lorelie, Loreley. Caractérologie : persévérance, structure, logique, efficacité, sécurité.

Loren 🎖 800 ↓
Couronnée de lauriers (latin). Féminin anglais. Caractérologie : innovation, autorité, ambition, énergie, logique.

Lorena 🎖 3 000 **TOP 500** ↘
Couronnée de lauriers (latin). Lorena est très répandu en Italie et dans les pays hispanophones et lusophones. Caractérologie : relationnel, intuition, médiation, logique, décision.

Lorène 🎖 4 000 **TOP 2000** ↘
Couronnée de lauriers (latin). Féminin anglais. On peut estimer que moins de 30 enfants seront prénommés ainsi en 2014. Variantes : Loraine, Loreen, Lorenne. Caractérologie : bienveillance, paix, raisonnement, conseil, conscience.

Lorenza 🎖 1 500 **TOP 2000** →
Couronnée de lauriers (latin). Dans l'Hexagone, Lorenza est plus traditionnellement usité au Pays basque. Caractérologie : détermination, énergie, raisonnement, autorité, innovation.

Lorette 🎖 2 000 ↓
Couronnée de lauriers (latin). On peut estimer que moins de 30 enfants seront prénommés ainsi en 2014. Caractérologie : dynamisme, curiosité, courage, analyse, indépendance.

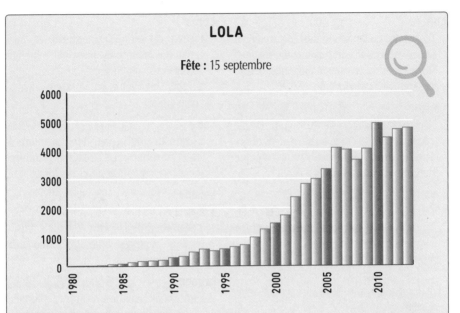

LOLA

Fête : 15 septembre

Étymologie : du latin *dolor*, « douleur ». Si Dolorès n'a jamais percé en France, elle rejaillit brillamment sous la forme de Lola. Sans réel passé avant les années 1980, ce diminutif espagnol partait de loin. Mais sa terminaison en « a », son identité ibérique, sa taille et sa jeunesse ont façonné son succès. En 2014, Lola devrait camper sur la 2e marche du podium féminin.

Profitant de cette impulsion, des perles rares aux contours similaires pointent à l'horizon. À l'image de Lila qui se poste au seuil du top 100 français. Ou de Lilas, ancien prénom masculin révolutionnaire qui n'a jamais autant prénommé de filles.

En dehors de l'Hexagone, Lola prend de l'ampleur en Angleterre, en Espagne et en Wallonie, mais c'est dans l'Europe entière qu'elle peut espérer faire carrière.

Célèbre courtisane de la fin du XIXe siècle, **Lola Montès** fit chavirer bien des cœurs. Ses aventures la menèrent jusqu'à la cour du roi, où Louis Ier de Bavière ne put résister à ses charmes. Mais leur idylle fit scandale et elle fut chassée du royaume. Recueillie par un cirque de La Nouvelle-Orléans, elle dut se contenter d'une vie d'artiste dont le rôle était peu valorisant. Cecil Saint-Laurent en fit l'héroïne de son roman *Lola Montès*, et le réalisateur Max Ophuls porta son histoire à l'écran en 1955.

Statistiques : Lola est le 10e prénom féminin le plus donné dans l'Hexagone depuis le début du XXIe siècle. On peut estimer qu'il sera attribué à une fille sur 82 en 2014. Notons que Lola-Rose et Lola-Marie sont ses deux uniques formes composées françaises.

L

169

Loriana 🌟 400 **TOP 2000** ↗
Couronnée de lauriers (latin). Prénom espagnol. Variante : Lauriana. Caractérologie : détermination, savoir, intelligence, raisonnement, méditation.

Loriane 🌟 3 000 **TOP 2000** ↓
Couronnée de lauriers (latin). On peut estimer que moins de 30 enfants seront prénommés ainsi en 2014. Variantes : Lorianne, Lorane, Loryane. Caractérologie : réceptivité, sociabilité, analyse, diplomatie, résolution.

Lorie 🌟 2 000 ↓
Couronnée de lauriers (latin). Féminin anglais. On peut estimer que moins de 30 enfants seront prénommés ainsi en 2014. Variantes : Lori, Lorrie. Caractérologie : dynamisme, courage, raisonnement, indépendance, curiosité.

Lorine 🌟 3 000 **TOP 900** ↓
Couronnée de lauriers (latin). Lorine est répandu dans les pays anglophones. Variantes : Lorin, Lorina, Lorinda, Lorinne, Loryne. Caractérologie : dynamisme, direction, indépendance, audace, raisonnement.

Lorna 🌟 1 000 **TOP 2000** ↓
Couronnée de lauriers (latin). Féminin anglais. Caractérologie : sens des responsabilités, décision, équilibre, famille, logique.

Lorraine 🌟 4 000 →
Couronnée de lauriers (latin). Féminin français. On peut estimer que moins de 30 enfants seront prénommés ainsi en 2014. Variante : Loraine. Caractérologie : médiation, résolution, intuition, analyse, relationnel.

Lory 🌟 900
Couronnée de lauriers (latin). Féminin anglais. Caractérologie : sagacité, connaissances, originalité, spiritualité, raisonnement.

Lotus
Désigne les nénuphars d'Afrique et d'Asie (grec). Ce prénom est porté par moins de 30 personnes en France. Caractérologie : conseil, conscience, organisation, bienveillance, paix.

Lou 🌟 29 000 **TOP 50** 🔍 →
Illustre au combat (germanique), lumière (celte). Caractérologie : créativité, optimisme, sociabilité, communication, pragmatisme.

Louana 🌟 650 **TOP 600** ↑
Forme contractée de Lou-Anna, ou lumière (celte). Féminin français et anglais. Caractérologie : énergie, innovation, autonomie, autorité, ambition.

Louane 🌟 16 000 **TOP 50** 🔍 →
Forme contractée de Lou-Anne, ou lumière (celte). Caractérologie : dynamisme, curiosité, charisme, courage, indépendance.

Lou-Ann 🌟 6 000 **TOP 300** ↘
Forme composée de Lou et Ann. Lou-Ann(e) a connu un essor fulgurant dans les années 2000. Sa vogue a donné un souffle nouveau aux prénoms composés dont la mode s'était estompée à partir des années 1980. Variante : Lou-Anna. Caractérologie : découverte, énergie, originalité, séduction, audace.

Louanne 🌟 4 000 **TOP 300** ↘
Forme contractée de Lou-Anne, ou lumière (celte). Variante : Louann. Caractérologie : innovation, énergie, autorité, autonomie, ambition.

Lou-Anne 🌟 7 000 **TOP 300** ↘
Forme composée de Lou et Anne. Voir Lou-Ann. Caractérologie : indépendance, direction, audace, assurance, dynamisme.

Loubna 🌟 4 000 **TOP 800** →
Arbuste (arabe). Caractérologie : fidélité, relationnel, intuition, organisation, médiation.

LOU, LOUANE

Fête : 15 mars (Lou), 28 août (Louane)

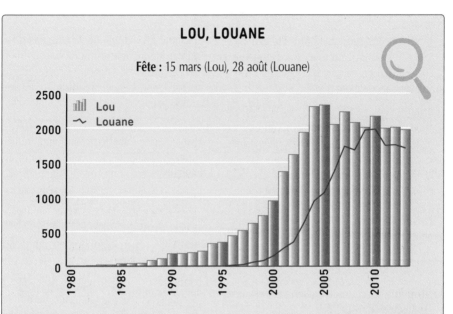

Étymologie : Louane est à la fois un dérivé d'Elouan (« lumière », en celte), et une contraction de Lou et Anne. Cette pionnière des sonorités en « ou » est apparue après le décollage de Lou-Anne au début des années 1990. Elle s'est très vite répandue au-delà du berceau breton qui l'avait vue faire ses premiers pas. Louane se place aujourd'hui dans le top 40 français. Elle pourrait s'élever plus haut mais sans doute pas plus loin : bien qu'elle bourgeonne dans le top 100 wallon, son expansion se limite encore à l'Hexagone.

Contrairement à sa cousine française, **Lou** a déjà effectué une longue carrière internationale. Particulièrement aux États-Unis, où elle brillait davantage au XIXe siècle qu'aujourd'hui. Étymon d'Elouan, Lou partage son identité celte avec les origines germaniques de Louise, dont elle est le diminutif. Avec son côté rétro, Lou a pris l'ascenseur des sonorités en « ou » dans les années 1990. Au 29e rang du tableau français, ce prénom n'a pas fini de faire parler de lui.

Notons que Louane a façonné un autre succès tricolore : Éloane est apparue pour la première fois en France en 1997 et grandit déjà dans le top 300. Elle distance encore Élouane, née en 2002. Quel contraste avec Loana (*Loft Story*), si rapidement retombée dans l'abîme.

D'origine irlandaise, **saint Elouan** mena une vie d'ermite en Bretagne au VIIe siècle. Il est honoré dans une chapelle de Saint-Guen (Côtes-d'Armor), où se trouve son tombeau.

L

.../

Lou, Louane *(suite)*

Personnalités célèbres : Lou Doillon, actrice française née en 1982 ; Lou Ye, réalisateur chinois né en 1965, Lou Reed, chanteur et guitariste américain né le 2 mars 1942.

Statistiques : **Louane** est le 58ᵉ prénom féminin le plus donné en France depuis le début du XXIᵉ siècle. On peut estimer qu'il sera attribué à une fille sur 228 en 2014. **Lou** devrait prénommer une fille sur 197 et figurer au 38ᵉ rang de ce palmarès. Remarque : 93 % des **Lou** qui naissent en France sont des filles.

Louisa  11 000 **TOP 200**

Illustre au combat (germanique). En dehors de l'Hexagone, Louisa est plus particulièrement attribué dans les pays anglophones, germanophones et néerlandophones. Caractérologie : audace, découverte, énergie, raisonnement, originalité.

Louisane

Contraction de Louise et Anne, nom d'un État américain. Ce prénom est porté par moins de 100 personnes en France. Caractérologie : savoir, intelligence, logique, décision, méditation.

Louise 101 000 **TOP 50**

Illustre au combat (germanique). Caractérologie : rêve, humanité, rectitude, analyse, résolution.

Louise-Anne 150

Forme composée de Louise et Anne. Caractérologie : connaissances, sagacité, spiritualité, détermination, raisonnement.

Louisette 15 000

Illustre au combat (germanique). Féminin français. On peut estimer que moins de 30 enfants seront prénommés ainsi en 2014. Caractérologie : idéalisme, altruisme, intégrité, analyse, résolution.

Louisiane 1 000

Illustre au combat (germanique). Variantes : Louisane, Louisianne. Caractérologie : décision, paix, bienveillance, conscience, logique.

Louison 3 000 **TOP 300**

Illustre au combat (germanique). Ce prénom français se féminise ; il est désormais porté par un nombre égal de filles et de garçons. Caractérologie : décision, bienveillance, paix, conscience, logique.

Louiza 800 **TOP 2000**

Illustre au combat (germanique). Caractérologie : créativité, optimisme, pragmatisme, communication, raisonnement.

Loula 400 **TOP 1000**

Contraction de Lou et Lola, ou diminutif de Louise. Caractérologie : savoir, intelligence, indépendance, méditation, sagesse.

Louna 23 000 **TOP 50**

Dérivé de Luna : lune (latin), et Luana : heureuse, exaltée (hawaïen). Caractérologie : intégrité, altruisme, dévouement, idéalisme, réflexion.

Lourdes 500

Ville située au sud-ouest de la France, Lourdes est une grande destination de pèlerinage. Pour l'anecdote, notons que Madonna a prénommé sa fille Lourdes. Forme basque :

LOUISE

Fête : 15 mars

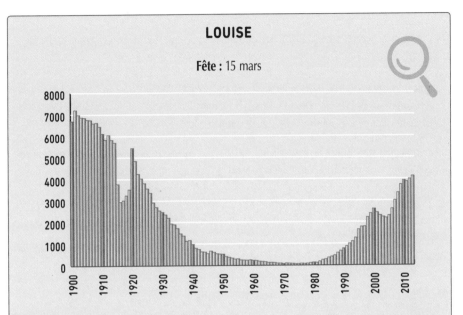

Étymologie : du germain *hold*, « célèbre », et de *wig*, « combat », d'où le sens « illustre au combat ». Dans l'histoire, cette forme féminine de Louis a été illustrée par des reines de France, du Portugal, de Prusse et de Pologne. Un tableau d'honneur qui favorisa son attribution dans les familles les plus fortunées. Mais après avoir parcouru maints palais et salons bourgeois, Louise change d'étiquette au XIXe siècle : elle se propage dans l'ensemble de la société, y prénommant une fille sur trois pendant cinq décennies. Après un demi-siècle d'éclipse, Louise renaît dans la vague des prénoms rétro et le souffle des sonorités en « ou ». À la tête du classement parisien depuis 2007, Louise a percé dans le top 10 national en 2012.

Cette réussite fait relativement peu d'émules à l'international. Louise s'envole dans les premiers rangs wallons et romands, mais elle s'éclipse des autres tableaux européens. Elle brille encore moins aux États-Unis où elle échoue, avec Louisa, en deçà du 1 000e rang. De son côté, Louisette est imperturbable : moins de 5 Françaises naissent sous ce nom chaque année.

Nièce de Louis XI et mère de François Ier, **Louise de Savoie** fut par deux fois régente du royaume. Ses prises de décision et son action diplomatique lui permirent d'assurer une stabilité indispensable à la France, et ultimement, de lui restituer son roi (Louise de Savoie fit libérer François Ier retenu prisonnier de Charles Quint). Elle obtint ultérieurement la libération de ses petits-enfants en négociant la paix des Dames, qu'elle signa à Cambrai en 1529.

L

173

....

.../

Louise *(suite)*

Exemple de conduite, Louise de Savoie plongea la France dans le chagrin lorsqu'elle succomba à la peste en 1531.

Louise d'Orléans (1812-1850) épousa le roi Léopold Ier de Belgique en 1832 et devint la première reine des Belges. Elle fit preuve d'une telle sollicitude auprès des familles pauvres qu'elle fut rapidement surnommée « la bien-aimée ».

Personnalités historiques : Louise Michel (1830-1905), militante anarchiste et figure importante de la Commune de Paris ; Louise Labé, poétesse française du XVIe siècle.

Personnalités célèbres : Louise Ciccone, plus connue sous le nom de Madonna, chanteuse américaine née en 1958 ; Louise Bourgeois, artiste née en France (1911-2010).

Statistiques : Louise est le 16e prénom féminin le plus donné en France depuis le début du XXIe siècle. On peut estimer qu'il sera attribué à une fille sur 96 en 2014.

Lurdes. Caractérologie : caractère, ténacité, logique, méthode, fiabilité.

Lovely 🚩 500 **TOP 2000** ⬆
Charmante, jolie (anglais). Féminin anglais. Caractérologie : innovation, autorité, amitié, énergie, volonté.

Lovita
Joie (latin). Ce prénom est porté par moins de 30 personnes en France. Caractérologie : intelligence, savoir, organisation, analyse, méditation.

Luan 🚩 120
Lumière (celte), intelligente (vietnamien). Caractérologie : enthousiasme, pratique, communication, adaptation, générosité.

Luana 🚩 1 500 **TOP 800** ➡
Heureuse, exaltée (hawaïen), variation de Luna. Féminin anglais, italien et hawaïen. Variantes : Luane, Luann, Luanna, Luanne. Caractérologie : fiabilité, méthode, sens du devoir, ténacité, engagement.

Luba
Aimée du peuple (slave). Féminin tchèque et slave. Ce prénom est porté par moins de 100 personnes en France. Caractérologie : intégrité, gestion, altruisme, réflexion, idéalisme.

Luce 🚩 5 000 **TOP 400** ⬆
Lumière (latin). Luce est un prénom français et italien. Caractérologie : audace, découverte, énergie, séduction, originalité.

Lucette 🚩 49 000
Lumière (latin). Féminin français. On peut estimer que moins de 30 enfants seront prénommés ainsi en 2014. Caractérologie : dynamisme, indépendance, courage, curiosité, charisme.

Lucia 🚩 5 000 **TOP 500** ↗
Lumière (latin). Lucia est répandu dans de nombreux pays européens, hispanophones et lusophones. C'est aussi un choix traditionnel corse. Caractérologie : autorité, énergie, ambition, innovation, autonomie.

LOUNA, LUNA

Fête : 9 juin

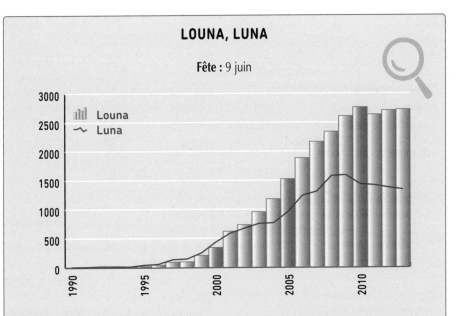

Légende :
- Louna
- Luna

Étymologie : conformément à son origine latine, Louna incarne la lune. Et bien plus si on l'apparente à Luana, prénom hawaïen signifiant « heureuse », « exaltée ». Cette perle du Pacifique est née en France un quart de siècle avant Louna et Luna. Il est peu probable qu'elle n'ait joué aucun rôle dans l'émergence de ses cousines.

Lancée dans les années 1990 peu après sa découverte, la carrière de ce duo a été fulgurante. En 2014, Louna devrait s'imposer dans le top 20 féminin, ce qui augmentera son avance sur Luna d'une trentaine de rangs. Sa ressemblance avec Lounja, héroïne populaire d'un conte arabe ancien, lui donne un côté multiculturel qui a joué en sa faveur.

Cette situation est inversée en dehors de l'Hexagone, où Louna se fait très discrète. C'est Luna qui s'envole dans le top 30 wallon et apparaît dans les maternités espagnoles, italiennes et allemandes. Sa récente percée slovène augure-t-elle le début d'une carrière internationale ?

Dans la mythologie romaine, **Luna** est la déesse de la Lune. Avec son frère Sol (le dieu du Soleil), Luna ponctue le passage du temps et symbolise le cycle des saisons. Son culte est associé à celui de Diane, avec laquelle elle peut être fêtée.

Statistiques : Louna est le 39e prénom féminin le plus donné en France depuis le début du XXIe siècle. On peut estimer qu'il sera attribué à une fille sur 143 en 2014. **Luna** devrait prénommer une fille sur 290 et figurer au 61e rang de ce palmarès.

L

175

Luciana 🇫🇷 1 000 (TOP 900) ↗
Lumière (latin). Féminin italien, espagnol et portugais. Variantes : Luciane, Lucianne, Lucine. Caractérologie : intelligence, savoir, décision, indépendance, méditation.

Luciane 🇫🇷 350
Lumière (latin). Féminin français. Caractérologie : relationnel, intuition, résolution, médiation, fidélité.

Lucie 🇫🇷 131 000 (TOP 50) ↘
Lumière (latin). L'usage de ce nom remonte au temps de Rome, lorsque Lucetia et Lucina désignaient la déesse Junon, mais c'est à partir du Moyen Âge que Lucie et ses variations (Lucia, Lucy) se diffusent dans toute l'Europe. Très en vogue durant la seconde moitié du XIXe siècle, cette forme féminine de Luc s'estompe dans les années 1910 pour revenir de plus belle un siècle plus tard. Elle vient tout juste de quitter le top 20 national. ◇ Au IVe siècle, sainte Lucie rompit ses vœux de fiançailles pour mieux se consacrer au Christ. Dénoncée par son fiancé, elle refusa d'apostasier et mourut martyre. ◇ Héroïne de la résistance, Lucie Aubrac (1912-2007) fut la spécialiste des évasions de résistants. ◇ Les Scandinaves célèbrent la fête de la Lumière et le début de la saison de Noël le jour de la Sainte-Lucie. Caractérologie : énergie, découverte, séduction, audace, originalité.

Lucienne 🇫🇷 65 000
Lumière (latin). Ce féminin de Lucien a été très en vogue à la fin du XIXe siècle. De la même manière que son masculin, Lucienne brillait dans le top 20 français au seuil de son déclin, dans les années 1920. Le retour de Lucien pourrait le faire resurgir dans les prochaines années. On peut estimer que moins de 30 enfants seront prénommés ainsi en

2014. Caractérologie : réceptivité, diplomatie, loyauté, bonté, sociabilité.

Lucile 🇫🇷 31 000 (TOP 200) →
Lumière (latin). Féminin français et anglais. Variantes : Lucilia, Lucilla, Lucylle. Caractérologie : stratégie, vitalité, achèvement, leadership, ardeur.

Lucille 🇫🇷 8 000 (TOP 700) ↘
Lumière (latin). Féminin français et anglais. Caractérologie : relationnel, intuition, adaptabilité, médiation, fidélité.

Lucinda 🇫🇷 1 000 ↘
Lumière (latin). Héroïne intemporelle de plusieurs œuvres littéraires – de *Don Quichotte*, de Cervantès (1605), au roman *Oscar et Lucinda*, de Peter Carey (1988) –, Lucinda est depuis le XVIIIe siècle un prénom en vogue dans les milieux aristocrates anglais. Variantes : Lucina, Lucinde, Lucynda. Caractérologie : autorité, innovation, résolution, ambition, énergie.

Lucine 🇫🇷 600 ↘
Lumière (latin). Lucine est un prénom arménien. Caractérologie : autorité, autonomie, énergie, ambition, innovation.

Lucrèce 🇫🇷 700
Se rapporte au nom de la Vierge martyre à Mérida, en Espagne, au IVe siècle. Caractérologie : structure, efficacité, sécurité, honnêteté, persévérance.

Lucy 🇫🇷 5 000 (TOP 300) →
Lumière (latin). Lucy est très répandu dans les pays anglophones. Caractérologie : sagacité, spiritualité, connaissances, philosophie, originalité.

Ludivine 🇫🇷 41 000 (TOP 400) ↓
Peuple accueillant (germanique). Féminin français. Variante : Ludyvine.

Caractérologie : famille, exigence, sens des responsabilités, équilibre, influence.

Ludmila 🎖 950 (TOP 2000) ◥
Aimée du peuple (slave). Caractérologie : intégrité, dévouement, réflexion, idéalisme, altruisme.

Ludmilla 🎖 1 500 ◥
Aimée du peuple (slave). On peut estimer que moins de 30 enfants seront prénommés ainsi en 2014. Caractérologie : optimisme, communication, pragmatisme, sociabilité, créativité.

Ludovica
Illustre au combat (germanique). Ludovica est particulièrement répandu en Italie, en Allemagne et dans les cultures néerlandophones. Ce prénom est porté par moins de 100 personnes en France. Caractérologie : éthique, équilibre, raisonnement, influence, famille.

Luigia 🎖 130
Illustre au combat (germanique). Prénom italien. Variante : Luigie. Caractérologie : indépendance, dynamisme, courage, curiosité, charisme.

Luisa 🎖 1 500 (TOP 1000) ↗
Illustre au combat (germanique). Luisa est particulièrement répandu dans les pays hispanophones, lusophones et en Italie. C'est aussi un choix traditionnel basque. Variante : Luiza. Caractérologie : ambition, force, passion, habileté, management.

Luna 🎖 15 000 (TOP 100) ✤ →
Lune (latin). Dans la mythologie romaine, Luna est la déesse de la Lune. Elle marque le passage du temps avec son frère Sol, le dieu du Soleil, et symbolise ainsi le cycle des saisons. Elle peut être fêtée avec Diane le 9 juin.

Variante : Lune. Caractérologie : adaptation, enthousiasme, communication, générosité, pratique.

Lutèce
Forme francisée de Lutetia, nom employé pour désigner Paris sous l'Empire romain. Ce prénom est porté par moins de 100 personnes en France. Variante : Lutécia. Caractérologie : créativité, pratique, sociabilité, adaptation, générosité.

Ly 🎖 160
Nom de famille répandu au Vietnam. Les empereurs de la dynastie Ly régnèrent au Vietnam de 1010 à 1225. Caractérologie : autonomie, ambition, autorité, énergie, innovation.

Lya 🎖 3 000 (TOP 100) ↑
Jour de la naissance (latin). Caractérologie : diplomatie, sociabilité, réceptivité, loyauté, bonté.

Lycia 🎖 450 (TOP 2000) ◥
De noble lignée (germanique). Variante : Licia. Caractérologie : courage, charisme, indépendance, dynamisme, curiosité.

Lydia 🎖 28 000 (TOP 600) ◥
Qui vient de Lydie (grec). En dehors de l'Hexagone, Lydia est particulièrement répandu dans les pays anglophones, en Allemagne et en Grèce. Caractérologie : famille, réalisation, équilibre, sens des responsabilités, influence.

Lydiane 🎖 600
Qui vient de Lydie (grec). Variante : Lydianne. Caractérologie : sagacité, sympathie, connaissances, spiritualité, réalisation.

Lydie 🎖 55 000 (TOP 1000) ↓
Qui vient de Lydie (grec). Féminin français. Caractérologie : innovation, ambition, autorité, énergie, bonté.

177
·······

Lygie
Désigne une ancienne région de Pologne (polonais). Ce prénom est porté par moins de 100 personnes en France. Caractérologie : fiabilité, méthode, ténacité, cœur, engagement.

Lyla ⭐ 1 000 (TOP 400) ⬆
Lys (latin). Caractérologie : sens du devoir, structure, honnêteté, efficacité, persévérance.

Lylia ⭐ 2 000 (TOP 400) ⬈
Lys (latin). Caractérologie : dynamisme, indépendance, curiosité, charisme, courage.

Lyliane ⭐ 2 000
Lys (latin). On peut estimer que moins de 30 enfants seront prénommés ainsi en 2014. Variantes : Lylian, Lylianne. Caractérologie : équilibre, sens des responsabilités, famille, amitié, détermination.

Lylou ⭐ 5 000 (TOP 100) ⬈
Voir Lilou. Caractérologie : sens du devoir, structure, honnêteté, efficacité, persévérance.

Lyna ⭐ 6 000 (TOP 100) ⬈
Lac, cascade (celte). Lyna peut également être considéré comme une variation de Lina. Variante : Lynna. Caractérologie : sagacité, connaissances, originalité, spiritualité, sympathie.

Lynda ⭐ 5 000 (TOP 2000) ⬇
Voir Linda. Variante : Lyndia. Caractérologie : relationnel, intuition, médiation, réussite, cœur.

Lyne ⭐ 2 000 (TOP 600) ➡
Cascade (anglais). Variantes : Lynn, Lynne. Caractérologie : fidélité, intuition, relationnel, médiation, bonté.

Lys ⭐ 300 ➡
Dieu est serment (hébreu). En dehors de l'Hexagone, Lys est plus particulièrement usité dans les pays néerlandophones. Variante : Lis. Caractérologie : médiation, relationnel, intuition, fidélité, adaptabilité.

Lysa ⭐ 2 000 (TOP 700) ⬇
Dieu est serment (hébreu). Variantes : Lysaé, Lyza. Caractérologie : enthousiasme, générosité, pratique, adaptation, communication.

Lyse ⭐ 2 000 (TOP 700) ➡
Dieu est serment (hébreu). Caractérologie : savoir, intelligence, méditation, amitié, indépendance.

Lysiane ⭐ 9 000 ⬇
Dieu est serment (hébreu). Féminin français. On peut estimer que moins de 30 enfants seront prénommés ainsi en 2014. Caractérologie : détermination, structure, sécurité, amitié, persévérance.

M

Mabel
Qui est aimée (latin). Féminin anglais. Ce prénom est porté par moins de 100 personnes en France. Variante : Mabelia. Caractérologie : famille, équilibre, influence, organisation, sens des responsabilités.

Macha ⭐ 450 (TOP 2000) ⬈
Celle qui élève (hébreu). Prénom slave. Caractérologie : vitalité, stratégie, ardeur, achèvement, leadership.

Maddy ⭐ 1 000 (TOP 900) ➡️
Haute tour (grec). Féminin anglais. Variantes : Maddi, Maddie, Maïda. Caractérologie : sociabilité, loyauté, réceptivité, réalisation, diplomatie.

Madeleine ⭐ 118 000 (TOP 400) ➡️
Haute tour (grec). Prénom français et anglais. Servante lorraine au XVIIIᵉ siècle, Madeleine Paulmier fabriqua des petits gâteaux aux œufs en forme de coquillage pour la visite du duc Leszczynski. Ces madeleines, qui firent sensation, prirent son nom et sont aujourd'hui appréciées dans le monde entier. Variantes : Madelaine, Mado. Caractérologie : découverte, audace, énergie, originalité, résolution.

Madeline ⭐ 3 000 (TOP 800) ➡️
Haute tour (grec). Féminin anglais. Variantes : Madelyn, Madline, Madly, Mady. Caractérologie : humanité, rêve, rectitude, ouverture d'esprit, résolution.

Madelyne ⭐ 200 ➡️
Haute tour (grec). Caractérologie : connaissances, spiritualité, sympathie, sagacité, réalisation.

Madiana ⭐ 300
Ville (arabe). Caractérologie : connaissances, sagacité, spiritualité, originalité, résolution.

Madiha ⭐ 150
Louée, félicitée pour sa droiture (arabe). Caractérologie : altruisme, intégrité, idéalisme, dévouement, réflexion.

Madina ⭐ 600 (TOP 2000) ➡️
Ville (arabe), bon (breton). Variante : Madenn. Caractérologie : influence, équilibre, résolution, sens des responsabilités, famille.

Madison ⭐ 4 000 (TOP 700) ⬇️
Fils de Maude (anglais). Madison est particulièrement usité aux États-Unis. Variantes : Madisson, Madisone, Madissone, Madyson. Caractérologie : communication, pratique, enthousiasme, détermination, volonté.

Mady ⭐ 600 ➡️
Diminutif anglophone de Madeleine : haute tour (grec). Féminin anglais. Caractérologie : réalisation, savoir, méditation, intelligence, indépendance.

Maé ⭐ 3 000 (TOP 400) ⬇️
Chef, prince (celte). Variantes : Maée, Mahé, Mahée. Caractérologie : autorité, innovation, ambition, énergie, autonomie.

Maegan
Perle (grec). Féminin anglais. Ce prénom est porté par moins de 30 personnes en France. Caractérologie : courage, dynamisme, curiosité, réalisation, indépendance.

Maeko
L'enfant honnête (japonais). Ce prénom est porté par moins de 30 personnes en France. Caractérologie : humanité, rectitude, rêve, ouverture d'esprit, caractère.

Maëla ⭐ 2 000 (TOP 2000) ⬇️
Chef, prince (celte). Féminin français et breton. Variantes : Maëlane, Maëlla, Maëlwenn. Caractérologie : dynamisme, curiosité, charisme, indépendance, courage.

Maëlane ⭐ 650 (TOP 800) ↗️
Chef, prince (celte). Comme il est coutume de le faire en Bretagne, ce prénom peut s'écrire sans tréma. Caractérologie : conseil, sagesse, paix, bienveillance, conscience.

Maëlia ⭐ 1 500 (TOP 300) ⬆️
Chef, prince (celte). Caractérologie : énergie, découverte, audace, résolution, originalité.

M

179

Maélie 🎖 3 000 TOP 200 ➡
Chef, prince (celte). Comme c'est d'usage en Bretagne, Maélie peut s'écrire avec ou sans accent. Variantes : Maël, Maële, Maëli, Maëlia, Maëlya, Maëlig, Maëlly. Caractérologie : altruisme, intégrité, réflexion, résolution, idéalisme.

Maëline 🎖 4 000 TOP 200 ➡
Chef, prince (celte). Prénom breton. Variantes : Maëlenn, Maëlyn, Maëlyne, Maëlynn, Maïline. Caractérologie : dynamisme, indépendance, détermination, curiosité, courage.

Maëlis 🎖 2 000 TOP 700 ➘
Contraction de Maëlle et Maylis. Variantes : Maëlice, Maëlise, Maëliss, Maëlisse, Maëllis, Maëlyss, Maëlysse, Maëllys, Maëlyse. Caractérologie : décision, structure, honnêteté, efficacité, persévérance.

Maëlla 🎖 1 000 TOP 900 ➡
Chef, prince (celte). Caractérologie : force, habileté, management, ambition, passion.

Maëlle 🎖 27 000 TOP 100 ➘
Chef, prince (celte). Ce féminin de Maël a pris son essor dans les années 1980, émergeant en Bretagne avant de se répandre dans le reste de l'Hexagone. Depuis 2010, Maëlle évolue dans les 60 premières places du classement. Comme il est coutume de le faire en Bretagne, Maelle et ses formes dérivées peuvent s'orthographier sans tréma. Caractérologie : optimisme, créativité, pragmatisme, communication, sociabilité.

Maëly 🎖 3 000 TOP 200 ⬆
Contraction de Maëlle et Maylis. Caractérologie : amitié, relationnel, médiation, intuition, réalisation.

Maëlyne 🎖 2 000 TOP 300 ↗
Chef, prince (celte). Caractérologie : optimisme, réalisation, communication, pragmatisme, bonté.

Maëlys 🎖 32 000 TOP 50 🔍 ➡
Contraction de Maëlle et Maylis. Variantes : Maëlyse, Maëlyss, Maëlysse, Maé-Lys, Maïlyss. Caractérologie : optimisme, réalisation, communication, pragmatisme, sympathie.

Maena 🎖 1 500 TOP 700 ➘
Chef, prince (celte). Caractérologie : connaissances, philosophie, originalité, sagacité, spiritualité.

Maeva 🎖 53 000 TOP 100 ➘
Bienvenue (tahitien), belle (malgache). Inconnu avant les années 1980, ce prénom antillais et polynésien a conquis les Français dans les années 1990. Maeva a figuré parmi les 20 premiers choix féminins en 2000 et 2001, mais son reflux s'accentue aujourd'hui. Variantes : Maheva, Maïva. Caractérologie : famille, exigence, éthique, équilibre, influence.

Maevane 🎖 190
Forme contractée de Maève ou Maëlle avec Évane. Caractérologie : philosophie, connaissances, originalité, spiritualité.

Maève 🎖 300 ➘
Bienvenue (tahitien), ou forme contractée de Maëlle et Ève. Maeve est également inspiré de Meadhbh, le prénom de la reine de Connacht dans la mythologie irlandaise. Caractérologie : autorité, innovation, autonomie, ambition, énergie.

Maewenn 🎖 650 TOP 1000 ➡
Chef, prince (celte). Voir Maewen. Caractérologie : générosité, pratique, communication, adaptation, enthousiasme.

M

180

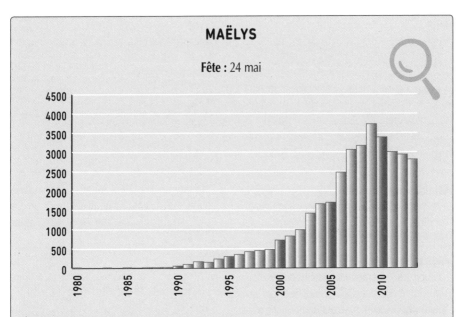

MAËLYS

Fête : 24 mai

Étymologie : Maëlys apparaît en France dans les années 1980. Fusion de deux prénoms régionaux, Maëlys est bretonne grâce à Maëlle, et basque grâce à Maylis. La première vient du celte : chef, prince. La seconde signifie, littéralement, « Marie à la fleur de lys ». Cette jeune étoile a pris une telle ampleur qu'elle brille dans le top 20 français depuis 2007.

Comment expliquer cet essor fulgurant ? Révélée par la vague des sonorités celtiques et bretonnes, Maëlys surfe sur un courant particulièrement porteur. Elle le fait d'autant mieux que Maëlle lui en a tracé le chemin (malgré un ralentissement de croissance, cette dernière se maintient à la 64ᵉ place du classement).

Témoins de cette gloire, une pléiade de variantes se sont élancées dans son sillon. Citons Maëlie, Maëlis et Maëline qui suscitent le plus d'engouement, et Maé qui s'envole dans les deux genres.

Par contraste, c'est à Maylis que l'on peut décerner la palme d'ancienneté. Ses premiers baptêmes ont été fêtés en 1932, trois décennies avant la naissance de Maëlle. Mettons sur le compte de son grand âge la faiblesse d'une popularité qui la relègue loin derrière ses cousines (au 289ᵉ rang).

En dehors de l'Hexagone, Maëlys grandit en Wallonie et Maëlie s'est imposée dans le top 20 québécois. À quand une percée en Suisse romande ?

.../

M

181

Maëlys *(suite)*

Comme c'est d'usage en Bretagne, précisons que Maëlys, Maëlle et tous les prénoms de cette famille peuvent s'écrire avec ou sans accent.

Sainte Marie est la patronne de Maylis.

Statistiques : Maëlys est le 27e prénom féminin le plus donné en France depuis le début du XXIe siècle. On peut estimer qu'il sera attribué à une fille sur 138 en 2014. **Maylis** devrait prénommer moins d'une fille sur 1000.

Mafalda 🌿 250
Puissance, combat (germanique). Prénom italien. Caractérologie : relationnel, médiation, intuition, fidélité, adaptabilité.

Magali 🌿 73 000 ➜
Perle (grec). Ce prénom français est un choix traditionnel provençal. On peut estimer que moins de 30 enfants seront prénommés ainsi en 2014. Caractérologie : sagacité, connaissances, originalité, spiritualité, réussite.

Magalie 🌿 25 000 TOP 2000 ➘
Perle (grec). Féminin français. On peut estimer que moins de 30 enfants seront prénommés ainsi en 2014. Caractérologie : communication, pratique, enthousiasme, réalisation, bonté.

Magaly 🌿 3 000
Perle (grec). On peut estimer que moins de 30 enfants seront prénommés ainsi en 2014. Caractérologie : audace, énergie, découverte, réussite, originalité.

Magda 🌿 800 ➜
Haute tour (grec). Féminin allemand, néerlandais, scandinave, portugais et grec. Caractérologie : habileté, force, ambition, réalisation, passion.

Magdalena 🌿 2 000 TOP 2000 ➜
Haute tour (grec). Magdalena est plus particulièrement répandu dans les pays hispanophones et en Allemagne. Variantes :
Madalena, Madalen, Magdelaine, Magdeleine, Magdelena, Magdalene. Caractérologie : amitié, ténacité, méthode, réalisation, fiabilité.

Maggy 🌿 2 000
Perle (grec). Féminin anglais. On peut estimer que moins de 30 enfants seront prénommés ainsi en 2014. Variantes : Maggie, Magguy. Caractérologie : vitalité, stratégie, ardeur, achèvement, réalisation.

Magnolia 🌿 250
Arbre florissant (latin). Féminin anglais. Caractérologie : humanité, rectitude, rêve, analyse, réalisation.

Maguelone 🌿 550 ➘
Perle (grec). Dans l'Hexagone, Maguelone est plus traditionnellement usité en Occitanie. Variante : Maguelonne. Caractérologie : communication, volonté, optimisme, pragmatisme, réalisation.

Maguy 🌿 3 000
Perle (grec). Féminin anglais. On peut estimer que moins de 30 enfants seront prénommés ainsi en 2014. Variantes : Madge, Magui. Caractérologie : persévérance, efficacité, structure, sécurité, réussite.

Maha 🌿 500 TOP 2000 ➚
Celle qui élève (hébreu), vache sauvage (arabe). Caractérologie : dynamisme, charisme, indépendance, curiosité, courage.

Mahalia ⭐ 140
Gras, moelle, cerveau (araméen). Féminin anglais. Variante : Mahala. Caractérologie : idéalisme, altruisme, réflexion, intégrité, dévouement.

Mahaut ⭐ 1 000 TOP 800 →
Puissance, combat (germanique). Variante : Mahault. Caractérologie : dynamisme, direction, organisation, indépendance, audace.

Mahé ⭐ 1 000 TOP 2000 ↓
Forme bretonne de Mathieu : don de Dieu (hébreu). Variante : Mahée. Caractérologie : humanité, rectitude, rêve, générosité, tolérance.

Mahina ⭐ 350 TOP 2000 ↗
Lune (hawaïen). Variante : Mahine. Caractérologie : résolution, énergie, autorité, innovation, ambition.

Mai ⭐ 700 TOP 2000 →
Mai est un diminutif breton de Marie. Avec le tréma, Maï signifie également « élégante » en japonais, et « prunier » en vietnamien. Caractérologie : séduction, énergie, audace, originalité, découverte.

Maïa ⭐ 5 000 TOP 300 🔍 ↓
Mère, nourrice (grec). Caractérologie : conscience, paix, sagesse, conseil, bienveillance.

Maïalen ⭐ 400 TOP 2000 →
Contraction basque de Madeleine. Variantes : Mayalen, Mayalène. Caractérologie : indépendance, direction, dynamisme, détermination, audace.

Maiana ⭐ 450 TOP 2000 →
Contraction basque de Mariana. Caractérologie : pragmatisme, communication, optimisme, créativité, décision.

Maider 750
Contraction de Maria et Eder (basque). Caractérologie : énergie, découverte, audace, originalité, résolution.

Maïka ⭐ 600 TOP 2000 →
Les Basques considèrent ce prénom comme une contraction de Maria et Karmele, mais les Espagnols voient en Maika la fusion de Marie et Carmen. Peu importe, puisque Maïka fait surtout parler d'elle au Québec (elle est entrée dans le top 20 québécois en 2006). Notons que l'usage du tréma se généralise en dehors du Pays basque. Variante : Maica. Caractérologie : ardeur, stratégie, leadership, vitalité, achèvement.

Maïlane
Contraction de Maylis et Anne. Ce prénom est porté par moins de 100 personnes en France. Caractérologie : autorité, énergie, détermination, innovation, ambition.

Mai-Li
Prunier en fleur (vietnamien). Ce prénom est porté par moins de 100 personnes en France. Caractérologie : habileté, ambition, management, passion, force.

Maïlis ⭐ 650 ↓
Dérivé de Maylis qui signifie : « Marie à la fleur de lys ». Caractérologie : rêve, humanité, ouverture d'esprit, rectitude, générosité.

Maïly ⭐ 1 500 TOP 400 ↗
Contraction de Maïlys et Maëly. Variantes : Maïli, Maïlie, Maylie, Mayli. Caractérologie : équilibre, famille, influence, sens des responsabilités, réalisation.

Maïlys ⭐ 10 000 TOP 300 ↓
Voir Maylis. Féminin français. Variante : Mai-Lys. Caractérologie : connaissances, sagacité, originalité, spiritualité, réalisation.

M

183
·······

MAÏA, MAYA

Fête : peut se fêter le 15 août

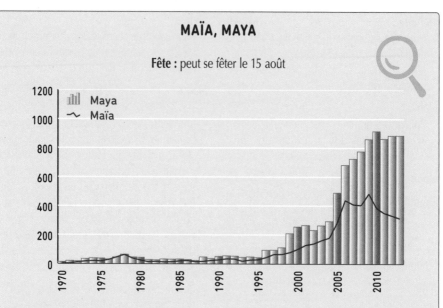

184

Étymologie : Maya vient de l'hébreu *mayan*, « eau, source ». C'est également un prénom indien d'Asie qui signifie : « illusion » en sanscrit. La ressemblance phonétique avec Maïa pourrait faire croire que ces prénoms sont apparentés, mais Maia, l'aînée des Pléiades dans la mythologie, vient probablement d'un nom grec signifiant « mère, nourrice ». Sans tréma, ce prénom usité au Pays basque est une forme de Maria.

Maya prénomme peu de Françaises lorsque *Maya l'abeille*, la série télévisée d'animation, est diffusée en 1978. Malgré le succès du dessin animé, l'émergence du prénom est singulièrement lente. C'est à la fin des années 1990 que sa carrière s'emballe aux États-Unis, en France puis dans les pays anglophones. Happée par la vague, Maïa surgit à son tour dans le sillon de Maya. Aujourd'hui, ce duo s'approche du top 50 national et du top 20 parisien.

En dehors de l'Hexagone, Maya s'envole dans les palmarès de nombreux pays anglophones et européens, pays scandinaves en tête (Maja brille particulièrement dans les palmarès suédois et danois). Ce prénom est également en faveur dans les familles de cultures musulmanes. Dans les pays francophones, Maya évolue dans les 50 premières attributions du Québec et de la Suisse romande.

Dans la mythologie grecque, **Maia**, la fille d'Atlas et Pléioné, met au monde Hermès après une brève aventure avec Zeus. Lorsque Hermès lui confie Arcas, le fils de Zeus et Callisto, elle le prend sous son aile et l'élève en cachette d'Héra.

.../

Maïa, Maya *(suite)*

Dans la mythologie romaine, la **Maia** grecque se confondit avec une divinité homonyme incarnant la fertilité et le printemps. Son culte se célébrait en mai, le mois qui porte son nom.

Maia est l'un des noms de Mari dans la mythologie basque. Cette déesse concevait, de ses rencontres avec son mari Sugaar, des orages bénéfiques ou dévastateurs pour les paysans.

Statistiques : Maya est le 112e prénom féminin le plus donné en France depuis le début du XXIe siècle. On peut estimer qu'il sera attribué à une fille sur 439 en 2014. De son côté, **Maïa** devrait prénommer une fille sur 1200.

Maïmouna 🗺 2 000 (TOP 600) ↗
Heureuse, sous la protection divine (arabe). Variante : Maïma. Caractérologie : raisonnement, famille, volonté, sens des responsabilités, équilibre.

Maïna 🗺 2 000 (TOP 500) →
Contraction bretonne de Marie et Anna. Caractérologie : sociabilité, réceptivité, diplomatie, loyauté, résolution.

Maiora
Plus grand (latin). Ce prénom est porté par moins de 30 personnes en France. Caractérologie : sociabilité, pragmatisme, communication, créativité, optimisme.

Maïra 🗺 350 (TOP 2000) ↘
Celle qui élève (hébreu). Voir Moïra. Caractérologie : paix, sagesse, conseil, conscience, bienveillance.

Maïré
Celle qui élève (hébreu), ou fougère (tahitien). Ce prénom est porté par moins de 100 personnes en France. Caractérologie : autorité, énergie, ambition, détermination, innovation.

Maisie
Perle (grec). Féminin anglais. Ce prénom est porté par moins de 30 personnes en France.

Caractérologie : intuition, médiation, détermination, relationnel, fidélité.

Maïssa 🗺 7 000 (TOP 100) ↗
Celle dont la démarche est gracieuse (arabe). Variantes : Maïssam, Maysoon, Maïssoun, Méissoun. Caractérologie : achèvement, ardeur, vitalité, leadership, stratégie.

Maïssane 🗺 2 000 (TOP 400) ↗
Grâce, scintillement d'une étoile (arabe). Variante : Méissane. Caractérologie : intégrité, détermination, altruisme, idéalisme, réflexion.

Maïté 🗺 7 000
Contraction de Marie-Thérèse. Féminin français et basque. On peut estimer que moins de 30 enfants seront prénommés ainsi en 2014. Variantes : Maïta, Mayté. Caractérologie : détermination, enthousiasme, adaptation, pratique, communication.

Maïtena 🗺 800 ↗
Celle qui élève (hébreu), aimée (basque). Caractérologie : réflexion, idéalisme, altruisme, intégrité, détermination.

Maïwenn 🗺 6 000 (TOP 200) →
Contraction de Mari et Gwenn. Maiwenn s'orthographie également sans tréma. Variante : Maïwen. Caractérologie : originalité, spiritualité, sagacité, connaissances, décision.

M

185
......

Maja 🌟 180

Forme scandinave et slave méridionale de Marie ou Madelaine. Maja est également une variation de Maya. Caractérologie : caractère, vivacité, connaissances, spiritualité, indépendance.

Majda 🌟 1 000 ⊘

Noble, glorieuse (arabe). Majda est également un diminutif slovène et croate de Madeleine. Variantes : Majdeline, Majdouline. Caractérologie : médiation, intuition, relationnel, fidélité, adaptabilité.

Makana

Cadeau (hawaïen). Ce prénom est porté par moins de 30 personnes en France. Caractérologie : énergie, audace, originalité, découverte, séduction.

Malak 🌟 1 500 TOP 300 ⬆

Ange (arabe). Caractérologie : loyauté, sociabilité, réceptivité, diplomatie, organisation.

Malaurie 🌟 1 500 ⊘

Prince sage (celte). On peut estimer que moins de 30 enfants seront prénommés ainsi en 2014. Caractérologie : stratégie, vitalité, achèvement, ardeur, décision.

186

Malaury 🌟 1 500 TOP 2000 ⊘

Prince sage (celte). Féminin français. On peut estimer que moins de 30 enfants seront prénommés ainsi en 2014. Caractérologie : audace, dynamisme, direction, indépendance, réussite.

Maléna 🌟 600 TOP 2000 ⊘

Haute tour (grec). En dehors de l'Hexagone, Maléna est plus particulièrement répandu dans les pays scandinaves, en Espagne, en République tchèque et en Slovaquie. Caractérologie : innovation, énergie, autorité, ambition, autonomie.

Malia 🌟 1 000 TOP 800 →

Reine (hébreu), paix (hawaïen). Variantes : Malha, Maliah. Caractérologie : humanité, rêve, rectitude, ouverture d'esprit, générosité.

Malicia 🌟 850 TOP 2000 ⊘

Astucieuse (latin). Caractérologie : communication, pragmatisme, optimisme, créativité, sociabilité.

Malika 🌟 22 000 TOP 700 →

Reine (arabe). Ce prénom est particulièrement répandu dans les communautés musulmanes francophones. Variante : Melek. Caractérologie : sociabilité, réceptivité, organisation, diplomatie, loyauté.

Mallaury 🌟 3 000 TOP 2000 ⬇

Prince sage (celte). Féminin français. On peut estimer que moins de 30 enfants seront prénommés ainsi en 2014. Variantes : Mallaurie, Mally. Caractérologie : sécurité, structure, persévérance, réalisation, efficacité.

Mallorie 🌟 700 ⬇

Prince sage (celte). Caractérologie : méthode, fiabilité, ténacité, caractère, logique.

Mallory 🌟 2 000 TOP 2000 →

Prince sage (celte). On peut estimer que moins de 30 enfants seront prénommés ainsi en 2014. Caractérologie : paix, réussite, conscience, bienveillance, logique.

Maloé 🌟 350 TOP 900 ⬆

Contraction de Malo et de la juxtaposition de voyelles « oé ». Caractérologie : volonté, indépendance, audace, direction, assurance.

Malorie 🌟 2 000 TOP 2000 ⬇

Prince sage (celte). Féminin français, anglais. Caractérologie : audace, dynamisme, caractère, direction, logique.

Malory 🗺️ 1 500 (TOP 1000) ➡️
Prince sage (celte). Caractérologie : pratique, communication, réalisation, enthousiasme, analyse.

Malou 🗺️ 1 000 (TOP 700) ➡️
Prince sage (celte). Caractérologie : habileté, management, force, passion, ambition.

Malvina 🗺️ 3 000 (TOP 2000) ⬇️
Fleur mauve (latin). Féminin anglais. On peut estimer que moins de 30 enfants seront prénommés ainsi en 2014. Caractérologie : idéalisme, intégrité, altruisme, réflexion, décision.

Mama 🗺️ 800 (TOP 2000) ➡️
Petite chamelle qui vient d'être sevrée (arabe). Variantes : Mame, Mamou. Caractérologie : autorité, innovation, énergie, autonomie, ambition.

Mana 🗺️ 150
Une partie (hébreu), sensible (hawaïen). Caractérologie : sociabilité, diplomatie, réceptivité, bonté, loyauté.

Manaé
Une partie (hébreu), sensible (hawaïen). Ce prénom est porté par moins de 100 personnes en France. Caractérologie : connaissances, originalité, philosophie, sagacité, spiritualité.

Manal 🗺️ 1 500 (TOP 700) ➡️
Celle qui achève ses objectifs (arabe). Caractérologie : découverte, audace, énergie, originalité, séduction.

Mandarine
Fruit comestible du mandarinier. Ce prénom est porté par moins de 100 personnes en France. Caractérologie : spiritualité, sagacité, connaissances, décision, originalité.

Mandy 🗺️ 5 000 (TOP 1000) ⬇️
Diminutif anglophone d'Amandine : qui est aimée (latin). Variantes : Mandie, Mandine.

Caractérologie : communication, adaptation, réalisation, enthousiasme, pratique.

Manel 🗺️ 6 000 (TOP 200) ➡️
Dieu est avec nous (hébreu). Caractérologie : rectitude, rêve, humanité, générosité, tolérance.

Manelle 🗺️ 1 500 (TOP 500) ➡️
Dieu est avec nous (hébreu), celle qui achève ses objectifs (arabe). Variantes : Manele, Manola. Caractérologie : vitalité, achèvement, stratégie, ardeur, réalisation.

Manoé 🗺️ 170 (TOP 2000)
Contraction d'Emmanuel et Noé. Féminin français. Caractérologie : pragmatisme, volonté, optimisme, créativité, communication.

Manolie 🗺️ 120
Arbre florissant (latin). Variante : Manoli. Caractérologie : équilibre, raisonnement, influence, exigence, volonté.

Manoline
Dieu est avec nous (hébreu). Ce prénom est porté par moins de 100 personnes en France. Caractérologie : réceptivité, caractère, diplomatie, logique, sociabilité.

Manolya
Arbre florissant (latin). Ce prénom est porté par moins de 100 personnes en France. Variante : Manolia. Caractérologie : intégrité, caractère, idéalisme, altruisme, réussite.

Manon 🗺️ 147 000 (TOP 50) 🔍 ➡️
Celle qui élève (hébreu). Variante : Mannon. Caractérologie : pragmatisme, optimisme, communication, créativité, volonté.

Manuela 🗺️ 9 000 (TOP 1000) ➡️
Dieu est avec nous (hébreu). Manuela est très répandu dans les pays hispanophones, lusophones et en Italie. C'est aussi un prénom

M

187

traditionnel basque. Caractérologie : fiabilité, méthode, ténacité, engagement, sens du devoir.

Manuella 🌟 8 000 (TOP 800) →
Dieu est avec nous (hébreu). Caractérologie : savoir, intelligence, indépendance, sagesse, méditation.

Manuelle 🌟 1 500
Dieu est avec nous (hébreu). Féminin français. On peut estimer que moins de 30 enfants seront prénommés ainsi en 2014. Caractérologie : sociabilité, réceptivité, loyauté, diplomatie, bonté.

Maoline
Fruit de la fusion de nombreux prénoms, Maoline est apparu pour la première fois en France en 2004. Ce prénom est porté par moins de 100 personnes en France. Caractérologie : décision, exigence, famille, raison, équilibre.

Maonie
Fruit de la fusion de nombreux prénoms, Maonie est apparu pour la première fois en France en 2007. Ce prénom est porté par moins de 100 personnes en France. Caractérologie : enthousiasme, détermination, communication, ténacité, adéquation.

Mara 🌟 500 ↗
Celle qui élève (hébreu). Féminin hongrois, italien et irlandais. Caractérologie : paix, conscience, bienveillance, conseil, sagesse.

Marceline 🌟 3 000 →
Se rapporte à Mars, dieu romain de la Guerre (latin). Féminin français. On peut estimer que moins de 30 enfants seront prénommés ainsi en 2014. Variante : Marcela. Caractérologie : vitalité, achèvement, ardeur, résolution, stratégie.

Marcelle 🌟 83 000
Se rapporte à Mars, dieu romain de la Guerre (latin). Féminin français. On peut estimer que moins de 30 enfants seront prénommés ainsi en 2014. Variante : Marcèle. Caractérologie : conscience, bienveillance, décision, paix, conseil.

Marcelline 🌟 4 000 →
Se rapporte à Mars, dieu romain de la Guerre (latin). Féminin français. On peut estimer que moins de 30 enfants seront prénommés ainsi en 2014. Variante : Marcellina. Caractérologie : intuition, médiation, relationnel, fidélité, détermination.

Marcia 🌟 350 →
Se rapporte à Mars, dieu romain de la Guerre (latin). Féminin espagnol, portugais et anglais. Variantes : Marcianne, Marcie, Marcy, Marcienne, Marsia, Martiale, Martianne, Martienne. Caractérologie : ouverture d'esprit, rectitude, rêve, humanité, générosité.

Mareva 🌟 1 500 (TOP 2000) ↘
Contraction de Marie et Éva. On peut estimer que moins de 30 enfants seront prénommés ainsi en 2014. Caractérologie : bienveillance, paix, conscience, conseil, résolution.

Margaret 🌟 3 000
Perle (grec). Dans l'Hexagone, ce prénom anglais est plus traditionnellement usité en Alsace. On peut estimer que moins de 30 enfants seront prénommés ainsi en 2014. Caractérologie : sociabilité, réceptivité, réalisation, détermination, diplomatie.

Margareth 🌟 850
Perle (grec). Caractérologie : direction, audace, réussite, attention, dynamisme.

MANON

Fête : 15 août

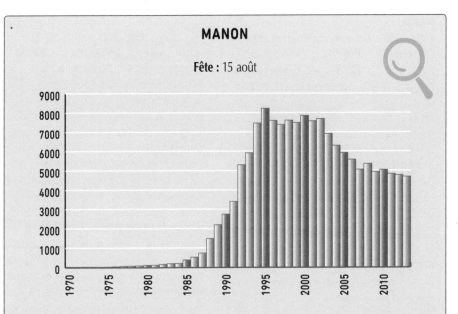

Étymologie : l'étymologie de Manon est controversée mais on peut lui prêter l'origine hébraïque de Myriam, « celle qui élève ». Longtemps inusité en France, ce dérivé de Marie renaît dans les années 1980. L'influence de *L'Eau des collines*, roman de Marcel Pagnol, est alors imperceptible. C'est en 1995 que le triomphe de *Manon des sources*, la version cinématographique de Claude Berri, porte le prénom au sommet du classement. Malgré son reflux, Manon reste solidement ancré dans le top 10 français.

En dehors de l'Hexagone, Manon marque le pas en Suisse romande mais se maintient encore dans l'élite wallonne. Indissociable du pays de Molière, Manon ne s'exporte pas en dehors des pays francophones. Plus d'un parent s'en réjouira.

Dans le roman *Manon Lescaut*, de l'abbé Prévost, **Manon** est une héroïne à deux visages. Belle et charmante, elle est tantôt douce et aimante, tantôt libertine et perverse. Inspirés par ce personnage, Massenet et Puccini lui ont dédié un opéra.

Statistiques : Manon est le 3e prénom féminin le plus donné en France depuis le début du XXIe siècle. On peut estimer qu'il sera attribué à une fille sur 90 en 2014.

M

189

Margaux 🇫🇷 48 000 (TOP 50) →
Perle (grec). Lorsque Margot Hemingway (1954-1996), actrice et mannequin américaine, petite-fille d'Ernest Hemingway, a choisi de se faire appeler Margaux, ce nom de village (et vignoble) français est devenu un prénom. Il apparaît en 1978 dans l'Hexagone et connaît un succès qui le fait culminer aux portes du top 20 national en 1999. Son repli est loin de l'avoir fait disparaître, et aujourd'hui, Margaux fait jeu égal avec Margot. Variantes : Margau, Margaud, Margault. Caractérologie : persévérance, structure, sécurité, logique, réussite.

Margo 🇫🇷 1 500 (TOP 800) ↘
Perle (grec). Caractérologie : humanité, rectitude, rêve, ouverture d'esprit, réussite.

Margot 🇫🇷 36 000 (TOP 100) →
Perle (grec). Voir Marguerite. Ce diminutif de Marguerite, particulièrement répandu au Moyen Âge, fut rendu célèbre par la reine Margot (aussi connue sous le nom de Marguerite de Valois). Femme de lettres et esprit éclairé, la catholique Marguerite de Valois fut contrainte d'épouser le protestant Henri IV. L'union, compliquée par des tensions politiques et religieuses, fut malheureuse, et marquée par de nombreuses infidélités de part et d'autre. Le mariage, dissous en 1599, n'empêcha toutefois pas la reine Margot de conserver son titre. ◇ Après des siècles d'oubli, Margot renaît en France dans les années 1990. Même si ce prénom a atteint son point culminant en 1999 (au 37e rang), il est encore prisé par bien des parents. Variante : Margo. Caractérologie : loyauté, diplomatie, sociabilité, réceptivité, réalisation.

Marguerite 🇫🇷 80 000 (TOP 600) ↘
Perle (grec). Ce grand prénom, en usage dès les premiers siècles, devient très populaire au Moyen Âge lorsque le culte de sainte Marguerite, martyrisée à Antioche en l'an 300, est ravivé à la faveur des croisades. De l'écossais Margaret à l'italien Margherita, en passant par l'allemand Margret, il atteint des sommets de popularité du XVe au XIXe siècle, en France et dans toute l'Europe. Au début du XXe siècle, Marguerite s'est maintenu dans les 3 premiers rangs pendant treize ans avant d'entamer un déclin progressif. Ce prénom très discret depuis les années 1970 devrait renaître dans les prochaines années. ◇ De nombreuses têtes couronnées le portèrent à partir du XIIIe siècle. Marguerite de Bourgogne se rendit célèbre pour avoir épousé – et trompé – le futur Louis X. Passant pour avoir été mystérieusement étranglée, elle fut emprisonnée avant même que son époux n'accède au trône. Variantes : Margalite, Margarette, Margarida, Margarita, Margerie, Margery, Marget, Margie, Marguerie, Margrit. Formes bretonnes : Gaïd, Gaïdig. Caractérologie : amitié, réalisation, altruisme, idéalisme, intégrité.

Marguerite-Marie 🇫🇷 600
Forme composée de Marguerite et Marie. Caractérologie : audace, cœur, réussite, dynamisme, direction.

Mari 🇫🇷 300 (TOP 2000)
Celle qui élève (hébreu). Mari est également un prénom basque, hongrois et japonais signifiant, selon les kanji utilisés, « jasmin », « vérité », ou « distance ». Caractérologie : charisme, curiosité, dynamisme, courage, indépendance.

Maria 🇫🇷 65 000 (TOP 200) →
Celle qui élève (hébreu). Maria est très répandu dans les pays slaves et occidentaux. Dans l'Hexagone, ce prénom est plus traditionnellement usité en Occitanie, en Corse et au Pays basque. Variantes : Mariya,

Marya, Marye, Mayra. Caractérologie : paix, conscience, bienveillance, conseil, sagesse.

Mariam　🌟6 000　**TOP 300**　→
Forme arabe de Myriam : celle qui élève (hébreu). Caractérologie : audace, direction, dynamisme, indépendance, assurance.

Mariama　🌟2 000　**TOP 500**　↑
Celle qui élève (hébreu). Caractérologie : réceptivité, diplomatie, bonté, sociabilité, loyauté.

Mariame　🌟1 500　**TOP 900**　→
Celle qui élève (hébreu). Variante : Marieme. Caractérologie : paix, conscience, détermination, bienveillance, conseil.

Mariane　🌟2 000　↓
Contraction de Marie et Anne. Féminin français. On peut estimer que moins de 30 enfants seront prénommés ainsi en 2014. Caractérologie : méditation, savoir, indépendance, résolution, intelligence.

Marianna　🌟950　↗
Contraction de Marie et Anna. Marianna est particulièrement usité en Italie, en Grèce et dans les pays slaves. C'est aussi un choix traditionnel breton et basque. Variantes : Mariana, Maryanna, Maryane, Maryanne. Caractérologie : habileté, force, résolution, ambition, passion.

Marianne　🌟35 000　**TOP 800**　↓
Contraction de Marie et Anne. En dehors de l'Hexagone, Marianne est répandu en Allemagne et aux Pays-Bas. Caractérologie : pratique, communication, résolution, adaptation, enthousiasme.

Marie　🌟1 188 000　**TOP 50**　↘
Celle qui élève (hébreu). Ce prénom biblique se diffuse largement dans les pays chrétiens au Moyen Âge. À la fin de cette période, sa popularité est si grande qu'il devient le prénom le plus attribué dans de nombreux pays européens. En France, Marie règne sur le classement féminin du XVᵉ siècle au milieu du XXᵉ. Une période durant laquelle cinq reines de France portent ce prénom, de Marie de Médicis (1575-1642) à Marie-Amélie de Bourbon-Siciles (1830-1848), en passant par Marie-Antoinette (1755-1793). Après s'être effacé, ce prénom revient au 2ᵉ rang français en 1995. Bien que son reflux s'accentue aujourd'hui, Marie demeure le prénom le plus porté dans l'Hexagone. Il reste, avec Mary et Maria, très attribué dans les pays occidentaux. ◇Vierge et mère de Jésus dans la Bible, sainte Marie est prévenue par l'archange Gabriel qu'elle a été choisie pour enfanter le Christ. Le 15 août célèbre l'Assomption de la Vierge Marie. Notons que cet ancien prénom mixte forme encore des composés masculins (Pierre-Marie, Louis-Marie, etc.). Marie Curie, la physicienne française nobélisée en 1911, est l'une des plus célèbres Marie de l'histoire française récente. Caractérologie : résolution, audace, dynamisme, direction, indépendance.

Marie-Alice　🌟1 500　→
Forme composée de Marie et Alice. On peut estimer que moins de 30 enfants seront prénommés ainsi en 2014. Caractérologie : méthode, ténacité, engagement, fiabilité, détermination.

Marie-Alix　🌟900　↘
Forme composée de Marie et Alix. Caractérologie : relationnel, raisonnement, médiation, intuition, volonté.

Marie-Amélie　🌟2 000　↓
Forme composée de Marie et Amélie. On peut estimer que moins de 30 enfants seront prénommés ainsi en 2014. Caractérologie : direction, indépendance, dynamisme, audace, détermination.

M

191

Marie-Ange 🇫🇷 15 000 **TOP 2000**
Forme composée de Marie et Ange. On peut estimer que moins de 30 enfants seront prénommés ainsi en 2014. Caractérologie : réalisation, audace, dynamisme, détermination, direction.

Marie-Anne 🇫🇷 10 000 ⬇
Forme composée de Marie et Anne. On peut estimer que moins de 30 enfants seront prénommés ainsi en 2014. Caractérologie : ardeur, vitalité, achèvement, stratégie, détermination.

Marie-Camille 🇫🇷 750 ↗
Forme composée de Marie et Camille. Caractérologie : sociabilité, détermination, diplomatie, réceptivité, loyauté.

Marie-Caroline 🇫🇷 2 000
Forme composée de Marie et Caroline. On peut estimer que moins de 30 enfants seront prénommés ainsi en 2014. Caractérologie : paix, volonté, raisonnement, bienveillance, conscience.

Marie-Charlotte 🇫🇷 4 000 ⬊
Forme composée de Marie et Charlotte. On peut estimer que moins de 30 enfants seront prénommés ainsi en 2014. Caractérologie : méthode, analyse, fiabilité, ténacité, finesse.

Marie-Christine 🇫🇷 69 000
Forme composée de Marie et Christine. On peut estimer que moins de 30 enfants seront prénommés ainsi en 2014. Caractérologie : connaissances, spiritualité, finesse, résolution, sagacité.

Marie-Claire 🇫🇷 32 000 ➡
Forme composée de Marie et Claire. On peut estimer que moins de 30 enfants seront prénommés ainsi en 2014. Caractérologie :

ténacité, méthode, fiabilité, engagement, résolution.

Marie-Claude 🇫🇷 51 000
Forme composée de Marie et Claude. On peut estimer que moins de 30 enfants seront prénommés ainsi en 2014. Caractérologie : énergie, autorité, ambition, détermination, innovation.

Marie-Émilie 🇫🇷 700
Forme composée de Marie et Émilie. Caractérologie : intégrité, altruisme, idéalisme, réflexion, décision.

Marie-Emmanuelle 🇫🇷 1 000 ⬆
Forme composée de Marie et Emmanuelle. Caractérologie : communication, enthousiasme, résolution, pratique, adaptation.

Marie-Éva 🇫🇷 190
Forme composée de Marie et Éva. Caractérologie : médiation, intuition, relationnel, fidélité, décision.

Marie-France 🇫🇷 48 000 ⬊
Forme composée de Marie et France. On peut estimer que moins de 30 enfants seront prénommés ainsi en 2014. Caractérologie : analyse, communication, volonté, pragmatisme, optimisme.

Marie-Françoise 🇫🇷 24 000
Forme composée de Marie et Françoise. On peut estimer que moins de 30 enfants seront prénommés ainsi en 2014. Caractérologie : dynamisme, analyse, audace, direction, volonté.

Marie-Gabrielle 🇫🇷 1 500
Forme composée de Marie et Gabrielle. On peut estimer que moins de 30 enfants seront prénommés ainsi en 2014. Caractérologie :

altruisme, idéalisme, amitié, intégrité, réalisation.

Marie-Hélène 🌸 34 000

Forme composée de Marie et Hélène. On peut estimer que moins de 30 enfants seront prénommés ainsi en 2014. Caractérologie : curiosité, dynamisme, courage, indépendance, décision.

Marie-Jeanne 🌸 14 000 🔽

Forme composée de Marie et Jeanne. On peut estimer que moins de 30 enfants seront prénommés ainsi en 2014. Caractérologie : énergie, résolution, découverte, originalité, audace.

Marie-José 🌸 32 000

Forme composée de Marie et José. On peut estimer que moins de 30 enfants seront prénommés ainsi en 2014. Caractérologie : curiosité, courage, volonté, dynamisme, résolution.

Marie-Julie 🌸 800 🔽

Forme composée de Marie et Julie. Caractérologie : méthode, ténacité, engagement, fiabilité, résolution.

Marie-Laure 🌸 33 000 🔽

Forme composée de Marie et Laure. On peut estimer que moins de 30 enfants seront prénommés ainsi en 2014. Caractérologie : ténacité, méthode, fiabilité, engagement, résolution.

Marie-Léa 🌸 250

Forme composée de Marie et Léa. Caractérologie : direction, dynamisme, indépendance, décision, audace.

Marie-Line 🌸 15 000

Forme composée de Marie et Line. On peut estimer que moins de 30 enfants seront prénommés ainsi en 2014. Caractérologie : découverte, énergie, résolution, audace, originalité.

Marie-Lise 🌸 3 000 **TOP 2000**

Forme composée de Marie et Lise. On peut estimer que moins de 30 enfants seront prénommés ainsi en 2014. Caractérologie : direction, indépendance, audace, dynamisme, résolution.

Mariella 🌸 600 🔽

Celle qui élève (hébreu). Prénom italien. Caractérologie : passion, habileté, ambition, force, décision.

Marielle 🌸 16 000 **TOP 2000** 🔽

Celle qui élève (hébreu). Féminin français. On peut estimer que moins de 30 enfants seront prénommés ainsi en 2014. Variantes : Mariel, Mariele, Maryelle. Caractérologie : pragmatisme, communication, résolution, optimisme, créativité.

Marie-Lou 🌸 3 000 **TOP 600** 🔽

Forme composée de Marie et Lou. Caractérologie : persévérance, sécurité, structure, volonté, analyse.

Marie-Louise 🌸 20 000 ➡️

Forme composée de Marie et Louise. On peut estimer que moins de 30 enfants seront prénommés ainsi en 2014. Caractérologie : direction, audace, caractère, logique, dynamisme.

Marie-Lys 🌸 450 **TOP 2000** ➡️

Forme composée de Marie et Lys. Caractérologie : pragmatisme, sympathie, communication, optimisme, réalisation.

Mariem 🌸 850 **TOP 2000**

Celle qui élève (hébreu). Caractérologie : audace, découverte, énergie, originalité, décision.

Marie-Madeleine 🌸 9 000

Forme composée de Marie et Madeleine. On peut estimer que moins de 30 enfants seront prénommés ainsi en 2014. Caractérologie :

M

sens des responsabilités, famille, détermination, influence, équilibre.

Marie-Océane 🎏 300

Forme composée de Marie et Océane. Caractérologie : force, habileté, ambition, analyse, volonté.

Marie-Paule 🎏 17 000

Forme composée de Marie et Paule. On peut estimer que moins de 30 enfants seront prénommés ainsi en 2014. Caractérologie : diplomatie, sociabilité, réceptivité, amitié, réalisation.

Marie-Pierre 🎏 30 000

Forme composée de Marie et Pierre. On peut estimer que moins de 30 enfants seront prénommés ainsi en 2014. Caractérologie : rêve, humanité, détermination, rectitude, réalisation.

Marie-Rose 🎏 9 000 ➡

Forme composée de Marie et Rose. On peut estimer que moins de 30 enfants seront prénommés ainsi en 2014. Caractérologie : fiabilité, méthode, ténacité, caractère, décision.

Marie-Sophie 🎏 2 000

Forme composée de Marie et Sophie. On peut estimer que moins de 30 enfants seront prénommés ainsi en 2014. Caractérologie : innovation, énergie, autorité, caractère, réussite.

Marie-Thérèse 🎏 66 000

Forme composée de Marie et Thérèse. On peut estimer que moins de 30 enfants seront prénommés ainsi en 2014. Caractérologie : altruisme, idéalisme, intégrité, décision, attention.

Mariette 🎏 6 000 ➡

Celle qui élève (hébreu). On peut estimer que moins de 30 enfants seront prénommés ainsi en 2014. Variantes : Marieta, Marietta,

Marietou, Mietta, Miette. Caractérologie : dynamisme, direction, indépendance, audace, décision.

Mariève

Contraction de Marie et Ève. Ce prénom est porté par moins de 100 personnes en France. Variantes : Marieva, Maryève. Caractérologie : innovation, autorité, ambition, décision, énergie.

Marika 🎏 1 500 ⬇

Celle qui élève (hébreu). Marika est un prénom grec, slovaque, tchèque, polonais, hongrois et basque. On peut estimer que moins de 30 enfants seront prénommés ainsi en 2014. Caractérologie : ardeur, stratégie, leadership, vitalité, achèvement.

Marilène 🎏 1 000

Forme contractée de Marie-Hélène. Caractérologie : décision, curiosité, courage, indépendance, dynamisme.

Marilou 🎏 4 000 **TOP 400** ⬊

Contraction de Marie et Louise. Féminin français et anglais. Caractérologie : ambition, habileté, raisonnement, passion, force.

Marilyn 🎏 5 000

Celle qui élève (hébreu). Féminin anglais. On peut estimer que moins de 30 enfants seront prénommés ainsi en 2014. Variante : Marilie. Caractérologie : réceptivité, diplomatie, réussite, sociabilité, cœur.

Marilyne 🎏 11 000 ⬊

Celle qui élève (hébreu). On peut estimer que moins de 30 enfants seront prénommés ainsi en 2014. Caractérologie : sympathie, sagacité, connaissances, spiritualité, réalisation.

Marilys 🎏 450 ⬇

Contraction de Marie et Lys. Variantes : Marylise, Marylis. Caractérologie :

méditation, savoir, réalisation, intelligence, indépendance.

Marina 🌟 42 000 TOP 400 ⬇
Mer (latin). Marina est un prénom italien, russe, espagnol, portugais, roumain, allemand, grec, slave, français et néerlandais. Variante : Maryna. Caractérologie : réceptivité, diplomatie, sociabilité, résolution, loyauté.

Marine 🌟 117 000 TOP 200 ⬇
Mer (latin). Féminin français. Variante : Marinne. Caractérologie : sens des responsabilités, équilibre, famille, influence, détermination.

Marinette 🌟 14 000
Celle qui élève (hébreu). Féminin français. On peut estimer que moins de 30 enfants seront prénommés ainsi en 2014. Caractérologie : conscience, bienveillance, paix, décision, conseil.

Marion 🌟 121 000 TOP 100 ↘
Celle qui élève (hébreu). Féminin français. Variante : Maryon. Caractérologie : méditation, savoir, intelligence, décision, caractère.

Marisa 🌟 750 ↘
Celle qui élève (hébreu). Féminin italien, espagnol, portugais et anglais. Variantes : Marysa, Maribel, Marisol, Marissa, Maritza, Mariza. Caractérologie : savoir, méditation, indépendance, intelligence, sagesse.

Marise 🌟 1 500
Celle qui élève (hébreu). On peut estimer que moins de 30 enfants seront prénommés ainsi en 2014. Caractérologie : intuition, médiation, fidélité, détermination, relationnel.

Marisol 🌟 300 ➡
Celle qui élève (hébreu). Prénom espagnol. Caractérologie : raisonnement, paix, bienveillance, conseil, conscience.

Marivonne 🌟 250
Contraction de Marie et Yvonne. Caractérologie : pragmatisme, communication, optimisme, détermination, volonté.

Marjane 🌟 500 TOP 2000 ➡
Corail (arabe). Variante : Morjane. Caractérologie : détermination, vitalité, achèvement, ardeur, stratégie.

Marjolaine 🌟 5 000 ⬇
Se rapporte au nom de la plante aromatique du même nom. Féminin français. On peut estimer que moins de 30 enfants seront prénommés ainsi en 2014. Caractérologie : force, habileté, ambition, volonté, raisonnement.

Marjorie 🌟 30 000 TOP 2000 ⬇
Perle (grec). Féminin français. Variante : Marjelle. Caractérologie : force, ambition, caractère, habileté, décision.

Marjory 🌟 1 500
Perle (grec). Féminin anglais. On peut estimer que moins de 30 enfants seront prénommés ainsi en 2014. Caractérologie : direction, audace, indépendance, réussite, dynamisme.

Marlène 🌟 31 000 TOP 2000 ➡
Contraction de Marie et Hélène. En dehors de l'Hexagone, Marlène est répandu en Allemagne. Variantes : Marlaine, Marleine, Marleyne, Marlie, Marline, Marly. Caractérologie : courage, curiosité, résolution, dynamisme, indépendance.

Marley 🌟 200 TOP 600 ⬆
De la terre des lacs (vieil anglais). Caractérologie : médiation, relationnel, intuition, réussite, cœur.

Marnie 🌟 250 ↗
Mer (latin). Féminin anglais. Variantes : Marnia, Marny. Caractérologie : bienveillance, conscience, paix, conseil, décision.

Maroua 🎌 850 **TOP 2000** →
Roche, quartz (arabe). Variante : Maroi.
Caractérologie : bienveillance, paix, conseil,
conscience, logique.

Marta 🎌 700 **TOP 2000** ↑
Dame, maîtresse de maison (araméen). Dans
l'Hexagone, Marta est plus traditionnellement
usité en Corse et au Pays basque. Caractérologie : achèvement, ardeur, stratégie, vitalité, leadership.

Martha 🎌 1 500 **TOP 2000** ↑
Dame, maîtresse de maison (araméen). Féminin allemand, scandinave, grec, basque
et corse. On peut estimer que moins de
30 enfants seront prénommés ainsi en 2014.
Caractérologie : connaissances, spiritualité,
originalité, sagacité, philosophie.

Marthe 🎌 33 000 **TOP 2000** ↘
Dame, maîtresse de maison (araméen). Ce
prénom a connu une certaine faveur en
France à la fin XIXᵉ siècle. Il s'est éclipsé dans
les années 1960 mais pourrait bien renaître
prochainement. En dehors de l'Hexagone,
Marthe est usité en Allemagne. Caractérologie : sociabilité, détermination, diplomatie,
réceptivité, sensibilité.

Martine 🎌 302 000 ↓
Se rapporte à Mars, dieu romain de la Guerre
(latin). Ce féminin de Martin a été peu attribué en dehors de son jaillissement soudain
au milieu du XXᵉ siècle. Sa croissance exponentielle le propulse au 2ᵉ rang du classement
de 1950 à 1957, derrière l'indétrônable Marie.
Il est retombé dans l'abîme depuis la fin des
années 1980. ◇ Fille de consul, sainte Martine refusa d'abjurer et subit le martyre avant
d'être décapitée dans la capitale romaine au
IIIᵉ siècle. Elle est l'une des patronnes de Rome.

On peut estimer que moins de 30 enfants
seront prénommés ainsi en 2014. Variante :
Martina. Caractérologie : vitalité, résolution,
achèvement, ardeur, stratégie.

Marwa 🎌 4 000 **TOP 200** ↗
Roche, quartz (arabe). Caractérologie :
diplomatie, sociabilité, réceptivité, loyauté,
résolution.

Mary 🎌 5 000 **TOP 1000** →
Celle qui élève (hébreu). Mary est très répandu
dans les pays anglophones. Caractérologie :
pragmatisme, communication, optimisme,
réalisation, créativité.

Maryam 🎌 4 000 **TOP 200** ↑
Forme arabe de Myriam : celle qui élève
(hébreu). Maryam est particulièrement
répandu en Iran. Variantes : Maryama,
Maryame, Maryem. Caractérologie : habileté, force, ambition, passion, réussite.

Marylène 🎌 17 000
Contraction de Mary et Hélène. Féminin français. On peut estimer que moins de 30 enfants
seront prénommés ainsi en 2014. Caractérologie : pratique, communication, enthousiasme, cœur, réussite.

Marylin 🎌 1 500
Celle qui élève (hébreu). Féminin anglais.
On peut estimer que moins de 30 enfants
seront prénommés ainsi en 2014. Caractérologie : cœur, intuition, relationnel, médiation, réussite.

Maryline 🎌 36 000 ↓
Celle qui élève (hébreu). Féminin français. On
peut estimer que moins de 30 enfants seront
prénommés ainsi en 2014. Caractérologie :
sagacité, spiritualité, réalisation, sympathie,
connaissances.

La législation française

Les parents d'aujourd'hui ont une liberté de choix de prénom qui leur fut longtemps contestée. Pendant la Révolution, les lois françaises imposaient aux parents de choisir les prénoms selon qu'ils étaient en usage dans les différents calendriers ou dans une liste qui incluait des personnages de l'histoire ancienne. Un prénom peu conformiste n'avait aucune chance d'être accepté par les fonctionnaires d'État.

Dans les années 1960, la montée des identités régionales pousse de nombreuses familles à se rebeller contre le système. Bon nombre de parents décident alors de maintenir leurs choix de prénom, au risque de priver l'enfant d'une existence civile reconnue.

L'instruction ministérielle du 12 avril 1966 élargit, fort heureusement, le répertoire de prénoms recevables à des prénoms tirés de la mythologie, aux prénoms régionaux et aux prénoms composés. Elle tolère même dans certains cas les diminutifs et les variations.

Ce n'est qu'en 1993 que la loi s'assouplit réellement, garantissant l'acceptabilité de n'importe quel prénom du moment qu'il ne paraît pas contraire à l'intérêt de l'enfant. De tels cas ne surviennent que très rarement. Cependant, un prénom qui paraît grossier ou péjoratif, qui présente une consonance ridicule ou paraît d'une extrême complexité à porter, peut être contesté par l'officier de l'état civil. De plus, la préservation du droit pour les tiers de protéger leur patronyme interdit, en théorie, l'attribution de prénoms qui sont des patronymes célèbres.

Dans les cas où ces limites ne sont pas respectées, l'officier d'état civil informe le procureur de la République du choix effectué par les parents. Le procureur peut alors à son tour saisir le juge aux affaires familiales. Si ce dernier estime que le prénom sort des limites autorisées par la loi, il en ordonne la suppression des registres d'état civil. Dans ce cas de figure, le juge a le pouvoir d'attribuer un autre prénom, à moins que les parents ne conviennent d'un nouveau choix légalement acceptable. En 2012, un enfant prénommé Titeuf s'est vu interdire son prénom par la justice. La Cour de cassation, qui avait été saisie en appel, a expliqué son jugement : « L'association au personnage de pré-adolescent naïf et maladroit risque de constituer un réel handicap pour l'enfant devenu adolescent puis adulte, tant dans ses relations personnelles que professionnelles. » L'enfant est désormais appelé Grégory, son deuxième prénom.

Changement de prénom

Des raisons légitimes peuvent inciter le porteur d'un prénom à en changer. Dans ce cas, une procédure légale doit être engagée. L'intéressé doit adresser sa demande, en précisant les motifs, auprès du juge aux affaires familiales du tribunal de grande instance de son lieu de naissance ou de son domicile. Elle peut être adressée par son représentant légal si

.../

La législation française *(suite)*

le demandeur est mineur. Le tribunal rend un jugement et la décision est immédiatement transmise à l'officier d'état civil par le procureur de la République. Le changement de prénom est alors mentionné sur les registres de l'état civil. Notons que l'adjonction ou la suppression de prénoms peut également être demandée.

Marylise 🏴 3 000

Contraction de Mary et Lise. On peut estimer que moins de 30 enfants seront prénommés ainsi en 2014. Caractérologie : pratique, enthousiasme, communication, amitié, réalisation.

Marylou 🏴 4 000

Contraction de Mary et Louise. Variante : Mary-Lou. Caractérologie : équilibre, famille, sens des responsabilités, logique, réussite.

Maryne 🏴 2 000 ⬇

Mer (latin). On peut estimer que moins de 30 enfants seront prénommés ainsi en 2014. Variante : Maryn. Caractérologie : persévérance, sécurité, structure, réalisation, résolution.

Maryse 🏴 85 000 ⬊

Celle qui élève (hébreu). Féminin français. On peut estimer que moins de 30 enfants seront prénommés ainsi en 2014. Caractérologie : altruisme, idéalisme, intégrité, réalisation, détermination.

Maryvonne 🏴 32 000

Contraction de Marie et Yvonne. Féminin français. On peut estimer que moins de 30 enfants seront prénommés ainsi en 2014. Caractérologie : volonté, autorité, énergie, réalisation, innovation.

Mathéa 🏴 450

Don de Dieu (hébreu). Variantes : Matéa, Matisse, Mattéa, Mathée. Caractérologie : paix, bienveillance, conscience, conseil, sagesse.

Mathilda 🏴 3 000

Puissance, combat (germanique). En dehors de l'Hexagone, Mathilda est particulièrement répandu dans les pays scandinaves et anglophones. Caractérologie : curiosité, dynamisme, organisation, indépendance, courage.

Mathilde 🏴 112 000 **TOP 50** ⬊

Puissance, combat (germanique). Avant de renaître dans les années 1980, Mathilde était particulièrement attribué à la fin du Moyen Âge et au XIXe siècle. Ce prénom a été, avec Pauline et Lisa, précurseur de la vague rétro en France. Il a brillé dans le top 20 féminin de 1990 à 2006 et il est encore bien souvent en faveur auprès des parents français aujourd'hui. ◇ Fille du comte Baudouin VI, Mathilde de Flandre épousa Guillaume, duc de Normandie et futur Guillaume le Conquérant. Couronnée reine d'Angleterre en 1068, elle assuma la régence de la Normandie lors des expéditions de son époux. Variantes : Mathéna, Matheline, Mathylde, Mathie, Matilde, Maty, Tilda, Tilde. Caractérologie : rêve, humanité, résolution, rectitude, finesse.

Mathurine 🏴 400

Maturité (latin). Variante : Thurine. Caractérologie : dynamisme, direction, audace, finesse, résolution.

Matilda ⭐ 550 (TOP 2000) ↗
Puissance, combat (germanique). Matilda est répandu dans les pays anglophones et scandinaves. C'est aussi un prénom traditionnel corse. Caractérologie : conscience, bienveillance, paix, conseil, organisation.

Maud ⭐ 35 000 (TOP 500) ↓
Puissance, combat (germanique). En dehors de l'Hexagone, Maud est répandu dans les pays anglophones et aux Pays-Bas. Caractérologie : enthousiasme, communication, pratique, générosité, adaptation.

Maude ⭐ 5 000 (TOP 2000) ↓
Puissance, combat (germanique). En dehors de l'Hexagone, ce prénom est particulièrement porté dans les pays anglophones. Caractérologie : achèvement, vitalité, stratégie, ardeur, leadership.

Maurane ⭐ 1 500 ↓
Celle qui élève (hébreu). Féminin français. On peut estimer que moins de 30 enfants seront prénommés ainsi en 2014. Variante : Mauranne. Forme occitane : Maura. Caractérologie : audace, indépendance, direction, dynamisme, décision.

Maureen ⭐ 8 000 (TOP 2000) ↓
Celle qui élève (hébreu). Maureen est très répandu en Irlande et dans les pays anglophones. Variante : Maureene. Caractérologie : découverte, audace, originalité, détermination, énergie.

Mauricette ⭐ 39 000
Sombre, foncé (latin). Féminin français. On peut estimer que moins de 30 enfants seront prénommés ainsi en 2014. Caractérologie : gestion, connaissances, sagacité, décision, spiritualité.

Maurine ⭐ 3 000 ↓
Celle qui élève (hébreu). Féminin anglais. On peut estimer que moins de 30 enfants seront prénommés ainsi en 2014. Variantes : Maurie, Maurina, Mauryne. Caractérologie : détermination, humanité, rêve, rectitude, tolérance.

Mauve
Fleur mauve (latin). Ce prénom est porté par moins de 100 personnes en France. Caractérologie : ardeur, achèvement, vitalité, leadership, stratégie.

Mavelle
Aimable (latin). Ce prénom est porté par moins de 30 personnes en France. Variante : Maveline. Caractérologie : spiritualité, connaissances, sagacité, originalité, philosophie.

Maxanne
Contraction de Maxine et Anne. Ce prénom est porté par moins de 30 personnes en France. Caractérologie : humanité, rectitude, rêve, volonté, ouverture d'esprit.

Maxence ⭐ 600 ↓
La plus grande (latin). Au Ve siècle, une princesse écossaise, convertie au christianisme, voulut échapper au mariage arrangé avec un puissant seigneur. Elle se réfugia dans l'Oise, mais il la retrouva et l'assassina près de Pont-Sainte-Maxence. Une chapelle, aujourd'hui disparue, fut édifiée en sa mémoire. Caractérologie : diplomatie, réceptivité, sociabilité, loyauté, caractère.

Maxima
La plus grande (latin), la plus belle (hébreu). Ce prénom est porté par moins de 30 personnes en France. Variante : Maxa. Caractérologie : sagacité, originalité, spiritualité, connaissances, philosophie.

Maximilienne  600
La plus grande (latin). Féminin français.
Variantes : Maximilia, Maximilie, Maximine,
Massima, Massilia. Caractérologie : diploma-
tie, réceptivité, sociabilité, analyse, volonté.

Maxine 1 500 **TOP 400** ⬆
La plus grande (latin). Féminin anglais.
Caractérologie : pragmatisme, optimisme,
détermination, communication, volonté.

May 900 **TOP 2000** ⬇
Diminutif de Marie et forme internationale
de Marguerite. Caractérologie : créativité,
optimisme, communication, pragmatisme,
réussite.

Maya 9 000 **TOP 100** 🔍 ➡
Eau, source (hébreu), illusion (sanscrit).
Caractérologie : méthode, ténacité, réussite,
fiabilité, engagement.

Mayana 300 **TOP 2000** ↗
Contraction basque de Mariana. Variantes :
Mayane, Mayanna, Mayanne. Caractérologie : réalisation, autorité, énergie, ambition,
innovation.

Mayane 400 **TOP 2000** ⬇
Contraction basque de Mariane. Caractérologie : découverte, réalisation, audace, séduction, originalité.

Maybelle
Contraction de Marie et Isabelle. Ce prénom
est porté par moins de 30 personnes en France.
Variantes : Maybeline, Maybelline. Caractérologie : communication, pratique, cœur,
réussite, enthousiasme.

Maylane
Contraction de May et Anne. Ce prénom
est porté par moins de 100 personnes en
France. Variante : Maylan. Caractérologie :

pratique, communication, amitié, enthousiasme, réalisation.

May-Li
Forme composée de May et Li. Ce prénom est
porté par moins de 100 personnes en France.
Caractérologie : courage, dynamisme, indépendance, charisme, aboutissement.

Maylie 750 **TOP 500** ⬆
Contraction de Maylis et Maélie. Caractérologie : sociabilité, sympathie, réceptivité, réalisation, diplomatie.

Mayline 1 500 **TOP 400** ➡
Contraction de May et Line. Caractérologie : méditation, savoir, intelligence, sympathie, réalisation.

May-Line 250 **TOP 2000** ⬇
Forme composée de May et Line. Caractérologie : sagacité, connaissances, réalisation,
détermination, spiritualité.

Maylis 6 000 **TOP 300** ⬇
Maylis est issu de la fusion de May et Lys. D'où
la signification : « Marie à la fleur de lys ».
Variante : Mayliss. Caractérologie : finesse,
connaissances, originalité, réussite, sagacité.

Mayssa 2 000 **TOP 200** ⬆
Celle dont la démarche est gracieuse (arabe).
Caractérologie : équilibre, famille, sens des
responsabilités, réalisation, influence.

Mazarine 600 ⬇
Féminin de Mazarin, cardinal et homme
politique qui succéda à Richelieu en tant que
Premier ministre en France de 1643 à 1661.
Caractérologie : équilibre, sens des respon-
sabilités, famille, détermination, influence.

Méane
Variante probable de Meagan. Ce prénom est
porté par moins de 100 personnes en France.

Caractérologie : diplomatie, loyauté, réceptivité, sociabilité, bonté.

Médarine

Forte (germanique). Ce prénom est porté par moins de 30 personnes en France. Caractérologie : conscience, résolution, conseil, paix, sagesse.

Médine 🌟 500 (TOP 2000) ⬇

Ville (arabe). Variante : Médina. Caractérologie : séduction, originalité, découverte, audace, énergie.

Meg 🌟 350 ➡

Perle (grec). Féminin anglais. Caractérologie : sagacité, spiritualité, originalité, philosophie, connaissances.

Megan 🌟 1 500

Perle (grec). Ce prénom gallois est usité dans les pays anglophones. On peut estimer que moins de 30 enfants seront prénommés ainsi en 2014. Caractérologie : méthode, engagement, ténacité, fiabilité, réalisation.

Mégane 🌟 14 000 (TOP 2000) ⬇

Perle (grec). Voir Megan. Féminin français. Variantes : Megann, Méganne, Meggan, Meggane. Caractérologie : intégrité, idéalisme, réflexion, altruisme, réussite.

Meggy 🌟 900 ➡

Perle (grec). Féminin anglais. Variantes : Meggie, Meguy. Caractérologie : générosité, communication, enthousiasme, adaptation, pratique.

Meghan 🌟 650

Perle (grec). Féminin anglais. Caractérologie : enthousiasme, adaptation, communication, pratique, réalisation.

Meghane 🌟 750

Perle (grec). Caractérologie : stratégie, achèvement, réussite, vitalité, ardeur.

Meï 🌟 300 (TOP 2000) ➡

Beauté, bourgeon (chinois). Caractérologie : dévouement, altruisme, intégrité, idéalisme, réflexion.

Meïra

Celle qui éclaire (hébreu). Ce prénom est porté par moins de 100 personnes en France. Caractérologie : direction, audace, résolution, dynamisme, indépendance.

Meïssa 🌟 1 000 (TOP 700) ➡

Celle dont la démarche est gracieuse (arabe). Variante : Meïssane. Caractérologie : pragmatisme, communication, optimisme, créativité, résolution.

Mélaine 🌟 1 500 ⬊

Noir, peau brune (grec), ou forme dérivée de Maëlle. Féminin français et breton. On peut estimer que moins de 30 enfants seront prénommés ainsi en 2014. Caractérologie : dynamisme, curiosité, courage, résolution, indépendance.

Mélanie 🌟 122 000 (TOP 400) ⬇

Noir, peau brune (grec). Ce prénom porté par deux saintes est attesté dès les premiers siècles. Il est recensé sous différentes formes au Moyen Âge, mais sa gloire internationale provient du succès plus récent d'*Autant en emporte le vent*, film américain sorti en 1939. Ses héroïnes Scarlett et Melanie changent instantanément le cours de ces prénoms, inexistants à l'époque. Mélanie entame une brillante carrière dans les pays anglophones avant d'émerger en France, puis de s'imposer dans le top 20 féminin de 1980 à 1998. Ce prénom est également très répandu en Allemagne

M

201

aujourd'hui. ◇ Jeune aristocrate romaine au Vᵉ siècle, sainte Mélanie convainquit son époux de distribuer leur fortune aux pauvres. Veuve, elle termina ses jours dans le monastère qu'elle fonda à Jérusalem, sur le mont des Oliviers. Sa grand-mère, dite Mélanie l'Ancienne, est également une sainte fêtée le 26 janvier. Variantes : Mélana, Mélane, Melen, Méléna, Mélène. Caractérologie : courage, indépendance, curiosité, dynamisme, détermination.

Mélany ⭐ 1 500 ⬇
Noir, peau brune (grec). Féminin anglais. On peut estimer que moins de 30 enfants seront prénommés ainsi en 2014. Caractérologie : savoir, intelligence, cœur, méditation, réussite.

Mélia ⭐ 1 500 TOP 500 ↗
Diminutif d'Amélia et des prénoms ayant la même terminaison. Melia est particulièrement attribué dans le monde occidental et anglophone. Variantes : Melle, Mélie, Mellie, Melly. Caractérologie : méthode, fiabilité, sécurité, détermination, résolution.

Mélie ⭐ 950 TOP 800 ↗
Diminutif d'Amélie, d'Émilie, et des prénoms ayant la même terminaison. Caractérologie : force, habileté, management, passion, ambition.

Mélike ⭐ 700 TOP 2000 →
Reine (arabe). Variante : Mélika. Caractérologie : énergie, autorité, autonomie, ambition, innovation.

Mélina ⭐ 21 000 TOP 50 ↗
Abeille (grec). Féminin anglais et français. Variante : Mélyna. Caractérologie : ouverture d'esprit, humanité, rectitude, rêve, décision.

Mélinda ⭐ 9 000 TOP 300 ↗
Abeille (grec). Melinda est très répandu dans les pays anglophones. Variantes : Mélynda,

Mindy. Caractérologie : fiabilité, engagement, résolution, ténacité, méthode.

Méline ⭐ 10 000 TOP 100 →
Abeille (grec). Féminin français. Variantes : Méliana, Méliane, Mélyna, Mélyne. Caractérologie : méthode, fiabilité, ténacité, engagement, sens du devoir.

Mélis ⭐ 750 TOP 600 ↗
Abeille (grec). Caractérologie : ténacité, méthode, fiabilité, engagement, détermination.

Mélisa ⭐ 1 500 TOP 900 →
Abeille (grec). Caractérologie : énergie, découverte, originalité, audace, résolution.

Mélisande ⭐ 1 000 TOP 2000 →
Abeille (grec). Caractérologie : dynamisme, direction, indépendance, audace, résolution.

Mélissa ⭐ 62 000 TOP 100 ⬇
Abeille (grec). En dehors de l'Hexagone, Melissa est très répandu en Italie, dans les pays anglophones et aux Pays-Bas. Variantes : Mélis, Mélisse, Mélissane, Mélissanne. Caractérologie : famille, sens des responsabilités, influence, décision, équilibre.

Mélissandre ⭐ 1 500 TOP 2000 →
Abeille (grec). Variantes : Mélissande, Mélisandre, Mélyssandre. Caractérologie : diplomatie, décision, réceptivité, sociabilité, loyauté.

Mélita
Abeille (grec). Ce prénom est porté par moins de 100 personnes en France. Caractérologie : bienveillance, conscience, détermination, paix, organisation.

Mellina ⭐ 1 500 TOP 300 ↗
Travailleuse (germanique), abeille (grec). Caractérologie : détermination, enthousiasme, pratique, communication, adaptation.

202

Mélodie 🎌 13 000 (TOP 400) →
Mélodie, chanson (grec). Féminin français. Variantes : Mélodi, Mélodine. Caractérologie : rectitude, volonté, humanité, analyse, rêve.

Mélody 🎌 9 000 (TOP 400) ↗
Mélodie, chanson (grec). Melody est plus particulièrement usité dans les pays anglophones. Caractérologie : intuition, relationnel, sympathie, volonté, médiation.

Méloé 🎌 500 (TOP 1000) ↗
Étymologie probable : noir, peau brune (grec). Variantes : Mélinée, Méloée. Caractérologie : découverte, originalité, audace, volonté, énergie.

Mélusine 🎌 800 (TOP 1000) →
Mélodieux, qui chante (celte). Prénom français. On raconte dans les légendes celtiques que Mélusine, la fille du roi Élénas, se transformait en serpent chaque samedi. Elle fit promettre à son époux, le comte Raymondin de Lusignan, de garder son secret et de ne jamais tenter d'en découvrir la cause. Mais un jour, la curiosité de ce dernier l'emporta, et Mélusine disparut. Seuls ses cris se firent entendre plus tard pour annoncer l'imminence de malheurs. Caractérologie : ardeur, achèvement, stratégie, vitalité, résolution.

Melvina 🎌 400 ↘
Amie de l'assemblée (celte). Féminin anglais. Variante : Melvine. Caractérologie : persévérance, sécurité, détermination, structure, efficacité.

Mélyssa 🎌 1 500 (TOP 600) →
Abeille (grec). Caractérologie : ténacité, fiabilité, réalisation, méthode, bonté.

Mendy 🎌 650 ↘
Diminutif anglophone de Marie : celle qui élève (hébreu). Mendi signifie « montagne » en basque. Caractérologie : spiritualité, connaissances, originalité, philosophie, sagacité.

Méora
Lumière (hébreu). Ce prénom est porté par moins de 30 personnes en France. Variante : Maor. Caractérologie : sagacité, spiritualité, volonté, connaissances, résolution.

Mercedes 🎌 3 000
Prix, grâce (latin). Mercedes est très répandu en Espagne. En France, ce prénom est plus traditionnellement usité au Pays basque. On peut estimer que moins de 30 enfants seront prénommés ainsi en 2014. Caractérologie : altruisme, idéalisme, résolution, intégrité, réflexion.

Mérédith 🎌 850 (TOP 1000) →
Grande, qui a le pouvoir (gallois). Ce prénom gallois est usité dans les pays anglophones. Caractérologie : autorité, innovation, énergie, ambition, sensibilité.

Meriam 🎌 1 000 (TOP 2000) →
Celle qui élève (hébreu). Variante : Meriame. Caractérologie : curiosité, dynamisme, courage, indépendance, résolution.

Meriem 🎌 4 000 (TOP 400) →
Celle qui élève (hébreu). Caractérologie : intégrité, altruisme, idéalisme, réflexion, dévouement.

Meryem 🎌 2 000 (TOP 500) →
Celle qui élève (hébreu). Variantes : Meryam, Meyrem. Caractérologie : sagacité, spiritualité, connaissances, philosophie, originalité.

203
·······

Meryl 🏵 2 000 (TOP 1000) →
Celle qui élève (hébreu). Variantes : Meril, Merryl, Mery, Merry, Meryll. Caractérologie : énergie, ambition, autorité, innovation, sympathie.

Messaline 🏵 350
Nom de famille romain très ancien (latin). Caractérologie : finesse, connaissances, sagacité, résolution, originalité.

Messaouda 🏵 1 000
Porte-bonheur (arabe). Caractérologie : force, ambition, passion, habileté, caractère.

Météa
Douce (grec). Féminin suédois. Ce prénom est porté par moins de 30 personnes en France. Caractérologie : ambition, force, habileté, passion, management.

Mia 🏵 3 000 (TOP 200) ↑
Celle qui élève (hébreu). Mia est répandu dans les pays scandinaves, anglophones, néerlandophones et germanophones. Variante : Mya. Caractérologie : énergie, découverte, originalité, audace, séduction.

Michaëla 🏵 550 ↓
Qui est comme Dieu (hébreu). Variantes : Micaelle, Micah, Mickaëla, Mika, Mikaela, Mikela. Forme occitane : Miquela. Caractérologie : connaissances, spiritualité, sagacité, détermination, originalité.

Michaëlle 🏵 650
Qui est comme Dieu (hébreu). Féminin français. Variantes : Michaële, Mickaëlle. Caractérologie : découverte, énergie, originalité, audace, détermination.

Michèle 🏵 164 000
Qui est comme Dieu (hébreu). Ce féminin de Michel a décollé après Michelle dans les années 1930, mais il a davantage brillé que son homophone. Michèle figure parmi les 10 premiers rangs français dans les années 1940. Son reflux sera enrayé en 1965 par la célèbre chanson des Beatles, mais *Michelle* ne freinera pas longtemps la chute du prénom. On peut estimer que moins de 30 enfants seront prénommés ainsi en 2014. Caractérologie : autorité, innovation, ambition, énergie, autonomie.

Micheline 🏵 83 000
Qui est comme Dieu (hébreu). Prénom français. À la mort de son mari, sainte Micheline distribua toute sa fortune aux pauvres et termina sa vie dans un couvent. Elle est la patronne de la ville italienne de Pisaure. On peut estimer que moins de 30 enfants seront prénommés ainsi en 2014. Caractérologie : conscience, paix, conseil, bienveillance, sagesse.

Michelle 🏵 106 000 (TOP 900) ↗
Qui est comme Dieu (hébreu). Le succès de *Michelle*, chanté par les Beatles en 1965, a lancé la carrière du prénom dans les pays anglophones, mais il arrive trop tard en France : Michelle a déjà atteint son pic dans les années 1920 et aucun tube, même planétaire, ne peut endiguer son reflux. Caractérologie : ténacité, méthode, fiabilité, engagement, sens du devoir.

Midoli
Couleur verte (japonais). Ce prénom est porté par moins de 30 personnes en France. Caractérologie : force, achèvement, habileté, passion, leadership.

Mieko
Très belle enfant (japonais). Ce prénom est porté par moins de 30 personnes en France. Caractérologie : achèvement, stratégie, ardeur, vitalité, caractère.

Les prénoms de reines

Aujourd'hui, Louise, Clémence et Jeanne sont bien plus en faveur qu'Adélaïde, Berthe ou Isabeau. Ces prénoms partagent pourtant le même privilège : celui d'avoir été porté par des reines de France. Après le retour de Louise, les tendances 2014 feront-elles renaître Marguerite, Anne et Adèle ?

Le répertoire ci-dessous retrace les dynasties successives des reines de France.

Les Capétiens (987-1328)	Les Valois (1328-1589)	Les Bourbons (1589-1830)
Adélaïde d'Aquitaine	Jeanne de Bourgogne	Marguerite de Valois, dite
Rozala, dite Suzanne	Blanche de Navarre	la reine Margot
de Provence	Jeanne de Boulogne	Marie de Médicis
Berthe de Bourgogne	Jeanne de Bourbon	Anne d'Autriche
Constance d'Arles	Isabeau de Bavière	Marie-Thérèse de
Mathilde	Marie d'Anjou	Habsbourg
Anne de Russie	Charlotte de Savoie	Marie Leszczynska
Berthe de Hollande	Anne de Bretagne	Marie-Antoinette de
Bertrade de Montfort	Jeanne de France	Lorraine-Autriche
Adélaïde de Savoie	Mary d'Angleterre	
Aliénor d'Aquitaine	Claude de France	
Constance de Castille	Éléonore de Habsbourg	**Les Orléans (1830-1848)**
Adèle de Champagne	Catherine de Médicis	Marie-Amélie de
Isabelle de Hainaut	Marie Stuart	Bourbon-Siciles
Ingeburge de Danemark	Élisabeth d'Autriche	
Agnès de Méranie	Louise de Lorraine-	
Blanche de Castille	Vaudémont	
Marguerite de Provence		
Isabelle d'Aragon		
Marie de Brabant		
Jeanne de Navarre		
Marguerite de Bourgogne		
Clémence de Hongrie		
Jeanne de Bourgogne		
Blanche de Bourgogne		
Marie de Luxembourg		
Jeanne d'Évreux		

M

205

Miki
Arbre, beauté (japonais). Ce prénom est porté par moins de 100 personnes en France. Caractérologie : paix, bienveillance, conscience, conseil, sagesse.

Mila 7 000
Miracles (latin), aimée du peuple (slave). Variantes : Milana, Ludmilla, Ludmila. Caractérologie : vitalité, ardeur, stratégie, achèvement, leadership.

Milagros
Signifie « miracles » en espagnol. Ce prénom est porté par moins de 100 personnes en France. Variante : Milagro. Caractérologie : méthode, réalisation, ténacité, fiabilité, raisonnement.

Milana 350
Aimée du peuple (slave). Prénom serbe, croate, tchèque et slovène. Caractérologie : détermination, curiosité, courage, dynamisme, indépendance.

Milane 170
Aimée du peuple (slave). Variantes : Milana, Miliana. Caractérologie : réflexion, altruisme, idéalisme, résolution, intégrité.

Milda
Douceur (anglais). Ce prénom est porté par moins de 100 personnes en France. Caractérologie : sociabilité, optimisme, pragmatisme, communication, créativité.

Mildred 300
Conseillère, diplomate (anglais). Féminin anglais. Caractérologie : intuition, médiation, fidélité, adaptabilité, relationnel.

Miléna 3 000
Contraction de Marie et Hélène, ou variation féminine de Milan. En dehors de l'Hexagone, Miléna est particulièrement répandu dans les pays slaves, en Arménie et en Italie. Variante : Myléna. Caractérologie : décision, ouverture d'esprit, humanité, rêve, rectitude.

Milène 2 000
Contraction de Marie et Hélène. Féminin français. On peut estimer que moins de 30 enfants seront prénommés ainsi en 2014. Caractérologie : méthode, ténacité, fiabilité, sens du devoir, engagement.

Miley 200
Apparu pour la première fois dans l'Hexagone en 2008, ce prénom est associé à l'actrice américaine Miley Cirus, surnommée « Smiley » Cirus (sourire en anglais). Variantes : Mailey, Maily, Mylie, Mylee. Caractérologie : autonomie, ambition, énergie, autorité, innovation.

Milia 170
Miracles (latin), diminutif basque d'Emilia : travailleuse (germanique). Caractérologie : vitalité, achèvement, ardeur, stratégie, leadership.

Miliane
Variante féminine de Milian ou Milan. Ce prénom est porté par moins de 30 personnes en France. Caractérologie : résolution, rectitude, ouverture d'esprit, humanité, rêve.

Milica 170
Travailleuse (germanique). Variante : Milika. Caractérologie : loyauté, sociabilité, réceptivité, diplomatie, bonté.

Milka 180
Reine, conseillère (hébreu), paix glorieuse (slave). Féminin anglais, espagnol, allemand, serbe et croate. Variante : Milcah. Caractérologie : dynamisme, direction, audace, organisation, indépendance.

Milla 🇫🇷 1 500 (TOP 400) 🔍 ↗
Jeune assistante de cérémonies (étrusque). En dehors de l'Hexagone, Milla est plus particulièrement usité en Italie et dans les pays scandinaves. Variantes : Millie, Milly. Caractérologie : réceptivité, sociabilité, diplomatie, bonté, loyauté.

Millie 🇫🇷 250 →
Travailleuse (germanique). Féminin anglais. Variantes : Mylie, Milly. Caractérologie : paix, conseil, sagesse, conscience, bienveillance.

Milly 🇫🇷 300 (TOP 2000) ↑
Travailleuse (germanique). Féminin anglais. Caractérologie : ardeur, stratégie, achèvement, leadership, vitalité.

Mimi
Celle qui élève (hébreu). Ce prénom est porté par moins de 100 personnes en France. Caractérologie : passion, ambition, habileté, force, management.

Mina 🇫🇷 4 000 (TOP 400) →
Diminutif de prénoms se terminant par « mina » (Wilhemina, Carmina, Amina, etc.). Mina est particulièrement répandu dans les pays anglophones et néerlandophones. Variantes : Mine, Mini, Minna, Minnie. Caractérologie : autorité, énergie, innovation, résolution, ambition.

Mindy 🇫🇷 350 (TOP 2000) ↑
Abeille (grec). Féminin anglais. Caractérologie : intuition, relationnel, médiation, fidélité, adaptabilité.

Miora
Lumière (hébreu). Ce prénom est porté par moins de 100 personnes en France. Caractérologie : intuition, relationnel, médiation, fidélité, adaptabilité.

Mira 🇫🇷 650 (TOP 2000) ↑
Celle qui élève (hébreu). Variante : Myra. Caractérologie : séduction, audace, originalité, énergie, découverte.

Mirabelle 🇫🇷 250
Celle qui élève (hébreu). Prénom français. Mirabelle est fêté avec Fleur, le 5 octobre. Caractérologie : énergie, gestion, audace, découverte, décision.

Miranda 🇫🇷 600 →
Celle qui élève (hébreu). Féminin anglais. Variantes : Mira, Mirana, Mirabelle. Caractérologie : bienveillance, paix, détermination, conscience, conseil.

Mirca
Lagon bleu (tahitien). Ce prénom est porté par moins de 30 personnes en France. Caractérologie : passion, ambition, habileté, force, management.

Mireille 🇫🇷 108 000 ↓
Celle qui élève (hébreu). Cette forme provençale de Myriam a été redécouverte dans les années 1950 grâce à *Mireille*, l'œuvre maîtresse de Frédéric Mistral. On peut estimer que moins de 30 enfants seront prénommés ainsi en 2014. Caractérologie : médiation, intuition, fidélité, adaptabilité, relationnel.

Mirella 🇫🇷 2 000
Celle qui élève (hébreu). On peut estimer que moins de 30 enfants seront prénommés ainsi en 2014. Variantes : Mirela, Miren, Mérielle, Mirielle. Caractérologie : méditation, intelligence, savoir, indépendance, décision.

Miriam 🇫🇷 1 500 (TOP 2000) ↓
Celle qui élève (hébreu). Féminin anglais et allemand. On peut estimer que moins de 30 enfants seront prénommés ainsi en 2014. Variante : Miryam. Caractérologie : altruisme, dévouement, idéalisme, intégrité, réflexion.

M

207

Misao
Fidèle, loyale (japonais). Ce prénom est porté par moins de 30 personnes en France. Caractérologie : optimisme, communication, créativité, pragmatisme, sociabilité.

Misty
Brumeux (anglais). Ce prénom est porté par moins de 30 personnes en France. Caractérologie : originalité, énergie, découverte, réussite, audace.

Mitsuko
Enfant de la lumière (japonais). Ce prénom est porté par moins de 30 personnes en France. Caractérologie : humanité, rectitude, analyse, rêve, organisation.

Miyo
Belle, enfant (japonais). Ce prénom est porté par moins de 30 personnes en France. Caractérologie : achèvement, vitalité, leadership, ardeur, stratégie.

Moa
Mère (suédois). Moa est très en vogue en Suède et en Norvège actuellement. Ce prénom est porté par moins de 30 personnes en France. Caractérologie : bonté, diplomatie, loyauté, sociabilité, réceptivité.

Moana
300
Océan (tahitien). Caractérologie : achèvement, stratégie, ardeur, vitalité, caractère.

Modestine
110
Timide, discrète (latin). Caractérologie : énergie, audace, caractère, découverte, décision.

Moéa
Femme couchée sur un lit de fleurs (tahitien). Moea s'orthographie sans accent à Tahiti. Ce prénom est porté par moins de 100 personnes en France. Caractérologie : finesse, connaissances, sagacité, caractère, originalité.

Mohana
Plaisante, charmante (sanscrit). Mohana est répandu en Inde. Ce prénom est porté par moins de 100 personnes en France. Caractérologie : savoir, méditation, indépendance, intelligence, volonté.

Moïra
600 **TOP 2000**
Celle qui élève (hébreu). Féminin écossais et irlandais. Variantes : Maéra, Maïra, Maïre. Caractérologie : sociabilité, réceptivité, loyauté, diplomatie, bonté.

Moïsa
Sauvée des eaux (hébreu). Ce prénom est porté par moins de 30 personnes en France. Caractérologie : pratique, communication, générosité, enthousiasme, adaptation.

Mojdeh
Bonne nouvelle (persan). Ce prénom est porté par moins de 30 personnes en France. Caractérologie : autorité, énergie, innovation, ambition, caractère.

Molly
800 **TOP 900**
Celle qui élève (hébreu). Féminin anglais. Caractérologie : courage, curiosité, indépendance, charisme, dynamisme.

Mona
4 000 **TOP 500**
Vœux, désir (arabe), solitaire (grec), noble (irlandais). Mona est répandu dans les pays anglophones, les pays scandinaves et les cultures musulmanes. Variante : Monna. Caractérologie : sagacité, originalité, spiritualité, connaissances, volonté.

Monia
3 000
Vœux, désir (arabe). On peut estimer que moins de 30 enfants seront prénommés ainsi en 2014. Variante : Monya. Caractérologie : finesse, sagacité, connaissances, caractère, décision.

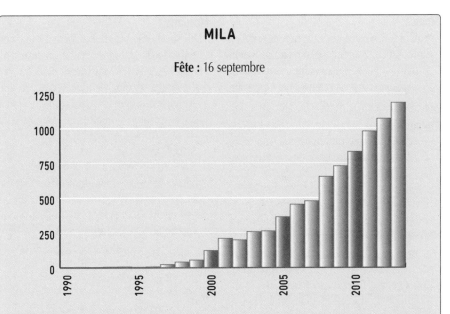

MILA

Fête : 16 septembre

Étymologie : diminutif de Ludmilla qui signifie en slave : « aimée du peuple », et diminutif espagnol de Milagros, du latin *miraculum* : « miracle ». Mila est plus particulièrement répandu dans les pays slaves, hispanophones et lusophones. C'est également un prénom traditionnel basque qui, avant 1997, n'était guère donné à plus de 5 Françaises par an.

Quelle carrière fulgurante a-t-il entamé depuis ! En 2014, on peut estimer qu'il sera attribué à près de 1 200 Françaises. Étoile filante du top 60, il a tous les atouts pour gravir des sommets. D'une part, il est porté par la vague des prénoms courts en « a ». D'autre part, sa double identité slave et basque lui donne un charme particulièrement recherché en France. Cela ne l'empêche pas de conquérir d'autres contrées, comme le montrent son émergence aux États-Unis et sa percée dans les tops 60 québécois et allemand. En attendant la suite, les variantes Milana, Milane, Ludmila s'épanouissent dans l'Hexagone.

Personnalité célèbre : Ludmila Oulitskaïa, romancière russe née en Azerbaïdjan en 1943. Elle est l'une des auteures russes les plus lues dans le monde. *Sonietchka* a notamment été couronné par le prix Médicis étranger en 1996.

Statistiques : Mila est le 120ᵉ prénom féminin le plus donné en France depuis le début du XXIᵉ siècle. On peut estimer qu'il sera attribué à une fille sur 328 en 2014.

M

209

Monica 2 000 **TOP 900**
Solitaire (grec). Monica est très répandu en Italie, en Corse et dans les pays anglophones, hispanophones et lusophones. Variantes : Monick, Monika. Caractérologie : direction, audace, analyse, dynamisme, volonté.

Monique 342 000
Solitaire (grec). Peu attribué avant le XXᵉ siècle, ce prénom surgit dans les années 1920 et brille au 2ᵉ rang du classement français de 1935 à 1948. Son long triomphe prend fin au moment où Véronique s'envole vers le succès, munie de la même terminaison. ◇ Originaire d'Afrique du Nord, sainte Monique fut mariée très jeune à un païen. Elle ne cessa, durant leur mariage, de l'exhorter à se convertir, ce qu'il fit un an avant sa mort. Son fils, qui s'était déjà converti, devint par la suite saint Augustin d'Hippone. Sainte Monique est la patronne des épouses et des mères de famille. On peut estimer que moins de 30 enfants seront prénommés ainsi en 2014. Caractérologie : ténacité, fiabilité, analyse, méthode, volonté.

Montserrat 250
Montagne dentelée (catalan). La Vierge de Montserrat est la patronne de la Catalogne. Variante : Monserrat. Caractérologie : vitalité, achèvement, stratégie, volonté, résolution.

Morane 800 **TOP 2000**
Née de la mer (gallois). Variante : Morine. Caractérologie : pragmatisme, communication, décision, caractère, optimisme.

Morgan 2 000
Née de la mer (gallois). Voir Morgane. Féminin anglais, breton et français. On peut estimer que moins de 30 enfants seront prénommés ainsi en 2014. Caractérologie : caractère, courage, dynamisme, réussite, curiosité.

Morgane 72 000 **TOP 200**
Née de la mer (gallois). Dans la légende arthurienne, Morgane, la demi-sœur d'Arthur, règne sur l'île enchantée d'Avalon. Fée maléfique ou magicienne guérisseuse, elle est fidèle aux traditions et s'emploie à protéger les croyances celtiques de l'influence du christianisme. ◇ Morgane a commencé sa carrière française dans les années 1980, bien après que la forme anglophone Morgan ait fait ses preuves outre-Manche. Il a progressé au point de devenir l'un des 80 prénoms les plus attribués en France en 2010. Sa décrue s'accentue aujourd'hui. Variantes : Morgan, Morgana, Morgann, Morganne, Morgiane. Caractérologie : innovation, énergie, autorité, volonté, réalisation.

Mori
Forêt (japonais). Ce prénom est porté par moins de 30 personnes en France. Caractérologie : énergie, autorité, innovation, autonomie, ambition.

Morine 250
Née de la mer (gallois). Caractérologie : intuition, relationnel, fidélité, volonté, médiation.

Morwenna 120
Mer blanche (celte). Prénom breton. Variante : Morwenn. Caractérologie : fiabilité, volonté, ténacité, résolution, méthode.

Mouna 2 000 **TOP 2000**
Vœux, désir (arabe). Caractérologie : autorité, énergie, innovation, ambition, volonté.

Mounia 3 000 **TOP 2000**
Vœux, désir (arabe). On peut estimer que moins de 30 enfants seront prénommés ainsi en 2014. Variante : Mounya. Caractérologie : dynamisme, audace, volonté, direction, analyse.

Muguette ⭐ 5 000

Se rapporte à la plante à fleurs blanches en forme de clochette. On peut estimer que moins de 30 enfants seront prénommés ainsi en 2014. Caractérologie : structure, persévérance, sympathie, efficacité, sécurité.

Muriel ⭐ 69 000 ⬇

Celle qui élève (hébreu). Féminin français et anglais. On peut estimer que moins de 30 enfants seront prénommés ainsi en 2014. Caractérologie : conseil, paix, bienveillance, sagesse, conscience.

Murielle ⭐ 37 000 ⬇

Celle qui élève (hébreu). Féminin français. On peut estimer que moins de 30 enfants seront prénommés ainsi en 2014. Variantes : Muriele, Muryel, Muryelle. Caractérologie : audace, énergie, séduction, originalité, découverte.

My ⭐ 200 ⬇

Celle qui élève (hébreu), belle, gracieuse (vietnamien). Caractérologie : diplomatie, sociabilité, réceptivité, loyauté, bonté.

Mya ⭐ 2 000 (TOP 200) ⬆

Celle qui élève (hébreu). Mya est plus particulièrement attribué dans le monde occidental et anglophone. Variante : Miya. Caractérologie : adaptation, communication, réussite, pratique, enthousiasme.

Mylène ⭐ 24 000 (TOP 800) ↘

Contraction de Marie et Hélène. Féminin français. Variante : Mylaine. Caractérologie : sociabilité, réceptivité, diplomatie, loyauté, sympathie.

Myriam ⭐ 92 000 (TOP 200) ➡

Celle qui élève (hébreu). Féminin français et anglais. Lorsque le pharaon décrète que les nouveau-nés mâles hébreux doivent être tués, Moïse est placé dans un panier d'osier, puis déposé sur le Nil. Sa sœur Myriam se présente à la fille du pharaon lorsque celle-ci le recueille du fleuve. Elle l'encourage à garder l'enfant et fait en sorte que sa mère puisse l'élever en se faisant passer pour une nourrice. Caractérologie : méditation, réussite, savoir, intelligence, indépendance.

Myriame ⭐ 1 500 ⬇

Celle qui élève (hébreu). On peut estimer que moins de 30 enfants seront prénommés ainsi en 2014. Variantes : Maram, Myra, Myria, Myriama. Caractérologie : communication, pratique, enthousiasme, résolution, réalisation.

Myriem ⭐ 900 ↘

Celle qui élève (hébreu). Caractérologie : intuition, médiation, relationnel, fidélité, adaptabilité.

Myrtille ⭐ 1 500 (TOP 2000) ↘

Ce prénom issu du calendrier révolutionnaire désigne une variété d'airelles. Sainte Fleur, religieuse auvergnate du XIVᵉ siècle, est la patronne de Myrtille. Caractérologie : conscience, conseil, bienveillance, sympathie, paix.

M

211

N

Naama
Douceur, beauté (hébreu). Ce prénom est porté par moins de 100 personnes en France. Variante : Naamah. Caractérologie : optimisme, pragmatisme, communication, créativité, sociabilité.

Nabia 120
D'une grande intelligence (arabe). Variante : Nabiha. Caractérologie : humanité, rectitude, rêve, ouverture d'esprit, décision.

Nabila 3 000 ➡
Noble, honorable (arabe). On peut estimer que moins de 30 enfants seront prénommés ainsi en 2014. Variantes : Nabella, Nabilah, Nabilla. Caractérologie : pratique, communication, enthousiasme, organisation, résolution.

Nacéra 1 500 ⬇
Protection, victoire (arabe). On peut estimer que moins de 30 enfants seront prénommés ainsi en 2014. Variante : Nacira. Caractérologie : paix, bienveillance, conseil, conscience, décision.

Nada 2 000 **TOP 500** ➡
Rosée du matin (arabe), espoir (slave). Nada est particulièrement répandu en Serbie, en Croatie et dans les cultures musulmanes. Caractérologie : diplomatie, réceptivité, sociabilité, loyauté, bonté.

Nadège 47 000 ⬋
Espérance dans l'attente (latin). Féminin français. Chrétienne au IIe siècle, sainte Nadège fut martyrisée en Asie Mineure avec sa mère, sainte Sophie. On peut estimer que moins de 30 enfants seront prénommés

ainsi en 2014. Variante : Nadeje. Caractérologie : rêve, humanité, rectitude, tolérance, réalisation.

Nadéra 250
Précieux, rare (arabe). Caractérologie : sagacité, connaissances, spiritualité, résolution, originalité.

Nadette 130
Force, ours (germanique). Féminin français. Caractérologie : sens des responsabilités, équilibre, famille, influence, exigence.

Nadia 71 000 **TOP 700** ⬊
Celle qui proclame haut et fort (arabe), espérance dans l'attente (latin), espoir (slave). En dehors de l'Hexagone, Nadia est très répandu en Russie, en Italie, dans les pays slaves et les cultures musulmanes. Variante : Nadya. Caractérologie : diplomatie, réceptivité, sociabilité, détermination, loyauté.

Nadine 125 000 **TOP 2000** ⬈
Contraction de Nadège ou Nadia et du suffixe « ine ». En dehors de l'Hexagone, Nadine est répandu en Allemagne et dans les pays anglophones. Sainte Nadège est la patronne de Nadine. Variantes : Nadina, Nadyne. Caractérologie : sociabilité, diplomatie, réceptivité, loyauté, résolution.

Nadira 600
Précieux, rare (arabe). Caractérologie : diplomatie, sociabilité, loyauté, réceptivité, détermination.

Nadja 350
Espérance dans l'attente (latin). Nadja est particulièrement répandu en République tchèque et en Slovaquie. Caractérologie : communication, enthousiasme, pratique, adaptation, générosité.

Le palmarès des prénoms composés en 2014

Ci-dessous le top 20 des prénoms composés féminins, estimé pour l'année 2014. Le classement a été effectué par ordre décroissant d'attribution.

1. Lily-Rose*
2. Lou-Ann(e)
3. Marie-Lou
4. Fatima-Zahra*
5. Marie-Ange
6. Anne-Lise
7. Marie-Lys
8. May-Lee
9. Marie-Cécile
10. May-Line
11. Anne-Sophie
12. Anna-Rose
13. Abby-Gaëlle
14. Anne-Laure
15. Anne-Flore
16. Lila(s)-Rose
17. Anna-Livia
18. Marie-Lise
19. Ana-Maria
20. Lisa-Marie

Commentaires et observations

Le temps des compositions fleuries est arrivé. Dans les bouquets les plus en vogue, Lily, Lila, Rose, Flore et Lys sont devenues incontournables. Étendard des compositions féminines, Lily-Rose est l'unique assemblage présent dans le top 100 national. Qu'importe le déclin de Lou-Ann(e), ce succès alimente l'essor de nouveautés nées au début des années 2000. Ainsi, les jeunes pousses Lily-May, Lily-Jeanne, Lilou-Rose, Lily-Jade et Lila-Rose ne passent pas inaperçues. En quelques années, Lila-Rose est même devenu l'un des premiers choix composés ! À quand le retour de Rose-Lys, perle secrète attribuée à une poignée de filles dans les années 1920 ?

Face à ce défilé de nouveautés, l'endurance d'Anne (Anna, Ana) peut paraître surprenante. Ne reniant aucune alliance, elle compose aussi bien avec Laure que Sophie ou Cécile, ce qui lui permet de dominer Marie (Maria). Mais cette supériorité ne traduit pas tant le triomphe d'Anne que la débâcle de son ancienne rivale. Car celle qui fut si longtemps (et si largement) attribuée est désormais renvoyée dans les dédales du classement. Certes, Marie-Lou brille à la 3e place du podium. Certes, Marie ne s'est pas effacée comme Jean, son alter ego masculin (ce dernier n'apparaît plus que deux fois dans le top 20 des composés masculins). Mais le temps de la gloire, que l'on croyait éternel, est bien passé. À défaut de mieux, Marie se réjouira de la percée de May, une cousine promise à un bel avenir.

Statistiques : on recense près de 600 prénoms composés avec Marie dans l'Hexagone (dont une cinquantaine au masculin). Anne-Marie, Marie-Christine et Marie-Thérèse sont les duos féminins les plus répandus. De leur côté, Jean-Pierre, Jean-Claude et Jean-Luc sont les assemblages masculins les plus portés.

*Le classement de Lily-Rose et Fatima-Zahra tient compte du nombre d'attributions de leurs variantes Lili-Rose, Lilly-Rose et Fatima-Zohra.

Nadra 🌟 170

Précieux, rare (arabe). Variante : Nédra. Caractérologie : relationnel, intuition, médiation, fidélité, détermination.

Nady 🌟 200

Contraction de Nadège et Bernadette. Variante : Nadie. Caractérologie : ambition, habileté, force, passion, réalisation.

Naé 🌟 160 **TOP 800**

Grâce (hébreu), fleur (japonais). Variante : Naë. Caractérologie : bonté, loyauté, diplomatie, sociabilité, réceptivité.

Naëlle 🌟 3 000 **TOP 300** ↗

Qui a étanché sa soif (arabe), diminutif des prénoms formés avec Naëlle (exemple : Annaëlle). Variante : Naëla. Caractérologie : ténacité, fiabilité, méthode, engagement, sens du devoir.

Naëlys 🌟 200 **TOP 900** ↑

Combinaison du son « na » avec Maëlys. Variante : Naëlis. Caractérologie : ténacité, méthode, fiabilité, sens du devoir, engagement.

Naéva 🌟 200 ↘

Combinaison du son « na » avec Éva. Caractérologie : originalité, sagacité, spiritualité, connaissances, philosophie.

Nafissa 🌟 700 **TOP 2000** →

Rare, coûteux (arabe). Variante : Nafi. Caractérologie : équilibre, famille, sens des responsabilités, influence, résolution.

Nahara

Lumière (araméen). Ce prénom est porté par moins de 30 personnes en France. Caractérologie : connaissances, sagacité, originalité, résolution, spiritualité.

Nahia 🌟 600 **TOP 900** →

Flot, fluide (grec), désirée (basque). Caractérologie : équilibre, famille, influence, éthique, détermination.

Nahida 🌟 300

Jeune fille qui devient femme (arabe). Variantes : Nahed, Nahid. Caractérologie : autorité, énergie, innovation, ambition, détermination.

Nahima 🌟 550

Douceur, plaisir (arabe). Variantes : Naéma, Nahéma. Caractérologie : direction, audace, détermination, dynamisme, indépendance.

Nahla 🌟 450 **TOP 800** ↑

Qui a étanché sa soif (arabe). Variante : Nahila. Caractérologie : rectitude, humanité, rêve, ouverture d'esprit, générosité.

Naïa 🌟 1 000 **TOP 400** ↑

Flot, fluide (grec), désirée (basque). Voir également Naya. Caractérologie : savoir, indépendance, intelligence, méditation, détermination.

Naïda 🌟 250 ↘

Flot, fluide (grec). Variantes : Naïad, Naïada. Caractérologie : médiation, relationnel, fidélité, intuition, résolution.

Naïg 🌟 200 ↓

Diminutif breton d'Anne : grâce (hébreu). En Bretagne, Naig s'orthographie souvent sans tréma. Caractérologie : structure, persévérance, sécurité, efficacité, résolution.

Naïla 🌟 3 000 **TOP 200** ↑

Qui a étanché sa soif (arabe). Variantes : Naïlah, Nayla. Caractérologie : direction, résolution, dynamisme, indépendance, audace.

Naïma 🌟 9 000 **TOP 600** →

Tendre, douce (arabe). Variantes : Naaïma, Nayma. Caractérologie : intuition, médiation, relationnel, détermination, fidélité.

Naïri

Qui vient d'Arménie (arménien). Ce prénom est porté par moins de 100 personnes en France. Caractérologie : bienveillance, conseil, conscience, décision, paix.

Naïs 🌲 3 000 (TOP 400) ➡
Grâce (hébreu). Naïs est plus particulièrement attribué en Provence. Caractérologie : finesse, connaissances, sagacité, originalité, décision.

Najate 🌲 650
Sauvée (arabe). Variantes : Nadjat, Nadjet, Naget, Nagète, Najat, Najet, Najette. Caractérologie : équilibre, sens des responsabilités, exigence, influence, famille.

Najia 🌲 600
Sauvée (arabe). Variantes : Nagia, Najah, Najda, Nadjia, Nejda. Caractérologie : habileté, passion, ambition, force, décision.

Najoua 🌲 800 ⬇
Confidence, secret (arabe). Variantes : Najoie, Najwa, Néjoua. Caractérologie : ambition, force, passion, habileté, management.

Nami (TOP 2000)
Vague (japonais). Ce prénom est porté par moins de 100 personnes en France. Caractérologie : dynamisme, direction, audace, détermination, indépendance.

Namira
Tigresse (arabe). Ce prénom est porté par moins de 100 personnes en France. Caractérologie : relationnel, intuition, décision, médiation, fidélité.

Nana 🌲 350 ➡
Grâce (hébreu), pomme (japonais). Caractérologie : communication, pragmatisme, optimisme, créativité, sociabilité.

Nancy 🌲 9 000 (TOP 2000) ⬇
Grâce (hébreu). En dehors de l'Hexagone, ce prénom est particulièrement porté dans les pays anglophones. Variantes : Nana, Nancie.

Caractérologie : communication, enthousiasme, pratique, adaptation, cœur.

Nao
Fleur de pêcher (vietnamien), honnête (japonais). Ce prénom est porté par moins de 100 personnes en France. Caractérologie : pragmatisme, optimisme, sociabilité, communication, créativité.

Naoëlle 🌲 170
Contraction de Nao et Noëlle. Caractérologie : énergie, autonomie, direction, persuasion, innovation.

Naoline
Contraction de « Nao » et des prénoms se terminant par « line ». Ce prénom est porté par moins de 100 personnes en France. Caractérologie : spiritualité, raisonnement, philosophie, connaissances, originalité.

Naomi 🌲 6 000 (TOP 300) ↗
Belle, agréable (hébreu). Voir Noémie. Naomi est particulièrement répandu dans les pays anglophones et néerlandophones. Caractérologie : spiritualité, sagacité, volonté, détermination, connaissances.

Naomie 🌲 5 000 (TOP 200) ↗
Belle, agréable (hébreu). Variantes : Naomy, Néomie, Noam, Noamie. Caractérologie : décision, communication, pragmatisme, caractère, optimisme.

Naoual 🌲 1 000
Un présent (arabe). Variantes : Naouele, Nawaël. Caractérologie : énergie, ambition, innovation, autonomie, autorité.

Naouel 🌲 650
Un présent (arabe). Caractérologie : découverte, audace, originalité, énergie, séduction.

N

215
·······

Nara

Chêne, symbole de stabilité (japonais), heureuse (celte), proche, aimée (anglais). Nara est plus particulièrement usité dans les pays anglophones et au Japon. Ce prénom est porté par moins de 100 personnes en France. Caractérologie : résolution, méditation, savoir, intelligence, indépendance.

Narimane

Au caractère doux et agréable (arabe). La reine Narimane, seconde épouse du roi Farouk, lança la mode de ce prénom en Égypte dans les années 1940. Variantes : Narima, Narimen, Narimene, Narrimane, Neriman. Caractérologie : pragmatisme, communication, optimisme, créativité, résolution.

Nariné

Fine (arménien). Ce prénom est porté par moins de 30 personnes en France. Caractérologie : originalité, sagacité, connaissances, spiritualité, décision.

Narjès 300

Féminin arabe équivalent de Narcisse : amour-propre (grec). Variantes : Nargès, Narjess, Narjis, Narjisse. Caractérologie : sécurité, efficacité, structure, persévérance, détermination.

Nasséra 2 000

Protection, victoire (arabe). On peut estimer que moins de 30 enfants seront prénommés ainsi en 2014. Caractérologie : audace, détermination, découverte, originalité, énergie.

Nassia

Miracle divin (hébreu). Ce prénom est porté par moins de 100 personnes en France. Variantes : Nasia, Nasya. Caractérologie : altruisme, détermination, réflexion, idéalisme, intégrité.

Nassima 3 000

Air frais (arabe). On peut estimer que moins de 30 enfants seront prénommés ainsi en 2014. Caractérologie : sécurité, persévérance, détermination, structure, efficacité.

Nassira 850

Protection, victoire (arabe). Variante : Nasira. Caractérologie : réflexion, intégrité, altruisme, idéalisme, décision.

Nastasia 950

Jour de la naissance (latin). Prénom suédois et russe. Variantes : Nastassia, Nastasya, Natassia. Caractérologie : enthousiasme, pratique, communication, adaptation, détermination.

Natacha 29 000

Forme francisée de Natasha : jour de la naissance (latin). Variante : Natasha. Caractérologie : communication, enthousiasme, pratique, organisation, finesse.

Natalia 1 500

Jour de la naissance (latin). Natalia est particulièrement répandu dans les pays slaves et hispanophones, en Italie, en Grèce et en Corse. Caractérologie : méthode, fiabilité, ténacité, décision, gestion.

Natalie 1 000

Jour de la naissance (latin). Féminin anglais et allemand. Variantes : Natale, Natali. Caractérologie : organisation, stratégie, vitalité, achèvement, détermination.

Nataline

Jour de la naissance (latin). Ce prénom est porté par moins de 100 personnes en France. Variantes : Natalena, Natalène, Natalina, Nathalène, Nathaline. Caractérologie : gestion, méthode, ténacité, décision, fiabilité.

Natasha 🌟600 ⬇
Jour de la naissance (latin). Prénom anglais, russe et slave. Caractérologie : ambition, autorité, innovation, finesse, énergie.

Nathalia 🌟850 **TOP 2000** ⬆
Jour de la naissance (latin). Ce prénom est particulièrement répandu au Portugal. Caractérologie : communication, finesse, pratique, enthousiasme, résolution.

Nathalie 🌟373 000 **TOP 2000** ⬂
Jour de la naissance (latin). Ce prénom porté par une sainte au IVe siècle (Nathalie de Nicomédie) n'est pas nouveau, mais son usage est longtemps resté confidentiel en France. C'est dans les années 1960 que Nathalie s'envole vers la gloire, prenant la tête du classement féminin de 1965 à 1971. L'immense succès de *Nathalie*, la chanson de Gilbert Bécaud, en 1964, a contribué à sa popularité. Bien qu'il soit depuis tombé dans l'oubli, Nathalie est aujourd'hui le 2e prénom féminin le plus porté dans l'Hexagone. Il est par ailleurs très répandu en Allemagne et aux Pays-Bas. ◇ Condamnée au martyre par l'émir de Cordoue au IXe siècle, sainte Nathalie mourut aux côtés de son mari et du moine qu'ils avaient caché. Caractérologie : finesse, connaissances, décision, sagacité, attention.

Nathaly 🌟250
Jour de la naissance (latin). Féminin anglais. Variantes : Nataly, Natalis, Natty. Caractérologie : altruisme, idéalisme, intégrité, sensibilité, bonté.

Nathanaëlle 🌟1 500 **TOP 2000** ⬇
Il a donné (hébreu). On peut estimer que moins de 30 enfants seront prénommés ainsi en 2014. Caractérologie : pratique, enthousiasme, communication, sensibilité, organisation.

Natividad 🌟140
Nativité (latin). Variante : Nativité. Caractérologie : communication, pragmatisme, optimisme, créativité, décision.

Natsu
Printemps (japonais). Ce prénom est porté par moins de 30 personnes en France. Caractérologie : gestion, adaptation, communication, pratique, enthousiasme.

Nava
Belle (hébreu). Ce prénom est porté par moins de 100 personnes en France. Caractérologie : réceptivité, loyauté, sociabilité, bonté, diplomatie.

Nawal 🌟3 000 **TOP 2000** ⬂
Un présent (arabe). On peut estimer que moins de 30 enfants seront prénommés ainsi en 2014. Variantes : Naoïl, Naoïle, Naouale, Nawale. Caractérologie : paix, bienveillance, conscience, conseil, sagesse.

Nawel 🌟5 000 **TOP 400** ⬂
Un présent (arabe). Variantes : Naouelle, Nawell, Nawelle. Caractérologie : autorité, innovation, énergie, ambition, autonomie.

Naya 🌟1 000 **TOP 400** ⬆
Instrument de musique (arabe). Variante : Nayah. Caractérologie : audace, découverte, originalité, énergie, séduction.

Nayana
Regard, yeux (sanscrit). Nayana est usité en Inde. Ce prénom est porté par moins de 100 personnes en France. Caractérologie : médiation, relationnel, intuition, fidélité, adaptabilité.

Nayla 🌟1 000 **TOP 300** ⬆
Qui a étanché sa soif (arabe). Caractérologie : passion, sympathie, ambition, force, habileté.

N

Neela 🎽 650 **TOP 700** ↗
Championne (celte). Féminin anglais.
Variantes : Nelya, Neyla. Caractérologie :
autonomie, innovation, ambition, énergie,
autorité.

Neige 🎽 300 ↘
Neige (français). Caractérologie : persévérance, structure, sécurité, honnêteté, efficacité.

Neila 🎽 2 000 **TOP 300** ↗
Championne (celte). Féminin anglais.
Variantes : Neil, Nehla, Neilla, Nella. Caractérologie : énergie, découverte, originalité,
détermination, audace.

Neïma 🎽 120
Mélodie (hébreu). Caractérologie : famille,
sens des responsabilités, décision, équilibre,
influence.

Nejma 🎽 750 ↘
Étoile (arabe). Variantes : Najima, Najma,
Nedjma. Caractérologie : originalité, connais-
sances, philosophie, sagacité, spiritualité.

Nélia 🎽 1 500 **TOP 300** ↑
Cornu, corneille (latin), petite fleur (kabyle).
Cette forme latine de Cornelia s'est longtemps
passé d'accent aigu, mais une majorité de
parents la préfère avec désormais. Variante :
Nélie. Caractérologie : énergie, découverte,
audace, détermination, originalité.

Nell 🎽 2 000 **TOP 400** →
Championne (celte). Nell est répandu dans
les pays anglophones. Caractérologie :
savoir, intelligence, méditation, indépendance, sagesse.

Nella 🎽 800 **TOP 2000** ↗
Éclat du soleil (grec). Féminin anglais. Caractérologie : stratégie, leadership, ardeur, achèvement, vitalité.

Nellie 🎽 600 ↑
Éclat du soleil (grec). Féminin français.
Caractérologie : communication, créativité,
sociabilité, pragmatisme, optimisme.

Nelly 🎽 60 000 **TOP 600** →
Éclat du soleil (grec). Féminin anglais et français. Variantes : Neela, Nela, Nèle, Nélie, Nelig,
Nella, Nelli, Nely. Caractérologie : énergie,
audace, amitié, découverte, originalité.

Néola
Jeune (grec). Ce prénom est porté par moins
de 30 personnes en France. Caractérologie : réceptivité, sociabilité, diplomatie, bonté,
loyauté.

Néona
Nouvelle lune (grec). Ce prénom est porté par
moins de 30 personnes en France. Caractérologie : méthode, sens du devoir, fiabilité, engagement, ténacité.

Néréa 🎽 150
Mien, mienne (basque). Nerea est très en
vogue en Espagne actuellement. Caractérologie : indépendance, intelligence, savoir,
méditation, décision.

Néria
Dieu illumine (hébreu). Ce prénom est porté
par moins de 30 personnes en France. Caractérologie : intuition, médiation, décision, fidélité, relationnel.

Nérina
Nymphe de la mer (grec). Féminin italien. Ce
prénom est porté par moins de 100 personnes
en France. Variante : Nérissa. Caractérologie : finesse, sagacité, connaissances, décision, originalité.

Nese
Chaste, pure (grec). Ce prénom est porté
par moins de 100 personnes en France.

Caractérologie : connaissances, spiritualité, sagacité, originalité, philosophie.

Neslihan  550
De la famille des Khan (turc). Caractérologie : innovation, autorité, énergie, résolution, ambition.

Nesrine 4 000 **TOP 400**
Fleur sauvage (arabe). Variantes : Nasrine, Nassrine, Nesrin, Nesserine, Nessrine, Nisrin. Caractérologie : pragmatisme, optimisme, créativité, communication, résolution.

Ness 450
Fleur sauvage (arabe), papillon (grec). Féminin anglais. Variantes : Nessa, Neïssa, Nissa. Caractérologie : optimisme, communication, créativité, pragmatisme, sociabilité.

Nessa 500 **TOP 900**
Fleur sauvage (arabe), papillon (grec). Féminin anglais. Caractérologie : efficacité, sécurité, structure, persévérance, honnêteté.

Nesta
Forme galloise d'Agnès : chaste, pure (grec). Ce prénom est porté par moins de 100 personnes en France. Caractérologie : volonté, charisme, indépendance, curiosité, dynamisme.

Nettie
Dieu fait grâce (hébreu). Féminin anglais. Ce prénom est porté par moins de 100 personnes en France. Variante : Netty. Caractérologie : autorité, autonomie, innovation, énergie, ambition.

Néva  250 **TOP 2000**
Forme abrégée de Geneva ou variante de Nieves. Féminin anglais et espagnol. Caractérologie : équilibre, influence, famille, exigence, sens des responsabilités.

Névada
Signifie « enneigé » en espagnol. Nevada est également le nom d'un État américain. Ce prénom est porté par moins de 30 personnes en France. Caractérologie : sociabilité, diplomatie, réceptivité, loyauté, bonté.

Neya
Variation de Naya et Nia, un diminutif gallois de Niamh. Ce prénom est porté par moins de 100 personnes en France. Variante : Neïa. Caractérologie : altruisme, intégrité, idéalisme, dévouement, réflexion.

Niame 300
Prénom arabe d'origine égyptienne. Variante : Niamet. Caractérologie : bienveillance, conscience, détermination, paix, conseil.

Niamh
D'une beauté éclatante (irlandais). Féminin irlandais. Ce prénom est porté par moins de 100 personnes en France. Caractérologie : altruisme, idéalisme, intégrité, réflexion, détermination.

Nicole 261 000  **TOP 2000**
Victoire du peuple (grec). Ce féminin de Nicolas est attesté au Moyen Âge mais son usage reste discret jusqu'au XXe siècle. Il s'élance dans les années 1920 et brille au 3e rang du classement de 1939 à 1948 avant de se retirer progressivement, et de se raréfier plus nettement dans les années 1980. Contrairement à son dérivé Colette, plus prospère au Moyen Âge, Nicole s'est exporté outre-Manche dès le XIIIe siècle et a connu un beau succès à la fin du XXe siècle dans les pays anglophones. Variantes : Nickie, Nicky, Nicolasa, Nicolina, Nicoline. Forme basque : Nikole. Caractérologie : efficacité, persévérance, structure, analyse, sécurité.

N
219
....

NINA

Fête : 15 décembre, 14 janvier ou 16 septembre

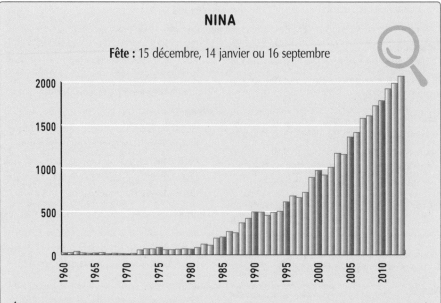

Étymologie : diminutif russe d'Anne, de l'hébreu *hannah*, « grâce », ou forme abrégée de Christiana, d'Antonina et des prénoms se terminant en « ina ». Au IVe siècle, sainte Nina, ou Christiane (le nom qui la désignait en tant que « chrétienne »), aurait converti la famille royale de Géorgie et propagé la foi à tout le pays. Sa popularité assura la diffusion du prénom en Géorgie, en Russie puis dans l'ensemble des pays slaves. Nina s'est également répandue dans les pays hispanophones (Nina signifie « petite fille » en espagnol), ce qui n'empêche pas les Bretons de lui attribuer des racines celtes. Ninian, un saint d'origine écossaise ayant vécu en Bretagne au Ve siècle, pourrait en effet lui être apparenté (*nin* signifie « hauteur », « sommet » en vieux breton). D'où la date de sa fête locale, le 16 septembre.

Nina s'est propagée en Europe et dans les pays anglophones à partir du XIXe siècle, mais sa faveur est toute nouvelle en France. Les Parisiens, à l'origine de son décollage français, ont été prompts à l'adopter et à la propulser dans les 30 premiers choix. Mais Nina a depuis rattrapé son retard : elle devrait se classer aussi avantageusement dans l'Hexagone en 2014. En dehors de la France, ce prénom est plus particulièrement en vogue en Suisse romande, en Wallonie et en Allemagne.

Selon la légende, **sainte Nina** soigna un enfant très malade alors qu'elle était retenue captive en Géorgie au IVe siècle. Elle fut appelée au chevet de la reine de Géorgie agonisante, et la guérit.

...∕

Nina *(suite)*

Nina refusa l'or de la souveraine et lui demanda, en guise de récompense, de se convertir, ce qu'elle fit avant d'être imitée par le roi, puis par le pays tout entier. Le monde orthodoxe célèbre cette sainte le 14 janvier et les catholiques la fêtent le 15 décembre.

Dans la littérature, Nina est l'héroïne de *La Mouette*, pièce de théâtre d'Anton Tchekhov. Sa première représentation, à Saint-Pétersbourg, date de 1896.

Personnalités célèbres : Nina Ricci, créatrice de mode française ; Nina Simone, chanteuse américaine née en 1933 ; Anna Maria Agusti Flores, dite Nina, actrice et chanteuse catalane célèbre en Espagne, née en 1966.

Statistiques : Nina est le 50e prénom féminin le plus donné en France depuis le début du XXIe siècle. On peut estimer qu'il sera attribué à une fille sur 188 en 2014.

Nicolette 🌟 600
Victoire du peuple (grec). Féminin français. Variante : Nicoletta. Caractérologie : logique, ténacité, fiabilité, engagement, méthode.

Nicolle 🌟 9 000
Victoire du peuple (grec). On peut estimer que moins de 30 enfants seront prénommés ainsi en 2014. Caractérologie : intelligence, méditation, indépendance, savoir, logique.

Nieves 🌟 150
Signifie « neiges » en espagnol. Variante : Neva. Caractérologie : sociabilité, loyauté, diplomatie, résolution, réceptivité.

Nikita 🌟 900 ⬇
Victoire du peuple (grec). Variante : Nikki. Caractérologie : innovation, ambition, énergie, autorité, résolution.

Nila 🌟 450 TOP 1000 →
Championne (celte). Féminin anglais. Caractérologie : rectitude, rêve, ouverture d'esprit, détermination, humanité.

Nilda 🌟 190 TOP 2000
Armure, couleur brune (germanique). Prénom italien. Caractérologie : organisation, patience, efficacité, constance, honnêteté.

Nima
Plaisirs, bienfaits (arabe), corde d'instrument de musique (hébreu), ajuster (sanscrit). Ce prénom est porté par moins de 100 personnes en France. Variantes : Nimah, Nimat. Caractérologie : autorité, ambition, innovation, énergie, détermination.

Nina 🌟 28 000 TOP 50 🔍 →
Diminutif russe d'Anne, de l'hébreu hannah, « grâce », ou forme abrégée de Christiana, d'Antonina et des prénoms se terminant en « ina ». Caractérologie : intuition, fidélité, relationnel, détermination, médiation.

Nine 🌟 600 TOP 800 ⬆
Grâce (hébreu). En dehors de l'Hexagone, Nine est particulièrement usité aux Pays-Bas. Caractérologie : conscience, paix, sagesse, conseil, bienveillance.

Ninon 🏆 10 000 **TOP 200** →

Messie (grec). Féminin français. Variantes : Nena, Nine. Caractérologie : pragmatisme, communication, créativité, optimisme, sociabilité.

Nisa 🏆 950 **TOP 500** ↗

Lutin (scandinave), un signe (hébreu). Caractérologie : originalité, connaissances, sagacité, décision, spiritualité.

Nisha

Nuit (sanscrit). Nisha est répandu en Inde. Ce prénom est porté par moins de 100 personnes en France. Caractérologie : paix, conscience, bienveillance, résolution, conseil.

Nisrine 🏆 1 500 **TOP 700** →

Fleur sauvage (arabe). Variante : Nissrine. Caractérologie : indépendance, méditation, intelligence, décision, savoir.

Nissa 🏆 190 **TOP 2000**

Un signe (hébreu). Féminin anglais. Variantes : Nisa, Nisha, Nyssa. Caractérologie : détermination, ambition, habileté, force, passion.

Nita 🏆 250

Grâce (hébreu). Féminin anglais. Caractérologie : vitalité, achèvement, décision, stratégie, ardeur.

Niva

Parole (hébreu). Ce prénom est porté par moins de 100 personnes en France. Caractérologie : ambition, innovation, autorité, énergie, résolution.

Nixie

Lutin, source (germanique). Ce prénom est porté par moins de 30 personnes en France. Caractérologie : sagacité, connaissances, spiritualité, philosophie, originalité.

Noa 🏆 5 000 **TOP 400** ↘

En mouvement (hébreu). Au féminin, Noa est également un prénom japonais qui signifie : « amour ». Dans l'Ancien Testament, Noa revendique auprès de Moïse un droit à l'héritage laissé par son père. C'est grâce à elle que la loi régissant les successions est modifiée en faveur des femmes. La première Noa de l'Hexagone est née en 1982, bien avant que ce prénom soit attribué à un garçon (en 1998). Depuis, Noa s'est largement masculinisé. Au féminin, ce prénom est très en vogue en Espagne et en Israël. Il est en cours d'ascension dans les pays occidentaux et anglophones. Variantes : Noée, Noha. Caractérologie : communication, enthousiasme, adaptation, pratique, générosité.

Noadia

Connaissance (hébreu). Ce prénom est porté par moins de 30 personnes en France. Caractérologie : habileté, ambition, management, passion, détermination.

Noan 🏆 180

Agneau (celte), ou dérivé d'Oanez (une forme bretonne d'Agnès signifiant « chaste, pur » en grec). Ce prénom est essentiellement masculin aujourd'hui. Variante : Noane. Caractérologie : vitalité, achèvement, stratégie, ardeur, management.

Noane 🏆 170

Agneau (celte), ou dérivé d'Oanez (une forme bretonne d'Agnès signifiant « chaste, pur » en grec). Variante : Noanne. Caractérologie : patience, logique, famille, ténacité, création.

Noéla 🏆 900 ↘

Jour de la naissance (latin). Féminin français. Caractérologie : médiation, intuition, relationnel, adaptabilité, fidélité.

Noèle 🇫🇷 1 500

Jour de la naissance (latin). Féminin français. On peut estimer que moins de 30 enfants seront prénommés ainsi en 2014. Caractérologie : exigence, influence, équilibre, famille, sens des responsabilités.

Noélia 🇫🇷 1 000 (TOP 600) →

Jour de la naissance (latin). Caractérologie : logique, relationnel, décision, médiation, intuition.

Noélie 🇫🇷 6 000 (TOP 200) →

Jour de la naissance (latin). Féminin français. Variantes : Noélia, Noélya. Caractérologie : influence, sens des responsabilités, équilibre, famille, raisonnement.

Noéline 🇫🇷 3 000 (TOP 300) →

Combinaison de Noëlle et Line. Féminin français. Caractérologie : médiation, fidélité, intuition, relationnel, logique.

Noëlla 🇫🇷 5 000 (TOP 2000) →

Jour de la naissance (latin). Féminin français. Caractérologie : curiosité, indépendance, dynamisme, charisme, courage.

Noëlle 🇫🇷 25 000

Jour de la naissance (latin). Féminin français et anglais. On peut estimer que moins de 30 enfants seront prénommés ainsi en 2014. Caractérologie : rectitude, ouverture d'esprit, générosité, humanité, rêve.

Noémi 🇫🇷 1 000 (TOP 2000) →

Belle, agréable (hébreu). En dehors de l'Hexagone, Noemi est plus particulièrement attribué dans les pays hispanophones et lusophones. Caractérologie : intuition, médiation, relationnel, volonté, fidélité.

Noémie 🇫🇷 61 000 (TOP 50) →

Belle, agréable (hébreu). Ce prénom de l'Ancien Testament était répandu dans les familles juives avant d'être adopté par les puritains anglais à la fin du XVIᵉ siècle. Naomi est très courant dans les pays anglophones lorsqu'il émerge en France sous la forme de Noémie. Cette nouveauté culmine au 27ᵉ rang du classement féminin en 1996, et se maintient encore en bonne position aujourd'hui. Dans l'Ancien Testament, Noémie est la belle-mère de Ruth et l'arrière-grand-mère du roi David. Variantes : Noémia, Noémy. Caractérologie : sagacité, spiritualité, connaissances, volonté, originalité.

Noha 🇫🇷 550 (TOP 2000) →

Esprit, sagesse (arabe), et variante moderne de Noa. Caractérologie : intuition, relationnel, fidélité, médiation, adaptabilité.

Nohéa

Belle (hawaïen). Ce prénom est porté par moins de 30 personnes en France. Caractérologie : intelligence, discrétion, indépendance, médiation, spiritualité.

Nohra 🇫🇷 300

Éclat du soleil (grec), lumière (arabe). Variantes : Nora, Norah. Caractérologie : loyauté, sociabilité, réceptivité, diplomatie, résolution.

Nola 🇫🇷 900 (TOP 300) ↑

Diminutif de Fionnula, qui signifie « épaule pâle », ou d'autres prénoms qui se terminent par « nola ». Ce prénom d'origine irlandaise n'est pas apparenté à Nolan. Caractérologie : famille, équilibre, sens des responsabilités, exigence, influence.

Nolane 🇫🇷 200 ↓

Championne (celte). Cette forme féminine de Nolan est apparue dans l'Hexagone à la fin des années 1990. Elle est également recensée dans les pays anglophones. Variantes : Nolana, Nolanne, Nolène, Noline. Caractérologie : sagacité, philosophie, connaissances, spiritualité, originalité.

N

223
......

Nolwen ⭐ 1 500 **TOP 2000** ➡
Blanc, heureux (celte). Voir Nolwenn. Féminin français et breton. Variantes : Nolvenn, Nolween, Nolwene. Caractérologie : relationnel, intuition, médiation, fidélité, adaptabilité.

Nolwenn ⭐ 13 000 **TOP 400** ➡
Blanc, heureux (celte). Prénom français et breton. Au VIe siècle, sainte Nolwenn s'apprêtait à mener une vie de recluse, mais elle fut courtisée par un seigneur dont elle osa repousser les avances. Fou de rage, il la fit décapiter. La légende raconte qu'elle ramassa sa tête et poursuivit son chemin jusqu'à un lieu de sépulture approprié. Une chapelle lui est dédiée à Noyal-Pontivy, commune du Morbihan dont Nolwenn est la patronne. Variante : Nolwenne. Caractérologie : sagacité, connaissances, spiritualité, philosophie, originalité.

Noor ⭐ 700 **TOP 900** ↗
Lumière (arabe). Caractérologie : passion, habileté, ambition, management, force.

Nora ⭐ 17 000 **TOP 200** ➡
Éclat du soleil (grec), lumière (arabe). Féminin irlandais, anglais, scandinave, allemand, néerlandais, italien et français. Caractérologie : communication, optimisme, pragmatisme, créativité, détermination.

Norah ⭐ 3 000 **TOP 300** ➡
Éclat du soleil (grec), lumière (arabe). Norah est plus particulièrement répandu en Irlande, dans les pays anglophones et les cultures musulmanes. Variante : Norha. Caractérologie : réceptivité, sociabilité, diplomatie, loyauté, détermination.

Noria ⭐ 1 500 ➡
Lumière (arabe). On peut estimer que moins de 30 enfants seront prénommés ainsi en 2014. Variante : Noriane. Caractérologie :

adaptation, enthousiasme, communication, détermination, pratique.

Norine ⭐ 250 ↘
Éclat du soleil (grec). Féminin anglais. Variantes : Noreen, Norina. Caractérologie : optimisme, communication, créativité, sociabilité, pragmatisme.

Norma ⭐ 600 ➡
Règle (latin). Féminin anglais. Caractérologie : connaissances, résolution, sagacité, spiritualité, volonté.

Nouhaïla ⭐ 300 ⬇
Esprit, sagesse (arabe). Variantes : Nouha, Nouhayla. Caractérologie : rectitude, humanité, rêve, décision, logique.

Nour ⭐ 5 000 **TOP 200** ↗
Lumière (arabe). Épouse du roi Hussein, Nour fut la reine de Jordanie de 1978 à 1999. Variantes : Nore, Nourra, Nur. Caractérologie : énergie, découverte, audace, raisonnement, originalité.

Noura ⭐ 3 000 **TOP 2000** ➡
Lumière (arabe), feu (hébreu). On peut estimer que moins de 30 enfants seront prénommés ainsi en 2014. Caractérologie : bienveillance, détermination, raisonnement, paix, conscience.

Nouria ⭐ 1 000 ➡
Lumière (arabe), feu (hébreu). Variantes : Nouriya, Nooria, Noorya, Nuriya. Caractérologie : sens des responsabilités, équilibre, décision, famille, logique.

Nova
Nouveau (latin). Ce prénom est porté par moins de 100 personnes en France. Variante : Novia. Caractérologie : connaissances, sagacité, spiritualité, originalité, volonté.

Les prénoms rétro du début du XXᵉ siècle

Cette sélection rassemble des petits noms qui furent en faveur au début des années 1900. Après avoir sombré dans l'oubli, ces pépites reprennent des couleurs. Certaines, comme Apolline, Zélie, Anatole et Augustin, reprennent discrètement le chemin de l'école. D'autres, comme Louis, Jules, Rose ou Louise, s'ébattent déjà dans les cours de récréation !

Filles : Adèle, Aglaé, Albanie, Alexine, Alina, Alma, Angèle, Apolline, Armance, Arthémise, Augustine, Blanche, Célestine, Colombe, Dina, Elia, Émerence, Eugénie, Eulalie, Félicie, Fleurine, Gracianne, Honorine, Jeanne, Léona, Léonie, Léontine, Lilly, Louise, Matilde, Noémi, Pétronille, Philomène, Rose, Salomée, Sidonie, Victoire, Victorine, Zélie.

Garçons : Abel, Achille, Aimé, Albert, Alfred, Anatole, Anthime, Antoine, Auguste, Augustin, Célestin, Edgar, Edmond, Émile, Ernest, Eugène, Faustin, Félix, Fernand, Gaston, Gustave, Henri, Jules, Joseph, Léon, Léopold, Louis, Lucien, Marceau, Marius, Max, Melchior, Oscar, Philémon, Rubens, Sully, Théodore, Théophile, Victor, Victorin, Wilhem.

D'autres perles au côté suranné ne méritent pas le désintérêt qui les accable aujourd'hui. Ci-dessous des prénoms qui furent attribués à une poignée d'enfants au tout début du XXᵉ siècle... avant de disparaître des registres d'état civil. Avis aux amateurs...

Filles : Adonie, Amantine, Amaranthe, Anathilde, Anatoline, Aventine, Cléonice, Cléore, Cyprine, Cyrienne, Émiliette, Eudora, Euranie, Fleurice, Héliade, Isidorine, Lauréa, Léliane, Léonelle, Médarine, Oliphie, Théophanie.

Garçons : Ancelin, Apollinaire, Céleste, Cyriaque, Donatien, Éléodore, Eudore, Fleury, Floris, Gervais, Guislain, Irénée, Jaquelin, Marcelin, Maximin, Pépin, Rosaire, Saturnin, Théodule, Thiébaut, Urbain, Valéry, Victorien.

Noyale
Blanc, heureux (celte). Féminin breton. Ce prénom est porté par moins de 100 personnes en France. Caractérologie : altruisme, intégrité, réflexion, amitié, idéalisme.

Nuala
Épaule pâle (irlandais). Ce prénom est porté par moins de 30 personnes en France. Caractérologie : ténacité, fiabilité, méthode, engagement, sens du devoir.

Nuccia
Qui ajoutera (hébreu). Féminin italien. Ce prénom est porté par moins de 100 personnes en France. Caractérologie : paix, bienveillance, conseil, conscience, résolution.

Nuria  350
Lieu entre des collines (basque), sanctuaire pyrénéen dédié à la Vierge de Nuria. Féminin espagnol, français, basque et catalan. Variantes : Nuriah, Nurya. Caractérologie : altruisme, réflexion, idéalisme, intégrité, détermination.

Nyla 250
Championne (celte). Voir Nila. Variante : Nila. Caractérologie : originalité, bonté, connaissances, sagacité, spiritualité.

Nymphéa

Femme (latin). Se rapporte également aux nymphes qui ont peuplé l'imaginaire des mythologies grecque et romaine. Ce prénom est porté par moins de 100 personnes en France. Caractérologie : relationnel, réalisation, fidélité, adaptabilité, médiation.

Nyoko

Trésor (japonais). Ce prénom est porté par moins de 30 personnes en France. Caractérologie : force, ambition, passion, habileté, management.

O

Oana 🎗 110

Forme bretonne d'Agnès : chaste, pure (grec). Caractérologie : efficacité, sécurité, honnêteté, persévérance, structure.

Oanell

Forme bretonne d'Agnès : chaste, pure (grec). Ce prénom est porté par moins de 100 personnes en France. Variantes : Oanel, Oanelle, Oanez. Caractérologie : courage, charisme, indépendance, curiosité, dynamisme.

Obéline

Obélisque (grec). Ce prénom est porté par moins de 100 personnes en France. Variantes : Obélia, Obélie. Caractérologie : habileté, ambition, force, passion, analyse.

Océane 🎗 80 000 ⬇

Océan (grec). Tout comme Ondine, ce prénom est né dans l'Hexagone en 1972, au moment où Marine entamait sa brillante carrière. Océane est rarissime jusqu'à la fin des années 1980, où son décollage est fulgurant. Clouant Ondine sur place, Océane pointe au 6e rang féminin en 1998, son meilleur classement. La relève de Marine est alors assurée pour quelques années. On fête ce prénom le même jour qu'Océan, un saint du IVe siècle dont on sait peu de choses. Voir

Océan. Variantes : Aucéane, Océana, Océanie. Caractérologie : savoir, intelligence, méditation, sagesse, indépendance.

Océanne 🎗 2 000  ⬊

Océan (grec). Caractérologie : communication, adaptation, pratique, enthousiasme, générosité.

Océlia 🎗 170

Contraction d'Océane et Célia. Variante : Océlie. Caractérologie : humanité, raisonnement, générosité, rêve, ouverture d'esprit.

Octavie 🎗 1 500

Huitième (latin). Ce prénom porté par la sœur de l'empereur Auguste était très répandu à l'époque romaine. Il était traditionnellement attribué pour désigner le huitième enfant né dans une famille. Octavie est le féminin français d'Octave. On peut estimer que moins de 30 enfants seront prénommés ainsi en 2014. Variantes : Octavia, Octavienne, Ottavia. Caractérologie : optimisme, communication, pragmatisme, volonté, analyse.

Odélia 🎗 550

Richesse (germanique). Féminin anglais. Variantes : Odélie, Odelinda, Odell, Odelle. Caractérologie : audace, direction, caractère, logique, dynamisme.

Odeline 🎗 250 ⬇

Richesse (germanique). Caractérologie : direction, audace, caractère, dynamisme, logique.

Odessa 🇫🇷 300 ⬇
Long voyage (grec). Caractérologie : rêve, rectitude, caractère, humanité, ouverture d'esprit.

Odette 🇫🇷 95 000
Richesse (germanique). Féminin français. On peut estimer que moins de 30 enfants seront prénommés ainsi en 2014. Variantes : Odete, Odetta, Odiane. Caractérologie : sens des responsabilités, équilibre, volonté, famille, influence.

Odile 🇫🇷 79 000 TOP 2000
Richesse (germanique). Féminin français. On peut estimer que moins de 30 enfants seront prénommés ainsi en 2014. Variantes : Odila, Odilia, Odyle, Odylle. Caractérologie : intégrité, altruisme, raisonnement, volonté, idéalisme.

Odille 🇫🇷 750
Richesse (germanique). Caractérologie : communication, pratique, analyse, volonté, enthousiasme.

Ohanna
Dieu fait grâce (hébreu). Ce prénom est porté par moins de 30 personnes en France. Caractérologie : achèvement, vitalité, stratégie, leadership, ardeur.

Oihana 🇫🇷 700 TOP 2000 ➡
Bosquet, bois (basque). Variante : Oyana. Caractérologie : communication, enthousiasme, pratique, adaptation, détermination.

Oksana 🇫🇷 450 TOP 2000 ➡
Hospitalier (grec). Variantes : Oksanna, Oksanne. Caractérologie : indépendance, savoir, méditation, intelligence, sagesse.

Olariane
Contraction d'Olalia et d'Ariane. Ce prénom est porté par moins de 30 personnes en France. Caractérologie : communication, logique, pratique, enthousiasme, décision.

Olfa 🇫🇷 850
Entente, harmonie (arabe). Variante : Olpha. Caractérologie : intelligence, savoir, indépendance, méditation, sagesse.

Olga 🇫🇷 10 000 TOP 2000 ⬇
Heureuse (germanique). Fille du tsar Nicolas II, Olga Nikolaïevna de Russie fut assassinée en 1918 avec toute sa famille à l'âge de 22 ans. Ce prénom est très répandu en Russie, en Roumanie et dans l'ensemble des pays slaves. On peut estimer que moins de 30 enfants seront prénommés ainsi en 2014. Caractérologie : vitalité, achèvement, ardeur, stratégie, leadership.

Olinda 🇫🇷 180
Aube (grec), violette (latin). Féminin anglais. Variante : Olynda. Caractérologie : autorité, innovation, énergie, volonté, raisonnement.

Olive 🇫🇷 650 ⬆
Olive (latin). Une racine scandinave (*olafr*) pourrait également lui conférer le sens d'« ancêtre » en vieux norrois. Féminin anglais. Caractérologie : altruisme, analyse, idéalisme, intégrité, volonté.

Olivia 🇫🇷 31 000 TOP 100 ➡
Olive (latin). Une racine scandinave (*olafr*) pourrait également lui conférer le sens d'« ancêtre » en vieux norrois. Olivia est une forme moderne des variantes médiévales Olive et Oliva. Elle est rarement attribuée en Europe avant les années 1960. En France, c'est l'ascension d'Olivier qui révèle ce féminin dans les années 1970. Son parcours a été fluctuant mais sa nouvelle croissance se confirme aujourd'hui. Variantes : Oliane, Oliva, Olivéa, Oliviana, Oliviane, Olivie, Olivine. Caractérologie : indépendance, courage, curiosité, dynamisme, analyse.

O

Olwen 🎗 110
Trace blanche (celte). Prénom gallois et breton. Olwen est l'une des héroïnes des *Mabinogion*, contes mythologiques des anciens Gallois. Variante : Olwenn. Caractérologie : paix, conseil, bienveillance, conscience, sagesse.

Olympe 🎗 2 000 **TOP 700** ➡
Qui vient de l'Olympe (grec). Féminin français. Caractérologie : curiosité, courage, dynamisme, sympathie, volonté.

Olympia 🎗 150
Qui vient de l'Olympe (grec). Variante : Olympie. Caractérologie : curiosité, courage, dynamisme, sympathie, volonté.

Omayma 🎗 350 **TOP 2000** ➡
Jeune mère (arabe). Variantes : Omaïma, Oméima. Caractérologie : dynamisme, curiosité, indépendance, réalisation, courage.

Ombeline 🎗 3 000 **TOP 600** ➡
Esprit brillant (germanique). Féminin français. Variante : Ombline. Caractérologie : enthousiasme, pratique, volonté, communication, raisonnement.

Ona
Bon (basque). Ce prénom est porté par moins de 100 personnes en France. Caractérologie : pragmatisme, communication, sociabilité, optimisme, créativité.

Ondine 🎗 950 **TOP 2000** ↘
Flot, vague (latin). Féminin français. Variante : Ondina. Caractérologie : connaissances, sagacité, spiritualité, originalité, volonté.

Oona 🎗 150
Agneau (irlandais). Féminin irlandais et finlandais. Caractérologie : humanité, rectitude, ouverture d'esprit, rêve, générosité.

Opale 🎗 250 ⬇
Forme anglophone du sanscrit *upala* qui signifie : « pierre précieuse ». Variantes : Opal, Opaline. Caractérologie : structure, persévérance, sécurité, cœur, efficacité.

Opaline 🎗 250 ⬇
Voir Opale. Caractérologie : amitié, idéalisme, raisonnement, intégrité, altruisme.

Ophélia 🎗 1 500 **TOP 2000** ↘
Qui aide (grec). Féminin anglais. Variante : Phélia. Caractérologie : communication, enthousiasme, pratique, ressort, analyse.

Ophélie 🎗 35 000 **TOP 400** ↘
Qui aide (grec). Féminin français. Variantes : Oliphie, Ophély. Caractérologie : connaissances, sagacité, analyse, ressort, spiritualité.

Ophéline 🎗 300 ➡
Qui aide (grec). Caractérologie : enthousiasme, ressort, communication, analyse, pratique.

Ophira
En or (hébreu). Ce prénom est porté par moins de 30 personnes en France. Variante : Ofira. Caractérologie : méthode, engagement, ténacité, ressort, fiabilité.

Ora 🎗 110
Lumière (hébreu). Variante : Orah. Caractérologie : savoir, intelligence, méditation, indépendance, sagesse.

Orama
Inspiration céleste (tahitien). Ce prénom est porté par moins de 30 personnes en France. Caractérologie : pratique, adaptation, communication, générosité, enthousiasme.

Orane 🎗 3 000 ⬇
En or (latin). Féminin français. Variante : Oranne. Caractérologie : habileté, ambition, passion, résolution, force.

Idées de prénoms triculturels

Le tableau ci-dessous propose une sélection de prénoms francophones et leurs équivalents anglophones et hispanophones. Cette sélection sera utile aux parents qui souhaitent trouver un prénom dont l'orthographe ou la prononciation reste identique dans de nombreuses régions du monde.

Prénom francophone	Prénom anglophone	Prénom hispanophone
Alexa	Alexa	Alexia
Alicia	Alicia	Alicia
Alison	Alison	Alison
Alyssa	Alyssa	Alyssa
Amélie	Emily	Amelia
Anna	Hannah	Anna, Ana
Barbara	Barbara	Bárbara
Carla	Carla	Carla
Chloé	Chloe	Cloe
Clara	Clara	Clara
Claudia	Claudia	Claudia
Déborah	Deborah	Débora
Elena	Elena	Elena
Emma	Emma	Emma
Éva, Ève	Ava, Evie	Ava, Eva
Gabriella	Gabriella	Gabriela
Inès	–	Inés
Jade	Jade	Jade
Julia	Julia	Julia
Laura	Laura	Laura
Lara	Lara	Lara
Lina	Lina	Lina
Lola	Lola	Lola
Lisa	Lisa	Luisa
Lucie	Lucy	Lucía
Madeleine, Madeline	Madeleine, Madeline	Magdalena
Marie	Mary	María
Maude	Maud	Maud
Maya	Maya	Maïa, Maya
Mélissa	Melissa	Melisa
Mia	Mia	Mía
Nora(h)	Norah	Nora
Nicole	Nicole	Nicole
Olivia	Olivia	Olivia
Pauline	Pauline	Paula, Paulina
Rose	Rose	Rosa
Sarah	Sarah	Sara
Sophie, Sophia, Sofia	Sophie, Sophia, Sofia	Sofía
Valentine	Valentina	Valentina
Victoria	Victoria	Victoria
Zoé	Zoe	Zoé

Orchidée

Petit testicule (grec). Ce prénom né dans les années 2000 se rapporte à la fleur du même nom. Ce prénom est porté par moins de 100 personnes en France. Caractérologie : engagement, méthode, fiabilité, ténacité, sens du devoir.

Oréa

Montagnes (grec). Ce prénom est porté par moins de 100 personnes en France. Variante : Oréal. Caractérologie : enthousiasme, pratique, communication, résolution, adaptation.

Orégane 🌟 150

De haute naissance (celte). Voir Aurégane. Caractérologie : réceptivité, détermination, sociabilité, loyauté, diplomatie.

Orélie 🌟 140

En or (latin). Variante : Orélia. Caractérologie : énergie, innovation, autorité, ambition, analyse.

Oria 🌟 350 →

En or (latin), nom de villages situés au Pays basque et en Italie. Caractérologie : philosophie, spiritualité, sagacité, originalité, connaissances.

Oriana 🌟 1 000 (TOP 2000) →

En or (latin). Prénom italien. Caractérologie : engagement, fiabilité, ténacité, méthode, décision.

Oriane 🌟 9 000 (TOP 400) ↘

En or (latin). Féminin français. Variantes : Oria, Oriola, Orria, Oryane. Caractérologie : ambition, passion, détermination, force, habileté.

Orianna 🌟 250 ↗

En or (latin). Caractérologie : décision, ouverture d'esprit, humanité, rectitude, rêve.

Orianne 🌟 3 000 (TOP 2000) ↓

En or (latin). Féminin français. On peut estimer que moins de 30 enfants seront prénommés ainsi en 2014. Caractérologie : persévérance, structure, sécurité, efficacité, décision.

Orina

Paix (grec). Orina est plus particulièrement répandu en Russie. Ce prénom est porté par moins de 30 personnes en France. Caractérologie : pratique, résolution, communication, adaptation, enthousiasme.

Orinda

Pin (hébreu). Ce prénom est porté par moins de 30 personnes en France. Caractérologie : résolution, méditation, intelligence, volonté, savoir.

Orla

Or, princesse (irlandais), gloire du pays (germanique). Ce prénom est porté par moins de 100 personnes en France. Caractérologie : autorité, innovation, énergie, ambition, raisonnement.

Orlanda

Gloire du pays (germanique). Féminin italien et espagnol. Ce prénom est porté par moins de 100 personnes en France. Caractérologie : fidélité, intuition, volonté, raisonnement, médiation.

Orlane 🌟 9 000 (TOP 300) →

Gloire du pays (germanique). Féminin français. Variantes : Orlanne, Orléane, Orléanne, Orléna, Orlène. Caractérologie : détermination, diplomatie, réceptivité, raisonnement, sociabilité.

Orna

Couleur pâle (irlandais). Orna est assez répandu dans les pays anglophones. Ce prénom est porté par moins de 100 personnes en France. Caractérologie : pratique, communication, adaptation, détermination, enthousiasme.

Ornella 🌟 7 000 **TOP 500** ⊙
Éclat du soleil (grec). Ornella est un prénom italien. Variante : Ornèla. Caractérologie : dynamisme, logique, courage, décision, curiosité.

Orphanie
Princesse (togolais). Ce prénom est porté par moins de 30 personnes en France. Caractérologie : découverte, détermination, action, séduction, originalité.

Orphée 🌟 300 ⊙
Prénom mixte révolutionnaire dont l'origine est obscure. Caractérologie : méthode, ténacité, fiabilité, engagement, ressort.

Orphélie
Contraction d'Orphée et Ophélie. Ce prénom est porté par moins de 100 personnes en France. Caractérologie : savoir, action, méditation, raisonnement, intelligence.

Osana
Santé (basque), qui sauve (hébreu). Ce prénom est porté par moins de 100 personnes en France. Variantes : Osane, Osanna, Osanne. Caractérologie : séduction, énergie, originalité, audace, découverte.

Osanne
Santé (basque), qui sauve (hébreu). Cette variante francisée d'Osane est portée par une trentaine de personnes en France. Caractérologie : dynamisme, charisme, curiosité, courage, indépendance.

Oscarine
Lance divine (germanique). Féminin français. Ce prénom est porté par moins de 30 personnes en France. Caractérologie : communication, décision, optimisme, pragmatisme, logique.

Othilie 🌟 500 ⊙
Riche, prospère (germanique). Dans l'Hexagone, Othilie est plus traditionnellement usité en Alsace. Variantes : Othélie, Ottilie. Caractérologie : bienveillance, paix, finesse, conscience, analyse.

Otilia 🌟 160
Riche, prospère (germanique). Caractérologie : pragmatisme, communication, logique, optimisme, gestion.

Ouarda 🌟 1 500
Rose (arabe). On peut estimer que moins de 30 enfants seront prénommés ainsi en 2014. Variantes : Oirda, Ouardia, Ourda, Ourdia. Caractérologie : sens des responsabilités, analyse, influence, équilibre, famille.

Ouidad 🌟 180
Fidèle et affectionnée (arabe). Variantes : Ouidade, Ouided. Caractérologie : rêve, rectitude, humanité, raisonnement, ouverture d'esprit.

Oumaïma 🌟 800 **TOP 1000**
Jeune mère (arabe). Variantes : Oum, Ouma. Caractérologie : direction, indépendance, audace, logique, dynamisme.

Oumayma 🌟 650 **TOP 2000**
Jeune mère (arabe). Variantes : Omaya, Oumou, Umay, Umayma, Oumy. Caractérologie : vitalité, stratégie, achèvement, réalisation, ardeur.

Oxana 🌟 350 ⊙
Hospitalier (grec). Prénom slave oriental. Variantes : Oxane, Oxanna, Oxanne. Caractérologie : audace, direction, dynamisme, indépendance, assurance.

Oxane 🌟 130
Hospitalier (grec). Caractérologie : découverte, énergie, audace, séduction, originalité.

O

231

P

Palmyre 600

Palmiers (hébreu). Féminin anglais. Variantes : Palma, Palmira, Palmire. Caractérologie : idéalisme, sympathie, réalisation, altruisme, intégrité.

Paloma 5 000

Colombe (latin). Ce prénom espagnol se rapporte également à la Vierge de la Paloma (Notre-Dame-de-la-Colombe, à Madrid). Caractérologie : persévérance, structure, sécurité, efficacité, réussite.

Paméla 9 000

Sucré (grec). En dehors de l'Hexagone, ce prénom est particulièrement porté dans les pays anglophones. On peut estimer que moins de 30 enfants seront prénommés ainsi en 2014. Variantes : Pam, Pamella. Caractérologie : sympathie, communication, pratique, enthousiasme, réalisation.

Paola 7 000

Petit, faible (latin). Paola est répandu en Italie et dans les pays hispanophones. C'est aussi un choix traditionnel breton. Variante : Paolina. Caractérologie : altruisme, idéalisme, réflexion, dévouement, intégrité.

Paolina 500

Petit, faible (latin). Prénom italien. Caractérologie : raisonnement, charisme, indépendance, curiosité, dynamisme.

Paoline 200

Petit, faible (latin). Caractérologie : rêve, bonté, rectitude, raisonnement, humanité.

Pâquerette 1 000

Perle (grec). Caractérologie : relationnel, médiation, ressort, finesse, intuition.

Paquita 900

Libre, française (latin). Caractérologie : structure, persévérance, action, sécurité, organisation.

Pascale 99 000

Passage (hébreu). Peu attribué par le passé, ce prénom a jailli dans le sillon de son masculin, Pascal, et culminé au 12e rang féminin en 1962. Pascale est redevenu très discret depuis les années 1990. On peut estimer que moins de 30 enfants seront prénommés ainsi en 2014. Caractérologie : pratique, communication, enthousiasme, sympathie, adaptation.

Pascaline 10 000

Passage (hébreu). Féminin français. On peut estimer que moins de 30 enfants seront prénommés ainsi en 2014. Caractérologie : stratégie, achèvement, décision, vitalité, cœur.

Patience

Patience (latin). Ce prénom est porté par moins de 100 personnes en France. Caractérologie : sympathie, audace, dynamisme, résolution, direction.

Patricia 200 000

Noble personne (latin). Noble par son étymologie latine, *patricius*, Patricia est en usage dans la Rome antique. L'ajout de sa terminaison en « a » permettait aux Romains de distinguer la gent féminine issue des familles nobles. Malgré son ancienneté, Patricia a peu de passé en France. Il émerge avec tout l'attrait d'une nouveauté dans les années 1950 et se hisse en quelque temps dans le top 20. Patricia s'y maintient durant deux décennies avant de chuter fortement. Ce prénom, très répandu dans les pays anglophones, s'est illustré dans le top 10 américain de 1929 à 1966. On peut estimer que moins de 30 enfants seront prénommés ainsi en 2014. Variantes : Patriciane, Patricie, Patrizia, Patsy, Pattie, Patty.

Caractérologie : énergie, gestion, découverte, originalité, audace.

Paula 🌟 4 000 (TOP 2000) →
Petit, faible (latin). Paula est très répandu dans les pays hispanophones. C'est aussi un prénom traditionnel corse. Variante : Pola. Caractérologie : paix, bienveillance, conscience, conseil, sagesse.

Paule 🌟 21 000 →
Petit, faible (latin). Féminin français. On peut estimer que moins de 30 enfants seront prénommés ainsi en 2014. Caractérologie : autorité, énergie, innovation, ambition, cœur.

Paulette 🌟 118 000
Petit, faible (latin). Féminin français. On peut estimer que moins de 30 enfants seront prénommés ainsi en 2014. Caractérologie : autorité, énergie, innovation, organisation, bonté.

Paulina 🌟 350 ↘
Petit, faible (latin). Féminin espagnol, polonais, letton et catalan. Caractérologie : sociabilité, réceptivité, diplomatie, décision, cœur.

Pauline 🌟 130 000 (TOP 50) ↘
Petit, faible (latin). Ce féminin français de Paul est aujourd'hui répandu dans les pays anglophones, en Allemagne et aux Pays Bas. Dans l'Hexagone, il y a belle lurette qu'il a supplanté Paulina, la forme latine originelle portée par une sainte martyre au IVe siècle. Pauline a été en vogue au XIXe siècle, puis s'est éclipsé pour mieux revenir dans les années 1980. Même si ce prénom a atteint le point culminant de sa carrière (7e rang français) en 1991, il reste prisé aujourd'hui. Pauline Bonaparte (1780-1825), la sœur de Napoléon Ier, et sainte Pauline, missionnaire belge martyrisée en Chine en 1901, l'ont porté. Variantes : Paulia, Pauliana, Paulienne, Paulyne. Caractérologie : paix, résolution, bienveillance, conscience, sympathie.

Paz
Ce nom signifie « paix » en espagnol. En Espagne, Paz se réfère à la Vierge de la Paix. Ce prénom est porté par moins de 100 personnes en France. Caractérologie : sagacité, connaissances, philosophie, spiritualité, originalité.

Pearl 🌟 400 (TOP 2000) ↗
Perle (grec). Féminin anglais. Caractérologie : détermination, bonté, sagacité, connaissances, spiritualité.

Peggy 🌟 17 000
Perle (grec). En dehors de l'Hexagone, ce prénom est particulièrement porté dans les pays anglophones. On peut estimer que moins de 30 enfants seront prénommés ainsi en 2014. Variantes : Peg, Peggie. Caractérologie : exigence, équilibre, sens des responsabilités, famille, influence.

Pélagie 🌟 700
Haute mer (grec). Variantes : Pélage, Pélagia. Caractérologie : audace, direction, détermination, dynamisme, bonté.

Penda 🌟 400 ↗
Celle qui est pourvue de nombreuses capacités (grec). Variante : Pandora. Caractérologie : méthode, fiabilité, ténacité, engagement, réalisation.

Pénélope 🌟 4 000 (TOP 400) →
Tisserande (grec). Pénélope est l'épouse fidèle d'Ulysse et la mère de Télémaque dans l'*Iliade* et l'*Odyssée* d'Homère. Penelope est plus particulièrement répandu dans les pays anglophones et en Grèce. Variante : Penny. Caractérologie : connaissances, sagacité, originalité, spiritualité, bonté.

Périne 🌟 800 ↘
Petit caillou (grec). Variantes : Périna, Périnne. Caractérologie : sécurité, persévérance, structure, efficacité, honnêteté.

P

233
....

Perle 2 000 **TOP 800** →

Perle (grec). Variantes : Perla, Perlina, Perline. Caractérologie : réceptivité, diplomatie, sociabilité, loyauté, bonté.

Pernelle 400 →

Petit caillou (grec). Variantes : Pernille, Péronelle, Péroline, Péronille, Péronne, Péronnelle. Caractérologie : paix, conscience, bienveillance, amitié, conseil.

Perrine 21 000 **TOP 400** ↓

Petit caillou (grec). Féminin français. Variantes : Perrina, Perryne. Caractérologie : persévérance, structure, honnêteté, sécurité, efficacité.

Persia

De Perse (grec). Féminin anglais. Ce prénom est porté par moins de 30 personnes en France. Caractérologie : énergie, découverte, décision, originalité, audace.

Petra 250

Petit caillou (grec). Petra est plus traditionnellement usité en Finlande et au Pays basque. Caractérologie : paix, détermination, conscience, bienveillance, conseil.

Pétronille 600 ↗

Petit caillou (grec). Caractérologie : humanité, rêve, amitié, rectitude, raisonnement.

Pétula 130

Impatiente (anglais). Caractérologie : cœur, pragmatisme, optimisme, communication, gestion.

Pétunia

Fleur (latin). Ce prénom est porté par moins de 30 personnes en France. Caractérologie : résolution, dynamisme, sympathie, curiosité, courage.

Phanie

Libre, française (latin). Ce prénom est porté par moins de 100 personnes en France. Caractérologie : force, ambition, action, décision, habileté.

Phénicia

Se rapporte au Phénix qui parvint, dans la mythologie égyptienne, à renaître de ses cendres. Ce prénom est porté par moins de 100 personnes en France. Caractérologie : médiation, intuition, relationnel, amitié, action.

Philadelphia

Aimer, frère (grec). Philadelphia est le nom d'une ville américaine. Ce prénom est porté par moins de 100 personnes en France. Variante : Philadelphie. Caractérologie : réceptivité, action, sociabilité, réussite, diplomatie.

Philaé 140

Qui aime (grec). Variantes : Phila, Philia, Phillie. Caractérologie : bienveillance, paix, ressort, sympathie, conscience.

Philippa 160

Qui aime les chevaux (grec). Féminin anglais et allemand. Variantes : Filippa, Fily. Forme occitane : Felipa. Caractérologie : équilibre, ressort, famille, sens des responsabilités, influence.

Philippine 5 000 **TOP 500** →

Qui aime les chevaux (grec). Variante : Philipine. Caractérologie : amitié, paix, conscience, bienveillance, action.

Philomène  4 000 **TOP 600** →

Affectueuse, amicale (grec). Féminin français. Variantes : Filomena, Philoména. Caractérologie : sagacité, spiritualité, connaissances, raisonnement, volonté.

Philys
Feuille (grec). Féminin anglais. Ce prénom est porté par moins de 30 personnes en France. Caractérologie : ambition, habileté, passion, force, action.

Phoebé ⭐ 700 TOP 2000 →
Brillante, lumineuse (grec). Dans la mythologie grecque, Phoebé était l'autre nom d'Artémis. Variantes : Phébée, Phèbe. Caractérologie : bienveillance, conscience, paix, finesse, conseil.

Phuong ⭐ 170
Phénix, flamboyant (vietnamien). Caractérologie : réflexion, idéalisme, altruisme, intégrité, sympathie.

Pia ⭐ 1 500 TOP 900 ↗
Pieuse (latin). Dans l'Hexagone, Pia est plus traditionnellement usité au Pays basque. Caractérologie : vitalité, achèvement, ardeur, leadership, stratégie.

Pierrette ⭐ 60 000
Petit caillou (grec). Féminin français. On peut estimer que moins de 30 enfants seront prénommés ainsi en 2014. Variantes : Perrette, Pierra, Pierret. Caractérologie : management, ambition, force, passion, habileté.

Pilar ⭐ 1 000
Pilier (basque). Caractérologie : intuition, médiation, adaptabilité, fidélité, relationnel.

Pimprenelle
Plante des prés à fleurs pourpres. Ce prénom est porté par moins de 100 personnes en France. Caractérologie : vitalité, achèvement, stratégie, ardeur, décision.

Poe
Perle (tahitien). Ce prénom est porté par moins de 100 personnes en France. Caractérologie : rectitude, humanité, rêve, générosité, ouverture d'esprit.

Poema
Perle des mers profondes (tahitien). Ce prénom est porté par moins de 100 personnes en France. Caractérologie : volonté, structure, honnêteté, sens du devoir, efficacité.

Pollyanna
Héroïne de *Pollyanna ou le Jeu du contentement*, d'Eleanor H. Porter, paru en 1913. Ce prénom est porté par moins de 100 personnes en France. Variante : Pollyanne. Caractérologie : diplomatie, loyauté, sociabilité, réceptivité, cœur.

Pomme
Ce prénom issu du calendrier révolutionnaire se rapporte au nom du fruit. Sainte Fleur, religieuse auvergnate du XIVᵉ siècle, est la patronne de Pomme. Ce prénom est porté par moins de 100 personnes en France. Variante : Pomeline. Caractérologie : achèvement, ardeur, vitalité, volonté, stratégie.

Precillia ⭐ 700 →
Ancien (latin). Variante : Precilia. Caractérologie : fiabilité, ténacité, méthode, décision, cœur.

Prescilia ⭐ 1 500 ↓
Ancien (latin). On peut estimer que moins de 30 enfants seront prénommés ainsi en 2014. Variante : Prescylia. Caractérologie : réceptivité, diplomatie, sociabilité, résolution, sympathie.

Prescilla ⭐ 1 500 ↗
Ancien (latin). On peut estimer que moins de 30 enfants seront prénommés ainsi en 2014. Caractérologie : découverte, bonté, détermination, énergie, audace.

Prescillia ⭐ 5 000 TOP 2000
Ancien (latin). Féminin français. On peut estimer que moins de 30 enfants seront prénommés ainsi en 2014. Caractérologie : énergie, découverte, audace, sympathie, résolution.

Prima

Premier (latin). Ce prénom est porté par moins de 30 personnes en France. Caractérologie : enthousiasme, communication, pratique, adaptation, réalisation.

Princesse ⭐ 150

Celle qui est au-dessus (latin). Caractérologie : rêve, humanité, rectitude, amitié, détermination.

Prisca ⭐ 4 000 TOP 2000 ⮇

Ancien (latin). Prénom italien. Variante : Priska. Caractérologie : créativité, pragmatisme, optimisme, communication, sociabilité.

Priscilia ⭐ 1 000 ⮇

Ancien (latin). Caractérologie : famille, sens des responsabilités, équilibre, influence, exigence.

Priscilla ⭐ 13 000 TOP 2000 ⮇

Ancien (latin). Féminin français et anglais. On peut estimer que moins de 30 enfants seront prénommés ainsi en 2014. Caractérologie : humanité, rectitude, rêve, générosité, tolérance.

Priscille ⭐ 2 000 TOP 2000 →

Ancien (latin). Caractérologie : sécurité, résolution, structure, sympathie, persévérance.

Priscillia ⭐ 8 000 TOP 2000 ⮇

Ancien (latin). Féminin français. On peut estimer que moins de 30 enfants seront prénommés ainsi en 2014. Variantes : Priscila, Prissie, Pricilla, Pricillia. Caractérologie : altruisme, intégrité, idéalisme, dévouement, réflexion.

Priya ⭐ 150

Qui est aimée (sanscrit). Caractérologie : conscience, paix, conseil, bienveillance, sagesse.

Prudence ⭐ 900 TOP 2000 →

Prudente (latin). Féminin anglais et français. Variantes : Prudencia, Prudie, Prudy. Caractérologie : audace, énergie, découverte, originalité, sympathie.

Prune ⭐ 2 000 TOP 500 ⮇

Ce prénom issu du calendrier révolutionnaire désigne le fruit du prunier. Sainte Fleur, religieuse auvergnate du XIVe siècle, est la patronne de Prune. Variante : Prunelle. Caractérologie : intuition, relationnel, médiation, cœur, fidélité.

Pulchérie ⭐ 250

Beauté (latin). Caractérologie : méditation, sympathie, savoir, ressort, intelligence.

Q

Quinta

Cinquième (latin). Féminin anglais. Ce prénom est porté par moins de 30 personnes en France. Variante : Quinte. Caractérologie : innovation, autorité, énergie, attention, décision.

Quiterie ⭐ 350

Calme et tranquille (latin). Forme occitane : Quiteira. Caractérologie : dynamisme, curiosité, courage, indépendance, sensibilité.

Quitterie ⭐ 1 500 TOP 2000 →

Calme et tranquille (latin). Féminin français. Variante : Quitteri. Caractérologie : sagacité, connaissances, spiritualité, sensibilité, originalité.

R

Rabia 🎆 1 500 (TOP 2000) ➡

Jardin (arabe). Ancienne esclave affranchie par son maître, celle qui fut surnommée « la sainte de Basra » était une mystique musulmane du VIIIᵉ siècle originaire d'Iraq. Elle a introduit dans le soufisme la nécessité de vénérer Dieu de manière désintéressée. Selon Rabia, la foi ne doit pas être guidée par l'attrait d'une récompense ni par la crainte de représailles. Variantes : Rabah, Rabha, Rabiya, Rabiye, Rabiaa. Caractérologie : sécurité, persévérance, efficacité, honnêteté, structure.

Rachel 🎆 39 000 (TOP 200) ➡

Brebis (hébreu). Dans l'Ancien Testament, Rachel est l'épouse de Jacob et la mère du grand patriarche Joseph. En dehors de l'Hexagone, ce prénom est très répandu dans les pays anglophones et en Allemagne. Caractérologie : diplomatie, réceptivité, sociabilité, loyauté, détermination.

Rachèle 🎆 700 ➡

Brebis (hébreu). Caractérologie : résolution, connaissances, sagacité, spiritualité, originalité.

Rachelle 🎆 4 000 (TOP 2000) ➘

Brebis (hébreu). Féminin français et anglais. Caractérologie : innovation, autorité, énergie, ambition, résolution.

Rachida 🎆 6 000 ➘

Bien guidée, qui a la foi (arabe). On peut estimer que moins de 30 enfants seront prénommés ainsi en 2014. Caractérologie : leadership, vitalité, achèvement, stratégie, ardeur.

Radegonde 🎆 130

Conseil, guerre (germanique). Caractérologie : énergie, volonté, innovation, autorité, réalisation.

Radia 🎆 1 000 (TOP 2000) ➡

Satisfaction, plénitude (arabe). Variantes : Radhia, Rida. Caractérologie : conscience, bienveillance, sagesse, paix, conseil.

Radija 🎆 400

Satisfaction, plénitude (arabe). Variantes : Radidja, Rhadija. Caractérologie : connaissances, originalité, philosophie, sagacité, spiritualité.

Rafaëla 🎆 350 (TOP 2000) ↗

Dieu a guéri (hébreu). Rafaela est répandu dans les pays hispanophones et lusophones. C'est aussi un prénom traditionnel basque. Variantes : Raffaëla, Rafaëlla. Caractérologie : ambition, décision, force, habileté, logique.

Rahma 🎆 2 000 (TOP 600) ⬆

Qui pardonne (arabe). Variante : Rahima. Caractérologie : curiosité, dynamisme, indépendance, charisme, courage.

Raïa

Proche de Dieu (hébreu), variante de Raya. Ce prénom est porté par moins de 30 personnes en France. Variante : Rahia. Caractérologie : diplomatie, réceptivité, bonté, loyauté, sociabilité.

Raïssa 🎆 2 000 (TOP 2000) ➘

Déluge (arabe). Caractérologie : ténacité, engagement, méthode, fiabilité, sens du devoir.

Raja 🎆 950 ➡

Espoir (arabe), reine (sanscrit). Variantes : Radja, Rajah. Caractérologie : communication, pragmatisme, optimisme, créativité, sociabilité.

Rama 250 **TOP 2000** ↑
Élevée (hébreu), belle, celle qui enchante (sanscrit). Prénom indien d'Asie. Caractérologie : bienveillance, paix, conscience, conseil, sagesse.

Ramona 400
Qui conseille avec sagesse (germanique). Ramona est plus particulièrement usité dans les pays hispanophones, en Italie et au Pays basque. Forme occitane : Raimonda. Caractérologie : habileté, ambition, force, volonté, résolution.

Rana 450 **TOP 2000** ↗
Riche et noble (arabe). Caractérologie : méditation, intelligence, détermination, indépendance, savoir.

Randa 300
Arbuste odorant (arabe), protection (scandinave). Caractérologie : diplomatie, sociabilité, réceptivité, loyauté, détermination.

Rania 5 000 **TOP 300** →
Riche et noble (arabe). Variantes : Raniha, Rahnia, Rhania, Ranya. Caractérologie : spiritualité, connaissances, détermination, sagacité, originalité.

Raphaële 3 000 →
Dieu a guéri (hébreu). On peut estimer que moins de 30 enfants seront prénommés ainsi en 2014. Variantes : Rafaële, Rafaëlle. Caractérologie : pragmatisme, communication, ressort, optimisme, sympathie.

Raphaëlla 550 ↘
Dieu a guéri (hébreu). Féminin anglais et allemand. Variante : Raphaëla. Caractérologie : diplomatie, réceptivité, sociabilité, cœur, action.

Raphaëlle 10 000 **TOP 400** →
Dieu a guéri (hébreu). Féminin français. Caractérologie : conscience, bienveillance, sympathie, paix, ressort.

Raquel 900 ↘
Brebis (hébreu). Raquel est très répandu dans les pays hispanophones et lusophones. Caractérologie : relationnel, intuition, fidélité, médiation, détermination.

Rayana 300 **TOP 2000** ↗
Forme féminine de Rayan : petite reine (irlandais), belle, désaltérée (arabe). Variantes : Rahiana, Raïana, Raya, Rayenne, Rayhane. Caractérologie : conseil, bienveillance, paix, conscience, sagesse.

Raymonde 76 000
Qui conseille avec sagesse (germanique). Féminin français. On peut estimer que moins de 30 enfants seront prénommés ainsi en 2014. Variantes : Raymonda, Raymone. Caractérologie : découverte, audace, énergie, caractère, réussite.

Rébecca 12 000 **TOP 500** ↘
Rassasiée (hébreu). Ce prénom biblique est établi de longue date dans les communautés juives du monde entier. Les puritains anglophones ont relancé sa carrière au XVIᵉ siècle, mais il est resté peu attribué en France. Il est plus particulièrement répandu dans les pays anglophones et en Italie aujourd'hui. ◊ Dans l'Ancien Testament, Rébecca épouse Isaac et donne naissance aux jumeaux Ésaü et Jacob. Les deux sont destinés à devenir pères de deux nations, mais Jacob a la préférence de sa mère ; il recevra à la place d'Ésaü l'Alliance des mains de son père. Variantes : Becca, Becka, Becky, Reba, Rébeca, Rebecka, Rebeka, Rebekka, Riva, Rivka. Caractérologie : direction, dynamisme, décision, gestion, audace.

Régina ⭐ 2 000
Reine (latin). Regina est particulièrement répandu en Italie et en Allemagne. C'est aussi un prénom usité en Alsace et en Corse. On peut estimer que moins de 30 enfants seront prénommés ainsi en 2014. Caractérologie : intégrité, idéalisme, réflexion, altruisme, décision.

Régine ⭐ 55 000
Reine (latin). Féminin français. On peut estimer que moins de 30 enfants seront prénommés ainsi en 2014. Caractérologie : ténacité, méthode, fiabilité, engagement, sens du devoir.

Reiko
Enfant de la gratitude, enfant de la grâce (japonais). Ce prénom est porté par moins de 30 personnes en France. Caractérologie : efficacité, structure, persévérance, sécurité, honnêteté.

Reine ⭐ 16 000 🔽
Reine (latin). Féminin français. On peut estimer que moins de 30 enfants seront prénommés ainsi en 2014. Variante basque et occitane : Reina. Caractérologie : conscience, paix, bienveillance, conseil, sagesse.

Réjane ⭐ 9 000 🔽
Reine (latin). Féminin français. On peut estimer que moins de 30 enfants seront prénommés ainsi en 2014. Variantes : Réjanne, Réjeane, Réjine. Caractérologie : ambition, force, habileté, passion, résolution.

Renalde
Qui conseille avec sagesse (germanique). Ce prénom est porté par moins de 30 personnes en France. Variante : Rayna. Caractérologie : découverte, audace, originalité, énergie, détermination.

Renata ⭐ 350
Renaître (latin). Féminin italien, espagnol, portugais, allemand et slave. Variante : Renate. Caractérologie : originalité, découverte, audace, détermination, énergie.

Renda
Arbuste odorant (arabe), protection (scandinave). Ce prénom est porté par moins de 100 personnes en France. Caractérologie : influence, équilibre, sens des responsabilités, famille, décision.

Renée ⭐ 100 000
Renaître (latin). Peu donné par le passé, Renée entame sa carrière à la fin du XIXe siècle et culmine au 9e rang féminin en 1920. Bien qu'il ait grandi dans le sillon de René, ce prénom a été deux fois moins attribué que son masculin au siècle dernier. On peut estimer que moins de 30 enfants seront prénommés ainsi en 2014. Variante : Réna. Caractérologie : diplomatie, réceptivité, sociabilité, loyauté, bonté.

Reva
Voûte céleste (tahitien), rassasiée (hébreu). Ce prénom est porté par moins de 100 personnes en France. Caractérologie : dynamisme, audace, direction, détermination, indépendance.

Rexana
Aube (persan). Ce prénom est porté par moins de 30 personnes en France. Caractérologie : réflexion, idéalisme, décision, intégrité, altruisme.

Reyhan ⭐ 250 🔽
Contraction féminine de Ryan et Rayane. Caractérologie : ambition, habileté, force, détermination, action.

R

239
....

Rhéa

Fleur, protectrice des cités (grec/latin). Dans la mythologie grecque, Rhéa désespère de voir Cronos avaler ses nouveau-nés (il pense ainsi échapper à la prophétie selon laquelle un de ses fils le détrônera). Elle cache Zeus en Crète et présente à Cronos une pierre entourée de langes en guise d'enfant, ce qu'il s'empresse d'avaler. Cette supercherie permet à Zeus d'accomplir son destin à l'âge adulte : il détrône son père et le force à restituer ses frères. Dans la mythologie romaine, Rhéa est l'autre nom de Cybèle, la mère des dieux associée à la Terre et la Fertilité. Ce prénom est porté par moins de 100 personnes en France. Caractérologie : curiosité, dynamisme, détermination, indépendance, courage.

Rhéane

Fleur, protectrice des cités (grec/latin). Voir Rhéa. Ce prénom est porté par moins de 30 personnes en France. Caractérologie : équilibre, sens des responsabilités, résolution, exigence, famille.

Rhoda

Rose (grec). Féminin anglais. Ce prénom est porté par moins de 100 personnes en France. Variantes : Rhode, Rhodia. Caractérologie : audace, dynamisme, indépendance, direction, assurance.

Rhonda

Rivière (celte). Féminin anglais. Ce prénom est porté par moins de 100 personnes en France. Caractérologie : conscience, paix, bienveillance, détermination, volonté.

Riana 120

Petite reine (irlandais), belle, désaltérée (arabe). Variantes : Ryana, Ryhana. Caractérologie : connaissances, spiritualité, décision, originalité, sagacité.

Richarde 160

Puissant gouverneur (germanique). Caractérologie : pragmatisme, communication, résolution, optimisme, créativité.

Riham 250 **TOP 2000**

Pluie fine (arabe). Caractérologie : efficacité, persévérance, honnêteté, structure, sécurité.

Rihana 250

Ce jeune prénom a grandi en Angleterre avant d'apparaître en France en 2002. Il doit tout ou partie de son existence à Ryan, dont le succès a inspiré plusieurs dérivés féminins. Dans la mythologie galloise, Rhiannon est la déesse de la Fertilité et de la Lune. Caractérologie : conscience, résolution, conseil, paix, sagesse.

Rihanna 750 **TOP 2000**

Voir Rihana. Nul doute que la chanteuse antillaise Rihanna (de son vrai nom Robyn Fenty) a accéléré l'émergence de ce prénom. Les premières Rihanna de France sont nées en 2005. Variante : Rihana. Caractérologie : médiation, relationnel, fidélité, adaptabilité, intuition.

Rima 550 **TOP 2000**

Antilope (arabe). Variantes : Reem, Rim, Rym, Ryma, Rime. Caractérologie : curiosité, dynamisme, courage, charisme, indépendance.

Rina 1 000 **TOP 2000**

Joie, bonheur (hébreu). Caractérologie : paix, bienveillance, conscience, conseil, détermination.

Rinda

Don de Dieu (grec). Ce prénom est porté par moins de 30 personnes en France. Caractérologie : résolution, dynamisme, audace, direction, indépendance.

Rita 6 000 **TOP 600**

Perle (grec). Rita est très répandu en Italie et dans les pays hispanophones. Variante :

Ritta. Caractérologie : créativité, pragmatisme, sociabilité, optimisme, communication.

Rivka 🎯 400 ⬇
Rassasiée (hébreu). Caractérologie : savoir, méditation, indépendance, intelligence, sagesse.

Rizlane 🎯 400
Gazelle (arabe). Variante : Rhizlane. Caractérologie : structure, sécurité, efficacité, détermination, persévérance.

Roanna
En ascension, bois de santal (sanscrit), roux (irlandais). Ce prénom est porté par moins de 30 personnes en France. Variantes : Roanne, Rohanna, Rohanne. Caractérologie : réflexion, idéalisme, altruisme, détermination, intégrité.

Robanne
Contraction de Roberte et Anne. Ce prénom est porté par moins de 30 personnes en France. Caractérologie : influence, décision, famille, équilibre, sens des responsabilités.

Roberte 🎯 7 000
Brillant, gloire (germanique). Féminin français. On peut estimer que moins de 30 enfants seront prénommés ainsi en 2014. Variante : Roberta. Caractérologie : médiation, adaptabilité, fidélité, relationnel, intuition.

Robertine 🎯 350
Brillant, gloire (germanique). Variantes : Robine, Robyn. Caractérologie : connaissances, spiritualité, sagacité, originalité, philosophie.

Rocca
Reposée (germanique). Ce prénom est porté par moins de 30 personnes en France. Caractérologie : méthode, ténacité, engagement, fiabilité, analyse.

Rogatienne
Requête (latin). Ce prénom est porté par moins de 30 personnes en France. Caractérologie : idéalisme, décision, réflexion, altruisme, intégrité.

Rohana
En ascension, bois de santal (sanscrit), roux (irlandais). Rohana est très répandu en Inde. Ce prénom est porté par moins de 30 personnes en France. Caractérologie : pratique, communication, enthousiasme, adaptation, décision.

Rolande 🎯 24 000
Gloire du pays (germanique). Féminin français. On peut estimer que moins de 30 enfants seront prénommés ainsi en 2014. Caractérologie : famille, sens des responsabilités, logique, équilibre, caractère.

Rollande 🎯 1 000
Gloire du pays (germanique). Caractérologie : humanité, rectitude, rêve, volonté, analyse.

Romaine 🎯 1 000
Romaine (latin). Caractérologie : communication, enthousiasme, pratique, décision, caractère.

Romana 🎯 180
Romaine (latin). Prénom polonais. Variantes : Romanella, Romanie, Romélie, Romina. Caractérologie : ambition, force, habileté, décision, caractère.

Romance 🎯 250 ⬇
De Rome (latin), chanson sentimentale (français). Caractérologie : caractère, sens des responsabilités, logique, équilibre, famille.

Romane 🎯 44 000 **TOP 50** 🔍 ➡
Romaine (latin). Caractérologie : pragmatisme, communication, optimisme, détermination, volonté.

R

241

Romarine

Se rapporte au romarin, plante dont le nom signifie « rosée de mer » (latin). Ce prénom est porté par moins de 30 personnes en France. Caractérologie : communication, pratique, résolution, enthousiasme, volonté.

Roméa

De Rome (latin). Dans l'Hexagone, Romea est plus traditionnellement usité au Pays basque. Ce prénom est porté par moins de 100 personnes en France. Variantes : Roma, Romée. Caractérologie : sagacité, connaissances, spiritualité, caractère, décision.

Romy 5 000

Romaine (latin). Romy est répandu dans les pays germanophones et anglophones. Caractérologie : ardeur, vitalité, achèvement, stratégie, leadership.

Ronnie

Porter la victoire (grec). Cette forme diminutive de Véronique est plus particulièrement recensée aux États-Unis. Ce prénom est porté par moins de 30 personnes en France. Caractérologie : pragmatisme, communication, créativité, sociabilité, optimisme.

Rosa 8 000

Rose (latin). Rosa est particulièrement répandu dans les pays hispanophones, lusophones et en Italie. Caractérologie : stratégie, achèvement, ardeur, vitalité, leadership.

Rosabelle 120

Rose (latin). Variantes : Rosabel, Rosabella, Rozabel. Caractérologie : achèvement, vitalité, stratégie, raisonnement, détermination.

Rosalia 550

Rose (latin). Prénom italien. Caractérologie : communication, enthousiasme, raisonnement, pratique, adaptation.

Rosalie 8 000

Rose (latin). En dehors de l'Hexagone, Rosalie est répandu dans les pays germanophones et aux Pays-Bas. Variante : Rosali. Caractérologie : intelligence, logique, méditation, décision, savoir.

Rosaline 250

Contraction de Rosa et Line. Féminin français et anglais. Variantes : Rosalina, Rosalyn. Caractérologie : communication, pratique, analyse, résolution, enthousiasme.

Rosamée

Contraction de Rose et Aimée. Ce prénom est porté par moins de 30 personnes en France. Caractérologie : structure, persévérance, sécurité, détermination, volonté.

Rosanna 700

Contraction de Rose et Anna. Prénom italien. Caractérologie : autorité, ambition, énergie, innovation, détermination.

Rosanne 450

Contraction de Rose et Anne. Féminin français et anglais. Variante : Rosane. Caractérologie : sens du devoir, structure, honnêteté, efficacité, résolution.

Rosario 700

Rose (latin). Caractérologie : énergie, séduction, audace, découverte, originalité.

Rose 46 000

Rose (latin). Variantes : Rosaura, Rosaure, Rosalba, Rosalio, Rosaria, Roscoe, Rosemonde, Roselle. Caractérologie : décision, communication, pratique, enthousiasme, adaptation.

Roseline 17 000

Contraction de Rose et Line. Féminin français. On peut estimer que moins de 30 enfants seront prénommés ainsi en 2014. Variantes :

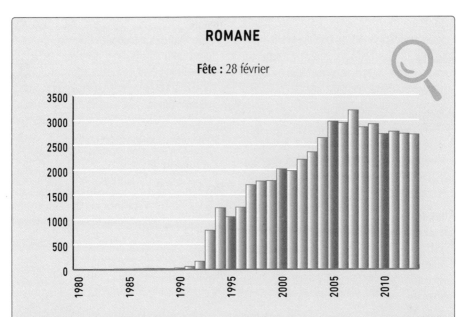

ROMANE

Fête : 28 février

Étymologie : du latin *romanus*, « romaine ». Bien que les premières Romane de France soient nées en 1912, ce féminin de Romain est longtemps resté inconnu. Ses attributions, limitées dans des proportions infimes, restent d'ailleurs de mise jusque dans les années 1970. Elles le seraient sans doute restées si l'actrice Romane Bohringer s'était prénommée autrement. Découverte en 1992 dans les films de Claude Miller (*L'Accompagnatrice*) et de Cyril Collard (*Les Nuits fauves*), la comédienne devient la meilleure ambassadrice du prénom. Après avoir chuté dans le top 30 français, Romane devrait rebondir au 19e rang du classement 2014.

À l'exception de la Wallonie, ce prénom n'est guère attribué en dehors de l'Hexagone. Il est peu probable qu'il perce un jour dans les pays anglophones : sa prononciation est indissociable de celle de Roman, son équivalent masculin. Résolument francophone, Romane ne fera pas carrière à l'international, au grand bonheur de nombreux parents.

Saint Romain fut le fondateur des monastères du mont Jura au Ve siècle.

Statistiques : Romane est le 22e prénom féminin le plus donné en France depuis le début du XXIe siècle. On peut estimer qu'il sera attribué à une fille sur 143 en 2014.

R

243

Roselena, Roselene. Caractérologie : résolution, intelligence, savoir, méditation, analyse.

Rosella 🌸 200
Rose (latin). Caractérologie : audace, dynamisme, direction, décision, logique.

Roselyne 🌸 22 000
Contraction de Rose et Lyne. Féminin français. On peut estimer que moins de 30 enfants seront prénommés ainsi en 2014. Caractérologie : analyse, découverte, énergie, audace, sympathie.

Rose-Marie 🌸 9 000
Forme composée de Rose et Marie. On peut estimer que moins de 30 enfants seront prénommés ainsi en 2014. Caractérologie : structure, sécurité, persévérance, résolution, volonté.

Rosemary 🌸 350
Contraction de Rose et Mary. Féminin français et anglais. Variantes : Rosemarie, Rosemay. Caractérologie : bienveillance, paix, conscience, volonté, réalisation.

Rosemonde 🌸 2 000
Rose (latin). Féminin français. On peut estimer que moins de 30 enfants seront prénommés ainsi en 2014. Caractérologie : idéalisme, altruisme, intégrité, détermination, volonté.

Rosette 🌸 4 000
Rose (latin). Féminin français. On peut estimer que moins de 30 enfants seront prénommés ainsi en 2014. Variantes : Rosetta, Rosita. Caractérologie : adaptation, pratique, communication, détermination, enthousiasme.

Rosina 🌸 450
Rose (latin). Prénom italien. Caractérologie : sécurité, efficacité, structure, résolution, persévérance.

Rosine 🌸 6 000 →
Rose (latin). Ce prénom ancien a connu un pic de popularité avec Rose au XIXe siècle, mais il s'est évaporé dans les années 1970. La renaissance de Rose n'a pour l'heure aucun effet sur Rosine. On peut estimer que moins de 30 enfants seront prénommés ainsi en 2014. Variantes : Rosin, Rosina, Rosiane. Caractérologie : passion, habileté, détermination, ambition, force.

Rosy 🌸 850 **TOP 2000**
Rose (latin). Féminin anglais et français. Variantes : Rosée, Rosi, Rosia, Rosie. Caractérologie : énergie, audace, découverte, séduction, originalité.

Roxana 🌸 250 ↑
Aube (persan). Féminin anglais et espagnol. Variantes : Roxanna, RoxIe, Roxine, Roxy. Caractérologie : autorité, innovation, énergie, décision, ambition.

Roxane 🌸 15 000 **TOP 200** →
Aube (persan). Au IVe siècle, Roxane épousa Alexandre le Grand et devint reine de Macédoine. En dehors de l'Hexagone, Roxane est plus particulièrement usité dans les pays anglophones. Caractérologie : curiosité, indépendance, détermination, dynamisme, courage.

Roxanne 🌸 3 000 **TOP 600** →
Aube (persan). Féminin anglais et français. Caractérologie : autorité, innovation, résolution, énergie, ambition.

Rozenn 🌸 4 000 **TOP 900** →
Rose (latin). Prénom breton. Variantes : Roza, Rozanne, Rozen. Caractérologie : médiation, relationnel, adaptabilité, fidélité, intuition.

ROSE

Fête : 23 août

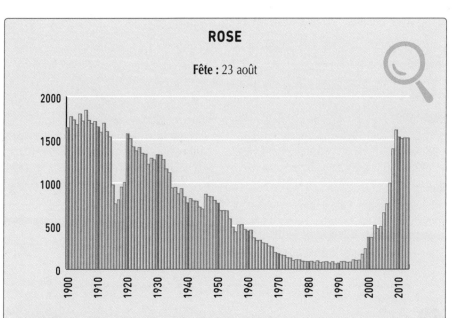

Étymologie : du latin *rosa*, « rose ». Dans l'Antiquité, la rose était la fleur d'Aphrodite, la déesse grecque de l'Amour et de la Beauté. De nombreux poètes immortalisèrent ce symbole de la féminité qui devint Vénus à l'époque romaine. Rose entame sa carrière au Ve siècle et fleurit sous différentes formes, simples, composées ou contractées, dans tous les pays européens. Sa prospérité prend fin durant le haut Moyen Âge, et ses déclinaisons se raréfient jusqu'au retour de Rosine, au XIXe siècle.

Au XXe siècle, Rose devient une source prolifique de prénoms composés, mais elle est délaissée dans sa forme simple. Qu'importe, puisqu'elle revient de plus belle aujourd'hui. Happée par la vogue des prénoms rétro, Rose s'affiche au 45e rang des attributions françaises. Elle est également sur le point d'intégrer le top 20 parisien. Sa carrière est promise à un bel avenir.

À l'international, Rose peine à renaître en dehors du Québec, mais Rosa grandit en Espagne et au Danemark. Lily-Rose, la star des compositions françaises, bourgeonne en Angleterre, au Canada et en Suisse (voir le zoom qui lui est dédié).

Sainte Rose de Lima, religieuse dominicaine aussi connue sous le nom d'Isabelle de Florès, vécut au XVIe siècle au Pérou. Elle est la patronne de l'Amérique latine, des Philippines, des fleuristes, des horticulteurs et des jardiniers.

R

245

.../

Rose *(suite)*

Statistiques : Rose est le 68ᵉ prénom féminin le plus donné en France depuis le début du XXIᵉ siècle. On peut estimer qu'il sera attribué à une fille sur 256 en 2014. Dans les compositions de Rose, Marie-Rose et Rose-Marie sont de loin les plus portées en France.

Ruby ⭐ 500 **TOP 2000**

Rougeâtre (latin). Féminin anglais. Variante : Rubis. Caractérologie : communication, optimisme, créativité, pragmatisme, sociabilité.

Rufina

Rouge (basque). Ce prénom est porté par moins de 100 personnes en France. Caractérologie : famille, équilibre, sens des responsabilités, raisonnement, détermination.

Ruth ⭐ 2 000 **TOP 2000**

Compagne, amie (hébreu). Féminin anglais. On peut estimer que moins de 30 enfants seront prénommés ainsi en 2014. Caractérologie : sécurité, structure, efficacité, persévérance, honnêteté.

S

Saadia ⭐ 850 →

Heureuse, que le destin favorise (arabe). Variantes : Saad, Saada. Caractérologie : force, ambition, passion, management, habileté.

Sabah ⭐ 3 000 ↘

Beauté fraîche comme le matin (arabe). On peut estimer que moins de 30 enfants seront prénommés ainsi en 2014. Variantes : Saba, Sabahe, Sabbah, Sabéha, Sabiha. Caractérologie : fiabilité, ténacité, méthode, sens du devoir, engagement.

Sabia

Douce (irlandais). Ce prénom est porté par moins de 100 personnes en France. Caractérologie : découverte, audace, énergie, originalité, séduction.

Sabina ⭐ 850 →

Habitante d'Italie centrale (latin). Sabina est très répandu en Italie et dans les pays hispanophones, slaves et lusophones. Caractérologie : dynamisme, direction, audace, indépendance, détermination.

Sabine ⭐ 61 000 ↓

Habitante d'Italie centrale (latin). Féminin français et allemand. L'enlèvement des Sabines par Romulus et ses troupes provoqua une guerre entre les Sabins (habitants d'un territoire d'Italie centrale) et les Romains. Cet événement joua un rôle déterminant dans la formation de Rome. En mémoire de sainte Sabine, martyre romaine au Vᵉ siècle, la basilique Sainte-Sabine fut édifiée à Rome. On peut estimer que moins de 30 enfants seront prénommés ainsi en 2014. Caractérologie : énergie, découverte, originalité, décision, audace.

Sabria ⭐ 450
Calme et patiente (arabe). Variantes : Sabra, Sabriya, Sabrya. Caractérologie : originalité, séduction, énergie, découverte, audace.

Sabrina ⭐ 94 000 **TOP 500** ⬇
Cactus épineux (hébreu). Sabrina est également le nom d'une rivière du pays de Galles dans laquelle la princesse Sabrina se serait noyée. En dehors de l'Hexagone, Sabrina est répandu en Italie, dans les pays anglophones, hispanophones et lusophones. Variante : Sabryna. Caractérologie : indépendance, direction, dynamisme, audace, détermination.

Sabrine ⭐ 2 000 **TOP 2000** ⬊
Cactus épineux (hébreu). Caractérologie : dynamisme, indépendance, courage, curiosité, décision.

Sacha ⭐ 3 000 **TOP 500** ⬊
Défense de l'humanité (grec). Voir le zoom dédié à Sacha p. 499. Caractérologie : découverte, énergie, séduction, audace, originalité.

Sadia ⭐ 2 000
Heureuse, que le destin favorise (arabe). On peut estimer que moins de 30 enfants seront prénommés ainsi en 2014. Variantes : Sadie, Sadio. Caractérologie : indépendance, savoir, méditation, intelligence, sagesse.

Safa ⭐ 2 000 **TOP 300** ⬈
Pure (arabe). Variantes : Safaa, Safae. Caractérologie : humanité, rectitude, tolérance, générosité, rêve.

Safia ⭐ 5 000 **TOP 400** ➡
Pure, amie préférée (arabe), sagesse (grec). Variantes : Safya, Safiya. Caractérologie : altruisme, idéalisme, intégrité, réflexion, dévouement.

Sahar ⭐ 180
Crépuscule (arabe), lune (hébreu). Variante : Shahar. Caractérologie : réceptivité, sociabilité, diplomatie, bonté, loyauté.

Sahra ⭐ 2 000 **TOP 2000** ⬊
Fleur, blancheur lumineuse (arabe). Caractérologie : sociabilité, diplomatie, loyauté, réceptivité, bonté.

Saïda ⭐ 4 000 ⬊
Heureuse, que le destin favorise (arabe). On peut estimer que moins de 30 enfants seront prénommés ainsi en 2014. Caractérologie : connaissances, sagacité, spiritualité, originalité, philosophie.

Sakina ⭐ 2 000 **TOP 500** ⬆
Bien-être, maison du paradis (arabe). Variante : Soukina. Caractérologie : direction, audace, indépendance, décision, dynamisme.

Sakura ⭐ 120 **TOP 2000**
Fleur de cerisier (japonais). Caractérologie : vitalité, stratégie, achèvement, ardeur, gestion.

Salamata ⭐ 250 ⬆
Paix, salut (arabe). Variantes : Salimata, Salimatou, Sélimata. Caractérologie : dynamisme, indépendance, curiosité, organisation, courage.

Saliha ⭐ 3 000 **TOP 2000** ➡
Intègre, équitable (arabe). Variante : Salia. Caractérologie : audace, découverte, énergie, originalité, séduction.

Salila
Eau (sanscrit). Féminin indien d'Asie. Ce prénom est porté par moins de 30 personnes en France. Caractérologie : intégrité, réflexion, idéalisme, altruisme, dévouement.

Salima 🌸 6 000 **TOP 2000** ⬎
Pure, intacte, en sécurité (arabe). Variante : Salama. Caractérologie : assurance, dynamisme, direction, indépendance, audace.

Sally 🌸 600 ⬆
Princesse (hébreu). Féminin anglais. Variantes : Sallie, Saly. Caractérologie : conscience, sagesse, bienveillance, paix, conseil.

Salma 🌸 6 000 **TOP 200** ➜
Intacte, saine (arabe). Caractérologie : dynamisme, audace, direction, indépendance, assurance.

Salomé 🌸 19 000 **TOP 100** ➜
Paix (hébreu). Veuve d'Alexandre Jannée, Salomé prit la régence du royaume d'Israël en 76 avant J.-C. Usant de fermeté et de diplomatie, elle évita les guerres et offrit à son peuple plusieurs décennies de prospérité. Un demi-siècle plus tard, Salomé, la fille d'Hérodiade, se rendit encore plus célèbre. La jeune princesse dansa si bien devant Hérode Antipas qu'il lui offrit d'exaucer n'importe lequel de ses vœux. À l'instigation de sa mère, elle demanda la tête de Jean-Baptiste, laquelle lui fut livrée sur un plateau. Cette scène fut immortalisée par Titien, le Caravage et de nombreux peintres. Variantes : Saloméa, Salomée. Caractérologie : réceptivité, diplomatie, sociabilité, loyauté, caractère.

Saloni
Belle (sanscrit). Féminin indien d'Asie. Ce prénom est porté par moins de 30 personnes en France. Caractérologie : savoir, méditation, résolution, intelligence, analyse.

Saloua 🌸 900 ➜
Réconfort (arabe). Variante : Séloua. Caractérologie : exigence, influence, famille, équilibre, sens des responsabilités.

Salvadora
Sauveur (latin). Ce prénom est porté par moins de 100 personnes en France. Variante : Salvatora. Caractérologie : pragmatisme, communication, optimisme, créativité, raisonnement.

Salwa 🌸 750 **TOP 2000** ➜
Réconfort (arabe). Caractérologie : relationnel, médiation, intuition, adaptabilité, fidélité.

Samantha 🌸 17 000 **TOP 2000** ⬇
Celle qui écoute (araméen). Samantha est très répandu dans les pays anglophones. Variantes : Samanta, Sammantha. Caractérologie : dynamisme, curiosité, courage, attention, indépendance.

Samara 🌸 350 **TOP 2000** ⬎
Conversation intime pendant la nuit (arabe). Variante : Samar. Caractérologie : ambition, force, habileté, passion, management.

Samia 🌸 14 000 **TOP 500** ➜
Élevée, admirable (arabe). Ce prénom est particulièrement répandu dans les communautés musulmanes francophones. Variantes : Sama, Samah, Samae, Samiha, Samiya, Sémiha. Caractérologie : méditation, savoir, intelligence, indépendance, sagesse.

Samira 🌸 12 000 **TOP 700** ➜
Conversation intime pendant la nuit (arabe). Ce prénom est particulièrement répandu dans les communautés musulmanes francophones. Variante : Sémira. Caractérologie : savoir, intelligence, indépendance, sagesse, méditation.

Samuelle 🌸 300 ⬈
Son nom est Dieu (hébreu). Variantes : Samuela, Samuella. Caractérologie : sagacité, spiritualité, originalité, connaissances, philosophie.

Samya 🎖900 ◉
Élevée, admirable (arabe). Caractérologie : dynamisme, courage, indépendance, réalisation, curiosité.

Sana 🎖6 000 **TOP 200** →
Élévation, élégance (arabe). Variantes : Sanae, Sanah, Sanna, Sena. Caractérologie : stratégie, vitalité, leadership, ardeur, achèvement.

Sanaa 🎖2 000 **TOP 500** →
Élévation, élégance (arabe). Caractérologie : idéalisme, altruisme, intégrité, réflexion, dévouement.

Sandie 🎖4 000
Défense de l'humanité (grec). Féminin anglais. On peut estimer que moins de 30 enfants seront prénommés ainsi en 2014. Variantes : Sandi, Sandia. Caractérologie : originalité, sagacité, détermination, spiritualité, connaissances.

Sandra 🎖102 000 **TOP 900** ◉
Défense de l'humanité (grec). Ce diminutif de l'italien Alessandra est apparu dans plusieurs pays européens au XIXe siècle, mais il est resté inexistant en France jusque dans les années 1970. Son surgissement est instantanément couronné de succès : Sandra atteint le 11e rang en 1973, l'année de son apogée, avant de refluer lentement. Ce prénom est très répandu dans les pays slaves et occidentaux. Variante : Saundra. Caractérologie : enthousiasme, communication, pratique, adaptation, détermination.

Sandrine 🎖237 000 ⬇
Défense de l'humanité (grec). Ce dérivé d'Alexandra apparaît pour la première fois en France en 1947. Attribué à une poignée de filles, il fait si rapidement des émules qu'il trône sur le palmarès féminin en 1972 et 1973.

Il restera une décennie dans le top 10 national avant de décliner progressivement. On peut estimer que moins de 30 enfants seront prénommés ainsi en 2014. Variantes : Sandrina, Sendrine. Caractérologie : créativité, décision, optimisme, pragmatisme, communication.

Sandy 🎖16 000 ⬇
Défense de l'humanité (grec). En dehors de l'Hexagone, ce prénom est particulièrement porté dans les pays anglophones. On peut estimer que moins de 30 enfants seront prénommés ainsi en 2014. Caractérologie : altruisme, réalisation, idéalisme, intégrité, réflexion.

Sania 🎖750 **TOP 2000** ◉
Élévation, élégance (arabe). Variante : Sanya. Caractérologie : habileté, ambition, passion, force, résolution.

Santana 🎖180
Vénérée (latin). Prénom espagnol. Variantes : Santa, Santine. Caractérologie : spiritualité, sagacité, originalité, connaissances, philosophie.

Saphia 🎖500 →
Sagesse (grec). Féminin anglais. Caractérologie : rêve, rectitude, humanité, ouverture d'esprit, ressort.

Sara 🎖20 000 **TOP 100** →
Princesse (hébreu). Patronne des Gitans, sainte Sara est fêtée le 24 mai. Ce prénom est répandu dans de nombreux pays occidentaux et dans les cultures musulmanes du monde entier. Variante : Saura. Caractérologie : pragmatisme, communication, sociabilité, créativité, optimisme.

Sarah 🎖150 000 **TOP 50** 🔍 →
Princesse (hébreu). Caractérologie : intuition, relationnel, fidélité, médiation, adaptabilité.

S

249
....

Sarah-Lou 🚩 170
Forme composée de Sarah et Lou. Caractérologie : originalité, découverte, énergie, audace, analyse.

Saran 🚩 180
Contraction de Sarah et Ann. Féminin anglais. Caractérologie : ambition, décision, habileté, force, passion.

Saria
Fortune, richesse, celle qui marche (arabe). Ce prénom est porté par moins de 100 personnes en France. Variante : Sarya. Caractérologie : pratique, communication, enthousiasme, générosité, adaptation.

Sarina 🚩 250 🔵
Contraction de Sarah et Anna. Féminin anglais. Caractérologie : force, habileté, ambition, passion, décision.

Sarra 🚩 1 500 **TOP 1000** ➡️
Fleur, blancheur lumineuse (arabe). Variante : Sarha. Caractérologie : communication, pratique, adaptation, enthousiasme, générosité.

Sasha 🚩 4 000 **TOP 200** ↗️
Défense de l'humanité (grec). En dehors de l'Hexagone, Sasha est très répandu en Russie. Variante : Sascha. Caractérologie : optimisme, créativité, pragmatisme, sociabilité, communication.

Saskia 🚩 650 🔽
Saxonne (vieil allemand), petite épée (vieux norrois). Saskia est particulièrement usité dans les pays néerlandophones et scandinaves. Caractérologie : influence, sens des responsabilités, équilibre, famille, exigence.

Sati 🚩 110
Vérité (sanscrit). Prénom indien d'Asie. Variante : Satya. Caractérologie : engagement, ténacité, méthode, sens du devoir, fiabilité.

Satine 🚩 850 **TOP 1000** 🔽
Satiné, poli (français). Caractérologie : énergie, originalité, audace, découverte, décision.

Savannah 🚩 1 500 **TOP 600** 🔽
Grande plaine verdoyante (anglais). Savannah est répandu aux États-Unis. Variantes : Savana, Savanah, Savanna. Caractérologie : vitalité, achèvement, ardeur, leadership, stratégie.

Saveria 🚩 450 ➡️
Maison neuve (basque). Caractérologie : optimisme, créativité, pragmatisme, communication, résolution.

Savina 🚩 150
Habitante d'Italie centrale (latin). Prénom italien. Variante : Savine. Caractérologie : enthousiasme, pratique, communication, adaptation, détermination.

Sawsane 🚩 250 ➡️
Lys des vallées (arabe). Variantes : Sawsan, Sawsana, Sawsene, Sawsen, Sawssane, Sawssen. Caractérologie : énergie, ambition, autorité, innovation, autonomie.

Scarlett 🚩 700 **TOP 800** ↗️
De couleur écarlate (latin). Féminin anglais. Variante : Scarlet. Caractérologie : ambition, résolution, habileté, organisation, force.

Schérazade 🚩 200
Femme de la haute ville (prénom arabe d'origine perse). Variante : Schéhérazade. Caractérologie : résolution, rectitude, rêve, humanité, ouverture d'esprit.

SARAH

Fête : 9 octobre

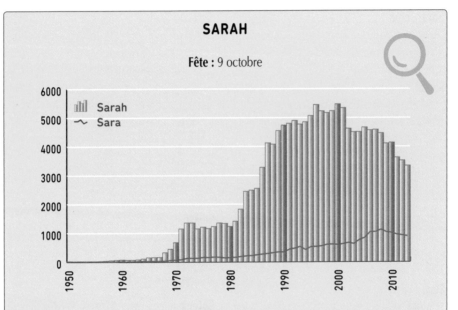

Étymologie : de l'hébreu *saray*, « princesse ». La diffusion de Sarah remonte à plusieurs siècles dans les pays anglophones, mais son émergence française est récente. Peu donné au début du XXᵉ siècle, abandonné entre 1940 et 1960, ce prénom grandit dans les années 1980, au moment où la vogue des prénoms bibliques fait renaître plusieurs célébrités de l'Ancien Testament. Sarah s'envole aux côtés de Léa et Éva, mais elle plafonne rapidement, culminant à la 8ᵉ place du palmarès féminin en 2000. Malgré son déclin national, elle brille encore dans les tout premiers rangs parisiens.

Dans les régions francophones, Sarah et Sara poursuivent brillamment leur carrière. Elles se classent dans l'élite des attributions wallonnes, suisses romandes et québécoises. Et si ce duo décline aux États-Unis, Sara grandit dans l'ensemble du Vieux Continent. Elle vient de décrocher la 4ᵉ place du classement italien et sa cote monte dans les communautés arabes et musulmanes du monde entier. Reste-t-il encore un pays où les deux Sara(h) sont inusitées ?

Épouse d'Abraham dans la Bible, **Sarah** a le don de la beauté mais pas celui de la maternité. Aussi ne peut-elle réprimer un rire lorsqu'un ange vient lui annoncer qu'elle mettra au monde un enfant à l'âge de 90 ans. Son fils, le bien-nommé Isaac (de l'hébreu : « rire »), naîtra dans l'année.

.../

S

251

Sarah *(suite)*

Connue sous le nom de « Sara la Noire », **sainte Sarah** est la patronne des Gitans. Elle est honorée le 25 mai.

Personnalités célèbres : Sarah Bernhardt (1844-1923), actrice française de théâtre ; Sarah Vaughan (1924-1990), pianiste et chanteuse américaine ; Sarah Biasini, actrice française ; Sarah Slean, chanteuse canadienne ; Sarah Théry, chanteuse française.

Statistiques : Sarah est le 7e prénom féminin le plus donné en France depuis le début du XXIe siècle. On peut estimer qu'il sera attribué à une fille sur 116 en 2014. **Sara** devrait prénommer une fille sur 436 et figurer au 73e rang de ce palmarès.

Sébastienne 🌟 500
Respectée, vénérée (grec). Variantes : Bastienne, Sébastiane. Caractérologie : originalité, audace, découverte, décision, énergie.

Sécil 🌟 190
Aveugle (latin). Voir Cécile. Caractérologie : communication, pratique, enthousiasme, décision, adaptation.

Séda 🌟 500 ⬇
Grande dame (arménien). Caractérologie : médiation, fidélité, relationnel, adaptabilité, intuition.

Séfora 🌟 300 ➡
Pierre précieuse bleue (hébreu). Caractérologie : audace, détermination, indépendance, dynamisme, direction.

Ségolène 🌟 5 000
Victoire (germanique). Féminin français. On peut estimer que moins de 30 enfants seront prénommés ainsi en 2014. Variante : Ségolaine. Caractérologie : énergie, autorité, innovation, amitié, ambition.

Séham 🌟 120
Flèches (arabe). Caractérologie : audace, direction, assurance, indépendance, dynamisme.

Seiko
Qui mène avec succès (japonais). Ce prénom est porté par moins de 30 personnes en France. Caractérologie : énergie, découverte, audace, originalité, décision.

Séléna 🌟 4 000 (TOP 200) ⬆
Solennelle (latin). En dehors de l'Hexagone, Selena est plus particulièrement répandu dans les pays hispanophones. Caractérologie : réceptivité, diplomatie, loyauté, sociabilité, bonté.

Sélène 🌟 1 500 (TOP 400) ➡
Solennelle (latin). Féminin anglais et basque. Variantes : Selen, Sélénia, Selenna. Caractérologie : famille, équilibre, influence, exigence, sens des responsabilités.

Selia 🌟 350 ⬊
Aveugle (latin). Voir Cécile. Caractérologie : détermination, autorité, innovation, énergie, ambition.

Sélima 🌟 300 ⬆
Pure, intacte, en sécurité (arabe). Caractérologie : audace, découverte, originalité, énergie, décision.

Sélin 🌟 1 500 (TOP 2000) ⬊
Lune (grec). On peut estimer que moins de 30 enfants seront prénommés ainsi en

2014. Variante : Sélina. Caractérologie : audace, découverte, énergie, détermination, originalité.

Selma 🎖 7 000 (TOP 200)
Intacte, saine (arabe), protection divine (germanique). Caractérologie : dynamisme, curiosité, courage, indépendance, charisme.

Selvi 🎖 160
Forêt (latin). Caractérologie : méthode, détermination, fiabilité, engagement, ténacité.

Sema 🎖 600 ⬇
Ciel (turc), signe (grec). Caractérologie : relationnel, fidélité, intuition, médiation, adaptabilité.

Sémia 🎖 300
Élevée, admirable (arabe). Caractérologie : réceptivité, sociabilité, diplomatie, résolution, loyauté.

Seona
Dieu fait grâce (hébreu). Seona est très répandu en Écosse. Ce prénom est porté par moins de 30 personnes en France. Caractérologie : rectitude, rêve, humanité, tolérance, générosité.

Séphora 🎖 3 000 (TOP 800) ↘
Siffler (arabe), oiselle (hébreu). Prénom biblique. Dans l'Ancien Testament, Séphora (ou Tsippora) est l'épouse de Moïse. Variante : Céphora. Caractérologie : direction, audace, résolution, dynamisme, ressort.

Séraphine 🎖 1 000 (TOP 2000) ⬆
Ardente (hébreu). Féminin français. Variantes : Sérafina, Séraphina, Séraphie. Caractérologie : audace, découverte, détermination, action, énergie.

Séréna 🎖 5 000 (TOP 200) ↗
Sereine (latin). Serena est particulièrement répandu en Italie, en Corse et dans les pays anglophones. Variante : Séren. Caractérologie : ardeur, vitalité, achèvement, stratégie, résolution.

Serine 🎖 1 000 (TOP 1000)
Sereine (latin). Variante : Serina. Caractérologie : indépendance, intelligence, méditation, détermination, savoir.

Servane 🎖 3 000 (TOP 2000) ⬇
Qui est respectueuse (celte). Prénom breton. Caractérologie : communication, pragmatisme, optimisme, créativité, résolution.

Servanne 🎖 400
Qui est respectueuse (celte). Prénom breton. Caractérologie : achèvement, stratégie, décision, ardeur, vitalité.

Sévane
Nom d'un lac d'Arménie (arménien). Ce prénom est porté par moins de 100 personnes en France. Variante : Sévan. Caractérologie : pratique, générosité, enthousiasme, communication, adaptation.

Séverine 🎖 94 000
Grave, sérieuse (latin). Féminin français. On peut estimer que moins de 30 enfants seront prénommés ainsi en 2014. Variantes : Sévéra, Sévériane, Sévérienne, Séverina, Séveryne. Caractérologie : connaissances, originalité, sagacité, détermination, spiritualité.

Seyda 🎖 190
Maîtrise de soi (arabe). Caractérologie : rêve, humanité, rectitude, ouverture d'esprit, réalisation.

Shade 🎖 350 (TOP 2000)
Ombre (anglais). Féminin anglais. Caractérologie : audace, dynamisme, direction, indépendance, assurance.

S

253

Shaïa
Palace féerique (irlandais). Ce prénom est porté par moins de 30 personnes en France. Caractérologie : réceptivité, loyauté, diplomatie, bonté, sociabilité.

Shaïma 🎆 2 000 **TOP 500** ⬇
D'une grande beauté (arabe). Variante : Shayma. Caractérologie : paix, bienveillance, sagesse, conscience, conseil.

Shaïna 🎆 3 000 **TOP 300** ➡
Belle (yiddish). Variantes : Shaïnesse, Shainez, Shayna, Sheïna. Caractérologie : sagacité, originalité, spiritualité, connaissances, résolution.

Shakira 🎆 250 ⬇
Présent le plus désiré (arabe). Caractérologie : méthode, ténacité, fiabilité, sens du devoir, engagement.

Shamsi
Mon petit soleil (arabe). Shamsi est particulièrement répandu au Maroc. Ce prénom est porté par moins de 30 personnes en France. Caractérologie : influence, éthique, famille, équilibre, exigence.

Shana 🎆 6 000 **TOP 200** ➡
Dieu fait grâce (hébreu). Variantes : Shanaé, Shanaël, Shanaëlle. Caractérologie : savoir, intelligence, méditation, sagesse, indépendance.

Shanice 🎆 900 **TOP 2000** ⬇
Dieu fait grâce (hébreu). Féminin anglais. Caractérologie : découverte, détermination, audace, séduction, originalité.

Shanna 🎆 2 000 **TOP 300** ↗
Dieu fait grâce (hébreu). Shanna signifie également « amour » aux Comores. Shanna est plus particulièrement recensé dans les pays anglophones et aux Comores.

Caractérologie : pratique, communication, générosité, adaptation, enthousiasme.

Shannon 🎆 2 000 **TOP 700** ➡
Expérience, sagesse (irlandais). Shannon est également le nom du plus long fleuve d'Irlande et des îles britanniques. Féminin irlandais et anglais. L'usage de ce prénom mixte a évolué : aujourd'hui, Shannon est presque exclusivement féminin. Variantes : Shanon, Shannen, Shanone, Shannone. Caractérologie : structure, sécurité, efficacité, persévérance, honnêteté.

Shanti 🎆 130
Calme, sereine (sanscrit). Prénom indien d'Asie. Caractérologie : achèvement, vitalité, stratégie, finesse, résolution.

Shanyce 🎆 300 **TOP 2000** ➡
Dieu fait grâce (hébreu). Variantes : Shanie, Shany, Shanys. Caractérologie : créativité, optimisme, pragmatisme, communication, cœur.

Sharleen 🎆 300 ➡
Force (germanique). Variantes : Sharlen, Sharlène. Caractérologie : innovation, détermination, autorité, ambition, énergie.

Sharon 🎆 2 000 **TOP 2000** ➡
Plaine déserte (hébreu). Ce prénom mixte est largement féminin en France et dans les pays anglophones. Caractérologie : pragmatisme, optimisme, créativité, résolution, communication.

Sharone 🎆 300 **TOP 2000** ⬆
Plaine déserte (hébreu). Caractérologie : force, ambition, habileté, décision, passion.

Shauna 🎆 450 ↗
Dieu fait grâce (hébreu). Shauna est plus particulièrement répandu en Irlande. Variantes : Shaine, Shane, Shanée, Shawnee.

Caractérologie : innovation, autonomie, énergie, autorité, ambition.

Shéhérazade 🚩 800 ⬇

Femme de la haute ville (prénom arabe d'origine perse). Shéhérazade est l'héroïne mythique des *Mille et Une Nuits*, recueil anonyme de contes populaires écrits en arabe au XIIIᵉ siècle, d'origine persane. Variantes : Chéhérazade, Chéhrazad, Chéhrazade, Chérazad, Shéérazade. Caractérologie : autorité, innovation, ambition, énergie, détermination.

Sheila 🚩 700 ⬂

Aveugle (latin). Voir Cécile. Féminin anglais. Variantes : Sheela, Shelley. Caractérologie : idéalisme, résolution, intégrité, réflexion, altruisme.

Sheïma 🚩 500 ⬇

D'une grande beauté (arabe). Caractérologie : autorité, innovation, énergie, détermination, ambition.

Shelby 🚩 250 **TOP 2000** ↗

Ville abritée (vieil anglais). Mixte dans les pays anglophones, Shelby reste à ce jour exclusivement féminin en France. Caractérologie : vitalité, achèvement, attention, stratégie, cœur.

Shérazade 🚩 1 500 **TOP 800** →

Femme de la haute ville (prénom arabe d'origine perse). Caractérologie : paix, conscience, bienveillance, conseil, décision.

Sherine 🚩 1 500 **TOP 500** →

Charmante, agréable (arabe, perse). Variante : Shirine. Caractérologie : équilibre, sens des responsabilités, famille, influence, résolution.

Sherley 🚩 600 ⬂

Prairie ensoleillée (anglais). Caractérologie : diplomatie, sympathie, ressort, réceptivité, sociabilité.

Sheryl 🚩 400 **TOP 2000** ↗

Cerisier (latin). Féminin anglais. Caractérologie : bienveillance, paix, conscience, action, bonté.

Shina

Fidèle, loyale (japonais). Ce prénom est porté par moins de 100 personnes en France. Caractérologie : résolution, équilibre, sens des responsabilités, famille, influence.

Shirel 🚩 1 000 **TOP 2000** ⬂

Cerisier (latin). Féminin anglais. Variante : Shyrel. Caractérologie : détermination, sens des responsabilités, bienveillance, exigence, famille.

Shirley 🚩 4 000 **TOP 2000** ⬂

Prairie ensoleillée (anglais). Féminin anglais. On peut estimer que moins de 30 enfants seront prénommés ainsi en 2014. Caractérologie : bienveillance, paix, conscience, action, cœur.

Shona 🚩 600 ⬂

Dieu fait grâce (hébreu). Shona est très répandu en Écosse. Variante : Shonah. Caractérologie : générosité, communication, pratique, enthousiasme, adaptation.

Sian 🚩 110

Forme galloise de Jeanne : Dieu fait grâce (hébreu). Caractérologie : savoir, détermination, intelligence, méditation, indépendance.

Siana 🚩 300 **TOP 800** ⬆

Forme galloise de Jeanne : Dieu fait grâce (hébreu). Variantes : Sinead, Sheona. Caractérologie : originalité, spiritualité, sagacité, connaissances, résolution.

Sibel 🚩 1 500 →

Prophétesse (grec). On peut estimer que moins de 30 enfants seront prénommés ainsi en 2014.

S

255
·······

Variantes : Cybèle, Cybelle, Sybel. Caractérologie : intuition, relationnel, médiation, gestion, décision.

Sibille  190
Prophétesse (grec). Caractérologie : curiosité, dynamisme, courage, gestion, décision.

Sibylle 2 000 **TOP 700**
Prophétesse (grec). Féminin français et allemand. Dans l'Antiquité, la Sibylle était une prêtresse qui avait reçu d'Apollon le don de prophétie. Une des sibylles les plus connues est celle de Cumes. Selon la légende, elle vendit au roi Tarquin les *Livres sibyllins*, recueils de prophéties censés contenir tout l'avenir de Rome. Variantes : Sibyl, Sibylline. Caractérologie : pragmatisme, communication, optimisme, décision, cœur.

Sidney  750 **TOP 2000**
Habitant de Sidon (latin). Voir Sidonie. Féminin anglais. Variante : Sidaine. Caractérologie : persévérance, structure, sécurité, réussite, décision.

Sidonie  5 000 **TOP 500**
Habitant de Sidon (latin). Prénom français. Sidon, l'une des plus vieilles cités de la Phénicie, aurait été fondée par Canaan, le petit-fils de Noé. Cette ville au destin exceptionnel surmonta les destructions infligées par les Perses (en 343), puis par les Assyriens (en 677). Située sur la côte libanaise, Sidon est appelée Sayda aujourd'hui. Variantes : Sidony, Sydonie. Forme basque : Sidonia. Caractérologie : communication, pragmatisme, détermination, optimisme, volonté.

Siegrid
Victoire, paix (germanique), belle victoire (scandinave). Ce prénom est porté par moins de 100 personnes en France. Caractérologie :

stratégie, achèvement, détermination, réalisation, vitalité.

Sienna 500 **TOP 600**
Se rapporte à Sienne, ville toscane d'Italie (Siena en italien). Sienna est très répandu dans les pays européens et anglophones. Variante : Siena. Caractérologie : engagement, méthode, fiabilité, ténacité, sens du devoir.

Sierra
Signifie « chaîne de montagne » en espagnol. Ce prénom géographique est particulièrement attribué en Espagne et aux États-Unis. Il se réfère à la Sierra Nevada, la chaîne de montagne la plus connue de l'Ouest de ce pays. Ce prénom est porté par moins de 100 personnes en France. Caractérologie : intelligence, savoir, détermination, méditation, indépendance.

Sigrid 1 500
Victoire, paix (germanique), belle victoire (scandinave). Prénom scandinave. On peut estimer que moins de 30 enfants seront prénommés ainsi en 2014. Caractérologie : pratique, communication, adaptation, enthousiasme, réalisation.

Siham 5 000 **TOP 800**
Flèches (arabe). Caractérologie : curiosité, dynamisme, indépendance, courage, charisme.

Sihame 1 500
Flèches (arabe). On peut estimer que moins de 30 enfants seront prénommés ainsi en 2014. Caractérologie : audace, direction, dynamisme, décision, indépendance.

Sihem 2 000 **TOP 700**
Flèches (arabe). Variante : Siheme. Caractérologie : rêve, ouverture d'esprit, rectitude, humanité, décision.

Sila 🍀 650 (TOP 2000) ↘
Réunion (turc). Caractérologie : énergie, audace, découverte, originalité, séduction.

Siloé 🍀 650 (TOP 800) ↗
Nom d'une ancienne source d'eau située près du mur sud de Jérusalem (Israël). Caractérologie : analyse, famille, sens des responsabilités, équilibre, résolution.

Silvana 🍀 1 000 →
Forêt (latin). Variantes : Silva, Silvaine, Silvanie. Caractérologie : famille, sens des responsabilités, équilibre, influence, décision.

Silvia 🍀 2 000 ↘
Forêt (latin). Ce prénom italien, très attribué à partir de la Renaissance, doit son succès à son association avec Rhea Silvia, la mère des fondateurs de Rome (Romulus et Remus) dans la mythologie romaine. Silvia est également usité dans les pays lusophones et hispanophones, ainsi qu'en Catalogne. On peut estimer que moins de 30 enfants seront prénommés ainsi en 2014. Variante : Silbia. Caractérologie : humanité, rêve, rectitude, générosité, tolérance.

Silviane 🍀 500
Forêt (latin). Féminin français. Caractérologie : direction, audace, dynamisme, indépendance, décision.

Simone 🍀 119 000
Qui est exaucée (hébreu). Simone est un prénom français et anglais. Professeur de philosophie et auteur de nombreux essais, Simone de Beauvoir est l'une des plus grandes avocates du féminisme au XXᵉ siècle. On peut estimer que moins de 30 enfants seront prénommés ainsi en 2014. Variantes : Simona, Simonetta, Simonette, Simonne. Caractérologie : communication, enthousiasme, détermination, volonté, pratique.

Simonne 🍀 33 000
Qui est exaucée (hébreu). Féminin français. On peut estimer que moins de 30 enfants seront prénommés ainsi en 2014. Caractérologie : volonté, ambition, détermination, force, habileté.

Sindy 🍀 2 000
Divine (latin). On peut estimer que moins de 30 enfants seront prénommés ainsi en 2014. Variante : Syndie. Caractérologie : ambition, force, résolution, habileté, réalisation.

Siobhan 🍀 130
Dieu fait grâce (hébreu). Féminin irlandais. Variante : Siobhane. Caractérologie : énergie, découverte, audace, décision, attention.

Siona
Ce prénom biblique se rapporte au second nom du mont Hermon, en Israël. Ce prénom est porté par moins de 100 personnes en France. Caractérologie : fiabilité, méthode, ténacité, engagement, détermination.

Sirine 🍀 6 000 (TOP 200) →
Charmante, agréable (arabe, perse). Variantes : Cirine, Sheryne, Sirin, Siryne. Caractérologie : relationnel, intuition, fidélité, médiation, décision.

Sissi 🍀 150
Aveugle (latin). Voir Cécile. Féminin anglais. Caractérologie : pragmatisme, communication, optimisme, sociabilité, créativité.

Sita 🍀 140
Sillon (sanscrit). Prénom indien d'Asie. Caractérologie : méthode, ténacité, engagement, sens du devoir, fiabilité.

S

257

Sixtine 🦃 3 000 **TOP 400** →
Lisse, polie (grec). Féminin français. Caractérologie : autorité, détermination, innovation, énergie, ambition.

Sloane 🦃 800 **TOP 2000** ↘
Guerrière (celte). Féminin anglais. Variante : Sloanne. Caractérologie : optimisme, communication, pragmatisme, sociabilité, créativité.

Smahan 🦃 160
Sublime, de haut rang (arabe). Caractérologie : bonté, sociabilité, réceptivité, diplomatie, loyauté.

Smina 🦃 110
Fleur de jasmin (arabe). Caractérologie : fidélité, relationnel, médiation, résolution, intuition.

Soane 🦃 450 **TOP 2000** →
Forme de Jeanne couramment usitée dans les îles de Wallis-et-Futuna. Soane peut également être considéré comme une variante de Sohane. Caractérologie : rêve, humanité, générosité, rectitude, ouverture d'esprit.

Soazig 🦃 1 000 →
Forme bretonne de Françoise : libre (latin). Caractérologie : originalité, action, énergie, découverte, audace.

Soéline
Contraction de « soleil » et du suffixe « ine ». Ce prénom est porté par moins de 30 personnes en France. Caractérologie : raisonnement, connaissances, originalité, volonté, liberté.

Sofia 🦃 16 000 **TOP 100** →
Sagesse (grec), pure, amie préférée (arabe). Sofia, le prénom de la reine d'Espagne, est très répandu dans les pays slaves, hispanophones, scandinaves, en Allemagne, en Grèce et en Italie. Caractérologie : audace, découverte, énergie, originalité, séduction.

Sohane 🦃 1 500 **TOP 800** ↓
Étoile (arabe). Variantes : Soana, Soane, Soanna, Soanne, Sohana, Sohann, Sohanne. Caractérologie : stratégie, vitalité, achèvement, leadership, ardeur.

Soizic 🦃 5 000 **TOP 2000** ↘
Forme bretonne de Françoise : libre (latin). Variante : Soazic. Caractérologie : altruisme, idéalisme, intégrité, réflexion, logique.

Solange 🦃 58 000 **TOP 2000** ↗
Solennelle (latin). Prénom français. Au XIᵉ siècle, sainte Solange froissa la susceptibilité d'un seigneur en refusant de l'épouser. Dépité, il l'assassina. Sainte Solange est la patronne de Bourges et du Berry. Caractérologie : dynamisme, indépendance, direction, audace, sympathie.

Soléa 🦃 200 **TOP 2000** ↗
Solennelle (latin). Caractérologie : spiritualité, connaissances, philosophie, sagacité, originalité.

Soléane 🦃 250 **TOP 2000** →
Contraction de Soléa et Anne. Féminin français. Variantes : Soléanne, Soliane, Solianne. Caractérologie : habileté, ambition, management, passion, force.

Soledad 🦃 650 ↗
Signifie « solitude » en espagnol. Caractérologie : équilibre, sens des responsabilités, famille, influence, caractère.

Solen 🦃 1 500 ↓
Solennelle (latin). On peut estimer que moins de 30 enfants seront prénommés ainsi en 2014. Caractérologie : médiation, intuition, adaptabilité, fidélité, relationnel.

Variations orthographiques et inventions

Les inventions enrichissent chaque année le patrimoine français des prénoms. Qu'ils se traduisent par l'apparition de nouvelles consonances ou par la combinaison de plusieurs prénoms, ces choix sont de plus en plus prisés par les parents.

La plupart des combinaisons sont vouées à rester uniques et anonymes. Cependant, une poignée d'entre elles parviennent chaque année à se diffuser. C'est le cas de Mathéis (Mathéo et Mathis), Timaël (Tim et Maël), Lilwenn (Lily et Nolwenn) et Anaé (Anne et Hanaé), qui ont acquis une notoriété nationale.

Autre alternative en faveur, le recours aux variations s'est accentué cette dernière décennie. L'opération est simple : l'orthographe du prénom est altérée mais sa prononciation reste inchangée. Pas un prénom d'envergure n'échappe à cette pratique. Même les plus improbables. Avec leurs trois lettres, Léo, Tom, Éva et Zoé semblaient hors d'atteinte, et pourtant… leurs homonymes Lého, Tome, Eeva et Zoey ne cessent de grandir, gonflant le cortège des Maëll, Enzzo, Anays, Camill et Mannon, pour ne citer que les plus visibles d'entre eux. Notons qu'avec plus de 700 naissances estimées pour 2014, Nolhan obtient la palme de la plus forte progression.

Dans ce contexte, on ne s'étonne plus que de nouveaux venus fassent tant d'émules en se couvrant de gloire. Comme Rihana qui, en l'espace d'une décennie, s'est retrouvée affublée d'une quinzaine de variantes. Ou Aïdan, dont les dérivés se multiplient en France et dans les pays anglophones. Reste Kylian qui détient, avec ses 35 graphies, le nombre record des altérations.

Le phénomène des inventions n'est pas nouveau et les prénoms difficiles à porter existent depuis belle lurette. Pour autant, un prénom excentrique, une variante orthographique peu commune ou complexe à prononcer, est le plus souvent porté comme un fardeau. Il condamne son porteur à épeler l'orthographe précise de son prénom tout au long de sa vie. Sans compter les moqueries d'enfants ou d'adultes qui peuvent causer des dégâts psychologiques et un réel handicap. Des e-mails sont régulièrement envoyés au site **MeilleursPrenoms.com** par des internautes qui déplorent l'absence de leur prénom sur les sites internet. Leur démarche procède d'une quête de reconnaissance, d'un besoin de prouver que leur prénom est bien réel. D'où la nécessité pour les parents de se poser les bonnes questions.

Solena 🇫🇷 350 →
Solennelle (latin). Féminin breton. Variantes :
Solan, Solenna. Caractérologie : optimisme,
pragmatisme, communication, créativité,
sociabilité.

Solène 🇫🇷 30 000 TOP 300 ↘
Solennelle (latin). Prénom français. Évêque
de Chartres à la fin du Vᵉ siècle, saint Solène
devint l'un des conseillers de Clovis et assista
à son baptême. Au fil des siècles, ce prénom
masculin a changé de genre. Peu attribué
avant la fin du XXᵉ siècle, Solène surgit dans
le top 50 féminin en 2000, le point culminant de sa carrière. Caractérologie : sagesse,
savoir, intelligence, indépendance, méditation.

Solenn 🇫🇷 6 000 TOP 800 ↘
Solennelle (latin). Prénom breton. Variante :
Solen. Caractérologie : indépendance, médi-
tation, intelligence, sagesse, savoir.

Solenne 🇫🇷 5 000 TOP 2000 →
Solennelle (latin). Caractérologie : pratique,
communication, enthousiasme, adaptation,
générosité.

Soline 🇫🇷 5 000 TOP 200 ↑
Solennelle (latin). Prénom français. Sainte
Soline, chrétienne originaire du Poitou au
IIIᵉ siècle, refusa d'apostasier pendant les per-
sécutions de Dèce et mourut martyre. Sa fête
locale est le 17 octobre. Variantes : Silana,
Solyne. Caractérologie : intuition, décision,
logique, relationnel, médiation.

Solveig 🇫🇷 1 000 TOP 2000 ↓
Gardienne du foyer (scandinave). Variante :
Solweig. Caractérologie : réussite, achève-
ment, vitalité, logique, stratégie.

Solyane
Prénom inventé par Bernard Simonay pour
l'héroïne de *Phénix*, trilogie de romans

fantastiques publiés en 1986. Ce prénom est
porté par moins de 100 personnes en France.
Variantes : Soliane, Solianne. Caractérologie : direction, audace, sympathie, indépendance, dynamisme.

Somaya 🇫🇷 250 ↓
Parfaite, élevée (arabe). Caractérologie :
diplomatie, réceptivité, loyauté, sociabilité,
réalisation.

Sona 🇫🇷 140
Grande, élancée (arménien), feu, couleur du
feu (sanscrit). Se prononce phonétiquement
comme Sonia. Sona est plus particulièrement
usité en Arménie et en Inde. Caractérologie : structure, sécurité, persévérance, honnêteté, efficacité.

Sonia 🇫🇷 81 000 TOP 500 ↘
Sagesse (grec). En dehors de l'Hexagone,
Sonia est très répandu dans les pays slaves,
anglophones et en Italie. Caractérologie :
persévérance, sécurité, structure, décision,
efficacité.

Sonja 🇫🇷 850
Sagesse (grec). Sonja est particulièrement
répandu en Russie et dans les pays slaves.
Caractérologie : dynamisme, curiosité, charisme, courage, indépendance.

Sonya 🇫🇷 750 ↓
Sagesse (grec). Sonya est particulièrement
répandu en Russie. Variantes : Sonnia,
Sonny. Caractérologie : relationnel, intuition, médiation, fidélité, adaptabilité.

Sophia 🇫🇷 12 000 TOP 300 ↗
Sagesse (grec). En dehors de l'Hexagone,
Sophia est particulièrement répandu dans
les pays anglophones. Caractérologie :
dynamisme, curiosité, action, indépendance,
courage.

Sophie 🌸 233 000 (TOP 200) →

Sagesse (grec). Issu du grec *sophia*, ce nom est attesté dès les premiers siècles dans les provinces orientales de l'Empire romain, berceau de l'Église orthodoxe. Il devient fréquent dans les pays de culture grecque, puis dans les zones de peuplement slave, avant d'apparaître dans plusieurs pays européens au XVIᵉ siècle. Sa faveur va grandissante jusqu'à la fin du XIXᵉ siècle et le prénom, sous toutes ses formes (Sofie, Sofia, Sophia, Sophy), se propage à l'échelle internationale. En France, le succès des *Malheurs de Sophie* (roman de la comtesse de Ségur publié en 1848) altère la carrière du prénom qui s'efface jusque dans les années 1960. Il retrouve alors toute sa splendeur et brille parmi les 10 premiers rangs féminins de 1970 à 1987.◇Au IIᵉ siècle, sainte Sophie refusa d'abjurer et fut condamnée au martyre par l'empereur Hadrien. Selon une légende qui fut très populaire à Rome, elle mourut après que ses filles, Foi, Espérance et Charité, eurent subi le même sort. En Orient, de nombreuses églises et basiliques portant son nom furent édifiées dès les premiers siècles. Elles honorent en réalité la Sagesse divine, c'est-à-dire le Christ, mais l'association avec ce prénom explique sa diffusion première dans l'Empire byzantin. Elle est fêtée le 17 septembre en Orient et le 25 mai en Occident. Caractérologie : rectitude, humanité, rêve, décision, action.

Soraya 🌸 9 000 (TOP 500) →

Beauté des étoiles (arabe, perse). Une princesse iranienne a illustré ce prénom au milieu du XXᵉ siècle. Caractérologie : sagacité, connaissances, philosophie, spiritualité, originalité.

Soria 🌸 700

Clarté du soleil (cambodgien). Caractérologie : ardeur, stratégie, vitalité, achèvement, leadership.

Soriane 🌸 130

Contraction de Soria et Anne. Caractérologie : humanité, rectitude, détermination, ouverture d'esprit, générosité.

Sorya 🌸 300 ↘

Clarté du soleil (cambodgien). Variante : Soriya. Caractérologie : famille, sens des responsabilités, équilibre, influence, exigence.

Souad 🌸 3 000 (TOP 2000) ↘

Heureuse, chanceuse (arabe). On peut estimer que moins de 30 enfants seront prénommés ainsi en 2014. Variantes : Souaad, Souade, Souhad, Souhade, Souadou, Suheda. Caractérologie : conscience, bienveillance, conseil, sagesse, paix.

Soufia 🌸 180

Dévouée (arabe). Caractérologie : ambition, analyse, force, habileté, passion.

Souhila 🌸 850 →

Préparer, faciliter un projet (arabe). Variantes : Sohéila, Souhéila, Souhaïla, Souhayla, Souheyla, Souhéla. Caractérologie : fiabilité, ténacité, méthode, logique, engagement.

Soukaïna 🌸 2 000 (TOP 600) ↗

Bien-être, maison du paradis (arabe). Variantes : Soukayna, Soukéina. Caractérologie : autorité, énergie, décision, logique, innovation.

Soumaya 🌸 2 000 (TOP 400) ↑

Parfaite, élevée (arabe). Caractérologie : dynamisme, curiosité, courage, indépendance, réussite.

Souméya 🎖 850 (TOP 1000) →
Parfaite, élevée (arabe). Caractérologie : humanité, rêve, caractère, rectitude, réussite.

Soumia 🎖 1 500 (TOP 2000) →
Parfaite, élevée (arabe). On peut estimer que moins de 30 enfants seront prénommés ainsi en 2014. Variantes : Soumiya, Soumya. Caractérologie : influence, équilibre, famille, sens des responsabilités, analyse.

Sounia 🎖 250
Sagesse (grec). Caractérologie : sagacité, connaissances, spiritualité, analyse, résolution.

Souria 🎖 350
Beauté des étoiles (arabe, perse). Variantes : Soraïa, Soreya, Souraya, Sourya. Caractérologie : intuition, médiation, relationnel, fidélité, analyse.

Stacy 🎖 5 000 (TOP 700) ↓
Résurrection (grec). Stacy est très répandu dans les pays anglophones. Variantes : Stacey, Stacie. Caractérologie : énergie, audace, découverte, organisation, originalité.

Stanislawa 🎖 1 500
Commandeur glorieux (slave). Prénom polonais. On peut estimer que moins de 30 enfants seront prénommés ainsi en 2014. Variante : Stanislava. Caractérologie : relationnel, médiation, intuition, gestion, décision.

Stecy 🎖 2 000 (TOP 900) ↘
Résurrection (grec). Variantes : Steacy, Stecie. Caractérologie : humanité, rectitude, rêve, cœur, gestion.

Steffy 🎖 1 000 (TOP 2000) →
Couronnée (grec). Steffy est très répandu en Allemagne. Variantes : Steffi, Steffie, Stephie, Stephy. Caractérologie : idéalisme, dévouement, altruisme, réflexion, intégrité.

Stella 🎖 13 000 (TOP 200) ↗
Étoile (latin), pilier (grec). Stella est particulièrement usité dans les pays anglophones, en Italie, en Grèce et en Corse. Variantes : Stelia, Stellia. Caractérologie : éthique, équilibre, famille, influence, gestion.

Stelly 🎖 450 →
Étoile (latin). Variantes : Stellie, Stellina. Caractérologie : enthousiasme, communication, cœur, pratique, gestion.

Stéphania 🎖 550
Couronnée (grec). Féminin anglais. Variante : Stefania. Caractérologie : pratique, communication, enthousiasme, sensibilité, action.

Stéphanie 🎖 232 000 (TOP 1000) ↘
Couronnée (grec). Quasi inexistant avant le XIXᵉ siècle, Stéphanie est très rare jusqu'au début des années 1960 (on dénombre alors moins de 200 occurrences chaque année). La fulgurance de son ascension est telle que Stéphanie s'élève au sommet en une décennie, détrônant Sandrine en 1974 pour régner durant quatre ans. Stéphanie se maintiendra dans l'élite des choix français jusqu'à la fin des années 1980 avant de conquérir les pays de langue anglaise. ◇ Dominicaine italienne née en 1457, issue d'une famille très pauvre, sainte Stéphanie entra dans les ordres à l'âge de 15 ans et se consacra aux malades et aux plus déshérités. Elle fonda une communauté à Soncino, en Lombardie, dont elle devint la première abbesse. Variantes : Estephany, Stefanie, Steffanie, Stefany, Stephany. Caractérologie : ressort, intelligence, savoir, méditation, finesse.

Sterenn 🎖 1 000 (TOP 2000) ↓
Astre (celte). Prénom breton. Variante : Steren. Caractérologie : courage, dynamisme, curiosité, indépendance, résolution.

Stessy 🎖 2 000 **TOP 900** →
Résurrection (grec). Variante : Stessie. Caractérologie : achèvement, ardeur, vitalité, stratégie, leadership.

Sultana 🎖 200
Féminin de Sultan, nom désignant les princes de certains pays musulmans. Variante : Sultan. Caractérologie : intelligence, savoir, organisation, méditation, indépendance.

Summer 🎖 190 **TOP 500**
L'été (anglais). Caractérologie : habileté, détermination, ambition, force, passion.

Sunny
Ensoleillé (anglais). Ce prénom est porté par moins de 100 personnes en France. Caractérologie : amitié, créativité, optimisme, communication, pragmatisme.

Susan 🎖 700 ↘
Lys (hébreu). Féminin anglais. Caractérologie : loyauté, sociabilité, bonté, réceptivité, diplomatie.

Susana 🎖 350 ↓
Lys (hébreu). Susana est particulièrement répandu dans les pays hispanophones, lusophones et en Italie. Variantes : Sue, Susanna. Caractérologie : enthousiasme, communication, adaptation, pratique, générosité.

Susie 🎖 650 **TOP 2000** →
Lys (hébreu). Féminin anglais. Variantes : Suzi, Suzy. Caractérologie : audace, direction, dynamisme, indépendance, décision.

Suzanne 🎖 113 000 **TOP 300** →
Lys (hébreu). Ce prénom biblique est porté au IIIᵉ siècle par sainte Suzanne de Rome, une vierge romaine martyrisée sous le règne de l'empereur Dioclétien. En usage au Moyen Âge, Suzanne n'a jamais autant brillé en France qu'à la fin du XIXᵉ siècle. Encore très choisi au début des années 1920 (à la 4ᵉ place), ce prénom décline au moment où la forme anglophone Susan s'envole, au milieu du XXᵉ siècle. Suzanne renaît depuis quelques années et pourrait de nouveau éclairer le palmarès français. ◊ Injustement accusée d'adultère par deux vieillards dont elle osa repousser les avances, Suzanne fut défendue et sauvée par le prophète Daniel. Cet épisode biblique est représenté dans les peintures de Rembrandt et de nombreux artistes. Variantes : Susanne, Suzan, Suzane, Suzanna. Caractérologie : indépendance, direction, audace, dynamisme, assurance.

Suzelle 🎖 900
Lys (hébreu). Dans l'Hexagone, Suzel est plus traditionnellement usité en Alsace. Variante : Suzel. Caractérologie : audace, assurance, dynamisme, direction, indépendance.

Suzette 🎖 6 000
Lys (hébreu). Féminin français. On peut estimer que moins de 30 enfants seront prénommés ainsi en 2014. Caractérologie : force, ambition, sensibilité, organisation, habileté.

Suzie 🎖 3 000 **TOP 500** →
Lys (hébreu). Féminin anglais. Caractérologie : ambition, décision, force, habileté, passion.

Suzon 🎖 1 000 **TOP 900** →
Lys (hébreu). Caractérologie : curiosité, dynamisme, courage, charisme, indépendance.

Suzy 🎖 5 000 **TOP 2000** →
Lys (hébreu). On peut estimer que moins de 30 enfants seront prénommés ainsi en 2014. Caractérologie : direction, audace, dynamisme, indépendance, assurance.

Svetlana 🎖 800 →
Lumineux (slave). Féminin russe, serbe, croate et macédonien. Caractérologie :

S

263
....

persévérance, structure, sécurité, efficacité, gestion.

Swann 🎖 1 000 **TOP 1000** ⬇
Cygne (anglais). Caractérologie : achèvement, vitalité, stratégie, ardeur, leadership.

Sybil 🎖 400 ⬇
Prophétesse (grec). Caractérologie : persévérance, efficacité, structure, sécurité, organisation.

Sybille 🎖 3 000 **TOP 900** ⬆
Prophétesse (grec). En dehors de l'Hexagone, ce prénom est plus particulièrement usité en Allemagne et en Autriche. Variante : Sibile. Caractérologie : communication, détermination, pragmatisme, optimisme, bonté.

Sydney 🎖 950 **TOP 2000** ⬇
Habitante de Sidon (latin). Féminin anglais. Caractérologie : relationnel, intuition, fidélité, médiation, réalisation.

Sylia 🎖 550 **TOP 2000** ⬇
Aveugle (latin). Voir Cécile. Variantes : Silia, Silke, Silya, Sylla, Syllia. Caractérologie : pragmatisme, optimisme, communication, créativité, sociabilité.

Sylvaine 🎖 8 000
Forêt (latin). Féminin français. On peut estimer que moins de 30 enfants seront prénommés ainsi en 2014. Variantes : Sylva, Sylvana, Sylvane, Sylvanie, Sylvanna, Sylvène, Sylvina, Sylvine, Sylvienne. Caractérologie : ambition, réalisation, force, habileté, bonté.

Sylvana 🎖 1 500 ➡
Forêt (latin). On peut estimer que moins de 30 enfants seront prénommés ainsi en 2014. Caractérologie : méthode, réalisation, ténacité, fiabilité, bonté.

Sylvanie 🎖 700
Forêt (latin). Féminin français. Caractérologie : vitalité, achèvement, cœur, réussite, stratégie.

Sylvette 🎖 13 000
Forêt (latin). Féminin français. On peut estimer que moins de 30 enfants seront prénommés ainsi en 2014. Caractérologie : relationnel, intuition, réalisation, médiation, bonté.

Sylvia 🎖 20 000 **TOP 2000** ⬇
Forêt (latin). En dehors de l'Hexagone, Sylvia est plus particulièrement attribué dans les pays anglophones et scandinaves. On peut estimer que moins de 30 enfants seront prénommés ainsi en 2014. Caractérologie : intelligence, savoir, méditation, indépendance, réalisation.

Sylviane 🎖 49 000
Forêt (latin). Féminin français. On peut estimer que moins de 30 enfants seront prénommés ainsi en 2014. Caractérologie : achèvement, bonté, vitalité, stratégie, réalisation.

Sylvianne 🎖 2 000
Forêt (latin). On peut estimer que moins de 30 enfants seront prénommés ainsi en 2014. Caractérologie : persévérance, réalisation, structure, sympathie, sécurité.

Sylvie 🎖 352 000 ⬇
Forêt (latin). Très attribué à partir de la Renaissance, ce prénom doit son succès à son association avec Rhea Silvia, la mère des fondateurs de Rome (Romulus et Remus) dans la mythologie romaine. Son succès se propage aux pays anglophones au XIXᵉ siècle, et revient un siècle plus tard sous la forme de Sylvie en France. Sylvie trône sur le palmarès de 1960

Harmonie d'un prénom avec son patronyme

Selon un sondage réalisé en 2013 sur le site **MeilleursPrenoms.com**, la sonorité est un élément essentiel du processus d'attribution d'un prénom. L'harmonie du prénom avec son patronyme vient au second rang des critères, devant l'originalité (voir les résultats du sondage p. 545). Si les fautes de goût évidentes sautent aux yeux (exemples : Aude Javel, Emma Taume ou Jean Roule), peut-on éviter tous les pièges ?

Il n'existe pas de règle qui garantisse un mariage harmonieux. Chaque prénom est unique et ne s'accorde pas de la même manière. C'est à vous de faire confiance à ce que vous ressentez lorsque vous l'associez avec votre nom de famille. Mais en cas de doute persistant, un examen objectif s'impose. Il s'agit de prononcer, syllabe par syllabe, le nom à la suite du prénom. Ce procédé révélera tout frottement indélicat (exemple : Mathilde Degest), et toute liaison inutile (exemple : Antonin Nimbert). S'il faut donner une règle, disons qu'un assemblage heureux évite les prénoms dont les terminaisons sont identiques au commencement des patronymes.

Un dernier élément doit être pris en compte : généralement, les prénoms longs s'harmonisent mieux avec les patronymes courts. C'est la raison pour laquelle les prénoms composés s'accordent si bien avec ces derniers (Marie-Amélie Daust est bien plus gracieux que Marie-Amélie de Paradimont).

Enfin si vous hésitez encore, vous pouvez également tester vos idées auprès de vos proches. Selon le sondage évoqué précédemment, près de la moitié des futurs parents partagent leurs idées de prénoms avec leurs proches, et dans l'immense majorité des cas, le choix ne constitue pas une source de conflit.

S

à 1964 et prénomme une fille sur 16 dans les derniers temps de son règne. Un triomphe qui l'amènera à une chute plus vertigineuse encore. ◇ Sainte Sylvie, la mère du pape Grégoire le Grand, a également illustré ce prénom au VIᵉ siècle. On peut estimer que moins de 30 enfants seront prénommés ainsi en 2014. Variante : Silvie. Caractérologie : relationnel, médiation, intuition, cœur, réussite.

Syna

Ensemble, union (grec). Ce prénom est porté par moins de 30 personnes en France.

Caractérologie : séduction, découverte, audace, originalité, énergie.

Syriana

Seigneur (grec). Ce prénom est porté par moins de 100 personnes en France. Variantes : Syriane, Syrianna, Syrianne. Caractérologie : équilibre, famille, détermination, sens des responsabilités, influence.

Syrine  3 000

Charmante, agréable (arabe, perse). Variante : Syrina. Caractérologie : rêve, décision, rectitude, ouverture d'esprit, humanité.

T

Tabatha 300
Gazelle (grec, araméen). Caractérologie : force, passion, ambition, management, habileté.

Tahia
La déesse de l'Amour qui agit la nuit (tahitien). Ce prénom est porté par moins de 100 personnes en France. Caractérologie : adaptation, communication, enthousiasme, pratique, générosité.

Tahira 110
Pureté, innocence (arabe). Caractérologie : optimisme, créativité, communication, pragmatisme, sociabilité.

Tahlia
Rosée (hébreu). Ce prénom est porté par moins de 100 personnes en France. Caractérologie : équilibre, famille, sens des responsabilités, organisation, influence.

Taïna 2 000 **TOP 500**
Fée (slave). En dehors de l'Hexagone, ce prénom est plus particulièrement attribué en Finlande. Caractérologie : décision, altruisme, réflexion, résolution, dévouement.

Taïs 750 **TOP 700**
Lien, bandage (grec). Caractérologie : fiabilité, méthode, ténacité, engagement, sens du devoir.

Takara
Trésor (japonais). Ce prénom est porté par moins de 30 personnes en France. Caractérologie : intelligence, savoir, sagesse, méditation, indépendance.

Tal
Rosée (hébreu). Ce prénom est porté par moins de 100 personnes en France. Variantes : Talila, Talilah, Telila, Telilah. Caractérologie : famille, équilibre, sens des responsabilités, influence, organisation.

Talia 1 500 **TOP 600**
Rosée (hébreu), lumière du paradis (arabe). Talia pourrait également signifier « jeune agneau » en araméen. Variantes : Tali, Talie, Talya. Caractérologie : méditation, savoir, organisation, intelligence, indépendance.

Talina 200
Diminutif de Natalina : jour de la naissance (latin). Caractérologie : communication, enthousiasme, décision, pratique, gestion.

Taline 200
Nom d'une ville d'Arménie et prénom féminin arménien. Variante : Talin. Caractérologie : connaissances, sagacité, résolution, spiritualité, organisation.

Tam
Centre, cœur, esprit (vietnamien), diminutif écossais de Thomas. Ce prénom est porté par moins de 100 personnes en France. Caractérologie : connaissances, philosophie, sagacité, spiritualité, originalité.

Tama
Bijou (japonais), complet, parfait (hébreu). Ce prénom est porté par moins de 30 personnes en France. Caractérologie : vitalité, achèvement, leadership, ardeur, stratégie.

Tamako
L'enfant joyau (japonais). Ce prénom est porté par moins de 30 personnes en France. Caractérologie : connaissances, sagacité, spiritualité, originalité, philosophie.

Tamala

Bijou (japonais). Ce prénom est porté par moins de 30 personnes en France. Caractérologie : optimisme, communication, pragmatisme, créativité, organisation.

Tamar 🌸 170

Palmier (hébreu). Féminin anglais. Caractérologie : achèvement, leadership, vitalité, ardeur, stratégie.

Tamara 🌸 4 000 (TOP 700) ◔

Palmier (hébreu). Tamara est très répandu en Russie, dans les pays slaves et anglophones. Caractérologie : altruisme, idéalisme, réflexion, intégrité, dévouement.

Tami

Peuple (japonais), variante de Tamara. Ce prénom est porté par moins de 30 personnes en France. Variantes : Tamia, Tamie, Tamy. Caractérologie : savoir, intelligence, sagesse, méditation, indépendance.

Tamiko

Enfant du peuple (japonais). Ce prénom est porté par moins de 30 personnes en France. Caractérologie : conscience, bienveillance, paix, conseil, sagesse.

Tammy

Palmier (hébreu). Ce prénom est porté par moins de 100 personnes en France. Variantes : Tamara, Tammi, Tammie, Thamara. Caractérologie : rectitude, rêve, humanité, réalisation, ouverture d'esprit.

Tanaïs 🌸 250 ◔

Fée (slave). Tanaïs est l'ancien nom d'un des plus grands fleuves russes, le Don. Variantes : Tana, Tanys. Caractérologie : innovation, détermination, autorité, énergie, ambition.

Tania 🌸 9 000 (TOP 500) ◔

Fée (slave). Tania est plus particulièrement répandu dans les pays anglophones, hispanophones et en Italie. Caractérologie : humanité, rectitude, rêve, décision, tolérance.

Tanya 🌸 1 000 (TOP 2000) ◔

Fée (slave). Prénom russe, ukrainien et anglophone. Variantes : Tanaya, Tanina. Caractérologie : connaissances, sagacité, spiritualité, philosophie, originalité.

Taous 🌸 350

Paon (arabe). Caractérologie : gestion, méthode, ténacité, engagement, fiabilité.

Tara 🌸 2 000 (TOP 800) ◔

Tour, colline rocailleuse (celte), étoile (sanscrit). Ce prénom est usité en Inde et dans les pays anglophones. Variante : Thara. Caractérologie : fiabilité, méthode, engagement, ténacité, sens du devoir.

Tareen

Tour, colline rocailleuse (celte). Féminin anglais. Ce prénom est porté par moins de 30 personnes en France. Caractérologie : humanité, ouverture d'esprit, rectitude, rêve, décision.

Tatiana 🌸 15 000 (TOP 600) ◔

Fée (slave). Ce prénom présente une large diffusion européenne, russe et slave. Variantes : Taunia, Taunya, Tatia, Tatiane, Tatianne, Tatienne, Tatyana. Caractérologie : communication, créativité, optimisme, décision, pragmatisme.

Tatjana 🌸 140

Fée (slave). Prénom serbe, croate et slovène. Variante : Tanja. Caractérologie : persévérance, structure, sécurité, honnêteté, efficacité.

Téa 🌸 1 500 (TOP 700) ◔

Dieu (grec). Téa est répandu dans les pays scandinaves, en Croatie, en Slovénie et en Italie. Caractérologie : ambition, force, passion, habileté, management.

T

267
....

Téana

Contraction de Téa et Anna. Ce prénom est porté par moins de 100 personnes en France. Variantes : Téanna, Téane, Téanne. Caractérologie : curiosité, charisme, courage, dynamisme, indépendance.

Tehani 170

Celle qui est aimée, chérie (tahitien). Caractérologie : attention, communication, enthousiasme, pratique, décision.

Tehila 130

Compliment (hébreu). Caractérologie : résolution, audace, direction, finesse, dynamisme.

Tehora

Pure (hébreu). Ce prénom est porté par moins de 30 personnes en France. Caractérologie : détermination, méthode, ténacité, fiabilité, sensibilité.

Télia 160

Puissance, combat (germanique). Caractérologie : relationnel, résolution, médiation, organisation, intuition.

Telma  500 **TOP 2000**

Protection divine (germanique). Telma est plus particulièrement répandu dans les pays scandinaves. Caractérologie : bienveillance, conscience, paix, conseil, organisation.

Téora

Vie (tahitien). Ce prénom est porté par moins de 30 personnes en France. Caractérologie : gestion, ambition, habileté, passion, force.

Térébentine

Ce prénom issu du calendrier révolutionnaire a été choisi par Cécile Duflot pour sa fille. La térébenthine est une résine semi-liquide extraite de certains conifères. Le choix de la jeune femme politique française fera-t-il des émules ? Ce prénom est porté par moins de 30 personnes en France. Caractérologie : idéalisme, rectitude, tolérance, réflexion, humanité.

Teresa 1 500

Qui récolte (grec). Teresa est particulièrement répandu dans les pays hispanophones, lusophones, germanophones et en Italie. On peut estimer que moins de 30 enfants seront prénommés ainsi en 2014. Variante : Tereza. Caractérologie : courage, décision, curiosité, dynamisme, indépendance.

Terry 300

Qui récolte (grec). Féminin anglais. Variantes : Teri, Terri. Caractérologie : séduction, énergie, découverte, originalité, audace.

Tess  6 000 **TOP 200**

Qui récolte (grec). Tess est très usité dans les pays anglophones et aux Pays-Bas. Caractérologie : idéalisme, altruisme, intégrité, réflexion, dévouement.

Tessa 6 000 **TOP 200**

Qui récolte (grec). Tessa est très usité dans les pays anglophones et aux Pays-Bas. Variante : Thessa. Caractérologie : indépendance, dynamisme, direction, assurance, audace.

Tessy 450 **TOP 2000**

Qui récolte (grec). Féminin anglais. Variante : Tessie. Caractérologie : méditation, intelligence, sagesse, indépendance, savoir.

Teva

Grande voyageuse (tahitien), ange (cambodgien). Écrit avec un accent, Téva signifie également « fruit de la nature » en hébreu. Ce prénom est porté par moins de 100 personnes en France. Caractérologie : optimisme, pragmatisme, communication, sociabilité, créativité.

Texa
Qui récolte (grec). Féminin anglais. Ce prénom est porté par moins de 30 personnes en France. Caractérologie : audace, découverte, originalité, séduction, énergie.

Thaïs 🏵 8 000 (TOP 100) 🔍 →
Lien, bandage (grec). Variante : Thays. Caractérologie : pratique, adaptation, communication, enthousiasme, générosité.

Thalia 🏵 2 000 (TOP 500) ↘
Rosée (hébreu), diminutif de Nathalia. Caractérologie : famille, équilibre, sens des responsabilités, influence, organisation.

Thalie 🏵 250 ↘
Jour de la naissance (latin). Dans la mythologie grecque, Thalie est la muse de la Comédie. Caractérologie : autorité, énergie, résolution, innovation, finesse.

Tham
Grâce (vietnamien). Ce prénom est porté par moins de 30 personnes en France. Caractérologie : équilibre, sens des responsabilités, famille, exigence, influence.

Thamila
Tourterelle (kabyle). Ce prénom est porté par moins de 30 personnes en France. Caractérologie : autorité, innovation, gestion, énergie, ambition.

Thana
Compliment (arabe). Ce prénom est porté par moins de 100 personnes en France. Caractérologie : force, ambition, habileté, passion, finesse.

Thanh 🏵 250
Fin, clair, couleur bleue ou muraille (idée de solidité), achevé (vietnamien). Caractérologie : sens des responsabilités, équilibre, famille, influence, sensibilité.

Thao
Respectueuse de ses parents (vietnamien). Ce prénom est porté par moins de 100 personnes en France. Caractérologie : vitalité, achèvement, stratégie, ardeur, leadership.

Théa 🏵 3 000 (TOP 400) →
Dieu (grec). Voir Théodora. Théa est répandu dans les pays germanophones et scandinaves. Caractérologie : sagacité, connaissances, spiritualité, originalité, attention.

Théana 🏵 250 ↓
Contraction de Théa et Anna. Féminin anglais. Variantes : Théane, Théanna, Théanne, Thela. Caractérologie : structure, persévérance, sécurité, efficacité, sensibilité.

Théïa
Dans la mythologie grecque, Théïa est la fille de Gaia. Ce prénom est porté par moins de 100 personnes en France. Caractérologie : connaissances, détermination, spiritualité, sagacité, sensibilité.

Thelma 🏵 1 500 (TOP 600) →
Protection divine (germanique). Féminin anglais. Caractérologie : dynamisme, curiosité, courage, organisation, finesse.

Thémis 🏵 400 (TOP 2000) →
Fille d'Ouranos et Gaia, Thémis épousa Zeus et devint l'ordonnatrice des rites, des oracles et des lois. Elle est la seule Titanide qui vécut aux côtés des divinités de l'Olympe. Variante : Thémys. Caractérologie : intuition, relationnel, résolution, médiation, finesse.

Théodora 🏵 800 →
Don de Dieu (grec). Féminin grec et anglophone. Impératrice de Byzance au IIe siècle, sainte Théodora rétablit le culte des icônes. Theodora est plus particulièrement répandu en Grèce. Variantes : Téodora, Théodoria,

Théodorine. Caractérologie : attention, dynamisme, curiosité, caractère, courage.

Théola

Envoyée de Dieu (grec). Ce prénom est porté par moins de 30 personnes en France. Caractérologie : savoir, intelligence, méditation, gestion, attention.

Théoline

Contraction de Théo et Line. Ce prénom est porté par moins de 100 personnes en France. Caractérologie : relationnel, intuition, finesse, adaptabilité, médiation.

Théona

Dieu (grec). Féminin anglais. Ce prénom est porté par moins de 30 personnes en France. Caractérologie : attention, altruisme, idéalisme, intégrité, réflexion.

Théonie

Dieu (grec). Ce prénom est porté par moins de 100 personnes en France. Variante : Théone. Caractérologie : ténacité, engagement, méthode, fiabilité, finesse.

Théophanie

Apparition divine (grec). Ce prénom est porté par moins de 100 personnes en France. Variante : Théophania. Caractérologie : action, intuition, sensibilité, médiation, relationnel.

Théophila

Qui aime les dieux (grec). Ce prénom est porté par moins de 30 personnes en France. Variante : Théophilia. Caractérologie : méthode, ténacité, fiabilité, sensibilité, raisonnement.

Théotine

Honorer Dieu (grec). Ce prénom est porté par moins de 100 personnes en France.

Caractérologie : conscience, paix, bienveillance, finesse, conseil.

Théoxane

Dieu, hospitalier (grec). Ce prénom est porté par moins de 100 personnes en France. Variantes : Téoxana, Téoxanna, Téoxanne, Téoxena, Téoxène, Téoxenna, Téoxenne, Théoxanna, Théoxanne, Théoxena, Théoxène, Théoxenna, Théoxenne. Caractérologie : force, habileté, passion, ambition, management.

Thérésa   🌟 1 500 ➡

Qui récolte (grec). Féminin anglais et allemand. On peut estimer que moins de 30 enfants seront prénommés ainsi en 2014. Variantes : Thérésia, Thérézia, Thérézina. Caractérologie : résolution, ténacité, fiabilité, méthode, finesse.

Thérèse   🌟 109 000 ↘

Qui récolte (grec). Féminin français et scandinave. Issue d'une noble famille espagnole, sainte Thérèse d'Avila fonda de nombreux monastères au XVIᵉ siècle. Elle laissa à la postérité de nombreux écrits spirituels. On peut estimer que moins de 30 enfants seront prénommés ainsi en 2014. Variante : Thérèze. Caractérologie : détermination, ambition, force, habileté, sensibilité.

Thi   🌟 1 500 ⬇

Poème (vietnamien). On peut estimer que moins de 30 enfants seront prénommés ainsi en 2014. Variantes : Thia, Thy, Thya. Caractérologie : innovation, autorité, ambition, énergie, autonomie.

Thifaine   200

Apparition divine (grec). Variantes : Thiphaine, Thyphaine. Caractérologie : altruisme, intégrité, attention, idéalisme, décision.

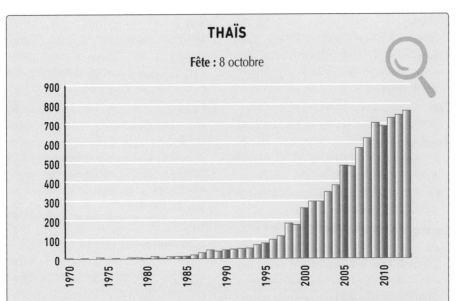

THAÏS

Fête : 8 octobre

Étymologie : probablement du grec, « lien, bandage ». Connu dès la Renaissance, puis oublié, ce prénom a resurgi en France dans les années 1990. Sans avoir connu d'envolée fulgurante, Thaïs perce dans le top 100 féminin en 2008. Elle doit sa progression à sa grande constance et à quelques atouts non négligeables. Sa jeunesse, qui l'inscrit dans une thématique de renouvellement, et sa terminaison, qui la place dans le sillon de Maëlys, ont été déterminants. En 2014, Thaïs devrait prénommer près de 800 Françaises.

Les amateurs de prénoms français se réjouiront que l'on recense si peu de Thaïs en dehors de l'Hexagone. Quelques dizaines tout au plus en Wallonie, quelques-unes en Romandie et au Québec. Sans oublier les graphies Thaís et Taís, qui sont également recensées au Brésil.

Courtisane athénienne d'une grande beauté, **Thaïs** était si convoitée que des hommes se battaient jusque devant sa porte. Elle ruina de nombreux soupirants et fut pendant longtemps la maîtresse d'Alexandre le Grand. Après la mort de ce dernier, elle jeta son dévolu sur Ptolémée (premier roi égyptien de cette dynastie), qu'elle épousa. Thaïs a vécu au IVe siècle avant J.-C.

Un autre récit de sa vie fut écrit par Marbode, évêque de Rennes au XIIe siècle. Il relate que **Thaïs** se repentit d'avoir mené une vie sulfureuse, qu'elle se convertit au christianisme et termina ses jours religieuse. Elle passa trois années de pénitence recluse dans une cellule avant de devenir **sainte Thaïs**. Son histoire a inspiré un roman d'Anatole France et un opéra de Jules Massenet, la célèbre *Méditation de Thaïs*.

Personnalité célèbre : Thaïs Oliveira, mannequin brésilien.

Statistiques : Thaïs est le 125e prénom féminin le plus donné en France depuis le début du XXIe siècle. On peut estimer qu'il sera attribué à une fille sur 500 en 2014.

T

271

Thiffany 🌟 130

Apparition divine (grec). Féminin anglais. Variantes : Thifanie, Thifany, Thiphanie. Caractérologie : stratégie, action, achèvement, vitalité, attention.

Thu

Automne (vietnamien). Ce prénom est porté par moins de 100 personnes en France. Caractérologie : méthode, fiabilité, engagement, ténacité, sens du devoir.

Thuy 🌟 250

Eau (vietnamien). Caractérologie : réceptivité, sociabilité, loyauté, diplomatie, bonté.

Tia 🌟 900 **TOP 800** →

Diminutif des prénoms se terminant par « tia ». Variante : Tya. Caractérologie : communication, pragmatisme, optimisme, créativité, sociabilité.

Tiana 🌟 950 **TOP 300** ↑

Diminutif de Tatiana : fée (slave). Féminin russe et slave. Variantes : Tia, Tiana, Tianna, Tyana, Tyanna. Caractérologie : altruisme, idéalisme, réflexion, résolution, intégrité.

Tiare

Fleur (tahitien). Ce prénom est porté par moins de 100 personnes en France. Caractérologie : vitalité, achèvement, détermination, ardeur, stratégie.

Tifanny 🌟 600 ↓

Apparition divine (grec). Caractérologie : vitalité, achèvement, stratégie, ardeur, résolution.

Tifany 🌟 1 500 **TOP 2000** ↓

Apparition divine (grec). Féminin anglais. Caractérologie : pratique, détermination, communication, enthousiasme, adaptation.

Tifenn 🌟 2 000 **TOP 2000** ↓

Apparition divine (grec). Variantes : Tifaine, Tiffaine, Tifene, Tiffène, Tiffen, Tiphène. Caractérologie : courage, dynamisme, charisme, curiosité, indépendance.

Tiffanie 🌟 2 000 ↓

Apparition divine (grec). Féminin anglais et français. On peut estimer que moins de 30 enfants seront prénommés ainsi en 2014. Variantes : Tifanie, Tiffani. Caractérologie : intelligence, méditation, savoir, détermination, indépendance.

Tiffany 🌟 16 000 **TOP 600** ↘

Apparition divine (grec). Tiffany est très répandu dans les pays anglophones. Caractérologie : résolution, idéalisme, intégrité, altruisme, réflexion.

Timéa 🌟 650 **TOP 400** ↑

Honorer Dieu (grec). Féminin hongrois. Caractérologie : pratique, adaptation, communication, résolution, enthousiasme.

Timothée 🌟 300

Honorer Dieu (grec). Variante : Timothéa. Caractérologie : dynamisme, curiosité, courage, attention, caractère.

Tina 🌟 3 000 **TOP 500** →

Diminutif d'Augustina et de Christina. Féminin anglais, italien et néerlandais. Caractérologie : passion, force, ambition, habileté, décision.

Tiphaine 🌟 17 000 **TOP 500** ↘

Apparition divine (grec). Au Moyen Âge, ce nom était donné aux enfants nés le jour de l'Épiphanie, la fête chrétienne qui donna naissance au prénom. Avant de devenir un féminin traditionnel breton, il fut largement attribué dans les deux genres. Après une longue absence, Tiphaine renaît au milieu du

XXᵉ siècle et se hisse au seuil du top 100 féminin en 1988, son dernier point culminant. Caractérologie : dynamisme, audace, attention, direction, action.

Tiphanie ⭐ 4 000
Apparition divine (grec). Féminin français. On peut estimer que moins de 30 enfants seront prénommés ainsi en 2014. Caractérologie : ressort, finesse, audace, dynamisme, direction.

Tiphany ⭐ 850 ↘
Apparition divine (grec). Féminin anglais. Caractérologie : adaptabilité, relationnel, action, fidélité, médiation.

Tonia ⭐ 250
Inestimable (latin), fleur (grec). Féminin anglais. Variantes : Tonya, Tonina. Caractérologie : découverte, énergie, audace, originalité, détermination.

Tori
Oiseau (japonais). Ce prénom est porté par moins de 100 personnes en France. Caractérologie : force, ambition, habileté, management, passion.

Tosca ⭐ 250 ↗
Étrusque (latin). Prénom italien. Caractérologie : structure, sécurité, efficacité, persévérance, gestion.

Toscane ⭐ 550 ↓
Étrusque (latin). Caractérologie : découverte, audace, énergie, organisation, originalité.

Touria ⭐ 700
Étoile des Pléiades dans la constellation du Taureau (arabe). Variantes : Touraya, Touriya. Caractérologie : pratique, gestion, enthousiasme, communication, logique.

Tova
Conciliante (hébreu). Ce prénom est porté par moins de 100 personnes en France. Caractérologie : sécurité, persévérance, structure, efficacité, honnêteté.

Tovia
Bonté divine (hébreu). Ce prénom est porté par moins de 30 personnes en France. Caractérologie : persévérance, sécurité, efficacité, structure, honnêteté.

Tracy ⭐ 4 000 ↘
Qui récolte (grec). Féminin anglais. Variantes : Tracey, Tracie, Trecy, Tressy. Caractérologie : organisation, fiabilité, méthode, engagement, ténacité.

Tricia ⭐ 400 →
Noble personne (latin). Féminin anglais. Variante : Trycia. Caractérologie : influence, sens des responsabilités, équilibre, organisation, famille.

Tristana ⭐ 190
Étymologie possible : révolte, tumulte (celte). Féminin breton. Caractérologie : pragmatisme, communication, optimisme, créativité, résolution.

Trixie
Heureuse, qui rend heureuse (latin). Féminin anglais. Ce prénom est porté par moins de 30 personnes en France. Caractérologie : efficacité, honnêteté, persévérance, structure, sécurité.

Tsipora ⭐ 200 ↑
Petit oiseau (hébreu). Caractérologie : ambition, passion, force, habileté, management.

Tuana ⭐ 300  ↗
Talent, savoir (vietnamien). Caractérologie : enthousiasme, gestion, pratique, communication, adaptation.

T

Typhaine 🇫🇷 5 000 (TOP 800) →
Apparition divine (grec). Variantes : Tyffaine, Typhène. Caractérologie : force, action, ambition, habileté, attention.

Typhanie 🇫🇷 1 500 ↓
Apparition divine (grec). On peut estimer que moins de 30 enfants seront prénommés ainsi en 2014. Variante : Tyffanie. Caractérologie : vitalité, stratégie, achèvement, ressort, finesse.

U

Uguette
Esprit, intelligence (germanique). Ce prénom est porté par moins de 100 personnes en France. Caractérologie : rectitude, humanité, ouverture d'esprit, rêve, sympathie.

Ulrike
Puissance (germanique). Féminin allemand. Ce prénom est porté par moins de 100 personnes en France. Variantes : Ulrica, Ulrique. Caractérologie : structure, sécurité, efficacité, persévérance, honnêteté.

Ulyssia
Courroucée (latin). Ce prénom est porté par moins de 30 personnes en France. Caractérologie : spiritualité, connaissances, sagacité, originalité, philosophie.

Uma 🇫🇷 180
Splendeur, lumière, sérénité (sanscrit). Dans l'hindouisme, Uma est l'un des noms de la déesse Parvati. Prénom indien d'Asie. Caractérologie : ambition, force, management, passion, habileté.

Uranie 🇫🇷 130
Céleste (grec). Dans la mythologie grecque, Uranie, la fille de Zeus et de Mnémosyne (déesse de la Mémoire), est la muse de l'Astronomie. Variantes : Urana, Urane, Urania.

Caractérologie : audace, énergie, originalité, découverte, détermination.

Urbaine
De la ville (latin). Ce prénom est porté par moins de 100 personnes en France. Variantes : Urbane, Urbanie. Caractérologie : connaissances, sagacité, spiritualité, organisation, détermination.

Urielle 🇫🇷 250 ↑
Dieu est ma lumière (hébreu). Variantes : Uria, Uriah, Urias, Uriel, Uriela. Forme bretonne : Uriell. Caractérologie : audace, direction, dynamisme, assurance, indépendance.

Ursula 950
Ours (latin). Féminin anglais, scandinave, allemand et italien. Caractérologie : loyauté, sociabilité, réceptivité, diplomatie, bonté.

Ursule 🇫🇷 950
Ours (latin). Féminin français. Variantes : Ursine, Ursuline. Caractérologie : paix, décision, conscience, bienveillance, conseil.

Usoa
Colombe (basque). Ce prénom est porté par moins de 30 personnes en France. Caractérologie : diplomatie, réceptivité, bonté, sociabilité, loyauté.

Uta
Poème (japonais). Ce prénom est porté par moins de 30 personnes en France. Caractérologie : conseil, bienveillance, conscience, paix, gestion.

V

Vaea

Souveraine qui a partagé l'océan (tahitien). Ce prénom est porté par moins de 100 personnes en France. Caractérologie : intuition, relationnel, médiation, fidélité, adaptabilité.

Vahiné

Épouse, femme (tahitien). Ce prénom est porté par moins de 100 personnes en France. Caractérologie : curiosité, indépendance, dynamisme, courage, décision.

Vaiana 250

L'eau de la grotte (tahitien). Caractérologie : décision, enthousiasme, communication, adaptation, pratique.

Vaïla

Vivre (slave). Ce prénom est porté par moins de 30 personnes en France. Caractérologie : rectitude, rêve, humanité, ouverture d'esprit, générosité.

Vainui

Grande pour l'éternité (tahitien). Ce prénom est porté par moins de 100 personnes en France. Caractérologie : fiabilité, engagement, ténacité, méthode, détermination.

Vaitea

Eau claire de la cascade (tahitien). Ce prénom est porté par moins de 100 personnes en France. Caractérologie : méthode, fiabilité, sécurité, détermination, résolution.

Vaitiare

Fleur éternelle (tahitien). Ce prénom est porté par moins de 100 personnes en France. Caractérologie : persévérance, sécurité, détermination, structure, efficacité.

Valda

Celle qui gouverne (vieux norrois). Féminin norvégien et suédois. Ce prénom est porté par moins de 30 personnes en France. Caractérologie : fiabilité, ténacité, méthode, engagement, sens du devoir.

Valentina 1 000

Vaillante (latin). Féminin italien, espagnol, russe, slave méridional et roumain. Caractérologie : vitalité, achèvement, stratégie, organisation, résolution.

Valentine  30 000

Vaillante (latin). Féminin français. Variantes : Vale, Valantine, Valence, Valencia, Valencina, Valentia, Valentiane, Valentienne. Caractérologie : communication, pragmatisme, optimisme, détermination, organisation.

Valéria 700

Valeureuse (latin). Caractérologie : découverte, énergie, originalité, audace, détermination.

Valériane 1 000

Se rapporte à la valériane, plante médicinale aux propriétés calmantes. Variante : Valérianne. Caractérologie : sens des responsabilités, résolution, famille, équilibre, influence.

Valérie 246 000

Valeureuse (latin). Forme française du latin Valeria, un nom porté par une puissante famille romaine et plusieurs saintes ayant vécu aux premiers siècles. Malgré ce passé riche en histoire, Valérie est quasi inexistant en Europe avant la fin du XIXe siècle. Il le serait peut-être resté s'il n'avait pas été adopté par les parents de langue anglaise, puis par les familles allemandes et scandinaves. Dans ces pays, Valérie connaît un pic de popularité entre les deux guerres mondiales. Avec un temps de retard, mais poussé

275

par une formidable croissance, Valérie s'impose en quelques années dans les 5 premiers rangs français. Il s'y maintient de 1965 à 1972, allant jusqu'à talonner Nathalie à la 2ᵉ place en 1969. Sa chute est ensuite vertigineuse et Valérie disparaît aussi rapidement qu'il avait surgi. ◊ Sainte Valérie de Milan, martyre chrétienne au IIᵉ siècle, refusa d'apostasier et subit le martyre à la suite de son époux, saint Vital. Elle est fêtée le 28 avril. On peut estimer que moins de 30 enfants seront prénommés ainsi en 2014. Variantes : Vaka, Valérienne, Valérina, Valérine, Valeska, Vallie, Vallonia. Caractérologie : décision, humanité, rêve, rectitude, tolérance.

Valia

Vaillante (latin). Féminin slave oriental. Ce prénom est porté par moins de 100 personnes en France. Caractérologie : altruisme, réflexion, idéalisme, intégrité, dévouement.

Vanessa 🌴 79 000 (TOP 600) ⬇

Papillon (grec). Ce prénom inventé par Jonathan Swift au XVIIIᵉ siècle était le surnom d'Hester, une des femmes que l'écrivain irlandais a aimées. En dehors de la France, ce prénom est plus particulièrement recensé dans les pays anglophones. Variantes : Vanesa, Vannessa. Caractérologie : humanité, rêve, rectitude, tolérance, générosité.

Vania 🌴 250

Diminutif anglais et allemand de Vanessa : papillon (grec). En Russie, Vania est essentiellement masculin, mais au féminin, il peut être un diminutif de Jeanne ou Anna. Variantes : Vanya, Vana, Vanie, Vannie, Vanny. Caractérologie : médiation, relationnel, intuition, fidélité, résolution.

Vanille 🌴 1 000 ⬇

Nom du fruit du vanillier (latin). Caractérologie : pragmatisme, communication, optimisme, résolution, créativité.

Vanina 🌴 3 000 ⬇

La pluie chasse la tristesse (tahitien), et forme corse de Jeanne : Dieu fait grâce (hébreu). Féminin français. On peut estimer que moins de 30 enfants seront prénommés ainsi en 2014. Variante : Vannina. Caractérologie : savoir, intelligence, méditation, indépendance, décision.

Varda

Rose (hébreu). Ce prénom est porté par moins de 100 personnes en France. Variantes : Vardia, Vardiella, Vardina. Caractérologie : assurance, direction, dynamisme, audace, indépendance.

Varina

Étrangère (grec). Ce prénom est porté par moins de 30 personnes en France. Caractérologie : loyauté, réceptivité, sociabilité, décision, diplomatie.

Vassilia

Reine (grec). Ce prénom est porté par moins de 100 personnes en France. Caractérologie : sociabilité, bonté, réceptivité, loyauté, diplomatie.

Vasthie

Belle (persan). Ce prénom est porté par moins de 30 personnes en France. Variante : Vastie. Caractérologie : communication, attention, pratique, enthousiasme, décision.

Vélia

Jour de la naissance (latin). Ce prénom est porté par moins de 100 personnes en France. Variante : Vélina. Caractérologie : méthode, ténacité, fiabilité, engagement, décision.

Le palmarès des 100 prénoms féminins du XXᵉ siècle

Les prénoms ci-dessous sont classés par ordre décroissant d'attribution. Marie, Jeanne et Françoise sont les trois prénoms féminins les plus attribués du siècle dernier.

1. Marie	26. Simone	51. Cécile	76. Laetitia
2. Jeanne	27. Paulette	52. Élisabeth	77. Pauline
3. Françoise	28. Valérie	53. Laurence	78. Mireille
4. Anne	29. Jeannine	54. Lucie	79. Annick
5. Monique	30. Sophie	55. Aurélie	80. Audrey
6. Catherine	31. Sandrine	56. Virginie	81. Charlotte
7. Jacqueline	32. Céline	57. Dominique	82. Nadine
8. Madeleine	33. Stéphanie	58. Henriette	83. Béatrice
9. Isabelle	34. Véronique	59. Josette	84. Mélanie
10. Nathalie	35. Odette	60. Claire	85. Évelyne
11. Suzanne	36. Chantal	61. Claudine	86. Michelle
12. Marguerite	37. Yvette	62. Marthe	87. Delphine
13. Sylvie	38. Annie	63. Maria	88. Josiane
14. Yvonne	39. Geneviève	64. Danielle	89. Micheline
15. Hélène	40. Lucienne	65. Corinne	90. Éliane
16. Martine	41. Brigitte	66. Caroline	91. Mathilde
17. Denise	42. Patricia	67. Christelle	92. Léa
18. Nicole	43. Thérèse	68. Élodie	93. Karine
19. Marcelle	44. Raymonde	69. Gisèle	94. Joséphine
20. Christine	45. Georgette	70. Bernadette	95. Agnès
21. Germaine	46. Colette	71. Florence	96. Liliane
22. Renée	47. Julie	72. Juliette	97. Laura
23. Christiane	48. Michèle	73. Ginette	98. Élise
24. Louise	49. Émilie	74. Camille	99. Fernande
25. Andrée	50. Alice	75. Simone	100. Marion

Venise 300

Se rapporte à Venise, ville d'Italie. Variante : Vénusia. Caractérologie : intuition, médiation, relationnel, fidélité, détermination.

Vénus 250

Déesse de l'Amour dans la mythologie romaine (latin). Prénom italien. Variante :

Vénissia. Caractérologie : altruisme, dévouement, intégrité, idéalisme, réflexion.

Véra 1 000  TOP 2000

Vrai (latin), foi (slave). Vera est très répandu dans les pays slaves et hispanophones. Variantes : Veera, Veira, Viera. Caractérologie : dynamisme, indépendance, direction, audace, détermination.

Vérane 550

Vrai (latin), foi (slave). Variante : Vérana. Caractérologie : diplomatie, réceptivité, sociabilité, loyauté, décision.

Verena 350

Vrai (latin), foi (slave). Caractérologie : intuition, détermination, médiation, fidélité, relationnel.

Verna

Vérité (latin). Ce prénom est porté par moins de 30 personnes en France. Caractérologie : paix, bienveillance, détermination, conseil, conscience.

Veronica 900

Porter la victoire (grec). Veronica est plus particulièrement répandu en Italie, dans les pays anglophones et en Roumanie. Variantes : Verona, Veronika. Caractérologie : éthique, équilibre, famille, analyse, volonté.

Véronique 228 000

Porter la victoire (grec). Véronique et Veronica émergent au XIXᵉ siècle dans plusieurs pays européens, mais leur diffusion reste modeste jusque dans les années 1950. Dans l'Hexagone, Véronique s'élève dans le sillon de Monique et parvient à percer en prenant sa relève. Ce prénom brille dans le top 10 français de 1959 à 1970 avant de s'éclipser rapidement. ◊ Sainte Véronique est le nom donné à une habitante de Jérusalem qui fut témoin du calvaire de Jésus et qui, par compassion, essuya avec son voile le visage de ce dernier. Cette étoffe devenue célèbre aurait gardé l'empreinte des traits du Christ. Véronique est la patronne des lingères et des photographes. On peut estimer que moins de 30 enfants seront prénommés ainsi en 2014. Caractérologie : intégrité, analyse, idéalisme, altruisme, volonté.

Vesna 450

Printemps (slave). Féminin croate, serbe, slovène et macédonien. Caractérologie : sagacité, connaissances, spiritualité, originalité, philosophie.

Via

Voie (latin), diminutif des prénoms se terminant par « tia ». Via est plus particulièrement répandu dans les pays scandinaves. Ce prénom est porté par moins de 30 personnes en France. Caractérologie : curiosité, dynamisme, charisme, courage, indépendance.

Viana

Combinaison du préfixe « Vi » et Anna. Ce prénom est porté par moins de 100 personnes en France. Variante : Vianna. Caractérologie : sociabilité, réceptivité, diplomatie, loyauté, décision.

Vianca

Clair (germanique). Féminin anglais. Ce prénom est porté par moins de 30 personnes en France. Caractérologie : audace, énergie, découverte, originalité, résolution.

Vicky 2 000 **TOP 2000**

Victorieuse (latin). Féminin anglais. Variantes : Vicki, Vickie. Caractérologie : intelligence, indépendance, savoir, méditation, sagesse.

Victoire 13 000 **TOP 100**

Victorieuse (latin). Ce prénom porté par plusieurs saintes est rarement attribué avant la fin de la Renaissance. Plusieurs princesses portent ce prénom aux XVIIᵉ et XVIIIᵉ siècles avant qu'il se diffuse plus largement dans l'Hexagone. Il est en retrait depuis que Victoria l'a supplanté à l'aube du XXᵉ siècle. Caractérologie : relationnel, intuition, caractère, médiation, logique.

Victoria 🎌 25 000 (TOP 100) →

Victorieuse (latin). Ce prénom mène une existence discrète en Europe avant que le règne de la reine anglaise Victoria (1819-1901) transforme son cours. Victoria s'envole alors outre-Manche, puis dans de nombreux pays occidentaux, en particulier anglophones et hispanophones. En France, Victoire ne parvient pas à rivaliser avec cette étoile internationale qui le supplante à la fin du XIXe siècle. Après une période d'hibernation, Victoria s'est réveillé dans les années 1990. Il s'est imposé dans le top 80 français et reste un choix original aujourd'hui. Variantes : Viktoria, Vittoria, Toria. Caractérologie : intelligence, méditation, gestion, savoir, logique.

Victorine 🎌 5 000 (TOP 1000) ↓

Victorieuse (latin). Féminin français. Variantes : Victoriana, Victorie, Victorienne, Victorina. Caractérologie : sagacité, connaissances, volonté, spiritualité, raisonnement.

Vida

Aimée, chérie (hébreu). Ce prénom est porté par moins de 100 personnes en France. Caractérologie : rectitude, humanité, générosité, rêve, ouverture d'esprit.

Vienne

Vivante (latin). Ce prénom est porté par moins de 30 personnes en France. Caractérologie : paix, bienveillance, conseil, conscience, sagesse.

Vilma 🎌 250

Protectrice résolue (germanique). Féminin espagnol, allemand, slave méridional, hongrois et scandinave. Caractérologie : enthousiasme, communication, générosité, adaptation, pratique.

Vincente 🎌 1 000

Qui triomphe (latin). Variantes : Vinca, Vincenza. Caractérologie : sociabilité, réceptivité, diplomatie, loyauté, bonté.

Vinciane 🎌 2 000 ↘

Qui triomphe (latin). Féminin français. On peut estimer que moins de 30 enfants seront prénommés ainsi en 2014. Variante : Vincianne. Caractérologie : originalité, énergie, décision, découverte, audace.

Violaine 🎌 8 000 ↓

Se rapporte à la violette, fleur aux pétales violets (latin). C'est au poète et écrivain Paul Claudel que l'on doit l'invention de ce prénom français. Violaine est le personnage principal de la pièce de théâtre *L'Annonce faite à Marie*, c'est aussi le nom d'un petit village de l'Ain. On peut estimer que moins de 30 enfants seront prénommés ainsi en 2014. Variantes : Viola, Violène, Violine. Caractérologie : équilibre, logique, éthique, famille, caractère.

Violetta 🎌 700

Se rapporte à la violette, fleur aux pétales violets (latin). Prénom italien. Variante : Violeta. Caractérologie : logique, énergie, découverte, audace, caractère.

Violette 🎌 16 000 (TOP 200) →

Ce prénom issu du calendrier révolutionnaire se rapporte à la violette, fleur aux pétales violets (latin). Féminin français. Caractérologie : humanité, rêve, rectitude, caractère, logique.

Virgilia

Qui porte une canne (latin). Ce prénom est porté par moins de 100 personnes en France. Caractérologie : équilibre, famille, sens des responsabilités, réussite, influence.

Virginia 🇫🇷 3 000 ⊘

Pure, vierge (latin). Féminin anglais. On peut estimer que moins de 30 enfants seront prénommés ainsi en 2014. Variantes : Virgina, Virginy. Caractérologie : vitalité, décision, achèvement, stratégie, réussite.

Virginie 🇫🇷 163 000 ⊙

Pure, vierge (latin). Jeune citoyenne romaine d'une grande beauté, Virginie était convoitée par un magistrat, Appius Claudius, qui la réclamait injustement comme esclave. Prévenu à temps, son père accourut voir sa fille. Arrivé au forum, le malheureux déroba un couteau de boucher et le lui planta dans le cœur, seul moyen selon lui de redonner sa dignité à la jeune fille. Cette légende populaire confirme l'ancienneté de ce prénom, et pourtant, il tarde à se manifester en France. C'est au XVIe siècle que Virginia émerge en Amérique, lorsque les Anglais nomment « Virginia » l'un des États colonisés, en hommage à Élisabeth Ire, dite la « reine vierge ». Le prénom se propage des deux côtés de l'Atlantique et devient très fréquent au XIXe siècle. Il atteint alors des sommets de popularité en France. Une gloire confortée par le roman de Bernardin de Saint-Pierre, *Paul et Virginie*, paru en 1787, dont l'immense succès dépassa les frontières. En voie de disparition dans les années 1950, Virginie est ressuscitée par la vague naissante des terminaisons en « ie » et brille, de 1974 à 1979, dans les 5 premiers choix français. ◇ Riche veuve du XVIIe siècle, sainte Virginie consacra sa vie à secourir les pauvres tout en élevant ses deux enfants. Elle créa plusieurs écoles et fonda un institut religieux. On peut estimer que moins de 30 enfants seront prénommés ainsi en 2014. Caractérologie : pratique, communication, adaptation, enthousiasme, générosité.

Viridiana 🇫🇷 150

Florissante (grec). Variantes : Virdis, Virida, Viridienne. Caractérologie : influence, famille, équilibre, détermination, sens des responsabilités.

Virna 🇫🇷 110

Vérité (latin). Caractérologie : direction, dynamisme, indépendance, audace, résolution.

Vitaline 🇫🇷 150

Vie (latin). Variantes : Vita, Vitalie. Caractérologie : gestion, intuition, médiation, décision, relationnel.

Vittoria 🇫🇷 400 **TOP 2000** ⊅

Victorieuse (latin). Prénom italien. Caractérologie : famille, exigence, équilibre, sens des responsabilités, influence.

Viviane 🇫🇷 48 000 **TOP 2000** →

Vivante (latin). Au moment où il apparaît dans les légendes arthuriennes, ce prénom est plus rare en France qu'en Angleterre, où Vivian est usité dans les deux genres. Après cette embellie médiévale, Viviane tombe dans un oubli si profond qu'il arbore toute la jeunesse d'un prénom neuf en ressuscitant au siècle dernier. Sans atteindre des sommets, Viviane se hisse dans les 50 premiers choix français en 1955, peu après sa découverte. ◇ Dans la légende arthurienne, Viviane est la protectrice du royaume d'Avalon et de l'épée sacrée Excalibur. Elle élève Lancelot qui devient l'un des chevaliers les plus célèbres de la Table ronde. En faisant tourner neuf fois son voile magique autour de Merlin, elle fait de ce dernier son « amant éternel ». On peut estimer que moins de 30 enfants seront prénommés ainsi en 2014. Caractérologie : innovation, énergie, ambition, autorité, décision.

Vivianne ⭐ 1 500

Vivante (latin). Voir Viviane. Féminin français. On peut estimer que moins de 30 enfants seront prénommés ainsi en 2014. Variantes : Bibiane, Bibianne, Viva, Vivian, Viviana, Vivianka, Vivienna, Viviene, Vivienne. Caractérologie : famille, équilibre, détermination, sens des responsabilités, influence.

W

Wacila

Maturation spirituelle (arabe). Ce prénom est porté par moins de 100 personnes en France. Caractérologie : persévérance, sécurité, efficacité, résolution, structure.

Wadislawa

Gouverneur puissant et renommé (slave). Ce prénom est porté par moins de 30 personnes en France. Variante : Vladia. Caractérologie : détermination, communication, enthousiasme, adaptation, pratique.

Wafa ⭐ 1 500 TOP 2000 →

Fidèle (arabe). Caractérologie : honnêteté, efficacité, sécurité, persévérance, structure.

Wafaa ⭐ 450 ↘

Fidèle (arabe). Variantes : Waffa, Wafae. Caractérologie : découverte, énergie, originalité, audace, séduction.

Wallis

Du pays de Galles (anglais). Féminin anglais. Ce prénom est porté par moins de 100 personnes en France. Variante : Wally. Caractérologie : fiabilité, méthode, ténacité, engagement, décision.

Waltraud

Courageuse à la bataille (germanique). Ce prénom est porté par moins de 100 personnes en France. Variante : Waltrude.

Caractérologie : innovation, énergie, résolution, autorité, organisation.

Wanda ⭐ 3 000 ↘

Branche fine (germanique). Wanda est particulièrement répandu dans les pays anglophones, en Pologne et en Allemagne. On peut estimer que moins de 30 enfants seront prénommés ainsi en 2014. Variantes : Vanda, Venda, Wandeline, Wenda. Caractérologie : savoir, sagesse, intelligence, méditation, indépendance.

Warda ⭐ 900 TOP 2000 ↗

Rose (arabe). Caractérologie : sociabilité, diplomatie, loyauté, réceptivité, résolution.

Wassila ⭐ 2 000 TOP 900 →

Maturation spirituelle (arabe). Caractérologie : enthousiasme, pratique, adaptation, communication, détermination.

Wassima ⭐ 200 ↘

Belle, gracieuse (arabe). Caractérologie : ténacité, méthode, engagement, fiabilité, détermination.

Wen

Culture, écriture (chinois). Ce prénom est porté par moins de 30 personnes en France. Caractérologie : paix, harmonie, éthique, conscience, influence.

Wendie ⭐ 250 ↗

Branche fine (germanique). Variante : Wendi. Caractérologie : paix, conseil, conscience, sagesse, bienveillance.

Wendy 🍁 11 000 **TOP 300** →
Branche fine (germanique). Wendy est très répandu dans les pays anglophones. Caractérologie : ardeur, vitalité, achèvement, stratégie, leadership.

Whitney 🍁 800 ↗
Île blanche (anglais). Caractérologie : dynamisme, curiosité, courage, finesse, ressort.

Widad 🍁 600 **TOP 2000** ↗
Fidèle, affectionnée (arabe). Variantes : Wided, Wydad. Caractérologie : dynamisme, curiosité, courage, indépendance, résolution.

Wilhelmine 🍁 160
Protectrice résolue (germanique). Féminin allemand. Variante : Vilhelmine. Caractérologie : diplomatie, réceptivité, sociabilité, bonté, loyauté.

Wilma 🍁 250
Protectrice résolue (germanique). Wilma est particulièrement répandu dans les pays scandinaves et en Allemagne. Variantes : Vilma, Wylma. Caractérologie : sécurité, structure, persévérance, décision, efficacité.

Windy 🍁 350
Venteux (anglais), ou variation de Wendy. Caractérologie : communication, optimisme, créativité, pratique, adaptation.

Winifred
Amie de la paix (germanique). En dehors de l'Hexagone, Winifred est particulièrement répandu en Allemagne. Ce prénom est porté par moins de 100 personnes en France. Variante : Winifried. Caractérologie : savoir, intelligence, indépendance, méditation, caractère.

Winnie
Gardienne sacrée (germanique). Féminin anglais. Ce prénom est porté par moins de 100 personnes en France. Caractérologie : sociabilité, réceptivité, diplomatie, loyauté, bonté.

Winona 🍁 250 ⊗
Gardienne sacrée (germanique). Féminin anglais. Variante : Wynona. Caractérologie : détermination, structure, persévérance, sécurité, efficacité.

Wissal 🍁 850 **TOP 2000** →
Couple harmonieux (arabe). Caractérologie : relationnel, décision, intuition, médiation, fidélité.

Wissem 🍁 500 **TOP 2000** →
Honorée de médailles (arabe). Variantes : Wissam, Wissame. Caractérologie : sagacité, spiritualité, connaissances, originalité, décision.

Withney 🍁 200
Île blanche (anglais). Caractérologie : découverte, énergie, audace, ressort, finesse.

Wladyslawa 🍁 350
Gouverneur puissant et renommé (slave). Caractérologie : ténacité, méthode, réussite, fiabilité, cœur.

Wyn
Blanc, heureux (celte). Ce prénom est porté par moins de 30 personnes en France. Caractérologie : communication, optimisme, pragmatisme, résolution, créativité.

W

282

Xana 110

Forme basque et galicienne de Jeanne. Dans la mythologie asturienne, Xana est une petite fée. Dans l'Hexagone, Xana est plus traditionnellement usité au Pays basque. Caractérologie : efficacité, sécurité, structure, persévérance, honnêteté.

Xanthia

Jaune (grec). Ce prénom est porté par moins de 30 personnes en France. Variantes : Xanthe, Xantia. Caractérologie : découverte, détermination, énergie, audace, sensibilité.

Xavière 750

Variante francisée de Xabiere qui signifie « maison neuve » en basque. Prénom français et basque. Variantes : Xaverine, Xaviera. Caractérologie : pratique, communication, enthousiasme, décision, caractère.

Xena

Hospitalier (grec). Féminin anglais. Ce prénom est porté par moins de 100 personnes en France. Caractérologie : achèvement, vitalité, ardeur, stratégie, leadership.

Xénia 200

Hospitalier (grec). Féminin anglais. Caractérologie : force, ambition, habileté, passion, décision.

Xuan 130

Printemps, jeunesse (vietnamien). Caractérologie : famille, équilibre, sens des responsabilités, influence, exigence.

Xylia

Forêt (latin). Ce prénom est porté par moins de 30 personnes en France. Variante : Xylina. Caractérologie : habileté, ambition, force, raisonnement, passion.

Yacine 250

Se rapporte aux premières lettres de la 36e sourate du Coran (arabe). Caractérologie : communication, enthousiasme, pratique, résolution, sympathie.

Yaël 3 000 TOP 400

Forme bretonne et basque de Joëlle : chèvre sauvage (hébreu). Caractérologie : connaissances, spiritualité, sagacité, originalité, bonté.

Yaëlle  3 000 TOP 300

Forme bretonne et basque de Joëlle : chèvre sauvage (hébreu). Ce prénom est très en vogue en Israël. Notons que Yaelle s'orthographie également sans tréma. Caractérologie : influence, éthique, équilibre, famille, sympathie.

Yaffa

Belle (hébreu). Ce prénom est porté par moins de 100 personnes en France. Caractérologie : pragmatisme, communication, optimisme, créativité, sociabilité.

Yamina 🎌 9 000 (TOP 800) →
Éthique, morale (arabe). Variantes : Yamma, Yaminah, Yemina, Yeminah. Caractérologie : altruisme, idéalisme, intégrité, détermination, réalisation.

Yamini
Nuit (sanscrit). Féminin indien d'Asie. Ce prénom est porté par moins de 30 personnes en France. Caractérologie : force, ambition, réussite, habileté, décision.

Yana 🎌 350 (TOP 2000) ↑
Dieu fait grâce (hébreu). Prénom slave. Dans l'Hexagone, Yana est plus traditionnellement attribué en Bretagne. Caractérologie : courage, dynamisme, charisme, indépendance, curiosité.

Yanna 🎌 400 ↘
Dieu fait grâce (hébreu). Prénom breton. Variante : Yana. Caractérologie : audace, dynamisme, indépendance, direction, assurance.

Yasmina 🎌 13 000 (TOP 500) →
Fleur de jasmin (arabe). Ce prénom est particulièrement répandu dans les communautés musulmanes francophones. Variante : Iasmina. Caractérologie : innovation, énergie, autorité, réussite, décision.

Yasmine 🎌 20 000 (TOP 100) →
Fleur de jasmin (arabe). Ce prénom est particulièrement répandu dans les communautés musulmanes francophones. Variantes : Yasmin, Yasmeen, Yassmine. Caractérologie : énergie, découverte, audace, décision, réussite.

Yasu
Paix (japonais). Ce prénom est porté par moins de 30 personnes en France. Caractérologie : communication, pragmatisme, optimisme, créativité, sociabilité.

Yelena 🎌 1 000 (TOP 700) →
Éclat du soleil (grec). Caractérologie : cœur, vitalité, achèvement, stratégie, ardeur.

Yen
Paix, hirondelle (vietnamien). Ce prénom est porté par moins de 100 personnes en France. Caractérologie : achèvement, vitalité, ardeur, stratégie, leadership.

Yeva
Vie, donner la vie (hébreu). Féminin arménien. Ce prénom est porté par moins de 100 personnes en France. Caractérologie : habileté, force, passion, réussite, ambition.

Ylana 🎌 400 (TOP 800) ↗
Arbre (hébreu). Caractérologie : ambition, habileté, force, passion, cœur.

Yléana
Éclat du soleil (grec). Ce prénom est porté par moins de 100 personnes en France. Caractérologie : structure, persévérance, efficacité, amitié, honnêteté.

Ylona 🎌 800 (TOP 2000) →
Éclat du soleil (grec). Caractérologie : engagement, fiabilité, cœur, méthode, ténacité.

Ymen 🎌 130
Croyance, foi (arabe). Caractérologie : communication, enthousiasme, pratique, adaptation, générosité.

Ynès 🎌 900 (TOP 800) ↗
Sympathique, généreuse (arabe), chaste, pure (grec). Caractérologie : rêve, ouverture d'esprit, humanité, rectitude, générosité.

Yoanna 🎌 350 ↓
Dieu fait grâce (hébreu). Variantes : Yoana, Yoanie, Yoannie. Caractérologie : indépendance, méditation, savoir, intelligence, sagesse.

Yohanna 🎖 450 ⬇
Dieu fait grâce (hébreu). Variantes : Yohana, Yohanne. Caractérologie : paix, bienveillance, sagesse, conscience, conseil.

Yoko
L'enfant du soleil (japonais). Ce prénom est porté par moins de 100 personnes en France. Caractérologie : créativité, communication, pragmatisme, optimisme, sociabilité.

Yolaine 🎖 4 000
Aube (grec), violette (latin). Féminin français. On peut estimer que moins de 30 enfants seront prénommés ainsi en 2014. Variante : Yola. Caractérologie : altruisme, sympathie, idéalisme, analyse, intégrité.

Yolanda 🎖 700
Aube (grec), violette (latin). Yolanda est plus particulièrement recensé en Espagne et en Amérique du Nord. Caractérologie : idéalisme, altruisme, intégrité, volonté, réalisation.

Yolande 🎖 42 000
Aube (grec), violette (latin). Féminin français. On peut estimer que moins de 30 enfants seront prénommés ainsi en 2014. Variante : Iolanda. Caractérologie : fiabilité, ténacité, méthode, réalisation, volonté.

Yolène 🎖 1 000
Aube (grec), violette (latin). Variantes : Iolande, Yoline. Caractérologie : sécurité, persévérance, efficacité, structure, bonté.

Yona 🎖 1 500 TOP 2000 ↘
Colombe (hébreu). Sans le h final, Yona est presque exclusivement employé au féminin de nos jours. Variantes : Yonah, Yonna. Caractérologie : innovation, autorité, énergie, ambition, autonomie.

Yori
Fiable, digne de confiance (japonais). Ce prénom est porté par moins de 30 personnes en France. Caractérologie : sens du devoir, ténacité, méthode, engagement, fiabilité.

Youna 🎖 1 500 TOP 600 ➡
If (celte). Prénom breton. Caractérologie : fiabilité, méthode, ténacité, amitié, engagement.

Yousra 🎖 3 000 TOP 400 ➡
Qui a bon caractère (arabe). Variantes : Yossra, Yosra, Yousria, Yusra. Caractérologie : rectitude, raisonnement, humanité, rêve, tolérance.

Youssra 🎖 1 000 TOP 800 ➡
Qui a bon caractère (arabe). Caractérologie : ambition, autorité, logique, innovation, énergie.

Ysaline 🎖 1 000 TOP 800 ➡
Dieu est serment (hébreu). Féminin français. Caractérologie : décision, structure, cœur, persévérance, sécurité.

Ysalis 🎖 120
Dieu est serment (hébreu). Variantes : Isalis, Isalys. Caractérologie : efficacité, honnêteté, structure, persévérance, sécurité.

Ysandre
Cette petite cousine de Lysandre est apparue pour la première fois au Québec en 2004. Ce prénom est porté par moins de 30 personnes en France. Variantes : Isandre, Izandre, Yzandre. Caractérologie : curiosité, charisme, réalisation, courage, indépendance.

Ysanne
Contraction d'Yseult ou Ysabel avec Anne. Ce prénom est porté par moins de 30 personnes en France. Variantes : Ysann, Ysanna. Caractérologie : paix, bienveillance, conscience, conseil, sagesse.

Y

285

Ysatis 🇫🇷 140

Se rapporte à l'isatis, le renard blanc d'Arctique. Ysatis est également le nom d'un parfum très connu. Féminin français. Variantes : Isathis, Isatis. Caractérologie : générosité, pratique, communication, enthousiasme, adaptation.

Ysaure

Habitante d'Isaurie (grec). Ce prénom est porté par moins de 100 personnes en France. Caractérologie : sympathie, achèvement, vitalité, stratégie, résolution.

Ysé 🇫🇷 350 ⊘

Dieu est serment (hébreu). Variante : Ysée. Caractérologie : ténacité, méthode, sens du devoir, engagement, fiabilité.

Yseult 🇫🇷 450 **TOP 2000** ↗

Belle (celte). Féminin anglais et français. Dans la légende médiévale de *Tristan et Iseut*, Tristan était éperdument amoureux d'Iseut la blonde mais il dut se résoudre à épouser Iseut aux blanches mains. Le récit de cette passion tragique a transcendé les siècles et inspiré nombre de poètes et musiciens. Variantes : Yseut, Ysold, Ysolde, Ysolt. Caractérologie : pratique, communication, cœur, enthousiasme, gestion.

Ysia 🇫🇷 160 **TOP 900**

Déesse, souveraine (grec). Caractérologie : idéalisme, altruisme, intégrité, dévouement, réflexion.

Ysoline 🇫🇷 190

Dieu est serment (hébreu). Caractérologie : rêve, humanité, rectitude, raisonnement, bonté.

Yuala

Peuple, valeur (celte). Ce prénom est porté par moins de 30 personnes en France. Caractérologie : influence, sens des responsabilités, famille, équilibre, exigence.

Yue

Lune (chinois). Ce prénom est porté par moins de 30 personnes en France. Caractérologie : bienveillance, conseil, paix, amitié, conscience.

Yuki

Neige (japonais). Ce prénom est porté par moins de 100 personnes en France. Caractérologie : pratique, enthousiasme, adaptation, communication, générosité.

Yukiko

Enfant de la neige (japonais). Ce prénom est porté par moins de 100 personnes en France. Caractérologie : sociabilité, loyauté, réceptivité, logique, diplomatie.

Yuko

Enfant gracieuse (japonais). Ce prénom est porté par moins de 100 personnes en France. Caractérologie : humanité, ouverture d'esprit, rectitude, rêve, générosité.

Yulika

Fleur de lotus (japonais). Ce prénom est porté par moins de 30 personnes en France. Caractérologie : intelligence, savoir, organisation, méditation, indépendance.

Yumi 🇫🇷 200 **TOP 2000** ↑

Belle révérence (japonais). Caractérologie : curiosité, charisme, dynamisme, courage, indépendance.

Yuna 🇫🇷 2 000 **TOP 300** ↗

Se rapporte au nom d'une sainte de Belle-Île-en-Terre (breton). Caractérologie : originalité, spiritualité, sagacité, cœur, connaissances.

Yuri

Lys (japonais). Ce prénom est porté par moins de 100 personnes en France. Caractérologie : direction, indépendance, audace, dynamisme, assurance.

Yvana ⭐ 600 🔽
Dieu fait grâce (hébreu). Variante : Yva.
Caractérologie : humanité, rectitude, rêve,
réussite, ouverture d'esprit.

Yvanna ⭐ 500 ➡️
Dieu fait grâce (hébreu). Variantes : Yvane,
Yvanne, Yvonna. Caractérologie : indépendance, réalisation, courage, dynamisme,
curiosité.

Yveline ⭐ 9 000
If (celte). Féminin français. On peut estimer
que moins de 30 enfants seront prénommés
ainsi en 2014. Caractérologie : amitié, diplomatie, sociabilité, loyauté, réceptivité.

Yvette ⭐ 140 000
If (celte). Féminin français. On peut estimer
que moins de 30 enfants seront prénommés
ainsi en 2014. Caractérologie : sagesse, savoir,
intelligence, indépendance, méditation.

Yvonne ⭐ 85 000
If (celte). Féminin français, allemand et
scandinave. On peut estimer que moins de
30 enfants seront prénommés ainsi en 2014.
Variante : Yvone. Caractérologie : curiosité,
dynamisme, courage, indépendance, volonté.

Z

Zahia ⭐ 1 500 🔽
Splendeur, lumière (arabe). On peut estimer
que moins de 30 enfants seront prénommés
ainsi en 2014. Variante : Zahya. Caractérologie : ouverture d'esprit, rectitude, humanité,
rêve, générosité.

Zahira ⭐ 350 🔼
Rayonnante (arabe). Variante : Zahéra.
Caractérologie : intégrité, altruisme, idéa-
lisme, dévouement, réflexion.

Zahra ⭐ 3 000 TOP 400 ↗️
Fleur, blancheur lumineuse (arabe).
Variante : Zarha. Caractérologie : humanité,
générosité, rectitude, ouverture d'esprit, rêve.

Zaïa ⭐ 450
Splendeur, lumière (arabe). Caractérologie : innovation, énergie, autorité, autonomie, ambition.

Zaïna ⭐ 850 TOP 800 🔼
Belle (arabe). Caractérologie : famille,
sens des responsabilités, décision, équilibre,
influence.

Zaïnab ⭐ 450 TOP 2000 🔼
Belle, qui console (arabe). Variantes : Zaï-
neb, Zéinab, Zéinabou, Zéine, Zéineb, Zinab.
Caractérologie : force, ambition, décision,
habileté, attention.

Zakia ⭐ 1 500
Intelligente, pure (arabe). On peut estimer que
moins de 30 enfants seront prénommés ainsi
en 2014. Variantes : Zakiya, Zakya. Caractérologie : communication, optimisme, créativité, pragmatisme, sociabilité.

Zara ⭐ 700 TOP 2000 ➡️
Fleur, blancheur lumineuse (arabe).
Variante : Zarah. Caractérologie : direction, audace, dynamisme, indépendance,
assurance.

Z

287

Zazie 🌸 110
Libre, française (latin). Féminin français. Caractérologie : sécurité, persévérance, résolution, structure, efficacité.

Zehra 🌸 800 **TOP 2000** ↗
Fleur, blancheur lumineuse (arabe). Caractérologie : structure, sécurité, persévérance, décision, efficacité.

Zéina 🌸 300 ↗
Décoration (arabe). Caractérologie : audace, dynamisme, direction, résolution, indépendance.

Zelda 🌸 300 ↓
Vie (grec). Féminin anglais. Variantes : Zilda, Zélida, Zéliha. Caractérologie : créativité, pragmatisme, optimisme, communication, sociabilité.

Zélia 🌸 1 500 **TOP 600** ↗
Solennelle (latin). Cette forme latinisée de Zélie a connu un triomphe dans les pays anglophones au XIXᵉ siècle. Caractérologie : vitalité, achèvement, détermination, stratégie, ardeur.

Zélie 🌸 6 000 **TOP 100** 🔍 ↗
Solennelle (latin). Caractérologie : pragmatisme, communication, optimisme, créativité, sociabilité.

Zélina
Solennelle (latin). Dans l'Hexagone, Zelina est plus traditionnellement usité au Pays basque. Ce prénom est porté par moins de 100 personnes en France. Variante : Zéline. Caractérologie : engagement, méthode, fiabilité, ténacité, détermination.

Zéna 🌸 200 ↘
Hospitalier (grec). Féminin anglais et français. Variante : Zénon. Caractérologie : autorité, innovation, énergie, autonomie, ambition.

Zénaïde 🌸 200 →
Hospitalier (grec). Variante : Zénia. Caractérologie : autorité, énergie, innovation, ambition, résolution.

Zéphirine
Vent doux (grec). Ce prénom est porté par moins de 100 personnes en France. Caractérologie : intuition, fidélité, médiation, action, relationnel.

Zeyneb 🌸 450 **TOP 900** ↑
Belle, qui console (arabe). Caractérologie : courage, curiosité, dynamisme, indépendance, sensibilité.

Zeynep 🌸 1 500 **TOP 700** →
Belle, qui console (arabe). Caractérologie : direction, audace, dynamisme, indépendance, assurance.

Zhora 🌸 140
Fleur, blancheur lumineuse (arabe). Caractérologie : originalité, énergie, séduction, découverte, audace.

Zia 🌸 1 500 **TOP 600** ↘
Trembler (hébreu). Zia est également originaire de la tradition maya, ce qui explique sa notoriété en Amérique du Sud. Caractérologie : humanité, rêve, rectitude, générosité, tolérance.

Zineb 🌸 3 000 **TOP 600** →
Belle, qui console (arabe). Variante : Zina. Caractérologie : sociabilité, réceptivité, finesse, diplomatie, loyauté.

Zipporah
Petit oiseau (hébreu). Ce prénom est porté par moins de 30 personnes en France. Caractérologie : dynamisme, direction, audace, action, indépendance.

ZÉLIE

Fête : 17 octobre

Étymologie : forme abrégée de Soline, du latin *solemnis*, « solennelle ». Ce prénom a fait l'objet d'une inscription tardive au temps de Rome. Dans la mythologie grecque, Zelos, le fils du Titan Pallas et de Styx, est une divinité personnifiant le zèle. Malgré son histoire ancienne, Zélie est si peu employée avant la fin du XVIIe siècle qu'on la confond parfois avec Solène. Mais avec cinq lettres pour tout bagage, Zélie s'envole au siècle suivant, faisant en passant quelques apparitions dans les arts et les sciences. Ingres peint en 1806 le portrait de Mme Aymon, dite « la belle Zélie », et dans la littérature, Zélie est l'un des personnages des *Études de mœurs* de Balzac, dans un volume paru en 1834. Les frères Paul et Henry Prosper, opticiens et astronomes français, découvriront de leur côté un astéroïde qu'ils nommeront ainsi en 1876.

Au XIXe siècle, Zélie devient un prénom courant, et cette gloire toute rétro n'est pas étrangère à son retour actuel. En 2014, Zélie pourrait s'imposer dans le top 70 national et faire de même en Wallonie. Gageons qu'en surfant sur la vogue de Zoé, elle s'élèvera plus haut. Zelia, la forme latinisée, a triomphé dans les pays anglophones au XIXe siècle. Elle revient en faveur dans ces pays, ainsi qu'au Brésil et au Portugal.

Après un siècle d'oubli, la forme ancienne Zéline renaît depuis 2002. Elle prénomme une poignée de Françaises chaque année. Cousines plus ou moins lointaines, Azélie et Azéline devraient être inscrites une soixantaine de fois sur les registres d'état civil en 2014.

.../

Z

289
....

Zélie *(suite)*

Sainte Soline, chrétienne originaire du Poitou au IIIe siècle, refusa d'apostasier pendant les persécutions de Dèce et mourut martyre. Sa fête locale est le 17 octobre.

Saint Solène, évêque de Chartres à la fin du Ve siècle, conseilla Clovis et assista à son baptême. Au fil des siècles, le genre de ce prénom a évolué. Il n'est pratiquement plus attribué aux garçons aujourd'hui.

Personnalités célèbres : Zelia Trebelli-Bettini, aussi connue sous le nom de Zelia Gilbert, chanteuse d'opéra française (1838-1892) ; Zélie de Lussan, chanteuse d'opéra américaine d'origine française (1861-1949) ; Zélia Gattai, photographe et écrivaine brésilienne (1916-2008) ; Zélia Cardoso de Mellon, ministre de l'Économie brésilienne de 1990 à 1991 ; Zélia Duncan, chanteuse et compositrice brésilienne née en 1964.

Statistiques : Zélie est le 161e prénom féminin le plus donné en France depuis le début du XXIe siècle. On peut estimer qu'il sera attribué à une fille sur 500 en 2014.

Zita 🌸 350 ↗
Lettre alphabétique grecque (grec). Caractérologie : intuition, médiation, relationnel, fidélité, adaptabilité.

Zoé 🌸 44 000 **TOP 50** 🔍 →
Vie (grec). Variantes : Zéa, Zoée. Caractérologie : dynamisme, indépendance, direction, audace, assurance.

Zoélie 🌸 300 **TOP 900** ↑
Vie (grec). Variantes : Zoéline, Zoëlla, Zoëlle, Soélie. Caractérologie : rectitude, analyse, humanité, ouverture d'esprit, rêve.

Zofia 🌸 200 ↑
Sagesse (grec). Caractérologie : communication, enthousiasme, adaptation, pratique, générosité.

Zohra 🌸 6 000 **TOP 800** →
Fleur, blancheur lumineuse (arabe). Caractérologie : curiosité, dynamisme, charisme, courage, indépendance.

Zora 🌸 1 500 **TOP 2000** →
Fleur, blancheur lumineuse (arabe), aurore (slave). Zora est plus particulièrement attribué dans les pays slaves méridionaux, les cultures musulmanes et la Macédoine. Variantes : Zorah, Zorha. Caractérologie : conscience, paix, bienveillance, conseil, sagesse.

Zoubida 🌸 1 000
Fleur d'œillet (arabe). Variante : Zoubaïda. Caractérologie : équilibre, gestion, famille, sens des responsabilités, logique.

Zuria
Blanche (basque). Ce prénom est porté par moins de 30 personnes en France. Caractérologie : sociabilité, communication, créativité, pragmatisme, optimisme.

ZOÉ

Fête : 2 mai

Étymologie : du grec *zoè*, « vie ». L'histoire de ce prénom remonte à la Rome antique. En 270 avant J.-C., sur l'ordre de Ptolémée II, 72 habitants d'Alexandrie furent sélectionnés pour traduire la Torah en grec. Le nom hébreu *h'ava*, qui signifie « vie » (et qui devint Ève en français), fut traduit par *zoè* en grec. Cette traduction assura la diffusion de Zoé dans le monde hellénique, puis son envol dans l'Empire romain et en Orient chrétien.

Au XIXe siècle, Zoé revient en faveur au dans les pays anglophones et réapparaît en France. Mais il lui faut attendre les années 1980 pour émerger dans le sillon de Pauline. Soutenue par une vague rétro, elle s'impose dans le top 20 français en 2006 et galvanise les espoirs de Rose et Zélie, bourgeons dont la dernière floraison remonte au XIXe siècle. En 2014, Zoé devrait occuper le 11e rang du podium national.

En dehors de l'Hexagone, Zoé a connu un pic de popularité aux États-Unis (top 30) dans les années 1990. Il n'en fallait pas moins pour relancer sa carrière en Angleterre, où son dernier succès est retentissant. En plein essor dans le top 30 allemand, Zoé fleurit dans son jardin francophone ; elle brille désormais dans les groupes de tête wallon, romand et québécois. On se réjouit que la variante Zoey, au 18e rang américain, rencontre si peu d'amateurs français et européens.

. . ./

Z

Zoé *(suite)*

Esclave en Turquie au Ier siècle, **sainte Zoé** refusa d'abjurer sa foi chrétienne à son maître. Elle mourut martyre en 127.

Après avoir fait assassiner son vieux mari Romain III, **Zoé Phyrogénète**, impératrice d'Orient de 1028 à 1050, éleva son amant et futur époux Michel IV au pouvoir. À la mort de ce dernier, elle jeta son dévolu sur Michel le Calfat, figure impopulaire dont elle se débarrassa rapidement. N'ayant pas perdu le goût pour l'aventure, elle épousa Constantin IX en troisièmes noces, heureux élu auprès duquel elle termina paisiblement ses jours.

Personnalités célèbres : Zoé Caldwell, actrice américaine ; Zoé Valdès, poète, romancière et scénariste française d'origine cubaine ; Zoé Félix, actrice française ; Zoé, compositrice et chanteuse française.

Statistiques : Zoé est le 17e prénom féminin le plus donné en France depuis le début du XXIe siècle. On peut estimer qu'il sera attribué à une fille sur 106 en 2014.

Prénoms masculins

A

Aadil 🌟 150
Juste (arabe). Caractérologie : altruisme, idéalisme, intégrité, dévouement, réflexion.

Aaron 🌟 11 000 **TOP 50** 🔍 ➦
Esprit (hébreu). Variantes : Aron, Ayron. Caractérologie : ténacité, méthode, décision, engagement, fiabilité.

Aban
Abbé (celte). Ce prénom est porté par moins de 30 personnes en France. Caractérologie : intégrité, idéalisme, altruisme, réflexion, dévouement.

Abdallah 🌟 4 000 **TOP 400** ➦
Serviteur de Dieu (arabe). Variantes : Abdelah, Abdelila, Abdelilah. Caractérologie : gestion, découverte, énergie, audace, originalité.

Abdel 🌟 4 000 **TOP 1000** ➡
Serviteur de Dieu (arabe). Variantes : Ab-del, Abd-el, Abdelali. Caractérologie : paix, bienveillance, conscience, conseil, gestion.

Abdelaziz 🌟 2 000 **TOP 2000** ➡
Serviteur du Tout-Puissant (arabe). On peut estimer que moins de 30 enfants seront prénommés ainsi en 2014. Variantes : Abdelhaziz, Abdelazize, Abdelazziz, Abdellaziz. Forme composée : Abdel-Aziz. Caractérologie : détermination, audace, énergie, découverte, sensibilité.

Abdelhakim 🌟 1 500 **TOP 2000**
Serviteur de Celui qui est sage (arabe). On peut estimer que moins de 30 enfants seront prénommés ainsi en 2014. Caractérologie : pratique, communication, résolution, enthousiasme, finesse.

Abdeljalil 🌟 350 ➦
Serviteur de Celui qui est grand (arabe). Caractérologie : découverte, énergie, audace, détermination, organisation.

Abdelkader 🌟 9 000 **TOP 800** ➘
Serviteur du Puissant (arabe). Variante : Abdulkadir. Forme composée : Abdel-Kader. Caractérologie : idéalisme, altruisme, résolution, organisation, intégrité.

Abdelkarim 🌟 1 500 **TOP 2000** ➦
Serviteur de Celui qui est généreux (arabe). On peut estimer que moins de 30 enfants seront prénommés ainsi en 2014. Variantes : Abdelkrim, Abdelkrime. Caractérologie : méthode, fiabilité, organisation, ténacité, résolution.

Abdellah 🌟 2 000 **TOP 600** ➦
Serviteur de Dieu (arabe). Caractérologie : organisation, rectitude, humanité, rêve, finesse.

Abdelmalek 🌟 750 **TOP 2000** ➡
Serviteur du Souverain suprême (arabe). Variante : Abdelmalik. Forme composée : Abdel-Malik. Caractérologie : pragmatisme, communication, optimisme, créativité, organisation.

Abderrahmane 🌟 1 500 **TOP 900** ➦
Serviteur du Miséricordieux (arabe). Variantes : Abdelghani, Abdelrahim, Abdelrani, Abderahim, Abderahman, Abderahmane, Abderrahman, Abderrahim. Caractérologie : idéalisme, altruisme, attention, décision, intégrité.

Abdon 🌟 300
Serviteur (hébreu). Caractérologie : altruisme, idéalisme, intégrité, réflexion, volonté.

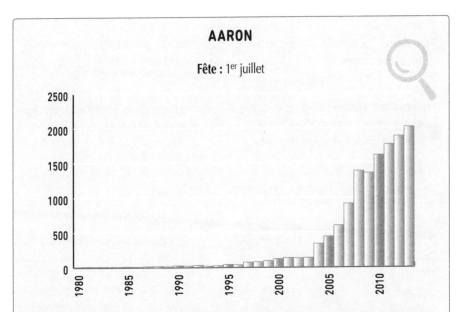

AARON

Fête : 1er juillet

Étymologie : Aaron signifie « esprit » en hébreu mais il a certainement une origine égyptienne ancienne. Au VIIe siècle, Aaron, médecin d'Alexandrie, rédigea une compilation de traités de médecine dans lesquels la petite variole est mentionnée pour la première fois.

Ce prénom de l'Ancien Testament se diffuse à la fin du XVe siècle dans les pays anglophones. Il devient très fréquent dans les années 1980, où il s'impose dans les tops 30 anglais et américain. Son repli est concomitant avec son envol européen. Stimulé par un succès précoce dans les pays scandinaves, Aaron (Aron pour les Suédois) se propage à l'ensemble du Vieux Continent. Sa diffusion française s'est particulièrement accélérée depuis 2006 : le nombre d'enfants nés sous ce nom a triplé. Sauf incident de parcours, Aaron s'imposera dans le top 40 national en 2014.

Aaron se décline peu en dehors d'Haroun, une forme arabe peu répandue signifiant « messager », et Ayron, une variante rarissime née dans l'Hexagone en 2000.

Issu de la prestigieuse tribu des Lévi, **Aaron**, le frère cadet de Moïse dans l'Ancien Testament, intercède auprès du pharaon pour demander la libération de son peuple. Malgré l'épisode du Veau d'or (durant l'absence prolongée de Moïse, Aaron cède aux pressions du peuple et crée ce substitut symbolique de Dieu), il est pardonné et élevé au rang de grand prêtre. Il meurt en haut de la montagne Hor sans avoir pu entrer en Terre promise.

.../

A

Aaron *(suite)*

Saint Aaron, abbé breton d'origine galloise, fonda le monastère d'Alet sur une petite île au Vᵉ siècle. Elle fut ensuite rattachée à la terre et devint la cité de Saint-Malo. Saint Aaron est fêté le 22 juin à Saint-Malo.

Personnalités célèbres : Aaron Eckhart, acteur américain né en 1968 ; Aaron Fernandez, réalisateur et scénariste mexicain né en 1972 ; AaRON, groupe de musique français, acronyme d'Artificial animals Riding On Neverland.

Statistiques : Aaron est le 88ᵉ prénom masculin le plus donné du XXIᵉ siècle en France. On peut estimer qu'il sera attribué à un garçon sur 202 en 2014.

Abdou  800 **TOP 2000** ↗
Serviteur de Dieu (arabe). Caractérologie : méditation, intelligence, indépendance, organisation, savoir.

Abdullah 950 **TOP 900** ↗
Serviteur de Dieu (arabe). Variantes : Abdala, Abdela, Abdella, Abdellali, Abdoul, Abdoulah, Abdoullah, Abdul. Caractérologie : savoir, intelligence, méditation, organisation, indépendance.

Abed 550 ↘
Celui qui est pieux (arabe). Variante : Abid. Caractérologie : pragmatisme, optimisme, créativité, communication, sociabilité.

Abel 8 000 **TOP 300** ↗
Souffle, respiration (hébreu). Masculin anglais, français, espagnol et portugais. Dans le livre de la Genèse, Abel, le fils d'Adam et Ève, s'attire les foudres de son frère Caïn lorsque Dieu accepte l'offrande du premier et refuse celle du second. Dévoré par la jalousie, Caïn assassine Abel. Cette tragédie a inspiré de nombreux artistes, peintres et poètes. Variantes : Abélard, Abelardo, Abelin, Abelino. Caractérologie : fidélité, intuition, médiation, relationnel, organisation.

Abiel
Dieu est mon père (hébreu). Masculin anglais. Ce prénom est porté par moins de 30 personnes en France. Caractérologie : médiation, intuition, organisation, relationnel, résolution.

Aboubacar 950 **TOP 600** ↗
Petit chameau (arabe). Premier calife de l'islam, Abou Bakr prit la succession du prophète Mahomet en 632 et poursuivit la conquête de terres arabes. Variantes : Aboubakar, Aboubakari, Aboubaker, Aboubakr, Boubakary, Boubakeur, Boubker. Caractérologie : organisation, autorité, innovation, énergie, raisonnement.

Abraham 1 500 **TOP 900** ↗
Père des nations (hébreu). Personnage biblique, patriarche du judaïsme, Abraham est essentiellement porté aux États-Unis et dans les communautés juives. La carrière de ce prénom a été lancée au XVIIᵉ siècle par les puritains anglophones. Ces derniers furent en effet nombreux à l'adopter à leur arrivée en Nouvelle-Angleterre, aux États-Unis. Variantes : Aba, Avraham. Forme basque : Abarran. Caractérologie : vitalité, stratégie, achèvement, leadership, ardeur.

A

Abriel `TOP 2000`

Né en avril (latin). Ce prénom est porté par moins de 100 personnes en France. Caractérologie : relationnel, médiation, intuition, résolution, organisation.

Absalom

Mon père est paix (hébreu). Dans l'Ancien Testament, Absalom est le troisième fils de David, le roi d'Israël. Ce prénom est porté par moins de 30 personnes en France. Caractérologie : énergie, innovation, autorité, organisation, ambition.

Acacio

Fleur protectrice du mal (grec). Ce prénom est porté par moins de 100 personnes en France. Caractérologie : découverte, audace, originalité, énergie, analyse.

Achille 6 000 `TOP 200`

Qui a de belles lèvres (grec). Afin de le rendre immortel, Thétis plongea son fils Achille dans le Styx, fleuve réservé aux dieux. Le corps d'Achille devint invulnérable, excepté au talon par lequel Thétis l'avait tenu. En perçant son pied d'une flèche fatale, Pâris mit fin aux exploits d'un des plus grands héros de la mythologie grecque. Aujourd'hui encore, on désigne par « talon d'Achille » le point faible d'une personne. Achille est un prénom français. Variantes : Achile, Achilles, Aghiles. Caractérologie : dynamisme, curiosité, courage, décision, indépendance.

Achraf 1 500 `TOP 900`

Honorable (arabe). Variante : Ashraf. Caractérologie : audace, direction, dynamisme, indépendance, analyse.

Adaïa

Parure divine (hébreu). Ce prénom est porté par moins de 30 personnes en France. Caractérologie : originalité, sagacité, philosophie, connaissances, spiritualité.

Adalbert 120

Noble, brillant (germanique). Masculin allemand. Variantes : Adalard, Adelbert. Caractérologie : idéalisme, intégrité, altruisme, décision, gestion.

Adam 35 000 `TOP 50`

Fait de terre rouge (hébreu). Des origines babyloniennes ou phéniciennes pourraient également donner à Adam la signification de « homme » ou « humanité ». Variantes : Adan, Adame, Adamo, Adao, Damek, Damica, Damicke. Caractérologie : dynamisme, direction, audace, indépendance, assurance.

Adama 1 500 `TOP 900`

Fait de terre rouge (hébreu). Voir Adam. Caractérologie : diplomatie, loyauté, réceptivité, sociabilité, bonté.

Adams 180 `TOP 2000`

Fait de terre rouge (hébreu). Masculin anglais. Voir Adam. Caractérologie : sociabilité, réceptivité, bonté, diplomatie, loyauté.

Addison

Fils d'Adam (anglais). Addison se féminise depuis plusieurs années aux États-Unis ; il est assez fréquent sous forme de patronyme. Ce prénom est porté par moins de 100 personnes en France. Caractérologie : optimisme, communication, pragmatisme, volonté, résolution.

Adei

Qui montre du respect (basque). Ce prénom est porté par moins de 30 personnes en France. Caractérologie : décision, innovation, énergie, ambition, autorité.

Adel 7 000 `TOP 400`

Noble (germanique). Caractérologie : persévérance, sécurité, structure, efficacité, honnêteté.

A

297

Adelin ⭐ 500 →
Noble (germanique). Dans l'Hexagone, Adelin est plus traditionnellement usité au Pays basque. Variantes : Adelino, Adelio, Hedelin. Caractérologie : ouverture d'esprit, humanité, rêve, résolution, rectitude.

Adem ⭐ 5 000 (TOP 200) ↗
Équivalent arabe d'Adam. Caractérologie : curiosité, dynamisme, indépendance, courage, charisme.

Adhémar
Noble, illustre (germanique). Ce prénom est porté par moins de 100 personnes en France. Variantes : Adelmard, Adelmo, Adémar. Caractérologie : découverte, énergie, originalité, audace, détermination.

Adiel
Parure divine (hébreu). Ce prénom est porté par moins de 100 personnes en France. Caractérologie : persévérance, décision, structure, sécurité, efficacité.

Adil ⭐ 4 000 (TOP 400) ↗
Juste (arabe). Variantes : Adile, Adlâne, Adlen, Adlène. Caractérologie : achèvement, stratégie, ardeur, leadership, vitalité.

298

Adnane ⭐ 700 (TOP 2000) →
S'installer (arabe). Variantes : Adnan, Adnen, Adnène. Caractérologie : adaptation, pratique, communication, enthousiasme, générosité.

Adolphe ⭐ 3 000
Noble, loup (germanique). Un saint, évêque de Westphalie et protecteur des pauvres, porta ce nom au XIIIe siècle. Peu attribué par le passé, ce prénom français a connu son dernier pic de popularité en 1908. On peut estimer que moins de 30 enfants seront prénommés ainsi en 2014. Variantes : Adelphe, Adolf, Adolfo,
Adolph, Adolpho. Caractérologie : finesse, volonté, connaissances, sagacité, réalisation.

Adonis ⭐ 800 (TOP 1000) →
Seigneur (hébreu). Forme basque : Adon. Caractérologie : force, ambition, habileté, décision, caractère.

Adrian ⭐ 4 000 (TOP 400) ↗
Habitant d'Adria, Italie (grec). En dehors de l'Hexagone, Adrian est plus particulièrement répandu dans les pays anglophones, germanophones, hispanophones et slaves. Variantes : Adryan, Adryen. Caractérologie : relationnel, intuition, fidélité, médiation, détermination.

Adriano ⭐ 2 000 (TOP 800) →
Habitant d'Adria, Italie (grec). Adriano est très porté en Italie et dans les pays lusophones. Caractérologie : résolution, achèvement, vitalité, stratégie, volonté.

Adriel ⭐ 250 (TOP 1000) ↑
La majesté de Dieu (hébreu). Adriel est également une contraction d'Adrien et des prénoms se terminant en « el ». Variantes : Adrial, Hadriel. Caractérologie : ténacité, méthode, fiabilité, engagement, détermination.

Adrien ⭐ 103 000 (TOP 100) ↓
La forme latine Adrianus était portée par une famille romaine habitant la ville d'Adria. C'est elle qui a donné son nom à la mer Adriatique et au célèbre empereur Hadrien. Au cours des siècles, plusieurs saints et six papes ont porté ce nom sous ses différentes formes. Adrien est connu, même si son usage reste discret, jusqu'à la fin du XXe siècle. Il s'envole alors en Europe et dans l'Hexagone, culminant au 20e rang français en 1991. Il est, avec Adrian et Adriano, très répandu dans le monde occidental et les pays slaves aujourd'hui. ◇ Hadrien

ADAM

Fête : 16 mai

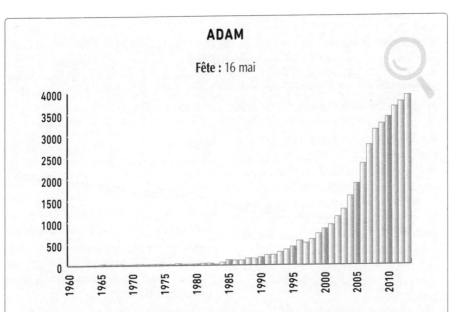

Étymologie : de l'hébreu *adamah* et *adom*, « fait de terre rouge ». Des origines babyloniennes ou phéniciennes signifiant « homme », « humanité » lui sont également associées. Ce vieux prénom est recensé dans les pays anglo-saxons dès le VIIᵉ siècle, mais sa diffusion est bien plus tardive en France. Encore inconnu au début des années 1950, Adam prénomme moins de dix Français chaque année. Puis dans les années 1990, l'essor des prénoms de l'Ancien Testament le pousse dans le sillon de Nathan, Noah, Gabriel et Raphaël. Après avoir séduit les parents parisiens, Adam évolue dans le top 20 national depuis 2010.

Valeur sûre dans les tops 50 scandinaves, Adam grandit également dans les pays francophones. Il rencontre un tel succès à Bruxelles qu'il figure, depuis 2000, dans les 10 premières attributions de la capitale. Les musulmans vénèrent Adam en sa qualité de premier homme et de premier prophète, une dimension multiculturelle qui a favorisé son succès. Bien qu'il marque le pas dans les pays anglophones, sa carrière internationale est loin d'être terminée.

Dans le livre de la Genèse, **Adam**, le premier homme créé par Dieu, coule des jours heureux avec Ève dans le jardin des Délices. Mais ce bonheur tranquille s'interrompt lorsque le couple goûte au fruit défendu de l'arbre de la connaissance du bien et du mal. Pour les punir de leur désobéissance, Dieu les chasse du jardin d'Éden, vouant Adam et ses descendants au travail et aux réalités de la vie sur terre. Adam est le patron des jardiniers.

.../

A

299

Adam *(suite)*

Personnalités célèbres : Adam de la Halle, auteur compositeur français de chansons et rondeaux du XIIIᵉ siècle ; Adam Sandler, acteur américain.

Statistiques : Adam est le 32ᵉ prénom masculin le plus donné en France depuis le début du XXIᵉ siècle. On peut estimer qu'il sera attribué à un garçon sur 101 en 2014.

---

succède à Trajan en 117 et règne sur l'Empire romain jusqu'en 138. Homme politique brillant et cultivé, il réorganise l'administration et protège son empire des invasions barbares en fortifiant ses frontières. L'Angleterre lui doit notamment la construction du célèbre mur d'Hadrien. Dans la littérature, Hadrien a inspiré un roman de Marguerite Yourcenar et les écrits de nombreux écrivains. Caractérologie : paix, bienveillance, conscience, conseil, décision.

Aedan 🎖 250 **TOP 500** ⬆
Petit feu (celte). Masculin anglais. Caractérologie : savoir, intelligence, sagesse, indépendance, méditation.

Aël 🎖 400 **TOP 2000** ⬇
Forme bretonne d'Ange : messager (grec). Variante : Aelig. Caractérologie : idéalisme, altruisme, dévouement, réflexion, intégrité.

Agathon
Bonté, gentillesse (grec). Ce prénom est porté par moins de 30 personnes en France. Caractérologie : communication, enthousiasme, pratique, adaptation, sensibilité.

Agenor
D'un grand courage (grec). Ce prénom est porté par moins de 100 personnes en France. Caractérologie : conscience, paix, décision, bienveillance, conseil.

Agnan 🎖 160
Chaste, pur (grec). Caractérologie : assurance, indépendance, audace, direction, dynamisme.

Agnel
Chaste, pur (grec). Ce prénom est porté par moins de 100 personnes en France. Variante : Agnan. Forme bretonne : Noan. Caractérologie : créativité, communication, pragmatisme, sympathie, optimisme.

Agustin 🎖 180
Consacré par les augures (latin). Agustin est très en vogue en Amérique latine, notamment au Chili et en Uruguay. C'est aussi un prénom traditionnel basque. Variantes : Agosti, Agostinho, Agostino, Agustinho, Agustino. Caractérologie : détermination, innovation, énergie, autorité, bonté.

Ahmed 🎖 17 000 **TOP 200** ➡
Digne d'éloges (arabe). Théologien au IXᵉ siècle, Ahmed Ibn Hanbal est l'un des fondateurs de l'école hanbalite, l'une des quatre écoles qui régissent les lois islamiques. Variantes : Aimad, Ahmad, Ahmet, Ahmadou, Ahmid, Amadou, Mamoudou. Caractérologie : persévérance, structure, honnêteté, sécurité, efficacité.

Aïdan 🎖 1 000 **TOP 400** ↗
Petit feu (celte). Se rapporte également à Aodh, prénom porté par le fils du roi Lir dans la mythologie irlandaise. Prénom irlandais,

écossais et anglais. Notons qu'Aidan s'est francisé avec l'utilisation du tréma alors que ses origines celtiques en contredisent l'usage. Variantes : Aden, Aedan. Caractérologie : relationnel, fidélité, intuition, médiation, résolution.

Aimable 200
Aimable (latin). Variantes : Amable, Amavel, Mavel. Caractérologie : détermination, sagacité, connaissances, spiritualité, organisation.

Aiman 400 →
Qui conseille avec sagesse (germanique). Avec un tréma, Aïman signifie « heureux » en arabe. Caractérologie : décision, intuition, relationnel, médiation, fidélité.

Aimé  13 000 (TOP 800) ↗
Qui est aimé (latin). Masculin français. Caractérologie : autorité, énergie, innovation, détermination, ambition.

Aïmen 850 (TOP 2000) →
Heureux (arabe). Caractérologie : détermination, influence, équilibre, famille, sens des responsabilités.

Aimeric 700 →
Puissant (germanique). Dans l'Hexagone, Aimeric est plus traditionnellement usité en Occitanie. Variantes : Aimerick, Aimery, Amery. Formes basques : Aimar, Aimard. Caractérologie : méthode, ténacité, fiabilité, résolution, engagement.

Aïssa  3 000 (TOP 700) →
Jésus (arabe), Dieu sauve (hébreu). Caractérologie : fiabilité, ténacité, sens du devoir, méthode, engagement.

Aitor 140
Père de tous les Basques (mythologie basque). Caractérologie : idéalisme, altruisme, intégrité, réflexion, dévouement.

Akash
Ciel (sanscrit). Akash est très répandu en Inde. Ce prénom est porté par moins de 100 personnes en France. Caractérologie : efficacité, sécurité, structure, persévérance, honnêteté.

Akemi
Beauté naissante (japonais). Ce prénom est porté par moins de 30 personnes en France. Caractérologie : créativité, optimisme, détermination, pragmatisme, communication.

Akim  4 000 (TOP 2000) →
Dieu a établi (hébreu). Prénom russe. On peut estimer que moins de 30 enfants seront prénommés ainsi en 2014. Caractérologie : savoir, intelligence, indépendance, méditation, sagesse.

Akira
Très intelligent (japonais). Ce prénom est porté par moins de 100 personnes en France. Variante : Akio. Caractérologie : honnêteté, structure, sécurité, efficacité, persévérance.

Al 200 ↓
Beau, calme (celte). Masculin anglais. Caractérologie : méthode, ténacité, engagement, sens du devoir, fiabilité.

Ala
Noble, admirable (arabe). Ce prénom est porté par moins de 100 personnes en France. Variante : Alaa. Caractérologie : séduction, découverte, audace, énergie, originalité.

Aladin 180
Foi élevée (arabe). Aladin est le héros du conte *Aladin, ou la Lampe merveilleuse* issu du recueil arabo-persan des *Mille et Une Nuits*. Caractérologie : dynamisme, courage, indépendance, détermination, curiosité.

Alain 🌟 437 000 (TOP 1000) →

Beau, calme (celte). Un saint breton, évêque de Quimper au VIᵉ siècle, atteste l'ancienneté de ce prénom. Il est recensé, en France comme en Angleterre (Alan), dès le Moyen Âge, mais c'est au XXᵉ siècle qu'il fait véritablement carrière en France. Il brille au 3ᵉ rang masculin en 1950 et reste largement attribué ensuite. Une popularité qui lui vaut d'être le 7ᵉ prénom masculin le plus attribué du siècle passé. ◇ Dominicain breton au XVᵉ siècle, saint Alain de La Roche fonda plusieurs confréries du Rosaire en France, en Allemagne et aux Pays-Bas. Caractérologie : direction, indépendance, détermination, audace, dynamisme.

Alan 🌟 19 000 (TOP 300) ↘

Beau, calme (celte). Alan est plus traditionnellement usité en Angleterre, en Écosse, en Bretagne et en Occitanie. Variantes : Alane, Alanig, Alann, Alen, Alenn, Lan, Lanig. Caractérologie : innovation, autorité, énergie, autonomie, ambition.

Alaric 🌟 450 (TOP 2000) →

Roi de tous (germanique). Masculin allemand, anglais et scandinave. Formes bretonnes : Alar, Alarig. Forme occitane : Alari. Caractérologie : ardeur, achèvement, vitalité, stratégie, leadership.

Albain 🌟 130

Blanc (latin). Caractérologie : optimisme, communication, pragmatisme, détermination, organisation.

Alban 🌟 21 000 (TOP 200) →

Blanc (latin). En dehors de l'Hexagone, ce prénom est plus particulièrement usité en Allemagne et dans les pays anglophones. Variante : Albano. Caractérologie : communication, pragmatisme, créativité, optimisme, gestion.

Albéric 🌟 1 000 →

Noble, brillant (germanique). Masculin anglais et français. Caractérologie : découverte, énergie, audace, décision, gestion.

Albert 🌟 61 000 (TOP 800) →

Noble, brillant (germanique). Albert s'est élancé en Allemagne et en Angleterre au XIXᵉ siècle, au moment où Albert de Saxe (1828-1902) est devenu roi. À la naissance d'Albert Einstein (en 1879), la popularité du prénom atteint des sommets en France. Sa vogue est telle qu'Albert atteint encore le 15ᵉ rang masculin à l'aube de son reflux, en 1920. Très courant dans le monde occidental, ce prénom est devenu rare pour un nouveau-né. ◇ Évêque de Ratisbonne au XIIIᵉ siècle, saint Albert consacra une grande partie de sa vie à la réflexion et à l'enseignement. Il est le patron des scientifiques. Variantes : Albérie, Albertin, Alibert, Albrecht, Bel, Béla, Elbert. Caractérologie : persévérance, structure, gestion, décision, sécurité.

Alberto 🌟 2 000

Noble, brillant (germanique). Masculin espagnol, italien et portugais. On peut estimer que moins de 30 enfants seront prénommés ainsi en 2014. Variantes : Alberti, Albertino. Caractérologie : détermination, direction, audace, dynamisme, raisonnement.

Albin 🌟 3 000 (TOP 600) →

Blanc (latin). En dehors de l'Hexagone, Albin est plus particulièrement répandu dans les pays slaves méridionaux. Variante : Albino. Caractérologie : relationnel, médiation, organisation, intuition, détermination.

Alcée

Poète lyrique grec qui chanta des hymnes à la beauté, à l'amour et à la mort vers 64-58 avant J.-C. Il est considéré comme l'inventeur des vers « alcaïques » qui furent ensuite empruntés par Horace. Ce prénom est porté par moins de 30 personnes en France. Caractérologie : habileté, force, management, passion, ambition.

Alcibiade

Nom d'un général et homme politique grec du Vᵉ siècle avant J.-C. Ce prénom est porté par moins de 30 personnes en France. Caractérologie : énergie, autorité, innovation, gestion, décision.

Alcide 800

Voir Alcibiade. Prénom corse. Caractérologie : méditation, détermination, savoir, intelligence, indépendance.

Alderic 160

Noble, puissant (germanique). Variante : Alderick. Caractérologie : méditation, savoir, indépendance, intelligence, détermination.

Aldo 3 000

Noble (germanique). Aldo est un prénom italien. On peut estimer que moins de 30 enfants seront prénommés ainsi en 2014. Variante : Alde. Caractérologie : découverte, audace, énergie, séduction, originalité.

Aldous

Vieil ami (anglais). Ce prénom est porté par moins de 30 personnes en France. Caractérologie : rectitude, humanité, ouverture d'esprit, générosité, rêve.

Aldric 1 000

Noble, puissant (germanique). En dehors de l'Hexagone, Aldric est plus particulièrement usité en Allemagne. Variante : Aldrick. Caractérologie : sociabilité, diplomatie, réceptivité, bonté, loyauté.

Aldwin 150

Vieil ami (anglais). Caractérologie : idéalisme, altruisme, intégrité, décision, réflexion.

Alessandro 3 000 **TOP 500**

Défense de l'humanité (grec). Alessandro est très répandu en Italie et au Portugal. Variantes : Alejandro, Alessio. Caractérologie : rectitude, humanité, rêve, logique, caractère.

Alessio 2 000 **TOP 300**

Défense de l'humanité (grec). Alessio est un prénom italien. Caractérologie : rectitude, humanité, raisonnement, générosité, tolérance.

Alex 26 000 **TOP 200**

Défense de l'humanité (grec). Alex est très répandu dans les pays occidentaux et anglophones. Variante : Alec. Caractérologie : exigence, influence, famille, équilibre, sens des responsabilités.

Alexander  2 000 **TOP 900**

Défense de l'humanité (grec). Alexander est très répandu dans les pays anglophones, germanophones et scandinaves. Variantes : Sancho, Sander, Sanders, Skender, Xander, Xandre. Caractérologie : volonté, pratique, enthousiasme, communication, raisonnement.

Alexandre 259 000 **TOP 50**

Défense de l'humanité (grec). Ce prénom porté par plusieurs saints, huit papes, trois empereurs russes et de nombreux souverains a été, sous ses nombreuses graphies, en usage dès le Moyen Âge. Mais c'est à partir du XVIᵉ siècle qu'il entame une grande carrière dans de nombreux pays occidentaux et slaves. En France, Alexandre a figuré dans le top 10 masculin de 1982 à 2002, s'illustrant à plusieurs reprises dans les tout premiers rangs. Loin d'être éteinte, sa gloire a engendré celles d'Alexis et de Sacha. ◊ Roi de la Macédoine à l'âge de 20 ans, Alexandre le Grand

A

(356-323 avant J.-C.), ou Alexandre III, se rendit maître de l'Empire perse à l'issue de nombreuses batailles. Il fonda, au cours de ses campagnes, une soixantaine de cités avant de mourir au combat à 33 ans. En mémoire de son fondateur, la ville égyptienne d'Alexandrie a gardé son nom. ◇ Alexandre II, tsar de Russie à la fin du XIXᵉ siècle, humanisa la justice, abolit le servage des paysans et s'engagea dans des réformes démocratiques qui diminuèrent les privilèges des classes nobles. Il fut assassiné à Saint-Pétersbourg en 1881. ◇ Alexandre Dumas (1802-1870), écrivain français et auteur de nombreux romans historiques, connut un succès mondial avec *Les Trois Mousquetaires* et *Le Comte de Monte-Cristo*. Variantes : Aleksandar, Aleksandre, Ales, Alesander, Alexan, Alexandros. Caractérologie : caractère, enthousiasme, logique, communication, pratique.

Alexandro 🎖 450 (TOP 2000) ↗
Défense de l'humanité (grec). Caractérologie : caractère, logique, ténacité, méthode, fiabilité.

Alexi 🎖 1 500 (TOP 700) →
Défense de l'humanité (grec). Caractérologie : sens des responsabilités, famille, équilibre, détermination, raisonnement.

Alexis 🎖 127 000 (TOP 50) ↘
Défense de l'humanité (grec). Ce diminutif d'Alexandre a été porté par cinq empereurs byzantins et un tsar russe, ce qui explique sa popularité en Grèce, en Russie et dans les pays slaves. Au milieu du XXᵉ siècle, Alexis s'est répandu en Allemagne et aux États-Unis où il s'est, depuis la fin des années 1990, considérablement féminisé : en 1999, il figurait au 3ᵉ rang du tableau féminin américain. Cette situation n'affecte en rien le genre d'Alexis en

France. Ce choix masculin n'était d'ailleurs pas inconnu lorsqu'il s'est élancé dans le sillon d'Alexandre. Propulsé au 11ᵉ rang français au milieu des années 1990, Alexis est encore prisé par les parents aujourd'hui. ◇ Au XIVᵉ siècle, saint Alexis renonça à ses activités de marchand florentin pour vivre dans la prière et la pauvreté. Caractérologie : intelligence, méditation, raisonnement, détermination, savoir.

Alexy 🎖 4 000 (TOP 500) →
Défense de l'humanité (grec). Variantes : Alexei, Alexian, Alexys. Caractérologie : engagement, ténacité, fiabilité, méthode, bonté.

Alfonso 🎖 550
Noble, vif (germanique). Ce prénom est particulièrement répandu au Portugal et en Espagne. Caractérologie : énergie, autorité, ambition, innovation, autonomie.

Alfred 🎖 17 000 (TOP 2000) ↘
Noble paix (germanique). Roi des Anglo-Saxons au IXᵉ siècle, Alfred le Grand défendit admirablement son royaume contre les Vikings venus du Danemark. Alfred se diffuse à cette période mais sombre ensuite dans l'oubli. Il renaît au XIXᵉ siècle dans les pays anglophones, scandinaves et germanophones avant de gagner l'Hexagone et le reste de l'Europe. Alfred figurait dans les 30 premiers rangs français en 1910, à l'aube de son déclin. Il a presque totalement disparu depuis les années 1960. On peut estimer que moins de 30 enfants seront prénommés ainsi en 2014. Variantes : Alfrède, Alfredo, Alfie, Alfy, Alphie, Eldrid. Caractérologie : direction, logique, audace, caractère, dynamisme.

Alfredo 🎖 950
Noble paix (germanique). Alfredo est plus traditionnellement usité en Italie, dans les pays

hispanophones et lusophones. C'est aussi un prénom traditionnel basque. Caractérologie : connaissances, logique, sagacité, spiritualité, caractère.

Ali 🇫🇷 21 000 **TOP 200** →
Noble, admirable (arabe). Cousin du prophète Mahomet et époux de sa fille Fatima, Ali fut le quatrième calife « orthodoxe » de l'islam. Ali est répandu dans les cultures musulmanes. Caractérologie : structure, honnêteté, persévérance, efficacité, sécurité.

Alim 🇫🇷 250 **TOP 2000** ↑
Sage, raisonnable (arabe). Caractérologie : ardeur, achèvement, stratégie, vitalité, leadership.

Alistair 🇫🇷 400 **TOP 1000** ↑
Oculiste (grec). Masculin écossais et irlandais. Variante : Alister. Caractérologie : passion, force, ambition, habileté, organisation.

Alix 🇫🇷 6 000 **TOP 400** →
De noble lignée (germanique). Caractérologie : innovation, autorité, énergie, logique, ambition.

Allain 🇫🇷 2 000
Beau, calme (celte). Masculin français. On peut estimer que moins de 30 enfants seront prénommés ainsi en 2014. Caractérologie : ténacité, méthode, fiabilité, engagement, détermination.

Allan 🇫🇷 17 000 **TOP 400** ↓
Beau, calme (celte). En dehors de l'Hexagone, Allan est très répandu en Écosse. Variante : Allen. Caractérologie : méthode, ténacité, fiabilité, engagement, sens du devoir.

Aloïs 🇫🇷 4 000 **TOP 300** ↗
Très sage (vieil allemand). En dehors de l'Hexagone, Alois est particulièrement répandu en Allemagne et en Autriche. Caractérologie :

médiation, intuition, logique, relationnel, fidélité.

Aloïse 🇫🇷 400
Très sage (vieil allemand). Caractérologie : raisonnement, méditation, intelligence, détermination, savoir.

Alonzo 🇫🇷 450 **TOP 700** ↑
Nom castillan dérivé d'un patronyme germanique. Prénom italien. Caractérologie : relationnel, intuition, fidélité, adaptabilité, médiation.

Aloyse 🇫🇷 750
Très sage (vieil allemand). Aloyse est plus particulièrement recensé au Luxembourg. Caractérologie : curiosité, dynamisme, courage, indépendance, sympathie.

Alpha 🇫🇷 500 **TOP 2000** →
Désigne la première lettre de l'alphabet grec. Variante : Alfa. Caractérologie : médiation, intuition, relationnel, fidélité, adaptabilité.

Alphée
Dans la mythologie grecque, Alphée se transforme en fleuve pour rejoindre sa bien-aimée, la nymphe Aréthuse. Ce prénom est porté par moins de 100 personnes en France. Caractérologie : sociabilité, réceptivité, diplomatie, amitié, loyauté.

Alphonse 🇫🇷 9 000 **TOP 2000** →
Noble, vif (germanique). Masculin français. On peut estimer que moins de 30 enfants seront prénommés ainsi en 2014. Variantes : Alfons, Alfonse, Alonso, Alonzo, Alphonso. Caractérologie : idéalisme, intégrité, réflexion, altruisme, bonté.

Alric 🇫🇷 300 **TOP 2000** →
Roi de tous (germanique). Masculin allemand. Variantes : Alrick, Alrik. Caractérologie : sagesse, savoir, intelligence, méditation, indépendance.

A

305
....

Le top 20 masculin en 2014

Afin de vous donner une image plus complète des prénoms les plus attribués aujourd'hui, deux palmarès complémentaires vous sont proposés.

Le premier établit le top 20 des prénoms masculins par ordre décroissant d'attribution. Chaque prénom est considéré comme une entité unique et classé selon sa fréquence d'attribution estimée pour 2014.

Le second fonctionne de la même manière mais il inclut, pour chaque prénom donné (exemple : Lucas), la fréquence d'attribution de ses variantes (exemples : Luca, Luka(s), Louka). Ce classement donne une indication complémentaire sur les dernières tendances dans les choix de prénoms.

Palmarès 1 : chaque prénom est classé selon sa fréquence d'attribution individuelle

1. Nathan	6. Enzo	11. Jules	16. Noah
2. Lucas	7. Louis	12. Ethan	17. Théo
3. Léo	8. Raphaël	13. Adam	18. Sacha
4. Gabriel	9. Arthur	14. Nolan	19. Maël
5. Timéo	10. Hugo	15. Tom	20. Mathis

Observations

Nathan règne pour la troisième année consécutive et confirme la vogue des prénoms de l'Ancien Testament. Embusqués tout près du sommet, Gabriel, Raphaël, Noah et Adam n'ont plus qu'à attendre la percée prochaine d'Aaron. Ce triomphe affaiblit la source rétro qui, malgré les efforts de Léo, Louis et Jules, remporte un moindre succès au masculin qu'au féminin. Dans le même temps, Théo recule mais les terminaisons en « éo » vibrent encore grâce à la 5e place raflée par Timéo. Cela n'empêche pas Maël de surfer sur la vague des désinences en « el », et de s'imposer devant Mathis.

Dans les prénoms qui montent, Nolan a gagné 5 places de classement en un an, mais Sacha crée la plus grande surprise en bondissant au 18e rang. Cette année encore, la recette des prénoms à succès tient à 2 syllabes et 5 lettres en moyenne.

Palmarès 2 : la fréquence d'attribution du prénom inclut celle de ses variantes

Dans ce classement, les variantes les plus importantes (uniquement celles dont on peut estimer qu'elles seront attribuées à plus de 400 enfants en 2014) sont indiquées en italique.

.../

Le top 20 masculin en 2014 *(suite)*

1. Lucas, *Luca, Luka(s), Louka*
2. Raphaël, *Rafaël*
3. Nathan
4. Noah, *Noa*
5. Léo
6. Timéo, *Tyméo*
7. Mathéo, *Matteo, Mateo*
8. Nolan, *Nolhan, Nolann*
9. Gabriel
10. Mathis, *Mathys*
11. Enzo
12. Louis
13. Arthur
14. Hugo
15. Jules
16. Ethan
17. Sacha, *Sasha*
18. Adam
19. Théo, *Téo*
20. Tom

Observations

Dans cette configuration, Lucas et ses variations reprennent la tête du classement tandis que Léo doit céder du terrain à Noah et Raphaël. La palme des plus grands sauts revient à Mathéo, qui rafle 16 places, et à Mathis, qui en a gagné 10.

Pour plus d'informations sur les prénoms ci-dessus, voir les encadrés qui leur sont consacrés.

Altman

Vieil homme (germanique). Masculin anglais. Ce prénom est porté par moins de 30 personnes en France. Caractérologie : originalité, spiritualité, sagacité, connaissances, organisation.

Alvaro

Juste, raisonnable (germanique). Prénom espagnol. Variante : Alvar. Caractérologie : influence, famille, équilibre, sens des responsabilités, analyse.

Alvin

Noble et fidèle (germanique). Masculin anglais. Variantes : Alvine, Alvino, Alvyn, Alwin. Caractérologie : méthode, engagement, ténacité, fiabilité, résolution.

Aly

Noble, admirable (arabe). Caractérologie : sociabilité, loyauté, réceptivité, diplomatie, bonté.

Amadéo 250

Amour de Dieu (latin). Prénom italien. Variante : Amadeus. Caractérologie : créativité, communication, optimisme, volonté, pragmatisme.

Amadis

Amour de Dieu (latin). Héros du roman de chevalerie *Amadis de Gaule*, écrit en 1508 par Garci Rodríguez de Montalvo. Ce prénom est porté par moins de 100 personnes en France. Caractérologie : diplomatie, bonté, loyauté, réceptivité, sociabilité.

Amador 110

Celui qui aime (latin). Masculin espagnol, portugais et basque. Caractérologie : sagacité, connaissances, philosophie, spiritualité, originalité.

Amadou 2 000

Digne d'éloges (arabe). Caractérologie : direction, dynamisme, audace, assurance, indépendance.

A

307

Amaël 1 000 **TOP 600**
Variation moderne de Maël : chef, prince (celte). Caractérologie : courage, curiosité, dynamisme, indépendance, charisme.

Amance
Qui est aimé (latin). Ce prénom est porté par moins de 100 personnes en France. Caractérologie : ténacité, méthode, fiabilité, engagement, sécurité.

Amand 1 000
Qui est aimé (latin). Masculin français. Variante : Amandin. Caractérologie : bienveillance, paix, conseil, conscience, sagesse.

Amandio 120
Qui est aimé (latin). Variante : Amando. Caractérologie : communication, pratique, caractère, enthousiasme, décision.

Amar 6 000 **TOP 700**
Aimer (latin), bâtisseur (arabe). Caractérologie : bienveillance, conscience, paix, sagesse, conseil.

Amara 600 **TOP 2000**
Dieu a parlé (hébreu), bâtisseur (arabe), immortel (sanscrit). Prénom indien d'Asie. Caractérologie : savoir, intelligence, méditation, sagesse, indépendance.

Amaram
Manguier (sanscrit). Masculin indien d'Asie. Ce prénom est porté par moins de 30 personnes en France. Caractérologie : adaptabilité, relationnel, fidélité, intuition, médiation.

Amarand
Aimer (latin). Ce prénom est porté par moins de 30 personnes en France. Caractérologie : méditation, intelligence, indépendance, décision, savoir.

Amarin
Aimer (latin). Ce prénom est porté par moins de 30 personnes en France. Caractérologie : réceptivité, loyauté, sociabilité, diplomatie, détermination.

Amaury 15 000 **TOP 200**
Puissant (germanique). Masculin français. Variante : Amory. Caractérologie : savoir, indépendance, méditation, intelligence, réalisation.

Ambroise 4 000 **TOP 500**
Immortel (grec). Prénom français. Saint Ambroise fut l'un des plus grands liturgistes de l'Église. Docteur de l'Église latine, il mourut archevêque de Milan au IVe siècle. Variantes : Ambrose, Ambrosio. Caractérologie : direction, audace, dynamisme, décision, caractère.

Amédé 400
Amour de Dieu (latin). Caractérologie : innovation, énergie, ambition, autorité, autonomie.

Amédée 2 000 **TOP 2000**
Amour de Dieu (latin). On peut estimer que moins de 30 enfants seront prénommés ainsi en 2014. Variante : Amédéo. Caractérologie : bienveillance, conseil, paix, conscience, sagesse.

Amélien 300
Travailleur (germanique). Variante : Amélio. Caractérologie : dynamisme, courage, curiosité, résolution, indépendance.

Amelin
Travailleur (germanique). Ce prénom est porté par moins de 100 personnes en France. Variantes : Amelio, Amelius. Caractérologie : humanité, rectitude, détermination, générosité, tolérance.

Amiel 🇫🇷 120
Peuple de Dieu (hébreu). Caractérologie : ténacité, engagement, méthode, fiabilité, détermination.

Amilcar
Chef carthaginois, Hamilcar Barcas battit l'armée romaine en Sicile pendant la première guerre punique. Ce prénom est porté par moins de 30 personnes en France. Variante : Hamilcar. Caractérologie : communication, générosité, pratique, adaptation, enthousiasme.

Amin 🇫🇷 3 000 **TOP 600** ➔
Loyal, digne de confiance (arabe). Caractérologie : dynamisme, direction, audace, indépendance, décision.

Amine 🇫🇷 17 000 **TOP 100** ➔
Loyal, digne de confiance (arabe). Ce prénom est particulièrement répandu dans les communautés musulmanes francophones. Caractérologie : paix, conscience, conseil, bienveillance, résolution.

Amir 🇫🇷 5 000 **TOP 100** ⬆
Prince (arabe), proclamé (hébreu). Caractérologie : curiosité, dynamisme, indépendance, courage, charisme.

Amiram
Mon peuple est puissant (hébreu). Ce prénom est porté par moins de 30 personnes en France. Caractérologie : direction, audace, assurance, indépendance, dynamisme.

Amos 🇫🇷 200 ⬊
Né des dieux, fardeau (hébreu). Masculin anglais. Caractérologie : pragmatisme, communication, optimisme, sociabilité, créativité.

Amour 🇫🇷 200
Amour (latin). Caractérologie : dynamisme, curiosité, indépendance, courage, raisonnement.

An
Paix (vietnamien). Ce prénom est porté par moins de 100 personnes en France. Caractérologie : influence, famille, sens des responsabilités, équilibre, exigence.

Anaclet
Grâce (hébreu). Ce prénom est porté par moins de 100 personnes en France. Caractérologie : diplomatie, loyauté, sociabilité, réceptivité, organisation.

Anaël 🇫🇷 2 000 **TOP 500** ⬆
Grâce (hébreu). Variante : Enaël. Caractérologie : équilibre, sens des responsabilités, influence, exigence, famille.

Anas 🇫🇷 5 000 **TOP 200** ⬈
Sociable, sympathique (arabe). Variante : Anes. Caractérologie : ambition, force, management, habileté, passion.

Anastase 🇫🇷 250
Résurrection (grec). Variante : Anastasio. Caractérologie : achèvement, vitalité, ardeur, stratégie, leadership.

Anatole 🇫🇷 5 000 **TOP 300** ➔
Aube, soleil levant (grec). Masculin français. Forme basque : Anatoli. Caractérologie : organisation, énergie, audace, découverte, originalité.

Ancelin 🇫🇷 350 **TOP 2000** ➔
Serviteur (latin). Variantes : Ancel, Ancelot. Caractérologie : fiabilité, ténacité, méthode, engagement, détermination.

Andelin
Noble (germanique). Ce prénom est porté par moins de 30 personnes en France. Caractérologie : courage, indépendance, décision, dynamisme, curiosité.

A

309

Andéol 🎌 190

Force, courage (grec). Chrétien parti évangéliser le sud de la Gaule au IIIe siècle, Andéol fut mis à mort par l'empereur Septime. Une commune ardéchoise porte ce nom occitan. Caractérologie : direction, audace, dynamisme, indépendance, assurance.

Anderson 🎌 750 TOP 2000 →

Force, courage (grec). Variantes : Ander, Anders. Caractérologie : détermination, rêve, volonté, rectitude, humanité.

Andoni 🎌 500 TOP 2000 →

Inestimable (latin), fleur (grec). Prénom basque. Variantes : Andere, Andolin. Caractérologie : pratique, communication, enthousiasme, décision, caractère.

André 🎌 303 000 TOP 700 →

Force, courage (grec). Ce prénom a été porté par le premier disciple de Jésus et de nombreux saints, ce qui explique sa diffusion ancienne. En usage au Moyen Âge, André (Andrew) devient assez fréquent dans les pays anglophones jusqu'au XXe siècle. En France, il renaît au milieu du XIXe siècle, culmine au 2e rang en 1920 et se maintient dans les 10 premiers choix jusqu'en 1948. En dehors de l'Hexagone, André et ses variantes (Andreas, Andrei, Anders, Andrej, etc.) sont très répandus dans les pays slaves et occidentaux. ◇ Frère de saint Pierre, saint André fut le premier disciple de Jésus. Il parcourut l'Asie Mineure et la Grèce pour y prêcher l'Évangile et mourut crucifié à Patras. Saint André est le patron de l'Écosse, des pêcheurs et des poissonniers. Caractérologie : famille, éthique, équilibre, influence, décision.

Andrea 🎌 5 000 TOP 300 →

Force, courage (grec). Dans l'Hexagone, ce prénom italien a connu une certaine faveur au féminin avant d'émerger au masculin dans les années 1990. Notons qu'Andrea est également un prénom traditionnel basque et corse. Caractérologie : intelligence, savoir, méditation, indépendance, décision.

Andreas 🎌 3 000 TOP 500 →

Force, courage (grec). Masculin allemand et néerlandais. Caractérologie : décision, habileté, ambition, force, passion.

Andrés 🎌 650 TOP 2000 ↑

Force, courage (grec). Prénom espagnol. Caractérologie : connaissances, spiritualité, sagacité, originalité, résolution.

Andrew 🎌 3 000 TOP 700 →

Force, courage (grec). Masculin anglais. Caractérologie : loyauté, diplomatie, sociabilité, réceptivité, résolution.

Andrian

Force, courage (grec). Ce prénom est porté par moins de 100 personnes en France. Variantes : Andriano, Andric, Andrick, Andris, Andry. Caractérologie : pionnier, autorité, dynamisme, ambition, ténacité.

Andy 🎌 10 000 TOP 300 →

Force, courage (grec). En dehors de l'Hexagone, Andy est plus particulièrement répandu dans les pays anglophones. Variante : Anddy. Caractérologie : achèvement, stratégie, réalisation, vitalité, ardeur.

Ange 🎌 9 000 TOP 300 →

Messager (grec). Masculin français. Caractérologie : humanité, rectitude, rêve, générosité, tolérance.

Angel 🎌 5 000 TOP 400 →

Messager (grec). En dehors de l'Hexagone, Angel est répandu dans les pays anglophones. Variantes : Angéli, Angelus, Angély, Angie, Angy. Caractérologie : optimisme, communication, sympathie, pragmatisme, créativité.

Angelo 🎌 10 000 `TOP 300` →
Messager (grec). Angelo est un prénom italien. Variante : Angelito. Caractérologie : intégrité, idéalisme, altruisme, cœur, réflexion.

Angus 🎌 200 `TOP 2000` ↗
Celui qui est choisi (celte). Masculin anglais. Caractérologie : habileté, ambition, force, passion, sympathie.

Anh 🎌 200
Reflet, rayon lumineux (vietnamien). Caractérologie : découverte, énergie, séduction, originalité, audace.

Anibal 🎌 110
À la grâce de Baal (dieu phénicien). Variante : Annibal. Caractérologie : pragmatisme, communication, détermination, optimisme, organisation.

Anice 🎌 250
Invincible (grec). Caractérologie : curiosité, dynamisme, courage, indépendance, décision.

Anicet 🎌 1 500 →
Invincible (grec). On peut estimer que moins de 30 enfants seront prénommés ainsi en 2014. Caractérologie : connaissances, spiritualité, sagacité, organisation, détermination.

Anil 🎌 300 ↘
Vent (sanscrit). Prénom indien d'Asie. Caractérologie : rêve, rectitude, humanité, décision, ouverture d'esprit.

Anis 🎌 7 000 `TOP 200` →
Sociable, sympathique (arabe). Variantes : Aniss, Anisse, Anys. Caractérologie : savoir, intelligence, indépendance, méditation, détermination.

Anouar 🎌 1 500 `TOP 2000` →
Lumière (arabe). On peut estimer que moins de 30 enfants seront prénommés ainsi en 2014. Variante : Anoir. Caractérologie : méditation, décision, intelligence, savoir, logique.

Anselme 🎌 1 500 `TOP 900` →
Protection divine (germanique). Variante : Anselmo. Caractérologie : exigence, famille, sens des responsabilités, équilibre, influence.

Anthelme 🎌 170
Protection divine (germanique). Caractérologie : bienveillance, attention, paix, gestion, conscience.

Anthime 🎌 450 `TOP 2000` ↗
Protection divine (germanique). Variantes : Anthyme, Antime. Caractérologie : sagacité, connaissances, spiritualité, résolution, finesse.

Anthony 🎌 169 000 `TOP 200` ↓
Inestimable (latin), fleur (grec). En dehors de l'Hexagone, Anthony est très répandu dans les pays anglophones. Variantes : Anthonie, Anthoni, Anthoine, Anthonny, Antonie. Caractérologie : spiritualité, connaissances, originalité, sagacité, sensibilité.

Antoine 🎌 198 000 `TOP 50` →
Inestimable (latin), fleur (grec). Du temps des Romains à la Renaissance, ce nom porté par une vingtaine de saints était modérément attribué. Le XVIe siècle marque un tournant dans sa carrière : Antoine grimpe à la poursuite de Pierre et Jean aux premiers rangs, se maintenant dans les cimes jusqu'au milieu du XIXe siècle. Il revient dans les années 1990 après une période discrète, s'imposant dans le top 10 français et dans l'élite des choix occidentaux (Antonio en Italie, Anton en Suède, Anthony en Angleterre et aux États-Unis, etc.). Mais à l'issue de cette gloire

A

311

internationale, son reflux s'accentue. ◇Saint Antoine de Padoue, franciscain portugais du XIIIᵉ siècle, est reconnu pour les talents de prédicateur qu'il a exercés dans toute l'Europe. À partir du XVIIᵉ siècle, il est également invoqué pour retrouver les objets perdus. Caractérologie : bienveillance, conscience, conseil, résolution, paix.

Anton 🌟 3 000 **TOP 400** ↗
Inestimable (latin), fleur (grec). Anton est très répandu dans les pays scandinaves et slaves. Forme basque : Antton. Forme corse : Antone. Caractérologie : autorité, innovation, énergie, ambition, autonomie.

Antoni 🌟 1 500 **TOP 2000** →
Inestimable (latin), fleur (grec). Prénom catalan. Variantes : Antolin, Antonetto. Caractérologie : autorité, énergie, innovation, ambition, détermination.

Antonin 🌟 24 000 **TOP 100** ↘
Inestimable (latin), fleur (grec). Empereur romain au IIᵉ siècle, Antonin le Pieux pacifia son empire et en favorisa le développement social et économique. Sa piété envers l'empereur Hadrien, son père adoptif, lui valut son titre de « pieux ». ◇Prélat italien, saint Antonin devint archevêque de Florence en 1446. Antonin est un prénom français. Variantes : Anthonin, Tonin. Caractérologie : bienveillance, paix, conscience, conseil, décision.

Antonio 🌟 17 000 **TOP 500** →
Inestimable (latin), fleur (grec). Antonio est très répandu dans les pays hispanophones, lusophones et en Italie. Caractérologie : méditation, intelligence, savoir, décision, indépendance.

Antony 🌟 16 000 **TOP 700** ↓
Inestimable (latin), fleur (grec). Antony est répandu dans les pays anglophones. Variantes : Antonie, Antonny.

Caractérologie : ambition, force, passion, habileté, management.

Anwar 🌟 300 **TOP 2000** ↑
Lumière (arabe). Caractérologie : communication, résolution, adaptation, enthousiasme, pratique.

Aodren 🌟 250 **TOP 2000** ↑
Au-dessus, royal (celte). Prénom breton. Caractérologie : communication, enthousiasme, pratique, décision, caractère.

Apollinaire 🌟 180
Qui vient d'Apollonie (grec). Variante : Appolinaire. Caractérologie : structure, persévérance, sécurité, cœur, logique.

Apollon
Fils de Léto et Zeus, Apollon est l'un des dieux les plus adorés de la mythologie gréco-romaine. Héroïque au combat, il est aussi doté de nombreux talents artistiques. Il est souvent présenté comme le dieu du Soleil, des Arts et de la Musique. Ce prénom est porté par moins de 100 personnes en France. Variantes : Apollo, Apolon. Caractérologie : fiabilité, méthode, engagement, ténacité, cœur.

Ara
Lumière (hébreu). Se rapporte également au nom d'un roi dans la mythologie arménienne. Ce prénom est porté par moins de 100 personnes en France. Caractérologie : relationnel, intuition, adaptabilité, médiation, fidélité.

Arad
Il descend (hébreu). Ce prénom est porté par moins de 30 personnes en France. Caractérologie : sens des responsabilités, famille, équilibre, exigence, influence.

Aram 🌟 160 **TOP 2000**
Magnificence, éminence (arménien). Caractérologie : équilibre, famille, sens des responsabilités, influence, exigence.

Aramis 🚩 110

Aramis est l'un des trois valeureux mousquetaires du roman d'Alexandre Dumas. Caractérologie : intelligence, savoir, indépendance, méditation, sagesse.

Aran

Forêt (thaïlandais). Ce prénom est porté par moins de 100 personnes en France. Caractérologie : spiritualité, connaissances, sagacité, originalité, résolution.

Arcade 🚩 200

Qui vient d'Arcadie (latin). Variantes : Arcadie, Arcadius, Arcady. Caractérologie : détermination, découverte, énergie, audace, originalité.

Archange 🚩 180

Nom de saint qui fut archevêque de Florence vers 151. Caractérologie : communication, pratique, enthousiasme, sympathie, ressort.

Archibald 🚩 350  ↘

Audacieux (germanique). Masculin anglais. Variantes : Archambaud, Ubald, Ubaldo. Caractérologie : ténacité, fiabilité, méthode, engagement, organisation.

Archimède

Maître de la pensée (grec). Savant grec du IIIe siècle, Archimède a inventé le principe de physique qui porte son nom. Ce dernier établit qu'un corps immergé dans un fluide subit une poussée verticale qui le fait remonter vers la surface. Ce prénom est porté par moins de 30 personnes en France. Caractérologie : intelligence, indépendance, méditation, savoir, sagesse.

Arda 🚩 1 000 **TOP 800** ↓

Celui dont le règne est conforme à la loi (arménien). Masculin arménien. Caractérologie : influence, équilibre, famille, exigence, sens des responsabilités.

Areg

Soleil (arménien). Ce prénom est porté par moins de 30 personnes en France. Variantes : Arek, Arev. Caractérologie : méthode, fiabilité, engagement, décision, ténacité.

Arezki 🚩 750 ↓

Prénom kabyle dont la signification est inconnue. Variantes : Areski, Ariski, Arizki, Rezki, Rizki. Caractérologie : sagacité, connaissances, résolution, finesse, spiritualité.

Argan 🚩 180

Argent (celte). Prénom breton. Caractérologie : courage, dynamisme, curiosité, indépendance, décision.

Arie 🚩 300 ↓

Diminutif probable d'Ariel : lion de Dieu (hébreu). Prénom catalan. Variante : Ari. Caractérologie : conscience, paix, bienveillance, conseil, décision.

Ariel 🚩 1 500 **TOP 900** →

Lion de Dieu (hébreu). Dans l'Ancien Testament, le prophète Isaïe utilise le nom symbolique d'Ariel pour désigner la ville de Jérusalem. En dehors de l'Hexagone, Ariel est répandu dans les pays anglophones. Il est attribué de longue date dans les communautés juives. Variante : Arel. Caractérologie : rectitude, humanité, tolérance, rêve, détermination.

Arif 🚩 300 ↗

Celui qui détient la connaissance (arabe). Caractérologie : sagacité, originalité, spiritualité, connaissances, philosophie.

Aris 🚩 250 **TOP 2000** →

Supérieur (grec). Diminutif d'Aristote, nom porté par le célèbre philosophe grec. Aris est usité en Arménie. Caractérologie : intuition, relationnel, médiation, fidélité, adaptabilité.

313
·······

ARTHUR

Fête : 15 novembre

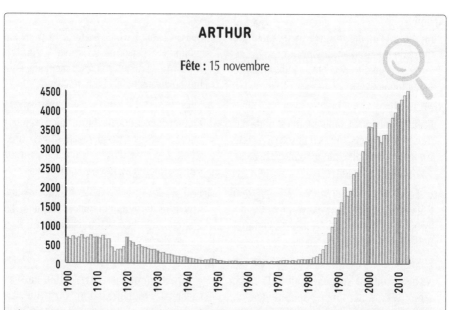

Étymologie : du celte *arzh*, « ours ». Figure légendaire de la littérature médiévale, Arthur est l'un des premiers prénoms celtes à s'être diffusé en France. Nourri par de nombreux récits folkloriques dès le VIᵉ siècle, il grandit en Bretagne avant de conquérir l'ensemble de la Gaule. Sa carrière est florissante en Angleterre et en France, où il connaît un bel essor jusqu'à la fin du Moyen Âge. Au XIXᵉ siècle, Arthur renaît dans les pays anglophones, mais il peine à s'élever en France, en dépit de l'élan insufflé par Arthur Rimbaud. Son nouvel essai français a porté ses fruits en 2007, lorsqu'il est entré dans le top 20 national. Il est aujourd'hui très prisé à Paris et dans l'ensemble de l'Hexagone.

Arthur rencontre moins de succès à l'échelle internationale. À l'exception de l'Irlande qui lui reste fidèle, il peine à s'épanouir en Europe. Sa percée dans les tops 10 romand et belge fera-t-elle des émules ?

Arthur, ou **Artus**, le roi légendaire des Bretons, repoussa les armées anglo-saxonnes qui tentaient d'envahir la Bretagne. Ses exploits, contés au XIIᵉ siècle par Chrétien de Troyes, en font l'un des chevaliers les plus connus des romans de la Table ronde.

Personnalités célèbres : Arthur Schopenhauer, philosophe allemand (1788-1860) ; Arthur Rimbaud, poète français (1854-1891) ; Arthur Conan Doyle, écrivain et auteur de *Sherlock Holmes* (1859-1930) ; Arthur Rubinstein, pianiste virtuose américain (1887-1982) ; Arthur Miller,

.../

Arthur *(suite)*

---

dramaturge américain (1915-2005) ; Arthur H., chanteur français né en 1966 ; Arthur, humoriste et présentateur de télévision né en 1966.

Statistiques : Arthur est le 14e prénom masculin le plus donné en France depuis le début du XXIe siècle. On peut estimer qu'il sera attribué à un garçon sur 91 en 2014. Par contraste, le rarissime **Artus** sera attribué à un garçon sur 22 000.

Aristide  3 000 **TOP 700** →
Le meilleur (grec). Aristide est un prénom français et italien. Variantes : Ariste, Aristides. Caractérologie : structure, persévérance, résolution, sécurité, efficacité.

Aristote 🇫🇷 190
Supérieur (grec). Nom du célèbre philosophe grec (384-322 avant J.-C.). Caractérologie : achèvement, vitalité, décision, stratégie, ardeur.

Arius
Nom d'un théologien grec, père de l'arianisme, un courant de pensée controversé datant des débuts du christianisme. Ce prénom est porté par moins de 30 personnes en France. Caractérologie : charisme, dynamisme, curiosité, courage, indépendance.

Armand 🇫🇷 28 000 **TOP 300** →
Fort, armé (germanique). Masculin français. Variantes : Arman, Armant, Mandy. Formes occitanes : Aman, Amans. Caractérologie : bienveillance, paix, conscience, conseil, détermination.

Armando 🇫🇷 1 000 **TOP 2000** ↑
Fort, armé (germanique). Armando est répandu dans les pays hispanophones et lusophones, ainsi qu'en Italie et au Pays basque. Caractérologie : optimisme, communication, décision, caractère, pragmatisme.

Armel  4 000 **TOP 900** →
Prince, ours (celte). Masculin français et breton. Caractérologie : méthode, ténacité, fiabilité, engagement, détermination.

Armen 🇫🇷 170
L'arménien (arménien). Variante : Armin. Caractérologie : équilibre, famille, sens des responsabilités, influence, détermination.

Arnaud 🇫🇷 128 000 **TOP 500** ↓
Aigle, gouverneur (germanique). Abbé dans le monastère de sainte Sabine, saint Arnaud vécut à Padoue au XIIIe siècle. Jeté au cachot par le gouverneur tyrannique de la région, il mourut au bout de huit années d'emprisonnement. Ce prénom français est également un choix traditionnel occitan. Caractérologie : audace, énergie, découverte, originalité, détermination.

Arnauld 🇫🇷 1 500
Aigle, gouverneur (germanique). On peut estimer que moins de 30 enfants seront prénommés ainsi en 2014. Variantes : Arnald, Arnaut, Arne, Arnie. Caractérologie : ambition, force, passion, habileté, décision.

Arnault 🇫🇷 1 000
Aigle, gouverneur (germanique). Caractérologie : bienveillance, paix, conscience, organisation, résolution.

A

315

Arno ⭐ 2 000 **TOP 900** ⬇

Aigle, gouverneur (germanique). Arno est plus traditionnellement usité dans les pays anglophones et au Pays basque. Caractérologie : détermination, optimisme, pragmatisme, créativité, communication.

Arnold ⭐ 2 000 ⬇

Aigle, gouverneur (germanique). Arnold est particulièrement répandu dans les pays germanophones et anglophones. En France, il est plus traditionnellement usité en Alsace et dans les Flandres. On peut estimer que moins de 30 enfants seront prénommés ainsi en 2014. Variantes : Arnaldo, Arnould, Arnoux. Caractérologie : autorité, innovation, énergie, volonté, analyse.

Aron ⭐ 900 **TOP 400** ⬈

Esprit (hébreu). Caractérologie : communication, adaptation, pratique, enthousiasme, résolution.

Arsène ⭐ 6 000 **TOP 300** ⬈

Masculin (grec). Variantes : Arsenio, Arsenius. Caractérologie : passion, force, ambition, habileté, décision.

Arthémon

Divin (latin). Ce prénom est porté par moins de 30 personnes en France. Variantes : Artème, Artémon, Arthème, Arthène. Caractérologie : volonté, découverte, énergie, audace, détermination.

Arthur ⭐ 79 000 **TOP 50** 🔍 ➡

Ours (celte). Variantes : Arthaud, Artur. Caractérologie : énergie, découverte, audace, originalité, organisation.

Arthus ⭐ 700 **TOP 2000** ⬇

Ours (celte). Caractérologie : organisation, bienveillance, conscience, conseil, paix.

Artur ⭐ 600 **TOP 1000** 🔍 ⬈

Ours (celte). Caractérologie : sens des responsabilités, famille, gestion, influence, équilibre.

Arturo ⭐ 200

Ours (celte). Masculin espagnol et italien. Caractérologie : pragmatisme, optimisme, organisation, raisonnement, communication.

Artus ⭐ 500 **TOP 2000** ⬇

Ours (celte). Prénom breton. Variantes : Arzel, Arzu. Caractérologie : gestion, méditation, intelligence, savoir, indépendance.

Aslan ⭐ 200 **TOP 2000** ⬈

Lion (turc). Variante : Arslan. Caractérologie : intuition, relationnel, fidélité, adaptabilité, médiation.

Assane ⭐ 250 ➡

Beau (arabe). Caractérologie : découverte, originalité, énergie, audace, séduction.

Athanaël

Présent de Dieu (hébreu). Ce prénom est porté par moins de 100 personnes en France. Caractérologie : gestion, achèvement, vitalité, stratégie, attention.

Athanase ⭐ 550

Immortel (grec). Masculin français. Variantes : Athanas, Athos. Caractérologie : famille, équilibre, finesse, sens des responsabilités, influence.

Athmane ⭐ 140

Homme sage (germanique). Variantes : Athman, Atman, Atmane. Caractérologie : ambition, habileté, passion, force, sensibilité.

Atilla ⭐ 400 ⬊

Dieu est exalté (hébreu). Variantes : Atila, Atilio, Attila, Attilius, Attilo. Caractérologie : autorité, innovation, énergie, organisation, ambition.

A

AUGUSTIN

Fête : 28 août

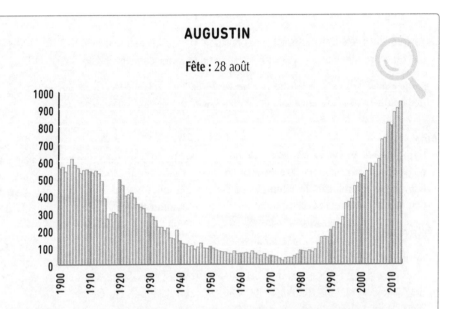

Étymologie : du latin *augustinus*, « consacré par les augures ». Ce prénom, apparu dès les premiers temps du christianisme, se propage grâce à la popularité de saint Augustin, théologien du IVe siècle considéré comme le plus important docteur de l'Église. Au Moyen Âge, la postérité d'un autre saint, Augustin de Canterbury, intensifie la vogue de ce prénom en Angleterre. Il est plus discret en France jusqu'au XIXe siècle, où il prend une certaine ampleur, sans toutefois dépasser celle d'Auguste.

Augustin se raréfie au XXe siècle, mais la vogue du rétro le fait renaître dans les années 1990. Après avoir conquis la capitale (il vient de s'imposer dans le top 20 parisien), Augustin s'élève dans l'Hexagone. Il devrait figurer à la 78e place des attributions nationales en 2014.

À l'international, Agustín est en vogue dans plusieurs pays d'Amérique latine, notamment au Chili et en Uruguay. Quant à August, il décolle au Danemark.

Élevé par une mère chrétienne et un père incroyant, **saint Augustin** naît à Tagaste (en Tunisie), en 354. Élève brillant, il enseigne la rhétorique à Milan et se convertit au christianisme avant de retourner en Afrique, où il devient évêque d'Hippone. Les Confessions font partie des nombreux écrits qui ont fondamentalement marqué l'histoire de l'Église. Saint Augustin est le patron des imprimeurs.

Moine italien au VIe siècle, **saint Augustin de Canterbury** partit évangéliser l'Angleterre ; il parvint à convertir le roi du Kent et plusieurs milliers de ses sujets.

.../

A

317

Augustin *(suite)*

Personnalités célèbres : Agustín Lara, chanteur et compositeur mexicain (1897-1970) ; Augustin Lesage, peintre français (1876-1954) ; Augustin Legrand, comédien français né en 1975.

Statistiques : Augustin est le 108e prénom masculin le plus donné en France depuis le début du XXIe siècle. On peut estimer qu'il sera attribué à un garçon sur 435 en 2014.

Atoa
D'une grande bravoure (tahitien). Ce prénom est porté par moins de 30 personnes en France. Caractérologie : dynamisme, direction, audace, indépendance, assurance.

Aubert
🦋 400
Noble, brillant (germanique). Cette forme médiévale d'Albert est devenue un patronyme assez répandu en France. Variantes : Aubertin, Aubrey, Aubri. Caractérologie : persévérance, gestion, structure, sécurité, décision.

Aubin
🦋 4 000 (TOP 300) ➡
Blanc (latin). Masculin français. Caractérologie : médiation, intuition, résolution, relationnel, organisation.

Aubry
🦋 400
Noble, brillant (germanique). Caractérologie : ténacité, méthode, gestion, fiabilité, engagement.

Audoin
Se rapporte à saint Hadouin, évêque du Mans au VIIe siècle. Il érigea une abbaye portant son nom dans la paroisse d'Aurion, dans le Maine. Ce prénom est porté par moins de 100 personnes en France. Caractérologie : dynamisme, direction, volonté, indépendance, assurance.

Audran
🦋 550 ⬇
Au-dessus, royal (celte). Masculin français et breton. Variantes : Audrain, Audren. Caractérologie : indépendance, résolution, curiosité, dynamisme, courage.

Audric
🦋 1 500 (TOP 2000) ⬇
Noble, puissant (germanique). On peut estimer que moins de 30 enfants seront prénommés ainsi en 2014. Variante : Adrick. Caractérologie : réceptivité, sociabilité, loyauté, bonté, diplomatie.

Audry
🦋 200 ➡
Noble, puissant (germanique). Caractérologie : sens des responsabilités, équilibre, famille, influence, réussite.

Auguste
🦋 15 000 (TOP 300) ↗
Vénérable, grand (latin). Le titre d'Auguste fut donné aux empereurs romains après qu'Octave, le premier d'entre eux, eut été surnommé ainsi. Ce prénom, très connu aux premiers siècles, se raréfie au début du Moyen Âge. Néanmoins, la forme latine Augustus vivote encore dans quelques pays européens lorsque Auguste s'élance en France. Il devient assez fréquent au XIXe siècle, et figure encore dans les 30 premiers rangs français dans les années 1900. Sa disparition progressive a sans doute permis la renaissance récente d'Augustin. ◇ Auguste est le nom de postérité d'Octave (63 avant J.-C - 14 après J.-C), le fils adoptif de Jules César. Ses qualités exceptionnelles de gestionnaire et de chef de guerre lui permirent de gouverner un vaste Empire romain et d'y établir la *pax Romana*, une paix qui dura plusieurs siècles. Variantes : August, Augusto, Gusto, Guste. Caractérologie : ténacité, fiabilité, méthode, amitié, organisation.

A

Augustin 18 000 (TOP 100)
Consacré par les augures (latin). Variante : Gustin. Caractérologie : sécurité, structure, résolution, persévérance, sympathie.

Aumaric
Puissant (germanique). Ce prénom est porté par moins de 30 personnes en France. Caractérologie : pragmatisme, optimisme, sociabilité, communication, créativité.

Aurel 550 (TOP 2000)
En or (latin). Masculin allemand et roumain. Caractérologie : optimisme, communication, pragmatisme, décision, créativité.

Aurèle 1 500 (TOP 600)
En or (latin). Caractérologie : stratégie, achèvement, ardeur, vitalité, décision.

Aurélien 76 000 (TOP 200)
En or (latin). Peu connu avant 1975, Aurélien émerge dans la vague des prénoms d'inspiration romaine. Son ascension fulgurante le propulse dans le top 30 français en quelques années. Une gloire néanmoins éphémère comparée à celles de Maxime, Adrien, Romain et Romane, issus de la même souche. ◇ Empereur romain au IIIe siècle, Aurélien reconstruisit l'unité de son empire et repoussa les invasions des Barbares. Il institua le culte du Soleil à Rome, proclamant *Sol Invictus* (soleil invaincu) le patron de l'Empire romain. La date officielle de sa fête fut fixée au 25 décembre. Un saint évêque d'Arles au VIe siècle porta également ce prénom. Variantes : Aurélian, Aurélio, Aurian, Auriol, Orélien. Caractérologie : sécurité, structure, persévérance, détermination, efficacité.

Aurre
En or (latin), devant (basque). Ce prénom est porté par moins de 30 personnes en France.

Caractérologie : rêve, humanité, rectitude, ouverture d'esprit, décision.

Austin 120
Consacré par les augures (latin). Masculin anglais. Caractérologie : communication, pratique, décision, gestion, enthousiasme.

Auxence 650 (TOP 800)
Augmenter (latin). Caractérologie : autorité, innovation, énergie, ambition, autonomie.

Avédis
Porteur de bonnes nouvelles (arménien). Masculin arménien. Ce prénom est porté par moins de 100 personnes en France. Caractérologie : équilibre, famille, influence, résolution, sens des responsabilités.

Avel
Forme bretonne d'Abel. Ce prénom est porté par moins de 100 personnes en France. Caractérologie : ténacité, fiabilité, méthode, sens du devoir, engagement.

Avelino 200
Souffle, respiration (hébreu). Caractérologie : logique, bienveillance, paix, caractère, conscience.

Aven
Noble ami (irlandais). Ce prénom est porté par moins de 30 personnes en France. Caractérologie : bienveillance, conseil, conscience, sagesse, paix.

Aventin
Avènement (latin). Ce prénom est porté par moins de 30 personnes en France. Caractérologie : engagement, méthode, fiabilité, ténacité, sens du devoir.

Avi 300
Père de tous (hébreu). Caractérologie : charisme, curiosité, dynamisme, courage, indépendance.

A

319

Aviel 🦃 130

Dieu est mon père (hébreu). Caractérologie : structure, persévérance, sécurité, efficacité, décision.

Aviv

Printemps (hébreu). Masculin anglais. Ce prénom est porté par moins de 30 personnes en France. Caractérologie : idéalisme, altruisme, intégrité, dévouement, réflexion.

Avner 🦃 170

Père de la flamme (hébreu). Caractérologie : conscience, bienveillance, paix, conseil, résolution.

Awen 🦃 450 **TOP 2000** ➔

Noble ami (irlandais). Awen est plus traditionnellement usité en Irlande et en Bretagne. Variante : Aven. Caractérologie : intelligence, sagesse, savoir, méditation, indépendance.

Axel 🦃 66 000 **TOP 50** ➔

Dérivé scandinave d'Absalom : mon père est paix (hébreu). De longue date associé aux pays scandinaves, Axel se diffuse dès le XIIe siècle en hommage à un saint, évêque danois et homme d'État, qui vécut en ce temps. Longtemps inconnu en France, il parvient à s'élancer jusqu'aux portes du top 20 français au début des années 2000. Forme scandinave répandue : Aksel. Caractérologie : famille, équilibre, éthique, exigence, influence.

Aydan 🦃 550 **TOP 600** ↗

Petit feu (celte). Voir Aïdan. Masculin anglais. Variante : Ayden. Caractérologie : intégrité, réflexion, réalisation, idéalisme, altruisme.

Aylan 🦃 500 **TOP 700** ↑

Clair de lune (turc). Caractérologie : achèvement, vitalité, amitié, ardeur, stratégie.

Aymen 🦃 4 000 **TOP 200** ↗

Heureux (arabe). Variantes : Ayman, Aymane, Aymon. Caractérologie : ténacité, fiabilité, méthode, engagement, réalisation.

Aymeric 🦃 21 000 **TOP 300** ↘

Puissant (germanique). Masculin français. Variantes : Amalric, Aymerie, Aymerik. Forme basque : Ainaut. Caractérologie : relationnel, médiation, intuition, amitié, réalisation.

Aymerick 🦃 1 500 **TOP 2000** ↘

Puissant (germanique). Caractérologie : fiabilité, bonté, méthode, réalisation, ténacité.

Ayoub 🦃 10 000 **TOP 100** ↗

Équivalent arabe de Job : Dieu a établi (hébreu). Variante : Ayoube. Caractérologie : énergie, innovation, autorité, ambition, gestion.

Azad 🦃 550 **TOP 800** ↑

Noble, libre (arménien). Masculin arménien. Caractérologie : découverte, audace, originalité, séduction, énergie.

Azedine 🦃 800 ➔

La religion est puissante (arabe). Variantes : Azdin, Azeddine. Caractérologie : énergie, autorité, innovation, ambition, résolution.

Aziz 🦃 3 000 **TOP 1000** ➔

Aimé, précieux, puissant (arabe). Calife fatimide, Al-Aziz Billah ordonna la construction de la mosquée d'Al-Hâlim au Caire en 380. Ce prénom est attribué de longue date dans les communautés musulmanes. Variantes : Aaziz, Azize, Azouz, Azziz. Caractérologie : ambition, habileté, force, passion, management.

Azur

Couleur bleue (français). Ce prénom est porté par moins de 100 personnes en France.

Caractérologie : optimisme, communication, pragmatisme, créativité, sociabilité.

Azzedine 🎌 1 500 (TOP 2000)
La religion est puissante (arabe). On peut estimer que moins de 30 enfants seront prénommés ainsi en 2014. Variantes : Azzdine, Azzedin. Caractérologie : ouverture d'esprit, rectitude, humanité, rêve, résolution.

• •

B

Bachir 🎌 2 000 (TOP 2000) →
Qui annonce une bonne nouvelle (arabe). On peut estimer que moins de 30 enfants seront prénommés ainsi en 2014. Caractérologie : dynamisme, courage, indépendance, organisation, curiosité.

Badis 🎌 1 500 (TOP 600) →
Prénom kabyle qui fut porté par un roi, Badis le Hammadite, au XIᵉ siècle. Caractérologie : achèvement, leadership, ardeur, vitalité, stratégie.

Badr 🎌 1 000 (TOP 2000) →
Pleine lune, zénith (arabe). Variantes : Bader, Badre. Caractérologie : intelligence, savoir, indépendance, méditation, sagesse.

Badredine 🎌 200 →
La religion à son zénith (arabe). Variantes : Badradine, Badreddine. Caractérologie : vitalité, achèvement, stratégie, ardeur, résolution.

Bakar
Seul, unique (basque). Ce prénom est porté par moins de 100 personnes en France. Caractérologie : paix, bienveillance, sagesse, conscience, conseil.

Bakary 🎌 1 000 (TOP 900) →
Patronyme répandu dans de nombreux pays d'Afrique. Variante : Bakari. Caractérologie : structure, persévérance, sécurité, efficacité, honnêteté.

Balthazar 🎌 1 000 (TOP 900) →
Dieu protège le roi (grec). Selon la tradition chrétienne, Balthazar, l'un des trois Rois mages venus d'Orient, se laissa guider par une étoile jusqu'à Bethléem. Lorsqu'il se présenta devant l'Enfant Jésus, il lui offrit de la myrrhe pour l'honorer comme roi. ◇ Dans l'Ancien Testament, Balthazar, le roi de Babylone, organise un festin. Durant la fête, une inscription mystérieuse apparaît sur les murs. Captif du roi, le prophète Daniel interprète ce message et annonce la fin imminente du royaume. La prophétie se réalise avec l'assassinat de Balthazar dans la nuit. Variante : Balthasar. Caractérologie : habileté, force, ambition, passion, organisation.

Bao 🎌 140 (TOP 2000)
Protection, précieux (vietnamien). Caractérologie : rectitude, humanité, générosité, ouverture d'esprit, rêve.

Baptiste 🎌 83 000 (TOP 50) →
Immerger (grec). De longue date associé à saint Jean-Baptiste, ce prénom s'est diffusé sous différentes formes (Baptist, Battista, etc.) dans les pays chrétiens. Il est éclipsé

B

321
• • • • • • • •

par Jean-Baptiste dès le XVIIIe siècle en France, et n'émerge pas avant la fin des années 1950. C'est alors que le repli de Jean puis la disgrâce des prénoms composés lui dégagent la voie. Baptiste s'est hissé au 17e rang français en 2002 ; il n'est pas prêt de sombrer dans l'oubli. ◇ Fils de Zacharie et d'Élisabeth, saint Jean le Baptiste naquit en Palestine au Ier siècle. Infatigable prêcheur des foules qui s'amassaient sur les rives du Jourdain, il baptisa Jésus et de nombreux convertis dans l'eau du fleuve. Caractérologie : diplomatie, sociabilité, détermination, réceptivité, loyauté.

Baptistin 🚩 350 ↘
Immerger (grec). Caractérologie : sociabilité, diplomatie, loyauté, réceptivité, résolution.

Barack
Béni (arabe, hébreu). Masculin anglais. Ce prénom est porté par moins de 30 personnes en France. Variante : Barrak. Caractérologie : sens des responsabilités, influence, équilibre, exigence, famille.

Baran 🚩 450 **TOP 2000** →
Pluie (persan, turc). Caractérologie : réflexion, altruisme, intégrité, idéalisme, décision.

Barclay
Bois de bouleau (anglais). Plus fréquent sous forme de patronyme. Masculin écossais et anglais. Ce prénom est porté par moins de 30 personnes en France. Caractérologie : vitalité, stratégie, achèvement, ardeur, gestion.

Barea
Fruit de mer (basque). Ce prénom est porté par moins de 30 personnes en France. Caractérologie : altruisme, intégrité, idéalisme, réflexion, détermination.

Barnabé 🚩 1 000 **TOP 2000** →
Fils du prophète (hébreu). Formes basques : Barnaba, Barnabe. Caractérologie : savoir, intelligence, méditation, indépendance, résolution.

Barry 🚩 130
Aux cheveux clairs (irlandais). Masculin anglais. Variante : Barrie. Caractérologie : indépendance, audace, assurance, direction, dynamisme.

Barthélemy 🚩 3 000 **TOP 900** →
Fils de Tolomai (araméen). Masculin français. Variantes : Bario, Barthélemi, Bortolo. Forme basque : Bartolo. Forme occitane : Bertomieu. Caractérologie : audace, dynamisme, direction, réalisation, finesse.

Baruch
Béni (hébreu). Ce prénom est porté par moins de 30 personnes en France. Caractérologie : ardeur, achèvement, stratégie, gestion, vitalité.

Basile 🚩 8 000 **TOP 200** ↗
Roi (grec). Variante : Basil. Formes basques : Basilio, Bazil, Bazile. Caractérologie : optimisme, organisation, communication, pragmatisme, détermination.

Bassem 🚩 300 ↘
Celui qui sourit (arabe). Variantes : Bassam, Bessem. Caractérologie : originalité, découverte, énergie, séduction, audace.

Bastian 🚩 2 000 **TOP 700** ↘
Respecté, vénéré (grec). Dans l'Hexagone, Bastian est plus traditionnellement usité en Bretagne. Caractérologie : pratique, communication, enthousiasme, adaptation, résolution.

Bastien 🚩 49 000 **TOP 100** →
Respecté, vénéré (grec). Masculin français.

Caractérologie : savoir, méditation, intelligence, indépendance, décision.

Batiste 🎖 1 500 **TOP 700** ⌄

Immerger (grec). Masculin français. Variante : Battista. Caractérologie : méthode, fiabilité, ténacité, engagement, décision.

Baudouin 🎖 1 000 **TOP 900** ↗

Audacieux, amical (germanique). Variante : Baudoin. Caractérologie : volonté, bienveillance, paix, conscience, raisonnement.

Bay

Septième-né, ou né au mois de juillet (vietnamien). Ce prénom est porté par moins de 30 personnes en France. Caractérologie : innovation, ambition, énergie, autorité, autonomie.

Beaudoin

Audacieux, amical (germanique). Ce prénom est porté par moins de 30 personnes en France. Variante : Beaudouin. Caractérologie : force, ambition, volonté, analyse, habileté.

Béchir 🎖 650 →

Qui apporte les bonnes nouvelles (arabe). Caractérologie : rêve, humanité, ouverture d'esprit, rectitude, sensibilité.

Békir 🎖 300 ⌄

Qui apporte les bonnes nouvelles (arabe). Caractérologie : altruisme, idéalisme, intégrité, réflexion, dévouement.

Ben 🎖 2 000 **TOP 700** →

Diminutif anglophone des prénoms formés avec Ben. Caractérologie : générosité, pratique, enthousiasme, adaptation, communication.

Benedetto

Béni (latin). Ce prénom est porté par moins de 100 personnes en France. Variantes : Benilde,

Benedict, Benito. Caractérologie : rectitude, ouverture d'esprit, humanité, rêve, caractère.

Benjamin 🎖 139 000 **TOP 100** ⌄

Fils du Sud (hébreu). Ce prénom biblique est établi de longue date dans les communautés juives du monde entier. Doté d'un saint ayant vécu au Ve siècle, il fut également usité dans les familles chrétiennes au Moyen Âge. Il est peu fréquent lorsque les puritains anglophones relancent sa vogue au XVIIe siècle. Très rare jusqu'au début des années 1970, Benjamin se hisse dans les 10 premiers rangs français en l'espace de deux décennies. Il est très répandu dans les pays anglo-saxons aujourd'hui, notamment aux États-Unis. ◊ Dans l'Ancien Testament, Benjamin est le fils de Jacob et Rachel. En le mettant au monde, Rachel le prénomme Ben Oni (« fils de ma douleur »), avant de décéder. Mais Jacob, qui ne peut se résoudre à tant de tristesse, opte pour un prénom signifiant « fils du Sud ». Benjamin est le père de la tribu des Benjaminites dont Saül, le premier roi d'Israël, est descendant. ◊ Prédicateur en Perse, saint Benjamin fut condamné au martyre par le roi Yezdegerd au Ve siècle. Variantes : Benji, Bunyamin, Bunyamine. Caractérologie : audace, énergie, découverte, originalité, détermination.

Benoist 🎖 1 000

Béni (latin). Caractérologie : créativité, pragmatisme, décision, optimisme, communication.

Benoît 🎖 116 000 **TOP 500** ↓

Béni (latin). Masculin français. Issu d'une famille noble italienne au IVe siècle, saint Benoît se retira pour méditer dans une caverne à la fin de ses études. Il fonda douze monastères, dont l'abbaye du Mont-Cassin,

B

323

près de Naples. Caractérologie : médiation, relationnel, fidélité, intuition, adaptabilité.

Benoni 🌟120
Béni (latin). Variante : Benony. Caractérologie : dynamisme, charisme, courage, curiosité, indépendance.

Béranger 🌟600
Esprit, ours (germanique). Caractérologie : sagacité, connaissances, spiritualité, originalité, détermination.

Bérenger 🌟1 000 ⬇
Esprit, ours (germanique). Forme occitane : Berengier. Caractérologie : intuition, relationnel, fidélité, médiation, adaptabilité.

Bernard 🌟344 000 ➡
Force, ours (germanique). Puissant par son étymologie, Bernard se répand dès le Moyen Âge dans les pays chrétiens. Au IXe siècle, sa notoriété est renforcée par un saint originaire de Lyon qui devint archevêque de Vienne-sur-le-Rhône et fonda l'abbaye de Romans. Les liens politiques qu'il tisse à la cour de Charlemagne en font un personnage très influent. En maintenant un niveau constant d'attribution, ce prénom est devenu intemporel jusqu'au XIXe siècle, où il s'est essoufflé avant de revenir de plus belle. Il culmine au 3e rang français en 1942 et reste l'un des 10 premiers choix des parents jusqu'en 1958, avant de chuter brutalement. On peut estimer que moins de 30 enfants seront prénommés ainsi en 2014. Variantes : Barnard, Bernhard, Bernat, Bernd, Bernie, Berny. Caractérologie : ambition, force, habileté, détermination, passion.

Bernardin 🌟300
Force, ours (germanique). Caractérologie : décision, méthode, fiabilité, ténacité, engagement.

Bernardo 🌟300
Force, ours (germanique). Bernardo est très répandu en Italie et dans les pays hispanophones et lusophones. Caractérologie : détermination, curiosité, dynamisme, volonté, courage.

Berthold
Brillant, illustre (germanique). Masculin allemand. Ce prénom est porté par moins de 100 personnes en France. Caractérologie : communication, pratique, finesse, enthousiasme, analyse.

Bertin 🌟850
Brillant, illustre (germanique). Variante : Bertil. Caractérologie : dynamisme, curiosité, charisme, courage, indépendance.

Bertrand 🌟61 000 ⬇
Brillant, corbeau (germanique). Masculin français. On peut estimer que moins de 30 enfants seront prénommés ainsi en 2014. Variantes : Belt, Beltig, Bertram, Bertranet, Bertranot. Forme basque : Bertran. Caractérologie : ambition, autorité, détermination, énergie, innovation.

Berty 🌟120
Brillant, illustre (germanique). Masculin anglais. Variantes : Berthie, Bertie. Caractérologie : spiritualité, connaissances, originalité, philosophie, sagacité.

Béryl 🌟160
Pierre précieuse vert pâle (grec). Caractérologie : stratégie, vitalité, ardeur, achèvement, bonté.

Bilal 🌟11 000
Eau, rafraîchissement (arabe). Bilal fut une personnalité importante de l'islam. Noir affranchi, il devint vers l'an 600 le premier muezzin de l'islam. Devenu trésorier général, il participa à l'administration de l'Empire

musulman jusqu'à la mort de Mahomet. Ce prénom a été découvert dans l'Hexagone dans les années 1980. Variantes : Belal, Bellal, Bilail, Bilale, Bilele, Bilhal, Billale, Bylel. Caractérologie : rectitude, rêve, humanité, tolérance, gestion.

Bildad
Aimé (hébreu). Ce prénom est porté par moins de 30 personnes en France. Caractérologie : courage, curiosité, dynamisme, indépendance, organisation.

Bilel
🎖5 000 **TOP 300** ➔
Eau, rafraîchissement (arabe). Caractérologie : persévérance, structure, sécurité, efficacité, honnêteté.

Bill
🎖110
Protecteur résolu (germanique). Masculin anglais. Caractérologie : achèvement, stratégie, leadership, ardeur, vitalité.

Billal
🎖1 500 **TOP 2000** ↘
Eau, rafraîchissement (arabe). On peut estimer que moins de 30 enfants seront prénommés ainsi en 2014. Caractérologie : créativité, pragmatisme, gestion, communication, optimisme.

Billy
🎖2 000 ↘
Protecteur résolu (germanique). Masculin anglais. On peut estimer que moins de 30 enfants seront prénommés ainsi en 2014. Variante : Bily. Caractérologie : équilibre, famille, sens des responsabilités, influence, exigence.

Bixente
🎖700 **TOP 2000** ➔
Forme basque de Vincent : qui triomphe (latin). Caractérologie : savoir, intelligence, méditation, sagesse, indépendance.

Bjorn
🎖140
Ours (scandinave). Caractérologie : découverte, audace, énergie, originalité, décision.

Blaise
🎖3 000 **TOP 2000** ➔
Qui balbutie (latin). On peut estimer que moins de 30 enfants seront prénommés ainsi en 2014. Variante : Blaize. Caractérologie : pratique, communication, décision, enthousiasme, gestion.

Blake
Foncé, ou clair (anglais). Masculin anglais. Ce prénom est porté par moins de 100 personnes en France. Caractérologie : fiabilité, ténacité, engagement, méthode, gestion.

Blanc
Clair (germanique). Ce prénom est porté par moins de 30 personnes en France. Formes basques : Blanko, Blanco. Caractérologie : découverte, audace, énergie, originalité, organisation.

Bobby
🎖170
Brillant, gloire (germanique). Masculin anglais. Variantes : Bob, Boby. Caractérologie : autonomie, autorité, innovation, ambition, énergie.

Bogdan
🎖300 **TOP 2000** ➔
Présent de Dieu (slave). Prénom polonais, russe et ukrainien. Variante : Bodhan. Caractérologie : savoir, intelligence, méditation, volonté, réalisation.

Bojan
🎖120
Conflit (tchèque). Prénom slave méridional. Caractérologie : famille, équilibre, sens des responsabilités, influence, exigence.

Bonaventure
🎖120
Chanceux (latin). Caractérologie : diplomatie, sociabilité, analyse, volonté, réceptivité.

Boniface
🎖400
Bonne figure, heureuse destinée (latin). Caractérologie : détermination, autorité, énergie, innovation, raisonnement.

B

325

Borg

Protection du château (scandinave). Ce prénom est porté par moins de 30 personnes en France. Caractérologie : bienveillance, paix, conscience, sagesse, conseil.

Boris
🌟 15 000 **TOP 2000** ⊗

Combattant, guerrier (slave). Boris est très répandu dans les pays slaves et en Roumanie. On peut estimer que moins de 30 enfants seront prénommés ainsi en 2014. Variantes : Borislav, Borris, Borya. Caractérologie : altruisme, réflexion, idéalisme, dévouement, intégrité.

Bosco

Bois (latin). Ce prénom est porté par moins de 100 personnes en France. Caractérologie : rectitude, humanité, organisation, générosité, ouverture d'esprit.

Boualem
🌟 800

Chef, meneur de troupe (arabe). Variantes : Boualam, Bouhalem. Caractérologie : équilibre, famille, sens des responsabilités, gestion, caractère.

Boubacar
🌟 1 000 **TOP 1000** →

Petit chameau (arabe). Variantes : Boubakar, Boubaker. Caractérologie : idéalisme, intégrité, altruisme, organisation, analyse.

Bradley
🌟 1 500 **TOP 700** →

Terrain déboisé (anglais). Masculin anglais. Variantes : Brad, Bradan, Braden, Bradin, Bradleigh, Bradlie, Bradly, Brady. Caractérologie : ténacité, fiabilité, cœur, méthode, réussite.

Brahim
🌟 8 000 **TOP 700** →

Père des nations (hébreu). Variantes : Braham, Brahima, Brahime. Caractérologie : famille, équilibre, sens des responsabilités, exigence, influence.

Brandon
🌟 11 000 **TOP 700** ⊘

Épée, tison (vieux norrois). Ce prénom est parfois usité en tant que variante de Brendan. Brandon est répandu dans les pays anglophones. Variantes : Brandy, Brendon. Caractérologie : détermination, audace, énergie, découverte, volonté.

Branislav

Protection, gloire (slave). Masculin serbe, slovaque, tchèque et slovène. Ce prénom est porté par moins de 100 personnes en France. Caractérologie : habileté, ambition, force, organisation, détermination.

Brayan
🌟 3 000 **TOP 600** ⊗

Puissance, noblesse, respect (celte). Variante : Brayane. Caractérologie : connaissances, sagacité, originalité, spiritualité, décision.

Brendan
🌟 1 500 ⊗

Prince (celte). Ce prénom est parfois usité en tant que variante de Brandon. Masculin irlandais et anglais. On peut estimer que moins de 30 enfants seront prénommés ainsi en 2014. Variante : Brandan. Caractérologie : méthode, ténacité, résolution, engagement, fiabilité.

Brenton

La ville près de la colline (celte). Plus fréquent sous forme de patronyme. Masculin anglais. Ce prénom est porté par moins de 30 personnes en France. Variante : Brent. Caractérologie : sagacité, connaissances, spiritualité, originalité, philosophie.

Brett
🌟 120

Ancien patronyme qui désignait les premiers habitants de Grande-Bretagne. Masculin anglais. Variantes : Bret, Brit. Caractérologie : médiation, relationnel, intuition, adaptabilité, fidélité.

Les prénoms masculins les plus portés aujourd'hui

Les prénoms les plus portés en France ne sont pas ceux qui y sont les plus attribués aujourd'hui. Le tableau ci-dessous nous en fait la démonstration. Ces prénoms sont classés par ordre décroissant, du 1er au 50e prénom le plus porté en 2013.

Les dates entre parenthèses indiquent les années record d'attribution de chaque prénom pour la période de 1900 à 2013.

1. Jean *(1946)*	18. Stéphane *(1971)*	35. Antoine *(1996)*
2. Michel *(1947)*	19. André *(1920)*	36. Marc *(1959)*
3. Philippe *(1963)*	20. Sébastien *(1977)*	37. Maxime *(1992)*
4. Pierre *(1930)*	21. Gérard *(1949)*	38. René *(1920)*
5. Alain *(1950)*	22. Claude *(1936)*	39. Louis *(1920)*
6. Nicolas *(1980)*	23. Pascal *(1962)*	40. Paul *(1920)*
7. Christophe *(1969)*	24. Thierry *(1964)*	41. Romain *(1987)*
8. Patrick *(1956)*	25. Olivier *(1971)*	42. Robert *(1926)*
9. Daniel *(1947)*	26. Thomas *(2000)*	43. Guy *(1947)*
10. Bernard *(1947)*	27. Alexandre *(1995)*	44. Jean-Pierre *(1947)*
11. Christian *(1955)*	28. François *(1963)*	45. Serge *(1952)*
12. Frédéric *(1973)*	29. Didier *(1958)*	46. Franck *(1965)*
13. Jacques *(1946)*	30. Vincent *(1981)*	47. Anthony *(1988)*
14. Laurent *(1970)*	31. Dominique *(1958)*	48. Roger *(1925)*
15. Éric *(1965)*	32. Guillaume *(1984)*	49. Kevin *(1991)*
16. David *(1972)*	33. Bruno *(1963)*	50. Gilles *(1959)*
17. Julien *(1985)*	34. Jérôme *(1974)*	

Jean est le seul prénom masculin qui soit porté par plus d'un million de Français. Porté par plus de 600 000 garçons, **Michel** distance **Philippe**, **Pierre** et **Alain** dans la catégorie des 400 000 individus. De **Nicolas** à **Bruno**, la fréquence des prénoms portés varie dans une tranche de 300 000 à 200 000. Au 50e rang, **Gilles** désigne environ 158 000 Français.

B

327

Briac ⭐ 1 000 TOP 2000 →
Puissance, noblesse, respect (celte). Prénom breton. Caractérologie : gestion, bienveillance, conscience, paix, conseil.

Brian ⭐ 8 000 TOP 2000 ↓
Puissance, noblesse, respect (celte). Brian est un prénom irlandais et anglais. Caractérologie : vitalité, stratégie, achèvement, décision, ardeur.

Brice ⭐ 27 000 TOP 900 ↓
Tacheté, moucheté (celte). Masculin français et anglais. Caractérologie : autorité, innovation, autonomie, ambition, énergie.

Brieg ⭐ 250 ↓
Puissance, noblesse, respect (celte). Prénom breton. Variante : Briag. Caractérologie : curiosité, courage, dynamisme, indépendance, charisme.

Brieuc ⭐ 2 000 TOP 700 →
Puissance, noblesse, respect (celte). Prénom breton. Variante : Brieux. Caractérologie : engagement, fiabilité, méthode, ténacité, sens du devoir.

Brivael
Puissance, respect, prince (celte). Masculin breton. Ce prénom est porté par moins de 100 personnes en France. Caractérologie : paix, détermination, bienveillance, organisation, conscience.

Broderick
Fils de grand gouverneur (gallois). Ce prénom est porté par moins de 30 personnes en France. Caractérologie : structure, volonté, analyse, persévérance, sécurité.

Bronislaw ⭐ 300
Protection, gloire (slave). Prénom polonais. Variantes : Bronislas, Bronislav.

Caractérologie : découverte, énergie, audace, décision, logique.

Bruce ⭐ 2 000 TOP 2000 ↘
Ce prénom est à l'origine un patronyme de lointaine ascendance normande et scandinave. Masculin écossais et anglais. On peut estimer que moins de 30 enfants seront prénommés ainsi en 2014. Caractérologie : ténacité, méthode, engagement, fiabilité, sens du devoir.

Bruno ⭐ 205 000 TOP 1000 ↓
Armure, couleur brune (germanique). Peu commun au Moyen Âge, Bruno est traditionnellement usité pour désigner les enfants aux cheveux bruns ou au teint mat. Un saint originaire de Cologne, fondateur de l'ordre des Chartreux au XIe siècle, illustre ce nom qui deviendra populaire en Allemagne. Il se propage à l'Angleterre mais reste bien rare en France jusqu'à son émergence dans les années 1930. Bruno culmine au 8e rang masculin au début des années 1960. Il connaît une certaine vogue jusqu'à l'aube du troisième millénaire. Variantes : Bruneau, Brunon, Brunot. Caractérologie : indépendance, intelligence, savoir, méditation, raisonnement.

Bryan ⭐ 22 000 TOP 300 ↓
Puissance, noblesse, respect (celte). En dehors de l'Hexagone, Bryan est très répandu en Irlande et dans les pays anglophones. Variante : Bryann. Caractérologie : bienveillance, paix, conscience, conseil, décision.

Bryce ⭐ 450
Tacheté, moucheté (celte). Masculin anglais. Caractérologie : vitalité, achèvement, sympathie, ardeur, stratégie.

B

328

Burak  800 **TOP 2000** ↘
Aux dix mille sources (arménien). Caractérologie : ardeur, vitalité, stratégie, achèvement, organisation.

Byron 450 **TOP 2000** →
Étable (anglais). Caractérologie : intuition, relationnel, adaptabilité, médiation, fidélité.

C

Cadet
Prénom masculin révolutionnaire rendu célèbre grâce à la chanson *Cadet Rousselle* (1792). Ce prénom est porté par moins de 30 personnes en France. Caractérologie : famille, sens des responsabilités, influence, équilibre, organisation.

Caelan
Élancé (irlandais). Ce prénom est porté par moins de 100 personnes en France. Caractérologie : humanité, rêve, générosité, rectitude, tolérance.

Caleb 200 **TOP 2000** ↗
Audacieux (hébreu). Caractérologie : dynamisme, curiosité, courage, indépendance, organisation.

Calhoun
Petit bois (irlandais). Ce prénom est porté par moins de 30 personnes en France. Variante : Colhoun. Caractérologie : réceptivité, bonté, diplomatie, sociabilité, loyauté.

Calixte 1 000 **TOP 900** →
Le plus beau (grec). Variantes : Cali, Calix, Calliste, Callixte. Caractérologie : décision, réceptivité, sociabilité, logique, diplomatie.

Callum
Colombe (latin). Masculin écossais et anglais. Ce prénom est porté par moins de 100 personnes en France. Caractérologie : ambition, passion, habileté, force, management.

Calvin 3 000 **TOP 400** →
Chauve (latin). Calvin est répandu dans les pays anglophones. Caractérologie : savoir, indépendance, méditation, intelligence, décision.

Camel 800
Parfait, achevé (arabe). Variante : Camal. Caractérologie : méditation, indépendance, intelligence, sagesse, savoir.

Cameron 3 000 **TOP 300** →
Nez crochu (écossais). Cameron est répandu en Écosse et dans les pays anglophones. Variantes : Camron, Camerone, Kameron. Caractérologie : volonté, raisonnement, équilibre, sens des responsabilités, famille.

Camil 1 000 **TOP 400** ↑
Jeune assistant de cérémonies (étrusque). Caractérologie : fidélité, intuition, relationnel, médiation, adaptabilité.

Camille 31 000 **TOP 100** ↑
Jeune assistant de cérémonies (étrusque). Voir le zoom dédié à Camille p. 52. Variantes : Camil, Camillo, Camilo, Kamillo. Caractérologie : énergie, innovation, ambition, résolution, autorité.

Candide 130
D'un blanc éclatant (latin). Variante : Candido. Caractérologie : résolution, efficacité, structure, sécurité, persévérance.

C
329

Carl 🌼 4 000 (TOP 800) →

Force (germanique). Carl est très répandu en Allemagne et dans les pays anglophones. C'est aussi un prénom traditionnel alsacien. Forme occitane : Carle. Caractérologie : sagesse, intelligence, méditation, savoir, indépendance.

Carlo 🌼 1 500 ↓

Force (germanique). Carlo est un prénom italien. On peut estimer que moins de 30 enfants seront prénommés ainsi en 2014. Caractérologie : méthode, raisonnement, ténacité, fiabilité, engagement.

Carlos 🌼 10 000 (TOP 2000) →

Force (germanique). Carlos est très répandu dans les pays hispanophones et lusophones. On peut estimer que moins de 30 enfants seront prénommés ainsi en 2014. Variantes : Carles, Carlito. Caractérologie : audace, énergie, découverte, originalité, logique.

Carmelo 🌼 1 000

Vigne divine (hébreu). Variantes : Carmel, Carmello. Caractérologie : sécurité, persévérance, caractère, structure, logique.

Carol 🌼 500

Force (germanique). Masculin anglais. Variantes : Carolus, Caryl. Caractérologie : fiabilité, ténacité, engagement, méthode, logique.

Casimir 🌼 3 000

Assemblée, paix (slave). Masculin russe et slave. On peut estimer que moins de 30 enfants seront prénommés ainsi en 2014. Variantes : Casimiro, Casimo, Kasimir, Kazimir. Caractérologie : ouverture d'esprit, rêve, humanité, rectitude, générosité.

Cassien 🌼 160 (TOP 2000)

Vide (latin). Variantes : Cassian, Cassius. Caractérologie : connaissances, sagacité, spiritualité, originalité, détermination.

Cecil 🌼 160

Aveugle (latin). On rencontre également cette forme masculine anglaise de Cécile avec l'accent aigu. Variantes : Cécilien, Cécilio. Caractérologie : dynamisme, curiosité, courage, indépendance, charisme.

Cédric 🌼 149 000 (TOP 500) ↓

Chef de bataille (anglais). Prénom gallois, anglais et français. Moine anglais au VIIᵉ siècle, saint Cédric évangélisa les Saxons et devint évêque. Fondateur de plusieurs abbayes, il mourut de la peste en soignant les malades qui en étaient infectés. Variantes : Céderic, Cédrique, Cédrix, Cédryc, Ceydric, Sédric. Caractérologie : paix, sagesse, conscience, bienveillance, conseil.

Cédrick 🌼 2 000

Chef de bataille (anglais). Masculin français. On peut estimer que moins de 30 enfants seront prénommés ainsi en 2014. Caractérologie : habileté, force, ambition, passion, management.

Célestin 🌼 4 000 (TOP 400) →

Qui se rapporte au ciel (latin). Variantes : Céleste, Celestino, Colestin. Caractérologie : paix, organisation, bienveillance, résolution, conscience.

Célian 🌼 4 000 (TOP 300) →

Aveugle (latin). Masculin français. Caractérologie : ardeur, détermination, stratégie, achèvement, vitalité.

Célien 🌼 350 (TOP 2000) →

Aveugle (latin). Caractérologie : adaptation, communication, pratique, générosité, enthousiasme.

Célio 🌼 450 (TOP 2000) →

Aveugle (latin). Prénom italien. Caractérologie : stratégie, achèvement, ardeur, vitalité, raisonnement.

Celyan 🌟 550 `TOP 500` ↑
Aveugle (latin). Caractérologie : conseil, paix, bienveillance, conscience, bonté.

Cémil 🌟 140
Beau (arabe). Variantes : Cem, Cemal. Caractérologie : sens des responsabilités, famille, équilibre, influence, exigence.

César 🌟 6 000 `TOP 400` →
Tête aux cheveux longs (latin). En latin, César (ou Cæsar) est le titre honorifique qui désigne les empereurs de l'Empire. Brillant homme d'État romain, Jules César (11-44 avant J.-C.) conquit la Gaule et repoussa les frontières de son empire jusqu'au Rhin. Peu après avoir été nommé consul et dictateur à vie, il fut assassiné par des conspirateurs en plein sénat. C'est Brutus, son protégé, qui l'acheva du 23ᵉ et ultime coup de poignard. Saint César de Bus, le fondateur des Pères de la doctrine chrétienne, porta également ce prénom au XVIIᵉ siècle. En dehors de l'Hexagone, César est particulièrement usité dans les pays hispanophones et au Portugal. Variantes : Césaire, Césare. Caractérologie : dynamisme, audace, direction, indépendance, décision.

Ceylan
Prénom moderne mixte qui désigne le Sri Lanka. Ce prénom est porté par moins de 100 personnes en France. Caractérologie : conseil, conscience, amitié, bienveillance, paix.

Chabane 🌟 250
Se rapporte au huitième mois de l'année lunaire musulmane (arabe). Caractérologie : spiritualité, connaissances, sagacité, finesse, organisation.

Chad 🌟 400 `TOP 2000` ↓
Bataille, guerrier (celte). Masculin anglais. Caractérologie : sagacité, spiritualité, connaissances, originalité, philosophie.

Chadi 🌟 450 `TOP 1000` →
Au chant mélodieux (arabe). Caractérologie : spiritualité, originalité, connaissances, sagacité, philosophie.

Chafik 🌟 550 ↓
Bienveillant (arabe). Caractérologie : intuition, relationnel, médiation, raisonnement, organisation.

Chahine 🌟 1 000 `TOP 500` ↑
Le roi des rois (arabe). Chahine est également un prénom arménien d'origine perse. Variantes : Chahan, Chahin. Caractérologie : pratique, communication, enthousiasme, adaptation, résolution.

Chaï 🌟 130
Un présent (hébreu). Caractérologie : pratique, enthousiasme, communication, générosité, adaptation.

Chaïm
Vie (hébreu). Chaim est assez répandu aux États-Unis et dans les cultures juives. Ce prénom est porté par moins de 100 personnes en France. Variante : Chaym. Caractérologie : méditation, savoir, intelligence, sagesse, indépendance.

Chaker 🌟 160
Reconnaissant (arabe). Variantes : Chakir, Chakour, Chokri, Choukri. Caractérologie : audace, direction, sensibilité, dynamisme, détermination.

Chakib 🌟 850 `TOP 2000` →
Rétribution, don (arabe). Caractérologie : originalité, gestion, connaissances, sagacité, spiritualité.

Chalom 🌟 130
Paix (hébreu). Caractérologie : sagacité, connaissances, spiritualité, philosophie, originalité.

C

331

Cham

Travailleur assidu (vietnamien). Ce prénom est porté par moins de 100 personnes en France. Caractérologie : savoir, intelligence, méditation, indépendance, sagesse.

Chan 110

Explication, exposition (chinois), arbuste aromatique (cambodgien). Nom de famille très courant en Chine. Caractérologie : ambition, management, habileté, passion, force.

Charef 180

De haut rang (arabe). Variantes : Charaf, Charif, Sharif. Caractérologie : découverte, audace, énergie, détermination, raisonnement.

Charlélie 650 →

Contraction de Charles et Élie. Variante : Charlély. Caractérologie : innovation, autorité, énergie, ambition, décision.

Charlemagne 300

Force (germanique). Héritier du royaume de Pépin le Bref, Charlemagne fut roi des Francs de 768 à 814 et empereur d'Occident de 800 à 814. Caractérologie : bienveillance, paix, conscience, réalisation, ressort.

C

332

Charles 100 000 **TOP 200** →

Force (germanique). Au cours des siècles, dix rois de France, sept empereurs d'Allemagne et plusieurs rois anglais, suédois et espagnols ont porté ce nom. Malgré ce passé riche en histoire, Charles est peu répandu avant la Restauration. En 1660, le retour puis le couronnement de Charles II en Angleterre donnent une impulsion au prénom. Lorsque Charles Dickens (1812) et Charles Baudelaire (1821) voient le jour, Charles et ses différentes graphies sont devenus très en vogue en

Europe. En France, ce prénom reste prisé tout au long de la vie de Charles de Gaulle (1890-1970). Il n'a jamais disparu des maternités depuis son repli dans les années 1920. ◇ Issu d'une famille noble italienne, saint Charles fit le choix de vivre pauvrement et d'accomplir sa vocation religieuse. Archevêque de Milan, il soigna lui-même les malades de la peste en 1576. Variantes : Charle, Charlet, Charlot. Formes basques : Karol, Thales. Caractérologie : détermination, communication, pragmatisme, optimisme, créativité.

Charles-Antoine 800

Forme composée de Charles et Antoine. Caractérologie : rêve, rectitude, humanité, finesse, analyse.

Charles-Édouard 1 000 →

Forme composée de Charles et Édouard. Caractérologie : vitalité, achèvement, stratégie, volonté, raisonnement.

Charles-Élie 200

Forme composée de Charles et Élie. Caractérologie : résolution, spiritualité, sagacité, originalité, connaissances.

Charles-Henri 1 500

Forme composée de Charles et Henri. On peut estimer que moins de 30 enfants seront prénommés ainsi en 2014. Caractérologie : pratique, communication, adaptation, enthousiasme, décision.

Charles-Louis 180

Forme composée de Charles et Louis. Caractérologie : connaissances, logique, sagacité, spiritualité, décision.

Charley 1 000

Force (germanique). Caractérologie : sympathie, altruisme, idéalisme, intégrité, ressort.

Charlie 🇫🇷 8 000 (TOP 200) ↑
Force (germanique). Charles Spencer Chaplin, plus connu sous le nom de Charlie Chaplin (1889-1977), est sans doute le plus célèbre des Charlie. Le célèbre acteur et réalisateur britannique a choisi ce prénom alors qu'il venait de percer aux États-Unis. Découvert en France dans les années 1930, Charlie reste longtemps dans l'ombre d'un Charles glorieux. À en juger par son décollage fulgurant, sa patience n'a pas été vaine. Il a supplanté Charles en 2011 et n'a pas fini de faire parler de lui. Au masculin comme au féminin, puisque Charlie est désormais un prénom mixte. On peut estimer qu'il sera attribué à une courte majorité de garçons en France en 2014. Variantes : Charli, Charly. Caractérologie : médiation, relationnel, intuition, fidélité, détermination.

Charly 🇫🇷 16 000 (TOP 200) ↗
Force (germanique). Caractérologie : structure, sécurité, persévérance, efficacité, action.

Cheick 🇫🇷 550 (TOP 2000) ↗
Le maître que l'expérience a rempli de sagesse (arabe). Variantes : Cheik, Cheikh. Caractérologie : enthousiasme, pratique, communication, adaptation, finesse.

Chems 🇫🇷 170
Soleil (arabe). Variantes : Chams, Shams, Shems, Shemsy. Caractérologie : optimisme, pragmatisme, communication, créativité, sociabilité.

Chems-Eddine 🇫🇷 200 (TOP 2000) ↑
Forme composée de Chems et Eddine. Caractérologie : habileté, force, ambition, passion, détermination.

Chérif 🇫🇷 2 000 (TOP 2000)
De haut rang (arabe). On peut estimer que moins de 30 enfants seront prénommés ainsi en 2014. Variantes : Chériff, Sherif. Caractérologie : ténacité, fiabilité, engagement, méthode, logique.

Chi
Nouvelle génération (chinois). Ce prénom est porté par moins de 100 personnes en France. Caractérologie : intuition, médiation, relationnel, adaptabilité, fidélité.

Chiraz
Lion (arménien). Ce prénom est porté par moins de 30 personnes en France. Caractérologie : intuition, relationnel, médiation, fidélité, adaptabilité.

Chrétien 🇫🇷 250
Messie (grec). Très courant au Moyen Âge et à l'époque des croisades, ce prénom délaissé pour Christian n'est plus attribué en France depuis les années 1960. Poète français au XIIe siècle, Chrétien de Troyes écrivit les romans de la Table ronde, œuvre inspirée par des récits médiévaux et les légendes celtes et bretonnes. Caractérologie : direction, indépendance, dynamisme, attention, audace.

Chris 🇫🇷 4 000 (TOP 400) →
Diminutif des prénoms formés avec Chris. Chris est très répandu aux Pays-Bas, dans les pays anglophones et scandinaves. Variante : Chrys. Caractérologie : pratique, communication, enthousiasme, adaptation, générosité.

Christian 🇫🇷 344 000 (TOP 700) ↘
Messie (grec). Sous ses différentes graphies, ce prénom porté par une longue lignée de rois danois apparaît au XVIIe siècle dans plusieurs pays européens. Au début du XXe siècle, il est encore peu connu lorsque Christiane commence sa carrière française. Parti sur les traces de son féminin, Christian connaît le succès et figure, dès le lendemain de la

C

333
......

Seconde Guerre mondiale, dans les 10 premiers rangs masculins. Il restera dans le groupe de tête durant quinze ans, culminant à la 5e place en 1954. Sa gloire est fatale à Chrétien, une forme ancienne du prénom qui disparaît totalement dans les années 1960. ◇ Évangélisateur de la Pologne au XIe siècle, saint Christian fut assassiné avec ses frères moines venus d'Italie. Il est fêté le 12 novembre. Variantes : Christ, Christel, Christiaen, Christien, Christin, Kristian. Caractérologie : relationnel, décision, intuition, attention, médiation.

Christophe 🏴 363 000 TOP 900 ⬇

Porte-Christ (grec). Selon la légende, saint Christophe était un passeur syrien qui aida un enfant à traverser les eaux tumultueuses d'un fleuve. Lorsqu'il découvrit que son passager était le Christ, il se fit baptiser. La notoriété du patron des voyageurs est ancienne : le prénom est recensé dans les pays chrétiens dès le Moyen Âge. Sa fréquence augmente au XVIe siècle grâce à l'exploit de Christophe Colomb (1451-1506), navigateur rendu célèbre par la découverte de l'Amérique. Christophe se fait plus discret au XIXe siècle, mais il revient au siècle suivant dans de nombreux pays occidentaux. En France, il a trôné sur le palmarès masculin de 1967 à 1970 avant de reprendre par deux fois la couronne de Stéphane. Il s'est ensuite maintenu dans les premiers choix jusqu'au début des années 1980. Variantes : Christo, Christobal, Christos, Christy, Chrystophe. Caractérologie : persévérance, sécurité, finesse, analyse, structure.

Christopher 🏴 36 000 TOP 500 ➘

Porte-Christ (grec). Christopher est très répandu dans les pays européens et anglophones. Variantes : Christofer, Chrystopher, Kristofer. Caractérologie : logique, méthode, ténacité, fiabilité, attention.

Ciaran

Brun (irlandais). Ce prénom est porté par moins de 100 personnes en France. Caractérologie : autonomie, autorité, résolution, énergie, ambition.

Clair 🏴 400

Illustre (latin). Masculin français et anglais. Caractérologie : méditation, sagesse, intelligence, savoir, indépendance.

Clancy

Descendant (irlandais). Masculin anglais et irlandais. Ce prénom est porté par moins de 30 personnes en France. Caractérologie : engagement, ténacité, méthode, fiabilité, sympathie.

Clarence 🏴 1 000 TOP 800 ➘

Illustre (latin). Masculin anglais. Variantes : Clarel, Clarens, Claris, Clarius. Caractérologie : sagacité, connaissances, spiritualité, originalité, résolution.

Clark 🏴 160

Secrétaire, clerc (anglais). Caractérologie : humanité, rectitude, organisation, ouverture d'esprit, rêve.

Claude 🏴 289 000 TOP 2000 ➘

Boiteux (latin). Deux empereurs romains portent le nom latin Claudius aux premiers siècles, mais c'est au VIIe siècle que saint Claude, l'évêque de Besançon, fait naître le prénom en Franche-Comté. Claude est alors inexistant et se diffuse très lentement. Une dizaine de siècles lui seront nécessaires pour être finalement connu en France et en Angleterre. Si sa carrière devenue florissante tourne court au XIXe siècle, c'est pour mieux briller au suivant. Au masculin, Claude figure parmi les 10 premiers rangs français de 1930 à 1950. Il s'affichera même troisième à son point culminant (1936). Par comparaison, l'envol de Claude au féminin est resté discret.

CLÉMENT

Fête : 23 novembre

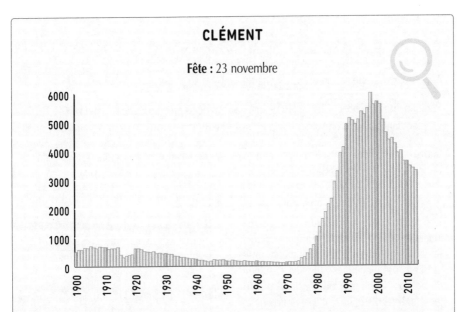

Étymologie : du latin *clemens*, « douceur, bonté ». La renommée de ce prénom, porté par quatorze papes, est immense. Pour autant, Clément n'a jamais connu d'engouement comparable à celui de référents chrétiens qui, tels Jean ou Pierre, prénommèrent tant d'enfants. Boudé en Angleterre et dans les pays anglophones, Clément n'a guère été populaire en France qu'au Moyen Âge. Modestement attribué au XIXe siècle, il s'éclipse une grande partie du siècle suivant avant de renaître dans les années 1990. C'est en devenant le 8e choix préféré des Français en 1998 qu'il obtient son meilleur classement. Malgré son reflux, Clément s'établit au 22e rang du podium aujourd'hui.

Rarissime à l'échelle internationale, Clément est peu attribué dans les pays francophones. Non loin de l'Hexagone, il n'est guère plus visible qu'en Wallonie aujourd'hui. Notons que les attributions de son féminin ont connu une belle amplitude au début du troisième millénaire. On peut anticiper la naissance de plus de 2 000 petites Clémence en France cette année.

Saint Clément de Rome, le premier pape qui porta ce prénom, est le troisième successeur de saint Pierre. C'est à la tête d'une Église encore naissante qu'il écrivit une lettre aux Corinthiens, missive historique qui marqua la première intervention de l'Église de Rome sur une autre Église. Jugé trop influent, saint Clément aurait subi le martyre par noyade sous le règne de Trajan. Il est le patron des bateliers et des marins.

C

335

.../

Clément (suite)

Pape italien, **Clément VII** (1478-1534) est célèbre pour s'être opposé au divorce d'Henri VIII et de Catherine d'Aragon. Il excommunia le roi anglais lorsqu'il se remaria avec sa maîtresse, Anne Boleyn. Cette action est à l'origine du schisme anglican.

Personnalités célèbres : Clément Ader, ingénieur français précurseur de l'aviation (1841-1925); Clément Janequin, compositeur français (1485-1558).

Statistiques : Clément est le 11e prénom masculin le plus donné en France depuis le début du XXIe siècle. On peut estimer qu'il sera attribué à un garçon sur 125 en 2014.

◇ Saint Claude La Colombière, jésuite au XVIIe siècle, confesseur de sainte Marguerite-Marie, est fêté le 15 février. On peut estimer que moins de 30 enfants seront prénommés ainsi en 2014. Variantes : Claudie, Claudien, Claudino, Claudius, Clodius. Caractérologie : audace, direction, indépendance, dynamisme, assurance.

Claudio   1 500 →
Boiteux (latin). Masculin italien, espagnol et portugais. On peut estimer que moins de 30 enfants seront prénommés ainsi en 2014. Caractérologie : réceptivité, sociabilité, diplomatie, raisonnement, loyauté.

Claudius   1 500
Boiteux (latin). On peut estimer que moins de 30 enfants seront prénommés ainsi en 2014. Caractérologie : humanité, rêve, rectitude, générosité, tolérance.

Claudy   1 000
Boiteux (latin). Formes occitanes : Glaudi, Claudi. Formes basques : Kauldi, Klaudi, Klaudio. Caractérologie : pratique, communication, adaptation, réalisation, enthousiasme.

Clayton   350 **TOP 2000** →
Qui habite sur un sol d'argile (anglais). Variante : Clay. Caractérologie : altruisme, idéalisme, organisation, intégrité, bonté.

Cléandre
Homme-lion (grec). Ce prénom est porté par moins de 100 personnes en France. Caractérologie : habileté, ambition, management, passion, détermination.

Clément   142 000 **TOP 50** 🔍 →
Douceur, bonté (latin). Variante : Clémenceau. Forme corse : Clemente. Caractérologie : altruisme, idéalisme, intégrité, réflexion, dévouement.

Clémentin   200 ⬇
Douceur, bonté (latin). Caractérologie : dynamisme, indépendance, curiosité, courage, charisme.

Cléo   400 **TOP 2000** ⬂
Gloire, célébrité (grec). Cleo est recensé dans les pays anglophones. Caractérologie : achèvement, leadership, vitalité, stratégie, ardeur.

Cléon
Gloire, célébrité (grec). Ce prénom est porté par moins de 30 personnes en France. Caractérologie : organisation, sécurité, persévérance, efficacité, honnêteté.

Cléophas
Célébration (grec). Ce prénom est porté par moins de 100 personnes en France. Caractérologie : connaissances, sagacité, spiritualité, cœur, originalité.

Cliff 🎖 200
Falaise (anglais). Masculin anglais. Caractérologie : réflexion, intégrité, altruisme, raisonnement, idéalisme.

Clifford 🎖 170
Ville proche d'une falaise (anglais). Masculin anglais. Caractérologie : indépendance, audace, direction, dynamisme, logique.

Clint
Village sur une colline (anglo-saxon). Ce prénom est porté par moins de 100 personnes en France. Variante : Clinton. Caractérologie : honnêteté, structure, efficacité, persévérance, sécurité.

Clotaire 🎖 1 500 (TOP 2000) ⬆
Gloire, puissance (germanique). Clotaire fut illustré par quatre rois mérovingiens et fut très populaire chez les Francs du Ve au VIIIe siècle. Variante : Clothaire. Caractérologie : réceptivité, sociabilité, diplomatie, raisonnement, détermination.

Clovis 🎖 5 000 (TOP 300) ➡
Illustre au combat (germanique). Clovis, roi des Francs de 481 à 511, se fit baptiser par l'évêque de Reims en 496. Il est considéré comme le premier roi catholique de France. Caractérologie : vitalité, achèvement, ardeur, stratégie, logique.

Clyde 🎖 300 (TOP 2000) ⬆
Qui habite près de la rivière Clyde (celte). Masculin anglais. Caractérologie : persévérance, sécurité, structure, sympathie, efficacité.

Cody 🎖 400 (TOP 2000) ➡
Coussin (anglo-saxon). Masculin anglais. Variante : Coddy. Caractérologie : réceptivité, sociabilité, loyauté, diplomatie, bonté.

Colas 🎖 650 (TOP 2000) ↗
Victoire du peuple (grec). Caractérologie : curiosité, dynamisme, courage, charisme, indépendance.

Colbert 🎖 250
Cou (latin). Plus fréquent sous forme de patronyme. Masculin anglais. Caractérologie : communication, pratique, enthousiasme, adaptation, analyse.

Colby
Ville minière (anglais). Masculin anglais. Ce prénom est porté par moins de 30 personnes en France. Caractérologie : pratique, communication, adaptation, enthousiasme, générosité.

Cole
Mineur (anglais). Masculin anglais. Ce prénom est porté par moins de 100 personnes en France. Variantes : Coleman, Colman. Caractérologie : rêve, rectitude, humanité, volonté, ouverture d'esprit.

Colin 🎖 5 000 (TOP 400) ➡
Victoire du peuple (grec). En dehors de l'Hexagone, Colin est répandu en Écosse et dans les pays anglophones. Variante : Collin. Forme basque : Kolin. Caractérologie : habileté, ambition, force, raisonnement, passion.

Colomban 🎖 170 (TOP 2000)
Colombe (latin). Prénom corse. Caractérologie : organisation, optimisme, communication, pragmatisme, volonté.

Côme 🎖 6 000 (TOP 200) ➡
Univers (grec). Prénom français. Médecin syrien au IIIe siècle, saint Côme consacra sa vie à soigner les pauvres avant d'être condamné au martyre par Lysias, le gouverneur de la région. Il est le patron des médecins. Caractérologie : rêve, humanité, rectitude, tolérance, volonté.

C

337

Conogan

Blanc, courage (celte). Masculin breton. Ce prénom est porté par moins de 30 personnes en France. Caractérologie : amitié, conseil, conscience, paix, bienveillance.

Conrad 🌟 450 ➡

Conseiller courageux (germanique). Masculin allemand. Variantes : Conrado, Corado. Caractérologie : dynamisme, volonté, direction, raisonnement, audace.

Constant 🌟 5 000 (TOP 800) ➡

Constant (latin). Masculin français. Variante : Constans. Caractérologie : intelligence, savoir, indépendance, gestion, méditation.

Constantin 🌟 2 000 (TOP 600) ➡

Constant (latin). De nombreux empereurs d'Orient, plusieurs saints et un pape ont porté ce prénom. Le 21 mai célèbre saint Constantin 1er le Grand, le plus célèbre d'entre eux. Celui-ci imposa le christianisme à son empire après s'être converti en 313. En renommant Byzance Constantinople (« la ville de Constantin »), il dota l'Empire romain d'une seconde capitale. Ce prénom est particulièrement répandu en Bulgarie, en Russie et en Roumanie. Variantes : Costa, Constantino, Costantino. Caractérologie : communication, pragmatisme, optimisme, résolution, analyse.

Corentin 🌟 52 000 (TOP 200) ↘

Ami (celte). Masculin français. Variantes : Coranthin, Corantin, Corentyn. Caractérologie : achèvement, vitalité, stratégie, raisonnement, ardeur.

Corneille 🌟 140

Cornu, corneille (latin). Variantes : Cornelis, Cornelius, Cornely, Cornil, Korneli. Caractérologie : adaptation, communication, pratique, enthousiasme, analyse.

Corto 🌟 500 ↘

Petit (latin). Masculin espagnol. Caractérologie : force, ambition, habileté, passion, raisonnement.

Corwin

Ami intime (anglais). Masculin anglais. Ce prénom est porté par moins de 100 personnes en France. Variantes : Corwinn, Corwyn, Corwynn. Caractérologie : énergie, autorité, innovation, raisonnement, ambition.

Cory 🌟 140

Ravin, crevasse (irlandais). Variante : Corey. Caractérologie : savoir, méditation, logique, indépendance, intelligence.

Cosme 🌟 200 ↗

Univers (grec). Variante : Cosma. Caractérologie : innovation, autorité, volonté, ambition, énergie.

Court

Cour de justice (anglais). Ce prénom est porté par moins de 30 personnes en France. Variantes : Courte, Courtlin. Caractérologie : courage, dynamisme, curiosité, indépendance, analyse.

Craig 🌟 160

Rocher (gallois). Ce prénom gallois est usité dans les pays anglophones. Caractérologie : diplomatie, loyauté, réceptivité, bonté, sociabilité.

Crépin 🌟 200

Crépu (latin). Forme occitane : Crispin. Caractérologie : relationnel, intuition, médiation, fidélité, cœur.

Crescent 🌟 140

Croître (latin). Variante : Crescence. Caractérologie : paix, bienveillance, organisation, conscience, détermination.

C

338

Cristian 🦃 250 ➡
Messie (grec). Variantes : Cristiano, Christiano, Cristino. Forme occitane : Crestian. Caractérologie : pratique, communication, gestion, décision, enthousiasme.

Cristiano 🦃 650 **TOP 1000** ↘
Messie (grec). Masculin italien et portugais. Caractérologie : rectitude, humanité, raisonnement, générosité, ouverture d'esprit.

Cristobal 🦃 250
Porte-Christ (grec). Prénom espagnol. Caractérologie : rêve, rectitude, humanité, gestion, logique.

Cristophe 🦃 180
Porte-Christ (grec). Variantes : Cristofe, Cristopher, Cristovao. Caractérologie : découverte, énergie, attention, audace, logique.

Curt
Enclos (latin). Masculin anglais. Ce prénom est porté par moins de 100 personnes en France. Caractérologie : ambition, passion, habileté, force, management.

Curtis 🦃 1 500 **TOP 500** ↗
Enclos (latin). Masculin anglais. Variante : Kurtis. Caractérologie : idéalisme, altruisme, réflexion, organisation, intégrité.

Cyprien 🦃 7 000 **TOP 500** ↓
Qui vient de Chypre (grec). Variantes : Ciprian, Ciprien, Cipriano, Cyprian, Cypriano. Caractérologie : idéalisme, altruisme, amitié, intégrité, réflexion.

Cyr 🦃 350
Seigneur (grec). Caractérologie : ambition, autorité, innovation, énergie, autonomie.

Cyrano
Habitant de Cyrène, ancienne ville grecque. Cyrano est également le prénom du héros romantique de *Cyrano de Bergerac*, pièce de théâtre d'Edmond Rostand (1897). Ce prénom est porté par moins de 100 personnes en France. Caractérologie : ténacité, fiabilité, méthode, amitié, raisonnement.

Cyrian 🦃 450 **TOP 2000** ↘
Seigneur (grec). Caractérologie : intelligence, savoir, méditation, décision, cœur.

Cyriaque 🦃 1 500 **TOP 2000** ➡
Seigneur (grec). On peut estimer que moins de 30 enfants seront prénommés ainsi en 2014. Variantes : Cyriac, Cyrius. Forme basque : Ziriako. Caractérologie : humanité, rectitude, cœur, action, rêve.

Cyriel 🦃 160
Seigneur (grec). Caractérologie : idéalisme, altruisme, réflexion, intégrité, cœur.

Cyril 🦃 86 000 **TOP 500** ↘
Seigneur (grec). En dehors de l'Hexagone, Cyril est répandu dans les pays anglophones. Caractérologie : persévérance, structure, honnêteté, sécurité, efficacité.

Cyrille 🦃 33 000 ↓
Seigneur (grec). Masculin français. On peut estimer que moins de 30 enfants seront prénommés ainsi en 2014. Variantes : Ciryl, Cyrile. Caractérologie : communication, pragmatisme, optimisme, cœur, créativité.

Cyrus 🦃 250 ↘
Seigneur (grec), soleil (persan). Cyrus II le Grand, fondateur de l'Empire perse, vécut au VIe siècle avant J.-C. Variantes : Cyrius, Sirius, Syrius. Caractérologie : courage, dynamisme, indépendance, charisme, curiosité.

Czeslaw 🦃 750
Gloire immense (slave). Prénom polonais. Variantes : Ceslas, Ceszlaw. Caractérologie : rectitude, rêve, humanité, ouverture d'esprit, générosité.

C

339

Les prénoms qui montent et perles rares

Qu'on le veuille ou non, la mode influence la façon dont nous prénommons nos enfants. Tel un baromètre qui prédit le temps, elle désigne les prénoms les plus tendance, et par défaut ceux qui le sont le moins. Source d'inspiration pour les uns, elle est aussi indispensable aux parents qui souhaitent attribuer un prénom original ou à contre-courant.

Les choix de prénoms rares ne dérogent pas à cette emprise invisible. De nombreuses variantes profitent du succès de leurs homophones pour faire carrière (exemples : Noa, Lukas, Ema, Cloé, etc.). Il en va de même pour les inventions qui fusionnent les syllabes de plusieurs prénoms à la fois, mais dont les désinences restent guidées par la mode. Évaëlle et Manoé constituent des créations uniques, mais leur terminaison les rend presque immédiatement familiers. Quelques nouveautés parviennent à se démarquer. C'est le cas de Zéphyr, Florin, Élissandre, Lilwenn ou Auxane qui jouent sur des répertoires de sonorités peu communes. Mais ce phénomène de distinction n'est-il pas lui-même devenu « branché » ?

Difficile donc d'échapper à la mode... Heureusement que celle-ci laisse une place à la créativité ! La marmite des prénoms de demain mitonne bien des saveurs, voyons d'un peu plus près les tendances qui s'en dégagent.

Les prénoms en forte croissance dans le top 100

Cette année, les étoiles filantes du top 100 affichent une certaine diversité dans les deux genres. Ainsi, Léonie, Lily, Inaya, Éléna, Emy, Mélina, Adèle, Mila, Apolline, Victoire, Léana, Olivia et Zélie composent un bel ensemble polyphonique. Dans le top 100 masculin, Gabin, Liam, Aaron, Robin, Naël, Rafaël, Camille, Ismaël, Éden, Léon, Owen, Nino, Naël, Ibrahim, Loan, Ruben et Soan ont enregistré les plus fortes progressions. Bon nombre d'entre eux pourraient s'imposer dans le top 20 français dans les prochaines années.

Les prénoms de demain

Dans le top 200, Naïm, Nathanaël, Leandro, Maé, Imran, Charlie, Isaac, Léandre, Lucien, Ezio, Sohan, Amaury, Sandro, Enaël, Lisandro et Tim filent à vive allure. Ils ambitionnent une percée dans le top 100, tout comme leurs concurrentes féminines Stella, Séléna, Mia, Charlie, Nour, Romy, Sasha, Izia, Livia, Maély, Naïla, Giulia, Soline, Hanaé, Inna, Lexie et Ava.

Dans le même temps, des graines de star s'élèvent dans le top 300. Les plus brillantes ont été classées ci-dessous, par ordre décroissant d'attribution estimé pour 2014 :

Filles : Nélia, Lilwenn, Joy, Lilya, Naëlle, Nélia, Naomi, Ana, Emmie, Asma, Kiara, Elyne, Kélia, Syrine, Louison, Ashley, Hanna, Eloane, Shanna, Line, Tiana, Yuna, Joyce, Leia, Alessia, Nola.

Garçons : Milan, Issa, Marley, Jaden, Timaël, Abel, Elio, Alessio, Lenzo, Arsène, Lenzo, Lino, Tao, Issam, Soren, Auguste, Louca, Kamil, Livio, Joachim, Marcus, Tino, Eloane, Giulian.

.../

Les prénoms qui montent et perles rares *(suite)*

Les choix originaux

En voilà des petits noms que l'on ne rencontre pas si souvent. Dans l'air du temps, ces derniers ne devraient pas être attribués à plus de 500 enfants en 2014 :

Filles : Aela, Aglaé, Aliette, Amaia, Amira, Anthéa, Athénaïs, Blanche, Chanel, Eleanor, Éloane, Énéa, Erin, Évane, Fantine, Flavia, Guillaumette, Iliana, Janelle, June, Kelya, Léanne, Léonise, Lia, Lilas, Liséa, Loann, Lorie, Louison, Madeleine, Maena, Maïna, Maiwen, Mayane, Naïs, Naëlle, Paola, Shaïma, Sherine, Shirel, Sila, Summer, Taïna, Talia, Tia, Tya, Ylona, Yuna.

Garçons : Adriel, Aramis, Arthus, Auxence, Dario, Dayan, Eliel, Élio, Erwann, Etan, Évane, Flavio, Gad, Gianni, Grégoire, Hippolyte, Horace, Iban, Imanol, Jad, Jibril, Kenan, Kévan, Léo-Paul, Lilio, Lior, Loïs, Loric, Louan, Lubin, Maceo, Manoa, Mao, Marco, Matisse, Maxim, Mel, Paco, Paolo, Sam, Siméon, Solal, Soren, Swan, Tao, Thélio, Théotime, Timaël, Ulysse, Yoni.

Les perles rares

Trésors cachés à découvrir, ces prénoms devraient être attribués à moins de 100 Français(es) en 2014 :

Filles : Adria, Aelis, Aelle, Aéris, Aéryn, Airelle, Alna, Amalys, Ambérine, Auxane, Aventine, Chloris, Cyprielle, Déotille, Dulcie, Éolia, Euphémie, Eurélie, Eurielle, Evana, Fara, Gala, Iana, Imaé, Laelia, Laïa, Laora, Laudine, Lénora, Lis, Lune, Mai-Li, Moa, Naïg, Néva, Orama, Oria, Oxane, Philae, Poema, Rhéane, Rosanne, Séraphine, Sohanne, Soléa, Soléane, Tanaïs, Teora, Téoxanne, Thara, Théoline, Théonie, Théotine, Tyana, Uma, Xana, Ysalis, Zazie.

Garçons : Abriel, Aden, Alphée, Amiel, Antime, Audoin, Aumaric, Aventin, Bosco, Cassien, Ciaran, Cléon, Cosme, Cyriel, Daegan, Dao, Edgard, Eliad, Élior, Éole, Étane, Ferréol, Gamiel, Gian, Helory, Iago, Joao, Kéo, Kolia, Laël, Laelien, Laurys, Lemuel, Léonor, Léopaul, Lilien, Lilo, Manao, Olan, Orion, Orso, Paol, Priam, Rodin, Teoman, Téophile, Octavien, Orens, Roan, Suliac, Télio, Thao, Ugolin, Virginien, Yoram, Zéphyr.

La génération 2000

Nés dans les années 2000 en France, ces jeunes prénoms grandissent au fil des saisons :

Filles : Aéva, Anaya, Arwen, Arya, Azia, Blue, Écrin, Éléonie, Éliséa, Elouane, Érelle, Flores, Framboise, Hadria, Iloa, Inaïa, Inoa, Izzie, Lally, Laurella, Laya, Léolia, Léonella, Lillie, Lilo, Lilwenn, Linoa, Lisanne, Liséa, Lissia, Lizéa, Lomane, Lou-Éva, Maelyn, Mailey, Manoli, Maoline, Maonie, Meï, Mélana, Naëlys, Nany, Nao, Naoline, Nela, Neya, Nova, Nymphéa, Oliane, Ona, Orchidée, Rihanna, Ryane, Shai, Shanya, Sohane, Tahira, Thana, Xana.

C

341

....

.../

Les prénoms qui montent et perles rares *(suite)*

Garçons : Agenor, Alonzo, Darian, Diango, Dolan, Édan, Eloïm, Elouane, Elvio, Énaël, Ethane, Éthaniel, Évence, Faust, Gilane, Guerlain, Iloan, Jaden, Joah, Kaylan, Kéane, Kéoni, Lenzo, Lilo, Lilouan, Loevan, Lolan, Maelo, Maho, Manao, Manéo, Manoa, Mathéis, Maxent, Mayan, Mayas, Milhane, Milio, Nathéo, Nikos, Pharell, Reyane, Théliau, Thelo, Thémis, Théoden, Théossian, Tilian, Tilio, Timaël, Tinéo, Ylian.

D

Daegan

Journée lumineuse (scandinave). Ce prénom est porté par moins de 30 personnes en France. Caractérologie : dynamisme, courage, curiosité, indépendance, réalisation.

Daël

Vallée (vieil anglais). Ce prénom est porté par moins de 100 personnes en France. Caractérologie : ténacité, fiabilité, méthode, sens du devoir, engagement.

Dagan

Dieu des Semences et de l'Agriculture des populations sémitiques du Nord-Ouest, Dagan fut notamment révéré par les Philistins. Dagan signifie « grains » en hébreu. Ce prénom est porté par moins de 100 personnes en France. Variantes : Daeg, Dag, Dagane, Dagen. Caractérologie : rêve, humanité, rectitude, réalisation, ouverture d'esprit.

Dale

Vallée (vieil anglais). Masculin anglais. Ce prénom est porté par moins de 100 personnes en France. Caractérologie : structure, sécurité, persévérance, honnêteté, efficacité.

Daley

Fils de l'assemblée (irlandais). Ce prénom est porté par moins de 30 personnes en France.

Caractérologie : relationnel, réussite, médiation, cœur, intuition.

Dalil 🌟 900 (TOP 1000) →

Guide (arabe). Caractérologie : diplomatie, sociabilité, réceptivité, bonté, loyauté.

Dalmar

Mer (latin). Ce prénom est porté par moins de 30 personnes en France. Caractérologie : fiabilité, ténacité, sens du devoir, méthode, engagement.

Damian 🌟 750 (TOP 700) ↑

Dompter (grec). Masculin anglais, roumain et néerlandais. Variante : Damiano. Caractérologie : conseil, bienveillance, paix, décision, conscience.

Damien 🌟 122 000 (TOP 300) ↓

Dompter (grec). Prénom français. Médecin syrien au IIIe siècle, saint Damien consacra sa vie à soigner les pauvres avant d'être condamné au martyre par Lysias, le gouverneur de la région. Il est le patron des médecins. Variantes : Damiens, Damon. Caractérologie : autorité, innovation, ambition, énergie, décision.

Damon 🌟 170 (TOP 2000)

Dompter (grec). Damon et Pythias symbolisent le lien indéfectible de l'amitié. Au Ve siècle avant J.-C., lorsque Pythéas fut condamné à mort par Denys le Jeune, le tyran de Syracuse, Damon se porta garant de Pythéas en l'absence de ce dernier. Il était sur le point d'être supplicié lorsque Pythéas apparut. Damon voulut mourir à la place de son ami et le combat qui s'ensuivit émut tant le tyran qu'il renonça à sa sentence en échange de leur amitié. Cette forme anglophone de Damien est plus particulièrement répandue aux États-Unis. Caractérologie : adaptabilité, relationnel, volonté, fidélité, médiation.

Dan
4 000 TOP 600

Dieu est mon juge (hébreu). Dan est très répandu dans les pays anglophones. Personnage biblique, Dan est le patriarche de la tribu des Danites, l'une des douze tribus d'Israël. Variantes : Dane, Dann. Caractérologie : direction, audace, indépendance, dynamisme, assurance.

Danaos

Dans la mythologie grecque, Danaos est choisi par les dieux pour devenir roi d'Argos. Ce prénom est porté par moins de 30 personnes en France. Caractérologie : caractère, volonté, intégrité, réflexion, dévouement.

Danick
130

L'étoile du matin (slave). Caractérologie : conscience, organisation, paix, bienveillance, détermination.

Daniel
345 000 TOP 200

Dieu est mon juge (hébreu). Un prophète de la Bible et plusieurs saints ont, dès les premiers siècles, popularisé ce nom dans l'Empire romain d'Orient. À la fin du Moyen Âge, Daniel devient assez fréquent dans les pays chrétiens, y compris slaves, se maintenant avec constance jusqu'au début du XIXe siècle. À l'issue d'une période de décrue, ce prénom rejaillit et brille sur la troisième marche du podium français en 1946. Il reste ensuite très attribué jusqu'au milieu des années 1970. ◊ L'Ancien Testament présente Daniel comme l'un de ses quatre grands prophètes. Lorsqu'il est capturé par Nabuchodonosor, le roi de Babylone, il ne reste pas longtemps son prisonnier : ses visions divines et sa faculté d'expliquer les songes en font rapidement l'un de ses plus proches conseillers. ◊ Prêtre solitaire, saint Daniel le Styliste vécut en Asie Mineure au Ve siècle. Il est fêté le 11 décembre. Variantes : Danaël, Danijel, Danilo, Danillo, Danyl. Caractérologie : intégrité, idéalisme, réflexion, altruisme, résolution.

Danny
2 000 TOP 800 →

Dieu est mon juge (hébreu). Masculin anglais. Caractérologie : persévérance, structure, sécurité, efficacité, réalisation.

Dante
500 TOP 2000 →

Endurant (latin). Prénom italien. Variante : Dantes. Caractérologie : ambition, habileté, management, force, passion.

Danton

Nom de l'homme politique français (1759-1794). Ce prénom est porté par moins de 30 personnes en France. Caractérologie : courage, curiosité, dynamisme, caractère, indépendance.

Dany
16 000 TOP 500 →

Dieu est mon juge (hébreu). Masculin français. Variante : Dani. Caractérologie : achèvement, vitalité, réussite, stratégie, ardeur.

Dao

Philosophies (vietnamien). Ce prénom est porté par moins de 100 personnes en France. Caractérologie : intuition, relationnel, médiation, fidélité, adaptabilité.

Daoud
600 TOP 2000 ↗

Forme arabe de David : aimé, chéri (hébreu). Caractérologie : rêve, rectitude, générosité, humanité, ouverture d'esprit.

Daouda 🌟 900 **TOP 2000** ↗
Forme africaine de David : aimé, chéri (hébreu). Caractérologie : innovation, autorité, énergie, ambition, autonomie.

Dara 🌟 150
Chêne (celte), perle de sagesse (hébreu), étoile (cambodgien), chef (turc), riche (persan), beau (swahili). Caractérologie : bienveillance, conscience, paix, conseil, sagesse.

Darcy
Homme au teint mat (irlandais). Ce prénom anglophone masculin est également attribué aux filles dans l'Hexagone. Variante : Darcie. Caractérologie : bienveillance, conscience, réussite, paix, conseil.

Darian
Détenteur du bien (grec). Masculin anglais. Ce prénom est porté par moins de 100 personnes en France. Caractérologie : résolution, intuition, fidélité, adaptabilité, médiation.

Dario 🌟 1 500 **TOP 500** ↑
Détenteur du bien (latin). Dario est un prénom italien. Caractérologie : relationnel, intuition, adaptabilité, médiation, fidélité.

Darius 🌟 950 **TOP 900** ↗
Détenteur du bien (latin), ou forme latine du perse antique Daraya-Vahu qui signifie « riche protecteur ». Trois rois perses ont porté ce prénom. Darius Ier, l'un des plus grands souverains de l'Asie occidentale, était d'une énergie et d'une intelligence vives. Il reconstitua l'unité de l'Empire perse et la légua à son fils Darius II. Vaincu par Alexandre, son petit-fils, Darius III, fut le dernier descendant des Achéménides. Caractérologie : humanité, tolérance, rectitude, rêve, générosité.

Daron
Nom d'une province historique d'Arménie (arménien). Ce prénom est porté par moins de 100 personnes en France. Caractérologie : connaissances, sagacité, spiritualité, détermination, volonté.

Darren 🌟 700 **TOP 700** ↗
Grand (irlandais). Masculin anglais. Variante : Daren. Caractérologie : famille, résolution, équilibre, influence, sens des responsabilités.

Daryl 🌟 950 **TOP 2000** ↘
Aimé (anglo-saxon). Masculin anglais. Variantes : Darrel, Darryl. Caractérologie : équilibre, famille, influence, sens des responsabilités, réalisation.

Dave 🌟 1 000 ↓
Aimé, chéri (hébreu). Masculin anglais. Caractérologie : dynamisme, curiosité, courage, charisme, indépendance.

David 🌟 299 000 **TOP 200** →
Aimé, chéri (hébreu). Dans l'Ancien Testament, David est célèbre pour avoir terrassé le géant Goliath avec sa fronde, mettant un terme à la guerre qui opposait les Philistins à l'armée d'Israël. Cet épisode biblique a inspiré les œuvres de Michel-Ange, Titien et bien d'autres artistes. David est très répandu dans les pays anglophones depuis le Moyen Âge, notamment en Écosse qui a compté deux rois porteurs du nom. Malgré sa notoriété, ce prénom est rare avant le milieu du xxe siècle en France. Il rencontre un fort engouement une fois redécouvert, s'illustrant dans les 5 premiers rangs français tout au long des années 1970. On rencontre David et ses variantes (Daoud, Davud, Davo, Davut, etc.) dans le monde entier. ◊ Jeune berger dans

l'Ancien Testament, David se distingue à la cour du roi grâce à ses talents de poète et de musicien hors pair. Il épouse la fille du roi Saül, et s'il commet l'adultère avec Bethsabée, son repentir n'en fut pas moins exemplaire. Devenu roi, David rassemble les Hébreux et leur offre Jérusalem pour capitale. Variantes : Daivy, Deve. Caractérologie : engagement, ténacité, méthode, sens du devoir, fiabilité.

Davide 550 ➡
Aimé, chéri (hébreu). Caractérologie : rêve, ouverture d'esprit, rectitude, décision, humanité.

Davis 🌟 250 ⬆
Fils de David (anglais). Plus courant sous forme de patronyme anglophone. Variantes : Davidson, Davison. Caractérologie : direction, dynamisme, audace, assurance, indépendance.

Davor
Amour (slave). Masculin croate, serbe et slovène. Ce prénom est porté par moins de 100 personnes en France. Caractérologie : équilibre, affection, conseil, conscience, volonté.

Davut 🌟 160
Aimé, chéri (hébreu). Prénom suisse allemand. Caractérologie : audace, énergie, originalité, gestion, découverte.

Davy 🌟 9 000 (TOP 2000) ⬊
Aimé, chéri (hébreu). Caractérologie : sagacité, connaissances, spiritualité, réussite, originalité.

Dawson 950 (TOP 2000) ➡
Aimé, chéri (hébreu). La série *Dawson*, diffusée sur TF1 en 1999, est à l'origine de l'apparition de ce prénom. Variante : Dowson. Caractérologie : efficacité, persévérance, sécurité, structure, caractère.

Dayan 600 (TOP 800) ↗
Juge (hébreu). Variante : Dayane. Caractérologie : humanité, rectitude, générosité, réalisation, ouverture d'esprit.

Dean 🌟 500 (TOP 2000) ⬆
Vallée ou doyen (vieil anglais). Masculin anglais et néerlandais. Caractérologie : exigence, influence, famille, équilibre, sens des responsabilités.

Delane
Enfant de rival (irlandais). Ce prénom est porté par moins de 30 personnes en France. Variantes : Delaine, Delainey, Delan, Delaney, Delano, Delayno. Caractérologie : découverte, énergie, audace, séduction, originalité.

Delmar
Mer (latin). Masculin anglais. Ce prénom est porté par moins de 30 personnes en France. Variantes : Delmor, Delmore. Caractérologie : habileté, passion, force, détermination, ambition.

Delphin 🌟 600
Dauphin (latin). Delphin est un prénom anglophone rare. Bien qu'il soit relativement répandu en Belgique, le dérivé masculin Delphe est rarissime en France. Variante : Dauphin. Forme basque : Delfin. Caractérologie : audace, énergie, découverte, cœur, action.

Demba 1 000 (TOP 2000) ➡
Prénom sénégalais dont la signification est inconnue. Caractérologie : sagacité, connaissances, philosophie, originalité, spiritualité.

Démétrien
Amoureux de la terre (grec). Ce prénom est porté par moins de 30 personnes en France. Caractérologie : sociabilité, créativité, optimisme, pragmatisme, communication.

Denis 🎏 130 000 **TOP 700** →
Fils de Dieu (grec). Dieu du Vin dans la mythologie grecque, Dionysos donne des racines anciennes à ce prénom. Porté par un saint du IIIe siècle et attesté au Moyen Âge, Denis s'implante outre-Manche sous le règne de Guillaume le Conquérant. Il y devient assez fréquent et maintient son niveau d'occurrences jusqu'au XVIIe siècle. Son essor français est bien plus tardif : Denis monte aux portes du top 20 dans les années 1960 et prénomme plus de 1 000 nouveau-nés par an jusqu'en 1979. ◇ Missionnaire en Gaule au IIIe siècle, saint Denis fut le premier évêque de Paris. L'empereur Domitien le jugea trop influent et le fit décapiter sur le mont des Martyrs (aujourd'hui connu sous le nom de Montmartre). Saint Denis est le patron de la France. Caractérologie : bienveillance, paix, conseil, détermination, conscience.

Deniz 🎏 950 **TOP 2000** →
Fils de Dieu (grec). Caractérologie : structure, sécurité, persévérance, efficacité, honnêteté.

Denovan 🎏 250 **TOP 2000** ↗
Puissant gouverneur (celte). Masculin anglais. Caractérologie : pratique, communication, adaptation, caractère, enthousiasme.

346

Denys 🎏 1 000 **TOP 2000** ↘
Fils de Dieu (grec). Variantes : Dennis, Deny, Dennys. Caractérologie : méthode, fiabilité, engagement, ténacité, réalisation.

Derek 🎏 350 **TOP 2000** ↑
Gouverneur du peuple (germanique). Masculin anglais. Variantes : Darrick, Darrik, Darryk, Dereck, Derrick. Caractérologie : savoir, intelligence, indépendance, méditation, sagesse.

Désiré 🎏 5 000 ↓
Désiré (latin). On peut estimer que moins de 30 enfants seront prénommés ainsi en 2014. Variantes : Désir, Désirat. Caractérologie : conseil, paix, bienveillance, détermination, conscience.

Desmond
Homme du monde (celte). Masculin anglais et irlandais. Ce prénom est porté par moins de 100 personnes en France. Caractérologie : réceptivité, diplomatie, sociabilité, caractère, loyauté.

Devin
Poète (gaélique). Ce prénom est porté par moins de 100 personnes en France. Caractérologie : idéalisme, intégrité, réflexion, dévouement, altruisme.

Devon 🎏 350 **TOP 900** ↑
Dérivé de Devin, essentiellement féminin en Irlande et dans les pays anglophones. Variante : Davon. Caractérologie : conscience, bienveillance, paix, conseil, volonté.

Devrig
Petit cours d'eau (gallois). Ce prénom est porté par moins de 100 personnes en France. Caractérologie : relationnel, médiation, intuition, fidélité, adaptabilité.

Devy 🎏 250 →
Aimé, chéri (hébreu). Variante : Dewi. Caractérologie : médiation, relationnel, intuition, fidélité, adaptabilité.

Dewitt
Blanc (néerlandais). Porté aussi sous forme de patronyme. Ce prénom est porté par moins de 30 personnes en France. Caractérologie : rectitude, rêve, humanité, ouverture d'esprit, générosité.

Diango

Prénom malien dont la signification est inconnue. Ce prénom est porté par moins de 100 personnes en France. Variante : Django. Caractérologie : volonté, réussite, indépendance, curiosité, charisme.

Dick

Puissant gouverneur (germanique). Ce prénom est porté par moins de 100 personnes en France. Variante : Dix. Caractérologie : rectitude, ouverture d'esprit, rêve, humanité, générosité.

Didier 🌟 218 000 ⊙

Désiré, attendu (latin). Bien qu'il ait donné son nom à plusieurs saints et à de nombreuses communes françaises, Didier a été peu attribué par le passé. Il s'élance comme une nouveauté au début des années 1940, au point d'atteindre le 7ᵉ rang à son pic (en 1958). Il reste quelque temps dans l'élite avant de s'éclipser en fin de siècle. ◇ Archevêque de Vienne au VIIᵉ siècle, saint Didier fut assassiné sur l'ordre de la reine Brunehaut. La population scella son crime à jamais en bâtissant la commune de Saint-Didier-de-Chalarone autour du tombeau de l'archevêque. Il est fêté le 23 mai. On peut estimer que moins de 30 enfants seront prénommés ainsi en 2014. Variante : Diadie. Caractérologie : persévérance, sécurité, structure, efficacité, honnêteté.

Diego 🌟 12 000 (TOP 100) ➔

Supplanter, talonner (hébreu). Cette forme espagnole de Jacques est très répandue dans les pays hispanophones. Variante : Diegue. Caractérologie : sécurité, structure, persévérance, volonté, efficacité.

Dieter 🌟 160

Gouverneur du peuple (germanique). Masculin allemand. Caractérologie :

spiritualité, sagacité, connaissances, originalité, philosophie.

Dietmar

Peuple célèbre (germanique). Masculin allemand. Ce prénom est porté par moins de 30 personnes en France. Caractérologie : connaissances, spiritualité, originalité, résolution, sagacité.

Dietrich

Gouverneur du peuple (germanique). Masculin allemand. Ce prénom est porté par moins de 100 personnes en France. Variante : Diebold. Caractérologie : méthode, fiabilité, ténacité, engagement, sensibilité.

Dilan 🌟 1 000 (TOP 2000) ⬂

Mer (gallois). Variantes : Dillan, Dilane, Dilhan. Caractérologie : méthode, fiabilité, ténacité, engagement, résolution.

Dimitri 🌟 36 000 (TOP 300) ⬂

Amoureux de la terre (grec). Dimitri est très répandu en Russie, en Italie, en Serbie et dans les pays slaves. Variantes : Dimitrios, Dimitris. Caractérologie : innovation, énergie, autorité, ambition, autonomie.

Dimitry 🌟 1 500 (TOP 2000) ⊙

Amoureux de la terre (grec). Masculin anglais. On peut estimer que moins de 30 enfants seront prénommés ainsi en 2014. Caractérologie : habileté, force, ambition, management, passion.

Dinh 🌟 110

Nom de famille répandu au Vietnam (vietnamien). La famille des Dinh a été à la tête de la dynastie du même nom. Caractérologie : achèvement, ardeur, vitalité, leadership, stratégie.

D

347

Les sonorités d'aujourd'hui et de demain

Penchons-nous sur les sons, les rythmes et les parcours empruntés par les prénoms dont la gloire est confirmée ou dont l'existence est à découvrir. En s'imposant dans le top 20 français, Maël, Adam, Sacha et Timéo ont diversifié l'éventail des sonorités les plus en vue. Par contraste, leur (petite) taille est remarquablement homogène : ces prénoms s'égrènent pour la plupart en deux syllabes et en moins de six lettres. Diminutifs (Sacha, Théo), importés (Enzo, Lola, Yanis), bibliques (Nathan, Noah) ou rétro (Léo, Jules), ces minimalistes triomphent sous toutes les formes. Tour d'horizon des sonorités dans l'air du temps :

Les juxtapositions de voyelles

Malgré la chute de Théo et Mathéo, les terminaisons en « éo » frémissent encore. Soutenu par Timéo, Léo brille même au 3e rang national. Ce duo encourage les sonorités inversées en « oé » Noé, Manoé et Loevan. Autre juxtaposition de voyelles dans l'air du temps : celle du « oa » de Noah. Son succès a généré la percée de Noa, Noam et Manoah, et pavé la carrière de Dao, Tao et Paolo. Ces mariages de voyelles inspireront-ils les combinaisons de demain ? Le « aé » de Maé suscite déjà l'engouement des parents. Son succès ne manquera pas d'alimenter les « io » ascendants d'Ezio, Alessio, Elio, et Fabio.

Les « o »

Les désinences en « o » ne sont guère affectées par la décrue des superstars Enzo et Hugo. Lorenzo, Nino, Kenzo et Tiago poursuivent une remarquable ascension dans le top 100 français. Sans oublier Milo, Léandro, Sandro et Lisandro qui se profilent à l'horizon.

Les « an »

Les consonances irlandaises, que l'on croyait désavouées avec la chute de Ryan, reviennent en force depuis 2003. Menées par Évan, elles ont permis l'envol de Nolan, Noan, Loan et Elouan. Dans ce contexte, les petits noms qui riment avec eux (Nathan, Ethan, Estéban, Soan, Ilan, et les plus rares Célian, Milan, Solan et Sévan) fleurissent même s'ils sont dépourvus d'une origine gaélique.

Les « el » et les « is »

La montée des prénoms bibliques donne, depuis la fin des années 1990, un bel essor à Raphaël et Gabriel. C'est une aubaine pour Maël, qui a suivi ce duo dans le top 20, et une chance que Naël et Rafaël saisiront peut-être pour grimper vers le sommet. En attendant leur jaillissement, Ismaël montre la voie aux graines de star Enaël et Timaël.

.../

Les sonorités d'aujourd'hui et de demain *(suite)*

De leur côté, Yanis et Mathis favorisent la poussée d'Aloïs, Clovis et Loris. De quoi ressusciter les ardeurs d'Aramis, le plus célèbre des mousquetaires de la littérature qui, après un siècle d'oubli, réapparaît dans quelques maternités.

L'attrait des sonorités venues d'ailleurs

Nombre de prénoms qui enrichissent le patrimoine français sont importés de pays voisins (Allemagne, Angleterre, Espagne, Italie, Irlande). La percée des espagnols Mateo et Lisandro, des italiens Leandro et Nino, du grec Yanis, des slaves Sacha et Milan, des anglais (Aaron, Owen), des irlandais (Liam, Nolan), des scandinaves Nils, Solveig et Sven en témoigne. Nous observons par ailleurs que les prénoms exotiques séduisent de plus en plus de parents. Certains, comme Kéo, sont tirés de la culture indienne. D'autres sont originaires d'îles lointaines, comme Téva à Tahiti ou Tao en Asie. De nombreux prénoms venus d'ailleurs peuvent être découverts au fil des pages de cet ouvrage.

Dino  1 000 **TOP 2000** →

Diminutif des prénoms qui se terminent avec le suffixe « dino ». Caractérologie : équilibre, famille, influence, sens des responsabilités, volonté.

Diogène

De la famille de Dieu (grec). Ce prénom est porté par moins de 100 personnes en France. Caractérologie : audace, découverte, originalité, énergie, volonté.

Diogo 650 **TOP 800** ↗

Supplanter, talonner (hébreu). Ce prénom est particulièrement répandu au Portugal. Caractérologie : dynamisme, charisme, courage, indépendance, curiosité.

Dionisio

Fils de Dieu (grec). Dionysos est le dieu du Vin dans la mythologie grecque. Ce prénom est porté par moins de 100 personnes en France. Variantes : Dion, Dioni, Dionis. Caractérologie : résolution, sécurité, structure, volonté, persévérance.

Dixon

Fils de Dick (anglais). Masculin anglais. Ce prénom est porté par moins de 100 personnes en France. Caractérologie : communication, pragmatisme, créativité, caractère, optimisme.

Djamal 1 500 **TOP 2000**

D'une grande beauté physique et morale (arabe). On peut estimer que moins de 30 enfants seront prénommés ainsi en 2014. Variante : Djamale. Caractérologie : courage, dynamisme, indépendance, curiosité, charisme.

Djamel 7 000 **TOP 2000** →

D'une grande beauté physique et morale (arabe). On peut estimer que moins de 30 enfants seront prénommés ainsi en 2014. Variantes : Djamele, Djamil. Caractérologie : altruisme, idéalisme, intégrité, réflexion, dévouement.

Djemel 700

D'une grande beauté physique et morale (arabe). Variante : Djemal. Caractérologie :

D

sécurité, structure, persévérance, efficacité, honnêteté.

Djibril 🌟 4 000 **TOP 200** →
Équivalent arabe de Gabriel : force de Dieu (hébreu). Dans le Coran, Djibril est l'ange porteur d'ordres et de châtiments divins. C'est lui qui révèle le Coran à Mahomet. Djibril est largement attribué dans les cultures musulmanes. Variante : Jibril. Caractérologie : idéalisme, organisation, réflexion, gestion, intégrité.

Djilali 🌟 1 000 →
Respectable (kabyle). Caractérologie : adaptation, enthousiasme, générosité, pratique, communication.

Domenico 🌟 850
Qui appartient au Seigneur (latin). Domenico est très répandu en Italie. Caractérologie : analyse, équilibre, famille, volonté, éthique.

Domingo 🌟 500
Qui appartient au Seigneur (latin). Ce prénom est particulièrement répandu au Portugal. Variante : Mingo. Caractérologie : découverte, énergie, audace, caractère, originalité.

Dominique 🌟 213 000 **TOP 2000** ↘
Qui appartient au Seigneur (latin). Dérivé du latin *dominicus*, Dominique et ses différentes graphies (Dominic en Angleterre, Domingo en Espagne, Domenico en Italie, etc.) sont attribués dès le Moyen Âge. Ils deviennent, au fil du temps, très courants dans les familles catholiques. Dominique s'efface au XIXe siècle dans l'Hexagone et on le trouve en petite forme avant la Seconde Guerre mondiale. Sa renaissance entraîne l'émergence, puis le vif succès de son féminin, ce qui le transforme en prénom mixte. Dans les deux genres, il brillera dans le top 10 français une bonne partie

des années 1950. Aujourd'hui, Dominique est porté par une courte majorité d'hommes (58 %). ◇ Originaire de Castille, saint Dominique de Guzman fut prédicateur dans les campagnes du Languedoc. Il eut pour mission de combattre l'hérésie cathare et de ramener les Albigeois à la foi catholique. Fondateur en 1206 de l'ordre des Frères prêcheurs (plus tard appelé ordre des Dominicains), il est l'un des pères de l'Inquisition. On peut estimer que moins de 30 enfants seront prénommés ainsi en 2014. Variantes : Dom, Dominico, Dominick, Dominik, Menault. Caractérologie : caractère, force, ambition, habileté, logique.

Domitien
Celui qui a soumis (latin). Ce prénom est porté par moins de 100 personnes en France. Variante : Domitian. Caractérologie : stratégie, ardeur, achèvement, volonté, vitalité.

Don 🌟 550 ↘
Puissant gouverneur (celte). Masculin anglais. Caractérologie : conscience, bienveillance, paix, conseil, volonté.

Donagan
Fête (arménien). Ce prénom est porté par moins de 30 personnes en France. Caractérologie : réalisation, réceptivité, diplomatie, sociabilité, volonté.

Donald 🌟 950
Puissant gouverneur (celte). Masculin écossais et anglais. Caractérologie : audace, originalité, découverte, énergie, caractère.

Donatien 🌟 2 000 **TOP 2000** ↓
Présent de Dieu (latin). On peut estimer que moins de 30 enfants seront prénommés ainsi en 2014. Variantes : Donat, Donatio. Caractérologie : énergie, autorité, innovation, détermination, volonté.

Donovan 🎖7 000 **TOP 500** ⬇
Ancien patronyme irlandais signifiant :
« brun foncé ». Donovan est très répandu
en Irlande et dans les pays anglophones.
Variantes : Donavan, Donovane, Donovann.
Caractérologie : méthode, ténacité, fiabilité,
engagement, volonté.

Doran
Prénom anglophone inspiré d'un nom de
famille irlandais signifiant : « descendant
de l'exil ». Ce prénom est porté par moins
de 100 personnes en France. Caractérologie : intelligence, savoir, résolution, volonté,
méditation.

Dorian 🎖31 000 **TOP 200** ↘
Grec (latin). En dehors de l'Hexagone, Dorian
est répandu dans les pays anglophones.
Variantes : Doriand, Doriann. Caractérologie : savoir, décision, caractère, intelligence,
méditation.

Doris 🎖300
Grec (latin). Caractérologie : relationnel,
médiation, intuition, fidélité, adaptabilité.

Doryan 🎖1 500 **TOP 900** ↘
Grec (latin). Variante : Doryann. Caractérologie : dynamisme, volonté, réalisation, curiosité, courage.

Douglas 🎖1 000 ⬇
Rivière bleu foncé (celte). Masculin écossais
et anglais. Variante : Doug. Caractérologie :
spiritualité, sagacité, connaissances, originalité, réussite.

Dov 🎖300 ↘
Ours (hébreu). Caractérologie : énergie,
découverte, audace, originalité, séduction.

Dragan 🎖650 ➡
Précieux (slave). Prénom serbe, croate, slovène
et macédonien. Caractérologie : altruisme,
intégrité, idéalisme, décision, réussite.

Drake
Dragon (latin). Masculin anglais. Ce prénom
est porté par moins de 30 personnes en France.
Variante : Drago. Caractérologie : communication, créativité, pragmatisme, optimisme,
détermination.

Driss 🎖4 000 **TOP 800** ↘
Diminutif d'Idriss : études, connaissance
(arabe). Variantes : Dris, Dryss, Drice, Drisse.
Caractérologie : sens des responsabilités,
équilibre, famille, influence, exigence.

Duane 🎖140
De petite taille, brun (irlandais). Variantes :
Doan, Doane. Caractérologie : rectitude,
humanité, générosité, ouverture d'esprit, rêve.

Duarte 🎖170
Gardien des richesses (germanique). Ce
prénom est particulièrement répandu au
Portugal. Caractérologie : conscience, bienveillance, paix, organisation, résolution.

Duc 🎖190
Désir (vietnamien). Caractérologie : audace,
direction, indépendance, dynamisme,
assurance.

Duncan 🎖1 000 **TOP 2000** ⬇
Tête brune (celte). Masculin écossais et
anglais. Variante : Dunkan. Caractérologie : créativité, communication, optimisme,
pragmatisme, sociabilité.

Dusan 🎖120
Spirituel (slave). Prénom tchèque, serbe et slovaque. Caractérologie : découverte, originalité, énergie, audace, séduction.

D

Dusty 🎯 180
Se rapporte au patronyme Dustin qui signifie : « pierre de Thor » (scandinave). Variante : Dustin. Caractérologie : réalisation, vitalité, stratégie, achèvement, organisation.

Dylan 🎯 63 000 **TOP 100** ↘
Mer (gallois). Dans les contes médiévaux des Mabinogion, Dylan disparaît dans la mer peu après sa naissance, ce qui lui vaut le surnom de « fils de la vague ». Ce masculin gallois est établi de longue date au pays de Galles. Il était inconnu en France jusqu'à son jaillissement, à la fin du XXe siècle. Sans même prendre le temps de se faire connaître, Dylan a bondi au 6e rang français en 1996 avant de se replier plus lentement. Il est désormais très répandu dans les pays anglophones et néerlandophones. Variantes : Dylane, Dylann, Dyllan. Caractérologie : réceptivité, sociabilité, diplomatie, réalisation, sympathie.

E

352

Ea
Feu (irlandais). Ce prénom est porté par moins de 30 personnes en France. Caractérologie : sens des responsabilités, équilibre, famille, influence, exigence.

Earvin 🎯 110
Ami (germanique). Caractérologie : paix, bienveillance, conscience, conseil, résolution.

Édan 🎯 170 **TOP 2000**
Variante d'Aidan : petit feu (celte). Caractérologie : sagesse, conscience, paix, bienveillance, conseil.

Eddie 🎯 4 000 →
Diminutif des prénoms formés avec Ed. Masculin anglais. On peut estimer que moins de 30 enfants seront prénommés ainsi en 2014. Variantes : Ed, Eddi, Edi, Edie. Caractérologie : intégrité, altruisme, réflexion, idéalisme, dévouement.

Eddine 🎯 200 →
Religion (arabe). Caractérologie : dynamisme, curiosité, courage, indépendance, charisme.

Eddy 🎯 24 000 **TOP 700** ↘
Diminutif des prénoms formés avec Ed. Eddy est très répandu dans les pays anglophones. Variante : Edy. Caractérologie : relationnel, médiation, intuition, fidélité, adaptabilité.

Éden 🎯 3 000 **TOP 100** ↑
Paradis (hébreu). Dans l'Ancien Testament, le jardin d'Éden désigne le lieu où vécurent Adam et Ève, le premier couple de l'humanité. Ce prénom, largement usité par les puritains anglais au XVIIe siècle, apparaît pour la première fois en France en 1977, au masculin d'abord, puis au féminin à partir de 1986. Son succès dans les deux genres en fit un prénom mixte pionnier. Aujourd'hui, Éden est attribué à une majorité de garçons. Caractérologie : énergie, innovation, autonomie, ambition, autorité.

Eder
Beau (basque). Ce prénom est porté par moins de 100 personnes en France. Caractérologie : dynamisme, courage, indépendance, curiosité, charisme.

Edern 🎯 300 ↘
De très grande taille (gallois). Masculin gallois et breton. Caractérologie : direction, assurance, audace, dynamisme, indépendance.

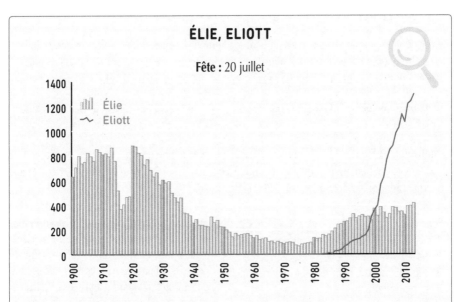

ÉLIE, ELIOTT

Fête : 20 juillet

Étymologie : il est vraisemblable qu'Eliott se rattache, comme Élie, à une forme francisée du nom hébreu *Elijah* signifiant « le Seigneur est mon Dieu ». Son histoire est ancienne puisqu'on le recense sous la forme d'Élias chez les Grecs et les Latins. Élias et ses formes dérivées se propagent essentiellement à partir du IXe siècle, après le martyre de saint Élie, un prêtre espagnol de Cordoue. Ellis, Eliott, Hélias et Élie connaissent ensuite une certaine faveur en Europe durant la réformation protestante, puis au XIXe siècle. À défaut d'avoir connu la gloire, Élie a remporté, aux côtés du Héli breton, quelques succès dans l'Hexagone. Il s'est effacé sans disparaître et reprend depuis les années 1980 un cours ascendant.

De son côté, Eliott apparaît pour la première fois en France en 1983, l'année suivant l'immense succès d'*E.T.*, le film de Steven Spielberg. Son jeune héros inspire tant de parents que le prénom triomphe aux États-Unis. S'il n'a pas encore conquis le pays de Molière, Eliott et ses homonymes ont fait du chemin : ils s'affichent dans le top 40 national et viennent de percer dans le top 20 parisien.

Elies est particulièrement en vogue en Bretagne mais les formes anciennes Heli, Eliez et Elion ont totalement disparu en France. Eliott est la forme orthographique la plus attribuée dans l'Hexagone et au Québec, où ce choix est en vogue.

Prophète de l'Ancien Testament, **Élie** annonce à Achab, le roi d'Israël, que son culte impie sera sanctionné par la colère du dieu Yahvé. Après plusieurs années de sécheresse, Élie
.../

E

353
....

Élie, Eliott *(suite)*

convoque le peuple et les prêtres de Baal sur le mont Carmel. Il prédit alors le retour de la pluie au peuple converti d'Israël. Plus tard, lorsque Jéhu succède au roi Achab, Élie choisit Élisée comme successeur avant de s'élever vers le ciel sur un char de feu.

Personnalité célèbre : George Eliott, de son vrai nom Mary Ann Evans, écrivaine anglaise (1819-1880).

Statistiques : Eliott est le 91e prénom masculin le plus donné en France depuis le début du XXIe siècle. On peut estimer qu'il sera attribué à un garçon sur 314 en 2014. Par contraste, **Élie** devrait prénommer un garçon sur 1 000 cette année.

Edgar 5 000 (TOP 300) →
Lance riche (germanique). Edgar est répandu dans les pays anglophones. Caractérologie : stratégie, vitalité, achèvement, détermination, réalisation.

Edgard 3 000
Lance riche (germanique). Masculin français. On peut estimer que moins de 30 enfants seront prénommés ainsi en 2014. Caractérologie : réalisation, communication, pratique, enthousiasme, détermination.

Edis (TOP 2000)
Gardien des richesses (germanique). Ce prénom est porté par moins de 100 personnes en France. Caractérologie : autorité, innovation, ambition, décision, énergie.

Edmond 17 000 →
Riche protecteur (germanique). Masculin français. On peut estimer que moins de 30 enfants seront prénommés ainsi en 2014. Variantes : Edmé, Edmon, Edmondo, Edmont, Edmund. Caractérologie : autorité, innovation, énergie, volonté, ambition.

Édouard 37 000 (TOP 200) →
Gardien des richesses (germanique). Ce nom porté par huit rois d'Angleterre (Edward) est très courant outre-Manche depuis le haut Moyen Âge. Sa vogue, plus tardive en France, se manifeste essentiellement au XIXe siècle. Au début des années 1900, il figure encore dans les 40 premiers rangs avant de se faire plus discret. Édouard n'a jamais disparu des maternités ; il pourrait redécoller dans les prochaines années. ◇ Couronné roi d'Angleterre en 1041, Édouard fut l'un des souverains les plus aimés des Anglais. Pieux et bon, il protégea les pauvres en diminuant leurs impôts et en favorisant le développement d'une justice pour tous. Contrairement à ses successeurs, il s'efforça de préserver la paix sous son règne. Il est appelé « saint Édouard le Confesseur » en hommage à sa compassion et à sa capacité d'écoute. Caractérologie : courage, curiosité, raisonnement, volonté, dynamisme.

Édric
Prospère, puissant (germanique). Masculin anglais. Ce prénom est porté par moins de 100 personnes en France. Caractérologie : optimisme, communication, pragmatisme, créativité, sociabilité.

Edris
Puissant, prospère (germanique), ou variante moderne d'Idriss. Ce prénom est porté par moins de 100 personnes en France.

354

Caractérologie : dynamisme, direction, indépendance, audace, détermination.

Eduardo 800 **TOP 2000** ⬆
Gardien des richesses (germanique). Eduardo est répandu en Italie. Variante : Edouardo. Caractérologie : volonté, courage, dynamisme, curiosité, analyse.

Edur
Neige (basque). Ce prénom est porté par moins de 30 personnes en France. Caractérologie : optimisme, pragmatisme, communication, sociabilité, créativité.

Edward 2 000 **TOP 1000** ⬆
Gardien des richesses (germanique). Masculin anglais. Variantes : Édard, Édouart, Edvard, Edwart. Caractérologie : innovation, autorité, énergie, décision, ambition.

Edwin 3 000 **TOP 2000** ⬇
Riche ami (germanique). Masculin anglais. Variantes : Edvin, Edwyn. Caractérologie : innovation, autorité, énergie, autonomie, ambition.

Efflam 250 ⬇
Rayonnant, brillant (celte). Prénom breton. Caractérologie : intelligence, caractère, savoir, méditation, indépendance.

Egan
Feu (celte). Masculin irlandais. Ce prénom est porté par moins de 100 personnes en France. Variantes : Egann, Egon. Caractérologie : indépendance, curiosité, dynamisme, courage, charisme.

Egun
Jour (basque). Ce prénom est porté par moins de 30 personnes en France. Caractérologie : sympathie, sociabilité, réceptivité, loyauté, diplomatie.

Éli 550 **TOP 700** ⬆
Le Seigneur est mon Dieu (hébreu). Éli est très répandu en Israël, dans les pays anglophones et scandinaves. Variantes : Éliel, Éllis, Élly, Ély, Héli, Hélie. Caractérologie : ambition, habileté, passion, force, management.

Élia 300 **TOP 2000** ⬇
Le Seigneur est mon Dieu (hébreu). Élia est plus traditionnellement usité en Italie et en Corse. Malgré sa mixité, Élia est très largement féminin. Variantes : Élya, Elyo, Ilia, Ilya. Caractérologie : idéalisme, réflexion, altruisme, détermination, intégrité.

Eliad
Dieu éternel (hébreu). Masculin anglais. Ce prénom est porté par moins de 100 personnes en France. Variante : Elead. Caractérologie : persévérance, structure, sécurité, efficacité, décision.

Éliam 170 **TOP 2000**
Dieu du peuple (hébreu). Caractérologie : ténacité, détermination, méthode, fiabilité, engagement.

Élian 3 000 **TOP 600** ➡
Le Seigneur est mon Dieu (hébreu). Caractérologie : dynamisme, curiosité, courage, indépendance, décision.

Élias 9 000 **TOP 200** ➡
Le Seigneur est mon Dieu (hébreu). Elias est répandu dans les pays lusophones, hispanophones, et en Grèce. Variantes : Éliasse, Éllias, Hélias. Caractérologie : énergie, autorité, ambition, détermination, innovation.

Eliaz 450 **TOP 2000** ⬇
Le Seigneur est mon Dieu (hébreu). Prénom breton. Variante : Eliez. Caractérologie : achèvement, vitalité, stratégie, ardeur, détermination.

E

355

Élie ⭐ 19 000 **TOP 200** 🔍 ➡️
Le Seigneur est mon Dieu (hébreu). Caractérologie : efficacité, sécurité, structure, honnêteté, persévérance.

Eliel ⭐ 200 ➡️
Le Seigneur est mon Dieu (hébreu). Caractérologie : sagacité, philosophie, connaissances, spiritualité, originalité.

Eliezer ⭐ 250 ↗️
Le Seigneur est mon Dieu (hébreu). Caractérologie : stratégie, vitalité, ardeur, achèvement, leadership.

Élio ⭐ 3 000 **TOP 300** ↗️
Soleil (grec). Dans la mythologie grecque, Hélios est le dieu du Soleil et de la Lumière. Elio est très répandu en Italie. Caractérologie : courage, curiosité, indépendance, dynamisme, analyse.

Elior ⭐ 170 **TOP 2000**
Dieu est ma lumière (hébreu). Caractérologie : découverte, raisonnement, audace, séduction, originalité.

Eliot ⭐ 8 000 **TOP 200** ➡️
Le Seigneur est mon Dieu (hébreu). Eliot est particulièrement répandu dans les pays anglophones. Caractérologie : indépendance, intelligence, savoir, méditation, raisonnement.

Eliott ⭐ 13 000 **TOP 100** 🔍 ➡️
Le Seigneur est mon Dieu (hébreu). Caractérologie : tolérance, rectitude, humanité, rêve, analyse.

Élisée ⭐ 600 ➡️
Dieu a aidé (hébreu). Variantes : Élisien, Elisio. Forme basque : Eliseo. Caractérologie : audace, direction, dynamisme, indépendance, détermination.

Elliot ⭐ 5 000 **TOP 300** 🔍 ➡️
Le Seigneur est mon Dieu (hébreu). Elliot est particulièrement répandu dans les pays anglophones. Caractérologie : analyse, direction, audace, dynamisme, indépendance.

Elliott ⭐ 1 500 **TOP 500** ↗️
Le Seigneur est mon Dieu (hébreu). Masculin anglais. Caractérologie : communication, enthousiasme, raisonnement, pratique, adaptation.

Elmer
Noble, célèbre (germanique). Masculin anglais. Ce prénom est porté par moins de 30 personnes en France. Variante : Ulmer. Caractérologie : vitalité, achèvement, leadership, stratégie, ardeur.

Elmo
Amical (grec). Masculin italien et anglais. Ce prénom est porté par moins de 100 personnes en France. Caractérologie : rectitude, humanité, rêve, volonté, ouverture d'esprit.

Éloan ⭐ 1 000 **TOP 300** ⬆️
Lumière (celte). Ce dérivé récent d'Elouan s'orthographie également sans accent. Variantes : Eloann, Iloan. Caractérologie : relationnel, intuition, fidélité, adaptabilité, médiation.

Éloi ⭐ 5 000 **TOP 400** ➡️
Élu (latin). Masculin français. Caractérologie : découverte, énergie, audace, originalité, logique.

Eloïm
La main de Dieu (hébreu). Ce prénom est porté par moins de 100 personnes en France. Caractérologie : rectitude, humanité, volonté, générosité, analyse.

ENZO

Fête : 13 juillet

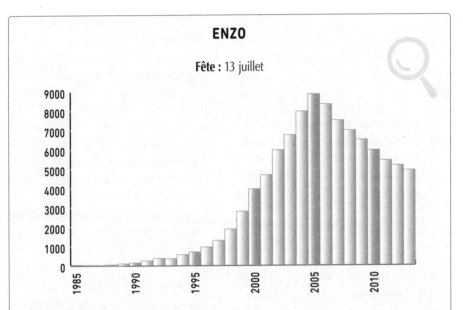

Étymologie : forme italienne d'Henri, du germain *heim*, « maison », et *ric*, « puissant », d'où la signification « maître de maison ». Fils naturel de l'empereur germanique Frédéric II, Enzo devint roi de Sardaigne en 1242. Il s'illustra par son courage en combattant, aux côtés de son père, contre le pape et les Génois à la Meloria. Mais après avoir conquis une grande partie du Milanais, il fut vaincu et capturé. Prisonnier, il fut assigné à résidence dans un palais bolonais où il établit une cour somptueuse jusqu'à sa mort, en 1272.

Enzo et Lilou font partie des prénoms dont la gloire est sortie des écrans. C'est en 1988 que *Le Grand Bleu* paraît au cinéma et qu'Enzo, l'un de ses héros, séduit le public. L'impact du film de Luc Besson est immédiat. Propulsé au zénith à une vitesse fulgurante, Enzo trône pendant trois ans sur le palmarès français… avant de céder sa couronne à Lucas. Il devrait devancer Louis au 6ᵉ rang du classement 2014.

Le repli d'Enzo survient après celui de Matteo, mais la vague d'inspiration italienne est inépuisable ; la relève s'annonce déjà avec Lorenzo qui monte dans le top 40 français. En dehors de l'Hexagone, Enzo est plus particulièrement prisé en Wallonie et en Suisse romande.

Personnalités célèbres : Enzo Ferrari (1898-1998) est le créateur italien de la Ferrari, l'automobile la plus rapide et la plus chère du monde ; Enzo Enzo est le nom de scène de Körin Ternovtzeff, chanteuse, auteure et interprète française.

Statistiques : Enzo est le 2ᵉ prénom masculin le plus donné en France depuis le début du XXIᵉ siècle. On peut estimer qu'il sera attribué à un garçon sur 84 en 2014.

E

357

Eloïs 🗺 300 **TOP 2000** ↗
Illustre au combat (germanique). Caractérologie : décision, paix, bienveillance, conscience, logique.

Elouan 🗺 6 000 **TOP 200** →
Lumière (celte). Originaire d'Irlande, saint Elouan mena une vie d'ermite en Bretagne au VIIe siècle. Il est honoré dans une chapelle de Saint-Guen (Côtes-d'Armor), où se trouve son tombeau. Ce prénom est très populaire en Bretagne. Variantes : Elouann, Elouen, Elouane. Caractérologie : curiosité, indépendance, dynamisme, courage, charisme.

Éloy 🗺 250 **TOP 2000** ↑
Élu (latin). Prénom espagnol. Caractérologie : communication, enthousiasme, pratique, adaptation, bonté.

Elrad
Dieu commande (hébreu). Ce prénom est porté par moins de 30 personnes en France. Caractérologie : décision, méthode, fiabilité, ténacité, engagement.

Elric 🗺 600 →
Roi de tous (germanique). Variante : Elrick. Caractérologie : intuition, relationnel, médiation, fidélité, adaptabilité.

Elton 🗺 160
De la vieille ville (anglais). Masculin anglais. Caractérologie : communication, pratique, enthousiasme, adaptation, générosité.

Elvin 🗺 450 ↘
Noble et fidèle (germanique). Variante : Elwin. Caractérologie : ambition, management, passion, force, habileté.

Elvis 🗺 2 000 **TOP 2000** →
Sage (scandinave). Masculin anglais. On peut estimer que moins de 30 enfants seront prénommés ainsi en 2014. Variante : Elwis.

Caractérologie : ténacité, méthode, fiabilité, engagement, résolution.

Élyas 🗺 1 500 **TOP 500** →
Le Seigneur est mon Dieu (hébreu). Variante : Élyass. Caractérologie : achèvement, sympathie, stratégie, vitalité, ardeur.

Élyes 🗺 3 000 **TOP 400** →
Le Seigneur est mon Dieu (hébreu). Variantes : Élies, Éliesse, Élyess, Élyesse, Hélies. Caractérologie : pratique, communication, enthousiasme, adaptation, bonté.

Élysée 🗺 130
Dieu est serment (hébreu). Caractérologie : ambition, passion, force, habileté, sympathie.

Elzéar
Le Seigneur est mon Dieu (hébreu). Ce prénom est porté par moins de 100 personnes en France. Variante : Elzéard. Caractérologie : méthode, fiabilité, ténacité, engagement, détermination.

Emanuel 🗺 800 **TOP 2000** →
Dieu est avec nous (hébreu). Masculin allemand et scandinave. Caractérologie : vitalité, achèvement, ardeur, stratégie, leadership.

Émeric 🗺 9 000 **TOP 600** →
Puissant (germanique). Masculin français. Variantes : Émerick, Émerik, Émery, Émeryc, Émmeric, Émmerie, Émmery. Caractérologie : stratégie, achèvement, ardeur, leadership, vitalité.

Emerson 🗺 200 ↘
Fils d'Emery (vieil anglais). Caractérologie : habileté, détermination, force, volonté, ambition.

Émile 🗺 42 000 **TOP 300** →
Travailleur (germanique). Ce nom porté par une grande famille romaine renaît en France au XVIe siècle. Il atteint son sommet durant la

vie d'Émile Zola (1840-1902), se manifestant aussi bien en Allemagne (Emil) qu'au Portugal ou en Espagne (Emilio). Émile reste assez attribué dans l'Hexagone jusqu'à sa disparition progressive dans les années 1920. Mais ce choix rétro frémit de nouveau. Il pourrait briguer de nouveaux trophées dans les prochaines années. ◇ Général romain né vers 230 avant J.-C, Lucius Æmilius Paullus vainquit Persée, le dernier roi de Macédoine, à Pydna. Au IIIᵉ siècle, un saint portant ce nom fut condamné au martyre à Carthage pour avoir proclamé sa foi. Caractérologie : vitalité, achèvement, stratégie, leadership, ardeur.

Émilien 🌟 16 000 **TOP 300** ⬇
Travailleur (germanique). Ermite espagnol, saint Émilien fonda l'ermitage de San Millan à Tarragone au VIᵉ siècle. Émilien est un prénom français. Caractérologie : engagement, ténacité, méthode, sens du devoir, fiabilité.

Emilio 🌟 2 000 **TOP 600** ➔
Travailleur (germanique). Emilio est très répandu en Italie, dans les pays hispanophones et lusophones. Variantes : Emil, Emilian, Emiland, Emiliano, Emilion, Emille, Mil, Milio. Caractérologie : intégrité, altruisme, idéalisme, raisonnement, volonté.

Émin 🌟 450 **TOP 2000** ↗
Loyal, digne de confiance (arabe). Variante : Émine. Caractérologie : charisme, indépendance, dynamisme, curiosité, courage.

Emir 🌟 1 500 **TOP 200** ⬆
Décret (turc). Variantes : Emire, Emirhan, Emircan. Caractérologie : humanité, rectitude, rêve, ouverture d'esprit, générosité.

Emmanuel 🌟 119 000 **TOP 300** ➔
Dieu est avec nous (hébreu). Masculin français et anglais. En donnant ce nom à l'enfant que portait une jeune femme vierge, le prophète Isaïe désigna avec une certaine ambiguïté le messie à venir. Par la suite, Emmanuel a été identifié au Christ par les chrétiens. Forme basque : Imanol. Caractérologie : adaptation, générosité, enthousiasme, pratique, communication.

Emre 🌟 2 000 **TOP 900** ↘
Frère (turc). Variantes : Emra, Emrah. Caractérologie : courage, indépendance, charisme, dynamisme, curiosité.

Emrick 🌟 500 **TOP 2000** ➔
Maître de maison (germanique). Variante : Emric. Caractérologie : indépendance, curiosité, dynamisme, courage, charisme.

Emrys 🌟 500 **TOP 600** ⬆
Immortel (grec). Emrys est un prénom gallois. Variante : Emris. Caractérologie : force, habileté, ambition, détermination, réalisation.

Énaël 🌟 450 **TOP 200** ⬆
Combinaison de la sonorité « én » et des prénoms se terminant en « aël ». Caractérologie : assurance, dynamisme, audace, indépendance, direction.

Eneko 🌟 500 **TOP 2000** ➔
À moi (basque). Eneko est également une forme basque d'Ignace signifiant « feu » en latin. Caractérologie : énergie, découverte, audace, séduction, originalité.

Enes 🌟 2 000 **TOP 400** ➔
Ami (turc). Caractérologie : intuition, relationnel, fidélité, médiation, résolution.

Enguerran 🌟 700 ↘
Ange, corbeau (germanique). Voir Enguerrand. Variante : Engueran. Caractérologie : fiabilité, méthode, détermination, ténacité, bonté.

Enguerrand 🌟 1 500 **TOP 800** ➔
Ange, corbeau (germanique). Enguerrand de Marigny fut le ministre du roi Philippe IV le

E

359

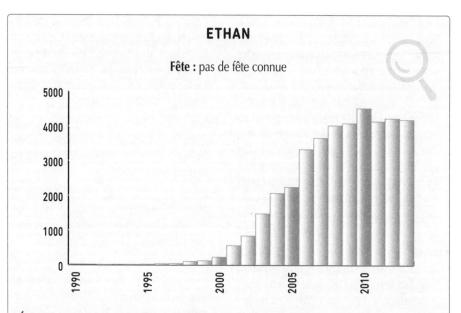

ETHAN

Fête : pas de fête connue

Étymologie : forme d'Etan qui signifie en hébreu « fort, ferme ». Redécouvert outre-Atlantique dans les années 1990, ce prénom biblique renaît après deux millénaires d'éclipse. Et de quelle manière ! Les effets de son jaillissement se mesurent à l'échelle planétaire. Son parcours français ne fait pas figure d'exception. Après avoir timidement émergé en 1989 (3 naissances), puis plus résolument les années suivantes, Ethan s'est envolé ; il pointe aujourd'hui au 12e rang du classement.

Deux éléments expliquent ce succès foudroyant. D'une part, il est évident que la montée de Nathan a favorisé celle d'Ethan. L'ascension de ce duo phonétiquement proche s'observe aussi bien en France que dans les pays anglophones. D'autre part, sa carrière a été galvanisée par la gloire des terminaisons en « an ».

En dehors de l'Hexagone, Ethan est en vogue dans de nombreux pays. Il séduit les parents anglophones et brille dans les 10 premiers rangs anglais. Sa cote est aussi manifeste dans la sphère francophone, où il se distingue dans les tops 20 wallon et romand. Il grandit même au Québec, où l'on pensait que sa forte identité anglophone freinerait ses ambitions. Notons que la forme hébraïque Etan (aussi orthographiée Etân) est peu usitée en France.

Etan est un prénom porté par trois personnages de l'Ancien Testament. Le premier, lévite, chante et joue de la cymbale pendant le transfert de l'Arche à Jérusalem ; le deuxième, fils

.../

Ethan *(suite)*

de Mahol, fait preuve d'une si grande sagesse qu'elle est comparée à celle du roi Salomon ; le troisième, personnage dont on sait peu de choses, est l'un des petits-fils de Judas.

Personnalité célèbre : Ethan Coen est un cinéaste américain qui a produit, avec son frère Joel, les films *Fargo* et *The Barber*.

Statistiques : Ethan est le 29ᵉ prénom masculin le plus donné en France depuis le début du XXIᵉ siècle. On peut estimer qu'il sera attribué à un garçon sur 98 en 2014.

Bel, mais c'est grâce aux *Rois maudits*, de Maurice Druon, que ce prénom français a été redécouvert. Variante : Enguerand. Caractérologie : sympathie, vitalité, stratégie, achèvement, réalisation.

Enis  750 **TOP 800**
Ami (turc). Variantes : Enis, Ennis, Enys. Caractérologie : résolution, diplomatie, sociabilité, réceptivité, loyauté.

Énoah **TOP 600**
Combinaison de la lettre « É » et de Noah. Ce prénom est porté par moins de 100 personnes en France. Caractérologie : savoir, médiation, culture, intelligence, sagesse.

Enogat
Qui combat avec honneur (celte). Masculin breton. Ce prénom est porté par moins de 100 personnes en France. Caractérologie : achèvement, vitalité, ardeur, stratégie, leadership.

Enoha 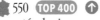 550 **TOP 400**
Parfums (tahitien). Caractérologie : sagacité, philosophie, spiritualité, originalité, connaissances.

Enos
Homme (hébreu). Ce prénom est porté par moins de 30 personnes en France. Caractérologie : passion, ambition, force, habileté, management.

Enrick 750
Variante d'Enric ou Erick : maître de maison (germanique). Variantes : Enric, Enrik. Caractérologie : famille, équilibre, influence, sens des responsabilités, exigence.

Enrico 650 **TOP 2000**
Maître de maison (germanique). Enrico est un prénom italien. Variante : Enriko. Caractérologie : audace, indépendance, direction, dynamisme, raisonnement.

Enrique 2 000 **TOP 900**
Maître de maison (germanique). Enrique est un prénom espagnol. Caractérologie : habileté, ambition, force, passion, management.

Enver 110
Beauté, intelligence (turc). Caractérologie : ambition, innovation, autorité, autonomie, énergie.

Enzo 93 000 **TOP 50**
Maître de maison (germanique). Variante : Enso. Caractérologie : équilibre, influence, éthique, famille, exigence.

Eoen
Bien né (grec). Cette forme irlandaise d'Eugène est connue en Irlande et dans les pays anglophones. Ce prénom est porté par moins de 30 personnes en France. Caractérologie : créativité, pragmatisme, communication, adéquation, optimisme.

E

Éole 🌟 110

Soleil (breton), vent (grec). Dans la mythologie grecque, Éole est le maître des vents. Caractérologie : dynamisme, direction, audace, indépendance, assurance.

Éos

L'aurore (grec). Dans la mythologie grecque, Éos est la déesse de l'aurore. Ce prénom est porté par moins de 30 personnes en France. Caractérologie : enthousiasme, pratique, générosité, adaptation, communication.

Éphraïm 🌟 350 **TOP 2000** ↗

Fructueux (hébreu). Éphraïm est un prénom de l'Ancien Testament. Variante : Éphrem. Caractérologie : connaissances, spiritualité, sagacité, ressort, réalisation.

Érasme

Qui est aimé (grec). Ce prénom est porté par moins de 30 personnes en France. Caractérologie : originalité, sagacité, spiritualité, connaissances, décision.

Eren 🌟 1 000 **TOP 800** →

Saint (turc). Caractérologie : paix, bienveillance, conscience, sagesse, conseil.

Erhan 🌟 300 ↓

Conscient (hébreu). Variantes : Eran, Érane. Caractérologie : innovation, autorité, ambition, énergie, décision.

Éric 🌟 303 000 **TOP 500** →

Noble souverain (germanique). Voir Erik. Ce grand prénom scandinave a été, sous ses différentes graphies, porté par plus de vingt rois suédois et danois. Issu d'une autre lignée, Erik le Rouge, navigateur et explorateur norvégien du Xᵉ siècle, est également célèbre pour avoir fondé la première colonie du Groenland. En dehors de son berceau nordique, Erik émerge en Allemagne et en Angleterre au XIXᵉ siècle.

Il gagne la France bien plus tard, dans les années 1940. Doté d'un « c » final, il se hisse au 3ᵉ rang masculin en 1965 avant de chuter fortement. ◇ Saint Erik, roi de Suède, améliora la condition des femmes et christianisa son pays au XIIᵉ siècle. Il mourut assassiné par un prince danois à Uppsala. Caractérologie : ambition, force, passion, habileté, management.

Erich 🌟 300

Noble souverain (germanique). Masculin allemand. Caractérologie : savoir, intelligence, méditation, indépendance, sagesse.

Erick 🌟 6 000 ↓

Noble souverain (germanique). En dehors de l'Hexagone, ce prénom est particulièrement porté dans les pays anglophones. On peut estimer que moins de 30 enfants seront prénommés ainsi en 2014. Variante : Erico. Caractérologie : indépendance, dynamisme, audace, direction, assurance.

Erik 🌟 3 000 **TOP 2000**

Noble souverain (germanique). Voir Éric. Plus de vingt rois suédois et danois ont porté ce prénom. Saint Erik, roi de Suède, améliora la condition des femmes et christianisa son pays au XIIᵉ siècle. Il mourut assassiné par un prince danois à Uppsala. On peut estimer que moins de 30 enfants seront prénommés ainsi en 2014. Caractérologie : sagacité, philosophie, connaissances, spiritualité, originalité.

Ernest 🌟 11 000 **TOP 600** ↑

Qui mérite (germanique). En dehors de l'Hexagone, ce prénom est particulièrement porté dans les pays anglophones. Variantes : Arnst, Erneste, Ernesto, Ernie, Erno, Ernst. Caractérologie : résolution, idéalisme, intégrité, altruisme, réflexion.

E

Erol 🎖 350 ⊘

Noble (anglais), fort, courageux (turc). Caractérologie : énergie, découverte, originalité, audace, logique.

Éros 🎖 400 **TOP 2000** ⊘

Dieu de l'Amour dans la mythologie grecque. Caractérologie : pratique, communication, enthousiasme, adaptation, décision.

Ervin 🎖 350 **TOP 2000** →

Ami (germanique). Caractérologie : originalité, audace, découverte, énergie, séduction.

Erwan 🎖 35 000 **TOP 100** ⊘

If (celte). Masculin français et breton. Variantes : Ervan, Ervin, Erwoan. Caractérologie : sagacité, spiritualité, originalité, connaissances, détermination.

Erwann 🎖 7 000 **TOP 400** ⊘

If (celte). Masculin français et breton. Caractérologie : communication, pragmatisme, optimisme, créativité, résolution.

Erwin 🎖 2 000 ⊘

Ami (germanique). On peut estimer que moins de 30 enfants seront prénommés ainsi en 2014. Variante : Erwine. Caractérologie : équilibre, sens des responsabilités, famille, exigence, influence.

Ésaïe 🎖 400 **TOP 2000** ↗

Dieu est mon salut (hébreu). Fils d'Isaac et de Rébecca dans la Bible, Ésaü donne son droit d'aînesse à son frère Jacob en échange d'un plat de lentilles. Caractérologie : communication, pratique, enthousiasme, détermination, adaptation.

Estéban 🎖 22 000 **TOP 100** →

Couronné (grec). Cette forme espagnole d'Étienne a émergé dans les années 1980, au moment où le dessin animé *Les Cités d'Or* était diffusé pour la première fois. Estéban, le

personnage héroïque de cette série, a fait bien des émules. Variantes : Estebane, Estebann, Estefan, Estevan, Estheban. Caractérologie : optimisme, communication, créativité, pragmatisme, sociabilité.

Estève 🎖 250 ↗

Couronné (grec). Dans l'Hexagone, Estève est plus traditionnellement usité en Occitanie. Formes basques : Estebe, Istebe. Caractérologie : honnêteté, persévérance, structure, sécurité, efficacité.

Ethan 🎖 36 000 **TOP 50** 🔍 →

Fort, ferme (hébreu). Variantes : Etan, Etane, Etann, Ethane, Ethann. Caractérologie : pratique, enthousiasme, adaptation, communication, sensibilité.

Éthaniel

Contraction d'Ethan et Daniel. Ce prénom est porté par moins de 100 personnes en France. Caractérologie : intuition, relationnel, finesse, médiation, résolution.

Étienne 🎖 53 000 **TOP 300** ⊘

Couronné (grec). De nombreux saints, plusieurs papes et souverains ont porté cette forme française de Stéphane. La popularité de saint Étienne, l'un des premiers diacres martyrs de l'Église, fut si grande que ce prénom supplanta Stéphane à partir du XIVe siècle. Sa prééminence, d'une grande longévité, ne prit fin qu'à la gloire naissante de Stéphane à la fin des années 1950. Étienne figurait dans le top 70 masculin à la fin des années 1990 et se raréfie aujourd'hui. Caractérologie : humanité, rectitude, rêve, tolérance, générosité.

Ettore 🎖 110

Constant, qui retient (grec). Ce prénom italien est également usité dans le Pays basque. Variante : Etore. Caractérologie : intuition, relationnel, fidélité, médiation, adaptabilité.

EVAN

Fête : 3 mai

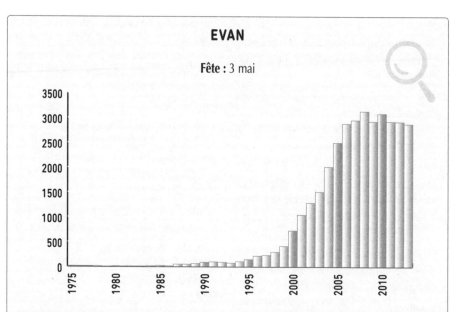

Étymologie : dans la tradition bretonne, l'origine de ce prénom associé à Yves signifie « if » en celte. Mais d'autres étymologies établies outre-Manche sont recevables. Evan pourrait être rattaché à *Iefan*, une forme galloise de Jean, tout comme il pourrait signifier « bien né » ou « jeune guerrier » en ancien irlandais. À moins qu'il ne revendique un lien avec Ésus, le dieu gaulois de la Guerre.

À l'exception du pays de Galles, où ses occurrences se multiplient à partir du XVIᵉ siècle, Evan n'a guère été attribué autrement que sous une forme patronymique (Evan, Ievan). C'est bien plus tard que le prénom se propage hors du berceau gallois pour gagner l'Angleterre puis les pays anglophones. Comment expliquer sa percée récente dans l'Hexagone ?

L'engouement pour les prénoms irlando-bretons a bien évidemment favorisé son essor à la fin des années 1990. L'offensive du trio Evan, Kylian et Rayan n'a-t-il pas conquis la France ? La débâcle d'Yves a également favorisé la carrière de ce jeune héritier.

En 2012, Evan s'est hissé aux portes du top 20 français. S'il ne s'élève pas plus haut dans les prochaines années, il pourra toujours revendiquer la paternité de plusieurs variantes. Citons Ewan, Evann et Erwan pour celles qui sont les plus données. Au féminin, Evane, Evanne et Evana sont des perles rares en pleine expansion.

En dehors de l'Hexagone, Evan évolue dans le top 20 suisse romand et les 100 premiers choix belges et québécois. L'engouement que les parents espagnols lui manifestent a permis à Ivan

.../

Evan *(suite)*

de monter aux portes du top 10 ibérique en 2009. Mais son recul dans les pays anglophones compromet la poursuite d'une carrière internationale.

Prédicateur méthodiste gallois, **Evan Roberts** est à l'origine du mouvement du Réveil (mouvement des Églises pentecôtistes) au début du XXe siècle au pays de Galles.

Statistiques : Evan est le 33e prénom masculin le plus donné en France depuis le début du XXIe siècle. On peut estimer qu'il sera attribué à un garçon sur 142 en 2014.

Eudes  550
Noble, fortuné (latin). Variante : Eudelin. Caractérologie : idéalisme, intégrité, réflexion, altruisme, dévouement.

Eudore
Beau présent (grec). Ce prénom est porté par moins de 30 personnes en France. Caractérologie : dynamisme, analyse, courage, indépendance, caractère.

Eugène 22 000 **TOP 700**
Bien né (grec). Comme son étymologie l'indique, ce nom désignait à l'origine les fils de bonnes familles. Il fut, dès les premiers siècles, porté par plusieurs saints. Quatre papes assurèrent ensuite sa visibilité tout au long du Moyen Âge. Eugène et ses variantes se propagent dans toutes les langues européennes, notamment dans les pays slaves et en Russie, où il est révéré par les orthodoxes. Au sommet de sa carrière française dans la seconde moitié du XIXe siècle, il s'illustre parmi les 10 premiers rangs. Eugène est encore placé 20e en 1908, au seuil d'un reflux qui le voit disparaître dans les années 1960. Il devrait renaître dans les prochaines années. ◇ Au VIe siècle, saint Eugène de Carthage défendit l'Église malgré les persécutions d'Huméric, le roi des Vandales. Variantes : Eoen, Eugen, Eugénien, Eugenius, Eugenio, Gène. Caractérologie : pratique, cœur, communication, enthousiasme, adaptation.

Eustache 450
Récolte abondante (grec). Caractérologie : gestion, audace, direction, attention, dynamisme.

Eutrope
De tempérament calme (grec). Ce prénom est porté par moins de 100 personnes en France. Caractérologie : autorité, énergie, cœur, innovation, logique.

Evan  32 000 **TOP 50**
If (celte), bien né, jeune guerrier (vieil irlandais), ou forme galloise de Jean. Variante : Évane. Caractérologie : famille, équilibre, éthique, influence, exigence.

Evandre
Contraction d'Evan et Alexandre. Ce prénom est porté par moins de 30 personnes en France. Caractérologie : paix, conscience, bienveillance, résolution, conseil.

Evann 3 000 **TOP 300**
Voir Evan. Evann est répandu dans les pays anglophones. Caractérologie : sociabilité, diplomatie, loyauté, réceptivité, bonté.

Evans  900 **TOP 800**
Fils d'Evan (anglais). Masculin anglais. Variante : Évence. Caractérologie : philosophie, connaissances, sagacité, originalité.

E

Évariste
 700

Agréable (grec). Variante : Evaristo. Caractérologie : altruisme, idéalisme, détermination, intégrité, réflexion.

Even
700 **TOP 800** →

If (celte), bien né, jeune guerrier (vieil irlandais), ou forme galloise de Jean. Variante : Iwen. Caractérologie : dynamisme, direction, audace, indépendance, assurance.

Évrard
350

Puissant ours sauvage (germanique). Évrard est plus traditionnellement usité en Alsace et dans les Flandres. Variantes : Éberhard, Everard, Everhard. Caractérologie : audace, découverte, originalité, énergie, décision.

Ewan
5 000 **TOP 300**

Voir Evan. Ewan est très répandu dans les pays anglophones. C'est aussi un prénom breton traditionnel. Variante : Ewann. Caractérologie : savoir, indépendance, méditation, intelligence, sagesse.

Ewen
8 000 **TOP 200**

Voir Evan. Ewen est particulièrement attribué en Angleterre et en Bretagne. Variantes : Ewenn, Ewin, Evyn, Evon, Iwan. Caractérologie : réceptivité, diplomatie, sociabilité, bonté, loyauté.

Eymeric
750

Puissant (germanique). Variantes : Eymard, Eymerick. Caractérologie : équilibre, sens des responsabilités, famille, sympathie, influence.

Eytan
700 **TOP 800**

Fort, ferme (hébreu). Variante : Eythan. Caractérologie : intuition, relationnel, médiation, adaptabilité, fidélité.

Ézéchiel
650 **TOP 800**

Dieu donne la force (hébreu). Caractérologie : énergie, innovation, ambition, autorité, autonomie.

Ezio
1 500 **TOP 200**

Aigle (latin). Prénom italien. Caractérologie : autorité, énergie, innovation, autonomie, ambition.

F

Fabian
4 000 **TOP 900** →

Fève (latin). Dans l'Hexagone, ce prénom anglophone est plus traditionnellement usité en Occitanie. Variante : Fabiano. Caractérologie : famille, éthique, équilibre, détermination, influence.

Fabien
107 000 **TOP 600**

Fève (latin). Masculin français. Caractérologie : direction, audace, indépendance, décision, dynamisme.

Fabio
6 000 **TOP 300**

Fève (latin). Fabio est un prénom italien. Variante : Fabricio. Caractérologie : famille, influence, équilibre, éthique, exigence.

Fabrice
129 000 **TOP 2000**

Fabricateur (latin). Au XIXe siècle, Stendhal a contribué à la vogue de ce prénom en faisant de Fabrice del Dongo le héros de son roman *La Chartreuse de Parme*. ◇ On sait peu de choses sur saint Fabrice de Tolède, si ce n'est qu'il mourut martyr au IIIe siècle. On peut estimer que moins de 30 enfants seront prénommés ainsi en 2014. Caractérologie : vitalité, stratégie, résolution, achèvement, analyse.

Fabrizio 🇫🇷 650 ↗
Fabricateur (latin). Fabrizio est un prénom italien. Caractérologie : découverte, audace, originalité, séduction, énergie.

Fadi 🇫🇷 650 TOP 800 →
Celui qui porte secours (arabe). Variante : Fady. Caractérologie : intuition, adaptabilité, médiation, relationnel, fidélité.

Fadil 🇫🇷 250 ↗
Vertueux (arabe). Variantes : Fadel, Fodel, Fodil, Foudil. Caractérologie : audace, découverte, originalité, énergie, raisonnement.

Faël 🇫🇷 200 TOP 2000 →
Heureux présage (arabe). Caractérologie : sagesse, paix, bienveillance, conseil, conscience.

Fahad 🇫🇷 200 ↓
Panthère, léopard (arabe). Variantes : Fahd, Fahde, Fahed. Caractérologie : médiation, relationnel, adaptabilité, fidélité, intuition.

Fahim 🇫🇷 550 TOP 1000 ↗
Intelligent, qui apprend facilement (arabe). Variantes : Fahem, Fahmi. Caractérologie : ambition, autonomie, innovation, autorité, énergie.

Fanch 🇫🇷 250 ↘
Forme bretonne de François : libre (latin). Caractérologie : audace, énergie, originalité, découverte, séduction.

Faniel 🇫🇷
Heureux (vieil anglais). Masculin anglais. Ce prénom est porté par moins de 30 personnes en France. Variante : Fane. Caractérologie : résolution, analyse, intuition, médiation, relationnel.

Fantin 🇫🇷 400 →
Enfant (latin). Caractérologie : énergie, innovation, ambition, résolution, autorité.

Faouzi 🇫🇷 1 500 →
Qui aura du succès (arabe). On peut estimer que moins de 30 enfants seront prénommés ainsi en 2014. Variante : Faousi. Caractérologie : analyse, équilibre, influence, famille, sens des responsabilités.

Farès 🇫🇷 6 000 TOP 200 ↗
Chevalier, valeureux comme un lion (arabe). Variantes : Faress, Faresse. Caractérologie : efficacité, sécurité, structure, persévérance, décision.

Farid 🇫🇷 17 000 TOP 2000 →
Unique (arabe). Ce prénom est particulièrement répandu dans les communautés musulmanes francophones. On peut estimer que moins de 30 enfants seront prénommés ainsi en 2014. Variantes : Faride, Farrid, Férid. Caractérologie : intuition, adaptabilité, relationnel, médiation, fidélité.

Faris 🇫🇷 400 TOP 2000 →
Chevalier, valeureux comme un lion (arabe). Caractérologie : achèvement, stratégie, ardeur, leadership, vitalité.

Farouk 🇫🇷 1 500 TOP 2000 ↗
Celui qui discerne le bien du mal (arabe). Variantes : Farik, Faruk. Caractérologie : altruisme, intégrité, idéalisme, gestion, logique.

Fathi 🇫🇷 1 000 →
Victorieux (arabe). Variantes : Fathy, Fati, Fethy. Caractérologie : achèvement, vitalité, ardeur, stratégie, leadership.

Fatih 🇫🇷 2 000 TOP 2000 ↘
Victorieux (arabe). On peut estimer que moins de 30 enfants seront prénommés ainsi en 2014. Variantes : Fatah, Fatèh. Caractérologie : ambition, force, habileté, management, passion.

F

367

Les prénoms basques, bretons et occitans

Les prénoms les plus attribués sur le plan national font décidément recette en régions. De la Picardie à la Provence, en passant par l'Auvergne, les classements régionaux font place belle à Emma, Lola, Chloé, Nathan, Lucas et Léo, les stars du palmarès français. Cela ne signifie pas que les prénoms à forte identité régionale aient disparu. Redécouverts et attribués par davantage de parents chaque année, ces derniers sont en plein essor, notamment en Bretagne, au Pays basque et en Occitanie. Certains gardent une identité régionale très marquée. Le très provençal Naïs, le basque Iban, et les bretons Armel et Lenaig sont presque exclusivement attribués dans leurs régions respectives. D'autres, comme Andrea ou Mael, revendiquent une identité régionale tout en se propageant en dehors de leurs frontières.

D'autres encore connaissent tant de succès que leurs origines s'en trouvent oubliées. Mathéo, Inès et Anaïs ont beau s'être propagés dans l'ensemble de la France, ils n'en restent pas moins bretons, basques et occitans. Parce qu'ils grandissent dans l'ombre de stars nationales, ces prénoms apparaissent rarement dans les classements régionaux. Pour leur redonner une voix, nous avons réuni la garde montante des prénoms de tradition et d'identités basques, bretonnes et occitanes. Ils sont dépourvus d'accents, conformément à l'usage traditionnel.

Les basques

Filles : Adela, Adriana, Agate, Alicia, Alienor, Amaia, Amaya, Amelia, Ana, Andrea, Aurora, Beatriz, Elaura, Elena, Enea, Erika, Ida, Ines, Joana, Juliana, Karla, Katarina, Lois, Lorea, Maia, Maialen, Maika, Maite, Maitena, Maria, Marika, Marta, Mercedes, Mendy, Mila, Milia, Nahia, Sandrina.

Garçons : Agustin, Alfredo, Andoni, Andrea, Aitor, Armando, Arno, Diego, Eneko, Esteban, Ettore, Fabrizio, Faustin, Felipe, Goran, Iban, Jaime, Javier, Joan, Jon, Julian, Julio, Leandro, Manuel, Martin, Mikel, Ozan, Pablo, Paco, Rafael, Ruben, Saverio, Stefan, Yael, Yan, Yoann, Yohan, Yorick, Youcef, Zacharia.

Notons qu'Ines, Alicia, Elena, Rafael, Esteban et Martin maintiennent leur suprématie à la tête du palmarès basque.

Les bretons

Filles : Aela, Aelig, Alana, Annaig, Armelle, Enora, Fanta, Gaelle, Gwenaelle, Gwenola, Jocelyne, Katell, Lara, Lena, Lenaig, Liza, Loane, Louane, Maela, Maelie, Maeline, Maelis, Maelle, Maelyne, Maelys, Maïna, Maiwen, Marianna, Melaine, Morane, Morgane, Noela, Nolwenn, Paola, Rozen, Tiphaine, Servane, Soizic, Sterenn, Yaëlle.

.../

Les prénoms basques, bretons et occitans *(suite)*

Garçons : Alan, Armel, Arthur, Bastian, Brendan, Brieuc, Elouan, Evan, Ewan, Gael, Goulven, Gildas, Gurvan, Gwenael, Gwendal, Josselin, Judicael, Kenan, Loan, Loïc, Mael, Malo, Matheo, Morgan, Pol, Renan, Ronan, Suliac, Tanguy, Titouan*, Yaël, Yann, Yoan, Youenn, Yves.

Dans les prénoms bretons, Lena, Maelys, Louane, Arthur, Maël, Matheo et Evan détiennent les records d'attribution.

Les occitans

Filles : Adria, Aelis, Alienor, Alicia, Amelia, Anaïs, Anna, Auda, Beatriz, Blanca, Bruna, Carla, Catarina, Clara, Clelia, Cloe, Elena, Eleonor, Elis, Emilia, Eugenia, Eulalia, Flavia, Flora, Flores, Inès, Isolina, Jana, Joana, Juliana, Justina, Lois, Maria, Mila, Naïs.

Garçons : Agustin, Alan, Andeol, Andrea, Andrieu, Antime, Antoni, Arnaud, Auban, Aubin, Aumaric, Calixte, Carles, Cosme, Emilian, Enric, Esteve, Fabian, Felip, Felix, Guibert, Guilhem, Jan, Joan, Jordan, Jordi, Julian, Leon, Lino, Lois, Martin, Matias, Roman, Titouan, Vital, Vivian.

Dans la sélection occitane, les choix dominants sont Inès, Clara et Anaïs au féminin, et Martin, Titouan et Roman au masculin. Sur le plan national, Arthur, Maël, Rafaël, Aelis, Eleonor, Lena et Maia sont les choix régionaux qui ont connu les plus fortes progressions.

* Bien que Titouan ait des origines occitanes, il est presque exclusivement attribué en Bretagne aujourd'hui.

Faust

Heureux, fortuné (latin). Masculin anglais. Ce prénom est porté par moins de 100 personnes en France. Variante : Fauste. Caractérologie : structure, sécurité, organisation, persévérance, efficacité.

Faustin 🌟 1 500 **(TOP 700)** →

Heureux, fortuné (latin). Dans l'Hexagone, Faustin est plus traditionnellement usité au Pays basque. Variantes : Faustino, Fausto. Caractérologie : humanité, rectitude, rêve, détermination, raisonnement.

Fawzi 🌟 450 ↘

Qui aura du succès (arabe). Variantes : Faïz, Fauzi. Caractérologie : intuition, relationnel, médiation, fidélité, décision.

Fayçal 🌟 3 000 **(TOP 1000)** →

Juge (arabe). Variantes : Faïçal, Faïsal, Faïssal, Fayçel, Faysal, Fayssal. Caractérologie : enthousiasme, pratique, communication, adaptation, générosité.

Federico 🌟 400 ↑

Pouvoir de la paix (germanique). Federico est très répandu dans les pays hispanophones et en Italie. Caractérologie : logique, médiation, relationnel, caractère, intuition.

Félicien 🎖 3 000 **TOP 2000** ◎
Heureux (latin). On peut estimer que moins de 30 enfants seront prénommés ainsi en 2014. Variantes : Félice, Felician, Feliciano. Caractérologie : logique, ouverture d'esprit, rêve, humanité, rectitude.

Felipe 🎖 850 ◎
Qui aime les chevaux (grec). Ce prénom espagnol est très répandu dans les pays hispanophones. Forme occitane : Felip. Caractérologie : stratégie, sympathie, vitalité, achèvement, analyse.

Félix 🎖 23 000 **TOP 300** ➡
Heureux (latin). En dehors de l'Hexagone, Felix est très répandu en Allemagne et en Autriche. Formes basques et bretonnes : Feliz, Filiz, Heliz. Caractérologie : intuition, relationnel, médiation, analyse, fidélité.

Ferdinand 🎖 5 000 **TOP 800** ◎
Courageux, aventurier (germanique). Masculin allemand, français, néerlandais et tchèque. Variante : Ferdi. Caractérologie : communication, pragmatisme, résolution, optimisme, volonté.

370

Fergus
Choix (irlandais). Fergus est assez répandu en Écosse. Ce prénom est porté par moins de 100 personnes en France. Caractérologie : sympathie, sécurité, persévérance, structure, analyse.

Fernand 🎖 32 000 ➡
Courageux, aventurier (germanique). Navigateur portugais, Fernand de Magellan a découvert en 1520 le détroit auquel il a donné son nom. En France, Fernand s'est placé à la 21e place du classement en 1920, son dernier

pic de popularité. On peut estimer que moins de 30 enfants seront prénommés ainsi en 2014. Caractérologie : achèvement, vitalité, volonté, stratégie, détermination.

Fernando 🎖 4 000 **TOP 2000** ◎
Courageux, aventurier (germanique). Fernando est très répandu dans les pays hispanophones et lusophones. On peut estimer que moins de 30 enfants seront prénommés ainsi en 2014. Variante : Fernandez. Caractérologie : résolution, courage, dynamisme, volonté, curiosité.

Ferréol 🎖 250 **TOP 2000**
De fer (latin). Variantes : Féréol, Ferrero, Ferruccio, Ferrucio, Feruccio, Ferucio, Ferrer. Caractérologie : savoir, intelligence, méditation, indépendance, logique.

Féthi 🎖 750 ➡
Victorieux (arabe). Caractérologie : enthousiasme, pratique, communication, attention, adaptation.

Fiacre
Se rapporte à saint Fiacre, moine irlandais qui vécut en France au VIIe siècle. Il est le patron des jardiniers. Ce prénom est porté par moins de 100 personnes en France. Caractérologie : résolution, sens des responsabilités, famille, équilibre, analyse.

Filipe 🎖 2 000 ➡
Qui aime les chevaux (grec). Ce prénom est particulièrement répandu au Portugal. On peut estimer que moins de 30 enfants seront prénommés ainsi en 2014. Variantes : Filip, Filipo. Caractérologie : pratique, sympathie, analyse, communication, enthousiasme.

Finn
Blanc, clair (gaélique). Ce prénom est porté par moins de 100 personnes en France.

Caractérologie : indépendance, méditation, intelligence, sagesse, savoir.

Firmin 🌟 3 000 (TOP 2000) →
Fermeté, rigueur (latin). Prénom français. Saint Firmin, évêque d'Uzès au VIᵉ siècle, est invoqué pour l'aide aux caractères faibles. Forme basque : Fermin. Caractérologie : paix, bienveillance, conseil, conscience, volonté.

Flavien 🌟 13 000 (TOP 600) ↓
Couleur jaune, blond (latin). Masculin français. Variantes : Flavian, Flavy. Caractérologie : famille, équilibre, caractère, sens des responsabilités, logique.

Flavio 🌟 3 000 (TOP 500) ↘
Couleur jaune, blond (latin). Flavio est très répandu en Italie et dans les pays hispanophones. Caractérologie : diplomatie, sociabilité, loyauté, analyse, réceptivité.

Fleury 🌟 300
Fleur (latin). Variantes : Fiore, Fiorello, Fleuret, Fleuri, Fleuris. Caractérologie : conscience, bienveillance, sympathie, paix, analyse.

Flint
Ruisseau (anglo-saxon). Masculin anglais. Ce prénom est porté par moins de 30 personnes en France. Caractérologie : sagacité, spiritualité, connaissances, analyse, originalité.

Floran 🌟 550 ↓
Floraison (latin). Variantes : Florant, Florancio. Caractérologie : analyse, pragmatisme, communication, optimisme, résolution.

Floréal 🌟 600
Floraison (latin). Ce nom désignait également la période du printemps dans le calendrier révolutionnaire. Caractérologie : conscience, paix, bienveillance, logique, décision.

Florent 🌟 65 000 (TOP 400) ↘
Floraison (latin). Masculin français. Caractérologie : altruisme, idéalisme, réflexion, intégrité, logique.

Florentin 🌟 5 000 (TOP 800) ↓
Floraison (latin). Florentin est répandu en Roumanie. Variantes : Florentino. Caractérologie : découverte, énergie, audace, analyse, originalité.

Florestan 🌟 300 ↘
Floraison (latin). Caractérologie : réceptivité, sociabilité, diplomatie, décision, logique.

Florian 🌟 124 000 (TOP 200) ↓
Floraison (latin). En dehors de l'Hexagone, Florian est répandu dans les pays anglophones et germanophones. Saint Florian est le patron de l'Autriche. Variantes : Florain, Floriant, Florien, Florin, Floride, Flory, Floryan. Forme basque : Floriano. Caractérologie : détermination, pratique, raisonnement, communication, enthousiasme.

Florient 🌟 600 ↓
Floraison (latin). Caractérologie : idéalisme, altruisme, intégrité, réflexion, analyse.

Florimond 🌟 650 ↗
Floraison (latin). Variante : Florimon. Caractérologie : méditation, savoir, intelligence, caractère, logique.

Floris 🌟 750 (TOP 2000) →
Floraison (latin). Floris est plus particulièrement répandu dans les cultures néerlandophones. Variante : Florice. Caractérologie : sagacité, philosophie, raisonnement, spiritualité, originalité.

Floyd 🌟 140
Cheveux gris (gallois). Caractérologie : achèvement, vitalité, ardeur, leadership, stratégie.

F

371

Foad 🎖 130
Généreux, qui a du cœur (arabe). Caractérologie : leadership, vitalité, stratégie, achèvement, ardeur.

Fortunato 🎖 110
Chanceux (latin). Variante : Fortuna. Caractérologie : fiabilité, analyse, ténacité, méthode, résolution.

Foster
Gardien de forêt (anglais). Masculin anglais. Ce prénom est porté par moins de 30 personnes en France. Caractérologie : fidélité, intuition, relationnel, médiation, décision.

Fouad 🎖 5 000 **TOP 2000** ⬇
Généreux, qui a du cœur (arabe). On peut estimer que moins de 30 enfants seront prénommés ainsi en 2014. Variantes : Fouaad, Fouade, Fouede, Fouhad. Caractérologie : adaptabilité, relationnel, intuition, fidélité, médiation.

Foucauld 🎖 450 **TOP 2000** ↘
Peuple de la forêt (germanique). Se rapporte également à Charles de Foucauld, prêtre assassiné en 1916 à Tamanrasset. Variante : Foucault. Caractérologie : intuition, médiation, adaptabilité, relationnel, fidélité.

Foued 🎖 1 000 ⬇
Généreux, qui a du cœur (arabe). Variante : Fouhed. Caractérologie : bienveillance, conscience, caractère, paix, conseil.

Franc 🎖 950
Libre, français (latin). Caractérologie : équilibre, détermination, sens des responsabilités, famille, raisonnement.

Francesco 🎖 2 000 **TOP 2000** ➡
Libre, français (latin). Francesco est un prénom italien. On peut estimer que moins de 30 enfants seront prénommés ainsi en 2014. Caractérologie : enthousiasme, pratique, communication, raisonnement, détermination.

Francis 🎖 121 000 **TOP 2000** ➡
Libre, français (latin). Cette forme anglaise de François, répandue depuis des siècles dans les pays anglophones, a connu son apogée en France en 1952. Après avoir culminé au 20e rang masculin, elle s'est repliée pour disparaître à la fin du siècle. On peut estimer que moins de 30 enfants seront prénommés ainsi en 2014. Variante : Francys. Caractérologie : savoir, intelligence, méditation, analyse, résolution.

Francisco 🎖 6 000 **TOP 2000** ➡
Libre, français (latin). Francisco est très répandu dans les pays hispanophones et lusophones. On peut estimer que moins de 30 enfants seront prénommés ainsi en 2014. Caractérologie : détermination, spiritualité, connaissances, raisonnement, sagacité.

Francisque 🎖 900
Libre, français (latin). Caractérologie : analyse, audace, énergie, découverte, résolution.

Franck 🎖 170 000 **TOP 900** ⬇
Libre, français (latin). Évocateur du peuple des Francs, ce diminutif de Francis a surgi dans l'Hexagone au milieu des années 1960. Sans faire de grandes vagues, Franck s'est placé au 13e rang français à son sommet. Il est beaucoup moins répandu que le Frank anglophone ou germanophone qui a décollé dès le milieu du XIXe siècle dans de nombreux pays. Caractérologie : stratégie, achèvement, détermination, vitalité, raisonnement.

Francky 🎖 2 000 ↘
Libre, français (latin). On peut estimer que moins de 30 enfants seront prénommés ainsi en 2014. Variantes : Franco, Francki,

Le palmarès des prénoms de la Suisse romande

Ces palmarès sont fondés sur les dernières données diffusées par l'Office fédéral suisse de la statistique (OFS). Les prénoms sont classés par ordre décroissant d'attribution. Afin de vous donner une image plus complète des prénoms les plus attribués en 2012, deux palmarès complémentaires vous sont proposés.

Le premier établit le top 20 masculin par ordre décroissant d'attribution. Chaque prénom est considéré comme une entité unique et classé selon sa fréquence d'attribution.

Le second fonctionne de la même manière mais il inclut, pour chaque prénom donné (exemple : Luca), la fréquence d'attribution des variantes les plus attribuées (exemple : Lucas). Pour ce faire, seules les graphies figurant dans le top 50 suisse romand ont été prises en compte. Ce classement donne une indication complémentaire sur les dernières tendances dans les choix de prénoms.

Palmarès 1 : chaque prénom est classé selon sa fréquence d'attribution individuelle

1. Gabriel	6. Samuel	11. Léo	16. Enzo
2. Luca, Thomas*	7. Théo	12. Louis	17. Matteo
3. Noah	8. Maxime	13. Nolan	18. Benjamin
4. Nathan	9. Alexandre	14. Arthur	19. Evan
5. Lucas	10. Ethan, Liam*	15. David	20. Hugo

Palmarès 2 : la fréquence d'attribution du prénom inclut celle de ses variantes

1. Luca, *Lucas*	6. Samuel	11. Léo	16. Enzo
2. Gabriel	7. Théo	12. Louis	17. Rafael, *Raphaël*
3. Noah, *Noa*	8. Maxime	13. Nolan	18. Matteo
4. Thomas	9. Alexandre	14. Arthur	19. Benjamin
5. Nathan	10. Ethan, *Liam**	15. David	20. Evan

Commentaires et observations

Dans ce millésime 2012, Gabriel trône sur le palmarès suisse romand. Mais grâce au succès de ses différentes graphies, Luca(s) le devance dans le deuxième classement. Dans les deux cas, la montée des prénoms de l'Ancien Testament se confirme. L'ascension de Noah et Gabriel a, comme en Wallonie, suivi de près celle de Nathan. Et si David semble avoir fait

* Ces prénoms ont été attribués le même nombre de fois et se placent au même rang.

Le palmarès des prénoms de la Suisse romande *(suite)*

son temps, sa relève est déjà assurée par Benjamin, Samuel et Ethan. Sans oublier Rafael, qui surgit dans le deuxième tableau grâce au soutien de Raphaël.

Cette poussée n'a pas empêché celle de noms tirés de registres différents. L'envol du jeune Liam contraste avec le rebond d'Alexandre, valeur classique venue bouleverser les 10 premiers choix. Et que dire de Jules qui s'impose dans l'élite en gagnant 20 places en l'espace d'un an ? Il éclipserait presque la prouesse de Thomas qui rebondit au 2e rang. Signe que les prénoms rétro ont de beaux jours devant eux en Romandie.

Horizon 2015
Ruben semble porté par des ailes et surfe sur la vague des prénoms de l'Ancien Testament. Il a toutes les chances d'intégrer le top 20 romand. Maël, qui en est déjà tout proche, pourrait s'imposer dès 2014.

Franckie, Franki, Frankie. Formes bretonnes : Soaig, Soizic. Caractérologie : sympathie, sens des responsabilités, équilibre, famille, analyse.

Franco 2 000
Libre, français (latin). Franco est un prénom espagnol et italien. On peut estimer que moins de 30 enfants seront prénommés ainsi en 2014. Caractérologie : raisonnement, pragmatisme, communication, optimisme, créativité.

François  248 000 **TOP 400**
Ce prénom ancien a été porté par plusieurs saints, deux rois de France, et plus récemment, deux présidents français et un pape. Il vient du latin *francus*, « homme libre », et signifie également « le Français » depuis que saint François d'Assise, prénommé Giovanni par sa mère, fut renommé Francesco par son père : ce dernier revenait si heureux d'un voyage d'affaires en France qu'il voulut ainsi lui rendre hommage. Au XIIIe siècle, Francesco et François se diffusent ensemble, puis François devient la forme française prédominante.

Il est très répandu au moment du règne de François Ier, au XVIe siècle, et restera l'un des 10 prénoms les plus attribués jusqu'au XIXe siècle. Il fallait que François reprenne son souffle pour se hisser aux portes du top 20 français en 1961, son dernier point culminant. Il est aujourd'hui un prénom rare pour les nouveau-nés. ◇ Le 4 octobre célèbre la fête de saint François d'Assise (1182-1226), le plus connu des saints porteurs du nom. Saint François d'Assise vendit ses biens au profit des pauvres, fonda un ordre qui porta son nom et partit évangéliser les campagnes. Il prêcha la foi aux musulmans de Syrie et d'Égypte et plaida pour l'arrêt de la guerre opposant chrétiens et musulmans auprès du sultan de Damiette. ◇ Artisan de la Réforme catholique, saint François de Sales (1567-1622) est le patron des journalistes. Il est fêté le 24 janvier. Caractérologie : structure, sécurité, persévérance, raisonnement, détermination.

François-Xavier 7 000
Forme composée de François et Xavier. Jésuite missionnaire au XVIe siècle, saint

François-Xavier partit sur la demande du pape Paul III prêcher en Indes orientales et au Japon. Il est le patron des missionnaires. On peut estimer que moins de 30 enfants seront prénommés ainsi en 2014. Caractérologie : volonté, intuition, médiation, relationnel, analyse.

Frank
⭐ 10 000 →

Libre, français (latin). En dehors de l'Hexagone, Frank est très répandu dans les pays anglophones, germanophones et néerlandophones. On peut estimer que moins de 30 enfants seront prénommés ainsi en 2014. Caractérologie : courage, dynamisme, curiosité, indépendance, détermination.

Franklin
⭐ 750 →

Libre, français (latin). Masculin anglais. Caractérologie : persévérance, résolution, structure, sécurité, analyse.

Franky
⭐ 700

Libre, français (latin). Caractérologie : créativité, optimisme, communication, pragmatisme, détermination.

Frantz
⭐ 5 000 ↓

Libre, français (latin). On peut estimer que moins de 30 enfants seront prénommés ainsi en 2014. Variante : Frans. Caractérologie : structure, sécurité, sensibilité, persévérance, détermination.

Franz
⭐ 950

Libre, français (latin). Franz est un prénom allemand. Caractérologie : médiation, fidélité, détermination, relationnel, intuition.

Fraser

Fraise (écossais). Ce prénom est porté par moins de 30 personnes en France. Caractérologie : ténacité, engagement, méthode, fiabilité, résolution.

Fred
⭐ 4 000 ↘

Diminutif des prénoms formés avec Fred. Masculin anglais, néerlandais, allemand et français. On peut estimer que moins de 30 enfants seront prénommés ainsi en 2014. Variante : Frede. Caractérologie : famille, équilibre, sens des responsabilités, influence, volonté.

Freddy
⭐ 16 000 ↘

Pouvoir de la paix (germanique). Masculin allemand. On peut estimer que moins de 30 enfants seront prénommés ainsi en 2014. Variantes : Freddi, Freddie, Fredi, Fredj, Fredo. Caractérologie : vitalité, stratégie, ardeur, volonté, achèvement.

Frédéric
⭐ 304 000 **TOP 1000** ↓

Pouvoir de la paix (germanique). Ce grand prénom royal a été, sous ses différentes graphies, porté par une trentaine de souverains germaniques, prusses, danois, suédois et norvégiens. Il est fréquent dans les pays anglo-saxons et scandinaves à partir du XVIIIe siècle mais peine à briller en France. C'est bien plus tard, au terme d'une progression lente mais constante, qu'il se révèle au XXe siècle. Il culmine au 4e rang masculin en 1973, après la gloire d'Éric, avant de chuter brutalement. ◇ Surnommé Barberousse, Frédéric Ier (Friedrich en allemand) fut le premier roi de Prusse au XVIIIe siècle. Son fils et successeur, Frédéric II le Grand, réorganisa ses États et fit de son armée une force militaire redoutable. Intellectuel francophile, il tissa des liens avec Voltaire et les plus grands savants de son époque. Caractérologie : dynamisme, curiosité, logique, courage, caractère.

Frederick
⭐ 5 000 →

Pouvoir de la paix (germanique). Masculin anglais. On peut estimer que moins de 30 enfants seront prénommés ainsi en

F

2014. Variantes : Frederi, Frederich, Frederico, Fredric, Friedrich, Fritz. Caractérologie : méditation, savoir, volonté, intelligence, raisonnement.

Frederik 🌟 1 000
Pouvoir de la paix (germanique). Caractérologie : fiabilité, méthode, engagement, ténacité, caractère.

Fredy 🌟 2 000
Pouvoir de la paix (germanique). On peut estimer que moins de 30 enfants seront prénommés ainsi en 2014. Caractérologie : ténacité, méthode, fiabilité, engagement, volonté.

Fridolin
Elfe, conseiller (germanique). Ce prénom est porté par moins de 100 personnes en France.

Caractérologie : bienveillance, conscience, paix, logique, caractère.

Fulbert 🌟 500
Peuple brillant (germanique). Caractérologie : enthousiasme, communication, adaptation, pratique, analyse.

Fulgence
Fulgurant (latin). Ce prénom est porté par moins de 100 personnes en France. Variantes : Fulgencio, Fulgent. Caractérologie : direction, dynamisme, audace, cœur, indépendance.

Fulvio
Couleur jaune, blond (latin). Masculin italien. Ce prénom est porté par moins de 100 personnes en France. Variante : Fulvien. Caractérologie : ténacité, méthode, fiabilité, engagement, logique.

G

Gabin 🌟 21 000 TOP 50 🔍 ↗
Qui vient de Gabium, une ancienne ville d'Italie centrale (latin). Caractérologie : paix, bienveillance, conscience, conseil, décision.

Gabriel 🌟 91 000 TOP 50 🔍 →
Force de Dieu (hébreu). Variantes : Gabe, Gabi, Gabirel, Gabriele, Gabryel. Caractérologie : altruisme, idéalisme, détermination, amitié, intégrité.

Gaby 🌟 1 500 TOP 600 ↑
Force de Dieu (hébreu). Masculin anglais. Caractérologie : force, ambition, habileté, passion, management.

Gad 🌟 250 TOP 2000 ↗
Chanceux, heureux (hébreu). Caractérologie : communication, pratique, enthousiasme, réalisation, adaptation.

Gadiel
Fortune de Dieu (hébreu). Ce prénom est porté par moins de 30 personnes en France. Caractérologie : intuition, relationnel, réussite, médiation, cœur.

Gaël 🌟 31 000 TOP 200 →
Seigneur généreux (celte). Ancien peuple celte, les Gaëls s'établirent en Irlande à la fin du Vᵉ siècle. Ce prénom breton s'orthographie souvent sans tréma. Variante : Gaelig. Caractérologie : méditation, savoir, intelligence, cœur, indépendance.

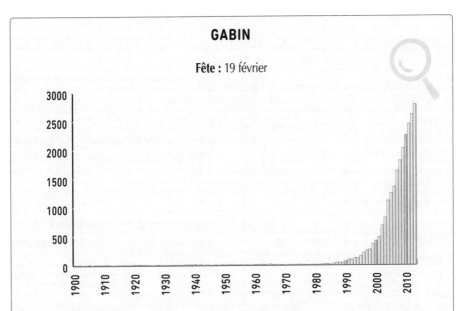

GABIN

Fête : 19 février

Étymologie : se rapporte à *Gabinus*, un nom latin qui signifiait : « qui vient de Gabium » (ce terme désigne une ancienne ville du Latium, en Italie centrale). Mais l'origine pouvant expliquer l'essor de ce prénom est très différente. Gabin aurait pour ancêtre Gauvain, le neveu du roi Arthur. Chevalier de la Table ronde, Gauvain avait toutes les qualités d'un gentleman et portait souvent l'épée Excalibur. Selon la légende, sa force se trouvait décuplée avec la lumière du soleil. Véhiculée par les légendes arthuriennes au Moyen Âge, la popularité de ce personnage assura au prénom une large diffusion en France et en Grande-Bretagne*.

Gawain réapparaît en Écosse au XVIe siècle mais c'est sous la forme de Gabin que ce choix renaît depuis peu dans l'Hexagone (il a franchi le seuil des 20 attributions en 1986). L'acteur Jean Gabin (1904-1976) a peut-être contribué à son succès, et peu importe que son nom de naissance ait été Jean-Alexis Moncorgé. Gabin (et Gavin) figure aujourd'hui dans les 40 premiers rangs des classements français et américains.

Personnalité célèbre : Gabin Nuissier, chorégraphe français.

Sous le règne de l'empereur Dioclétien au IIIe siècle, **saint Gavino** mourut martyr avec sa fille en Sardaigne.

Personnage de l'Ancien Testament, **Jabin**, le roi de Hazor (en Galilée), dirige une coalition contre les Israélites. Il est vaincu par les troupes de Josué et la ville est brûlée.

.../

G

377

Gabin *(suite)*

Statistiques : Gabin est le 58e prénom masculin le plus donné en France depuis le début du XXIe siècle. On peut estimer qu'il sera attribué à un garçon sur 146 en 2014.

* Gawain était alors l'équivalent anglais de Gauvain.

Gaétan 48 000 **TOP 200** →
De Gaète, ville d'Italie (latin). Ce prénom français s'orthographie également avec un tréma. Variante : Gaéthan. Caractérologie : communication, enthousiasme, pratique, générosité, adaptation.

Gaetano 600
De Gaète, ville d'Italie (latin). Caractérologie : altruisme, réflexion, dévouement, intégrité, idéalisme.

Gaïl
Variation anglophone de Gaël. Masculin anglais. Ce prénom est porté par moins de 100 personnes en France. Caractérologie : sensibilité, médiation, fidélité, conseil, intuition.

Gaïus
Variante de Caïus, ancien prénom latin issu du grec gaia, la terre. Ce prénom est porté par moins de 30 personnes en France. Caractérologie : communication, générosité, pratique, adaptation, enthousiasme.

Gamal 190
Chameau (arabe). Caractérologie : connaissances, sagacité, réussite, spiritualité, originalité.

Gamiel
Dieu est ma récompense (hébreu). Ce prénom est porté par moins de 30 personnes en France. Caractérologie : relationnel, sympathie, intuition, médiation, réalisation.

Gang
Petite montagne (chinois). Ce prénom est porté par moins de 30 personnes en France. Caractérologie : loyauté, diplomatie, sociabilité, réceptivité, bonté.

Garry 1 500 ↓
Lance, gouverner (germanique). On peut estimer que moins de 30 enfants seront prénommés ainsi en 2014. Caractérologie : influence, famille, sens des responsabilités, exigence, équilibre.

Gary 5 000 **TOP 800** ↗
Lance, gouverner (germanique). Masculin anglais. Caractérologie : paix, sagesse, bienveillance, conscience, conseil.

Gaspard 11 000 **TOP 100** 🔍 ↗
Gardien du trésor (hébreu). Variantes : Caspar, Casper, Gaspar, Jasper. Caractérologie : optimisme, communication, créativité, pragmatisme, réalisation.

Gaston 21 000 **TOP 500** ↗
Accueillant (germanique). Masculin français. Évêque d'Arras, Gaston (ou saint Vaast) aurait été l'instructeur religieux de Clovis avant son baptême. Caractérologie : fiabilité, engagement, méthode, ténacité, sens du devoir.

Gatien 2 000 **TOP 600** →
Accueillant (germanique). Caractérologie : sociabilité, réceptivité, diplomatie, résolution, loyauté.

GABRIEL

Fête : 29 septembre

Étymologie : de l'hébreu *gabor* et *el*, « force de Dieu ». Après avoir connu une certaine puissance au Moyen Âge, l'engouement pour ce prénom s'estompe et se déplace de la France aux pays anglophones. Plusieurs siècles d'éclipse partielle lui sont imposés avant qu'il ne renaisse à la fin des années 1990. Après l'inconstance des grands débuts, plus rien ne semble entraver l'élan qui le porte aujourd'hui. Le jaillissement de Raphaël, qui rime avec lui, a encouragé ce retour, mais c'est à l'essor des prénoms bibliques qu'il doit avant tout sa gloire. Il trône sur le classement parisien depuis 2007 et devrait s'établir au 4e rang du tableau national en 2014.

Comme la plupart des référents bibliques, Gabriel jouit d'une immense notoriété internationale. Bien que sa popularité soit variable selon les pays, il descend rarement en seconde division des classements. En zone francophone, il trône sur le palmarès suisse romand et figure en tête des pelotons wallon et québécois. De son côté, le féminin Gabrielle reprend des couleurs : ce choix devrait être attribué à plus de 1 000 Françaises en 2014. Il devance Gabriella qui reste essentiellement implanté dans les pays hispanophones et anglo-saxons. Gabriel se prête peu aux variations, mais le diminutif Gaby est attribué dans les deux genres.

Gabriel est vénéré dans le judaïsme, le christianisme et l'islam. Dans l'Ancien Testament, il est le messager du ciel qui aide le prophète Daniel à interpréter ses songes. Il apparaît sous la même forme dans le Nouveau Testament pour annoncer à Marie qu'elle va mettre au monde

G

.../

Gabriel *(suite)*

---

l'Enfant Jésus. Enfin, dans le Coran, Djibril (équivalent arabe de Gabriel) est considéré comme l'ange porteur d'ordres et de châtiments divins. C'est lui qui révèle le Coran à Mahomet.

L'archange Gabriel est le patron des postiers et de nombreux métiers de la communication.

Statistiques : Gabriel est le 20e prénom masculin le plus donné en France depuis le début du XXIe siècle. On peut estimer qu'il sera attribué à un garçon sur 79 en 2014.

Gaultier 550
Commander, gouverner (germanique). Variante : Gaulthier. Caractérologie : communication, détermination, enthousiasme, amitié, pratique.

Gauthier 14 000 **TOP 300**
Commander, gouverner (germanique). Masculin français. Caractérologie : stratégie, achèvement, vitalité, attention, action.

Gautier 8 000 **TOP 600**
Commander, gouverner (germanique). Caractérologie : rêve, détermination, humanité, amitié, rectitude.

Gauvain 350
Faucon de plaine (gallois). Gawain, le neveu du roi Arthur, est considéré comme l'un des meilleurs chevaliers de la Table ronde. Gauvain est la forme française de ce prénom. Variantes : Gavin, Gauvin. Caractérologie : optimisme, pragmatisme, réalisation, amitié, communication.

Gaylord 2 000
Gaillard (vieux français). Masculin anglais. On peut estimer que moins de 30 enfants seront prénommés ainsi en 2014. Variante : Gaylor. Caractérologie : dynamisme, audace, réalisation, analyse, direction.

Gédéon 250
Qui coupe les arbres (hébreu). Caractérologie : originalité, énergie, découverte, caractère, audace.

Genès
Naissance (latin). Ce prénom est porté par moins de 30 personnes en France. Variante : Genest. Caractérologie : curiosité, charisme, indépendance, dynamisme, courage.

Genseric
Puissant gouverneur (scandinave). Ce prénom est porté par moins de 100 personnes en France. Caractérologie : force, sympathie, ambition, résolution, habileté.

Geoffray 1 000
La paix de Dieu (germanique). Masculin français. Caractérologie : relationnel, médiation, intuition, fidélité, décision.

Geoffrey 27 000 **TOP 900**
La paix de Dieu (germanique). En dehors de l'Hexagone, Geoffrey est répandu dans les pays anglophones. Variante : Gottfried. Caractérologie : bienveillance, paix, conscience, sagesse, conseil.

Geoffroy 8 000 **TOP 2000**
La paix de Dieu (germanique). Dans l'Hexagone, Geoffroy est plus traditionnellement usité dans les Flandres. On peut estimer

GASPARD

Fête : 28 décembre, 6 janvier

Étymologie : Gapard se rapporte à *ghizbar*, un nom hébreu d'origine perse signifiant « gardien du trésor ». L'Évangile selon saint Matthieu raconte que des Mages venus d'Orient se laissèrent guider par une étoile jusqu'à Bethléem pour honorer Jésus nouveau-né. Au VIe siècle, l'Église nomma ces mages Gaspard, Melchior et Balthazar, mais c'est au XIIe siècle que leur double reconnaissance, liturgique et iconographique, lança la carrière des prénoms.

Gaspard est en faveur du Moyen Âge au début du XIXe siècle, mais il se raréfie ensuite, au point de ne prénommer aucun Français en 1955. Sa renaissance est singulièrement lente jusqu'à la fin des années 1980, où ses attributions frémissent à Paris. En attendant la gloire nationale, Gaspard vient de bondir dans le top 20 parisien.

Dans les peintures du XIIe siècle, Gaspard apparaît sous les traits d'un jeune homme imberbe au teint clair, agenouillé pour offrir l'or à Jésus. À ses côtés, Melchior, le plus âgé des trois, offre l'encens pendant que Balthazar, le roi maure coiffé d'un turban, tend la myrrhe. Ensemble, ils représentent les peuples et les continents connus de l'époque : l'Asie, l'Europe et l'Afrique. Cet épisode biblique fut également immortalisé par Rubens au début du XVIIe siècle.

Saint Gaspard del Bufalo, évangélisateur italien au XVIIIe siècle, est fêté le 28 décembre.

Personnalités célèbres : Gaspard Koenig, écrivain français né en 1982 ; Gaspard Ulliel, acteur français né en 1984 ; Gaspard Proust, humoriste français.

.../

G

381

Gaspard *(suite)*

Statistiques : Gaspard est le 99ᵉ prénom masculin le plus donné en France depuis le début du XXIᵉ siècle. On peut estimer qu'il sera attribué à un garçon sur 339 en 2014. Notons que son féminin **Gasparine** n'a pas été attribué depuis 1927.

---

que moins de 30 enfants seront prénommés ainsi en 2014. Variantes : Geoffroi, Goeffrey. Caractérologie : connaissances, sagacité, originalité, spiritualité, philosophie.

George 🦃 900 **TOP 200** ↗

Labourer le sol (grec). Prénom anglais et roumain. Caractérologie : optimisme, créativité, pragmatisme, communication, sociabilité.

Georges 🦃 154 000 **TOP 300** ↑

Labourer le sol (grec). Peu connu par le passé, Georges entame une carrière anglaise sous le règne de George Iᵉʳ (1714-1727). Pourvoyeur de succès, ce patronage royal répand le prénom dans le monde anglophone avant de le propulser dans l'Hexagone. Bien qu'il ait atteint son apogée à la fin du XIXᵉ siècle, Georges se maintient parmi les 10 premiers choix français de 1900 à 1929. Une longévité qui fait de lui le 17ᵉ prénom le plus attribué du XXᵉ siècle en France. ◇ Soldat romain né en Cappadoce, saint Georges mourut martyr en 303 sous le règne de Dioclétien. Une légende raconte qu'il aurait tué un dragon dans un camp libyen afin de sauver une princesse qui allait lui être sacrifiée. Patron de l'Angleterre, saint Georges a inspiré la création de la croix de Saint-Georges, récompense attribuée aux plus braves et courageux. George Washington (1732-1799), le premier président des États-Unis, Georges Pompidou (1911-1974), président français, et plusieurs rois d'Angleterre ont illustré ce prénom. Et depuis l'été 2013, un nouvel héritier à la couronne britannique se prénomme George : le fils de Kate Middleton

et du prince William. Variantes : Georgie, Georgio, Georgy, Jurgen, Jorj. Forme basque : Gorka. Forme bretonne : Yun. Caractérologie : structure, sécurité, persévérance, efficacité, détermination.

Gérald 🦃 29 000 ⬇

Lance, gouverner (germanique). Masculin français et anglais. On peut estimer que moins de 30 enfants seront prénommés ainsi en 2014. Variantes : Géralde, Geraldo, Geraldy. Caractérologie : sociabilité, réceptivité, diplomatie, réalisation, sympathie.

Gérard 🦃 292 000 ⬊

Lance puissante (germanique). Les troupes normandes de Guillaume le Conquérant ont introduit ce prénom en Angleterre au XIᵉ siècle. Il y fait tant d'émules qu'il se propage aux pays anglo-saxons, où sa carrière est stable jusqu'au XVIIᵉ siècle. En France comme en outre-Manche, Gérard renaît dans les années 1920. Il s'est imposé dans les 10 premiers rangs français de 1938 à 1950. ◇ Abbé de Brogne au Xᵉ siècle, saint Gérard réforma plusieurs abbayes dans le nord-est de la France. On peut estimer que moins de 30 enfants seront prénommés ainsi en 2014. Variantes : Gérardin, Gerardo, Gerbert, Gerhard. Variante alsacienne : Guerard. Caractérologie : décision, achèvement, vitalité, stratégie, réussite.

Géraud 🦃 2 000 ⬇

Lance, gouverner (germanique). Géraud d'Aurillac, comte et fondateur de l'abbaye d'Aurillac, vécut au IXᵉ siècle. On peut estimer que moins de 30 enfants seront prénommés ainsi en 2014. Caractérologie : relationnel, médiation, intuition, sympathie, réalisation.

Germain ⭐ 13 000 (TOP 900) ➡
De même sang (latin). Masculin français. Variante : Germano. Variante basque et occitane : German. Caractérologie : sécurité, structure, réalisation, persévérance, détermination.

Germinal ⭐ 400
Période du début du printemps dans le calendrier révolutionnaire. Caractérologie : sagacité, sympathie, connaissances, réalisation, spiritualité.

Gérôme ⭐ 1 500
Nom sacré (grec). Voir Jérôme. On peut estimer que moins de 30 enfants seront prénommés ainsi en 2014. Caractérologie : rêve, tolérance, volonté, rectitude, humanité.

Gervais ⭐ 3 000
Prêt au combat (germanique). Masculin français. On peut estimer que moins de 30 enfants seront prénommés ainsi en 2014. Caractérologie : détermination, humanité, rectitude, rêve, réalisation.

Gery ⭐ 1 000
Diminutif des prénoms formés avec Ger. Variante : Gerry. Caractérologie : autorité, innovation, ambition, autonomie, énergie.

Ghaïs ⭐ 190
Vigoureux (arabe). Caractérologie : achèvement, vitalité, action, ardeur, stratégie.

Gharib ⭐ 120
Nom d'un des personnages des *Mille et Une Nuits*, recueil anonyme de contes populaires écrits en arabe au XIIIᵉ siècle, d'origine persane. Caractérologie : intégrité, idéalisme, altruisme, action, réflexion.

Ghislain ⭐ 11 000 ↘
Doux (germanique). Masculin français. On peut estimer que moins de 30 enfants seront prénommés ainsi en 2014. Variantes : Ghyslain, Gyslain. Caractérologie : sympathie, intelligence, méditation, savoir, ressort.

Giacomo ⭐ 450 ↓
Supplanter, substituer (hébreu). Giacomo est un prénom italien. Caractérologie : idéalisme, intégrité, altruisme, logique, réussite.

Gian ⭐ 250 ➡
Dieu fait grâce (hébreu). Prénom italien. Caractérologie : structure, sécurité, persévérance, efficacité, résolution.

Gianni ⭐ 5 000 (TOP 300) ➡
Dieu fait grâce (hébreu). Gianni est un prénom italien. Variantes : Gian, Giani, Gianny. Caractérologie : idéalisme, décision, réflection, humanité, fiabilité.

Gidéon
Qui coupe les arbres (hébreu). Ce prénom est porté par moins de 100 personnes en France. Caractérologie : rêve, rectitude, ouverture d'esprit, humanité, caractère.

Gil ⭐ 3 000
Diminutif des prénoms formés avec Gil. Masculin espagnol, portugais et anglais. On peut estimer que moins de 30 enfants seront prénommés ainsi en 2014. Caractérologie : énergie, autorité, ambition, autonomie, innovation.

Gilane
Contraction de Gilles et Anne. Ce prénom est porté par moins de 30 personnes en France. Caractérologie : communication, pragmatisme, détermination, créativité, amitié.

Gilbert ⭐ 109 000
Promesse brillante (germanique). Évêque de Meaux au XIIᵉ siècle, saint Gilbert fonda deux

monastères, l'un dans l'Allier et l'autre dans le Puy-de-Dôme. En dehors de l'Hexagone, Gilbert est très répandu dans les pays anglophones et en Allemagne. On peut estimer que moins de 30 enfants seront prénommés ainsi en 2014. Variante : Wilbert. Caractérologie : direction, dynamisme, audace, indépendance, sympathie.

Gilberto ⭐ 300
Promesse brillante (germanique). Gilberto est très répandu dans les pays hispanophones et lusophones. Caractérologie : méditation, savoir, logique, intelligence, cœur.

Gildas ⭐ 7 000 ➡
Chevelure (celte), ou doré (vieil anglais). Prénom breton. On peut estimer que moins de 30 enfants seront prénommés ainsi en 2014. Variantes : Jildas, Jildaz. Caractérologie : connaissances, spiritualité, originalité, réalisation, sagacité.

Gilles ⭐ 158 000 TOP 2000 ↘
Bouclier protecteur de chevaux (grec). De nombreuses légendes entourent ce prénom français. Ermite dans le Gard au Ve siècle, saint Gilles fit bâtir un monastère sur l'un des chemins de Compostelle. Depuis, ce lieu est devenu le village de Saint-Gilles-du-Gard. ◇On dit que l'égide, origine étymologique de Gilles, était le bouclier miraculeux d'Athéna et de Zeus. On peut estimer que moins de 30 enfants seront prénommés ainsi en 2014. Variantes : Ghiles, Giles, Gille, Gilian, Gillian, Gill. Forme occitane : Geli. Caractérologie : cœur, énergie, autorité, innovation, décision.

Gillian ⭐ 600 ➡
Bouclier protecteur de chevaux (grec). Masculin anglais. Caractérologie : énergie, bonté, autorité, innovation, détermination.

Gino ⭐ 5 000 TOP 700 ➡
Royal (latin). Gino est un prénom italien. Variantes : Gine, Ginno. Caractérologie : idéalisme, altruisme, intégrité, réflexion, dévouement.

Giordano
Descendre (hébreu). En plus d'être italien, Giordano est également un choix traditionnel basque. Ce prénom est porté par moins de 100 personnes en France. Caractérologie : diplomatie, sociabilité, volonté, réceptivité, réalisation.

Giorgio ⭐ 350 ↘
Labourer le sol (grec). Giorgio est un prénom italien. Caractérologie : vitalité, ardeur, leadership, achèvement, stratégie.

Giovanni ⭐ 9 000 TOP 400 ➡
Dieu fait grâce (hébreu). Giovanni est un prénom italien. Variantes : Giovani, Giovany, Giovanny, Jovanny. Caractérologie : audace, direction, dynamisme, caractère, réussite.

Girard ⭐ 250
Lance puissante (germanique). Dans l'Hexagone, Girard est plus traditionnellement usité en Occitanie. Variante : Giraud. Caractérologie : communication, optimisme, créativité, pragmatisme, réussite.

Gireg
Ambre (celte). Ce prénom est porté par moins de 100 personnes en France. Variantes : Guéric, Guérric, Guirec, Guireg. Caractérologie : ambition, énergie, autorité, autonomie, innovation.

Gislain ⭐ 500
Doux (germanique). Caractérologie : stratégie, achèvement, cœur, vitalité, décision.

Giulio 🇫🇷 300 (TOP 2000) →
De la famille romaine de Iule (latin). Prénom italien. Caractérologie : raisonnement, énergie, autorité, ambition, innovation.

Giuseppe 🇫🇷 2 000 (TOP 2000) ↗
Dieu ajoutera (hébreu). Giuseppe est un prénom italien. Caractérologie : décision, habileté, force, ambition, cœur.

Glen 🇫🇷 450 →
Vallée boisée (irlandais). Caractérologie : sociabilité, réceptivité, diplomatie, loyauté, cœur.

Glenn 🇫🇷 1 500 (TOP 2000) →
Vallée boisée (irlandais). Masculin écossais et anglais. Caractérologie : cœur, méditation, intelligence, savoir, indépendance.

Godard
Divinement ferme (germanique). Ce prénom est porté par moins de 30 personnes en France. Caractérologie : fiabilité, ténacité, méthode, réussite, engagement.

Godefroy 🇫🇷 850
La paix de Dieu (germanique). Variante : Godefroi. Caractérologie : indépendance, volonté, courage, dynamisme, curiosité.

Gonthier
Combat, armée (germanique). Dans l'Hexagone, Gonthier est plus traditionnellement usité en Alsace. Ce prénom est porté par moins de 30 personnes en France. Caractérologie : paix, conscience, bienveillance, sensibilité, action.

Gontran 🇫🇷 800
Combat, corbeau (germanique). Roi de Bourgogne de 561 à 592, saint Gontran œuvra pour la paix et la christianisation de la population. Ce prénom rare a traversé les siècles sans pour autant disparaître. Caractérologie :

achèvement, vitalité, stratégie, résolution, ardeur.

Gonzague 🇫🇷 1 500 ◎
Nom d'une famille noble italienne du XVIe siècle. On peut estimer que moins de 30 enfants seront prénommés ainsi en 2014. Caractérologie : conscience, paix, conseil, bienveillance, cœur.

Goran 🇫🇷 900 ◎
Croix sacrée (basque). Caractérologie : indépendance, audace, direction, dynamisme, résolution.

Gordon 🇫🇷 400 →
Colline triangulaire (anglais). Masculin écossais et anglais. Caractérologie : audace, dynamisme, direction, caractère, indépendance.

Gottlieb
Amour de Dieu (latin). Masculin allemand. Ce prénom est porté par moins de 30 personnes en France. Caractérologie : altruisme, idéalisme, intégrité, amitié, raisonnement.

Goulven 🇫🇷 1 000 ◉
Blanc, heureux (celte). Prénom breton. Variante : Goulwen. Caractérologie : sens des responsabilités, équilibre, amitié, famille, volonté.

Gracien
Grâce (latin). Ce prénom est porté par moins de 100 personnes en France. Variante : Grace. Caractérologie : communication, optimisme, résolution, pragmatisme, sympathie.

Graham
Maison grise (anglo-saxon), patronyme écossais ancien. Graham est recensé dans les pays anglophones. Ce prénom est porté par moins de 100 personnes en France. Variante : Grahem. Caractérologie : pratique, communication, ressort, réalisation, enthousiasme.

G

385
·······

Grant

Grand, généreux (anglais). Masculin écossais et anglais. Ce prénom est porté par moins de 100 personnes en France. Caractérologie : paix, bienveillance, conseil, conscience, décision.

Gratien 🎖 750

Grâce (latin). Masculin français. Variantes : Gratian, Graziano. Caractérologie : loyauté, sociabilité, résolution, réceptivité, diplomatie.

Greg 🎖 750 ➡

Veilleur, vigilant (grec). Masculin anglais. Variantes : Graig, Gregg. Caractérologie : direction, audace, indépendance, assurance, dynamisme.

Grégoire 🎖 23 000 **TOP 300** ➡

Veilleur, vigilant (grec). Prénom français. Auteur des *Dialogues* et pape en 590, Grégoire Ier le Grand est l'un des quatre Pères de l'Église d'Occident. Sa popularité alimenta la vogue de ce prénom pendant des siècles. Parmi ses successeurs, quinze papes se firent prénommer Grégoire. Caractérologie : communication, pragmatisme, optimisme, créativité, sociabilité.

Grégory 🎖 89 000 **TOP 400** ⬇

Veilleur, vigilant (grec). En dehors de l'Hexagone, Gregory est très répandu dans les pays anglophones. Variantes : Gregor, Grégori, Grégorie, Grégorio. Caractérologie : dynamisme, courage, charisme, curiosité, indépendance.

Griffin

Noble (celte). Masculin anglais. Ce prénom est porté par moins de 30 personnes en France. Variante : Griffith. Caractérologie : sens des responsabilités, équilibre, famille, influence, exigence.

Guénael 🎖 1 500 ⬇

Blanc, heureux, prince (celte). Prénom breton. On peut estimer que moins de 30 enfants seront prénommés ainsi en 2014. Variante : Ganael. Caractérologie : loyauté, sympathie, sociabilité, réceptivité, diplomatie.

Guénhael 🎖 250

Blanc, heureux, généreux (celte). Prénom breton. Caractérologie : autorité, énergie, ambition, amitié, innovation.

Guénolé 🎖 800 ⬇

Blanc, heureux, valeur (celte). Prénom breton. Caractérologie : savoir, indépendance, méditation, intelligence, sympathie.

Guérande

Célèbre nom des salines bretonnes de Guérande. Ce prénom est porté par moins de 30 personnes en France. Caractérologie : optimisme, communication, pragmatisme, sympathie, réalisation.

Guerino 🎖 110

Qui protège (germanique). Variantes : Guérin, Guerrino. Caractérologie : logique, ambition, force, habileté, cœur.

Guerric 🎖 400 ⬇

Puissant protecteur (germanique). Variante : Gueric. Caractérologie : rectitude, sympathie, ouverture d'esprit, rêve, humanité.

Guewen 🎖 450 **TOP 2000** ⬇

Blanc, heureux (celte). Prénom breton. Caractérologie : optimisme, créativité, sympathie, communication, pragmatisme.

Gui 🎖 140

Forêt (germanique). Dans l'Hexagone, Gui est plus traditionnellement usité en Occitanie. Caractérologie : autonomie, autorité, innovation, ambition, énergie.

Guido  600

Guide (latin). Guido est un prénom italien. Caractérologie : loyauté, raisonnement, adaptabilité, intuition, médiation.

Guilhem 7 000 TOP 500

Protecteur résolu (germanique). Dans l'Hexagone, Guilhem est plus traditionnellement usité en Occitanie. Caractérologie : communication, enthousiasme, pratique, ressort, sympathie.

Guilian 250

Protecteur résolu (germanique). Variantes : Gislain, Guilain, Guillain, Guillian, Guislain, Guylain, Guylian. Caractérologie : énergie, innovation, résolution, sympathie, autorité.

Guillaume  207 000 TOP 300

Protecteur résolu (germanique). Ce prénom riche en histoire doit beaucoup à Guillaume le Conquérant (1027-1087), duc de Normandie célèbre pour avoir été roi d'Angleterre. Très courant en France à la fin du Moyen Âge, Guillaume reste un prénom prisé jusqu'à la fin du XVIIIe siècle. Il renaît dans les années 1960 alors que Guy tombe en disgrâce, et culmine au 3e rang masculin au milieu des années 1980. Il n'a pas encore disparu des maternités aujourd'hui. ◇ À la mort d'Édouard le Confesseur, Guillaume de Normandie affirma qu'il était le successeur désigné du roi anglais. Mais son cousin Harold, qui revendiquait la même chose, se fit couronner le premier. Guillaume souleva une armée et partit à la conquête du trône anglais. Vainqueur, il se fit couronner en 1066 et devint l'un des souverains les plus puissants de l'Occident. Variantes : Guilem, Guilhelm, Guilherme, Guillermo, Guilhaume, Guillemin, Guyllaume, Gwilherm. Caractérologie : relationnel, médiation, intuition, réussite, cœur.

Guillem 700 TOP 900

Protecteur résolu (germanique). Dans l'Hexagone, ce prénom catalan est plus traditionnellement usité en Occitanie. Caractérologie : originalité, sagacité, connaissances, amitié, spiritualité.

Guirec 450

Ambre (celte). Prénom breton. Caractérologie : idéalisme, altruisme, réflexion, sympathie, intégrité.

Gunther 350

Combat, armée (germanique). Masculin allemand. Variante : Gunter. Caractérologie : communication, pratique, action, enthousiasme, sensibilité.

Gurval

Sagesse, bravoure, valeur (celte). Masculin breton. Ce prénom est porté par moins de 100 personnes en France. Caractérologie : humanité, rêve, rectitude, ouverture d'esprit, réalisation.

Gurvan 2 000 TOP 2000

Sagesse (celte). Prénom breton. On peut estimer que moins de 30 enfants seront prénommés ainsi en 2014. Variantes : Gurvann, Gurwan. Caractérologie : réceptivité, réalisation, sociabilité, diplomatie, bonté.

Gustave 7 000 TOP 400

Combattant (germanique). Masculin germanique d'origine scandinave, Gustave serait moins connu s'il n'avait pas été porté par une lignée de six rois suédois. La notoriété du deuxième d'entre eux, Gustave II Adolphe (1594-1632), entraîne la diffusion progressive du prénom en Europe. Il connaîtra, sous ses différentes formes, une certaine vogue au XIXe siècle. En France, sa popularité est illustrée par deux célébrités qui ont transcendé les siècles, l'écrivain Gustave Flaubert (1821-1880)

Le palmarès des prénoms de la Wallonie

Ces palmarès sont fondés sur les dernières données diffusées par l'Institut national de statistique de la Belgique. Afin de vous donner une image plus complète des prénoms les plus attribués en 2009, deux palmarès complémentaires vous sont proposés.

Le premier établit le top 20 masculin par ordre décroissant d'attribution. Chaque prénom est considéré comme une entité unique et classé selon sa fréquence d'attribution.

Le second fonctionne de la même manière mais il inclut, pour chaque prénom donné (exemple : Noah), la fréquence d'attribution des variantes les plus attribuées (exemple : Noa). Pour ce faire, seules les graphies figurant dans le top 100 wallon ont été prises en compte. Ce classement donne une indication complémentaire sur les dernières tendances dans les choix de prénoms.

Palmarès 1 : chaque prénom est classé selon sa fréquence d'attribution individuelle

1. Nathan	6. Hugo	11. Mathéo	16. Thomas
2. Noah	7. Tom	12. Ethan	17. Mathis
3. Lucas	8. Arthur	13. Gabriel	18. Mathys
4. Théo	9. Maxime	14. Alexandre	19. Diego
5. Louis	10. Romain	15. Antoine	20. Jules

Palmarès 2 : la fréquence d'attribution du prénom inclut celle de ses variantes

1. Noah, *Noa*	6. Mathis, *Mathys*	11. Arthur	16. Alexandre
2. Lucas, *Luca*	7. Louis	12. Maxime	17. Antoine
3. Nathan	8. Hugo	13. Romain	18. Thomas
4. Théo, *Téo*	9. Sacha, *Sasha*	14. Ethan	19. Raphaël, *Rafael*
5. Mathéo, *Matteo*	10. Tom	15. Gabriel	20. Diego

Commentaires et observations

Dans le premier tableau, Nathan domine le palmarès wallon et conforte sa gloire dans les pays francophones. N'est-il pas premier ou presque en France, en Suisse romande et au Québec ? Mais grâce à leurs différentes graphies, Noah, Lucas, Théo et Mathéo occupent les 5 premiers rangs du deuxième tableau. Ils doivent leur succès aux juxtapositions de voyelles, très en vogue actuellement. Une autre vague s'est néanmoins frayé un chemin : sous l'égide de Noah, les prénoms de l'Ancien Testament n'ont jamais été autant plébiscités. Après Nathan, Ethan et Gabriel, Raphaël s'est lui aussi imposé dans l'élite.

Le palmarès des prénoms de la Wallonie (suite)

Tel n'est pas le cas des prénoms irlando-bretons dont le déclin se précise : Ethan s'essouffle dans le top 20, Evan perd pied dans le top 60 et Kyllian se fait de plus en plus discret. Un temps dérouté, le breton Arthur regagne finalement une place de classement.

Horizon 2015

Peu éloigné du panthéon wallon, Aaron et Timéo sont bien placés pour renouer avec le succès. Venant de plus loin, mais propulsé par une croissance fulgurante, Adam pourrait lui aussi s'imposer dans l'élite.

---

et le peintre Gustave Courbet (1819-1877). En perte de vitesse au début du XXᵉ siècle, Gustave quitte rapidement le top 40 français. Il bourgeonne depuis peu et pourrait renaître dans les prochaines années. ◇ Gustave II Adolphe le Grand, roi de Suède, fut si respecté pour son génie militaire qu'il fut surnommé « le Lion du Nord ». Les réformes qu'il mit en place et ses interventions durant la guerre de Trente Ans permirent d'élever la Suède au rang des grandes puissances européennes. Il mourut au combat durant la bataille de Lützen le 16 novembre 1632. Variantes : Gustav, Gustavo. Caractérologie : curiosité, dynamisme, cœur, réussite, courage.

Guy 🎏 183 000 ⬇
Forêt (germanique). Comme d'autres prénoms médiévaux avant lui, Guy a refait surface dans un passé récent. Diffusé par le culte de plusieurs saints, il fut assez fréquent en Europe du Xᵉ au XVᵉ siècle. Après une période de retrait, il renaît à l'aube du XXᵉ siècle, peut-être sous l'impulsion de Guy de Maupassant (1850-1893), et connaît un succès durable dans l'Hexagone (de 1930 à 1960). Guy a été le 39ᵉ prénom le plus attribué du siècle dernier en France. On peut estimer que moins de 30 enfants seront prénommés ainsi en 2014. Caractérologie : achèvement, vitalité, stratégie, ardeur, leadership.

Gweltaz 🎏 350 ⬇
Chevelure (celte). Prénom breton. Caractérologie : attention, persévérance, structure, sécurité, cœur.

Gwen 🎏 450 (TOP 2000) ➔
Blanc, heureux (celte). Prénom breton. Variante : Gwenn. Caractérologie : fiabilité, ténacité, engagement, méthode, sens du devoir.

Gwenaël 🎏 9 000 (TOP 900) ➔
Blanc, heureux, prince (celte). Prénom breton. Variantes : Gwanal, Gwanaël, Gwenal, Gwenel, Gwenhaël, Gwennaël. Caractérologie : sécurité, efficacité, persévérance, structure, bonté.

Gwendal 🎏 5 000 (TOP 900) ⬇
Blanc, heureux, paiement (celte). Prénom breton. Caractérologie : pratique, réalisation, communication, enthousiasme, bonté.

Gwenole 🎏 900 ➔
Blanc, heureux, valeur (celte). Prénom breton. Variante : Gwennole. Caractérologie : rectitude, cœur, humanité, ouverture d'esprit, rêve.

Gwenvael 🎏 250
Contraction de Gwenn et Maël. Prénom breton. Caractérologie : habileté, force, ambition, amitié, réalisation.

G

H

Habib 🎌 3 000 (TOP 900) →
Aimé, généreux (arabe). Caractérologie : structure, persévérance, efficacité, sécurité, honnêteté.

Hacène 🎌 1 000 ⬇
Qui excelle (arabe). Variante : Hacen. Caractérologie : intégrité, altruisme, réflexion, dévouement, idéalisme.

Hadi 🎌 450 ⬂
Qui guide au droit chemin (arabe). Variantes : Haddi, Hady. Caractérologie : sécurité, efficacité, honnêteté, persévérance, structure.

Hadj 🎌 600 ⬇
Grand voyageur (arabe). Caractérologie : dynamisme, curiosité, courage, indépendance, charisme.

Hadriel (TOP 2000)
La majesté de Dieu (hébreu). Ce prénom est porté par moins de 100 personnes en France. Caractérologie : pragmatisme, créativité, communication, décision, optimisme.

Hadrien 🎌 5 000 (TOP 500) →
La forme latine Adrianus était portée par une famille romaine habitant la ville d'Adria. C'est elle qui a donné son nom à la mer Adriatique et au célèbre empereur Hadrien. Ce prénom est apparu pour la première fois en France en 1972. Surfant sur la vogue d'Adrien, sans pour autant s'envoler, il se fait remarquer au milieu des années 1990. Aujourd'hui, Hadrien est rarement attribué aux nouveau-nés, mais il est connu sous cette orthographe. ◇Hadrien succède à Trajan en 117 et règne sur l'Empire romain jusqu'en 138. Homme politique

brillant et cultivé, il réorganise l'administration et protège son empire des invasions barbares en fortifiant ses frontières. L'Angleterre lui doit notamment la construction du célèbre mur d'Hadrien. Dans la littérature, Hadrien a inspiré un roman de Marguerite Yourcenar et les écrits de nombreux écrivains. Variante : Hadrian. Caractérologie : découverte, énergie, audace, résolution, originalité.

Hafid 🎌 1 500 ⬇
Celui qui protège (arabe). On peut estimer que moins de 30 enfants seront prénommés ainsi en 2014. Variantes : Hafed, Hafide. Caractérologie : dynamisme, audace, direction, indépendance, assurance.

Haï
Rivière (vietnamien). Ce prénom est porté par moins de 100 personnes en France. Caractérologie : dévouement, réflexion, altruisme, idéalisme, intégrité.

Haïm 🎌 250
La vie (hébreu). Variante : Haym. Caractérologie : efficacité, persévérance, structure, honnêteté, sécurité.

Hakim 🎌 9 000 (TOP 700) →
Qui est juste et sage (arabe). Variantes : Hachim, Hakime. Caractérologie : conseil, bienveillance, conscience, sagesse, paix.

Hal
Puissant général d'armée (scandinave). Ce prénom est porté par moins de 30 personnes en France. Caractérologie : créativité, communication, optimisme, sociabilité, pragmatisme.

Halil 🎌 700 ⬇
Amitié, loyauté (turc). Caractérologie : conseil, conscience, paix, bienveillance, sagesse.

Halim 🎌 1 500 (TOP 2000) →
Indulgent (arabe). On peut estimer que moins de 30 enfants seront prénommés ainsi en 2014. Variante : Halime. Caractérologie : intelligence, savoir, méditation, indépendance, sagesse.

Hamdi 🎌 650 ↗
Rendre grâce (arabe). Caractérologie : management, force, habileté, ambition, passion.

Hamed 🎌 2 000 ↓
Digne d'éloges (arabe). On peut estimer que moins de 30 enfants seront prénommés ainsi en 2014. Caractérologie : structure, persévérance, sécurité, honnêteté, efficacité.

Hamid 🎌 3 000 (TOP 2000) ↘
Digne d'éloges (arabe). On peut estimer que moins de 30 enfants seront prénommés ainsi en 2014. Variantes : Hamida, Hamide, Hamidou. Caractérologie : vitalité, stratégie, achèvement, ardeur, leadership.

Hamilton
Château fort (anglais). Ce prénom est porté par moins de 100 personnes en France. Caractérologie : réceptivité, sociabilité, diplomatie, sensibilité, raisonnement.

Hamza 🎌 10 000 (TOP 200) →
Puissant (arabe). Variantes : Amza, Hamsa. Caractérologie : méthode, fiabilité, ténacité, engagement, sens du devoir.

Hans 🎌 1 500 →
Dieu fait grâce (hébreu). Ce prénom allemand est également répandu dans les pays scandinaves et néerlandophones. On peut estimer que moins de 30 enfants seront prénommés ainsi en 2014. Variantes : Hane, Hänsel. Caractérologie : paix, bienveillance, conscience, sagesse, conseil.

Harald 🎌 250
Puissant général d'armée (scandinave). Masculin allemand et scandinave. Caractérologie : ardeur, leadership, achèvement, stratégie, vitalité.

Haris 🎌 500 →
Fils d'Henri (germanique). Haris est plus particulièrement répandu dans les pays anglophones et en Grèce. Caractérologie : autonomie, autorité, énergie, innovation, ambition.

Harley
La prairie du lièvre (anglais). Ce prénom est porté par moins de 100 personnes en France. Caractérologie : bienveillance, paix, conscience, amitié, action.

Harold 🎌 3 000 (TOP 2000) →
Puissant général d'armée (scandinave). Masculin anglais. On peut estimer que moins de 30 enfants seront prénommés ainsi en 2014. Variante : Arold. Caractérologie : ténacité, raisonnement, fiabilité, méthode, engagement.

Haroun 🎌 900 (TOP 600) ↑
Forme arabe d'Aaron : esprit (hébreu). Variantes : Arun, Arouna, Harouna, Harun. Caractérologie : courage, dynamisme, résolution, curiosité, analyse.

Harrison 🎌 250 ↓
Fils d'Henri (anglais). Plus courant sous forme de patronyme anglophone. Variante : Harris. Caractérologie : enthousiasme, communication, adaptation, résolution, pratique.

Harry 🎌 4 000 (TOP 700) →
Maître de foyer (germanique). Masculin anglais. Variante : Hary. Caractérologie : intelligence, indépendance, action, savoir, méditation.

H

391

Hasan 🦃 1 500 **TOP 900** →
Beau (arabe). Variantes : Assan, Assen, Hassane. Caractérologie : connaissances, spiritualité, philosophie, sagacité, originalité.

Hassan 🦃 4 000 **TOP 800** →
Beau (arabe). Caractérologie : force, ambition, management, passion, habileté.

Hassen 🦃 2 000 **TOP 2000** ↗
Beau (arabe). Variantes : Hassein, Hassene. Caractérologie : pragmatisme, communication, créativité, optimisme, sociabilité.

Hatem 🦃 850 **TOP 1000** ↗
Générosité (arabe). Variantes : Atime, Hatim, Hatime. Caractérologie : médiation, intuition, fidélité, relationnel, sensibilité.

Hayden 🦃 650 **TOP 400** ↗
Se rapporte au compositeur Josef Haydn (1732-1809). Hayden est également une nouvelle forme d'Aidan. Masculin anglais. Caractérologie : réalisation, créativité, pragmatisme, optimisme, communication.

Hector 🦃 4 000 **TOP 300** ↗
Constant, qui retient (grec). Masculin anglais et français. Fils d'Andromaque et Priam, Hector est l'un des héros de la guerre de Troie dans la mythologie grecque. Caractérologie : paix, conscience, logique, bienveillance, attention.

Hédi 🦃 3 000 **TOP 500** →
Qui guide au droit chemin (arabe). Variantes : Heddi, Heddy, Hédy. Caractérologie : vitalité, stratégie, ardeur, achèvement, leadership.

Heinrich 🦃 110
Maître de maison (germanique). Heinrich est un prénom allemand. Variantes : Heinrick, Heinz. Caractérologie : réceptivité, sociabilité, diplomatie, loyauté, bonté.

Hélian 🦃 190
Éclat du soleil (grec). Caractérologie : structure, sécurité, persévérance, efficacité, décision.

Héliodore
Don du soleil (grec). Ce prénom est porté par moins de 30 personnes en France. Variante : Éléodore. Caractérologie : caractère, dynamisme, audace, direction, logique.

Hélios 🦃 500 **TOP 2000** ↘
Soleil (grec). Dans la mythologie grecque, Hélios est le dieu du Soleil et de la Lumière. Variantes : Hélias, Hélio. Caractérologie : découverte, énergie, audace, logique, décision.

Helmut 🦃 190
Protection, casque (germanique). Helmut est un prénom allemand. Variantes : Hellmut, Hellmuth, Helmi. Caractérologie : intelligence, savoir, méditation, indépendance, finesse.

Helori 🦃 110
Noble, seigneur, généreux (celte). Prénom breton. Variante : Helory. Caractérologie : persévérance, structure, logique, efficacité, sécurité.

Henri 🦃 137 000 **TOP 400** →
Maître de maison (germanique). Sous ses différentes graphies (Henry, Harry, Enrique, Enrico, Heinrich, etc.), ce prénom royal fut porté par quatre rois de France, huit rois anglais et de nombreux souverains castillans et germaniques. Henri est recensé au Moyen Âge mais il décolle véritablement dans les pays européens au XVIIᵉ siècle. À la fin du XIXᵉ siècle, il est très attribué en France (dans les 5 premiers rangs masculins jusque dans les années 1900). Malgré son déclin subséquent, Henri n'a jamais déserté les maternités. ◇ Surnommé le Vert-Galant en référence

à ses nombreuses maîtresses, Henri IV est resté dans l'histoire comme un roi doué d'une grande intelligence politique. Assassiné en 1610 par Ravaillac, un catholique fanatique, il fut pleuré par le peuple envers lequel il avait été généreux. ◊ Le 13 juillet célèbre un empereur germanique du XIe siècle, Henri II, qui œuvra pour la propagation de la foi chrétienne. Caractérologie : altruisme, idéalisme, intégrité, réflexion, dévouement.

Henrick 500
Maître de maison (germanique). Dans l'Hexagone, ce prénom est plus traditionnellement usité dans les Flandres. Variantes : Endrick, Hendrick, Hendrik, Hendrix, Henrie, Hendryk, Henrick, Henrik, Henrico, Henriko, Henryk. Caractérologie : attention, courage, dynamisme, indépendance, curiosité.

Henrique 1 000 ⊘
Maître de maison (germanique). Caractérologie : originalité, sagacité, connaissances, philosophie, spiritualité.

Henry  6 000 (TOP 2000) ⊘
Maître de maison (germanique). Henry est très répandu dans les pays anglophones. On peut estimer que moins de 30 enfants seront prénommés ainsi en 2014. Caractérologie : spiritualité, connaissances, sagacité, originalité, action.

Heol
Soleil (breton), vent (grec). Ce prénom est porté par moins de 100 personnes en France. Caractérologie : ténacité, engagement, fiabilité, méthode, sens du devoir.

Herald
Le porteur de nouvelles (anglais). Masculin hongrois. Ce prénom est porté par moins de 100 personnes en France. Caractérologie :

créativité, communication, optimisme, pragmatisme, détermination.

Herbert 🗸 800
Soldat glorieux (germanique). Masculin anglais et allemand. Variantes : Hébert, Herb, Heribert. Caractérologie : méthode, fiabilité, engagement, ténacité, sensibilité.

Herbod
Audacieux (germanique). Masculin breton. Ce prénom est porté par moins de 30 personnes en France. Caractérologie : caractère, méditation, savoir, intelligence, attention.

Hercule
Gloire majestueuse (grec). Ce prénom est porté par moins de 100 personnes en France. Variantes : Ercole, Hercules. Caractérologie : dévouement, intégrité, altruisme, idéalisme, réflexion.

Hermann 🗸 1 500 ⊗
Soldat (germanique). Masculin anglais, allemand et scandinave. On peut estimer que moins de 30 enfants seront prénommés ainsi en 2014. Variantes : Erman, Hermand, Herman, Hermelin. Caractérologie : détermination, audace, dynamisme, direction, indépendance.

Hermès 🗸 250 ⊘
Dans la mythologie grecque, Hermès est le fils de Maia et Zeus. Il est le dieu des Voyageurs et le messager des dieux. Variante : Ermès. Caractérologie : énergie, découverte, audace, décision, originalité.

Hérode
Grand roi de Judée en 37 avant J.-C., Hérode a procuré à son royaume un développement économique prospère. Il est à l'origine de la construction de nombreuses villes et

H

monuments historiques que l'on peut encore visiter de nos jours. Ce prénom est porté par moins de 100 personnes en France. Caractérologie : dynamisme, direction, audace, indépendance, assurance.

Hervé 125 000

Fort, combattant (celte). Aveugle de naissance, saint Hervé vécut au VIe siècle. La légende raconte que ce moine breton marchait accompagné d'un loup en guise de guide. Très populaire en Bretagne, saint Hervé est le protecteur des chevaux. On peut estimer que moins de 30 enfants seront prénommés ainsi en 2014. Variante : Harvey. Formes bretonnes : Herve, Veig. Caractérologie : sécurité, persévérance, efficacité, structure, honnêteté.

Hess

Don de Dieu (hébreu). Ce prénom est porté par moins de 30 personnes en France. Caractérologie : sens des responsabilités, famille, équilibre, influence, exigence.

Hicham 5 000 TOP 900

Celui qui est généreux (arabe). Variantes : Icham, Hichame, Hicheme, Ichaï. Caractérologie : famille, équilibre, influence, sens des responsabilités, exigence.

Hichem 2 000 TOP 2000

Celui qui est généreux (arabe). On peut estimer que moins de 30 enfants seront prénommés ainsi en 2014. Variantes : Ichem, Hicheme. Caractérologie : audace, indépendance, dynamisme, direction, assurance.

Hilaire 2 000

Joyeux (latin). On peut estimer que moins de 30 enfants seront prénommés ainsi en 2014. Caractérologie : détermination, vitalité, stratégie, ardeur, achèvement.

Hippolyte 5 000 TOP 500

Dompteur de chevaux (grec). Masculin français. Variantes : Hipolyte, Hippolite, Hippolythe, Hypolite, Hypolyte, Hyppolite, Hyppolyte. Caractérologie : raisonnement, idéalisme, altruisme, sensibilité, intégrité.

Hoang 250

Rose (vietnamien). Au Vietnam, la rose est le symbole de l'amour. Caractérologie : rêve, générosité, humanité, rectitude, ouverture d'esprit.

Hocine 4 000 TOP 2000

Excellence, beauté (arabe). On peut estimer que moins de 30 enfants seront prénommés ainsi en 2014. Caractérologie : idéalisme, intégrité, altruisme, raisonnement, réflexion.

Hoel 400

Noble, au-dessus (celte). Prénom breton. Caractérologie : ténacité, méthode, fiabilité, engagement, sens du devoir.

Homère

Otage, promesse, sécurité (grec). Poète épique grec, auteur de l'*Iliade* et de l'*Odyssée*, Homère aurait vécu au VIIIe siècle avant J.-C. Ses textes occupent une place importante dans la culture classique européenne. Ce prénom est porté par moins de 100 personnes en France. Caractérologie : autorité, énergie, ambition, innovation, volonté.

Honoré 3 000 TOP 2000

Honoré (latin). Masculin français. Variantes : Honorat, Honorin. Caractérologie : communication, pratique, générosité, adaptation, enthousiasme.

Horace 250

Voir (grec). Masculin français et anglais. Variantes : Horacio, Horatio, Otis. Caractérologie : découverte, audace, énergie, logique, décision.

HUGO

Fête : 1er avril

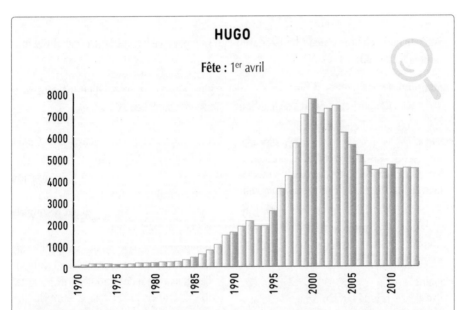

Étymologie : du germain *hug*, « esprit, intelligence ». Patronyme que l'auteur des *Misérables* a rendu mondialement célèbre, Hugo a pourtant été peu attribué avant les années 1980. Il doit son succès éclair à sa terminaison en « o », sa petite taille (quatre lettres) et sa jeunesse. Après s'être imposé au 4e rang du palmarès en 2000, son reflux se précise. Il devrait toutefois se maintenir, à Paris comme dans l'ensemble de l'Hexagone, dans les 20 premiers rangs de classement.

Il est difficile de déterminer si les campagnes publicitaires et l'image sexy de la marque Hugo Boss ont influencé sa redécouverte. Toujours est-il que sa notoriété a dépassé celle d'Hugues, un grand nom du Moyen Âge dont on aurait pu attendre la renaissance. Un temps portés par la gloire d'Hugo, les élans d'Ugo sont vite retombés. Ce dernier figure désormais dans le top 400, loin devant Hugolin.

Dans les régions francophones, Hugo est davantage attribué en Romandie qu'au Québec, mais c'est en Belgique qu'il bat tous les records (dans le top 15 wallon depuis 2006). Dans le reste de l'Europe, il est très fréquemment choisi par les parents suédois et espagnols aujourd'hui.

Hugues Capet est le fondateur de la troisième dynastie des rois de France. De nombreux comtes et ducs illustrèrent ce prénom en France.

Saint Hugues fut évêque de Grenoble, puis bénédictin de la Chaise-Dieu au XIIe siècle.

.../

H

Hugo *(suite)*

Personnalité célèbre : Hugo Chávez, devenu président du Venezuela le 2 février 1999 et mort le 5 mars 2013.

Statistiques : Hugo est le 4ᵉ prénom masculin le plus donné en France depuis le début du XXIᵉ siècle. On peut estimer qu'il sera attribué à un garçon sur 92 en 2014.

Horacio 🔻 200 ⬇
Voir (grec). Masculin espagnol et portugais. Variante : Horatio. Caractérologie : raisonnement, harmonie, volonté, affection, conseil.

Hosni 🔻 200
Excellence, beauté (arabe). **Variantes :** Housni, Houssni. Caractérologie : réceptivité, résolution, diplomatie, loyauté, sociabilité.

Houcine 🔻 850 **TOP 2000** ➡
Excellence, beauté (arabe). Variante : Houssine. Caractérologie : communication, pragmatisme, créativité, optimisme, analyse.

Howard 🔻 180
Esprit courageux (germanique). Masculin anglais. Caractérologie : paix, bienveillance, volonté, conscience, résolution.

Hubert 🔻 43 000 **TOP 2000** ⬇
Esprit brillant (germanique). Fils d'un duc d'Aquitaine, au VIIᵉ siècle, Hubert chassait dans la forêt des Ardennes lorsqu'il remarqua une croix plantée entre les bois d'un magnifique cerf. Cet incident, qui le fit entrer dans la vie monastique, fait également de saint Hubert le patron des chasseurs. En dehors de l'Hexagone, Hubert est plus particulièrement répandu dans les pays anglophones et en Allemagne. On peut estimer que moins de 30 enfants seront prénommés ainsi en 2014. Caractérologie : diplomatie, sociabilité, loyauté, réceptivité, finesse.

Hugo 🔻 112 000 **TOP 50** 🔍 ➡
Esprit, intelligence (germanique). Variante :

Ugo. Caractérologie : bienveillance, paix, conscience, conseil, sagesse.

Hugolin 🔻 120
Esprit, intelligence (germanique). Variante : Ugolin. Caractérologie : logique, découverte, audace, énergie, action.

Hugues 🔻 22 000 **TOP 2000** ⬇
Esprit, intelligence (germanique). Hugues Capet, fondateur de la troisième dynastie des rois de France au Xᵉ siècle, et saint Hugues, évêque de Grenoble en 1080, illustrèrent ce prénom français. Variantes : Hugh, Ugue, Ugues. Caractérologie : idéalisme, altruisme, amitié, intégrité, réflexion.

Humbert 🔻 400
Esprit brillant (germanique). Masculin anglais et allemand. Forme basque : Umbert. Caractérologie : influence, équilibre, famille, sens des responsabilités, sensibilité.

Humberto 🔻 300
Variation d'Umberto : esprit brillant (germanique). Caractérologie : optimisme, générosité, finesse, raisonnement, pragmatisme.

Huseyin 🔻 1 500 **TOP 2000** ⬇
Beauté (arabe). Variantes : Hossein, Hussein. Caractérologie : action, sociabilité, diplomatie, amitié, réceptivité.

Huy
Projection de lumière, splendide (vietnamien). Ce prénom est porté par moins de 100 personnes en France. Caractérologie : humanité, rêve, générosité, rectitude, ouverture d'esprit.

Hyacinthe ⭐ 1 500 (TOP 2000) →
Pierre (grec), nom de fleur. On peut estimer que moins de 30 enfants seront prénommés ainsi en 2014. Variantes : Hyacinth, Hyacinte. Caractérologie : enthousiasme, communication, pratique, ressort, finesse.

....

I

Iago
Supplanter, talonner (hébreu). Iago est un personnage de la pièce de théâtre *Othello*, de Shakespeare. Masculin écossais, gallois, espagnol et portugais. Ce prénom est porté par moins de 100 personnes en France. Variante : Yago. Caractérologie : dynamisme, courage, indépendance, curiosité, charisme.

Ian ⭐ 1 500 (TOP 800) ↘
Dieu fait grâce (hébreu). Ian est une forme irlandaise et écossaise de Jean. Variante : Iain. Caractérologie : paix, conscience, résolution, bienveillance, conseil.

Ianis ⭐ 1 000 (TOP 2000) ↓
Dieu fait grâce (hébreu). Voir Yanis. Variante : Iannis. Caractérologie : originalité, spiritualité, sagacité, connaissances, résolution.

Iban ⭐ 1 500 (TOP 600) ↘
Forme basque de Jean : Dieu fait grâce (hébreu). Caractérologie : achèvement, vitalité, détermination, ardeur, stratégie.

Ibrahim ⭐ 10 000 (TOP 100) ↗
Équivalent arabe d'Abraham : père des nations (hébreu). Caractérologie : paix, bienveillance, conscience, conseil, sagesse.

Ibrahima ⭐ 2 000 (TOP 500) ↗
Forme arabe d'Abraham : père des nations (hébreu). Caractérologie : connaissances, spiritualité, originalité, sagacité, philosophie.

Ido
Son témoin (hébreu). Dans l'Ancien Testament, Ido est le grand-père du prophète Zacharie. Ce prénom est porté par moins de 30 personnes en France. Caractérologie : innovation, énergie, autorité, autonomie, ambition.

Idris ⭐ 2 000 (TOP 500) ↗
Gouverneur impétueux (gallois), ou variante d'Idriss. Caractérologie : dynamisme, curiosité, charisme, indépendance, courage.

Idriss ⭐ 4 000 (TOP 300) ↗
Études, connaissance (arabe). Variantes : Idrissa, Idrisse, Ydris, Ydriss. Caractérologie : conseil, bienveillance, paix, conscience, sagesse.

Ignace ⭐ 1 500
Feu (latin). Masculin français. On peut estimer que moins de 30 enfants seront prénommés ainsi en 2014. Variantes : Ignaci, Ignacy, Ignazio. Caractérologie : enthousiasme, pratique, communication, résolution, sympathie.

Igor ⭐ 3 000 (TOP 2000) ↘
Fils, protection (germanique). Igor est très répandu en Russie, en Italie et dans les pays slaves. On peut estimer que moins de 30 enfants seront prénommés ainsi en 2014. Caractérologie : méthode, ténacité, sens du devoir, fiabilité, engagement.

Ihsan ⭐ 350 (TOP 2000) ↗
Bienveillant, humble (arabe). Variante : Ihsane. Caractérologie : famille, équilibre, influence, détermination, sens des responsabilités.

I

397

Ilan 🎖 9 000 (TOP 200) ↘
Arbre (hébreu). En dehors de l'Hexagone, Ilan est très répandu en Israël. Variantes : Hilan, Ilane, Ilhan, Illan, Ilann. Caractérologie : réflexion, altruisme, idéalisme, intégrité, décision.

Ilario 🎖 500 (TOP 2000) →
Joyeux (latin). Masculin italien et basque. Variantes : Hilari, Hilario, Lari. Caractérologie : ambition, autorité, innovation, énergie, analyse.

Ildebert
Brillante bataille (germanique). Ce prénom est porté par moins de 100 personnes en France. Variante : Hildebert. Caractérologie : sociabilité, pragmatisme, communication, optimisme, créativité.

Ilhan 🎖 3 000 (TOP 300) →
Arbre (hébreu). Caractérologie : passion, force, ambition, décision, habileté.

Ilian 🎖 4 000 (TOP 300) →
Qui vient de Dieu (arabe), le Seigneur est mon Dieu (hébreu). Variantes : Iliane, Ylian, Yliane. Caractérologie : idéalisme, réflexion, décision, altruisme, intégrité.

Ilias 🎖 3 000 (TOP 500) ↘
Qui vient de Dieu (arabe), le Seigneur est mon Dieu (hébreu). Variantes : Iliass, Iliasse. Caractérologie : indépendance, courage, dynamisme, curiosité, charisme.

Ilies 🎖 3 000 (TOP 500) ↘
Qui vient de Dieu (arabe), le Seigneur est mon Dieu (hébreu). Variantes : Iliess, Iliesse. Caractérologie : réflexion, idéalisme, altruisme, décision, intégrité.

Illan 🎖 1 000 (TOP 700) →
Arbre (hébreu), jeunesse (basque). Caractérologie : décision, pratique, communication, adaptation, enthousiasme.

Iloan
Variation d'Elouan : lumière (celte). Ce prénom est porté par moins de 100 personnes en France. Caractérologie : logique, bienveillance, paix, conscience, décision.

Ilyan 🎖 1 500 (TOP 400) →
Qui vient de Dieu (arabe), le Seigneur est mon Dieu (hébreu). Caractérologie : connaissances, sympathie, résolution, sagacité, spiritualité.

Ilyas 🎖 3 000 (TOP 300) →
Qui vient de Dieu (arabe), le Seigneur est mon Dieu (hébreu). Variantes : Ilya, Ilyass, Ilyasse. Caractérologie : communication, enthousiasme, pratique, générosité, adaptation.

Ilyes 🎖 11 000 (TOP 100) →
Qui vient de Dieu (arabe), le Seigneur est mon Dieu (hébreu). Variantes : Illies, Illyes, Ilyess, Ilyesse. Caractérologie : résolution, savoir, sympathie, méditation, intelligence.

Imad 🎖 2 000 (TOP 800) ↘
Celui qui soutient (arabe). Variantes : Imade, Imed. Forme composée : Imad-Eddine. Caractérologie : rectitude, générosité, humanité, rêve, tolérance.

Imanol 🎖 650 (TOP 700) ↗
Forme basque d'Emmanuel : Dieu est avec nous (hébreu). Caractérologie : raisonnement, ténacité, audace, indépendance, décision.

Imran 🎖 2 000 (TOP 200) ↑
Fleurissant, épanoui (arabe). Variantes : Amran, Imrane. Caractérologie : autorité, innovation, énergie, ambition, résolution.

Iñaki 🎖 300 →
Feu (latin). Variante : Inacio. Caractérologie : habileté, ambition, passion, force, décision.

Indiana

Divin (latin), nom d'un État américain. Masculin anglais. Ce prénom est porté par moins de 100 personnes en France. Caractérologie : spiritualité, connaissances, originalité, résolution, sagacité.

Indy 🚩 140

Divin (latin). Masculin anglais et néerlandais. Caractérologie : méditation, intelligence, savoir, indépendance, sagesse.

Innocent 🚩 250

Innocent (latin). Caractérologie : engagement, ténacité, analyse, méthode, fiabilité.

Ioan 🚩 190

Dieu fait grâce (hébreu). Ce prénom est plus particulièrement usité au pays de Galles, en Roumanie et dans les pays slaves. Variante : Ioanes. Caractérologie : créativité, pragmatisme, communication, optimisme, décision.

Ioen

If (celte), bien né, jeune guerrier (vieil irlandais), ou forme galloise de Jean. Ce prénom est porté par moins de 100 personnes en France. Caractérologie : philosophie, sagacité, connaissances, originalité, spiritualité.

Irénée 🚩 1 500

Paix (grec). On peut estimer que moins de 30 enfants seront prénommés ainsi en 2014. Caractérologie : adaptabilité, intuition, médiation, fidélité, relationnel.

Iris

Arc-en-ciel (grec). Masculin anglais, néerlandais, grec et scandinave. Ce prénom est porté par moins de 100 personnes en France. Caractérologie : direction, assurance, audace, indépendance, dynamisme.

Irmin

Se rapporte à Irmin, dieu païen (germanique). Ce prénom est porté par moins de 100 personnes en France. Caractérologie : rectitude, humanité, rêve, ouverture d'esprit, générosité.

Irvin 🚩 500 ⊗

Beau (celte). Masculin anglais. Variantes : Irvine, Irving, Irwin. Caractérologie : altruisme, intégrité, idéalisme, dévouement, réflexion.

Isaac 🚩 6 000 (TOP 200) ⊘

Rire (hébreu). Dans l'Ancien Testament, Isaac est le fils de Sarah et Abraham. Lorsque Sarah apprend à l'âge de 99 ans qu'elle attend un enfant, elle est secouée d'un petit rire, d'où l'origine (« rire ») du prénom Isaac. En succédant à Abraham, Isaac devient le deuxième grand patriarche d'Israël. Ce prénom a connu une certaine faveur auprès des puritains américains au XVIIe siècle. Il est de longue date attribué dans les communautés juives. Variantes : Isa, Isaak, Isac. Caractérologie : éthique, exigence, équilibre, influence, famille.

Isaïe 🚩 450 ⊕

Dieu est mon salut (hébreu). Variantes : Isaï, Jesaïa. Caractérologie : intelligence, savoir, méditation, indépendance, détermination.

Isao 🚩 110 (TOP 2000)

Mérite, exploit (japonais). Caractérologie : management, ambition, force, passion, habileté.

Isas

Celui qui mérite (japonais). Ce prénom est porté par moins de 30 personnes en France. Caractérologie : pragmatisme, optimisme, créativité, communication, sociabilité.

I

399

Ishak 🌟 600 (TOP 700) ↗
Équivalent arabe d'Isaac : rire (hébreu). Caractérologie : communication, créativité, optimisme, sociabilité, pragmatisme.

Isidore 🌟 1 500 ↓
Don d'Isis (grec). Masculin anglais et français. On peut estimer que moins de 30 enfants seront prénommés ainsi en 2014. Variantes : Isidor, Isidoro. Caractérologie : savoir, intelligence, résolution, méditation, volonté.

Islem 🌟 750 (TOP 500) ↑
Salut et paix dans la soumission à Dieu (arabe). Variante : Islam. Caractérologie : méthode, engagement, fiabilité, ténacité, résolution.

Ismaël 🌟 12 000 (TOP 100) ↗
Dieu a entendu (hébreu). Prénom espagnol. Caractérologie : courage, curiosité, indépendance, dynamisme, détermination.

Ismaïl 🌟 5 000 (TOP 200) ↗
Forme arabe d'Ismaël : Dieu a entendu (hébreu). Variantes : Esmaël, Ismayil, Ismaïla. Caractérologie : humanité, rectitude, générosité, ouverture d'esprit, rêve.

Isman
Protection (hébreu). Ce prénom est porté par moins de 30 personnes en France. Caractérologie : réceptivité, sociabilité, loyauté, diplomatie, décision.

Ismet 🌟 170
Celui qui protège (arabe). Variante : Samet. Caractérologie : pratique, communication, enthousiasme, adaptation, décision.

Israël 🌟 600 (TOP 2000) ↗
Qui débat avec Dieu (hébreu). Caractérologie : autorité, innovation, détermination, énergie, ambition.

Issa 🌟 3 000 (TOP 300) ↑
Jésus (arabe), Dieu sauve (hébreu). Caractérologie : enthousiasme, communication, pratique, générosité, adaptation.

Issam 🌟 3 000 (TOP 300) ↗
Engagement (arabe). Variantes : Isam, Issame. Caractérologie : savoir, intelligence, indépendance, méditation, sagesse.

Ivan 🌟 8 000 (TOP 500) →
Dieu fait grâce (hébreu). Ivan est très répandu en Russie et dans les pays slaves. Variante : Ivann. Caractérologie : décision, vision, assurance, dynamisme, autonomie.

Ivo 🌟 200
If (celte). Prénom breton. Variante : Yvo. Caractérologie : dynamisme, audace, direction, indépendance, assurance.

Iwan 🌟 550 (TOP 2000) →
Forme galloise et bretonne de Jean : Dieu fait grâce (hébreu). Caractérologie : diplomatie, sociabilité, réceptivité, loyauté, détermination.

Iyad 🌟 900 (TOP 400) ↑
Soutien (arabe). Caractérologie : pratique, communication, enthousiasme, réalisation, adaptation.

Izan
Fort, ferme (hébreu). Izan est une forme espagnole moderne d'Ethan. Ce prénom est porté par moins de 100 personnes en France. Caractérologie : énergie, découverte, originalité, détermination, audace.

Prénoms masculins

Le palmarès des prénoms du Québec

Ces palmarès sont fondés sur les données diffusées par la Régie des rentes du Québec.

Afin de vous donner une image plus complète des prénoms les plus attribués en 2012, deux palmarès complémentaires vous sont proposés.

Le premier établit le top 20 masculin par ordre décroissant d'attribution. Chaque prénom est considéré comme une entité unique et classé selon sa fréquence d'attribution.

Le second fonctionne de la même manière mais il inclut, pour chaque prénom donné (exemple : Zachary), la fréquence d'attribution des variantes les plus attribuées (exemple : Zackary). Pour ce faire, seules les graphies figurant dans le top 100 québécois ont été prises en compte. Ce classement donne une indication complémentaire sur les dernières tendances dans les choix de prénoms.

Palmarès 1 : chaque prénom est classé selon sa fréquence d'attribution individuelle

1. William	6. Gabriel	11. Antoine	16. Émile
2. Nathan	7. Thomas	12. Liam	17. Mathis
3. Olivier	8. Jacob	13. Noah	18. Adam
4. Alexis	9. Félix	14. Benjamin	19. Justin
5. Samuel	10. Raphaël	15. Xavier	20. Zachary

Palmarès 2 : la fréquence d'attribution du prénom inclut celle de ses variantes

1. William	6. Gabriel	11. Zachary, Zackary	16. Noah
2. Nathan	7. Raphaël, *Rafael*	12. Antoine	17. Benjamin
3. Olivier	8. Thomas	13. Liam	18. Xavier
4. Alexis	9. Jacob	14. Mathis, *Mathys*	19. Émile
5. Samuel	10. Félix	15. Lucas, *Luca*	20. Adam

Commentaires et observations

Quelle que soit la méthode utilisée, le peloton de tête est identique dans les deux tableaux. Dans l'un comme dans l'autre, Nathan est sur le point de détrôner William qui régnait depuis 2004. Son irrésistible ascension, également observée en Europe francophone, confirme la vogue des prénoms de l'Ancien Testament. Alors que Jacob campe sur ses positions, Raphaël, Noah, Gabriel et Zachary ont surgi dans le sillon de Nathan. C'est sans compter Adam, premier homme dans la Bible, et dernier entrant de ce palmarès.

.../

Le palmarès des prénoms du Québec *(suite)*

Malgré la prééminence de la source biblique, Liam est parvenu à bondir dans le top 20. Il supplantera peut-être William, mais il aura fort à faire pour attirer Nolan et d'autres choix irlandais à sa suite. Dans ce contexte, on peut s'étonner que Félix, Antoine et Émile parviennent encore à imposer quelques couleurs rétro.

Horizon 2015

Arthur, figure légendaire de la littérature médiévale, pourrait bénéficier du succès qu'il rencontre en Europe. Gageons qu'il bousculera bientôt les rangs du panthéon québécois. Cela ne devrait pas empêcher Logan, tout proche du top 20, de tenter lui aussi sa chance.

J

Jaber 🌟 160
Celui qui réconforte (arabe). Variante : Jabir. Caractérologie : rêve, résolution, humanité, rectitude, ouverture d'esprit.

Jack 🌟 9 000 **TOP 900** ↘
Malgré sa ressemblance avec Jacques, Jack est une forme moderne de Jankin, un diminutif de Jean très courant au Moyen Âge dans les pays anglophones. Jack est très en vogue en Angleterre. Variantes : Jac, Jacq, Jacmé. Caractérologie : sagacité, connaissances, spiritualité, originalité, organisation.

Jacki 🌟 2 000
Diminutif de Jacques ou Jack. On peut estimer que moins de 30 enfants seront prénommés ainsi en 2014. Caractérologie : intelligence, indépendance, savoir, méditation, organisation.

Jackie 🌟 14 000
Diminutif de Jacques ou Jack. Masculin anglais et français. On peut estimer que moins de 30 enfants seront prénommés ainsi en 2014. Caractérologie : communication, optimisme, pragmatisme, détermination, organisation.

Jackson 🌟 550 **TOP 2000** ↗
Fils de Jack (vieil anglais). Masculin anglais. Caractérologie : énergie, autorité, innovation, ambition, organisation.

Jacky 🌟 60 000 ↓
Diminutif de Jacques ou Jack. Masculin anglais et français. On peut estimer que moins de 30 enfants seront prénommés ainsi en 2014. Caractérologie : audace, découverte, originalité, énergie, gestion.

Jacob 🌟 1 500 **TOP 800** ↑
Supplanter, talonner (hébreu). L'étymologie de Jacob fait référence aux circonstances de sa naissance : la Bible le décrit tenant le talon de son jumeau Ésaü au moment de leur naissance. Ce prénom biblique est établi de longue date dans les communautés juives, mais les puritains ont également contribué à son succès au XVIIe siècle dans les pays anglophones. Héros de la saga américaine *Twilight*, Jacob a trôné sur le palmarès américain dans les années 2000. Il est répandu dans les pays néerlandophones et scandinaves mais peine encore à décoller en France. ◇ Fils d'Isaac et de Rébecca dans l'Ancien Testament, Jacob rachète à son frère jumeau Ésaü son droit

d'aînesse contre un plat de lentilles. Léa et Rachel, ses épouses successives, mettent au monde les futurs patriarches des douze tribus d'Israël. Variantes : Jacobin, Iacob, Iacov. Forme basque : Jacobe. Caractérologie : structure, persévérance, sécurité, organisation, efficacité.

Jacques 🗹 304 000 **TOP 500** ➜
Supplanter, talonner (hébreu). Cette forme française de Jacob se propage à la fin du Moyen Âge et devient très usitée jusqu'au XVIIIᵉ siècle. Jacques se fait plus discret avant de resurgir au début du XXᵉ siècle, s'imposant dans les 10 premiers choix de 1926 à 1953. Il est beaucoup plus rare aujourd'hui mais sa renaissance est à envisager. De son côté, le Jack anglais ne l'a pas attendu pour briller outre-Manche dans les années 1990 et 2000. ◇ Jacques de Molay, le dernier grand maître des Templiers, est célèbre pour avoir lancé une malédiction sur les Capétiens avant de périr sur le bûcher à Paris, en 1314. Deux apôtres du Christ, martyrs à Rome au Iᵉʳ siècle, portèrent ce prénom. Jacques le Majeur et Jacques le Mineur sont respectivement fêtés les 25 juillet et 3 mai. Variantes : Jacque, Jacquelin, Jacquemin, Jacquot, Jaques, Jeacques. Forme bretonne : Kou. Variantes irlandaises : Seamus, Shamus. Caractérologie : efficacité, structure, persévérance, sécurité, honnêteté.

Jacquie 🗹 650
Supplanter, talonner (hébreu). Variantes : Jacqui, Jacquies, Jacquis, Jacquit. Caractérologie : communication, résolution, pratique, enthousiasme, adaptation.

Jacquy 🗹 1 500
Supplanter, talonner (hébreu). On peut estimer que moins de 30 enfants seront prénommés ainsi en 2014. Variante : Jaquy.

Caractérologie : originalité, découverte, énergie, audace, séduction.

Jad 🗹 1 000 **TOP 700** ➜
Présent de Dieu (arabe). Caractérologie : exigence, sens des responsabilités, influence, équilibre, famille.

Jaden 🗹 700 **TOP 300** ⬆
Ce dérivé masculin de Jade, né en France dans les années 2000, désigne une pierre fine de couleur verte. Masculin anglais. Variantes : Jade, Jayden. Caractérologie : connaissances, sagacité, originalité, philosophie, spiritualité.

Jaï
Victorieux (sanscrit). Ce prénom est porté par moins de 30 personnes en France. Caractérologie : fidélité, intuition, adaptabilité, médiation, relationnel.

Jaime 🗹 750 ⬇
Supplanter, talonner (hébreu). Ce prénom basque est très répandu dans les pays hispanophones et lusophones. Variantes : Jaume, Jayme. Caractérologie : loyauté, sociabilité, résolution, diplomatie, réceptivité.

Jaky 🗹 700
Supplanter, talonner (hébreu). Variantes : Jakes, Jaki, Jakie. Forme bretonne : Jak. Caractérologie : médiation, adaptabilité, intuition, fidélité, relationnel.

Jalil 🗹 900 **TOP 800** ↗
Qui est grand (arabe). Variantes : Djelal, Djelali, Djeloul, Djelloul, Jalal, Jalale, Jalel, Jallal, Jelal. Caractérologie : ambition, management, force, habileté, passion.

Jamal 🗹 3 000
D'une grande beauté physique et morale (arabe). On peut estimer que moins de 30 enfants seront prénommés ainsi en 2014.

J

403
·······

Variantes : Jamale, Jamil, Jémil. Caractérologie : ambition, autorité, innovation, autonomie, énergie.

Jamel 🚩4 000 ⬇
D'une grande beauté physique et morale (arabe). On peut estimer que moins de 30 enfants seront prénommés ainsi en 2014. Caractérologie : énergie, audace, originalité, découverte, séduction.

James 🚩19 000 TOP 400 ➡
Supplanter, talonner (hébreu). Ce prénom anglais est très répandu dans les pays anglophones. Variantes : Jame, Jamie, Jammes. Caractérologie : optimisme, communication, créativité, pragmatisme, sociabilité.

Jameson
Fils de James (anglais). Ce prénom est porté par moins de 100 personnes en France. Caractérologie : énergie, découverte, audace, originalité, caractère.

Jamie 🚩190 TOP 2000
Supplanter, talonner (hébreu). Masculin écossais et anglais. Variante : Jaimie. Caractérologie : fidélité, relationnel, intuition, décision, médiation.

Jamy 🚩400 ⬊
Supplanter, talonner (hébreu). Variante : Jammy. Caractérologie : sécurité, structure, efficacité, réalisation, persévérance.

Jan 🚩1 500 TOP 2000 ⬊
Dieu fait grâce (hébreu). Jan est particulièrement usité dans les pays scandinaves et néerlandophones. C'est aussi un choix traditionnel occitan. On peut estimer que moins de 30 enfants seront prénommés ainsi en 2014. Variantes : Jen, Jens. Caractérologie : sagesse, intelligence, savoir, méditation, indépendance.

Jan 🚩1 500 TOP 2000 ⬊
Dieu fait grâce (hébreu). Masculin allemand, néerlandais et suédois. On peut estimer que moins de 30 enfants seront prénommés ainsi en 2014. Caractérologie : sagesse, intelligence, savoir, méditation, indépendance.

Janick 🚩1 500
Dieu fait grâce (hébreu). Prénom breton. On peut estimer que moins de 30 enfants seront prénommés ainsi en 2014. Variantes : Janic, Janik, Janis, Janssen. Caractérologie : détermination, communication, pratique, enthousiasme, organisation.

Janis 🚩400 TOP 2000 ⬇
Dieu fait grâce (hébreu). Masculin anglais. Caractérologie : ambition, passion, habileté, détermination, force.

Janvier 🚩150
Correspond au mois de l'année (latin). Caractérologie : sagacité, connaissances, originalité, résolution, spiritualité.

Jany 🚩1 500
Dieu fait grâce (hébreu). On peut estimer que moins de 30 enfants seront prénommés ainsi en 2014. Variante : Janny. Caractérologie : découverte, audace, énergie, séduction, originalité.

Jao TOP 2000
Se rapporte au nom d'une divinité inca. Jao est répandu au Brésil et au Portugal. Ce prénom est porté par moins de 100 personnes en France. Caractérologie : ambition, habileté, force, management, passion.

Jarod 🚩2 000 TOP 600 ➡
Celui qui descendra (hébreu). Caractérologie : pragmatisme, créativité, communication, sociabilité, optimisme.

Jaroslaw

Le printemps de gloire (slave). Masculin polonais. Ce prénom est porté par moins de 30 personnes en France. Variante : Jaroslav. Caractérologie : idéalisme, intégrité, altruisme, détermination, raisonnement.

Jasmin 🎖 450 TOP 2000 ↗

Fleur de jasmin (persan). En dehors de l'Hexagone, Jasmin est plus particulièrement attribué dans les pays anglophones, germanophones et néerlandophones. Variantes : Yasmin, Asmin. Caractérologie : pratique, enthousiasme, communication, adaptation, résolution.

Jason 🎖 19 000 TOP 300 →

Dieu sauve (hébreu). Jason est très répandu dans les pays anglophones et aux Pays-Bas. Variante : Djason. Caractérologie : originalité, énergie, découverte, séduction, audace.

Jauffrey 🎖 250

La paix de Dieu (germanique). Variantes : Aufrey, Auffrey, Jauffret, Jaufre. Caractérologie : relationnel, sympathie, analyse, intuition, médiation.

Javier 🎖 800

Maison neuve (basque). Javier est très répandu dans les pays hispanophones et lusophones. Caractérologie : réceptivité, diplomatie, sociabilité, loyauté, décision.

Jawad 🎖 3 000 TOP 500 →

Celui qui est bon et généreux (arabe). Variantes : Djawad, Jawade, Jawed. Caractérologie : enthousiasme, communication, adaptation, générosité, pratique.

Jay 🎖 180

Victorieux (sanscrit), diminutif anglophone des prénoms commençant par le préfixe « Ja ». Caractérologie : humanité, rêve, générosité, ouverture d'esprit, rectitude.

Jayden 🎖 450 TOP 400 ↑

Ce dérivé masculin de Jade, né en France dans les années 2000, désigne une pierre fine de couleur verte. Masculin anglais et néerlandais. Variante : Jaiden. Caractérologie : dynamisme, réalisation, indépendance, courage, curiosité.

Jayson 🎖 2 000 TOP 500 ↗

Dieu sauve (hébreu). Variantes : Jaison, Jeason, Jeson, Jeyson. Caractérologie : optimisme, pragmatisme, créativité, communication, sociabilité.

Jean 🎖 1 114 000 TOP 200 →

Dieu fait grâce (hébreu). L'apôtre Jean et saint Jean-Baptiste ont, dès le Ier siècle, entraîné le succès de Jean. Une diffusion renforcée par les nombreux saints, papes et rois porteurs du nom à différents moments de l'histoire. Jean grandit en Orient avant de se propager en Occident chrétien, où il est très attribué au Moyen Âge. Sous ses différentes graphies (John, Juan, Giovanni, Johannes, Jan, Ivan, etc.), il se maintient tout premier ou presque du XIVe au XIXe siècle. En France, sa prééminence est encore incontestée durant la première partie du XXe siècle, où il règne sans interruption jusqu'à ce que Philippe le détrône en 1959. Il est encore aujourd'hui le prénom le plus porté en France. ◇ Infatigable prêcheur des foules qui s'amassaient sur les rives du Jourdain, Jean le Baptiste (aujourd'hui Jean-Baptiste) baptisa Jésus et de nombreux convertis dans l'eau du fleuve. Il est le patron des Québécois, des cordeliers, des rémouleurs et des tonneliers. Caractérologie : adaptation, pratique, générosité, communication, enthousiasme.

J

405

Jean-Baptiste 🎖 38 000 (TOP 600) ⬇
Forme composée de Jean et Baptiste. Fils de Zacharie et d'Élisabeth, Jean naquit en Palestine au Iᵉʳ siècle. Infatigable prêcheur des foules qui s'amassaient sur les rives du Jourdain, il baptisa Jésus et de nombreux convertis dans l'eau du fleuve, ce qui lui valut le surnom de Jean le Baptiste (aujourd'hui Jean-Baptiste). Il est le patron des Québécois, des cordeliers, des rémouleurs et des tonneliers. Notons que le vrai nom de Molière était Jean-Baptiste Poquelin. Caractérologie : audace, énergie, découverte, résolution, originalité.

Jean-Charles 🎖 18 000 ⬇
Forme composée de Jean et Charles. On peut estimer que moins de 30 enfants seront prénommés ainsi en 2014. Caractérologie : paix, bienveillance, conseil, conscience, décision.

Jean-Christophe 🎖 30 000 ⬇
Forme composée de Jean et Christophe. On peut estimer que moins de 30 enfants seront prénommés ainsi en 2014. Caractérologie : sagacité, spiritualité, connaissances, sensibilité, raisonnement.

Jean-Claude 🎖 139 000 ⬇
Forme composée de Jean et Claude. On peut estimer que moins de 30 enfants seront prénommés ainsi en 2014. Caractérologie : structure, sécurité, efficacité, persévérance, honnêteté.

Jean-David 🎖 1 500 ➡
Forme composée de Jean et David. On peut estimer que moins de 30 enfants seront prénommés ainsi en 2014. Caractérologie : méditation, savoir, indépendance, intelligence, résolution.

Jean-Denis 🎖 2 000
Forme composée de Jean et Denis. On peut estimer que moins de 30 enfants seront

prénommés ainsi en 2014. Caractérologie : humanité, rectitude, rêve, détermination, tolérance.

Jean-Emmanuel 🎖 1 000 ⬇
Forme composée de Jean et Emmanuel. Caractérologie : équilibre, famille, influence, sens des responsabilités, exigence.

Jean-François 🎖 89 000 ⬇
Forme composée de Jean et François. On peut estimer que moins de 30 enfants seront prénommés ainsi en 2014. Caractérologie : savoir, intelligence, méditation, détermination, raisonnement.

Jean-Gabriel 🎖 1 500 ➡
Forme composée de Jean et Gabriel. On peut estimer que moins de 30 enfants seront prénommés ainsi en 2014. Caractérologie : communication, pratique, enthousiasme, sympathie, résolution.

Jean-Jacques 🎖 45 000 ↘
Forme composée de Jean et Jacques. On peut estimer que moins de 30 enfants seront prénommés ainsi en 2014. Caractérologie : connaissances, spiritualité, sagacité, originalité, philosophie.

Jean-Joseph 🎖 1 000 ↘
Forme composée de Jean et Joseph. Caractérologie : honnêteté, sécurité, structure, efficacité, persévérance.

Jean-Lou 🎖 800 ⬇
Forme composée de Jean et Lou. Caractérologie : équilibre, influence, exigence, famille, sens des responsabilités.

Jean-Louis 🎖 67 000 ↘
Forme composée de Jean et Louis. On peut estimer que moins de 30 enfants seront prénommés ainsi en 2014. Caractérologie : sagacité, connaissances, décision, spiritualité, logique.

Les prénoms BCBG

Qu'ils soient attribués par esprit de tradition, par snobisme ou par hasard, les prénoms BCBG passionnent et font couler beaucoup d'encre. Ce sujet n'a jamais été autant discuté sur les forums de sites internet dédiés aux prénoms. Il semblerait même que le côté péjoratif associé au label s'atténue. Or, en s'assouplissant, l'étiquette BCBG est devenue plus vague. Confusion d'autant plus excusable que l'essor de la culture bobo a brouillé quelques pistes.

Premier pilier élémentaire : un « bon » prénom BCBG doit marquer un signe d'appartenance à un milieu social bourgeois. Prenons l'exemple de Marie-Charlotte et Anne-Claire, très prisés à la fin des années 1960 par les cadres supérieurs : ils évoquent, aujourd'hui encore, des origines privilégiées. Mais à l'heure de l'Internet, les modes font et défont toujours plus rapidement la cote d'un prénom. C'est ainsi que, victimes de leur succès, un nombre croissant de choix BCBG se répandent dans l'ensemble de la société. Issus des années 1990, Camille, Antoine et Thomas en ont fait les frais : en se banalisant, ils ont perdu leur précieuse étiquette. Il en va de même aujourd'hui pour Arthur, Capucine et Louise, qui prospèrent autant à Paris que dans l'Ain ou dans le Pas-de-Calais. La question s'impose : existe-t-il encore des prénoms BCBG endurants ?

De toute évidence, oui. Ils doivent cependant rassembler certaines caractéristiques. Ainsi, les choix peu communs sont acceptables, mais les perles rares sont préférables. Et qu'on ne s'empresse pas de puiser dans un registre trop moderne. Car seuls les prénoms anciens sont légitimes : ne se transmettent-ils pas, la plupart du temps, de génération en génération ? Précisons par ailleurs que, d'une manière générale, les saints correspondant aux prénoms BCBG ne figurent pas sur les calendriers. En cas de doute, un prénom royal inusité sera toujours une valeur refuge. Alors, que les amateurs se rassurent, il y aura toujours des prénoms bon chic, bon genre… à moins que ce label ne devienne lui-même trop à la mode !

J

407
....

Notre sélection de prénoms vraiment BCBG :

Filles : Agathe, Aglaé, Aliénor, Alix, Anastasie, Antoinette, Apolline, Astrid, Aude, Bénédicte, Bérengère, Bérénice, Bertille, Blanche, Brunhilde, Capucine, Céleste, Clémence, Clothilde, Colombe, Constance, Daphné, Dauphine, Diane, Domitille, Donatienne, Églantine, Éléonore, Eudoxie, Eugénie, Garance, Gersande, Hortense, Irénée, Isaure, Juliette, Léopoldine, Louise, Mahaut, Margot, Marguerite, Marie, Pénélope, Pétronille, Philippine, Pia, Priscille, Quitterie, Roxane, Ségolène, Sixtine, Sybille, Tiphaine, Toinon, Violaine.

Garçons : Adrien, Amaury, Ambroise, Ancelin, Anselme, Armand, Arthur, Augustin, Baudoin, Cassien, Célestin, Charles-Édouard, Clément, Côme, Constant, Constantin, Cyprien,

.../

Les prénoms BCBG (*suite*)

Cyriaque, Edgar, Édouard, Éloi, Enguerrand, Étienne, Eudes, Ferréol, Foulques, Gaspard, Gauthier, Gauvain, Geoffroy, Gustave, Gonzague, Grégoire, Guillaume, Henri, Hippolyte, Hubert, Jean, Josselin, Lothaire, Louis, Maïeul, Mathurin, Mayeul, Raoul, Rodrigue, Stanislas, Tancrède, Théobald, Théophile, Tibault, Tugdual, Ulric, Vianney, Virgile.

Jean-Loup 3 000 →

Forme composée de Jean et Loup. On peut estimer que moins de 30 enfants seront prénommés ainsi en 2014. Caractérologie : efficacité, structure, persévérance, sympathie, sécurité.

Jean-Luc 104 000 ↘

Forme composée de Jean et Luc. On peut estimer que moins de 30 enfants seront prénommés ainsi en 2014. Caractérologie : communication, pratique, enthousiasme, adaptation, générosité.

Jean-Marc 81 000 ↓

Forme composée de Jean et Marc. On peut estimer que moins de 30 enfants seront prénommés ainsi en 2014. Caractérologie : réceptivité, sociabilité, résolution, diplomatie, loyauté.

Jean-Marie 69 000 ↘

Forme composée de Jean et Marie. On peut estimer que moins de 30 enfants seront prénommés ainsi en 2014. Caractérologie : engagement, ténacité, méthode, fiabilité, résolution.

Jean-Matthieu 250

Forme composée de Jean et Matthieu. Caractérologie : audace, détermination, dynamisme, sensibilité, direction.

Jean-Michel 77 000 ↘

Forme composée de Jean et Michel. On peut estimer que moins de 30 enfants seront prénommés ainsi en 2014. Caractérologie : stratégie, vitalité, ardeur, décision, achèvement.

Jeannot 2 000

Dieu fait grâce (hébreu). On peut estimer que moins de 30 enfants seront prénommés ainsi en 2014. Caractérologie : spiritualité, originalité, sagacité, connaissances, philosophie.

Jean-Pascal 4 000

Forme composée de Jean et Pascal. On peut estimer que moins de 30 enfants seront prénommés ainsi en 2014. Caractérologie : indépendance, audace, direction, dynamisme, bonté.

Jean-Patrick 2 000

Forme composée de Jean et Patrick. On peut estimer que moins de 30 enfants seront prénommés ainsi en 2014. Caractérologie : intégrité, décision, cœur, idéalisme, altruisme.

Jean-Paul 73 000 **TOP 2000** ↘

Forme composée de Jean et Paul. On peut estimer que moins de 30 enfants seront prénommés ainsi en 2014. Caractérologie : ambition, passion, force, habileté, bonté.

Jean-Philippe 42 000 ↓

Forme composée de Jean et Philippe. On peut estimer que moins de 30 enfants seront prénommés ainsi en 2014. Caractérologie : structure, persévérance, sécurité, sympathie, ressort.

Jean-Pierre 176 000 **TOP 2000** →

Forme composée de Jean et Pierre. Cette association a brillé dans le top 20 français au milieu des années 1940, alors que les prénoms composés connaissaient leur âge d'or.

Jean-Pierre est aujourd'hui la composition masculine la plus portée en France. On peut estimer que moins de 30 enfants seront prénommés ainsi en 2014. Caractérologie : relationnel, fidélité, intuition, médiation, décision.

Jean-Roch 400
Forme composée de Jean et Roch. Caractérologie : logique, réceptivité, décision, diplomatie, sociabilité.

Jean-Sébastien 5 000 **TOP 2000**
Forme composée de Jean et Sébastien. On peut estimer que moins de 30 enfants seront prénommés ainsi en 2014. Caractérologie : méditation, savoir, intelligence, indépendance, décision.

Jean-Victor 400
Forme composée de Jean et Victor. Caractérologie : intégrité, idéalisme, altruisme, volonté, analyse.

Jean-Yves 32 000 ⬇
Forme composée de Jean et Yves. On peut estimer que moins de 30 enfants seront prénommés ainsi en 2014. Caractérologie : diplomatie, sociabilité, réceptivité, loyauté, réalisation.

Jeff 1 500 **TOP 2000** ↘
La paix de Dieu (germanique). Masculin anglais. On peut estimer que moins de 30 enfants seront prénommés ainsi en 2014. Variante : Jef. Caractérologie : humanité, générosité, rectitude, rêve, tolérance.

Jefferson 1 500 **TOP 2000** ➔
Fils de Jeffrey (anglais). Patronyme porté par Thomas Jefferson, le deuxième président des États-Unis. On peut estimer que moins de 30 enfants seront prénommés ainsi en 2014. Caractérologie : vitalité, achèvement, ardeur, stratégie, décision.

Jeffrey 2 000 **TOP 2000** ↘
La paix de Dieu (germanique). On peut estimer que moins de 30 enfants seront prénommés ainsi en 2014. Variante : Jeffry. Caractérologie : communication, pratique, enthousiasme, adaptation, décision.

Jehan 750 ➔
Dieu fait grâce (hébreu). Masculin français. Caractérologie : intuition, relationnel, médiation, adaptabilité, fidélité.

Jeoffrey 1 000
La paix de Dieu (germanique). Variante : Jeoffray. Caractérologie : humanité, rectitude, rêve, ouverture d'esprit, décision.

Jérémi 1 500 ↘
Dieu élève (hébreu). Masculin hongrois. On peut estimer que moins de 30 enfants seront prénommés ainsi en 2014. Variantes : Gérémie, Gérémy, Gérémi, Jérémiah, Jérémias. Caractérologie : résolution, sens des responsabilités, famille, influence, équilibre.

Jérémie 30 000 **TOP 500** ↘
Dieu élève (hébreu). Peu attribué par le passé, ce prénom biblique connaît une certaine faveur à la fin des années 1980. Il rencontre toutefois moins de succès que la forme anglophone Jeremy, et se trouve quatre fois moins porté qu'elle dans l'Hexagone. ◇ Personnage biblique, Jérémie est l'un des trois grands prophètes d'Israël. Il demande à son peuple d'accepter la domination babylonienne comme une épreuve sous peine d'être châtié par Yahvé. Mais il est rejeté par le peuple et ses oracles se concrétisent lorsque la ville de Jérusalem et le Temple sont détruits. L'immense peine de Jérémie est décrite dans les Lamentations de Jérémie (celles-là mêmes qui ont donné naissance au nom « jérémiade ») dans

J

409
....

l'Ancien Testament. Caractérologie : relationnel, médiation, intuition, résolution, fidélité.

Jérémy 131 000 (TOP 300)
Dieu élève (hébreu). Ce prénom biblique est massivement choisi par les protestants anglais puis américains au XVIIᵉ siècle. Il est très fréquent dans le monde anglophone lorsqu'il apparaît en France dans les années 1960. Son succès rapide lui permet d'éclipser la forme française Jérémie et de bondir au 4ᵉ rang masculin en 1987. Malgré son repli, il est, encore aujourd'hui, un prénom choisi par les parents. Caractérologie : structure, persévérance, détermination, sécurité, réalisation.

Jérôme 200 000 (TOP 2000)
Nom sacré (grec). Au Vᵉ siècle, saint Jérôme traduisit de l'hébreu en latin une grande partie de la Bible. Malgré cette production titanesque, le nom du patron des traducteurs inspira peu de parents avant le XIXᵉ siècle. Après avoir fait de timides percées outre-Manche, Jérôme s'élance finalement en France. On le trouve au 6ᵉ rang à son point culminant, en 1974, avant son reflux accéléré à la fin du siècle. Il n'est pas apparenté à Jérémy mais a peut-être, par ses premières lettres en commun, favorisé l'essor de ce dernier. Variantes : Gérôme, Géronimo, Girolamo, Jeroen, Jéronime, Jéronimo, Yerom. Forme basque : Jerolin. Caractérologie : communication, enthousiasme, volonté, pratique, résolution.

Jerry 1 500
Nom sacré (grec). Masculin anglais. On peut estimer que moins de 30 enfants seront prénommés ainsi en 2014. Caractérologie : fiabilité, résolution, méthode, ténacité, engagement.

Jesse 1 000 (TOP 2000)
Un présent (hébreu). Jesse est plus particulièrement répandu en Finlande, dans les pays anglophones et aux Pays-Bas. Variante : Jess. Caractérologie : méthode, fiabilité, ténacité, sens du devoir, engagement.

Jessim 1 500 (TOP 500)
Grand, majestueux (arabe). Variante : Jassim. Caractérologie : adaptation, communication, pratique, enthousiasme, résolution.

Jessy 12 000 (TOP 300)
Un présent (hébreu). Jessy est très répandu dans les pays anglophones. Variantes : Djessy, Jessi. Caractérologie : équilibre, sens des responsabilités, famille, influence, exigence.

Jésus 1 500
Dieu sauve (hébreu). Ce prénom biblique est très peu répandu en dehors de l'Espagne et du Portugal. On peut estimer que moins de 30 enfants seront prénommés ainsi en 2014. Caractérologie : loyauté, réceptivité, diplomatie, sociabilité, bonté.

Jibriel
Contraction de Jibril et Gabriel. Ce prénom est porté par moins de 30 personnes en France. Caractérologie : détermination, diplomatie, organisation, sociabilité, réceptivité.

Jibril 2 000 (TOP 400)
Équivalent arabe de Gabriel : force de Dieu (hébreu). Voir Djibril. Variantes : Gibril, Jebril. Caractérologie : conseil, bienveillance, organisation, conscience, sagesse.

Jilani 170
Nom du fondateur de la Qadiriya, branche soufie de l'islam créée au XIᵉ siècle en Iraq. Caractérologie : dynamisme, direction, détermination, indépendance, assurance.

Jillian ⭐ 190
De la famille romaine de Iule (latin). Masculin anglais. Variante : Jilian. Caractérologie : structure, efficacité, persévérance, détermination, sécurité.

Jim ⭐ 2 000 (TOP 2000) →
Supplanter, talonner (hébreu). Masculin anglais. On peut estimer que moins de 30 enfants seront prénommés ainsi en 2014. Variante : Gim. Caractérologie : dynamisme, curiosité, courage, charisme, indépendance.

Jimmy ⭐ 34 000 (TOP 300) →
Supplanter, talonner (hébreu). Jimmy est très répandu dans les pays anglophones. Variantes : Djimmy, Gimmy, Jimi, Jimy. Caractérologie : sagacité, spiritualité, connaissances, réalisation, originalité.

Joachim ⭐ 9 000 (TOP 300) →
Dieu a établi (hébreu). Roi de Juda au VIᵉ siècle, Joachim complota avec les Égyptiens contre le protectorat babylonien dirigé par Nabuchodonosor. Variantes : Akim, Kimo, Joachin, Joackim, Joakim, Joakin, Jochim, Johakim. Caractérologie : indépendance, curiosité, analyse, dynamisme, courage.

Joakim ⭐ 1 000 (TOP 700) →
Dieu a établi (hébreu). Caractérologie : audace, originalité, énergie, séduction, découverte.

Joan ⭐ 6 000 (TOP 400) →
Dieu fait grâce (hébreu). Voir Joan au féminin. Joan est un prénom catalan et occitan. Caractérologie : sens du devoir, engagement, méthode, ténacité, fiabilité.

Joanis
Dieu fait grâce (hébreu). Ce prénom est porté par moins de 100 personnes en France. Variante : Joannis. Caractérologie : curiosité, dynamisme, indépendance, courage, détermination.

Joannes ⭐ 1 500
Dieu fait grâce (hébreu). Joannes est assez répandu dans les cultures néerlandophones. On peut estimer que moins de 30 enfants seront prénommés ainsi en 2014. Formes basques : Joanes, Joanko. Caractérologie : conscience, paix, conseil, sagesse, bienveillance.

Joanny ⭐ 1 000 ⬈
Dieu fait grâce (hébreu). Variantes : Joannet, Joanni, Joannic, Joannick, Joannin, Joanis, Joannis, Joany. Caractérologie : sagesse, méditation, indépendance, savoir, intelligence.

Joao ⭐ 3 000 (TOP 900) →
Dieu fait grâce (hébreu). Joao est répandu au Brésil et au Portugal. Caractérologie : originalité, énergie, découverte, séduction, audace.

Joaquim ⭐ 4 000 (TOP 800) →
Dieu a établi (hébreu). Joaquim est très répandu au Portugal. Caractérologie : dynamisme, curiosité, courage, indépendance, logique.

Joaquin ⭐ 950 (TOP 2000) ⬈
Dieu fait grâce (hébreu). Joaquin est très répandu dans les pays hispanophones. Caractérologie : bienveillance, conscience, paix, détermination, raisonnement.

Joas ⭐ 110
Supplanter, talonner (hébreu). Caractérologie : altruisme, intégrité, réflexion, idéalisme, dévouement.

Job
Forme bretonne de Joseph : Dieu ajoutera (hébreu). Ce prénom est porté par moins de 100 personnes en France. Caractérologie : rêve, ouverture d'esprit, humanité, générosité, rectitude.

J

411

Jocelin 🌟 650 ⬀
Étymologie possible : doux prince (germanique). Caractérologie : audace, découverte, énergie, analyse, résolution.

Jocelyn 🌟 12 000 **TOP 1000** ➔
Étymologie possible : doux prince (germanique). Masculin français et anglais. Fils de Judaël, le roi de Domnonée, saint Josse refusa la couronne pour se consacrer à la vie monastique au VIIe siècle. Voir Judicaël. Variantes : Jocelin, Joscelyn. Caractérologie : adaptation, pratique, communication, amitié, enthousiasme.

Jody 🌟 250
Diminutif de Joseph et de Joël. Masculin anglais. Caractérologie : réalisation, humanité, ouverture d'esprit, rêve, rectitude.

Joé 🌟 2 000 **TOP 900** ➔
Diminutif des prénoms formés avec Jo. Masculin anglais. Caractérologie : optimisme, communication, pragmatisme, créativité, sociabilité.

Joël 🌟 130 000 **TOP 1000** ⬇
Dieu est Dieu (hébreu). Joël est l'un des douze « petits prophètes » de l'Ancien Testament. Il convainquit le peuple de se repentir de son éloignement de Dieu. Cette pénitence fit cesser la sécheresse et l'invasion de sauterelles qu'il avait prophétisées. Ce prénom français est répandu dans les cultures néerlandophones. Caractérologie : famille, éthique, influence, équilibre, exigence.

Joévin 🌟 300 ⬇
Jupiter, jeune (latin). Caractérologie : pragmatisme, optimisme, décision, communication, caractère.

Joey 🌟 2 000 **TOP 600** ➔
Diminutif anglophone des prénoms formés avec Jo. Caractérologie : audace, dynamisme, direction, indépendance, assurance.

Joffrey 🌟 7 000 ⬇
La paix de Dieu (germanique). Masculin français. On peut estimer que moins de 30 enfants seront prénommés ainsi en 2014. Variantes : Joeffrey, Jofrey, Joffray, Joffre. Caractérologie : structure, persévérance, efficacité, sécurité, résolution.

Johan 🌟 31 000 **TOP 200** ➔
Dieu fait grâce (hébreu). En dehors de l'Hexagone, Johan est très répandu en Allemagne, dans les pays scandinaves et néerlandophones. Il est aussi un prénom traditionnel en Alsace et dans le Pays basque. Variante : Johane. Caractérologie : pratique, enthousiasme, communication, adaptation, générosité.

Johann 🌟 18 000 **TOP 600** ⬊
Dieu fait grâce (hébreu). En dehors de l'Hexagone, Johann est très répandu en Allemagne. Caractérologie : force, ambition, habileté, passion, management.

Johannes 🌟 600 ➔
Dieu fait grâce (hébreu). Johannes est très répandu en Allemagne. Variantes : Johanes, Johanne, Johannis, Johanny, Johany. Caractérologie : curiosité, courage, dynamisme, charisme, indépendance.

John 🌟 13 000 **TOP 600** ➔
Dieu fait grâce (hébreu). En dehors de l'Hexagone, ce prénom est particulièrement porté dans les pays anglophones. Caractérologie : intuition, médiation, relationnel, fidélité, adaptabilité.

Johnny 🌟 15 000 **TOP 2000**
Dieu fait grâce (hébreu). En dehors de l'Hexagone, ce prénom est particulièrement porté dans les pays anglophones. On peut estimer que moins de 30 enfants seront prénommés ainsi en 2014. Caractérologie : énergie, originalité, découverte, audace, séduction.

Les prénoms de rois

La vogue du rétro a fait renaître bien des prénoms oubliés. Curieusement, cet engouement ne s'est pas propagé aux prénoms royaux qui, à l'exception de Louis, restent peu attribués. Prenons le temps de revisiter l'histoire sous cet angle particulier. Qui sait… Charles, Henri, François, Jean ou Philippe pourraient revenir dans les prochaines années… Les noms de ces monarques sont classés par ordre chronologique. Ils retracent les dynasties successives des Carolingiens, des Capétiens, des Valois et des Bourbons.

Les Carolingiens (715-987)	Les Capétiens (987-1328)
Pépin le Bref	Hugues Capet
Charles Ier ou Charlemagne	Robert II le Pieux
Louis Ier le Pieux	Henri Ier
Charles II le Chauve	Philippe Ier
Louis II le Bègue	Louis VI le Gros
Louis III	Louis VII le Jeune
Carloman	Philippe II Auguste
Charles le Gros	Louis VIII le Lion
Eudes	Louis IX le Saint
Charles III le Simple	Philippe III le Hardi
Robert Ier	Philippe IV le Bel
Raoul de Bourgogne	Louis X le Hutin
Louis IV d'Outremer	Philippe V le Long
Louis V le Fainéant	Charles IV le Bel

Les Valois (1328-1589)	Les Bourbons (1589-1830)
Philippe VI de Valois	Henri IV le Vert-Galant
Jean II le Bon	Louis XIII le Juste
Charles V le Sage	Louis XIV le Grand
Charles VI le Fol	Louis XV le Bien-Aimé
Charles VII le Victorieux	Louis XVI
Louis XI	Louis XVIII
Charles VIII l'Affable	Charles X
Louis XII Père du peuple	
François Ier le Roi Chevalier	**Les Orléans (1830-1848)**
Henri II	Louis-Philippe Ier
François II	
Charles IX	
Henri III	

J

413

Johnson 180

Fils de John (anglais). Caractérologie : curiosité, indépendance, dynamisme, courage, charisme.

Johny 2 000

Dieu fait grâce (hébreu). On peut estimer que moins de 30 enfants seront prénommés ainsi en 2014. Variantes : Djohnny, Jhon, Jhonny, Jonnhy, Jonny, Jony. Caractérologie : idéalisme, intégrité, réflexion, altruisme, dévouement.

Jolan 1 500

Vallée aux chênes morts (amérindien). Caractérologie : connaissances, spiritualité, sagacité, originalité, philosophie.

Jon 650

Dieu fait grâce (hébreu). Dans l'Hexagone, Jon est plus traditionnellement usité au Pays basque. Caractérologie : communication, pratique, enthousiasme, adaptation, générosité.

Jonaël 140

Contraction de Jonas et Joël. Caractérologie : communication, pragmatisme, optimisme, créativité, sociabilité.

414

Jonas 6 000

Colombe (hébreu). Grâce à la popularité de l'histoire de Jonas dans la Bible, ce prénom, sous ses différentes formes, est connu au Moyen Âge. Il devient plus fréquent au XVIIᵉ siècle grâce aux puritains anglophones qui le choisissent massivement. Sa percée française est très modeste puisque Jonas prénomme 250 garçons à son pic, en 2005. Il est plus particulièrement répandu dans les pays anglo-saxons, scandinaves et néerlandophones aujourd'hui. ◇ Jonas est un personnage de l'Ancien Testament. Lorsque Dieu lui ordonne de convertir la ville païenne de Ninive, il fuit sa mission en s'embarquant sur un bateau. Mais un violent orage éclate et l'équipage doit jeter Jonas par-dessus bord afin d'apaiser la colère divine. Avalé par une baleine, Jonas se repent et accepte son mandat. L'ordre religieux est promptement rétabli à Ninive et Dieu épargne la ville de ses châtiments. Maints peintres et artistes ont immortalisé ces scènes bibliques. Variantes : Jonah, Yonas. Caractérologie : découverte, énergie, audace, séduction, originalité.

Jonatan 350

Dieu a donné (hébreu). Caractérologie : communication, pragmatisme, optimisme, sociabilité, créativité.

Jonathan 102 000

Dieu a donné (hébreu). Ce prénom biblique s'est propagé dans les pays anglophones à partir du XVIIᵉ siècle, mais il est longtemps resté inconnu en France. Au début des années 1960, avant son jaillissement, il ne prénomme qu'une poignée de Français chaque année. Qui aurait imaginé qu'il s'élève au 5ᵉ rang masculin en l'espace de quinze ans ? Son repli étant plus doux, il reste actuellement attribué. Jonathan est très répandu dans les pays anglophones, germanophones, néerlandophones et scandinaves. ◇ Dans l'Ancien Testament, Jonathan, le fils du roi Saül, est le jeune officier qui repousse l'armée ennemie en tuant le général des Philistins. Son courage, sa générosité et son intelligence sont légendaires. Variantes : Janathan, Johnatan, Johnathan, Jonathane, Jonathann, Jonnathan. Caractérologie : intuition, médiation, fidélité, finesse, relationnel.

Joran 550

Labourer le sol (grec). Joran est plus particulièrement usité dans les pays scandinaves et en

Bretagne. Caractérologie : structure, sécurité, efficacité, persévérance, décision.

Jordan ⭐ 52 000 (TOP 200) ⬎

Descendre (hébreu). Nom anglais désignant le fleuve (Jourdain) dans lequel Jésus-Christ a été baptisé par saint Jean-Baptiste. Ce prénom répandu dans les pays anglophones a connu une soudaine popularité en Occitanie dans les années 1990. Variantes : Djordan, Jourdain. Caractérologie : décision, ambition, force, caractère, habileté.

Jordane ⭐ 3 000

Descendre (hébreu). On peut estimer que moins de 30 enfants seront prénommés ainsi en 2014. Variantes : Djordan, Jordann, Jordhan. Caractérologie : persévérance, structure, sécurité, décision, caractère.

Jordi ⭐ 1 500 ⬇

Labourer le sol (grec). Dans l'Hexagone, ce prénom catalan est plus traditionnellement usité en Occitanie. On peut estimer que moins de 30 enfants seront prénommés ainsi en 2014. Variante : Jorgi. Caractérologie : diplomatie, sociabilité, réceptivité, loyauté, bonté.

Jordy ⭐ 3 000 (TOP 2000) ➡

Labourer le sol (grec). On peut estimer que moins de 30 enfants seront prénommés ainsi en 2014. Caractérologie : humanité, rectitude, rêve, ouverture d'esprit, réussite.

Jorge ⭐ 2 000

Labourer le sol (grec). Jorge est très répandu dans les pays hispanophones et lusophones. On peut estimer que moins de 30 enfants seront prénommés ainsi en 2014. Caractérologie : innovation, énergie, autorité, décision, ambition.

Joris ⭐ 15 000 (TOP 400) ⬎

Labourer le sol (grec). Cette forme néerlandaise de Georges est répandue aux Pays-Bas.

Variantes : Jauris, Jorick, Jorris, Jory, Jorys. Caractérologie : ambition, force, habileté, management, passion.

José ⭐ 51 000 (TOP 800) ➡

Dieu ajoutera (hébreu). En dehors de l'Hexagone, José est très répandu dans les pays hispanophones et lusophones. Caractérologie : méthode, fiabilité, sens du devoir, ténacité, engagement.

Joseph ⭐ 133 000 (TOP 200) ➡

Dieu ajoutera (hébreu). Bien que plusieurs saints aient porté ce nom aux premiers siècles, Joseph se manifeste peu avant la Réforme. Il est alors massivement choisi par les protestants en référence au personnage de l'Ancien Testament. Au milieu du XVIIe siècle, les puritains anglophones le propagent aux États-Unis, et plusieurs souverains européens naissent sous ce prénom. Il devient, sous ses différentes graphies (José, Guiseppe, Iosef, Josef, Josep, etc.), très fréquent au XIXe siècle, y compris dans les pays slaves. En France, on le trouve souvent placé dans les premiers rangs jusqu'aux années 1900. Il quitte le top 10 national à la fin de la Première Guerre mondiale et décline sans disparaître. ◇ Dans l'Ancien testament, Joseph, le fils préféré de Jacob, est vendu comme esclave par ses frères jaloux qui le font passer pour mort. Malgré sa nouvelle condition, Joseph, qui a le don d'interpréter les rêves, est remarqué par le pharaon. Il le nomme gouverneur, ce qui épargne la famine aux Égyptiens. Plus tard, Joseph pardonne à ses frères et renoue avec sa famille. Dans le Nouveau Testament, saint Joseph est l'époux de la Vierge Marie et le père de Jésus. Le patron des charpentiers est célébré le 19 mars. Caractérologie : autorité, innovation, énergie, ambition, autonomie.

J

415

JULES

Fête : 12 avril

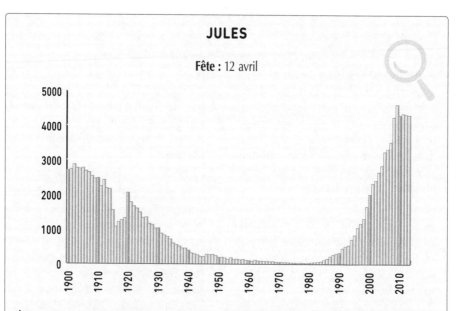

Étymologie : conformément à ses origines latines, Jules se rapporte à la grande famille romaine de Iule. Usité du temps de Rome à nos jours, ce prénom a connu des pics de popularité à la Renaissance et au XIXe siècle. Au plus bas de ses attributions françaises dans les années 1970, il est menacé de disparition. Mais à partir des années 1990, les prénoms de source antique romaine (Aurélien, Julien) reculent au profit des choix rétro. Une opportunité que Jules saisit pour s'envoler avec Louis.

Aujourd'hui, Jules émerge au 11e rang national et se place 15e à Paris. S'il fait marche arrière en Suisse romande, il vient de bondir dans le top 100 québécois. Son retour à l'échelle mondiale n'est pas encore d'actualité, mais cette poussée francophone pourrait faire des émules. En attendant, Julian éclipse largement Jules dans l'ensemble des pays occidentaux.

Brillant homme d'État romain, **Jules César** (101-44 avant J.-C.) conquit la Gaule et repoussa les frontières de son empire jusqu'au Rhin. Peu après avoir été nommé consul et dictateur à vie, il fut assassiné par des conspirateurs en plein sénat. C'est Brutus, son protégé, qui l'acheva du vingt-troisième et ultime coup de poignard.

Saint Jules est le premier pape romain qui choisit ce prénom au IVe siècle. Durant sa papauté, il fit construire de nombreuses églises à Rome et établit la primauté de la capitale italienne sur les autres Églises. Saint Jules est le patron des vidangeurs.

.../

Jules (suite)

Jules II, le pape qui succéda à Pie III en 1503, restaura la puissance politique des papes en Italie.

Personnalités célèbres : Jules Verne est l'auteur français de *Vingt Mille Lieues sous les mers*, *L'Île mystérieuse* et *Le Tour du monde en quatre-vingts jours*, romans parus dans les années 1870. Jules Renard, écrivain français (1864-1910), est particulièrement célèbre pour sa nouvelle *Poil de carotte*.

Statistiques : Jules est le 18e prénom masculin le plus donné en France depuis le début du XXIe siècle. On peut estimer qu'il sera attribué à un garçon sur 94 en 2014.

Joséphin
Dieu ajoutera (hébreu). Ce prénom est porté par moins de 30 personnes en France. Caractérologie : paix, conscience, bienveillance, détermination, action.

Joshua  7 000 **TOP 200**
Dieu aidera (hébreu). Cette forme anglophone de Josué est très répandue dans les pays anglo-saxons, notamment aux États-Unis. Elle est également populaire dans les communautés juives anglophones. Voir Josué. Variantes : Josiah, Jossua, Josua, Josuah, Josuha. Caractérologie : sociabilité, réceptivité, loyauté, bonté, diplomatie.

Josian 1 500
Dieu ajoutera (hébreu). Dans l'Hexagone, Josian est plus traditionnellement usité au Pays basque. On peut estimer que moins de 30 enfants seront prénommés ainsi en 2014. Caractérologie : dynamisme, indépendance, curiosité, courage, résolution.

Josias 300
Dieu me soutient (hébreu). Caractérologie : autorité, innovation, autonomie, ambition, énergie.

Josse 350
Étymologie possible : doux prince (germanique). Fils de Judaël, le roi de Domnonée, saint Josse refusa la couronne pour se consacrer à la vie monastique (VIIe siècle). Josse est un prénom breton. Variante : Joss. Caractérologie : dynamisme, curiosité, indépendance, courage, charisme.

Josselin 5 000 **TOP 1000**
Étymologie possible : doux prince (germanique). Voir Josse. Masculin français et breton. Variantes : Josselyn, Judoc. Caractérologie : analyse, structure, persévérance, résolution, sécurité.

Josselyn 350
Étymologie possible : doux prince (germanique). Caractérologie : relationnel, médiation, fidélité, sympathie, intuition.

Josserand
Se rapporte à Gauz, divinité teutonne (germanique). Ce prénom est porté par moins de 100 personnes en France. Caractérologie : équilibre, résolution, famille, sens des responsabilités, volonté.

Josué 4 000 **TOP 700**
Dieu aidera (hébreu). Dans l'Ancien Testament, Josué, le successeur de Moïse, guide les Hébreux vers la Terre promise. Ce prénom rare se rencontre plus souvent dans les communautés juives francophones. Variante :

417

Jossué. Caractérologie : indépendance, intelligence, savoir, méditation, sagesse.

Jovan 350 TOP 2000 →
Jupiter, jeune (latin). Dans l'Hexagone, Jovan est plus traditionnellement usité en Bretagne. Caractérologie : passion, volonté, habileté, ambition, force.

Joyce 500 TOP 2000 ↗
Allégresse (latin). Masculin anglais. Caractérologie : ténacité, méthode, engagement, fiabilité, bonté.

Juan 8 000 TOP 600 →
Dieu fait grâce (hébreu). Juan est un prénom espagnol. Caractérologie : autorité, innovation, énergie, autonomie, ambition.

Jude 900 TOP 2000 ↗
Loué, félicité (hébreu). Masculin anglais. Caractérologie : ténacité, engagement, méthode, fiabilité, sens du devoir.

Judicaël 3 000 TOP 2000 ↘
Seigneur généreux (celte). Fils aîné de Judaël, le roi de Domnonée, saint Judicaël refusa la couronne et se retira dans le monastère de Gaël. Il dut cependant monter sur le trône lorsque son frère (saint Josse) déclina ce même honneur. Roi des Bretons malgré lui, saint Judicaël gouverna avec sagesse pendant vingt ans. On peut estimer que moins de 30 enfants seront prénommés ainsi en 2014. Variantes : Jekel, Jezekael, Jikael, Jikel, Judikael. Caractérologie : relationnel, intuition, fidélité, médiation, résolution.

Jules 66 000 TOP 50 ♀ →
De la famille romaine de Iule (latin). Caractérologie : engagement, fiabilité, méthode, ténacité, sens du devoir.

Julian 12 000 TOP 200 →
De la famille romaine de Iule (latin). Julian est très répandu dans les pays anglophones,

hispanophones et néerlandophones. Dans l'Hexagone, il est plus particulièrement attribué en Occitanie et au Pays basque. Caractérologie : ténacité, décision, méthode, engagement, fiabilité.

Julien 296 000 TOP 200 ↓
De la famille romaine de Iule (latin). Encore très méconnu au XIXe siècle, Julien aurait pu rester invisible si Stendhal n'en avait pas fait le héros de son roman *Le Rouge et le Noir*. Un saint légendaire inspira également Gustave Flaubert dans *La Légende de saint Julien l'Hospitalier*, paru en 1877. Mais malgré ces percées littéraires, Julien reste dans l'ombre de Jules dont il est dérivé. Il y restera jusqu'au XXe siècle, où sa glorieuse carrière est comparable à celle de Julian dans les pays anglophones et hispanophones. Julien brille dans les 3 premiers rangs masculins de 1979 à 1990 et reste un choix fréquent en France aujourd'hui. Variantes : Julen, Juliann, Juliano, Jullian, Jullien. Caractérologie : ambition, force, passion, habileté, détermination.

Julio 1 500 TOP 1000 →
De la famille romaine de Iule (latin). Julio est très répandu dans les pays hispanophones et lusophones. Variantes : Giuliano, Giulio. Caractérologie : efficacité, persévérance, raisonnement, sécurité, structure.

Julius 300 ↓
De la famille romaine de Iule (latin). Caractérologie : réceptivité, loyauté, sociabilité, bonté, diplomatie.

Junien
Mois de juin (latin). Ce prénom est porté par moins de 100 personnes en France. Variante : Jun. Caractérologie : autorité, énergie, innovation, ambition, détermination.

Junior 🚩 1 000 **TOP 800** ➔
Jeunesse (latin). Variante : Juvenal. Caractérologie : bienveillance, détermination, paix, raisonnement, conscience.

Juste 🚩 250
Juste (latin). Variante : Just. Caractérologie : communication, enthousiasme, pratique, organisation, adaptation.

Justin 🚩 12 000 **TOP 300** ⬇
Juste (latin). En dehors de l'Hexagone, Justin est répandu dans les pays anglophones et aux Pays-Bas. Variantes : Justinien, Justino, Justo, Justyn, Tin. Forme bretonne : Jestin. Caractérologie : pragmatisme, optimisme, organisation, résolution, communication.

K

Kaan 🚩 950 **TOP 800** ➔
Celui qui gouverne (turc). Caractérologie : réflexion, idéalisme, altruisme, intégrité, dévouement.

Kacem 🚩 350 ➔
Juste (arabe). Variantes : Kacim, Kassim, Kazim. Caractérologie : paix, bienveillance, conscience, organisation, conseil.

Kader 🚩 1 500 ⬇
Riche, puissant (arabe). On peut estimer que moins de 30 enfants seront prénommés ainsi en 2014. Variantes : Kada, Kadda, Kadder. Caractérologie : optimisme, pragmatisme, créativité, communication, décision.

Kadir 🚩 850 **TOP 2000** ➔
Riche, puissant (arabe). Caractérologie : philosophie, connaissances, originalité, sagacité, spiritualité.

Kaelig 🚩 400 **TOP 2000** ➔
Seigneur généreux (celte). Prénom breton. Variante : Kael. Caractérologie : altruisme, détermination, intégrité, idéalisme, bonté.

Kaï 🚩 120 **TOP 2000**
Mer (hawaïen), terre (japonais), et variante galloise de Caïus. L'éventuelle origine scandinave de Kai reste à démontrer. Caractérologie : pragmatisme, sociabilité, optimisme, créativité, communication.

Kaïs 🚩 6 000 **TOP 100** ⬆
Fierté (arabe). Variantes : Caïs, Caïss, Kaïss, Kays. Caractérologie : méthode, ténacité, fiabilité, engagement, sens du devoir.

Kaléo
Voix (hawaïen). Ce prénom est porté par moins de 30 personnes en France. Caractérologie : ambition, courage, habileté, audace, organisation.

Kalvin 🚩 1 000 **TOP 600** ➔
Chauve (latin). Caractérologie : paix, conscience, bienveillance, organisation, détermination.

Kamal 🚩 3 000 ➔
Parfait, achevé (arabe). On peut estimer que moins de 30 enfants seront prénommés ainsi en 2014. Variante : Kamale. Caractérologie : organisation, médiation, intuition, relationnel, fidélité.

K

419

Kamel 🚩 13 000 (TOP 2000) ↓

Parfait, achevé (arabe). Ce prénom est particulièrement répandu dans les communautés musulmanes francophones. Variantes : Kamil, Kemal, Kemel, Kemil. Caractérologie : famille, sens des responsabilités, influence, équilibre, organisation.

Kan

Forme bretonne de Candice : d'un blanc éclatant (latin). Ce prénom est porté par moins de 100 personnes en France. Caractérologie : leadership, vitalité, achèvement, ardeur, stratégie.

Kane

Bataille (celte), beau (gallois), homme, ciel de l'est (hawaïen), argent, cloche (japonais). Ce prénom est porté par moins de 100 personnes en France. Caractérologie : efficacité, persévérance, structure, sécurité, honnêteté.

Kaori

Puissant, fort (japonais). Ce prénom est porté par moins de 30 personnes en France. Caractérologie : idéalisme, intégrité, réflexion, altruisme, dévouement.

Karan

Instrument de musique (sanscrit), parent (vieux breton). Ce prénom est porté par moins de 100 personnes en France. Variante : Karanteg. Caractérologie : décision, idéalisme, altruisme, réflexion, intégrité.

Karel 🚩 550 (TOP 2000) →

Pur (grec). Karel est plus particulièrement répandu dans les régions néerlandophones, en République tchèque et en Slovaquie. Caractérologie : diplomatie, réceptivité, sociabilité, gestion, décision.

Karim 🚩 36 000 (TOP 400) →

Bien né, généreux (arabe). Ce prénom est particulièrement répandu dans les communautés musulmanes francophones. Variantes : Carim, Karam, Karem, Karime, Karym. Caractérologie : originalité, spiritualité, connaissances, philosophie, sagacité.

Karl 🚩 9 000 (TOP 600) ↘

Force (germanique). Karl est répandu en Allemagne. C'est aussi un choix traditionnel flamand. Variantes : Karlo, Karlos. Caractérologie : éthique, famille, influence, équilibre, organisation.

Kaylan 🚩 140 (TOP 1000)

Élancé (irlandais). Variante : Kailan. Caractérologie : énergie, direction, indépendance, assurance, dynamisme.

Kazuo

Le premier-né (japonais). Ce prénom est porté par moins de 30 personnes en France. Caractérologie : intuition, fidélité, organisation, médiation, relationnel.

Keane

Forme francisée de Cian, de l'irlandais : « ancien ». Ce prénom est porté par moins de 100 personnes en France. Variantes : Kéan, Kéann. Caractérologie : générosité, idéalisme, rectitude, réflexion, loyauté.

Keanu 🚩 140

L'air de la montagne (hawaïen). Keanu est usité à Hawaï, dans les pays anglophones et scandinaves. Caractérologie : savoir, indépendance, intelligence, méditation, organisation.

Kéhila

Le rassembleur (hébreu). Ce prénom est porté par moins de 30 personnes en France. Caractérologie : dynamisme, audace, direction, résolution, finesse.

Keith 🚩 180

Le vent (celte). Masculin écossais et anglais. Caractérologie : vitalité, achèvement, stratégie, ardeur, finesse.

Kelan

Élancé (irlandais). Ce prénom est porté par moins de 100 personnes en France. Variante : Kéalan. Caractérologie : intelligence, savoir, méditation, indépendance, gestion.

Kélian 🌟 3 000 **TOP 500** ➡

Contestation ou église (irlandais). Variantes : Kealan, Keelan, Keelyan, Kelan, Keliann, Keilan, Kelyan, Keylian. Caractérologie : sagacité, connaissances, gestion, spiritualité, décision.

Kelig 🌟 250 ⬇

Seigneur généreux (celte). Prénom breton. Caractérologie : passion, force, habileté, ambition, sympathie.

Kelil

Parfait (hébreu). Masculin anglais. Ce prénom est porté par moins de 30 personnes en France. Caractérologie : persévérance, sécurité, structure, efficacité, honnêteté.

Kélio 🌟 110 **TOP 600**

Fusion de Kélian et de prénoms se terminant par « io » (Élio, Fabio, etc.). Caractérologie : méditation, logique, intelligence, savoir, indépendance.

Kellian 🌟 900 **TOP 2000** ⬇

Contestation ou église (irlandais). Caractérologie : résolution, dynamisme, direction, audace, organisation.

Kelvin 🌟 1 500 **TOP 600** ⬇

Petite rivière (celte). Masculin anglais. Caractérologie : autorité, ambition, innovation, énergie, autonomie.

Kelyan 🌟 3 000 **TOP 300** ➡

Contestation ou église (irlandais). Caractérologie : découverte, sympathie, organisation, courage, découverte.

Kemuel 🌟 150

Qui aide Dieu (hébreu). Caractérologie : ténacité, engagement, fiabilité, méthode, sens du devoir.

Ken 🌟 1 000 ⬇

Identique (japonais). Diminutif des prénoms formés avec Ken. Ken est plus particulièrement répandu en Australie et au Japon. Caractérologie : pragmatisme, optimisme, communication, créativité, sociabilité.

Kenan 🌟 2 000 **TOP 400** ↗

Beau (celte). Prénom breton. Caractérologie : ouverture d'esprit, humanité, rêve, rectitude, générosité.

Kendal 🌟 140

Vallée de la rivière Kent (anglais). Masculin anglais. Variante : Kendall. Caractérologie : relationnel, intuition, organisation, fidélité, médiation.

Kenji 🌟 1 000 **TOP 500** ⬆

Prénom traditionnellement attribué au deuxième garçon au Japon. Caractérologie : sécurité, structure, persévérance, efficacité, résolution.

Kennard

Garde royale (vieil anglais). Ce prénom est porté par moins de 30 personnes en France. Caractérologie : méthode, fiabilité, sécurité, détermination, résolution.

Kennedy

Chef casqué (irlandais). Patronyme porté par John Fitzgerald Kennedy, le 35e président des États-Unis. Ce prénom est porté par moins de 100 personnes en France. Caractérologie : influence, sens des responsabilités, équilibre, exigence, famille.

K

421

Kenneth ⭐ 600 →
Très beau (irlandais). Masculin anglais et écossais. Caractérologie : énergie, audace, originalité, découverte, sensibilité.

Kenny ⭐ 6 000 (TOP 400) →
Très beau (irlandais). Kenny est répandu en Écosse et dans les pays anglophones. Variante : Keny. Caractérologie : conscience, conseil, bienveillance, sagesse, paix.

Kent
Limite (anglais). Plus courant sous forme de patronyme. Ce prénom est porté par moins de 100 personnes en France. Caractérologie : audace, découverte, énergie, séduction, originalité.

Kentin ⭐ 850 (TOP 2000) ↘
Cinquième (latin). Caractérologie : ambition, autonomie, innovation, autorité, énergie.

Kenzi ⭐ 550 (TOP 800) →
Trésor (arabe). Variante : Kenzy. Caractérologie : diplomatie, sociabilité, attention, réceptivité, loyauté.

Kenzo ⭐ 8 000 (TOP 100) ↗
Trésor (arabe). Kenzo est également un prénom japonais ayant de nombreuses significations selon les kanji utilisés (« maison », « trésor », « éléphant » pour ne citer que trois d'entre elles). Caractérologie : vitalité, achèvement, stratégie, ardeur, sensibilité.

Kéo ⭐ 250 (TOP 2000) →
Se rapporte à Keokuk, chef indien qui vécut dans les années 1830 (Amérique du Nord). Caractérologie : méthode, fiabilité, sécurité, détermination, résolution.

Keoni (TOP 2000)
Dérivé hawaïen de John : Dieu fait grâce (hébreu). Ce prénom est porté par moins de 100 personnes en France. Variante : Keon. Caractérologie : générosité, rectitude, ouverture d'esprit, rêve, humanité.

Kéran ⭐ 750 (TOP 800) →
Poutre de bois (arménien). Caractérologie : engagement, ténacité, méthode, fiabilité, détermination.

Kerem ⭐ 600 (TOP 900) →
Vigne (hébreu). Caractérologie : intelligence, sagesse, indépendance, savoir, méditation.

Kerwan ⭐ 300 ↓
Brun (irlandais). Variante : Kervin. Caractérologie : intégrité, idéalisme, altruisme, réflexion, résolution.

Keryan ⭐ 750 (TOP 900) →
Dérivé de Kerrien, éponyme d'une commune du Finistère (Bretagne). Variantes : Kerian, Keryann, Kyrian. Caractérologie : intuition, relationnel, médiation, décision, fidélité.

Kévan ⭐ 650 (TOP 1000) →
Beau garçon (irlandais). Variantes : Keven, Keyvan, Kewan. Caractérologie : ambition, habileté, management, force, passion.

Kévin ⭐ 162 000 (TOP 200) ↓
Beau garçon (irlandais). De longue date associé à l'Irlande, Kevin (ou Kévin) se propage dans les pays anglo-saxons au début du XXᵉ siècle avant de gagner l'ensemble de l'Europe. Jaillissant de nulle part, il bondit peu après sa découverte au sommet masculin français, devenant numéro un de 1989 à 1994. Son déclin s'accentue depuis le début des années 2010. ◇ Ermite irlandais au VIᵉ siècle, saint Kevin est le fondateur du monastère de Glendalough, situé près de Dublin. Variantes : Keveen, Keevin, Kevine, Kevy, Kewin. Caractérologie : indépendance, savoir, méditation, intelligence, sagesse.

Le palmarès des prénoms composés en 2014

Ci-dessous le top 20 des prénoms composés masculins, estimé pour l'année 2014. Le classement a été effectué par ordre décroissant d'attribution.

1. Mohamed-Amine
2. Mohamed-Ali
3. Jean-Baptiste
4. Marc-Emmanuel
5. Pierre-Louis
6. Léo-Paul
7. Marc-Antoine
8. Paul-Arthur
9. Pierre-Antoine
10. Paul-Antoine
11. Abdel-Malik
12. Saïf-Eddine
13. Mohamed-Lamine
14. Mohamed-Salah
15. Mohamed-Saïd
16. Jean-Sébastien
17. Mohamed-Yassine
18. Pierre-Yves
19. Pierre-Alexandre
20. Chems-Eddine

Commentaires et observations

En 2008, Mohamed-Amine a tourné une page importante de l'histoire des prénoms composés. D'une part, il a supplanté Jean-Baptiste qui régnait sans partage depuis 1982. D'autre part, sa consécration rend éclatante la percée des compositions arabes. Aboutissement d'un phénomène d'envergure entamé dans les années 1980, neuf d'entre elles devraient figurer dans le top 20 estimé pour 2014. En apparaissant à 6 reprises (alors que Jean et Pierre se manifestent respectivement 2 et 4 fois), Mohamed domine le classement. Qu'il semble lointain, le temps où Jean était incontournable ! Et pourtant, ce dernier dominait encore le tableau au début des années 2000.

L'essor des compositions arabes est concomitant avec le reflux des assemblages traditionnels. Cela ne signifie pas que ces derniers aient disparu. Au demeurant, Mohamed et ses 55 formes composées ne font pas le poids face à Pierre, Louis et Paul qui en comptent encore 300. Il n'y a pas de quoi inquiéter Jean qui compose à lui seul 248 duos.

Le reste du classement marie classicisme et modernité. Jean-Baptiste brille sur la 3e marche du podium et reste une valeur sûre du genre. Guidés par Pierre-Louis, les composés avec Pierre gagnent du terrain. De leur côté, Antoine et Paul se disputent le haut du pavé (Léo-Paul et Marc-Antoine évoluent dans les 10 premiers rangs). Enfin, quelques surprises viennent émailler ce tableau : Emmanuel et Sébastien renaissent après une longue absence tandis qu'Arthur et Paul bondissent vers le sommet.

Kévyn 🎯 750 ➡
Beau garçon (irlandais). Caractérologie : énergie, originalité, découverte, séduction, audace.

Keyne
Beauté, richesse (celte). Masculin anglais. Ce prénom est porté par moins de 100 personnes en France. Caractérologie : bienveillance, conscience, paix, conseil, sagesse.

Keziah 🎯 850 **TOP 600** ↗
Arbuste dont l'écorce produit des épices (hébreu). Caractérologie : équilibre, décision, famille, sens des responsabilités, attention.

Khaled 🎯 3 000 **TOP 2000** ↘
Éternel (arabe). Caractérologie : gestion, dynamisme, curiosité, courage, attention.

Khalid 🎯 4 000 **TOP 2000** ↘
Éternel (arabe). On peut estimer que moins de 30 enfants seront prénommés ainsi en 2014. Caractérologie : rectitude, humanité, rêve, ouverture d'esprit, organisation.

Khalil 🎯 2 000 **TOP 400** ↗
Ami fidèle (arabe). Variantes : Khallil, Khélil. Caractérologie : passion, force, ambition, habileté, organisation.

Kian 🎯 170
Ancien (irlandais). Kian est également un prénom perse se rapportant aux quatre éléments de la vie : l'eau, la terre, le feu et l'air. Variantes : Cian, Kyan. Caractérologie : passion, force, ambition, habileté, décision.

Kieran 🎯 900 **TOP 2000** ➡
Brun (irlandais). Ce prénom irlandais est assez répandu dans les pays anglophones. Dans l'Hexagone, il est particulièrement attribué en Bretagne. Variantes : Keir, Keiran. Caractérologie : ténacité, résolution, méthode, fiabilité, engagement.

Kilian 🎯 10 000 **TOP 300** ↓
Contestation ou église (irlandais). Caractérologie : réceptivité, sociabilité, diplomatie, gestion, décision.

Killiam
Contestation ou église (irlandais). Ce prénom est porté par moins de 100 personnes en France. Caractérologie : organisation, méthode, engagement, ténacité, fiabilité.

Killian 🎯 21 000 **TOP 300** ↓
Contestation ou église (irlandais). Ce prénom irlandais est désormais très répandu dans l'Hexagone. Voir Kylian. Variantes : Kilan, Kiliane, Kiliann, Killiane, Killiann, Kilien, Killien, Killyan, Kilyan, Kilyann. Caractérologie : curiosité, dynamisme, décision, gestion, courage.

Kilyan 🎯 2 000 **TOP 500** ↘
Contestation ou église (irlandais). Caractérologie : rêve, humanité, résolution, sympathie, rectitude.

Kim 🎯 1 000 **TOP 2000** ➡
Plaine royale (afrikaans), de l'or (vietnamien), forme diminutive scandinave de Joachim. Caractérologie : influence, famille, équilibre, sens des responsabilités, exigence.

Kiran 🎯 180
Faisceau lumineux (sanscrit), brun (irlandais). Ce prénom est très répandu en Inde. Variante : Kyran. Caractérologie : force, résolution, ambition, habileté, passion.

Kirk
Église (scandinave). Plus courant sous forme de patronyme. Ce prénom est porté par moins de 100 personnes en France. Caractérologie : ténacité, méthode, sens du devoir, fiabilité, engagement.

Kiron

Le maître sage (grec). Dans la mythologie grecque, Chiron est le fils de la nymphe Phylire et de Cronos. Centaure pacifique et cultivé, il enseigne la sagesse aux héros Achille, Ulysse, Castor et Pollux. Ce prénom est porté par moins de 30 personnes en France. Caractérologie : sens du devoir, structure, honnêteté, efficacité, persévérance.

Klaus 190

Victoire du peuple (grec). Masculin allemand et autrichien. Variante : Claus. Caractérologie : direction, indépendance, audace, dynamisme, organisation.

Kleber 2 000

Bâtisseur (germanique). Patronyme porté par un général français qui s'est particulièrement illustré durant les guerres de la Révolution à la fin du XVIIIᵉ siècle. On peut estimer que moins de 30 enfants seront prénommés ainsi en 2014. Variante : Klebert. Caractérologie : force, passion, ambition, habileté, management.

Koffi

Né un vendredi (Afrique de l'Ouest). Ce prénom est porté par moins de 100 personnes en France. Caractérologie : réceptivité, loyauté, sociabilité, bonté, diplomatie.

Kolia

Voix du Seigneur (hébreu). Ce prénom est porté par moins de 100 personnes en France. Variante : Kolya. Caractérologie : optimisme, pragmatisme, communication, organisation, raisonnement.

Konan

Intelligent, guerrier (anglo-saxon). Dans l'Hexagone, Konan est plus traditionnellement usité en Bretagne. Ce prénom est porté par moins de 100 personnes en France. Variantes : Conan, Connor, Conor. Caractérologie : direction, audace, dynamisme, assurance, indépendance.

Konrad 140

Conseiller courageux (germanique). Caractérologie : humanité, rêve, rectitude, détermination, volonté.

Konur

Personnage mythologique (scandinave). Ce prénom est porté par moins de 30 personnes en France. Caractérologie : méditation, intelligence, savoir, indépendance, logique.

Korentin 400 →

Ami (celte). Variante : Korantin. Caractérologie : méditation, intelligence, savoir, indépendance, sagesse.

Koshi

Serviteur de Dieu (finlandais). Ce prénom est porté par moins de 30 personnes en France. Caractérologie : ardeur, achèvement, vitalité, leadership, stratégie.

Kosmos

Univers (grec). Ce prénom est porté par moins de 30 personnes en France. Variante : Cosmos. Caractérologie : adaptabilité, médiation, intuition, relationnel, fidélité.

Kostia 120

Combattant (germanique). Kostia est un prénom finlandais. Caractérologie : adaptation, pratique, enthousiasme, communication, générosité.

Kovar

Forgeron (tchèque). Ce prénom est porté par moins de 30 personnes en France. Caractérologie : fiabilité, méthode, engagement, sens du devoir, ténacité.

K

Kraig

Rocher (irlandais). Ce prénom est porté par moins de 30 personnes en France. Caractérologie : autorité, innovation, énergie, ambition, autonomie.

Kris ⭐ 550 TOP 2000 ➡

Diminutif des prénoms formés avec « Chris ». Masculin anglais et scandinave. Variantes : Kriss, Krys. Caractérologie : pragmatisme, optimisme, communication, créativité, sociabilité.

Kristen ⭐ 350 ↘

Messie (grec). Kristen est répandu dans les pays scandinaves. C'est aussi un prénom traditionnel breton mixte en France. Caractérologie : famille, équilibre, influence, éthique, détermination.

Kristiansem

Fils de Christian (néerlandais). Ce prénom est porté par moins de 30 personnes en France. Caractérologie : pratique, adaptation, enthousiasme, communication, décision.

Kurt ⭐ 600 TOP 2000 ➡

Conseiller courageux (germanique). Masculin allemand. Caractérologie : sagesse, indépendance, intelligence, savoir, méditation.

Kyle ⭐ 850 TOP 600 ↗

Élancé (irlandais), ou forme diminutive anglophone récente de Kylian. Caractérologie : ardeur, stratégie, vitalité, achèvement, sympathie.

Kylian ⭐ 22 000 TOP 50 ➡

Contestation ou église (irlandais). Portés par une vague d'inspiration irlandaise, Kylian et ses dérivés ont connu leur apogée français au début des années 2000. Variantes : Kiel, Kylan, Kyliann, Kylliann, Kylyan, Kyliane, Kylien. Caractérologie : idéalisme, résolution, altruisme, intégrité, sympathie.

Kyllian ⭐ 8 000 TOP 300 ↓

Contestation ou église (irlandais). Caractérologie : décision, pragmatisme, communication, optimisme, cœur.

Kyran ⭐ 120 TOP 2000

Faisceau lumineux (sanscrit), brun (irlandais). Ce prénom est très répandu en Inde. Caractérologie : résolution, équilibre, famille, sens des responsabilités, influence.

L

Ladislas ⭐ 650 ↗

Gouverneur puissant et renommé (slave). Prénom polonais. Variantes : Ladislav, Ladix, Lao. Caractérologie : découverte, audace, originalité, énergie, séduction.

Laël ⭐ 190

Dédié à Dieu (hébreu). Caractérologie : enthousiasme, pratique, communication, adaptation, générosité.

Laelien

Se rapporte à Laelianu, patronyme d'une famille espagnole noble du IIIᵉ siècle. Ce prénom est porté par moins de 100 personnes en France. Caractérologie : structure, sécurité, persévérance, efficacité, décision.

LÉO, LÉON

Fête : 10 novembre

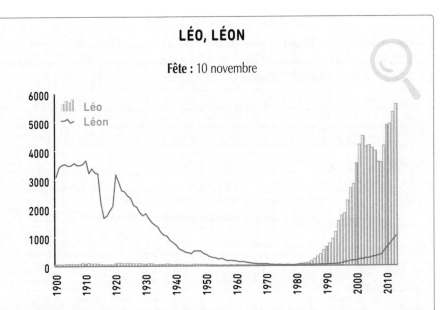

Étymologie : du latin *leo*, « lion ». Employé sous différentes formes, Léon fut porté par six empereurs byzantins, deux empereurs romains, un roi de Petite-Arménie et treize papes. Il se diffuse dès les premiers siècles dans les pays chrétiens et connaît une grande faveur au Vᵉ siècle grâce à saint Léon le Grand. Leo, la forme inaccentuée, est également ancienne, mais sa popularité n'est jamais aussi importante qu'au XIXᵉ siècle dans les pays anglophones. Cet engouement n'est pas contagieux, et Léon reste le choix privilégié des Français jusqu'à son effacement dans les années 1940. Ironiquement, c'est à Léo qu'il doit sa renaissance actuelle.

Ce dernier s'est envolé avec tous les attributs d'un prénom neuf dans les années 1990. On croyait sa carrière compromise par le repli des juxtapositions de voyelles (Théo, Mathéo), mais Léo a rebondi si vivement qu'il s'est imposé sur la 3ᵉ marche du podium français.

En attendant pareille fortune, Léon devrait prénommer 1 000 Français cette année. Il vole déjà la vedette à Léopold, un choix médiéval peu donné dont on croyait l'essor imminent. Léon s'est hissé au 48ᵉ rang parisien en 2012 ; il grandit désormais dans le top 80 national.

En dehors de l'Hexagone, ce prénom progresse en Suède et en Allemagne, où il se place 7ᵉ. De son côté, Léo gagne du terrain dans les pays francophones et scandinaves. Il a même repris vigueur en Angleterre alors que sa gloire semblait consommée. En effet, qu'il est loin, le temps où Tony Blair enflamma la cote de ce prénom en l'attribuant à son fils…

L

427
....

.../

Léo, Léon *(suite)*

Le pape **saint Léon le Grand** marqua l'histoire en convainquant Attila, roi des Huns, de renoncer à l'assaut de Rome au Ve siècle. Il obtint ensuite que la population soit épargnée durant le sac de Rome par les Vandales.

Personnalités célèbres : Léon Tolstoï, écrivain majeur de la littérature russe (1828-1910) ; Léon Trotsky, révolutionnaire russe assassiné par Staline (1879-1940) ; Léo Ferré, poète et musicien français (1916-1991) ; Leo McCarey, cinéaste américain (1898-1969).

Statistiques : Léo est le 10e prénom masculin le plus donné en France depuis le début du XXIe siècle. On peut estimer qu'il sera attribué à un garçon sur 74 en 2014. **Léon** devrait prénommer un garçon sur 399 et figurer au 172e rang de ce palmarès.

Laïd ⭐ 800 ⬇
Origine possible : rétribution (arabe). Caractérologie : stratégie, ardeur, leadership, achèvement, vitalité.

Lamar
Qui vient de la mer (latin). Porté aussi sous forme de patronyme. Masculin anglais. Ce prénom est porté par moins de 30 personnes en France. Caractérologie : idéalisme, altruisme, intégrité, dévouement, réflexion.

L
428

Lambert ⭐ 1 500 ⬇
Pays, brillant (germanique). Lambert est plus particulièrement répandu dans les pays anglophones, en Allemagne et dans les régions néerlandophones. On peut estimer que moins de 30 enfants seront prénommés ainsi en 2014. Variantes : Lambrecht, Lanbert. Caractérologie : vitalité, achèvement, décision, stratégie, gestion.

Lamine ⭐ 1 500 **TOP 700** ➡
Loyal, digne de confiance (arabe). Caractérologie : rêve, détermination, ouverture d'esprit, rectitude, humanité.

Lancelot ⭐ 1 000 **TOP 2000** ➡
Assistant (vieux français). Masculin anglais et français. Enlevé par la fée Viviane à la mort de son père, Lancelot devient l'un des chevaliers les plus célèbres de la Table ronde. Variante : Lance. Caractérologie : gestion, dynamisme, audace, indépendance, direction.

Landry ⭐ 3 000 **TOP 1000** ➡
Gouverneur (anglais). Masculin anglais. Caractérologie : intuition, relationnel, médiation, réussite, cœur.

Larbi ⭐ 1 500 **TOP 2000**
Celui qui est arabe (arabe). On peut estimer que moins de 30 enfants seront prénommés ainsi en 2014. Caractérologie : influence, gestion, équilibre, sens des responsabilités, famille.

Larry ⭐ 950 ➡
Couronné de lauriers (latin). Masculin anglais. Caractérologie : loyauté, diplomatie, sociabilité, réceptivité, bonté.

Lassana ⭐ 1 500 **TOP 700** ↗
Beau (arabe). Variantes : Alassan, Alassane, Lassane, Lassen. Caractérologie : sens du devoir, ténacité, engagement, fiabilité, méthode.

Laszlo ⭐ 350 **TOP 2000** ➡
Gouverneur puissant et renommé (slave). Masculin hongrois. Variante : Laslo.

Caractérologie : ténacité, sens du devoir, méthode, fiabilité, engagement.

Laurent 🎗 304 000 **TOP 600** →

Couronné de lauriers (latin). Sous ses différentes graphies, Laurent est apparu dans plusieurs pays européens au Moyen Âge, mais il est longtemps resté discret en France. C'est au cœur du XXe siècle qu'il démarre pour de bon. Escortant son féminin Laurence dans son ascension, il se hisse derrière Christophe au 2e rang masculin (en 1968). Son lent reflux s'est mué en plongée au début des années 2000. ◇ Diacre du pape Sixte II au IIIe siècle, saint Laurent distribua le trésor de l'Église aux pauvres plutôt que de le livrer à son persécuteur, l'empereur Valérien. Il mourut martyr sur un gril trois jours après le martyre du pape. Il est le patron des pauvres. Variantes : Lars, Laurel, Laurens, Laurentin, Laurentino, Laurentz, Laurenz, Lavr, Lawrence, Lorentz. Forme bretonne : Laorans. Caractérologie : détermination, direction, dynamisme, audace, organisation.

Laurian 🎗 180

Couronné de lauriers (latin). Prénom roumain. Caractérologie : ténacité, méthode, fiabilité, engagement, décision.

Lauric 🎗 250 **TOP 2000** ↗

Couronné de lauriers (latin). Variantes : Laurick, Lauris. Caractérologie : direction, dynamisme, audace, indépendance, assurance.

Lawrence 🎗 450 ↘

Couronné de lauriers (latin). Cette forme moderne de Laurence est apparue dans les pays anglophones à partir du XVIe siècle. Elle a remplacé Laurence qui est masculin dans les pays de langue anglaise. Caractérologie : motivation, rectitude, générosité, humanité, réflexion.

Lazare 🎗 1 000 **TOP 2000** →

Dieu a secouru (hébreu). Masculin français. Variantes : Lazar, Lazaro, Lazhar. Caractérologie : réflexion, altruisme, intégrité, idéalisme, détermination.

Léandre 🎗 7 000 **TOP 200** ↗

Homme-lion (grec). Caractérologie : originalité, audace, découverte, énergie, décision.

Leandro 🎗 3 000 **TOP 200** ↑

Homme-lion (grec). Leandro est particulièrement usité en Italie, dans les pays hispanophones et lusophones. C'est aussi un choix traditionnel basque. Caractérologie : conscience, paix, bienveillance, volonté, analyse.

Lee 🎗 250 →

Clairière (anglais), poétique (irlandais), force, tranchant, debout (chinois). Lee est également un patronyme chinois très répandu. Variante : Li. Caractérologie : sens du devoir, méthode, fiabilité, engagement, ténacité.

Leeroy 🎗 650 **TOP 800** ↗

Clairière du roi (anglais). Masculin anglais. Caractérologie : achèvement, vitalité, stratégie, raisonnement, bonté.

Léger 🎗

Peuple, lance (germanique). Ce prénom est porté par moins de 100 personnes en France. Caractérologie : fidélité, intuition, médiation, relationnel, cœur.

Lélio 🎗 500 **TOP 800** ↗

Lys (latin), qui témoigne (grec). Prénom italien. Caractérologie : force, ambition, passion, habileté, analyse.

Lemuel 🎗

Consacré à Dieu (hébreu). Ce prénom a été illustré par un roi dans la Bible. Il est porté par moins de 100 personnes en France.

LIAM

Fête : 10 janvier

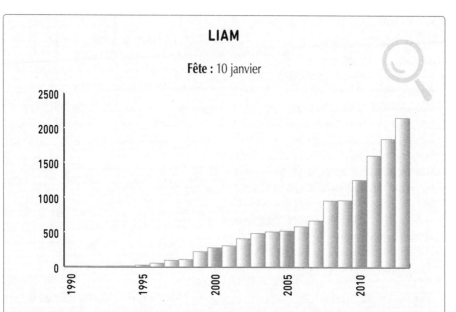

Étymologie : ce diminutif irlandais de William est aussi un prénom d'origine hébraïque signifiant : « le peuple pour moi ». Liam est usité dès le IXᵉ siècle dans les pays anglo-saxons, mais il décolle réellement lorsque Guillaume le Conquérant devient roi d'Angleterre en 1066. La carrière du Guillaume français étant compromise, c'est la forme anglaise William qui s'enflamme. Cette dernière se répand en Angleterre avant de gagner le pays de Galles puis l'Irlande. La variante gaélique Uilliam, dans un premier temps privilégiée, est alors rattrapée par Liam qui s'impose comme le raccourci naturel de William et Uilliam.

Liam disparaît ensuite partout sauf en Irlande, jusqu'à ce que la Grande Famine des années 1840 fasse émigrer des milliers de familles en Grande-Bretagne, aux États-Unis, au Canada et en Australie. Liam se propage dans ces terres d'accueil et devient dès les années 1930 un prénom à part entière. Il vient de s'imposer dans le top 10 américain et s'envole dans de nombreux pays européens.

En France, ce prénom né dans les années 1980 comble son retard puisqu'il monte en flèche dans le top 40 masculin. C'est chose faite au Québec et en Suisse romande, où il se place dans les 20 premiers rangs.

À la mort d'Édouard le Confesseur, **Guillaume le Conquérant**, qui était alors duc de Normandie, affirma qu'il était le successeur désigné du roi anglais. Mais son cousin Harold le prit de vitesse et se fit couronner à sa place. Guillaume souleva une armée et partit à la conquête

.../

Liam *(suite)*

du trône anglais. Vainqueur, il se fit couronner en 1066 et devint l'un des souverains les plus puissants de l'Occident.

Personnalités célèbres : Liam O'Flaherty, écrivain irlandais (1897-1984) ; Liam Neeson, acteur irlandais né en 1952 ; Liam Cunningham, acteur et réalisateur irlandais, né en 1961 ; Liam Gallagher, musicien et compositeur anglais d'origine irlandaise, né en 1972 ; Liam McMahon, acteur américain d'origine irlandaise.

Statistiques : Liam est le 90ᵉ prénom masculin le plus donné en France depuis le début du XXIᵉ siècle. On peut estimer qu'il sera attribué à un garçon sur 190 en 2014.

Caractérologie : découverte, originalité, énergie, audace, séduction.

Lénaïc 🌟 1 500 **TOP 2000** ⬇
Éclat du soleil (grec). Dans l'Hexagone, Lenaïc est plus traditionnellement usité en Bretagne. Ce prénom peut s'orthographier avec ou sans tréma. Variantes : Lenaïck, Lenaïk. Caractérologie : vitalité, stratégie, achèvement, décision, ardeur.

Lenny 🌟 16 000 **TOP 50** →
Lion (latin). Caractérologie : indépendance, méditation, intelligence, savoir, bonté.

Léno
Éclat du soleil (grec). Ce prénom est porté par moins de 100 personnes en France. Caractérologie : autorité, innovation, autonomie, énergie, ambition.

Lény 🌟 6 000 **TOP 200** →
Lion (latin). Masculin anglais. Variante : Léni. Caractérologie : diplomatie, réceptivité, sociabilité, loyauté, cœur.

Lenzo 🌟 900 **TOP 300** ⬆
Couronné de lauriers (latin). Lenzo est un prénom italien. Caractérologie : rectitude, humanité, finesse, générosité, ouverture d'esprit.

Léo 🌟 74 000 **TOP 50** 🔍 ↗
Lion (latin). Caractérologie : curiosité, charisme, indépendance, dynamisme, courage.

Léon 🌟 27 000 **TOP 100** 🔍 ⬆
Lion (latin). Variantes : Léonid, Léonidas, Léontin. Forme occitane : Leon. Caractérologie : énergie, innovation, autorité, ambition, autonomie.

Léonard 🌟 7 000 **TOP 300** →
Lion (latin). Prénom français et anglais. Originaire de Toscane, Léonard de Vinci, peintre, architecte, sculpteur et inventeur génial, termina ses jours près d'Amboise en 1519. Le 6 novembre célèbre la mémoire d'un saint qui fut ermite dans la forêt orléanaise. Variantes : Léonar, Leonhard, Loni, Lonni, Lonis, Lony, Lonny. Caractérologie : bienveillance, paix, conscience, volonté, raisonnement.

Léonardo 🌟 1 500 **TOP 600** ↗
Lion (latin). Leonardo est très répandu en Italie, dans les pays hispanophones et lusophones. Caractérologie : pragmatisme, optimisme, caractère, communication, logique.

Léonce 🌟 1 500 **TOP 2000** ⬆
Lion (latin). Masculin français. On peut estimer que moins de 30 enfants seront prénommés ainsi en 2014. Variante : Leoncio.

L

431
......

Caractérologie : altruisme, idéalisme, intégrité, réflexion, dévouement.

Léonel 🗼 700 **TOP 2000** →
Lion (latin). Caractérologie : ouverture d'esprit, rêve, rectitude, générosité, humanité.

Leonis 🗼 120 **TOP 2000**
La maison de Léon (vieil anglais). Caractérologie : résolution, intuition, médiation, analyse, relationnel.

Léonor
Compassion (grec). Ce prénom est porté par moins de 100 personnes en France. Caractérologie : spiritualité, sagacité, originalité, analyse, connaissances.

Léontin
Lion (latin). Ce prénom est porté par moins de 100 personnes en France. Caractérologie : force, raisonnement, habileté, ambition, passion.

Léo-Paul 🗼 1 500 **TOP 800** →
Forme composée de Léo et Paul. Caractérologie : direction, audace, indépendance, dynamisme, cœur.

Léopold 🗼 7 000 **TOP 300** →
Peuple courageux (germanique). En dehors de l'Hexagone, Leopold est particulièrement répandu dans les pays germanophones et anglophones. Variantes : Léopaul, Léopol, Leopoldo. Caractérologie : connaissances, sagacité, spiritualité, amitié, volonté.

Leroy 🗼 170
Roi (vieux français). Masculin anglais. Caractérologie : enthousiasme, communication, amitié, pratique, raisonnement.

Lévi 🗼 700 **TOP 900** ↗
Qui accompagne (hébreu). Plus fréquent sous forme de patronyme. Lévi est plus

particulièrement recensé aux Pays-Bas. Caractérologie : enthousiasme, communication, pratique, adaptation, générosité.

Levy 🗼 800 **TOP 800** ↑
Qui accompagne (hébreu). Plus fréquent sous forme de patronyme. Caractérologie : innovation, énergie, ambition, autorité, bonté.

Lewis 🗼 950 **TOP 700** ↑
Illustre au combat (germanique). Masculin anglais. Caractérologie : séduction, découverte, audace, motivation, originalité.

Liam 🗼 11 000 **TOP 50** 🔍 ↑
Le peuple pour moi (hébreu), diminutif irlandais de William. Variante : Lyam. Caractérologie : achèvement, vitalité, stratégie, ardeur, leadership.

Liborio
Liberté (latin). Liborio est plus particulièrement usité dans les pays lusophones. Ce prénom est porté par moins de 100 personnes en France. Caractérologie : force, passion, ambition, habileté, analyse.

Lié 🗼 110
Se rapporte à Bacchus, dieu du Vin dans l'Antiquité (latin). Caractérologie : force, habileté, passion, management, ambition.

Liebert
Libéré (latin). Masculin allemand. Ce prénom est porté par moins de 30 personnes en France. Caractérologie : force, ambition, management, habileté, passion.

Lilian 🗼 23 000 **TOP 200** ↘
Lys (latin). En dehors de l'Hexagone, Lilian est répandu dans les pays anglophones. Variantes : Lilien, Lillian. Caractérologie : résolution, communication, optimisme, pragmatisme, créativité.

Lilio 🌸 300 (TOP 500) ↑
Lys (latin). Prénom italien. Caractérologie : optimisme, communication, élégance, organisation, créativité.

Lilo 🌸 180 (TOP 2000)
Ce qui est mien est à Lui (hébreu). Lilo est un prénom mixte dont la signification diffère au féminin. Caractérologie : logique, optimisme, sociabilité, communication, créativité.

Lilouan 🌸 110 (TOP 2000)
Contraction de Lilian et Louan. Caractérologie : influence, équilibre, attention, conscience, exigence.

Lilyan 🌸 350 (TOP 2000) →
Lys (latin). Caractérologie : innovation, énergie, autorité, amitié, détermination.

Lin 🌸 300
Forêt, pierre précieuse (chinois). Caractérologie : achèvement, vitalité, stratégie, leadership, ardeur.

Lino 🌸 3 000 (TOP 300) ↗
Lin (grec). Lino est très répandu en Italie, dans les pays hispanophones et lusophones. Caractérologie : curiosité, dynamisme, courage, logique, indépendance.

Lionel 🌸 84 000 (TOP 1000) →
Lion (latin). Masculin français et anglais. Caractérologie : sécurité, structure, persévérance, efficacité, logique.

Lionnel 🌸 2 000
Lion (latin). On peut estimer que moins de 30 enfants seront prénommés ainsi en 2014. Caractérologie : réflexion, altruisme, idéalisme, logique, intégrité.

Lior 🌸 350 (TOP 2000) ↗
La lumière est à moi (hébreu). Masculin anglais. Variante : Lyor. Caractérologie :

analyse, humanité, rectitude, rêve, ouverture d'esprit.

Lisandre 🌸 110 (TOP 2000)
Dieu est serment (hébreu). Caractérologie : résolution, ambition, autorité, innovation, énergie.

Lisandro 🌸 1 000 (TOP 200) ↑
Dieu est serment (hébreu). Lisandro est un prénom espagnol. Variantes : Lisandre, Lissandro, Lysandro. Caractérologie : résolution, ambition, autorité, innovation, énergie.

Livio 🌸 2 000 (TOP 300) ↑
Olive (latin). Une racine scandinave (*olafr*) pourrait également lui conférer le sens d'« ancêtre » en vieux norrois. Livio est un prénom italien. Caractérologie : méthode, ténacité, fiabilité, raisonnement, engagement.

Lloyd 🌸 500 (TOP 2000) →
Cheveux gris (gallois). Masculin anglais. Caractérologie : découverte, audace, séduction, énergie, originalité.

Loan 🌸 8 000 (TOP 100) ↗
Lumière (celte). Après être sorti du berceau breton qui l'avait vu naître dans les années 1980, Loan s'est propagé dans toute la France. Aujourd'hui, Loan est essentiellement masculin. Caractérologie : influence, équilibre, famille, éthique, exigence.

Loann 🌸 2 000 (TOP 500) →
Lumière (celte). Voir Loan. Prénom breton. Caractérologie : réceptivité, sociabilité, loyauté, diplomatie, bonté.

Loeiz 🌸 250 (TOP 2000) →
Illustre au combat (germanique). Prénom breton. Caractérologie : efficacité, structure, sécurité, persévérance, analyse.

433

LOUIS

Fête : 25 août

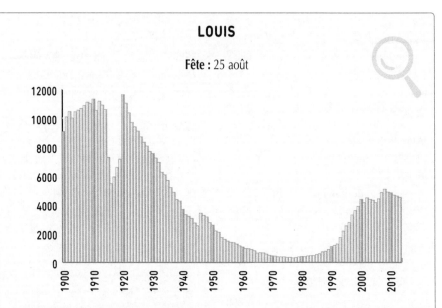

Étymologie : du germain *hold*, « célèbre », et de *wig*, « combat », d'où le sens : « illustre au combat ». Louis le Pieux, le fils de Charlemagne, était roi d'Aquitaine lorsqu'il fut couronné empereur à Aix-la-Chapelle en 813. Son sacre traça la voie d'une longue dynastie de Louis : dix-sept rois français portant ce nom se sont succédé jusqu'au XIXᵉ siècle. Mais malgré ce prestigieux passé, Louis n'a guère été attribué en France.

Après avoir battu des records d'impopularité à la fin de la Révolution, après l'exécution de Louis XVI, le prénom renaît à la fin du XIXᵉ siècle. Il suscite un tel engouement qu'il brille au 2ᵉ rang des attributions masculines de 1901 à 1908. S'il n'a jamais pu renouveler cet exploit par la suite, Louis rayonne de nouveau dans les tops 10 français et parisien depuis 2010.

Comme bon nombre de prénoms bibliques, Louis cultive une carrière internationale. Il se positionne, aux côtés de Lewis et Luís, dans le top 60 de nombreux pays occidentaux. Dans la sphère francophone, il s'illustre parmi les 12 premiers choix des parents wallons et suisses romands.

Louis IX, plus communément appelé **Saint Louis**, fut roi de France de 1226 à 1270. Passionné par la théologie dès son plus jeune âge, le souverain fit preuve de piété tout au long de sa vie. À l'origine de la construction de la Sainte-Chapelle à Paris, il dirigea plusieurs croisades pour soutenir les royaumes chrétiens d'Orient affaiblis. Il mourut en 1270, lors de sa huitième croisade, aux pieds des remparts de Tunis. Saint Louis est le patron des coiffeurs et des passementiers.

. . ./

Louis (suite)

Louis XIV (1638-1715) accéda au trône à l'âge de 5 ans. Afin de le préparer à son règne personnel, le jeune Louis fut placé, durant dix-huit ans, sous la régence de sa mère, Anne d'Autriche. Conseillé par Colbert, il développa le commerce et réorganisa l'armée, l'administration et les finances du pays. Contemporain de Molière, La Fontaine et Lully, le Roi-Soleil a favorisé le rayonnement des arts et des sciences de la France dans le monde.

Louis Pasteur (1822-1895), chimiste et biologiste français, découvrit le processus de pasteurisation et le vaccin contre la rage au XIXe siècle. Louis Aragon a fondé le mouvement surréaliste français au début du XXe siècle.

Statistiques : Louis est le 7e prénom masculin le plus donné en France depuis le début du XXIe siècle. On peut estimer qu'il sera attribué à un garçon sur 91 en 2014.

Loevan 750 TOP 400 ↑
Prénom breton dérivé de sainte Sève. Voir Loeva. Caractérologie : conscience, raisonnement, conseil, caractère, sagesse.

Logan 10 000 TOP 300 →
Prairie (gaélique). Prénom écossais et anglais. Logan est le nom de marque d'une voiture commercialisée en Europe par Dacia, la filiale roumaine de Renault. Variantes : Logann, Loghan. Caractérologie : structure, persévérance, sécurité, sympathie, efficacité.

Lohan 3 000 TOP 200 ↗
Lumière (celte). Voir Loan. Prénom breton. Variante : Lohann. Caractérologie : indépendance, courage, curiosité, dynamisme, charisme.

Loïc 102 000 TOP 200 ↘
Illustre au combat (germanique). La ressemblance phonétique avec Loïg a fait renaître cette forme provençale de Louis en Bretagne, puis dans l'ensemble de l'Hexagone, à la fin des années 1980. Variantes : Lomig, Lowik. Caractérologie : logique, optimisme, communication, pragmatisme, créativité.

Loïck 3 000 TOP 2000 ↘
Illustre au combat (germanique). Voir Loïc. Prénom breton. On peut estimer que moins de 30 enfants seront prénommés ainsi en 2014. Caractérologie : énergie, découverte, audace, originalité, raisonnement.

Loïk 750 ↘
Illustre au combat (germanique). Voir Loïc. Variante : Loïg. Caractérologie : fidélité, relationnel, intuition, médiation, analyse.

Loïs 5 000 TOP 300 →
Illustre au combat (germanique). Ce prénom mixte est plus traditionnellement usité en Occitanie. Caractérologie : innovation, autorité, analyse, ambition, énergie.

Lolan
Contraction de « lo » et des prénoms se terminant par « lan ». Ce prénom est porté par moins de 100 personnes en France. Caractérologie : intégrité, idéalisme, altruisme, réflexion, dévouement.

L

435

Loman
Enfant nu (gaélique). Nom d'un saint irlandais qui vécut au Ve siècle. Ce prénom est porté par moins de 100 personnes en France. Caractérologie : autonomie, caractère, innovation, énergie, ambition.

Lorenzo 🌟 19 000 **TOP 50** ➡
Couronné de lauriers (latin). Cette forme italienne de Laurent était quasi inconnue en France avant les années 1990. Elle fait une belle percée actuellement. Variantes : Laurenzo, Lenzo, Lorent, Lorenz. Caractérologie : équilibre, famille, influence, raisonnement, éthique.

Loric 🌟 800 **TOP 1000** ↘
Couronné de lauriers (latin). Variante : Lorick. Caractérologie : créativité, optimisme, pragmatisme, communication, raisonnement.

Lorik 🌟 800 **TOP 1000** ⬇
Petite caille (arménien). Caractérologie : fidélité, relationnel, médiation, raisonnement, intuition.

Loris 🌟 11 000 **TOP 200** ➡
Couronné de lauriers (latin). Masculin français. Variantes : Lorian, Lorin, Lorrain, Lorry, Lory, Lorys. Caractérologie : direction, dynamisme, audace, indépendance, logique.

Lorris 🌟 600 ↗
Couronné de lauriers (latin). Caractérologie : autorité, innovation, énergie, ambition, analyse.

Lothaire 🌟 350 ↗
Illustre guerrier (germanique). Variantes : Lothar, Luther. Caractérologie : connaissances, sagacité, spiritualité, sensibilité, raisonnement.

Lou 🌟 2 000 **TOP 500** ➡
Illustre au combat (germanique), lumière (celte). En dehors de l'Hexagone, Lou est plus particulièrement répandu dans les pays anglophones. Caractérologie : créativité, optimisme, sociabilité, communication, pragmatisme.

Louan 🌟 1 000 **TOP 700** ➡
Lumière (celte). Voir Loan. Prénom breton. Variante : Louen. Caractérologie : intégrité, altruisme, idéalisme, dévouement, réflexion.

Louca 🌟 2 000 **TOP 300** ➡
Lumière (latin). Caractérologie : originalité, spiritualité, sagacité, connaissances, philosophie.

Loucas 🌟 1 500 **TOP 400** ➡
Lumière (latin). Caractérologie : leadership, vitalité, stratégie, ardeur, achèvement.

Louis 🌟 195 000 **TOP 50** 🔍 ➡
Illustre au combat (germanique). Variantes : Lewis, Lowie. Caractérologie : persévérance, structure, sécurité, efficacité, raisonnement.

Louis-Alexandre 🌟 300 **TOP 2000** ↗
Forme composée de Louis et Alexandre. Caractérologie : caractère, savoir, intelligence, logique, méditation.

Louis-Marie 🌟 1 500 ⬇
Forme composée de Louis et Marie. On peut estimer que moins de 30 enfants seront prénommés ainsi en 2014. Caractérologie : curiosité, dynamisme, courage, caractère, logique.

Louison 🌟 3 000 **TOP 400** ➡
Illustre au combat (germanique). Ce prénom mixte est désormais porté par un nombre égal de filles et de garçons. Caractérologie : décision, bienveillance, paix, conscience, logique.

LUCAS

Fête : 18 octobre

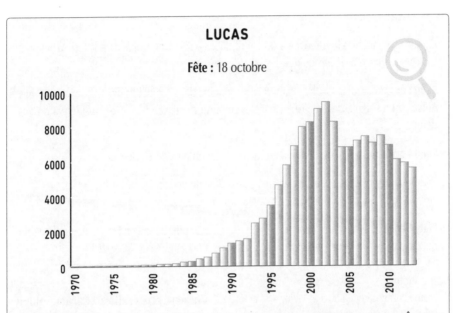

Étymologie : dérivé de Luc, du latin *lux*, « lumière ». Ce prénom employé au Moyen Âge est longtemps resté dans l'ombre de Luc. Attribué en référence au saint qui en porta le nom, Luc se diffusa dans les pays chrétiens dès les premiers siècles, et traversa l'histoire sans jamais disparaître. Les années 1960 marquent le dernier boom de ses attributions, particulièrement soutenues par le triomphe de Jean-Luc. Le reflux de ces prénoms crée une opportunité que Lucas saisit dans les années 1980. Surgissant sous les traits d'un prénom neuf, il se propage de telle sorte qu'il est propulsé au sommet du classement en 2002. Son règne, interrompu par Enzo, est promptement rétabli. Mais le sceptre de Lucas est contesté de nouveau*, par Nathan cette fois, et la couronne pourrait bien lui échapper pour de bon.

Sous ses différentes graphies, Lucas rayonne dans les palmarès de nombreux pays occidentaux. Les parents brésiliens, scandinaves, canadiens, wallons et québécois privilégient l'orthographe française de Lucas, tandis que les Romands et les Italiens se passent plus volontiers du « s » final. Dans les pays slaves, c'est Lukas qui l'emporte, tout comme Luke dans les pays anglophones. En Allemagne, Lukas est aujourd'hui dépassé par la popularité de Luca et Luka. En France, les formes européennes de Lucas évoluent encore loin derrière ce dernier. Mais un nouveau venu bouscule cette ordonnance : surgi de nulle part, Louka s'envole à un rythme

* Lucas domine toujours le palmarès masculin si l'on prend en compte le nombre d'attributions de sa variante Luca.

.../

L

437
········

Lucas *(suite)*

effréné. Il a franchi la barrière des 1 000 attributions en 2010 et évolue dans le top 90 national. Une étoile filante à ne pas quitter des yeux.

Saint Luc parcourut la Gaule, l'Italie et la Macédoine dans l'objectif d'évangéliser ces régions. Auteur du troisième des quatre Évangiles, il mourut martyr au Ier siècle. Il est le patron des peintres.

Saint Lucas, missionnaire dominicain, vécut au Japon au XVIIe siècle.

Personnalités célèbres : Lucas Belvaux, acteur et réalisateur belge né en 1961 ; George Lucas, cinéaste et producteur américain de *La Guerre des étoiles*.

Statistiques : Lucas est le premier prénom masculin le plus donné en France depuis le début du XXIe siècle. On peut estimer qu'il sera attribué à un garçon sur 73 en 2014.

Louis-Victor 🚩 170

Forme composée de Louis et Victor. Caractérologie : direction, dynamisme, audace, organisation, analyse.

Louka 🚩 7 000 (TOP 100) →

Lumière (latin). Variante : Louki. Caractérologie : famille, équilibre, influence, sens des responsabilités, gestion.

Loukas 🚩 950 (TOP 500) →

Lumière (latin). Caractérologie : analyse, indépendance, courage, dynamisme, curiosité.

Lounès 🚩 1 500 (TOP 500) ↗

Compagnon de fortune (arabe). Variante : Lounis. Caractérologie : audace, découverte, énergie, originalité, séduction.

Lounis 🚩 1 000 (TOP 700) →

Compagnon de fortune (arabe). Caractérologie : logique, humanité, décision, rectitude, rêve.

Loup 🚩 1 500 (TOP 700) ↑

Loup (latin). Caractérologie : innovation, autorité, énergie, autonomie, ambition.

Loyd 🚩 170

Cheveux gris (gallois). Caractérologie : médiation, fidélité, intuition, relationnel, adaptabilité.

Loys 🚩 300 (TOP 2000) ↗

Illustre au combat (germanique). Caractérologie : vitalité, achèvement, ardeur, stratégie, leadership.

Luan 🚩 450 (TOP 2000) ↑

Lumière (celte). Voir Loan. Caractérologie : enthousiasme, pratique, communication, adaptation, générosité.

Lubin 🚩 2 000 (TOP 300) →

Loup (latin). Masculin français. Caractérologie : honnêteté, sécurité, persévérance, structure, efficacité.

Luc 🚩 58 000 (TOP 400) →

Lumière (latin). Voir le zoom dédié à Lucas. Caractérologie : réflexion, intégrité, altruisme, idéalisme, dévouement.

Luca 🌟 12 000 (TOP 200) ↘
Lumière (latin). Voir le zoom dédié à Lucas.
Caractérologie : dynamisme, audace, direction, indépendance, assurance.

Lucas 🌟 139 000 (TOP 50) 🔍 →
Lumière (latin). Variantes : Lucca, Luck, Lucka, Luckas, Lucke. Caractérologie : réceptivité, sociabilité, diplomatie, bonté, loyauté.

Lucian 🌟 400 (TOP 700) ↑
Lumière (latin). Prénom anglais et roumain.
Caractérologie : exigence, influence, famille, équilibre, détermination.

Luciano 🌟 2 000 (TOP 700) ↗
Lumière (latin). Luciano est très répandu en Italie et dans les pays hispanophones et lusophones. Variantes : Lucio, Lucius. Caractérologie : enthousiasme, communication, résolution, pratique, analyse.

Lucien 🌟 74 000 (TOP 200) ↗
Lumière (latin). La forme latine Lucius s'est diffusée en Orient chrétien et en Occident aux premiers siècles grâce au culte voué à plusieurs saints porteurs du nom. Lucien, la forme française moderne, émerge bien plus tard : elle devient très à la mode à la fin du XIXe siècle, après que Lucien Bonaparte (1775-1840) l'a illustrée. Elle s'élève encore au 16e rang français au seuil de son déclin, en 1920. Après une période d'hibernation, Lucien bourgeonne depuis peu et semble prêt à fleurir de nouveau. Caractérologie : dynamisme, direction, audace, indépendance, assurance.

Lucky 🌟 200
Lumière (latin). Caractérologie : idéalisme, dévouement, intégrité, altruisme, réflexion.

Ludger 🌟 110
Nation, lance (germanique). Masculin allemand. Caractérologie : ténacité, méthode, fiabilité, engagement, cœur.

Ludovic 🌟 122 000 (TOP 700) ↓
Illustre au combat (germanique). Masculin anglais et français. Caractérologie : équilibre, influence, famille, exigence, raisonnement.

Ludovick 🌟 250
Illustre au combat (germanique). Variantes : Ludo, Ludovic, Ludovik. Forme basque : Lodoviko. Caractérologie : connaissances, sagacité, spiritualité, originalité, logique.

Ludwig 🌟 3 000 (TOP 2000) →
Illustre au combat (germanique). Lidwig est plus particulièrement usité en Allemagne et en Alsace. On peut estimer que moins de 30 enfants seront prénommés ainsi en 2014. Variantes : Ludwick, Ludwik. Caractérologie : ténacité, engagement, méthode, fiabilité, sympathie.

Luigi 🌟 4 000 (TOP 800) ↓
Illustre au combat (germanique). Luigi est très répandu en Italie et en Corse. Variantes : Luidgi, Luidji, Luiggi. Caractérologie : structure, persévérance, sécurité, honnêteté, efficacité.

Luis 🌟 7 000 (TOP 400) →
Illustre au combat (germanique). Luís est très répandu dans les pays hispanophones et lusophones. Variante : Luiz. Caractérologie : méditation, intelligence, savoir, indépendance, sagesse.

Luka 🌟 7 000 (TOP 200) →
Lumière (latin). Luka est répandu en Russie, en Macédoine et dans les pays slaves méridionaux. Caractérologie : rectitude, humanité, rêve, organisation, tolérance.

Lukas 🌟 7 000 (TOP 300) ↘
Lumière (latin). Lukas est très répandu en Allemagne, en Autriche et dans les pays scandinaves. Caractérologie : dynamisme, audace, direction, indépendance, organisation.

L

439

Luke 🌟 1 000 (TOP 1000) →
Lumière (latin). Luke est très répandu dans les pays anglophones. Caractérologie : fiabilité, méthode, engagement, ténacité, sens du devoir.

Lyam 🌟 2 000 (TOP 200) ↑
Variante de Liam (irlandais). Caractérologie : réalisation, sagesse, conseil, paix, conscience.

Lydéric 🌟 300 ↗
Puissant, glorieux (germanique). Dans l'Hexagone, Lydéric est plus traditionnellement usité dans les Flandres. Variante : Ludéric. Caractérologie : persévérance, sécurité, structure, efficacité, sympathie.

Lyès 🌟 2 000 (TOP 600) ↗
Seigneur Dieu (arabe). Variante : Lyess. Caractérologie : spiritualité, connaissances, sagacité, originalité, cœur.

Lylian 🌟 1 500 (TOP 800) ↘
Lys (latin). Caractérologie : direction, dynamisme, audace, résolution, sympathie.

Lyonel 🌟 650
Lion (latin). Caractérologie : médiation, relationnel, intuition, cœur, fidélité.

Lysandre 🌟 600 (TOP 600) ↑
Contraction des prénoms commençant par « Ly » et d'Alexandre. Variante : Lysander. Caractérologie : réalisation, force, ambition, habileté, bonté.

M

440

M 🌟 200
Dans le langage phonétique des texto, M pourrait s'apparenter au verbe aimer. Mais ce prénom est né en 1961, bien avant l'apparition des téléphones portables, et bien avant de devenir le nom de scène du chanteur Mathieu Chedid. D'autres lettres ont depuis fait leur chemin, et une poignée d'enfants ont été prénommés A, L, N, X et Y ces dernières années. On peut douter qu'ils feront beaucoup d'envieux...

Macaire
Bienheureux (grec). Masculin français. Ce prénom est porté par moins de 100 personnes en France. Variantes : Makari, Makary. Caractérologie : dynamisme, curiosité, courage, indépendance, résolution.

Macéo 🌟 1 500 (TOP 600) →
Arme médiévale, ou « du domaine de Matthieu » (vieux français). En dehors de l'Hexagone, Maceo est usité dans les pays anglophones. Variantes : Mace, Macey, Macy. Caractérologie : volonté, innovation, énergie, ambition, autonomie.

Madani 🌟 600 ↘
De la ville (arabe). Caractérologie : équilibre, sens des responsabilités, famille, influence, résolution.

Maddox
Fils du bienfaiteur (gallois). Ce prénom est porté par moins de 30 personnes en France. Caractérologie : intelligence, méditation, sagesse, indépendance, savoir.

Madiane
Se rapporte à un nom de ville (arabe). Ce prénom est porté par moins de 100 personnes en France. Caractérologie : sociabilité, réceptivité, loyauté, diplomatie, résolution.

MAËL

Fête : 24 mai

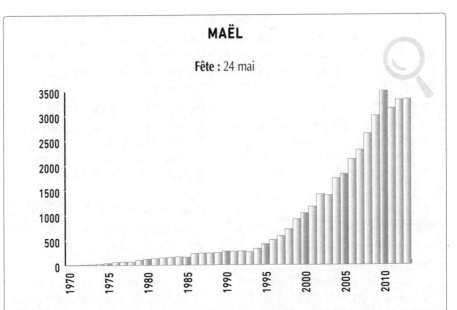

Étymologie : du celte, « chef, prince ». Maël a longtemps été méconnu en dehors de son Armorique natale. Il le serait encore si la vague des prénoms bretons ne l'avait pas révélé. Parti avec une longueur d'avance sur Mathéo, Maël s'impose dans le top 40 français à la fin des années 1990. Il semble avoir atteint ses limites lorsque l'essor des prénoms bibliques lui redonne des ailes : le « el » de Maël ne rime-t-il pas avec Gabriel et Raphaël ? Fort de ce soutien inespéré, Maël pourrait s'établir au 19e rang du classement 2014.

Les dérivés de Maël sont nombreux, surtout au féminin. En forte croissance, Maëlle, Maëlla, Maélie et Maély se distinguent de leur groupe. Elles sont distancées par Maëlys qui est devenue, en quelques années, un choix incontournable. Les dérivés masculins se font plus discrets. Citons Amaël, Maëlan, Maëlig et Mel parmi ceux qui progressent le plus.

Maël fait peu d'émules à l'international mais il figure dans les tops 40 suisse romand et wallon.

Comme il est coutume de le faire en Bretagne, Mael et ses formes dérivées peuvent s'orthographier sans tréma.

D'origine irlandaise ou galloise, **saint Maël** est le neveu de saint Patrick (le patron des Irlandais) et le frère de Rieg. On sait peu de choses sur ce saint qui vécut au Ve siècle.

Statistiques : **Maël** est le 34e prénom masculin le plus donné en France depuis le début du XXIe siècle. On peut estimer qu'il sera attribué à un garçon sur 122 en 2014. Seules quatre formes composées ont été recensées sur les registres d'état civil. Il s'agit, par ordre décroissant d'attribution, de Louis-Maël, Pierre-Maël, Jean-Maël et Yann-Maël.

M

441

Madjid ⭐ 1 500
Noble, glorieux (arabe). On peut estimer que moins de 30 enfants seront prénommés ainsi en 2014. Variantes : Madgid, Majide. Caractérologie : énergie, audace, découverte, originalité, séduction.

Mady ⭐ 550 (TOP 2000) ↗
Loué, félicité pour sa droiture (arabe). Caractérologie : réalisation, savoir, méditation, intelligence, indépendance.

Maé ⭐ 2 000 (TOP 200) ↑
Chef, prince (celte). Caractérologie : autorité, innovation, ambition, énergie, autonomie.

Maël ⭐ 35 000 (TOP 50) 🔍 ↗
Chef, prince (celte). Variantes : Amaël, Maëlig, Maëlo, Mahel, Mel, Mélaine. Caractérologie : efficacité, persévérance, structure, sécurité, honnêteté.

Maëlan ⭐ 900 (TOP 700) →
Chef, prince (celte). Prénom breton. Variantes : Maëlann, Maëlien. Caractérologie : énergie, autorité, innovation, autonomie, ambition.

Maëlig ⭐ 300 →
Chef, prince (celte). Ce prénom breton peut également s'orthographier sans tréma. Caractérologie : relationnel, intuition, réussite, médiation, cœur.

Maëlo ⭐ 150 (TOP 2000)
Combinaison de Maël et des prénoms se terminant en « o ». Caractérologie : ambition, ténacité, direction, énergie, innovation.

Magnus
Le grand (latin). Masculin scandinave. Ce prénom est porté par moins de 100 personnes en France. Caractérologie : communication, bonté, enthousiasme, réalisation, pratique.

Mahdi ⭐ 1 500 (TOP 500) ↑
Loué, félicité pour sa droiture (arabe). Variantes : Madi, Mady. Caractérologie : habileté, force, passion, ambition, management.

Mahé ⭐ 4 000 (TOP 200) ↗
Forme bretonne de Mathieu : don de Dieu (hébreu). Mahe s'écrit également sans accent. Variante : Mazen. Caractérologie : humanité, rectitude, rêve, générosité, tolérance.

Maher ⭐ 650 (TOP 700) ↑
Celui qui excelle (arabe). Variante : Mahir. Caractérologie : ouverture d'esprit, rectitude, rêve, décision, humanité.

Mahin
Puissant, extraordinaire (sanscrit). Masculin indien d'Asie. Ce prénom est porté par moins de 30 personnes en France. Caractérologie : idéalisme, résolution, réflexion, altruisme, intégrité.

Mahmoud ⭐ 1 000 (TOP 2000) →
Digne d'éloges (arabe). Variante : Mamoud. Caractérologie : pragmatisme, optimisme, créativité, sociabilité, communication.

Maïeul ⭐ 120
Le mois de mai (latin). Caractérologie : intelligence, savoir, méditation, indépendance, détermination.

Maixent ⭐ 300 →
Le plus grand (latin). Caractérologie : audace, découverte, énergie, caractère, décision.

Majid ⭐ 1 500 →
Noble, glorieux (arabe). On peut estimer que moins de 30 enfants seront prénommés ainsi en 2014. Variante : Majdi. Caractérologie : indépendance, assurance, direction, audace, dynamisme.

Majoric
Grand (latin). Ce prénom est porté par moins de 100 personnes en France. Caractérologie : équilibre, sens des responsabilités, influence, famille, logique.

Malcolm 🌟 1 500 **TOP 2000** ⬇
Disciple de sainte Colombe (gaélique). Masculin anglais. On peut estimer que moins de 30 enfants seront prénommés ainsi en 2014. Variante : Malcom. Caractérologie : conseil, bienveillance, sagesse, conscience, paix.

Malek 🌟 2 000 **TOP 700** ↗
Roi (arabe). Caractérologie : sens des responsabilités, famille, équilibre, influence, organisation.

Malik 🌟 10 000 **TOP 400** ➡
Roi (arabe). Variantes : Maelick, Malik, Malike, Melek, Mélih, Mélik. Caractérologie : ambition, autorité, organisation, innovation, énergie.

Mallory 🌟 600 ➡
Prince sage (celte). Masculin anglais. Variantes : Malaury, Mallaury. Caractérologie : paix, réussite, conscience, bienveillance, logique.

Malo 🌟 10 000 **TOP 100** ↗
Prince sage (celte). Masculin français et breton. Variante : Malou. Caractérologie : curiosité, dynamisme, courage, indépendance, charisme.

Malone 🌟 2 000 **TOP 300** ➡
Ancien patronyme irlandais signifiant : « serviteur de saint John ». Variante : Malonn. Caractérologie : bienveillance, volonté, paix, conscience, conseil.

Malory 🌟 300 ⬇
Prince sage (celte). Masculin anglais. Caractérologie : pratique, communication, réalisation, enthousiasme, analyse.

Malvin 🌟 300 ⬆
Ami de l'assemblée (celte). Masculin anglais. Variante : Malween. Caractérologie : stratégie, vitalité, achèvement, ardeur, résolution.

Mamadou 🌟 5 000 **TOP 400** ➡
Qui vient d'être sevré (arabe). Caractérologie : audace, énergie, découverte, originalité, séduction.

Manao
Nom de ville située sur la rive du Rio Negro, au Brésil. Ce prénom est porté par moins de 100 personnes en France. Caractérologie : passion, force, meneur, achèvement, habileté.

Mandel
Amande (germanique). Ce prénom est porté par moins de 30 personnes en France. Caractérologie : fiabilité, ténacité, engagement, méthode, sens du devoir.

Manech 🌟 250 **TOP 2000** ➡
Dieu fait grâce (hébreu), d'une intelligence suprême (sanscrit). Caractérologie : vitalité, ardeur, leadership, stratégie, achèvement.

Manéo
Contraction de Manuel et Néo. Ce prénom est porté par moins de 100 personnes en France. Caractérologie : communication, créativité, pratique, optimisme, adaptation.

Manfred 🌟 550
Homme de paix (germanique). Masculin allemand, néerlandais et anglais. Caractérologie : intelligence, méditation, savoir, détermination, volonté.

Mango
Dieu est avec nous (hébreu). Ce prénom est porté par moins de 30 personnes en France. Caractérologie : audace, volonté, réalisation, énergie, découverte.

M

443
....

Mani 350 TOP 2000 →
Joyau (sanscrit). Prénom indien d'Asie. Caractérologie : énergie, décision, ambition, autorité, innovation.

Mano 550 TOP 800 ↑
Forme de Manuel ou Manoa. Caractérologie : méditation, caractère, savoir, indépendance, intelligence.

Manoa 650 TOP 600 ↑
Reposé, apaisé (hébreu). Caractérologie : passion, habileté, volonté, force, ambition.

Manoah 550 TOP 800 →
Reposé, apaisé (hébreu). Dans l'Ancien Testament, Manoah est le père de Samson. Variante : Manoa. Caractérologie : connaissances, spiritualité, caractère, sagacité, originalité.

Manoé 600 TOP 400 ↑
Contraction d'Emmanuel et Noé. Caractérologie : pragmatisme, volonté, optimisme, créativité, communication.

Manoël 550
Contraction d'Emmanuel et Joël. Variantes : Manaël, Mano, Manoé, Manolis, Manolito, Manolo. Caractérologie : paix, bienveillance, conseil, conscience, caractère.

Manolo 900 TOP 900 ↘
Dieu est avec nous (hébreu). Prénom espagnol. Caractérologie : savoir, intelligence, ténacité, indépendance, méditation.

Mansour 950 TOP 1000 →
Victorieux (arabe). Variante : Manssour. Caractérologie : volonté, sociabilité, diplomatie, réceptivité, raisonnement.

Manu 500 TOP 2000 ↘
Penseur, sage (sanscrit), et forme basque de Manuel : Dieu fait grâce (hébreu).

Caractérologie : sécurité, efficacité, structure, persévérance, honnêteté.

Manua
L'oiseau porteur de bonheur (tahitien). Ce prénom est porté par moins de 100 personnes en France. Caractérologie : persévérance, structure, honnêteté, sens du devoir, efficacité.

Manuel 33 000 TOP 600 →
Dieu est avec nous (hébreu). Manuel est très répandu dans les pays germanophones, lusophones et hispanophones. C'est aussi un prénom traditionnel basque. Caractérologie : pragmatisme, créativité, communication, optimisme, sociabilité.

Marc 195 000 TOP 400 ↘
Se rapporte à Mars, Dieu romain de la Guerre. La forme latine Marcus est fréquente dans la Rome antique, mais Marc et ses différentes graphies (Mark, Marcos, Markus, Marek, etc.) se diffusent longtemps après le martyre de saint Marc l'évangéliste au Ier siècle. Mark monte en faveur auprès des puritains anglophones au XVIIe siècle et devient très attribué dans les années 1960 en Occident. Dans l'Hexagone, Marc connaîtra un certain succès de 1940 à 1980, suffisant pour le placer au 44e rang des prénoms les plus attribués en France au XXe siècle. Caractérologie : habileté, force, management, ambition, passion.

Marc-Alexandre 400 ↗
Forme composée de Marc et Alexandre. Caractérologie : intuition, médiation, relationnel, volonté, raisonnement.

Marcande
Contraction de Marc et André. Ce prénom est porté par moins de 30 personnes en France. Caractérologie : curiosité, indépendance, décision, dynamisme, courage.

Marc-Antoine 🎯 5 000 **TOP 900** →
Forme composée de Marc et Antoine. Caractérologie : énergie, audace, découverte, volonté, analyse.

Marceau 🎯 7 000 **TOP 200** ↗
Se rapporte à Mars, dieu romain de la Guerre (latin). Caractérologie : ambition, force, passion, habileté, résolution.

Marcel 🎯 147 000 **TOP 500** ↑
Se rapporte à Mars, dieu romain de la Guerre (latin). Ce diminutif de Marc a été porté par plusieurs saints, dont saint Marcel, un pape martyrisé au IVe siècle par l'empereur Dioclétien. Malgré sa notoriété, ce prénom tarde à se manifester dans l'Hexagone. Comme s'il avait attendu la naissance de Marcel Proust (1871-1922), ou celle de Marcel Duchamp (1887-1968), Marcel jaillit à la fin du XIXe siècle. Il figure parmi les 10 premiers rangs masculins de 1900 à 1930 et recule lentement ensuite. Frémissant depuis peu, Marcel est sorti de sa désuétude. Fera-t-il renaître ses formes anciennes, Marcus, Marceau et Marcelin ? Variantes : Marcian, Marcien, Marcio. Caractérologie : intelligence, indépendance, savoir, décision, méditation.

Marcelin 🎯 1 000 **TOP 800** ↑
Se rapporte à Mars, dieu romain de la Guerre (latin). Caractérologie : détermination, enthousiasme, communication, pratique, adaptation.

Marcellin 🎯 1 500 **TOP 2000** →
Se rapporte à Mars, dieu romain de la Guerre (latin). On peut estimer que moins de 30 enfants seront prénommés ainsi en 2014. Variante : Marcello. Caractérologie : sens des responsabilités, famille, influence, équilibre, résolution.

Marcello 🎯 400 ↗
Se rapporte à Mars, dieu romain de la Guerre (latin). Prénom italien. Caractérologie : raisonnement, savoir, méditation, volonté, intelligence.

Marco 🎯 7 000 **TOP 500** →
Se rapporte à Mars, dieu romain de la Guerre (latin). Marco est très répandu en Italie, dans les pays hispanophones et lusophones. Variantes : Marcos, Marko. Caractérologie : analyse, courage, dynamisme, curiosité, indépendance.

Marc-Olivier 🎯 800 ↘
Forme composée de Marc et Olivier. Caractérologie : volonté, vitalité, achèvement, stratégie, analyse.

Marcus 🎯 1 500 **TOP 300** ↗
Se rapporte à Mars, dieu romain de la Guerre (latin). Ce prénom romain est particulièrement recensé aux Pays-Bas. Variante : Markus. Caractérologie : optimisme, communication, créativité, sociabilité, pragmatisme.

Marek 🎯 350 **TOP 2000** ↗
Se rapporte à Mars, dieu romain de la Guerre (latin). Prénom polonais et tchèque. Caractérologie : pragmatisme, créativité, communication, optimisme, détermination.

Marian 🎯 1 500 **TOP 2000** →
Celui qui élève (hébreu). Prénom anglais et roumain. On peut estimer que moins de 30 enfants seront prénommés ainsi en 2014. Caractérologie : réceptivité, décision, sociabilité, diplomatie, loyauté.

Mariano 🎯 1 000 **TOP 2000** ↑
Celui qui élève (hébreu). Mariano est très répandu en Italie, dans les pays hispanophones et lusophones. Variante : Marianno.

M

445

MATHÉO, MATHIS

Fête : 21 septembre

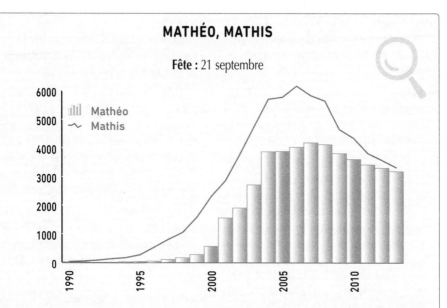

Étymologie : de l'hébreu *mattahïah*, « don de Dieu ». Qui aurait pu croire que Mathieu serait un jour devancé par ses formes dérivées ? La gloire de Mathis et Mathéo est d'autant plus remarquable que ce duo était pratiquement inconnu il y a vingt ans. Ces prénoms ne se contentent pas d'éclipser Mathieu : Matteo, la star italienne des années 1990, doit elle aussi s'incliner. Nul doute que cette dernière a semé la gloire de Mathéo à ses dépens.

Cette forme française, ou plutôt bretonne, de Mathieu est apparue un an après l'émergence de Matteo. L'engouement des parents a été d'autant plus rapide que la vague des prénoms régionaux propulsait déjà Maëlys, Lena et Maël vers le sommet. De sorte que si les Bretons le connaissent depuis longtemps, c'est dans toute la France que Mathéo s'est répandu. En 2014, Mathéo devrait cependant chuter à la 23e place du palmarès français.

En dehors de l'Hexagone, Mathéo brille dans le classement wallon tandis que Matteo gravite dans l'élite suisse romande.

Percepteur des impôts au bureau de douane de Capharnaüm (en Galilée), **saint Matthieu** quitta son travail afin de suivre le Christ. Choisi comme apôtre, il écrivit le premier des quatre Évangiles et partit le prêcher en Éthiopie. Saint Mathieu est le patron des banquiers, des comptables, des douaniers et des inspecteurs des impôts.

.../

Mathéo, Mathis *(suite)*

La carrière de Mathis est différente. Bien qu'il ait prénommé quelques Français au début du XXe siècle, Mathis est pratiquement inconnu avant les années 1990. C'est alors qu'il émerge avec tout l'attrait d'un prénom neuf, et qu'il s'impose comme l'héritier moderne de Mathias et Mathieu. Il bondit au 3e rang du palmarès en 2006 et reste aujourd'hui l'un des 20 premiers prénoms français.

En dehors de l'Hexagone, Mathis campe dans le top 20 québécois et chute des cimes wallonnes, suisses romandes et allemandes. Quant à sa carrière scandinave, elle est pour l'heure balbutiante.

Personnalité célèbre : Matteo de Pasti, sculpteur italien du XVe siècle.

Statistiques : Mathéo est le 23e prénom masculin le plus donné en France depuis le début du XXIe siècle. On peut estimer qu'il sera attribué à un garçon sur 128 en 2014. **Mathis** devrait prénommer un garçon sur 123 et figurer au 9e rang de ce palmarès.

Caractérologie : détermination, force, ambition, volonté, habileté.

Marien 🇫🇷 600 ◎
Celui qui élève (hébreu). Caractérologie : famille, équilibre, sens des responsabilités, influence, décision.

Marin 🇫🇷 5 000 **TOP 300** ➡
Mer (latin). En dehors de l'Hexagone, Marin est plus particulièrement usité en Croatie. Caractérologie : ambition, décision, autorité, innovation, énergie.

Mario 🇫🇷 14 000 **TOP 700** ◎
Celui qui élève (hébreu). Mario est très répandu en Italie, dans les pays hispanophones et lusophones. Caractérologie : diplomatie, réceptivité, loyauté, sociabilité, bonté.

Marius 🇫🇷 25 000 **TOP 100** ➡
Nom de famille romain, mer (latin). Ce patronyme émerge sous la forme de prénom au XIXe siècle en France et dans plusieurs pays européens. Il s'affiche au 27e rang français

en 1910, son dernier point culminant, bien avant d'inspirer le *Marius* de Marcel Pagnol (pièce de théâtre imprimée en 1928). Sans avoir jamais disparu, Marius renaît en fin de siècle après avoir été discret. À défaut de s'être enraciné en Provence, il se rencontre plus particulièrement dans le nord-ouest de la France. En dehors de l'Hexagone, Marius est répandu en Roumanie, dans les pays néerlandophones, scandinaves et germanophones. Caractérologie : humanité, rectitude, rêve, générosité, tolérance.

Mark 🇫🇷 1 500 **TOP 2000** ➡
Se rapporte à Mars, dieu romain de la Guerre (latin). Masculin anglais, russe, néerlandais, slovène et hongrois. Variante : Marck. Caractérologie : connaissances, sagacité, spiritualité, originalité, philosophie.

Marley 🇫🇷 1 500 **TOP 300** ⬆
De la terre des lacs (vieil anglais). Caractérologie : médiation, relationnel, intuition, réussite, cœur.

M

447

Marlon 🎯2 000 (TOP 400) ↗
Faucon (anglais). Ce prénom est particulièrement recensé aux États-Unis. Variante : Marlone. Caractérologie : audace, dynamisme, caractère, direction, logique.

Marouan 🎯700 →
Roche, quartz (arabe). Caractérologie : volonté, sociabilité, réceptivité, raisonnement, diplomatie.

Marouane 🎯2 000 (TOP 500) →
Roche, quartz (arabe). Variantes : Maroin, Maroine, Marouen. Caractérologie : spiritualité, connaissances, volonté, sagacité, raisonnement.

Martial 🎯27 000 (TOP 2000) ↘
Se rapporte à Mars, dieu romain de la Guerre (latin). Masculin français. On peut estimer que moins de 30 enfants seront prénommés ainsi en 2014. Variantes : Marcial, Mars, Martel, Marti, Martian, Martie, Marty. Caractérologie : intuition, organisation, médiation, relationnel, fidélité.

Martin 🎯44 000 (TOP 100) →
Se rapporte à Mars, dieu romain de la Guerre (latin). La popularité de saint Martin de Tours, l'évangélisateur de la Gaule au IVᵉ siècle, fut telle que son culte fit prospérer le nom dans toute l'Europe. Durant la deuxième partie du Moyen Âge, son usage ne faiblit pas lorsqu'il fut porté par une lignée de cinq papes. Après une phase plus discrète, Martin revient en faveur au XXᵉ siècle dans les pays anglophones, germanophones, slaves et scandinaves. En France, son ascension s'accélère particulièrement depuis le début des années 2000. Variantes : Marteen, Martino, Marty, Morten. Caractérologie : pratique, adaptation, communication, détermination, enthousiasme.

Marvin 🎯10 000 (TOP 400) →
Ami de la mer (anglais). Marvin est très répandu dans les pays anglophones. Variantes : Marveen, Marvine, Marving. Caractérologie : curiosité, dynamisme, courage, décision, indépendance.

Marvyn 🎯1 500 (TOP 2000) ↘
Ami de la mer (anglais). Variantes : Marwen, Marwin. Caractérologie : enthousiasme, réalisation, communication, pratique, détermination.

Marwan 🎯5 000 (TOP 300) →
Roche, quartz (arabe). Caractérologie : intelligence, indépendance, méditation, savoir, résolution.

Marwane 🎯3 000 (TOP 400) →
Roche, quartz (arabe). Caractérologie : communication, pratique, adaptation, enthousiasme, détermination.

Maryan 🎯550
Celui qui élève (hébreu). Variante : Mary. Caractérologie : humanité, rêve, réalisation, rectitude, résolution.

Massimo 🎯850 ↓
Le plus grand (latin). Prénom italien. Caractérologie : management, ambition, force, habileté, passion.

Matei 🎯300 (TOP 800) ↑
Don de Dieu (hébreu). Masculin roumain et basque. Variantes : Matej, Matvei, Matvey. Caractérologie : pragmatisme, communication, décision, optimisme, créativité.

Mateo 🎯15 000 (TOP 200) ↘
Don de Dieu (hébreu). En faveur dans les années 1990, ce prénom venu d'Espagne a lancé la carrière de Mathéo. Caractérologie :

intégrité, idéalisme, altruisme, réflexion, caractère.

Mathéis 🌟 600 (TOP 400) ↑
Contraction de Mathéo et Mathis. Mathéis a été recensé pour la première fois dans l'Hexagone en 2008. Caractérologie : communication, générosité, détermination, adaptation, émotion.

Mathelin
Don de Dieu (hébreu). Ce prénom est porté par moins de 30 personnes en France. Variante : Matelin. Caractérologie : direction, audace, sensibilité, détermination, dynamisme.

Mathéo 🌟 42 000 (TOP 50) 🔍 →
Don de Dieu (hébreu). Caractérologie : ambition, force, caractère, habileté, attention.

Mathias 🌟 32 000 (TOP 100) ↘
Don de Dieu (hébreu). En dehors de l'Hexagone, Mathias est répandu dans les pays germanophones et scandinaves. Variante : Matias. Caractérologie : force, habileté, passion, ambition, management.

Mathieu 🌟 143 000 (TOP 100) ↓
Don de Dieu (hébreu). Doté d'un saint apôtre très célèbre, Mathieu est assez commun au Moyen Âge. Il connaît une faveur accrue au XVIe siècle, durant la Réforme, avant de se mettre en veille jusqu'à la fin du XXe. Il renaît dans le monde occidental et les pays slaves sous ses nombreuses graphies (Mathew et Matthew en anglais, Matteo en espagnol, Mateo in italien, Matvei en russe, etc.). En France, Mathieu se place 11e en 1986, l'année de son apogée, avant d'être supplanté par Matteo et Mathéo. ◊ Percepteur des impôts au bureau de douane de Capharnaüm (en Galilée), saint Matthieu quitta son travail afin de suivre le Christ. Choisi comme apôtre, il écrivit le premier des quatre Évangiles et partit évangéliser l'Éthiopie. Caractérologie : découverte, énergie, audace, décision, attention.

Mathis 🌟 64 000 (TOP 50) 🔍 ↘
Don de Dieu (hébreu). Caractérologie : originalité, spiritualité, connaissances, philosophie, sagacité.

Mathurin 🌟 2 000 (TOP 900) ↘
Maturité (latin). Caractérologie : curiosité, courage, décision, dynamisme, attention.

Mathys 🌟 19 000 (TOP 50) 🔍 →
Don de Dieu (hébreu). Voir Mathis. Caractérologie : découverte, énergie, audace, réalisation, originalité.

Matis 🌟 5 000 (TOP 400) ↓
Don de Dieu (hébreu). Variantes : Mathiss, Mathyss, Matiss, Mattis, Matys, Matyss, Matysse. Caractérologie : force, passion, ambition, habileté, management.

Matisse 🌟 2 000 (TOP 700) ↓
Don de Dieu (hébreu). Caractérologie : résolution, originalité, découverte, énergie, audace.

Matt 🌟 2 000 (TOP 400) →
Diminutif anglophone de Mathieu. Caractérologie : ouverture d'esprit, humanité, générosité, rêve, rectitude.

Matteo 🌟 31 000 (TOP 100) ↘
Don de Dieu (hébreu). Voir le zoom dédié à Mathéo. Variantes : Mathéos, Mateos. Caractérologie : médiation, fidélité, relationnel, intuition, volonté.

Matthéo 🌟 3 000 (TOP 500) ↘
Don de Dieu (hébreu). Caractérologie : direction, audace, dynamisme, attention, caractère.

MAXIME

Fête : 14 avril

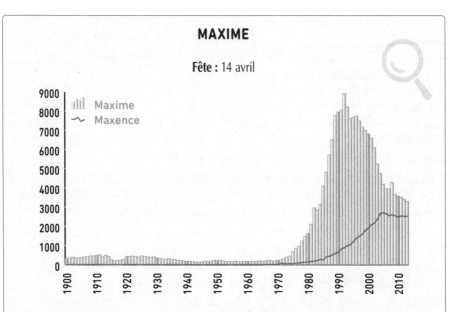

Étymologie : du latin *maximus*, « le plus grand ». Ce prénom a été porté par trois empereurs romains et de nombreux saints. Malgré son antériorité, il est peu attribué avant la fin des années 1970, époque charnière de son envol français. Il est l'un des 5 prénoms les plus donnés de 1992 à 2000, avant d'être happé par le repli des choix de source romaine. Mais contrairement à Romain, Adrien et Quentin qui s'effondrent, Maxime est encore posté aux portes du top 20 français. L'engouement que les Parisiens lui portent encore est-il la clé de sa longévité ?

Dans les pays francophones, le reflux de Maxime s'accentue mais il se maintient toujours dans les tops 20 wallon et suisse romand. Par ailleurs, Maksim et Maxim occupent les premières marches du podium russe. Ces variantes sont également attribuées outre-Rhin, mais pas autant que Maximilian qui se place 9e dans le tableau allemand.

De son côté, Maxence a été attribué à une poignée de garçons jusque dans les années 1970. Ce dérivé de Maxime construit peu à peu sa carrière et pourrait bientôt intégrer le top 30 français.

Magnus Clemens Maximus, empereur romain de 383 à 388, établit sa capitale à Trèves et régna sur Rome, la Gaule et l'Espagne. Il fut vaincu par Théodose Ier alors qu'il venait de conquérir l'Italie.

Maxence, empereur romain, fut vaincu en 312 par Constantin.

.../

Maxime *(suite)*

De nombreux saints ont porté ce prénom. Le 14 avril honore la mémoire de **saint Maxime**, martyr à Rome au IIIe siècle.

Personnalités célèbres : Maxime Le Forestier, chanteur, auteur, compositeur français ; Maxime Gorki, écrivain russe.

Une **maxime** est une règle de conduite, un principe, et parfois un proverbe. Dans ses *Maximes*, La Rochefoucauld construisit une réflexion sur la nature humaine.

Statistiques : Maxime est le 8e prénom masculin le plus donné en France depuis le début du XXIe siècle. On peut estimer qu'il sera attribué à un garçon sur 124 en 2014. **Maxence** devrait prénommer un garçon sur 161 et figurer au 31e rang de ce palmarès.

Matthew  3 000 **TOP 300**
Don de Dieu (hébreu). Matthew est très répandu dans les pays anglophones. Variantes : Mathew, Matt, Matteu, Mattew, Mattie, Matthaeus, Mattheus. Caractérologie : rectitude, rêve, humanité, ouverture d'esprit, finesse.

Matthias 14 000 **TOP 300**
Don de Dieu (hébreu). Matthias est très répandu en Allemagne et en Grèce. Variantes : Mattia, Mattias. Caractérologie : audace, direction, dynamisme, indépendance, assurance.

Matthieu 77 000 **TOP 200**
Don de Dieu (hébreu). Percepteur des impôts au bureau de douane de Capharnaüm (en Galilée), saint Matthieu quitta son travail afin de suivre le Christ. Choisi comme apôtre, il écrivit le premier des quatre Évangiles et partit évangéliser l'Éthiopie. Saint Matthieu est le patron des banquiers, des comptables, des douaniers et des inspecteurs des impôts. Variante : Mattieu. Caractérologie : résolution, savoir, finesse, méditation, intelligence.

Matthis 3 000 **TOP 800**
Don de Dieu (hébreu). Variantes : Mattis, Matthys, Mattys. Caractérologie : rectitude, rêve, tolérance, humanité, générosité.

Maudez
Serviteur, jour (celte). Venu d'Irlande, saint Maudez s'installa en Bretagne au Ve ou VIe siècle. Masculin breton. Ce prénom est porté par moins de 100 personnes en France. Caractérologie : savoir, sagesse, méditation, indépendance, intelligence.

Maurice 119 000
Sombre, foncé (latin). Général de la légion thébaine et martyr au IIIe siècle, saint Maurice est le patron des militaires et des teinturiers. En dehors de l'Hexagone, ce prénom est très répandu dans les pays anglophones. On peut estimer que moins de 30 enfants seront prénommés ainsi en 2014. Variantes : Mauricio, Maurilio, Moris, Moriss. Caractérologie : intelligence, méditation, savoir, décision, indépendance.

M

Maurin 🎖 200

Celui qui élève (hébreu). Caractérologie : efficacité, persévérance, structure, détermination, sécurité.

Maverick 🎖 450 ◐

L'indépendant (anglais). Maverick est essentiellement recensé aux États-Unis. Variante : Mavrick. Caractérologie : dynamisme, résolution, direction, organisation, audace.

Max 🎖 26 000 TOP 300 →

Le plus grand (latin). En dehors de l'Hexagone, Max est répandu dans les pays germanophones, anglophones et scandinaves. Voir Maxime. Caractérologie : relationnel, intuition, adaptabilité, médiation, fidélité.

Maxandre 🎖 550 TOP 900 →

Contraction de Maxime et Alexandre. Caractérologie : force, ambition, résolution, habileté, volonté.

Maxence 🎖 48 000 TOP 50 →

Le plus grand (latin). Attesté au Moyen Âge, ce dérivé de Maxime est très rare jusqu'à son émergence dans les années 1970. Il rencontre alors un engouement qui l'élève dans les 30 premiers rangs français en 2005. Il n'a pas toujours été masculin comme c'est le cas aujourd'hui. Cet ancien prénom mixte a été porté par un empereur romain vaincu en 312 par Constantin, et sainte Maxence, une princesse écossaise assassinée pour sa foi au Ve siècle. Caractérologie : diplomatie, réceptivité, sociabilité, loyauté, caractère.

Maxens 🎖 900 TOP 700 →

Le plus grand (latin). Variante : Maxance. Caractérologie : persévérance, structure, volonté, sécurité, efficacité.

Maxent 🎖 110 TOP 2000

Le plus grand (latin). Variante : Maxen. Caractérologie : volonté, courage, indépendance, curiosité, charisme.

Maxim 🎖 2 000 TOP 600 ⬇

Le plus grand (latin). Maxim est très répandu en Russie. Caractérologie : paix, conscience, conseil, bienveillance, sagesse.

Maxime 🎖 192 000 TOP 50 🔍 →

Le plus grand (latin). Variantes : Handi, Maïme, Maximien, Maximin, Maximino, Maximo, Maxym, Maxyme. Caractérologie : médiation, intuition, relationnel, caractère, décision.

Maximilien 🎖 9 000 TOP 400 →

Le plus grand (latin). Prénom français. La forme allemande et anglophone Maximilian est très en vogue en Allemagne actuellement. Variantes : Maximilian, Maximiliano, Maximillien. Caractérologie : innovation, autorité, énergie, volonté, raisonnement.

Maximin 🎖 2 000

Le plus grand (latin). On peut estimer que moins de 30 enfants seront prénommés ainsi en 2014. Caractérologie : relationnel, intuition, volonté, médiation, détermination.

Mayan

Masculin de Mayane, une contraction de Maya et Anne. Ce prénom est porté par moins de 100 personnes en France. Caractérologie : intégrité, altruisme, réflexion, idéalisme, réalisation.

Mayer

Grand (latin). Ce prénom est porté par moins de 30 personnes en France. Caractérologie : résolution, réalisation, achèvement, stratégie, vitalité.

Destin et évolution de la forme composée

Depuis l'assouplissement de la législation, en 1993, le catalogue des choix composés s'est enrichi de compositions inédites. Certaines sont devenues si célèbres (Lily-Rose, Lou-Anne) qu'elles s'exportent au-delà des frontières. Malgré ce succès, seuls 4 % des prénoms attribués sont des composés. Ce chiffre, en deçà de la réalité (les compositions qui sont données à moins de trois personnes éludent les recensements), est comparable au niveau d'attribution observé dans les années 1900. Revenons en arrière pour mieux apprécier leur évolution...

En 1900, on dénombre près de 90 compositions attribuées à plus de trois personnes en France, soit 5 % des attributions totales. Le répertoire est alors beaucoup plus restreint, et la législation laisse peu de liberté aux parents. Dans ce contexte, on peut s'étonner que la forme composée n'ait pas été plus massivement utilisée pour former des assemblages originaux : les officiers d'état civil, si prompts à refuser les choix peu ordinaires, n'auraient pas pu rejeter l'association de deux grands noms. Mais au début du XXe siècle, le genre composé n'est pas vraiment en faveur. Seuls Marie-Louise et Jean-Baptiste, respectivement placés 45e et 78e, figurent dans les 100 premiers choix nationaux.

Durant la première partie du XXe siècle, toutes les compositions sont formées de Jean pour les garçons, Marie pour les filles. Anne-Marie, l'unique innovation qui ose placer Anne avant Marie, ne s'envole qu'à la fin des années 1940. C'est précisément à cette époque que l'engouement pour les compositions se précise, portant rapidement Jean-Pierre et Jean-Claude aux 20 premiers rangs du classement. Sans compter la multitude d'assemblages qui les suit de près. Leur envolée se poursuit dans les deux sexes et culmine en 1955, où l'on dénombre 25 d'entre eux dans le top 100 national, Jean-Pierre et Marie-Christine en tête. Cette décennie historique marque l'apogée du prénom composé.

Dans les années qui suivent, le genre composé décline mais ne disparaît pas. Il bénéficie même d'une certaine prospérité jusque dans les années 1970. Pendant cette période, on dénombre 15 à 20 assemblages dans l'élite des classements annuels. Anne-Sophie prend la tête des duos féminins en 1975, mais Marie en reste un élément clé jusque dans les années 2000. De son côté, Jean-Baptiste règne sur le palmarès composé et la dynastie des Jean de 1981 à 2007.

La décennie 1980 marque le déclin des prénoms assemblés. À l'exception d'Anne-Sophie et Jean-Baptiste, les compositions s'effacent progressivement du top 100. Elles en disparaissent totalement en 1999 et n'auraient peut-être pas resurgi si Lou-Ann(e) ne s'était pas imposée

---

Destin et évolution de la forme composée *(suite)*

dans le top 80 français en 2004. Son succès fait sensation, au point que Louane tout court s'envole rapidement au sommet. Lou-Ann(e) ouvre la voie à Lily-Rose, une nouveauté qui fleurit en France et dans les pays francophones. Dans le même temps, Léo-Paul et Pierre-Louis deviennent des choix chics et originaux incontournables dans le registre masculin. Nous n'aurions jamais observé ce retour si Pierre, Charles, Paul et Louis, Lou, Lily et Rose ne s'étaient pas rebellés contre Marie et Jean.

Aujourd'hui, Jean-Pierre, Jean-Claude, Marie-Christine et Marie-Claude sont, dans leur immense majorité, grands-parents, témoins d'une autre génération. Jean n'est plus l'élément indispensable des compositions, et Marie s'est effacée au profit d'Anne. Autre évolution majeure, le succès des compositions arabes n'a jamais été aussi éclatant. Particulièrement chez les garçons. Car si Fatimah-Zahra figure au 4e rang des attributions féminines, Mohamed compose six d'entre elles dans le tableau masculin. Depuis que Mohamed-Amine a supplanté Jean-Baptiste en 2008, l'ascension des composés arabes s'est accélérée. La révolution du genre composé est en marche, elle n'a sans doute pas fini de nous surprendre…

Mayeul 🎌 1 500 **TOP 500** →
Le mois de mai (latin). Prénom breton. Variantes : Maïeul, Mayol. Caractérologie : réussite, découverte, audace, cœur, énergie.

Mayron 🎌 1 000 **TOP 400** ↗
Myrrhe (araméen). Variante : Myron. Caractérologie : volonté, dynamisme, curiosité, courage, réalisation.

454

M

Médard 🎌 400
Fort (germanique). Caractérologie : rectitude, ouverture d'esprit, rêve, humanité, détermination.

Meddy 🎌 1 500 **TOP 2000** ↘
Le guide éclairé par Dieu (arabe). On peut estimer que moins de 30 enfants seront prénommés ainsi en 2014. Caractérologie : influence, équilibre, famille, sens des responsabilités, exigence.

Médéric 🎌 3 000 ↘
Puissant, fort (germanique). On peut estimer que moins de 30 enfants seront prénommés ainsi en 2014. Variante : Médérick. Caractérologie : adaptation, pratique, enthousiasme, communication, générosité.

Medhi 🎌 4 000 **TOP 1000** ↘
Le guide éclairé par Dieu (arabe). Caractérologie : adaptation, pratique, générosité, communication, enthousiasme.

Mehdi 🎌 40 000 **TOP 100** →
Le guide éclairé par Dieu (arabe). Ce prénom est particulièrement porté dans les cultures musulmanes. Variantes : Mehdy, Medhy, Médi, Médy, Mehedi, Meidhi, Meidi, Meidy, Meihdi, Mhedi, Mheidi. Caractérologie : enthousiasme, générosité, pratique, communication, adaptation.

Mehmet 🎌 3 000 **TOP 700** ↘
Digne d'éloges (arabe). Caractérologie : dynamisme, audace, sensibilité, direction, indépendance.

Meinrad
Fort, conseiller (germanique). Masculin allemand. Ce prénom est porté par moins de 30 personnes en France. Caractérologie : autorité, innovation, ambition, énergie, résolution.

Meïr
Qui apporte la lumière (hébreu). Caractérologie : intégrité, altruisme, idéalisme, réflexion, dévouement.

Mejdi
Noble, glorieux (arabe). Caractérologie : dynamisme, courage, indépendance, curiosité, décision.

Mel
Diminutif international des prénoms formés avec Mel, ou forme diminutive de Maël. Caractérologie : communication, optimisme, pragmatisme, créativité, sociabilité.

Mélaine 250
Noir, peau brune (grec), ou forme dérivée de Maël. Prénom breton. Caractérologie : dynamisme, curiosité, courage, résolution, indépendance.

Melchior 800
Roi (persan). Selon la tradition chrétienne, Melchior, l'un des trois Rois mages venus d'Orient, se laissa guider par une étoile jusqu'à Bethléem. Lorsqu'il se présenta devant l'Enfant Jésus, il lui offrit de l'encens pour l'honorer comme roi. Caractérologie : relationnel, médiation, intuition, caractère, logique.

Melville TOP 2000
Qui habite sur une mauvaise terre (vieux français). Ce prénom est porté par moins de 100 personnes en France. Variante : Melvil. Caractérologie : idéalisme, réflexion, altruisme, intégrité, dévouement.

Melvin  10 000 TOP 300
Ami de l'assemblée (celte). Melvin est répandu dans les pays anglophones. Variante : Melvine. Caractérologie : adaptation, communication, pratique, générosité, enthousiasme.

Melvyn 4 000 TOP 400
Ami de l'assemblée (celte). Masculin anglais. Variante : Melwin. Caractérologie : direction, audace, amitié, dynamisme, indépendance.

Menahem 350
Qui conforte (hébreu). Caractérologie : découverte, énergie, audace, originalité, séduction.

Mendel 200
Diminutif de Menahem : qui conforte (hébreu). Caractérologie : achèvement, vitalité, ardeur, stratégie, leadership.

Mendy 400
Diminutif masculin anglophone de Marie ou d'Emmanuel. Mendi signifie « montagne » en basque. Forme basque : Mendi. Caractérologie : spiritualité, connaissances, originalité, philosophie, sagacité.

Ménouar 130
Rayonnant, prospère (arabe). Caractérologie : famille, équilibre, sens des responsabilités, volonté, raisonnement.

Meo
Diminutif probable de Bartolomeo : fils de Tolomai (araméen). Ce prénom est porté par moins de 100 personnes en France. Caractérologie : caractère, conscience, paix, conseil, bienveillance.

Meriadec 200
Front (celte). Prénom breton. Variante : Meriadeg. Caractérologie : fiabilité, ténacité, méthode, engagement, détermination.

M

455

Méric 🎌 170
Puissant (germanique). Caractérologie : communication, créativité, pragmatisme, sociabilité, optimisme.

Merlin 🎌 1 500 **TOP 600** ➡️
Forteresse sur la mer (gallois). Dans la légende arthurienne, Merlin, dit l'Enchanteur, est le magicien qui commande les éléments naturels et les animaux. Caractérologie : passion, force, ambition, habileté, management.

Merwan 🎌 1 000 **TOP 2000** ⬇️
Roche, quartz (arabe). Variantes : Merouan, Merouane, Merwane. Caractérologie : médiation, relationnel, intuition, fidélité, résolution.

Meryl 🎌 350 **TOP 2000** ➡️
Celui qui élève (hébreu). Masculin anglais. Variantes : Meril, Merryl, Mery, Merry, Meryll. Caractérologie : énergie, ambition, autorité, innovation, sympathie.

Messaoud 🎌 1 000 ➡️
Porte-bonheur (arabe). Caractérologie : intelligence, savoir, méditation, caractère, indépendance.

Meven 🎌 600 **TOP 2000** ➡️
Heureux, joyeux (celte). Prénom breton. Caractérologie : courage, curiosité, dynamisme, indépendance, charisme.

Michaël 🎌 88 000 **TOP 600** ➡️
Qui est comme Dieu (hébreu). En dehors de l'Hexagone, Michael est très répandu dans les pays anglophones. Variantes : Micaël, Micha, Micham, Micheal, Miel, Misha, Mitch. Caractérologie : résolution, famille, sens des responsabilités, influence, équilibre.

Michel 🎌 616 000 **TOP 600** ⬇️
Qui est comme Dieu (hébreu). L'immense popularité de saint Michel a alimenté la diffusion du prénom en Orient (neuf empereurs byzantins portèrent ce prénom du IXe au XIVe siècle) et en Occident chrétien. Du XIIe siècle au début du XIXe, Michel et ses nombreuses graphies (Michael, Miguel, Michal, Michele, Mikhail, etc.) sont très attribuées en Europe et dans les pays slaves. Dans l'Hexagone, Michel rejaillit dans les années 1920. Il prend tout son temps pour grimper au sommet, précédant Jean au 2e rang masculin en 1947 avant de décliner. Il est le 2e prénom le plus porté dans l'Hexagone aujourd'hui. ◇ Gouverneur des anges de la milice céleste, l'archange Michel représente les forces du bien dans la Bible. De nombreuses légendes auréolent ce saint qui inspira la construction du Mont-Saint-Michel et de maints édifices religieux. Au XIIIe siècle, Louis XI le déclara protecteur du royaume. Saint Michel est le patron de la Normandie, des boulangers, des pâtissiers, des escrimeurs, des parachutistes et des tonneliers. Caractérologie : charisme, curiosité, courage, dynamisme, indépendance.

Mickaël 🎌 119 000 **TOP 300** ⬇️
Qui est comme Dieu (hébreu). Masculin français. Variantes : Mickail, Mickel, Mickey, Mihail, Mikhail, Myckaël. Caractérologie : rêve, rectitude, organisation, humanité, détermination.

Miguel 🎌 13 000 **TOP 500** ⬇️
Qui est comme Dieu (hébreu). Miguel est très répandu dans les pays hispanophones et lusophones. Variantes : Migel, Mikel, Miquel. Caractérologie : méthode, engagement, fiabilité, ténacité, bonté.

Mikaël 🎌 19 000 **TOP 2000** ⬇️
Qui est comme Dieu (hébreu). Mikaël est plus particulièrement répandu dans les pays scandinaves. Variantes : Mika, Mikaïl, Mikayil, Mikhaël, Miky. Caractérologie : équilibre,

sens des responsabilités, organisation, famille, détermination.

Mikaïl 🌟 2 000 `TOP 500` →
Qui est comme Dieu (hébreu). Caractérologie : énergie, innovation, ambition, autorité, organisation.

Mike 🌟 8 000 `TOP 700` ↗
Qui est comme Dieu (hébreu). Masculin anglais et néerlandais. Variantes : Mick, Micke, Micky, Myke. Caractérologie : bonté, sociabilité, réceptivité, diplomatie, loyauté.

Mikel 🌟 500 `TOP 2000` →
Qui est comme Dieu (hébreu). Dans l'Hexagone, Mikel est plus traditionnellement usité au Pays basque. Caractérologie : découverte, audace, énergie, originalité, séduction.

Milan 🌟 5 000 `TOP 300` →
Aimé du peuple (slave). En dehors de l'Hexagone, Milan est très répandu dans les pays slaves méridionaux. C'est aussi un prénom prisé par les parents néerlandophones. Variantes : Milane, Milhane, Milian, Millan. Caractérologie : engagement, résolution, méthode, ténacité, fiabilité.

Miles 🌟 160
Militaire (latin). Masculin anglais. Caractérologie : structure, persévérance, sécurité, efficacité, résolution.

Milian 🌟 140
Diminutif d'Émilian ou Maximilian. Caractérologie : méthode, fiabilité, ténacité, décision, engagement.

Milio
Diminutif d'Emilio ou patronyme d'origine grecque. Zachos Milios, révolutionnaire devenu célèbre, s'illustra dans la guerre d'indépendance grecque (1821-1830). Ce prénom est porté par moins de 100 personnes en France. Variante : Mélio. Caractérologie : raisonnement, ténacité, précision, organisation, fiabilité.

Milko
Paix glorieuse (slave). Masculin slave et italien. Ce prénom est porté par moins de 100 personnes en France. Variante : Slawomir. Caractérologie : conscience, bienveillance, conseil, paix, raisonnement.

Milo 🌟 4 000 `TOP 200` ↗
Travailleur (germanique). Variante : Milou. Caractérologie : ténacité, méthode, engagement, fiabilité, analyse.

Milos 🌟 250 →
Plaisant (grec). Caractérologie : audace, logique, énergie, découverte, originalité.

Milton
Celui qui vit dans un moulin (anglais). Masculin anglais. Ce prénom est porté par moins de 100 personnes en France. Caractérologie : diplomatie, sociabilité, réceptivité, caractère, logique.

Minh 🌟 450 ↓
Intelligent, perspicace (vietnamien). Caractérologie : ambition, habileté, passion, force, management.

Miroslav 🌟 130
Gloire immense (slave). Prénom slave méridional. Variante : Miroslaw. Caractérologie : innovation, autorité, énergie, raisonnement, ambition.

Moana 🌟 170
Océan (tahitien). Caractérologie : achèvement, stratégie, ardeur, vitalité, caractère.

Moché 🌟 180
Sauvé des eaux (hébreu). Caractérologie : habileté, ambition, volonté, force, passion.

M

457

Modeste 🎖 450

Timide, discret (latin). Variante : Modesto. Caractérologie : humanité, rectitude, rêve, caractère, ouverture d'esprit.

Mohamed 🎖 71 000 TOP 50 →

Digne d'éloges (arabe). Selon la sixième édition de l'*Encyclopædia Britannica*, Mohamed et ses variations constituent le prénom le plus porté au monde. En France, Mohamed a émergé à la fin des années 1950 et n'a cessé de grandir depuis le début des années 2000. ◇ Le Coran relate que le prophète Mahomet reçut de l'ange Gabriel (Djibril en arabe) ses premières révélations en l'an 610, dans la grotte Hira. Bouleversé par cet événement, le fondateur de l'islam tenta de faire adopter par la société mecquoise de nouvelles règles de vie. Mais les notables, hostiles à tout changement, le rejetèrent. Pendant l'hégire, Mahomet émigra avec une cinquantaine de convertis à Médine, où il s'imposa comme gouverneur. Son autorité politique et religieuse grandit de telle sorte qu'à la fin de sa vie l'Arabie fut conquise et que le premier État musulman fut créé. Variantes : Mahamadou, Mahmadou, Mahmad, Mahmed, Mahmoud, Mahmut, Mohamad, Mohammad, Mohammed, Mohamadou. Caractérologie : courage, curiosité, indépendance, dynamisme, volonté.

Mohamed-Ali 🎖 1 500 TOP 500 ↗

Forme composée de Mohamed et Ali. Voir le zoom dédié aux prénoms composés. Caractérologie : rectitude, humanité, rêve, logique, caractère.

Mohamed-Amine 🎖 3 000 TOP 300 →

Forme composée de Mohamed et Amine. Voir le zoom dédié aux prénoms composés. Variantes : Mohamed-Amin, Mohammed-Amine. Caractérologie : intuition, relationnel, médiation, décision, caractère.

Mohammed 🎖 7 000 TOP 300 →

Digne d'éloges (arabe). Caractérologie : volonté, intégrité, altruisme, réflexion, idéalisme.

Mohan 🎖 130

Plaisant, charmant (sanscrit). Prénom indien d'Asie. Caractérologie : équilibre, famille, volonté, sens des responsabilités, influence.

Mohand 🎖 1 500 ⬇

Loué, comblé de louanges (kabyle). On peut estimer que moins de 30 enfants seront prénommés ainsi en 2014. Caractérologie : volonté, audace, indépendance, dynamisme, direction.

Mohsen 🎖 150

Vertueux, charitable (arabe). Variantes : Mohcine, Mohssin, Mohssine, Mouhcine, Mouhssine. Caractérologie : sociabilité, réceptivité, volonté, diplomatie, loyauté.

Moïse 🎖 7 000 TOP 900 →

Sauvé des eaux (hébreu). Dans la Bible, lorsque le pharaon décrète que les nouveaunés mâles hébreux doivent être tués, Moïse est placé dans un panier d'osier, puis déposé sur le Nil. Recueilli et adopté par la fille du pharaon, Moïse grandit et devient le prophète du peuple hébreu. Il libère son peuple d'Égypte et lui donne la Loi. Selon la tradition biblique, les dix commandements sont remis à Moïse sur le mont Sinaï. Variantes : Moïses, Moshé, Musa. Caractérologie : intelligence, méditation, savoir, caractère, décision.

Mokhtar 🎖 600 ⬇

Celui qui est juste (arabe). Variantes : Moctar, Moktar, Moncef, Mouctar. Caractérologie : audace, énergie, découverte, séduction, originalité.

Montgomery
De la colline (germanique). Masculin anglais. Ce prénom est porté par moins de 100 personnes en France. Variante : Monty. Caractérologie : autorité, innovation, ambition, énergie, caractère.

Morad ⭐ 3 000 ➡
Désir (arabe). On peut estimer que moins de 30 enfants seront prénommés ainsi en 2014. Variante : Morade. Caractérologie : paix, conscience, sagesse, bienveillance, conseil.

Morgan ⭐ 28 000 TOP 200 ↗
Né de la mer (gallois). Morgan est très répandu dans les pays anglophones. C'est aussi un prénom breton traditionnel. Variantes : Moran, Morane, Morgann. Caractérologie : caractère, courage, dynamisme, réussite, curiosité.

Morvan ⭐ 250
Mer blanche (celte). Prénom breton. Caractérologie : diplomatie, caractère, réceptivité, sociabilité, décision.

Mouad ⭐ 550 TOP 2000 ➡
Protégé par Dieu (arabe). Variantes : Moad, Mohad, Mouaad. Caractérologie : altruisme, réflexion, idéalisme, intégrité, dévouement.

Mouhamed ⭐ 800 TOP 600 ↗
Digne d'éloges (arabe). Variantes : Mouhamad, Mouhammad, Muhamed, Muhamet. Caractérologie : caractère, passion, ambition, force, habileté.

Moulay ⭐ 900 TOP 2000 ↘
Roi (arabe). Caractérologie : sens des responsabilités, famille, influence, équilibre, réalisation.

Mounir ⭐ 6 000 TOP 900 ↘
Celui qui éclaire (arabe). Variantes : Monir, Mounire. Caractérologie : rêve, humanité, rectitude, analyse, volonté.

Mourad ⭐ 8 000 TOP 2000 ↘
Désir (arabe). Mourad est attribué dans les cultures musulmanes francophones ; c'est également un prénom arménien. On peut estimer que moins de 30 enfants seront prénommés ainsi en 2014. Variantes : Mourade, Murad. Caractérologie : rêve, rectitude, humanité, analyse, tolérance.

Moussa ⭐ 7 000 TOP 300 ➡
Sauvé des eaux (arabe). Caractérologie : méditation, savoir, intelligence, sagesse, indépendance.

Moustapha ⭐ 1 500 TOP 900 ➡
Élu le meilleur (arabe). Variantes : Mostafa, Mostapha, Mostéfa, Moustafa. Caractérologie : conscience, réalisation, organisation, bienveillance, paix.

Muhammed ⭐ 1 500 TOP 600 ➡
Digne d'éloges (arabe). Variantes : Muhammad, Muhammet. Caractérologie : paix, bienveillance, conscience, sagesse, conseil.

Murphy ⭐ 120
De la mer (irlandais). Caractérologie : réceptivité, sociabilité, ressort, diplomatie, loyauté.

Mustafa ⭐ 4 000 TOP 600 ↘
Élu le meilleur (arabe). Caractérologie : rêve, gestion, humanité, rectitude, tolérance.

Mustapha ⭐ 9 000 TOP 2000 ↘
Élu le meilleur (arabe). Caractérologie : idéalisme, altruisme, réalisation, organisation, intégrité.

Mylan ⭐ 1 500 TOP 300 ↗
Aimé du peuple (slave). Caractérologie : réceptivité, sociabilité, réalisation, diplomatie, bonté.

M

459

N

Nabil 🎖 12 000 **TOP 500** →

Noble, honorable (arabe). Ce prénom est particulièrement répandu dans les communautés musulmanes francophones. Variantes : Nabel, Nabile. Caractérologie : intuition, médiation, relationnel, résolution, organisation.

Nacer 🎖 1 000 →

Protection, victoire (arabe). Variantes : Naceur, Nassar, Nassir. Caractérologie : audace, originalité, énergie, découverte, détermination.

Nacim 🎖 1 000 **TOP 1000** →

Air frais (arabe). Caractérologie : ténacité, fiabilité, engagement, détermination, méthode.

Nadav

Généreux (hébreu). Ce prénom est porté par moins de 100 personnes en France. Caractérologie : conscience, paix, influence, volonté, douceur.

Nadim 🎖 450 ↗

Compagnon qui boit (arabe). Caractérologie : curiosité, dynamisme, indépendance, courage, décision.

Nadir 🎖 5 000 **TOP 400** →

Précieux, rare (arabe). Variantes : Nader, Nadhir, Nadire, Nédir. Caractérologie : audace, dynamisme, indépendance, direction, résolution.

Nadjim 🎖 350 →

Étoile (arabe). Caractérologie : famille, équilibre, sens des responsabilités, influence, décision.

Naël 🎖 9 000 **TOP 100** ↑

Qui a étanché sa soif (arabe), diminutif des prénoms formés avec Naël (Gwenaël, Nathanaël, etc.). Caractérologie : courage, curiosité, indépendance, dynamisme, charisme.

Nagui 🎖 130

Sauvé (arabe). Variantes : Nadji, Naguy, Naji. Caractérologie : sagacité, connaissances, résolution, spiritualité, sympathie.

Naguib 🎖 250

De noble naissance (arabe). Variantes : Nadjib, Nagib. Caractérologie : intégrité, altruisme, résolution, idéalisme, sympathie.

Nahel 🎖 1 500 **TOP 200** ↑

Voir Naël. Caractérologie : ténacité, méthode, fiabilité, engagement, sens du devoir.

Nahil 🎖 1 500 **TOP 200** ↑

Qui a étanché sa soif (arabe). Variantes : Naïl, Nahel. Caractérologie : passion, détermination, habileté, force, ambition.

Naïm 🎖 5 000 **TOP 200** ↑

Doux, délicieux (arabe), agréable (hébreu). Variantes : Naïme, Nahim. Caractérologie : indépendance, direction, audace, dynamisme, détermination.

Najib 🎖 1 500 **TOP 2000**

De noble naissance (arabe). On peut estimer que moins de 30 enfants seront prénommés ainsi en 2014. Caractérologie : détermination, altruisme, idéalisme, réflexion, intégrité.

Najim 🎖 650 ↘

Étoile (arabe). Variante : Nejm. Caractérologie : fidélité, médiation, relationnel, intuition, détermination.

Nan

Petit phoque (irlandais). Masculin breton. Ce prénom est porté par moins de 30 personnes

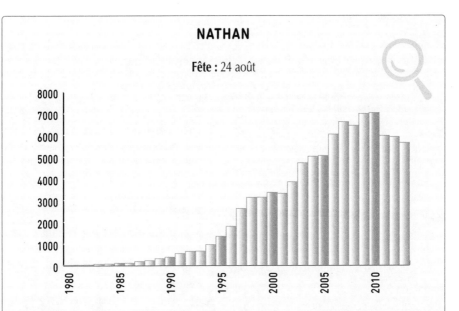

NATHAN

Fête : 24 août

Étymologie : de l'hébreu, « Il a donné ». Il n'a rien à voir avec Nathanaël, prénom porté par le cinquième disciple de Jésus et plusieurs personnages de l'Ancien Testament. Nathan s'est diffusé dans les pays anglophones à partir du XVIe siècle, mais il a peu de passé en France. Redécouvert dans les années 1990, il surfe sur la vague des terminaisons irlandaises (Kylian, Ryan, Evan), et s'envole dans le sillon des prénoms bibliques. Il régnera, pour la troisième année consécutive, sur le palmarès national en 2014.

En dehors de l'Hexagone, cette valeur sûre s'illustre dans les 30 premiers choix américains et canadiens. Mais c'est dans les régions francophones qu'il rafle les plus beaux trophées : il brille dans les tops 5 romand, québécois et wallon.

À *noter* : il ne faut pas confondre Nathan et Ethan. Malgré une origine hébraïque commune, les significations de ces prénoms sont différentes (voir le zoom dédié à Ethan).

Prophète dans l'Ancien Testament et conseiller du roi David, **Nathan** reproche à ce dernier d'avoir envoyé Urie au front afin d'épouser sa veuve Bethsabée. Il l'exhorte d'écarter son fils aîné du trône au profit de celui qui naîtra de sa nouvelle union. Suivant les injonctions de Nathan, le roi repenti acceptera de sacrer Salomon de son vivant.

Personnalités célèbres : Nathan Altman (1889-1970), premier illustrateur des *Contes du chat perché* ; Nathan Söderblom (1866-1931), pasteur luthérien suédois qui reçut le prix Nobel de la paix en 1930.

.../

Nathan *(suite)*

Statistiques : Nathan est le 6e prénom masculin le plus donné en France depuis le début du XXIe siècle. On peut estimer qu'il sera attribué à un garçon sur 72 en 2014.

---

en France. Caractérologie : médiation, intuition, adaptabilité, fidélité, relationnel.

Nans 🌳 1 500 (TOP 2000) →
Forme provençale de Jean : Dieu fait grâce (hébreu). Caractérologie : communication, optimisme, pragmatisme, sociabilité, créativité.

Nao 🌳 200 (TOP 900) ↑
Fleur de pêcher (vietnamien), honnête (japonais). Caractérologie : pragmatisme, optimisme, sociabilité, communication, créativité.

Napoléon 🌳 140
Nouvelle ville (grec). Général héroïque pendant la Révolution française, Napoléon fut sacré empereur en 1804. Il réforma le pays en créant le Code civil et les préfectures, et mena de nombreuses batailles contre la coalition européenne. Cependant la grande campagne de Russie et la bataille de Waterloo se soldèrent par de cuisantes défaites. Emprisonné et déporté par les Britanniques sur l'île de Sainte-Hélène, il termina sa vie en exil forcé. Caractérologie : réceptivité, sociabilité, diplomatie, loyauté, sympathie.

Narcisse 🌳 1 000
Amour-propre (grec). Masculin français. Caractérologie : savoir, intelligence, méditation, indépendance, détermination.

Nasser 🌳 4 000 (TOP 2000) ↘
Protection, victoire (arabe). On peut estimer que moins de 30 enfants seront prénommés ainsi en 2014. Variantes : Naser, Nasr, Nasri. Caractérologie : méthode, ténacité, engagement, fiabilité, décision.

Nassim 🌳 12 000 (TOP 200) →
Air frais (arabe). Ce prénom est particulièrement répandu dans les communautés musulmanes francophones. Variantes : Nacime, Nasim, Nasime, Nassime. Caractérologie : créativité, communication, pragmatisme, optimisme, résolution.

Natale 🌳 160
Jour de la naissance (latin). Variantes : Natal, Natalino. Variante basque et occitane : Nadal. Caractérologie : force, ambition, habileté, gestion, passion.

Natéo 🌳 300 (TOP 600) ↑
Contraction de Nathan et Théo. Caractérologie : énergie, autorité, innovation, autonomie, ambition.

Nathaël 🌳 2 000 (TOP 400) →
Combinaison de Nathan et des prénoms se terminant en « el ». Caractérologie : gestion, attention, sagacité, connaissances, spiritualité.

Nathan 🌳 87 000 (TOP 50) 🔍 →
Il a donné (hébreu). Variantes : Natan, Nathalan, Nathane, Nathanel, Nathel, Nattan, Natthan, Nathy, Nethanel. Caractérologie : structure, efficacité, sécurité, finesse, persévérance.

Nathanaël 🌳 10 000 (TOP 200) ↗
Il a donné (hébreu). Nathanaël est répandu dans les pays anglophones. Variantes : Natanaël, Nathaël. Caractérologie : ténacité, fiabilité, finesse, méthode, organisation.

Nathaniel 🌳 1 500 (TOP 2000) →
Il a donné (hébreu). Masculin anglais. Variante : Nataniel. Caractérologie : pratique,

enthousiasme, communication, détermination, sensibilité.

Nathéo 🌟 500 **TOP 400** ⬆

Contraction de Nathan et Théo. Caractérologie : intégrité, altruisme, sensibilité, idéalisme, réflexion.

Navid

Bonne nouvelle (persan, arabe). Ce prénom est porté par moins de 100 personnes en France. Variante : Naveed. Caractérologie : curiosité, dynamisme, courage, indépendance, résolution.

Nawfel 🌟 1 000 **TOP 600** ➡

Beau et généreux (arabe). Variante : Naoufel. Caractérologie : philosophie, connaissances, spiritualité, originalité, sagacité.

Nayel 🌟 400 **TOP 2000** ➡

Méritant (arabe). Caractérologie : communication, pratique, enthousiasme, adaptation, bonté.

Nazaire 🌟 350

Consacré (hébreu). Caractérologie : réceptivité, sociabilité, résolution, diplomatie, loyauté.

Nazim 🌟 700 **TOP 2000** ➡

Celui qui organise, met en ordre (arabe). Caractérologie : idéalisme, altruisme, intégrité, réflexion, décision.

Neal 🌟 300 **TOP 2000** ➡

Champion (celte). Masculin anglais. Variantes : Nigel, Nygel. Caractérologie : indépendance, courage, dynamisme, curiosité, charisme.

Néhémie 🌟 250 ⬆

Dieu réconforte (hébreu). Variante : Néhémiah. Caractérologie : énergie, découverte, audace, séduction, originalité.

Neil 🌟 1 500 **TOP 600** ➡

Champion (celte). Masculin anglais, écossais et irlandais. Variantes : Nel, Nélio, Nello. Caractérologie : persévérance, efficacité, structure, honnêteté, sécurité.

Nelson 🌟 6 000 **TOP 400** ➡

Fils de Neal (irlandais). Ce prénom est plus particulièrement porté dans les pays anglophones. Caractérologie : savoir, intelligence, méditation, indépendance, sagesse.

Némo 🌟 300

Nom du capitaine de *Vingt Mille Lieues sous les mers*, le célèbre roman de Jules Verne. Caractérologie : relationnel, fidélité, intuition, volonté, médiation.

Néo 🌟 2 000 **TOP 500** ⬇

Nouveau (grec). Caractérologie : savoir, intelligence, indépendance, sagesse, méditation.

Néréo

Nom d'un dieu marin dans la mythologie grecque. Ce prénom est porté par moins de 30 personnes en France. Caractérologie : enthousiasme, communication, pratique, adaptation, générosité.

Nériah

Dieu illumine (hébreu). Ce prénom est porté par moins de 30 personnes en France. Caractérologie : audace, direction, dynamisme, indépendance, décision.

Nessim 🌟 750 **TOP 2000** ➡

Fleur sauvage (arabe). Caractérologie : connaissances, originalité, spiritualité, sagacité, détermination.

Nestor 🌟 850 ⬇

Voyageur, sagesse (grec). Caractérologie : innovation, autorité, énergie, décision, ambition.

N

463

Neven 🎆 450 (TOP 800) ↗
Ciel (celte). Prénom breton. Caractérologie : sens des responsabilités, influence, famille, équilibre, exigence.

Nguyen 🎆 110
Entier, idée de l'origine (vietnamien). C'est aussi un nom de famille répandu au Vietnam. Caractérologie : découverte, audace, originalité, cœur, énergie.

Nicholas 🎆 700 ↘
Victoire du peuple (grec). Masculin anglais. Caractérologie : humanité, décision, rêve, rectitude, logique.

Nicodème 🎆 300 ↓
Victoire du peuple (grec). Caractérologie : audace, énergie, volonté, découverte, analyse.

Nicolas 🎆 384 000 (TOP 200) ↓
Victoire du peuple (grec). De nombreux souverains, plusieurs saints et cinq papes ont porté ce prénom dans les pays chrétiens depuis le XIIe siècle. En France, on le trouve souvent placé dans les premiers rangs, non loin de Jean et Pierre, jusqu'à la fin du XVIIIe siècle. C'est après une longue parenthèse qu'il ressuscite dans les années 1960, faisant tant d'émules qu'il trône sur le palmarès français au début des années 1980. Il reste très attribué jusqu'au début des années 2000. On rencontre plus aisément ce prénom dans le Nord de la France, où la tradition de la Saint-Nicolas s'est perpétuée. En dehors de l'Hexagone, Nicolas et ses nombreuses variantes sont très répandus dans le monde occidental, en Russie et dans les pays slaves. ◇ Saint Nicolas est le nom donné à l'évêque de Myre (Turquie) qui manifesta une grande bonté envers les enfants au IVe siècle. ◇ Nicolas Copernic est l'astronome polonais qui démontra en 1543 que la Terre n'est pas le centre de l'Univers et qu'elle tourne autour du Soleil. Variantes : Caelan,

Nic, Nicaise, Nick, Nickolas, Nicky, Nico, Nicol, Nicolai, Nicolino, Nicolo, Nikita. Formes bretonnes : Kola, Kolaig, Kolaz, Koldo, Nikolaz. Caractérologie : dynamisme, audace, direction, logique, décision.

Nidal 🎆 350 (TOP 2000) →
Combat (arabe). Variante : Nidhal. Caractérologie : résolution, sécurité, persévérance, structure, efficacité.

Niels 🎆 2 000 (TOP 600) →
Champion (celte). Niels est répandu dans les pays scandinaves et néerlandophones. Caractérologie : découverte, énergie, originalité, résolution, audace.

Nikita 🎆 350 (TOP 1000) ↑
Victoire du peuple (grec). Masculin russe et macédonien. Caractérologie : innovation, ambition, énergie, autorité, résolution.

Nikola 🎆 1 000 (TOP 2000) ↘
Victoire du peuple (grec). Variantes : Nikolas, Nikos. Caractérologie : logique, force, décision, ambition, habileté.

Nil 🎆 650 (TOP 2000) ↘
Voir Nils. Nom du fleuve le plus long du monde. Variantes : Néala, Nèle. Caractérologie : force, habileté, passion, ambition, management.

Nils 🎆 5 000 (TOP 400) →
Forme scandinave de Neal ou Nicolas. Caractérologie : rectitude, rêve, humanité, ouverture d'esprit, détermination.

Nino 🎆 8 000 (TOP 100) ↑
Dieu fait grâce (hébreu). Nino est un prénom italien. Caractérologie : savoir, intelligence, méditation, sagesse, indépendance.

Noa 🎆 22 000 (TOP 50) 🔎 →
Reposé, apaisé (hébreu). Caractérologie : communication, enthousiasme, adaptation, pratique, générosité.

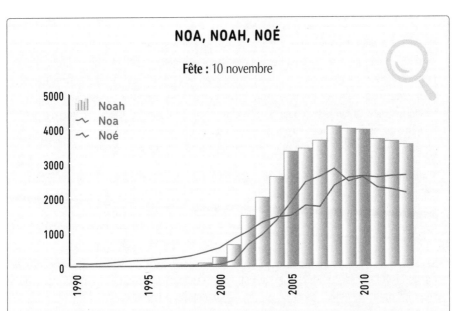

NOA, NOAH, NOÉ

Fête : 10 novembre

Étymologie : de l'hébreu *noah*, « reposé, apaisé ». Comme bien d'autres prénoms de l'Ancien Testament (Aaron, Adam, Raphaël), Noé n'a guère été usité avant la fin du XXᵉ siècle en France. C'est en 1993 que ce prénom est pour la première fois attribué à plus de cent garçons. Son envol ouvre la voie à Noah, qui le rattrape rapidement, pour le dépasser en 2002. L'avance de ce dernier est toujours d'actualité : Noah devrait s'afficher au 16ᵉ rang du palmarès 2014 et devancer Noé d'une quinzaine de rangs.

Cette dynamique a également nourri l'essor foudroyant de Noa : cette variante, attribuée au premier Français en 1998, s'est imposée parmi les 40 premiers choix masculins. Ce succès est encore plus étonnant si l'on considère que ce prénom, féminin à ses débuts, est désormais attribué aux garçons dans 92 % des naissances.

Le succès de Noah s'est propagé aux pays francophones. Après avoir été numéro un en Belgique, ce prénom s'établit dans les 10 premiers rangs wallons, suisses romands et québécois. En dehors de la zone francophone, Noah brille en Allemagne et dans les pays anglophones. Il ne lui reste qu'à confirmer son envol dans les pays scandinaves. Sa popularité ne s'est jamais autant mesurée à l'échelle internationale !

Notons que Noa est en tête des attributions féminines en Israël. Ce personnage, féminin dans l'Ancien Testament, revendique auprès de Moïse un droit à l'héritage laissé par son père. C'est grâce à elle que la loi régissant les successions est modifiée en faveur des femmes.

.../

N

Noa, Noah, Noé *(suite)*

Fils de Lamech et descendant de Caïn, **Noé** est l'un des héros de la Bible. Parce qu'il est un homme juste et sincère, Dieu lui permet d'échapper au déluge destiné à noyer les hommes pervertis. Dieu ordonne à Noé de construire une arche et de s'y abriter avec sa famille et un couple de chaque espèce animale. Après avoir navigué pendant plusieurs semaines sur une mer déchaînée, la tempête se calme et l'arche échoue sur le mont Ararat, en Turquie. Noé libère alors les animaux destinés à peupler la terre. L'histoire de Noé est mentionnée dans plusieurs passages du Coran. À noter : on attribue à Noé l'invention du vin.

Statistiques : Noah est le 28e prénom masculin le plus donné en France depuis le début du XXIe siècle. On peut estimer qu'il sera attribué à un garçon sur 116 en 2014. Par comparaison, **Noé** devrait prénommer un garçon sur 156 (contre un sur 193 pour **Noa**).

Noah 37 000 **TOP 50**
Reposé, apaisé (hébreu). Variante : Noha. Caractérologie : sociabilité, bonté, réceptivité, diplomatie, loyauté.

Noaïm **TOP 2000**
Doux, délicieux (arabe). Ce prénom est porté par moins de 100 personnes en France. Caractérologie : philosophie, intelligence, ténacité, décision, savoir.

Noam 9 000 **TOP 100**
Sucré, bonheur (hébreu). En dehors de l'Hexagone, Noam est particulièrement répandu dans les pays anglophones et en Israël. Caractérologie : savoir, méditation, caractère, intelligence, indépendance.

Noan 1 500 **TOP 400**
Agneau (celte), ou dérivé d'Oanez (une forme bretonne d'Agnès signifiant « chaste, pur » en grec). Noan connaît un bel essor depuis le début des années 2000. Il est très largement masculin aujourd'hui. Variantes : Noann, Nohan, Nohann. Caractérologie : vitalité, achèvement, stratégie, ardeur, management.

Noé 25 000 **TOP 50**
Reposé, apaisé (hébreu). Caractérologie : sagacité, spiritualité, connaissances, philosophie, originalité.

Noël 33 000
Jour de la naissance (latin). Masculin français et anglais. On peut estimer que moins de 30 enfants seront prénommés ainsi en 2014. Variante : Noëlan. Caractérologie : innovation, autonomie, ambition, autorité, énergie.

Noha 2 000 **TOP 500**
Esprit, sagesse (arabe), et variante moderne de Noah. Caractérologie : intuition, relationnel, fidélité, médiation, adaptabilité.

Noham 5 000 **TOP 100**
Sucré, bonheur (hébreu). Caractérologie : conseil, paix, conscience, bienveillance, caractère.

Nohan 1 500 **TOP 300**
Agneau (celte), ou dérivé d'Oanez (une forme bretonne d'Agnès signifiant : « chaste, pur » en grec). Caractérologie : méditation, indépendance, intelligence, savoir, sagesse.

Nolan 24 000 TOP 50 🔍 ↗
Champion (celte). Variantes : Nohlan, Nolhan, Nolhann, Nolane, Nollan. Caractérologie : bonté, sociabilité, réceptivité, loyauté, diplomatie.

Nolann 5 000 TOP 200 →
Champion (celte). Nolann est répandu en Irlande et dans les pays anglophones. Caractérologie : indépendance, sagesse, savoir, intelligence, méditation.

Nolwen 160
Blanc, heureux (celte). Prénom breton. Variante : Nolwenn. Caractérologie : relationnel, intuition, médiation, fidélité, adaptabilité.

Nominoë
Roi de Bretagne de 830 à 851, Nominoë délivra les Bretons du joug des Francs. Il est considéré comme le père de la nation bretonne. Ce prénom est porté par moins de 100 personnes en France. Caractérologie : persévérance, structure, efficacité, sécurité, caractère.

Nonna
Se rapporte au nom du saint patron de Penmarc'h (breton). Ce prénom est porté par moins de 100 personnes en France. Caractérologie : structure, persévérance, efficacité, honnêteté, sécurité.

Norbert 17 000
Célèbre homme du Nord (germanique). En dehors de l'Hexagone, ce prénom est particulièrement porté dans les pays anglophones. On peut estimer que moins de 30 enfants seront prénommés ainsi en 2014. Variantes : Nobert, Norberto. Caractérologie : fidélité, intuition, relationnel, médiation, adaptabilité.

Nordine 8 000 TOP 2000 ↘
Lumière de la religion (arabe). Variantes : Nordin, Noreddine, Noredine, Norredine.

Caractérologie : volonté, indépendance, méditation, intelligence, savoir.

Nori 140
Règle, loi (japonais). Caractérologie : diplomatie, sociabilité, loyauté, réceptivité, bonté.

Norman 1 500 →
Homme du Nord (germanique). Masculin anglais. On peut estimer que moins de 30 enfants seront prénommés ainsi en 2014. Variante : Normann. Caractérologie : optimisme, communication, pragmatisme, résolution, volonté.

Nour 900 TOP 800 →
Lumière (arabe). Caractérologie : énergie, découverte, audace, raisonnement, originalité.

Nourdine 2 000 →
Lumière de la religion (arabe). On peut estimer que moins de 30 enfants seront prénommés ainsi en 2014. Variantes : Nour, Nourddine, Nourdin, Nouri, Noury, Nori, Nory, Nuri. Caractérologie : direction, dynamisme, audace, volonté, analyse.

Nouredine 900 ↑
Lumière de la religion (arabe). Variantes : Noureddine, Nouridine, Nourredine, Nourreddine. Caractérologie : famille, équilibre, volonté, sens des responsabilités, analyse.

Numa 800 TOP 2000 →
Beau, agréable (latin). Numa Pompilius, le deuxième des sept rois traditionnels de Rome, transforma et modernisa le calendrier romain (715-673 avant J.-C.). Caractérologie : ténacité, méthode, engagement, sens du devoir, fiabilité.

Nuno 1 000 TOP 2000 →
Grand-père ou moine (latin). Ce prénom est particulièrement répandu au Portugal. Caractérologie : indépendance, direction, audace, assurance, dynamisme.

N

467

O

Océan 🌟 300 ➡

Océan (grec). Masculin français et anglais. Fils d'Ouranos et de Gaia dans la mythologie grecque, Océan est l'aîné des Titans. Son union avec sa sœur Téthys engendre 3 000 fils, les Fleuves, et autant de filles, les Océanides (nymphes de la mer et des eaux). Caractérologie : médiation, relationnel, adaptabilité, intuition, fidélité.

Octave 🌟 3 000 **TOP 400** ↗

Huitième (latin). Octavius, la forme latine originelle, et son féminin Octavie sont très répandus au temps de Rome. Traditionnellement, ce nom désignait le huitième enfant né dans une famille. C'est ainsi que le fils adoptif de Jules César se nommait avant de devenir Auguste, le premier empereur de Rome. En France, ce prénom se manifeste en toute discrétion à la fin du XIXe siècle, et renaît depuis les années 1990. Sa carrière est similaire dans les pays anglo-saxons, où on le trouve plus souvent sous la forme Octavian. Une émulation insuffisante pour éveiller notre Octavien français. Variantes : Octavio, Otavio, Ottavio. Caractérologie : communication, organisation, optimisme, pragmatisme, volonté.

Octavien

Huitième (latin). Masculin français. Ce prénom est porté par moins de 100 personnes en France. Variante : Octavian. Caractérologie : force, achèvement, organisation, raisonnement, leadership.

Odilon 🌟 300 ↘

Richesse (germanique). Variantes : Odelin, Odil. Forme basque : Odet. Caractérologie :

conscience, bienveillance, raisonnement, volonté, paix.

Odin 🌟 400 **TOP 2000** ➡

Richesse (germanique). Dans la mythologie scandinave, Odin est le premier des dieux principaux. Il est à la fois le sage, le mage et le roi des dieux. Odin est un prénom norvégien. Caractérologie : sens des responsabilités, famille, volonté, influence, équilibre.

Odon 🌟 130

Richesse (germanique). Odon se rapporte également au prénom scandinave Odin. Caractérologie : enthousiasme, communication, pratique, volonté, adaptation.

Odran 🌟 140

Pâle (irlandais). Caractérologie : originalité, spiritualité, connaissances, philosophie, sagacité.

Ogier

Richesse, lance (germanique). Ogier est plus traditionnellement usité dans les Flandres. Ce prénom est porté par moins de 100 personnes en France. Variante : Oger. Caractérologie : humanité, rêve, rectitude, tolérance, générosité.

Ohan

Diminutif d'Hovannès, une forme arménienne de Jean : Dieu fait grâce (hébreu). Ce prénom est porté par moins de 100 personnes en France. Caractérologie : sociabilité, loyauté, diplomatie, réceptivité, bonté.

Oihan 🌟 600 **TOP 800** ➡

Bosquet, bois (basque). Caractérologie : sociabilité, diplomatie, réceptivité, résolution, loyauté.

Olaf 🌟 140

Ancêtre (vieux norrois). Plusieurs rois danois et suédois ont illustré ce prénom scandinave.

NOLAN

Fête : 6 décembre

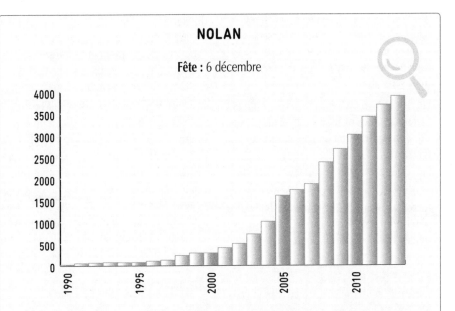

Étymologie : de l'irlandais *nuall*, « champion ». Si Nolan a été découvert récemment, le nom de famille O'Nuallian, « descendant de Nuallan », dont il est dérivé, est ancien. Le père de cette lignée, un seigneur irlandais du IIe siècle, aurait transmis à ses descendants de nombreuses terres. Et c'est au fil des siècles que les propriétaires terriens ont diffusé ce patronyme à l'ensemble de l'Irlande et des îles britanniques.

L'usage d'O'Nuallian évolue en Grande-Bretagne à partir du XVIe siècle : de la perte de son préfixe à un usage étendu au prénom, la transformation n'est pas des moindres. Cependant, les occurrences patronymiques y éclipsent, aujourd'hui encore, celles du prénom. Vierge de cet héritage historique, Nolan rencontre un succès croissant dans les pays francophones. Surfant sur la vague irlandaise d'Evan, Killian et Rayan, il s'est imposé dans le top 20 français. Son succès, plus vif encore en Helvétie, l'a propulsé au 6e rang. Il devrait s'imposer dans l'élite wallonne avant de conquérir le Québec puis les États-Unis.

Comme Niels, Nolan peut se fêter le 6 décembre.

Personnalités célèbres : Nolan Bushnell, fondateur de la compagnie Atari et des premiers jeux vidéo ; Barry Nolan, acteur et producteur américain.

Statistiques : Nolan est le 43e prénom masculin le plus donné en France depuis le début du XXIe siècle. On peut estimer qu'il sera attribué à un garçon sur 102 en 2014.

O

469

En Norvège, Olav V, le père du roi Harald, et plusieurs de leurs aïeux ont également porté ce prénom. Variante : Olav. Caractérologie : intelligence, savoir, indépendance, méditation, sagesse.

Oleg 🚩 150
Sacré (scandinave). Caractérologie : pragmatisme, optimisme, cœur, communication, créativité.

Olindo
Aube (grec), violette (latin). Ce prénom est porté par moins de 100 personnes en France. Caractérologie : volonté, sens des responsabilités, équilibre, famille, analyse.

Oliver 🚩 1 000 (TOP 1000) ↗
Olive (latin). Une racine scandinave (*olafr*) pourrait également lui conférer le sens d'« ancêtre » en vieux norrois. Masculin anglais. Caractérologie : rectitude, humanité, rêve, logique, caractère.

Olivier 🚩 264 000 (TOP 400) ↘
Olive (latin). Une racine scandinave (*olafr*) pourrait également lui conférer le sens d'« ancêtre » en vieux norrois. Compagnon et confident de Roland dans *La Chanson de Roland*, Olivier est attesté dès la fin du XIe siècle en France. Il fait néanmoins plus d'adeptes outre-Manche, où il maintient une visibilité durable (Oliver est aujourd'hui l'un des prénoms les plus portés dans les pays anglophones). Il est encore rare en France lorsqu'il émerge dans les années 1950, mais il parvient au 5e rang masculin au début des années 1970. Son déclin s'accentue depuis quelques années. ◊ Évêque irlandais au XVIIe siècle, saint Olivier Plunket fut faussement accusé d'avoir comploté contre la couronne anglaise et fut exécuté. Caractérologie : idéalisme, altruisme, raisonnement, intégrité, volonté.

Ollivier 🚩 1 000
Olive (latin). Une racine scandinave (*olafr*) pourrait également lui conférer le sens d'« ancêtre » en vieux norrois. Variantes : Olive, Olliver. Caractérologie : communication, caractère, logique, optimisme, pragmatisme.

Omar 🚩 8 000 (TOP 400) →
Le plus haut (arabe), qui prend la parole (hébreu). Sur le point d'assassiner le prophète Mahomet, Omar se rendit compte de son erreur et se convertit. Devenu le second calife de l'islam, il entreprit de conquérir la Palestine, la Mésopotamie, l'Égypte et la Perse avant d'être assassiné en 644 par l'un de ses esclaves. Caractérologie : sociabilité, bonté, loyauté, réceptivité, diplomatie.

Omer 🚩 3 000 (TOP 700) ↗
Gerbe de blé (hébreu). Moine normand, saint Omer fut nommé évêque de Thérouanne par le roi Dagobert ; il évangélisa l'Artois et la Flandre au VIIe siècle. Caractérologie : équilibre, famille, sens des responsabilités, caractère, influence.

Onésime 🚩 190
Utile (grec). Masculin anglais. Variante : Onézime. Caractérologie : force, ambition, habileté, caractère, décision.

Onofrio
Paix (germanique). Ce prénom est porté par moins de 100 personnes en France. Variantes : Humphrey, Onofre. Caractérologie : diplomatie, sociabilité, loyauté, réceptivité, bonté.

Orain
Au présent (basque). Ce prénom est porté par moins de 30 personnes en France. Caractérologie : communication, pragmatisme, détermination, créativité, optimisme.

Orbert
Riche (germanique). Ce prénom est porté par moins de 30 personnes en France. Caractérologie : paix, conscience, sagesse, bienveillance, conseil.

Oren ⭐ 300 **TOP 2000** ⬆
Couleur pâle (irlandais). Variante : Oran. Caractérologie : sagacité, originalité, connaissances, spiritualité, philosophie.

Orens
Levant, orient (latin). Un saint évêque d'Auch se prénomma ainsi au Vᵉ siècle. Ce prénom est porté par moins de 100 personnes en France. Variante : Orence. Caractérologie : aspiration, passion, vitalité, détermination, achèvement.

Oreste ⭐ 170
Montagneux (grec). Caractérologie : énergie, innovation, autorité, décision, ambition.

Orian ⭐ 250 ⬇
En or (latin). Caractérologie : communication, pratique, résolution, enthousiasme, adaptation.

Oribel
En or (latin). Masculin basque. Ce prénom est porté par moins de 30 personnes en France. Caractérologie : indépendance, savoir, intelligence, logique, méditation.

Oriol
En or (latin). Ce prénom est porté par moins de 100 personnes en France. Variante : Orio. Caractérologie : famille, logique, sens des responsabilités, équilibre, influence.

Orion ⭐ 160
En or (latin). Masculin anglais. Variantes : Orie, Orien. Caractérologie : ambition, habileté, management, force, passion.

Orlan ⭐ 190
Gloire du pays (germanique). Masculin anglais. Caractérologie : paix, bienveillance, résolution, analyse, conscience.

Orlando ⭐ 1 000 ⬇
Gloire du pays (germanique). Prénom italien. Variante : Orland. Caractérologie : intelligence, savoir, analyse, méditation, volonté.

Orphée ⭐ 200 ⬈
Prénom mixte révolutionnaire dont l'origine est obscure. Variante : Orféo. Caractérologie : méthode, ténacité, fiabilité, engagement, ressort.

Orso ⭐ 130
Ours (latin). Caractérologie : sécurité, persévérance, efficacité, structure, honnêteté.

Orson
Ours (latin). Ce prénom est porté par moins de 100 personnes en France. Variante : Ursin. Caractérologie : intégrité, réflexion, idéalisme, décision, altruisme.

Oscar ⭐ 12 000 **TOP 100** 🔍 ⮕
Lance divine (germanique). Variante : Oskar. Caractérologie : sociabilité, réceptivité, diplomatie, loyauté, logique.

Osman ⭐ 1 500 **TOP 2000** ⮕
Jeune serpent (arabe). Osman fonda la dynastie ottomane au XIIIᵉ siècle. Variante : Osmane. Caractérologie : force, ambition, passion, volonté, habileté.

Osmond
Protégé par Dieu (anglais). Ce prénom est porté par moins de 30 personnes en France. Caractérologie : caractère, force, ambition, habileté, passion.

O

471

OSCAR

Fête : 3 février

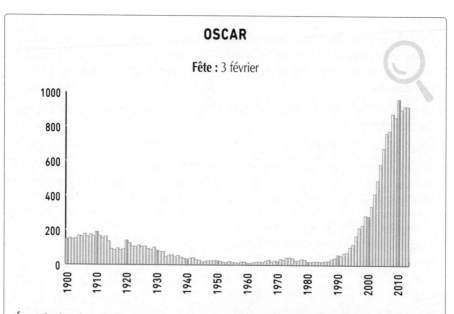

Étymologie : du germain *ans* (*oss* en vieux norrois), qui se réfère à une divinité nordique, et de gari, « lance », d'où la signification : « lance divine ». Ce prénom ancien a été très répandu dans les pays scandinaves et en Irlande, où il s'est diffusé à la suite des invasions vikings. Il s'envole dans les pays anglophones au milieu du XVIIIe siècle, porté par le succès de l'écrivain irlandais Oscar Wilde, puis par les écrits de James Macpherson. Le poète écossais prétendit avoir retrouvé et traduit un ensemble de textes appartenant au cycle du poète Ossian. Il affirma qu'Oscar, guerrier héroïque, était le fils d'Ossian et le petit-fils de Fionn Mac Cumhail, un personnage de la mythologie irlandaise. Bien que leur authenticité ait été mise en doute, ces textes ravivèrent l'intérêt du Vieux Continent pour la mythologie celtique. Napoléon, admirateur des légendes d'Ossian, donna lui-même le prénom d'Oscar à l'un de ses filleuls, lequel devint par la suite roi de Suède et de Norvège (Oscar I).

Très courant dans les pays scandinaves, ce prénom royal est également prisé en Allemagne et en Angleterre, où il s'établit dans les 30 premiers choix. Il fait peu d'émules dans les pays francophones mais il s'est répandu en Espagne, au Portugal et dans de nombreux pays d'Amérique latine. En 2014, Oscar devrait s'afficher dans le top 80 national. S'il est encore trop tôt pour prédire sa gloire française, celle qui se dessine à Paris est de bon augure : en 2012, Oscar s'est imposé à la 27e place du palmarès parisien.

Le 3 février honore la mémoire de **saint Oscar,** ou **Anskaire**, moine picard d'origine saxonne qui évangélisa les pays scandinaves au IXe siècle.

...⁄

Oscar (suite)

Oscar Ier de Suède, né Joseph François Oscar Bernadotte le 4 juillet 1799 à Paris, est mort le 8 juillet 1859 à Stockholm. Il fut roi de Suède et de Norvège du 8 mars 1844 à sa mort. Durant son règne, il entreprit des réformes économiques et forma une alliance avec la France et le Royaume-Uni pour protéger la Scandinavie. Son fils Oscar II (1829-1907) fut également roi de Suède et de Norvège jusqu'à la rupture de l'union personnelle entre la Suède et la Norvège, en juin 1905.

Personnalités célèbres : Oscar Wilde, l'un des plus célèbres écrivains irlandais, né en 1854 et mort à Paris en 1900 à l'âge de 46 ans ; Oscar Peterson, pianiste et compositeur de jazz canadien (1925-2007) ; Oscar Niemeyer, architecte brésilien dont la renommée est mondiale (1907-2012) ; Óscar Domínguez, peintre surréaliste espagnol (1906-1957).

Statistiques : Oscar est le 107e prénom masculin le plus donné en France depuis le début du XXIe siècle. On peut estimer qu'il sera attribué à un garçon sur 440 en 2014.

Ossian
Petit faon (celte). Masculin irlandais. Ce prénom est porté par moins de 30 personnes en France. Caractérologie : décision, dynamisme, curiosité, indépendance, courage.

Oswald 500
Divin, gouverneur (germanique). Masculin anglais. Variantes : Osval, Osvald, Osvaldo, Oswaldo. Caractérologie : réceptivité, sociabilité, volonté, loyauté, diplomatie.

Otello
Riche, prospère (germanique). Ce prénom est porté par moins de 30 personnes en France. Variante : Othello. Caractérologie : sagesse, méditation, savoir, indépendance, intelligence.

Othman 1 500 TOP 800 →
Jeune serpent (arabe). Troisième calife de l'islam au VIIe siècle, Othman fut le mari de Ruqayya, la fille du prophète Mahomet. C'est sous son califat que la première édition du Coran fut publiée. Variantes : Otman, Otmane, Ottman, Outman, Outmane. Caractérologie : ambition, force, volonté, habileté, sensibilité.

Othon 160
Riche, prospère (germanique). Forme occitane : Oton. Caractérologie : rectitude, humanité, rêve, attention, ouverture d'esprit.

Otto 170
Riche, prospère (germanique). Otto est plus particulièrement usité en Allemagne, dans les pays scandinaves et au Pays basque. Caractérologie : méditation, intelligence, sagesse, savoir, indépendance.

Oualid 2 000 ↓
Nouveau-né (arabe). On peut estimer que moins de 30 enfants seront prénommés ainsi en 2014. Caractérologie : ambition, force, passion, analyse, habileté.

Oumar 2 000 TOP 500 ↗
Le plus haut (arabe). Variante : Oumarou. Caractérologie : indépendance, curiosité, dynamisme, analyse, courage.

Ouriel 250 →
La flamme du Seigneur (hébreu). Caractérologie : force, ambition, passion, habileté, analyse.

O

Ousmane 2 000 (TOP 500) →
Jeune serpent (arabe). Variantes : Ousman, Usman. Caractérologie : savoir, méditation, intelligence, volonté, indépendance.

Oussama 2 000 (TOP 600) ↗
Lion (arabe). Variantes : Ousama, Ossama, Oussema. Caractérologie : force, ambition, habileté, passion, management.

Ovide 110
Se rapporte à un ancien patronyme romain. Forme basque : Ovidio. Caractérologie :

direction, audace, volonté, dynamisme, indépendance.

Owen 5 000 (TOP 100) ↑
Bien né (grec). Owen est très répandu en Irlande. Caractérologie : communication, pratique, enthousiasme, adaptation, générosité.

Ozan 800 (TOP 2000) →
Santé, remède (basque). Caractérologie : réceptivité, sociabilité, diplomatie, loyauté, bonté.

P

Pablo 9 000 (TOP 200) →
Petit, faible (latin). Pablo est un prénom espagnol. Caractérologie : autorité, énergie, innovation, ambition, gestion.

Pacifique
Pacifique (latin). Ce prénom est porté par moins de 30 personnes en France. Caractérologie : famille, équilibre, sens des responsabilités, raisonnement, action.

Paco 2 000 (TOP 500) →
Forme abrégée de Pater Comunitatis (l'un des noms donnés à saint François d'Assise en espagnol). Paco est également un diminutif espagnol de Pacôme. Caractérologie : vitalité, stratégie, ardeur, achèvement, leadership.

Pacôme 2 000 (TOP 500) →
Pacifier (latin). Caractérologie : achèvement, stratégie, vitalité, volonté, réalisation.

Palmyr
Palmiers (hébreu). Ce prénom est porté par moins de 30 personnes en France. Variantes : Palmire, Palmyre. Caractérologie : structure, efficacité, persévérance, sécurité, réalisation.

Pamphile
L'ami de tous (grec). Ce prénom est porté par moins de 100 personnes en France. Caractérologie : ressort, habileté, force, ambition, réalisation.

Pancrace
Qui est tout-puissant (grec). Ce prénom est porté par moins de 30 personnes en France. Caractérologie : intelligence, méditation, savoir, décision, cœur.

Paolo 6 000 (TOP 400) →
Petit, faible (latin). Paolo est un prénom italien. Variantes : Paol, Paolino. Forme bretonne : Paolig. Caractérologie : indépendance, courage, curiosité, dynamisme, charisme.

Paris 200 ↘
Dans la mythologie grecque, Pâris provoque la guerre de Troie en enlevant Hélène, épouse de Ménélas. Caractérologie : rectitude, humanité, rêve, générosité, ouverture d'esprit.

Parsam
Fils des jeûnes (arménien). Ce prénom est porté par moins de 30 personnes en France. Caractérologie : dynamisme, curiosité, réussite, courage, indépendance.

Pascal 286 000 (TOP 2000) ↘
Passage (hébreu). Aux premiers temps du

christianisme, ce nom était attribué aux enfants nés durant la période de Pâques. Bien qu'il soit porté par deux papes au Moyen Âge, ce prénom reste très rare jusqu'au milieu du XXe siècle. Il s'envole dans les années 1950 et parvient au 2e rang français en 1962, son point culminant. En dehors de l'Hexagone, Pascal est plus particulièrement répandu en Allemagne et aux Pays-Bas. On peut estimer que moins de 30 enfants seront prénommés ainsi en 2014. Variantes : Pascual, Pasqual. Variante basque et bretonne : Paskal. Caractérologie : intelligence, indépendance, méditation, savoir, sagesse.

Patric 🗺 900
Noble personne (latin). Caractérologie : ténacité, organisation, méthode, fiabilité, engagement.

Patrice 🗺 127 000 ➡
Noble personne (latin). Ce prénom attesté au Moyen Âge est rarissime jusqu'au XXe siècle. Surfant sur la vague de Patrick, il s'élance dans les années 1940 et atteint, comme Patricia, son point culminant en 1961. Mais contrairement à son féminin, Patrice se contente de passer quatre saisons dans le top 20. Alors que Patrick brille dans l'élite, Patrice jette l'éponge et tombe dans les profondeurs du classement. On peut estimer que moins de 30 enfants seront prénommés ainsi en 2014. Variantes : Patricien, Patricio, Patrizio. Forme bretonne : Padrig. Caractérologie : altruisme, intégrité, résolution, idéalisme, sympathie.

Patrick 🗺 361 000 TOP 2000 ⬊
Noble personne (latin). Répandu dans les pays anglo-saxons au Moyen Âge, ce prénom porté par plusieurs saints doit sa notoriété à saint Patrick (de son vrai nom Maewyn Succat), considéré comme le fondateur du christianisme irlandais au Ve siècle. Patron de l'Irlande, saint Patrick était si vénéré qu'avant le XVIIe siècle, les parents de l'archipel n'attribuaient pas ce prénom : ils le jugeaient trop sacré pour un usage quotidien. Ce dernier est aujourd'hui très porté en Irlande, en Allemagne, dans les pays anglophones et en France. Au terme d'une forte progression, Patrick s'est imposé au 3e rang du classement masculin en 1960. Il a brillé dans le top 20 français de 1948 à 1970 avant de tomber en désuétude dans les années 2000. Variantes : Patrique, Patryck. Caractérologie : famille, équilibre, influence, organisation, éthique.

Patxi 🗺 550 ➡
Libre, français (latin). Caractérologie : sagacité, connaissances, spiritualité, philosophie, originalité.

Paul 🗺 193 000 TOP 50 🔍 ➡
Petit, faible (latin). Variantes : Paulien, Paulino, Paulo, Paulus, Pavel. Caractérologie : dynamisme, curiosité, charisme, courage, indépendance.

Paul-Alexandre 🗺 350 ⬊
Forme composée de Paul et Alexandre. Caractérologie : achèvement, réalisation, vitalité, stratégie, analyse.

Paul-Antoine 🗺 950 TOP 2000 ➡
Forme composée de Paul et Antoine. Caractérologie : réceptivité, sociabilité, diplomatie, cœur, logique.

Paul-Émile 🗺 750 ⬇
Forme composée de Paul et Émile. Caractérologie : structure, sécurité, réalisation, persévérance, sympathie.

Paul-Étienne 🗺 170
Forme composée de Paul et Étienne. Caractérologie : énergie, cœur, découverte, audace, décision.

P

475

Paul-Henri 🌸 850 ⬇
Forme composée de Paul et Henri. Caractérologie : audace, énergie, découverte, sympathie, ressort.

Paulin 🌸 3 000 TOP 600 ➡
Petit, faible (latin). Variantes : Paulien, Paulino, Polin. Caractérologie : audace, direction, détermination, amitié, dynamisme.

Paulo 🌸 4 000 ⬇
Forme portugaise et espagnole de Paul : petit, faible (latin). Ce prénom est particulièrement répandu au Portugal et en Espagne. On peut estimer que moins de 30 enfants seront prénommés ainsi en 2014. Caractérologie : diplomatie, sociabilité, réceptivité, loyauté, bonté.

Pavel 🌸 350 TOP 2000 ➡
Petit, faible (latin). Cette forme slave de Paul est particulièrement répandue en Bulgarie. Caractérologie : sociabilité, réceptivité, diplomatie, cœur, réussite.

Pedro 🌸 4 000 TOP 700 ↗
Petit caillou (grec). Masculin espagnol et portugais. Variantes : Pedre, Peet, Peidro, Peire, Peit, Peitro, Peo. Caractérologie : fiabilité, ténacité, engagement, méthode, volonté.

Peio 🌸 600 TOP 2000 ➡
Petit caillou (grec). Prénom basque. Caractérologie : rectitude, humanité, tolérance, idéalisme, générosité.

Pépin 🌸 200
Déterminé (germanique). Caractérologie : équilibre, sens des responsabilités, famille, influence, exigence.

Pépito
Dieu ajoutera (hébreu). Ce prénom est porté par moins de 100 personnes en France.

Caractérologie : rectitude, rêve, humanité, ouverture d'esprit, générosité.

Perceval 🌸 180
Perce la vallée (vieux français). Héros des légendes arthuriennes, Perceval fut élevé par sa mère dans une forêt isolée. Un jour, il croisa cinq chevaliers aux armures étincelantes et en fut bouleversé. Il se rendit à la cour du roi Arthur pour y être adoubé, et s'illustra dans d'innombrables aventures chevaleresques. Variantes : Perce, Percy. Caractérologie : innovation, autorité, réalisation, énergie, bonté.

Périclès
Juste meneur (grec). Ce prénom est porté par moins de 30 personnes en France. Caractérologie : conscience, paix, bienveillance, détermination, bonté.

Peter 🌸 5 000 TOP 2000 ➡
Petit caillou (grec). Masculin anglais, allemand et scandinave. Variantes : Petri, Petro, Petrus. Forme corse : Petru. Caractérologie : innovation, autonomie, autorité, énergie, ambition.

Peyo 🌸 300 ⬇
Petit caillou (grec). Prénom breton. Variante : Peio. Caractérologie : sagacité, spiritualité, originalité, philosophie, connaissances.

Pharell 🌸 450 TOP 600 ⬆
Courageux (irlandais). Variante : Pharel. Caractérologie : idéalisme, sympathie, altruisme, ressort, intégrité.

Phil
Diminutif des prénoms formés avec Phil. Ce prénom est porté par moins de 100 personnes en France. Caractérologie : ouverture d'esprit, rêve, action, rectitude, humanité.

PAUL

Fête : 29 juin

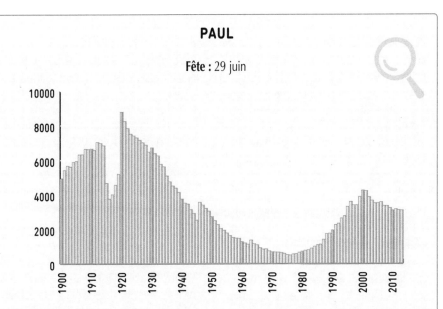

Étymologie : du latin *paulus*, « petit, faible ». Usité en Asie Mineure et en Gaule dès les premiers siècles, Paul concurrence brièvement la forme latine Paulus avant de s'éclipser. Il renaît au XIIIe siècle dans les pays chrétiens mais sa diffusion prend toute son ampleur durant la Réforme, au XVIe siècle, puis à la fin du XIXe siècle. Après une période de défaveur entamée dans les années 1920, Paul reprend un rythme d'attribution modéré mais constant. Il brille dans l'élite du classement parisien et campe dans le top 30 français depuis une quinzaine d'années.

En dehors de l'Hexagone, Paul figure au 3e rang des choix allemands mais son absence des palmarès européens est surprenante. Ancré à la 5e place des prénoms espagnols, Pablo viendra-t-il lui prêter main-forte ? En attendant mieux, ce dernier progresse dans le top 200 français. Il devance largement Paulin qui prénomme une centaine de Français chaque année.

De nombreux rois, saints et papes ont porté ce prénom. Juif de Tarse (en Turquie) et citoyen romain au Ier siècle, **saint Paul** fut d'abord connu sous le nom hébraïque de Saül. Il combattit le christianisme naissant avec ferveur avant qu'une révélation de la foi ne l'incite à se convertir. Devenu apôtre de Jésus, il répandit la foi hors de Judée en évangélisant l'Asie Mineure et la Grèce. La profondeur de sa réflexion et sa doctrine en font l'un des premiers théologiens du christianisme.

Poète latin au Ve siècle, **Paulin de Nole** consacra sa vie à la foi. Il est célébré le 22 juin.

.../

P

Paul *(suite)*

Personnalités célèbres : Paul Auster, écrivain américain né en 1947 ; Paul Cézanne, peintre français (1839-1906) ; Paul Gauguin, peintre et sculpteur français (1848-1903) ; Paul Klee, peintre suisse (1879-1940) ; Paul Bocuse, chef cuisinier français né en 1926 ; Paul McCartney, chanteur anglais, ancien membre des Beatles, né en 1942.

Statistiques : Paul est le 17e prénom masculin le plus donné en France depuis le début du XXIe siècle. On peut estimer qu'il sera attribué à un garçon sur 133 en 2014. De son côté, **Pablo** devrait prénommer un garçon sur 849.

Philbert 150
Qui aime les chevaux (grec). Variante : Filbert. Caractérologie : attention, idéalisme, intégrité, altruisme, action.

Philéas 400
Qui aime (grec). Variante : Phile. Caractérologie : intelligence, action, méditation, savoir, cœur.

Philémon 750 **TOP 2000**
Affectueux, amical (grec). Philémon forme avec Baucis un couple de la mythologie grecque repris dans les *Métamorphoses* d'Ovide. Après avoir vécu une vie paisible et humble, Philémon et Baucis meurent ensemble et sont transformés en arbres aux feuillages emmêlés. Forme basque : Filemon. Caractérologie : raisonnement, sociabilité, réceptivité, volonté, diplomatie.

Philibert 1 000
Très brillant (germanique). Caractérologie : action, humanité, rêve, sensibilité, rectitude.

Philip 1 500
Qui aime les chevaux (grec). Prénom anglais, scandinave et néerlandais. On peut estimer que moins de 30 enfants seront prénommés ainsi en 2014. Variantes : Philipe, Philipp, Philippo, Phillip. Caractérologie : savoir, intelligence, méditation, indépendance, ressort.

Philippe 485 000 **TOP 600**
Qui aime les chevaux (grec). Ce vieux prénom fut illustré par plusieurs saints, six rois de France, cinq rois d'Espagne et un roi macédonien, Philippe II, le père d'Alexandre le Grand (382-386 avant J.-C.). Saint Philippe, l'un des premiers apôtres de Jésus, prêcha l'Évangile en Grèce et en Asie Mineure jusqu'à un âge avancé. Sous ses différentes graphies (Philip, Felipe, Filippo, etc.), ce prénom est très attribué dans les pays chrétiens durant et après le Moyen Âge. Après une période de retrait au XIXe siècle, Philippe revient de plus belle en France dans les années 1950. Il détrône Jean en 1959 et se maintient premier jusqu'en 1964. Son déclin s'est nettement accéléré depuis la fin des années 1980. Caractérologie : énergie, innovation, autorité, amitié, action.

Philis
Rameau (grec). Ce prénom est porté par moins de 30 personnes en France. Caractérologie : direction, dynamisme, indépendance, audace, action.

Philogone
Aimer la génération (grec). Ce prénom est porté par moins de 100 personnes en France.

Caractérologie : réceptivité, diplomatie, sociabilité, raisonnement, action.

Pierre 🎯 486 000 (TOP 100) ⬇

Petit caillou (grec). Le premier pape, une centaine de saints et de nombreux rois ont porté ce prénom très courant dans le monde occidental. Simon est le nom originel de l'apôtre qui devint saint Pierre. Jésus choisit ce nom pour lui en référence à la mission dont il fut investi, celle de bâtir des églises « solides comme de la pierre ». L'immense popularité de saint Pierre contribua à la diffusion du nom en Orient chrétien, puis en Occident. Il fut, sous ses nombreuses graphies, largement attribué au Moyen Âge, et dans un passé plus récent, porté par deux empereurs du Brésil et nombre de rois européens. Trois tsars russes, dont le fondateur de la ville de Saint-Pétersbourg (Pierre le Grand), ont également illustré ce prénom. ◇Si Pierre est l'un des prénoms les plus attribués en France du XVe au XXe siècle, il n'a guère eu l'occasion de devancer Jean, son plus grand rival. Faute de mieux, il s'est souvent contenté des deuxièmes rangs. Sa rébellion survient en 1981 : alors que Jean poursuivait son reflux, Pierre s'est redressé et l'a dépassé. Il le tient à distance respectueuse depuis. Caractérologie : habileté, ambition, management, passion, force.

Pierre-Adrien 🎯 500

Forme composée de Pierre et Adrien. Caractérologie : courage, dynamisme, curiosité, réussite, décision.

Pierre-Alexandre 🎯 3 000 (TOP 2000) ➡

Forme composée de Pierre et Alexandre. On peut estimer que moins de 30 enfants seront prénommés ainsi en 2014. Caractérologie : réalisation, sociabilité, réceptivité, diplomatie, analyse.

Pierre-Alexis 🎯 850 ⬇

Forme composée de Pierre et Alexis. Caractérologie : paix, analyse, bienveillance, conscience, sympathie.

Pierre-Antoine 🎯 4 000 (TOP 1000) ➡

Forme composée de Pierre et Antoine. Caractérologie : indépendance, dynamisme, curiosité, résolution, courage.

Pierre-Emmanuel 🎯 3 000 ⬇

Forme composée de Pierre et Emmanuel. On peut estimer que moins de 30 enfants seront prénommés ainsi en 2014. Caractérologie : sociabilité, réceptivité, diplomatie, amitié, réalisation.

Pierre-François 🎯 1 500 ⬇

Forme composée de Pierre et François. On peut estimer que moins de 30 enfants seront prénommés ainsi en 2014. Caractérologie : pragmatisme, optimisme, logique, cœur, communication.

Pierre-Henri 🎯 2 000

Forme composée de Pierre et Henri. On peut estimer que moins de 30 enfants seront prénommés ainsi en 2014. Caractérologie : ardeur, action, achèvement, vitalité, stratégie.

Pierre-Jean 🎯 3 000 ⬇

Forme composée de Pierre et Jean. On peut estimer que moins de 30 enfants seront prénommés ainsi en 2014. Caractérologie : réceptivité, décision, diplomatie, loyauté, sociabilité.

Pierre-Louis 🎯 6 000 (TOP 800) ⬇

Forme composée de Pierre et Louis. Caractérologie : enthousiasme, communication, sympathie, pratique, analyse.

P

479

Comment les célébrités prénomment-elles leurs enfants ?

Nous nous intéressons de plus en plus au monde du spectacle et cet intérêt se répercute sur les prénoms que nous donnons à nos enfants. Nous les appelons comme nos vedettes préférées mais aussi, parfois, comme leurs propres bébés.

Voici un bouquet de prénoms choisis par des people pour leur progéniture.
- Aaron chez Robert de Niro
- Adam chez Léonard Cohen
- Adèle chez Sandrine Bonnaire
- Ael chez Florent Pagny
- Andrea chez Caroline de Monaco
- Anna chez Bob Dylan
- Arthur chez Jacques Higelin
- Aurélien chez Carla Bruni et Raphaël Enthoven
- Ava chez Heather Locklear
- Balthazar chez Clémentine Célarié
- Barnabé chez Isabelle Adjani et Gabriel-Kean
- Ben chez Charlotte Gainsbourg
- Bianca chez Stéphane et Ursula Freiss
- Blue Ivy chez Jay Z et Beyoncé
- Carla chez Daniela Lumbroso
- Camille chez Stéphanie de Monaco
- Charles chez Jodie Foster
- Charlie chez Alexandra Sublet
- Charlotte chez Jane Birkin et Serge Gainsbourg
- Charlotte chez Caroline de Monaco
- Chiara chez Marcello Mastroianni et Catherine Deneuve
- Chloé chez Louis Malle et Candie Bergen
- Clara chez Charlotte de Turckheim
- Clélia chez Lino Ventura
- Déva chez Monica Bellucci et Vincent Cassel
- Éden chez Marcia Cross et Tom Mahoney
- Eléa chez Herbert Léonard
- Eleanor chez Christophe Lambert
- Élisa chez Christina Reali et Francis Huster
- Elliott chez Laurence Ferrari
- Emma chez Antoine de Caunes
- Emma chez Estelle Lefébure

Comment les célébrités prénomment-elles leurs enfants ? *(suite)*

- Enzo chez Zinedine Zidane
- Ethan chez Dany Boon
- Ethel Mary chez Lilly Allen
- Gaston, Manon et Ninon chez Thierry Ardisson
- George chez le prince William et Kate Middleton
- Giulia chez Carla Bruni et Nicolas Sarkozy
- Hannah chez Juliette Binoche
- Hedda chez Daphné Burki et Travis Burki
- Ilona chez Estelle Lefébure
- Iman chez Vincent Perez et Karine Silla
- Iris chez Jude Law
- Isaac chez Didier Drogba
- Isabella chez Matt Damon
- Izia chez Jacques Higelin
- Jack chez Vanessa Paradis et Johnny Depp
- Jade chez Laetitia et Johnny Halliday
- Jade chez Mick Jagger
- Jeanne chez Miou-Miou et Julien Clerc
- Juliette chez Sophie Marceau
- Justin chez Andie Mac Dowell
- Johan chez Emmanuelle Béart
- Joséphine chez Fanny Ardant et François Truffaut
- Joy chez Ethan Hawke et Uma Thurman
- Kelyan chez Claude Makélélé et Noémie Lenoir
- Ken chez Jacques Higelin
- Léa et Nubia chez Lio
- Léo chez Pénélope Cruz et Javier Barden
- Léon chez Patrick Bruel
- Léonie chez Vincent Casset et Monica Bellucci
- Leonor chez Felipe et Letizia d'Espagne
- Liberté chez Aurélie Vaneck
- Lila chez Virginie Ledoyen et chez Kate Moss
- Lily-Rose chez Vanessa Paradis et Johnny Depp
- Lola chez Zazie
- Lorca chez Léonard Cohen
- Lou chez Jane Birkin et Jacques Doillon
- Louis chez Stéphanie de Monaco

P

481

Comment les célébrités prénomment-elles leurs enfants ? *(suite)*

- Louis chez Mathilde Seigner
- Louise chez Alain Chabat
- Lucas chez Zinedine Zidane
- Lucien chez Bambou et Serge Gainsbourg
- Lucien chez Patrick Timsit
- Luna chez Penélope Cruz et Javier Barden
- Madeline chez Lea Thompson
- Mahé chez Maud Fontenoy
- Maïa, Matteo et Raphaël chez Hélène Ségara
- Malone chez Renaud
- Marcel chez Marion Cotillard et Guillaume Canet
- Maya chez Ethan Hawke et Uma Thurman
- Milan chez Shakira et Gérard Piqué
- Milo chez Liv Tyler
- Milo chez Alyssa Milano et David Bugliari
- Nahla chez Halle Berry
- Nelly chez Emmanuelle Béart
- Nine chez Inès de La Fressange
- Noa chez Sarah Lelouch
- Noé chez Judith Godrèche et Dany Boon
- Oliva chez Michael Weatherly
- Oscar chez Patrick Bruel
- Pablo chez Vincent Perez et Karine Silla
- Pauline chez Stéphanie de Monaco
- Pierre chez Caroline de Monaco
- Pierre-Louis chez Jean-Hugues Anglade
- Quentin chez Pierre Bachelet
- Raoul chez Romane Bohringer et Philippe Rebot
- Roan chez Ethan Hawke et Uma Thurman
- Rose chez Romane Bohringer et Philippe Rebot
- Samuel chez Jennifer Garner et Ben Affleck
- Sarah chez Mathilda May et Gérard Darmon
- Sofia chez Felipe et Letizia d'Espagne
- Tess chez Vincent Perez et Karine Silla
- Théo chez Zinedine Zidane
- Ulysse chez Mathilda May et Gérard Darmon
- Vincent chez Sophie Marceau
- Violette chez Inès de La Fressange
- Zoé chez Patricia Arquette

Pierre-Loup 🌼 250 ⊘
Forme composée de Pierre et Loup. Caractérologie : intégrité, sympathie, altruisme, idéalisme, analyse.

Pierre-Luc 🌼 600
Forme composée de Pierre et Luc. Caractérologie : stratégie, vitalité, achèvement, amitié, ardeur.

Pierre-Marie 🌼 3 000 **TOP 2000** ⊘
Forme composée de Pierre et Marie. On peut estimer que moins de 30 enfants seront prénommés ainsi en 2014. Caractérologie : humanité, rectitude, décision, rêve, réussite.

Pierre-Olivier 🌼 2 000 ⊘
Forme composée de Pierre et Olivier. On peut estimer que moins de 30 enfants seront prénommés ainsi en 2014. Caractérologie : achèvement, vitalité, stratégie, logique, caractère.

Pierre-Yves 🌼 9 000 **TOP 2000**
Forme composée de Pierre et Yves. On peut estimer que moins de 30 enfants seront prénommés ainsi en 2014. Caractérologie : savoir, intelligence, méditation, détermination, réalisation.

Pierric 🌼 1 500 ⊘
Petit caillou (grec). On peut estimer que moins de 30 enfants seront prénommés ainsi en 2014. Caractérologie : paix, bienveillance, conseil, conscience, sympathie.

Pierrick 🌼 18 000 **TOP 900** ⊘
Petit caillou (grec). Masculin français. Variantes : Perick, Perig, Pieric, Pierick, Pierig, Pierrig, Pierrik. Caractérologie : force, habileté, passion, ambition, bonté.

Pierrot 🌼 2 000 ⊘
Petit caillou (grec). On peut estimer que moins de 30 enfants seront prénommés ainsi en 2014. Variantes : Perin, Pier, Piet, Pieter, Pierce, Pierino, Pierrino, Piero. Caractérologie : réceptivité, bonté, sociabilité, loyauté, diplomatie.

Pietro 🌼 1 000 ⊘
Petit caillou (grec). Prénom italien. Caractérologie : intuition, médiation, relationnel, fidélité, adaptabilité.

Pio
Pieux (latin). Masculin italien et portugais. Ce prénom est porté par moins de 100 personnes en France. Caractérologie : persévérance, efficacité, sécurité, structure, honnêteté.

Placide 🌼 250
Placide, calme (latin). Variante : Placido. Caractérologie : audace, énergie, découverte, sympathie, réalisation.

Pol 🌼 1 500 **TOP 2000** ⊘
Petit, faible (latin). Pol est plus traditionnellement usité en Irlande, en Écosse et en Bretagne. On peut estimer que moins de 30 enfants seront prénommés ainsi en 2014. Caractérologie : savoir, intelligence, méditation, indépendance, sagesse.

Polycarpe
Fruits en abondance (grec). Ce prénom est porté par moins de 100 personnes en France. Caractérologie : pragmatisme, communication, optimisme, analyse, sympathie.

Pompée
Gloire éclatante (grec). Ce prénom est porté par moins de 30 personnes en France. Caractérologie : savoir, intelligence, méditation, caractère, indépendance.

Preston 500 **TOP 1000** ⊘
Domaine, bien du prêtre (anglais). Masculin anglais. Caractérologie : vitalité, ardeur, achèvement, détermination, stratégie.

483

Priam 🇫🇷 170 TOP 2000
Dans la mythologie grecque, Priam est le dernier roi de Troie. Caractérologie : pragmatisme, créativité, communication, optimisme, réalisation.

Primael 🇫🇷 110
Charismatique, prince (celte). Prénom breton. Variante : Primel. Caractérologie : sociabilité, réceptivité, réalisation, diplomatie, sympathie.

Primo 🇫🇷 200
Premier (latin). Prénom italien. Caractérologie : force, ambition, habileté, management, passion.

Prince 🇫🇷 350 TOP 1000 ⬆
En premier (latin). Plus courant sous forme de patronyme. Masculin anglais.

Caractérologie : sociabilité, réceptivité, diplomatie, sympathie, loyauté.

Priscillien
Ancien (latin). Ce prénom est porté par moins de 100 personnes en France. Caractérologie : rectitude, humanité, rêve, amitié, détermination.

Prosper 🇫🇷 1 500 ➡
Avec bonheur (latin). Masculin anglais et français. On peut estimer que moins de 30 enfants seront prénommés ainsi en 2014. Variante : Prospert. Caractérologie : ambition, passion, force, habileté, décision.

Prudent 🇫🇷 160
Prudent (latin). Caractérologie : achèvement, vitalité, ardeur, stratégie, bonté.

Q

Qaïs 🇫🇷 120
Fierté (arabe). Caractérologie : direction, audace, dynamisme, indépendance, assurance.

Quang 🇫🇷 180
Lumière, glorieux (vietnamien). Caractérologie : bienveillance, paix, conseil, amitié, conscience.

Quentin 🇫🇷 122 000 TOP 50 ⬇
Cinquième (latin). Quentin a connu la gloire dans les pays anglo-saxons au XIXe siècle, puis en France dans les années 1990. Citoyen romain, saint Quintinus se convertit au christianisme et partit évangéliser la Gaule au IIIe siècle. C'est en sa mémoire que

Saint-Quentin, la capitale de la haute Picardie, porte son nom. Variantes : Quantin, Quentyn, Quinten, Quinten, Quintino. Caractérologie : dynamisme, indépendance, sensibilité, direction, audace.

Quincy 🇫🇷 150
Cinquième (latin). Masculin anglais. Variantes : Quincey, Quinto. Caractérologie : ambition, sympathie, force, habileté, ressort.

Quintilien
S'inspirant de Cicéron, Quintilien fut rhéteur dans la Rome antique au Ier siècle. Ce prénom est porté par moins de 30 personnes en France. Caractérologie : diplomatie, loyauté, réceptivité, sociabilité, sensibilité.

Quoc 🇫🇷 250
Nation (vietnamien). Caractérologie : relationnel, adaptabilité, intuition, médiation, fidélité.

R

Rabah 🚩 3 000 **TOP 2000** →
Jardin (arabe). On peut estimer que moins de 30 enfants seront prénommés ainsi en 2014. Variantes : Raba, Rabbah, Rabia, Rabih. Caractérologie : enthousiasme, pratique, communication, adaptation, générosité.

Rabie
Mon maître (hébreu). Ce prénom est porté par moins de 100 personnes en France. Variante : Rabi. Caractérologie : vitalité, achèvement, stratégie, ardeur, résolution.

Rachid 🚩 18 000 **TOP 2000** →
Bien guidé, qui a la foi (arabe). Ce prénom est particulièrement répandu dans les communautés musulmanes francophones. On peut estimer que moins de 30 enfants seront prénommés ainsi en 2014. Variantes : Rached, Rachide. Caractérologie : savoir, intelligence, sagesse, indépendance, méditation.

Rafaël 🚩 11 000 **TOP 100** ↗
Dieu a guéri (hébreu). Rafael est répandu dans les pays hispanophones, scandinaves et germanophones. C'est aussi un prénom traditionnel basque et catalan. Caractérologie : intelligence, savoir, méditation, analyse, résolution.

Raffi 🚩 140
De haut rang (arabe, arménien). Caractérologie : ténacité, méthode, sens du devoir, engagement, fiabilité.

Rafik 🚩 1 500 →
Ami, tranquillité (arabe). On peut estimer que moins de 30 enfants seront prénommés ainsi en 2014. Caractérologie : intégrité, altruisme, idéalisme, réflexion, dévouement.

Rahim 🚩 450 **TOP 2000** ↑
Qui pardonne (arabe). Caractérologie : structure, persévérance, sécurité, efficacité, honnêteté.

Raimond
Qui conseille avec sagesse (germanique). Ce prénom est porté par moins de 100 personnes en France. Variantes : Raimon, Raimondo, Raimundo, Ramond. Caractérologie : diplomatie, réceptivité, décision, sociabilité, caractère.

Rainier
Conseil, décision (germanique). Dans l'Hexagone, Rainier est plus traditionnellement usité dans les Flandres. Ce prénom est porté par moins de 100 personnes en France. Variantes : Régnier, Reiner. Caractérologie : réceptivité, sociabilité, résolution, diplomatie, loyauté.

Rajiv
L'un des noms de la fleur de lotus (sanscrit). Rajiv est très répandu en Inde. Ce prénom est porté par moins de 100 personnes en France. Caractérologie : conseil, bienveillance, sagesse, paix, conscience.

Ralph 🚩 1 500 →
Loup renommé (germanique). Masculin anglais. On peut estimer que moins de 30 enfants seront prénommés ainsi en 2014. Variantes : Ralf, Rolph, Rolphe. Caractérologie : audace, dynamisme, direction, action, indépendance.

Rambert
Illustre conseiller (germanique). Ce prénom est porté par moins de 100 personnes en France. Caractérologie : découverte, audace, originalité, détermination, énergie.

Ramdane 🦃 350

Mois sacré (arabe). Caractérologie : intuition, relationnel, médiation, résolution, fidélité.

Rami 🦃 1 000 **TOP 700** ↗

Habileté (arabe). Variante : Ramy. Caractérologie : audace, découverte, énergie, originalité, séduction.

Ramiro 🦃 140

Ce nom espagnol aurait des racines wisigothes et signifierait « grand juge ». Masculin espagnol et basque. Forme basque : Erramir. Caractérologie : sociabilité, réceptivité, diplomatie, loyauté, bonté.

Ramon 🦃 1 000

Qui conseille avec sagesse (germanique). Ramon est plus particulièrement usité dans les pays hispanophones, en Italie et en Occitanie. Caractérologie : résolution, intelligence, savoir, méditation, volonté.

Ramsès

Nom de plusieurs pharaons d'Égypte ancienne. Ce prénom est porté par moins de 100 personnes en France. Caractérologie : optimisme, pragmatisme, créativité, communication, décision.

Ramzi 🦃 2 000 ⬇

Important (arabe). On peut estimer que moins de 30 enfants seront prénommés ainsi en 2014. Variante : Ramzy. Caractérologie : fiabilité, ténacité, méthode, engagement, sens du devoir.

Randy 🦃 1 500 **TOP 800** →

Loup renommé (germanique). Masculin anglais. Variantes : Randolf, Randolph. Caractérologie : habileté, décision, ambition, force, réussite.

Rani 🦃 250 →

Riche et noble (arabe). Caractérologie : sens des responsabilités, équilibre, famille, décision, influence.

Rankin

Bouclier, protection (vieil anglais, celte). Masculin écossais et irlandais. Ce prénom est porté par moins de 30 personnes en France. Caractérologie : fiabilité, ténacité, engagement, méthode, résolution.

Raoul 🦃 9 000 **TOP 2000** →

Loup renommé (germanique). Masculin français. On peut estimer que moins de 30 enfants seront prénommés ainsi en 2014. Variantes : Raouf, Raoulin, Raul. Forme occitane : Raolf. Caractérologie : persévérance, structure, sécurité, logique, efficacité.

Raphaël 🦃 105 000 **TOP 50** 🔍 →

Dieu a guéri (hébreu). Caractérologie : ressort, sympathie, intelligence, méditation, savoir.

Rayan 🦃 25 000 **TOP 50** →

Contraction de Ryan et Rayane. Porté par une vague d'inspiration irlandaise, Rayan émerge à la fin du XXᵉ siècle et s'impose dans les 40 premiers rangs français en 2008. Ses origines lui confèrent une identité multiculturelle indissociable de son succès, encore sensible aujourd'hui. Caractérologie : courage, dynamisme, indépendance, curiosité, résolution.

Rayane 🦃 9 000 **TOP 200** →

Beau, désaltéré (arabe). Masculin français. Variantes : Raïan, Raïane, Rayann, Rayanne, Rayen, Reyan, Reyane. Caractérologie : innovation, énergie, autorité, ambition, détermination.

RAPHAËL

Fête : 29 septembre

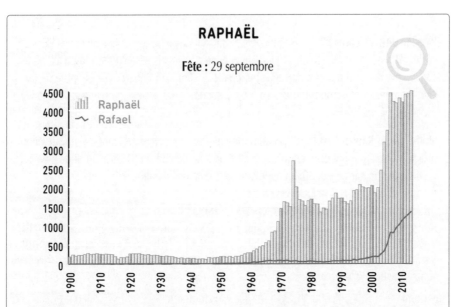

Étymologie : de l'hébreu *rephaël*, « Dieu a guéri ». Attribué en quantité constante mais modeste, ce choix intemporel est longtemps resté discret dans les pays occidentaux. En France, à l'exception d'un pic d'attribution isolé en 1974, Raphaël est relativement peu répandu jusqu'en 2000, où sa croissance l'entraîne vers le sommet. En 2014, Raphaël devrait briller dans les premiers rangs parisiens et nationaux. Nul doute que l'essor des prénoms bibliques et la popularité du chanteur Raphaël ont favorisé ce succès.

Raphaël poursuit également son chemin en dehors de l'Hexagone. Il n'a pas la cote dans les pays anglophones, mais il s'envole dans l'élite des prénoms wallons et québécois. De son côté, Rafael ne cesse de grandir en Espagne, en Allemagne et dans les pays d'Amérique latine. Il vient même d'intégrer le top 60 français.

Notons que Rapha et Rafa, petits noms familiers et affectueux, ne sont pas encore recensés dans les maternités françaises. Au féminin, la percée de Raphaëlle n'est pas davantage d'actualité.

Ange de la guérison dans la Bible, **Raphaël** guérit le père de Tobie de la cécité et délivre Sara du démon qui l'a rendue veuve à sept reprises le soir de ses noces. Il est le patron des voyageurs.

Peintre et architecte, **Raphaël** (de son vrai nom Raffaello Sanzio) est l'un des plus célèbres peintres italiens de la Renaissance. Il laisse à la postérité la grâce et la beauté de ses madones qui l'ont rendu si célèbre. Il meurt en 1520 à l'âge de 37 ans.

.../

R

487

Raphaël *(suite)*

Personnalités célèbres : Raphaël Enthoven, professeur de philosophie, animateur de télévision et de radio né en 1975 ; Raphaël Haroche, chanteur français né en 1972 ; Raphaël Ibanes, ancien international français de rugby, né en 1973 ; Raphaël Imbert, saxophoniste de jazz, chef d'orchestre et compositeur né en 1974 ; Rafael Nadal, joueur de tennis professionnel espagnol, né en 1981.

Statistiques : Raphaël est le 16e prénom masculin le plus donné en France depuis le début du XXIe siècle. On peut estimer qu'il sera attribué à un garçon sur 91 en 2014. **Rafaël** devrait prénommer un garçon sur 303 et figurer au 101e rang de ce palmarès.

Rayhan 🏴 700 **TOP 2000** ⬇

Beau, désaltéré (arabe), petit roi (irlandais). Variantes : Rahyan, Raïan, Raïhan, Raïhane. Caractérologie : persévérance, détermination, sécurité, action, structure.

Raymond 🏴 105 000 **TOP 2000** ⬇

Qui conseille avec sagesse (germanique). Originaire de Catalogne, saint Raymond fut le conseiller du pape Grégoire IX au XIIIe siècle. Chef des dominicains, il écrivit plusieurs essais sur la théologie. En dehors de l'Hexagone, Raymond est très répandu dans les pays anglophones. On peut estimer que moins de 30 enfants seront prénommés ainsi en 2014. Variantes : Ray, Raymon, Raymondo, Remon, Remond. Caractérologie : altruisme, idéalisme, intégrité, volonté, réalisation.

Raynald 🏴 3 000

Qui conseille avec sagesse (germanique). On peut estimer que moins de 30 enfants seront prénommés ainsi en 2014. Variante : Raynal. Caractérologie : communication, pratique, réussite, enthousiasme, cœur.

Razi

Mon secret (araméen). Ce prénom est porté par moins de 100 personnes en France. Caractérologie : altruisme, idéalisme, réflexion, dévouement, intégrité.

Réda 🏴 5 000 **TOP 400** ➡

Satisfaction, plénitude (arabe). Variantes : Rédha, Rhéda. Caractérologie : audace, dynamisme, indépendance, direction, résolution.

Rédouane 🏴 2 000 **TOP 900** ➡

Satisfaction, plénitude (arabe). Variantes : Radoin, Radoine, Radouan, Radouane, Radwan, Radwane, Rédoine, Rédouan, Redwan, Redwane, Ridouan, Ridouane, Ridvan, Ridwan, Ridwane. Caractérologie : volonté, analyse, sociabilité, diplomatie, réceptivité.

Réginald 🏴 850

Qui conseille avec sagesse (germanique). Masculin anglais et allemand. Caractérologie : méditation, cœur, savoir, intelligence, réussite.

Régis 🏴 57 000 ⬇

Royal (latin). Masculin français. On peut estimer que moins de 30 enfants seront prénommés ainsi en 2014. Caractérologie : persévérance, structure, résolution, sécurité, efficacité.

Réhan 🏴 250 **TOP 2000** ⬆

Basilique (arabe). Caractérologie : bienveillance, paix, conscience, conseil, détermination.

Reinhold

Qui conseille avec sagesse (germanique). Masculin allemand. Ce prénom est porté par moins de 100 personnes en France. Caractérologie : persévérance, structure, sécurité, volonté, raisonnement.

Réjan

Roi (latin). Ce prénom est porté par moins de 100 personnes en France. Variante : Réjean. Caractérologie : pragmatisme, créativité, communication, optimisme, résolution.

Rémi ★ 80 000 TOP 300 ⊕

Rameur (latin). Rémi se rapporte aux Rèmes, le nom du peuple qui vivait dans la région de Reims. C'est dans la basilique rémoise que l'évêque Remi fit baptiser Clovis et ses troupes. Notons que ce prénom français peut être orthographié sans accent. Forme basque : Remigio. Caractérologie : tolérance, rêve, rectitude, humanité, générosité.

Rémy ★ 62 000 TOP 400 ⊕

Rameur (latin). Masculin français. Caractérologie : connaissances, sagacité, spiritualité, philosophie, originalité.

Rénald ★ 2 000

Qui conseille avec sagesse (germanique). On peut estimer que moins de 30 enfants seront prénommés ainsi en 2014. Variantes : Reinald, Rénal. Caractérologie : décision, altruisme, idéalisme, intégrité, réflexion.

Renaldo ★ 450

Qui conseille avec sagesse (germanique). Masculin espagnol et portugais. Variantes : Reinaldo, Reinhard, Reinold. Caractérologie : paix, bienveillance, conscience, caractère, logique.

Renan ★ 2 000 TOP 900 ⊕

Petit phoque (irlandais). Prénom breton. Variante : Reunan. Caractérologie : savoir, intelligence, méditation, indépendance, décision.

Renato ★ 900 ⊕

Renaître (latin). Renato est particulièrement répandu en Italie, en Corse et dans les pays hispanophones et lusophones. Forme occitane : Renat. Caractérologie : ambition, autorité, innovation, énergie, détermination.

Renaud ★ 23 000 TOP 2000 ⊕

Qui conseille avec sagesse (germanique). Masculin français. Variantes : Renauld, Renaut, Reno. Caractérologie : rêve, rectitude, humanité, ouverture d'esprit, résolution.

René ★ 199 000 ⊕

Renaître (latin). La forme latine Renatus fut assez populaire dans les pays chrétiens au Moyen Âge. Elle se raréfie au XVIIe siècle, alors que saint René Goupil est tué par des Iroquois juste après s'être signé devant eux. Plusieurs ducs de France, un comte de Provence, un roi napolitain et le célèbre physicien et philosophe français René Descartes (1596-1650) ont donné une grande notoriété au prénom. Pour autant, ce dernier ne prend pas de véritable essor avant la fin du XIXe siècle. Il s'illustre dans les 5 premiers rangs dans les années 1920 et prend tout son temps pour se faire oublier ensuite. On peut estimer que moins de 30 enfants seront prénommés ainsi en 2014. Caractérologie : conscience, conseil, bienveillance, paix, sagesse.

Renzo ★ 500 ⊖

Diminutif de Lorenzo : couronné de lauriers (latin). Prénom italien. Variante : Renso. Caractérologie : sens des responsabilités, équilibre, exigence, famille, influence.

Reuben
« C'est un fils ! » (hébreu). Ce prénom est porté par moins de 100 personnes en France. Caractérologie : loyauté, réceptivité, diplomatie, bonté, sociabilité.

Reuel
Ami de Dieu (hébreu). Ce prénom est porté par moins de 30 personnes en France. Caractérologie : intelligence, méditation, sagesse, savoir, indépendance.

Reymond 🌟 250
Qui conseille avec sagesse (germanique). Caractérologie : sécurité, caractère, persévérance, efficacité, structure.

Reynald 🌟 5 000
Qui conseille avec sagesse (germanique). Masculin français. On peut estimer que moins de 30 enfants seront prénommés ainsi en 2014. Variantes : Reynal, Reynaldo, Reynaud, Reynold. Caractérologie : savoir, intelligence, méditation, réalisation, sympathie.

Rhys
Héros (gallois). Ce prénom est porté par moins de 100 personnes en France. Caractérologie : intelligence, ressort, indépendance, méditation, savoir.

Riad 🌟 2 000 (TOP 800) →
Jardin (arabe). Variantes : Riade, Riadh, Riyadh. Caractérologie : découverte, originalité, audace, énergie, séduction.

Ricardo 🌟 3 000 (TOP 800) →
Puissant gouverneur (germanique). Ricardo est très répandu dans les pays hispanophones et lusophones. Variantes : Ricard, Riccardo. Caractérologie : courage, logique, indépendance, curiosité, dynamisme.

Richard 🌟 73 000 (TOP 1000) ↘
Puissant gouverneur (germanique). Masculin anglais et français. Variante : Rick. Caractérologie : connaissances, originalité, sagacité, philosophie, spiritualité.

Rida 🌟 1 500 (TOP 2000) ↘
Satisfaction, plénitude (arabe). On peut estimer que moins de 30 enfants seront prénommés ainsi en 2014. Variante : Ridha. Caractérologie : audace, énergie, séduction, originalité, découverte.

Ridge
Crête (anglais). Ce prénom est porté par moins de 100 personnes en France. Caractérologie : spiritualité, connaissances, originalité, sagacité, philosophie.

Rigobert 🌟 500
Brillant, gloire (germanique). Caractérologie : honnêteté, sécurité, structure, persévérance, efficacité.

Rinaldo 🌟 250
Qui conseille avec sagesse (germanique). Prénom italien. Caractérologie : caractère, énergie, autorité, innovation, logique.

Rino 🌟 350
Renaître (latin). Masculin italien. Caractérologie : sociabilité, réceptivité, loyauté, diplomatie, bonté.

Ritchy 🌟 450 →
Puissant gouverneur (germanique). Variantes : Ricci, Rich, Richie, Ritchie, Rick, Ricky, Ritchi, Rytchi. Caractérologie : fidélité, relationnel, intuition, ressort, médiation.

Riwan 🌟 750 (TOP 2000) ↓
Roi, valeur (celte). Prénom breton. Variantes : Riwal, Rywan. Caractérologie : décision, diplomatie, sociabilité, loyauté, réceptivité.

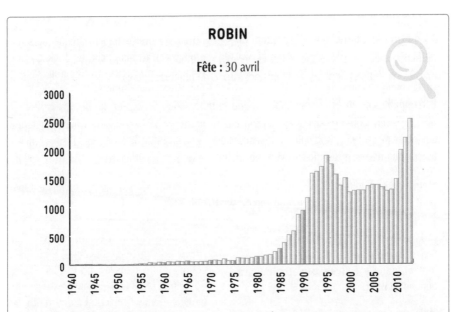

ROBIN

Fête : 30 avril

Ce diminutif de Robert est attesté en France au Moyen Âge, mais il rencontre beaucoup plus de succès outre-Manche. Il y est déjà répandu au XVe siècle, lorsque des contes et ballades populaires diffusent les exploits de Robin des Bois, le célèbre brigand défenseur des pauvres. Au début du XXe siècle, Robin renaît en Angleterre et aux États-Unis, où il émerge au féminin. Avec sa variante Robyn, nouvelle pour les années 1930, il prénomme une proportion croissante de filles. Il ne lui faut guère de temps pour devenir mixte dans les deux pays, puis changer de genre outre-Atlantique. Au milieu des années 1960, Robin s'impose au 25e rang des prénoms féminins américains, son dernier point culminant. Comment expliquer ce changement de sexe si récent ? Il est possible qu'en pleine Seconde Guerre mondiale les parents américains aient voulu donner à leurs filles un prénom évoquant la grâce et la gaieté du rouge-gorge, car cet oiseau répond lui aussi au nom anglais de *robin*.

Dans un genre comme dans l'autre, Robin est tombé dans les abîmes des classements anglais et américain, et il décolle aujourd'hui en France exclusivement masculin. Il pourrait battre son dernier record d'attribution établi en 1995 en s'imposant dans le top 30 national. Sous forme de patronyme, Robin est très répandu dans les pays anglophones. Il est assez fréquent dans l'Hexagone, et bien connu grâce à l'humoriste française Muriel Robin.

Littérature : la première référence à Robin des Bois a été faite par William Langland dans *Piers Plowman* (*Pierre le laboureur* en français), un poème allégorique de plus de 7 000 vers

.../

R

491

Robin (suite)

composé entre 1360 et 1387. Robin est également le fidèle acolyte de *Batman*, un personnage de fiction créé par Bob Kane et Bill Finger, qui parut pour la première fois dans *Detective Comics* en 1939, et dont les aventures ont inspiré de nombreux films.

Personnalités célèbres : Robin Gibbs, musicien britannique, fondateur des Bee Gees (1949-2012) ; Robin Cook, médecin et écrivain américain né en 1940 ; Robin Williams, acteur américain né en 1951 ; Robin Renucci, acteur français né en 1956 ; Robin Wright Penn, actrice américaine née en 1966 ; Robin McKelle, chanteuse de jazz américaine.

Statistiques : Robin est le 59e prénom masculin le plus donné du XXIe siècle en France. On peut estimer qu'il sera attribué à un garçon sur 162 en 2014.

Riyad 2 000 TOP 500
Serein, épanoui (arabe). Caractérologie : réalisation, pratique, enthousiasme, communication, adaptation.

Roald
Qui conseille avec sagesse (germanique). Masculin anglais. Ce prénom est porté par moins de 100 personnes en France. Caractérologie : curiosité, dynamisme, courage, logique, indépendance.

Roan 400 TOP 2000
Voir Rohan. Caractérologie : pragmatisme, optimisme, sociabilité, communication, résolution.

Robert 186 000 TOP 2000
Brillant, gloire (germanique). Deux rois de France et trois rois d'Écosse ont porté ce prénom très répandu en France et en Angleterre au Moyen Âge. Le père de Guillaume le Conquérant se nommait ainsi, tout comme son contemporain Robert de Molesme, le saint qui fonda l'ordre de Cîteaux au XIe siècle. Ce prénom ne disparaît pas après la période médiévale, mais son dernier coup d'éclat remonte aux années 1920, durant lesquelles il s'impose dans les 10 premiers choix français (jusqu'en 1939). Bien qu'il ait disparu des maternités dans les années 1980, Robert, Roberto et leurs dérivés sont très répandus dans le monde occidental aujourd'hui. On peut estimer que moins de 30 enfants seront prénommés ainsi en 2014. Variantes : Rob, Robbie, Robby, Rober, Robertino, Roby. Caractérologie : bienveillance, conscience, conseil, paix, sagesse.

Roberto 3 000 TOP 2000
Brillant, gloire (germanique). Roberto est répandu dans les pays hispanophones, lusophones et en Italie. On peut estimer que moins de 30 enfants seront prénommés ainsi en 2014. Caractérologie : sociabilité, communication, optimisme, créativité, pragmatisme.

Robin 39 000 TOP 50
Brillant, gloire (germanique). Variante : Robyn. Caractérologie : sécurité, structure, persévérance, efficacité, honnêteté.

Robinson 1 000 TOP 800
Fils de Robin (anglais). Masculin anglais et français. Caractérologie : connaissances, sagacité, décision, spiritualité, originalité.

Rocco 🌟 750 ⊙
Reposé (germanique). Prénom italien. Caractérologie : ouverture d'esprit, rectitude, raisonnement, humanité, rêve.

Roch 🌟 1 500 ➔
Reposé (germanique), Il est Guide (hébreu). Masculin français. On peut estimer que moins de 30 enfants seront prénommés ainsi en 2014. Caractérologie : vitalité, achèvement, stratégie, ardeur, raisonnement.

Rocky 🌟 300 ⊙
Rocheux (anglais). Caractérologie : analyse, intégrité, altruisme, idéalisme, réflexion.

Roderick 🌟 160
Glorieux, puissant (germanique). Caractérologie : relationnel, intuition, médiation, volonté, raisonnement.

Rodney 🌟 400 ⊗
Glorieux, puissant (germanique). Masculin anglais. Caractérologie : idéalisme, altruisme, intégrité, réflexion, caractère.

Rodolphe 🌟 20 000 ⊗
Loup renommé (germanique). Masculin français. On peut estimer que moins de 30 enfants seront prénommés ainsi en 2014. Variantes : Rodolf, Rodolfo, Rodolph, Rolf. Caractérologie : optimisme, communication, pragmatisme, volonté, raisonnement.

Rodrigue 🌟 8 000 (TOP 2000) ⊗
Glorieux, puissant (germanique). Masculin français. Variantes : Rodrigo, Rodriguez. Forme basque : Ruy. Caractérologie : raisonnement, connaissances, sagacité, spiritualité, volonté.

Roger 🌟 171 000
Lance glorieuse (germanique). Ce prénom médiéval s'est propagé en Angleterre lors de la conquête normande. Du IXᵉ au XVIIᵉ siècle, il a été porté par plusieurs saints et un célèbre philosophe anglais (Roger Bacon, 1214-1294). En France comme outre-Manche, il est fréquent à la fin du Moyen Âge et resurgit épisodiquement au cours des siècles suivants. Son dernier coup d'éclat remonte au milieu des années 1920, où il culmine devant Robert au 5ᵉ rang français. On peut estimer que moins de 30 enfants seront prénommés ainsi en 2014. Variantes : Roge, Rogelio, Rogerio, Ruggero. Forme occitane : Rotger. Caractérologie : rêve, humanité, générosité, rectitude, tolérance.

Rohan 🌟 900 (TOP 800) ⊗
En ascension, bois de santal (sanscrit), roux (irlandais). Ce prénom est très répandu en Inde. Variantes : Roan, Roann, Rowan. Caractérologie : diplomatie, réceptivité, sociabilité, loyauté, résolution.

Roland 🌟 81 000 ⊗
Gloire du pays (germanique). Ce prénom médiéval a connu sa dernière renaissance au milieu du siècle dernier. En dehors de l'Hexagone, il est plus particulièrement recensé dans les pays anglophones. On peut estimer que moins de 30 enfants seront prénommés ainsi en 2014. Variantes : Rolan, Rolando, Roldan. Caractérologie : direction, audace, dynamisme, logique, caractère.

Rolland 🌟 5 000
Gloire du pays (germanique). En dehors de l'Hexagone, ce prénom est particulièrement porté dans les pays anglophones. On peut estimer que moins de 30 enfants seront prénommés ainsi en 2014. Caractérologie : méthode, ténacité, volonté, fiabilité, analyse.

Romain 🌟 183 000 (TOP 100) ⊗
Romain (latin). Romain, ou Roman, fut porté par quatre empereurs byzantins, un

R
493
·······

Les prénoms arabes en France

Le nombre de prénoms attribués chaque année a particulièrement augmenté depuis les années 1990. Fruits de l'immigration et conséquences d'un intérêt pour les sonorités nouvelles, quantité de prénoms italiens, scandinaves, slaves ou anglo-saxons ont enrichi le répertoire national. Les prénoms arabes ne font pas exception. Pas seulement parce qu'ils fleurissent dans la communauté musulmane française. Car nombre de ceux qui prospèrent arborent plusieurs origines, et autant d'identités. Sans ce multiculturalisme, qui sait si Lina, Sara, Adam et Noam auraient autant séduit les Français ?

Nombre de prénoms arabes brillent en se passant d'identités plurielles. C'est le cas d'Ilyes et de Maïssa, un peu éclipsés par le succès de Mohamed (ce dernier grandit dans le top 40 national). Dans certains cas, les parents sélectionnent un prénom identitaire en phase avec les tendances nationales. La gloire d'Éva et Gabriel a, par exemple, suscité l'éclosion de leurs équivalents arabes respectifs, Awa et Jibril. Le triomphe d'Inès, Jade et Noah a quant à lui fait renaître Ines, Jad et Noha.

Lorsqu'il n'y a pas d'équivalent arabe, certains parents choisissent un prénom dont la consonance est proche. L'engouement dont bénéficie Yanis est un exemple frappant, Anis étant arabe et Yanis, grec. De même, on peut, avec un brin d'imagination, voir en Louna l'héroïne d'un conte arabe ancien, Lounja. On observe également une émergence de choix arabes traditionnels adaptés ou réorthographiés dans des versions inédites qui les assimilent à d'autres prénoms en faveur. Dans les années 1990, Rayan s'est envolé en fusionnant l'irlandais Ryan et l'arabe Rayane. Eddy (en référence à Hedi) et Maelick (contraction de Maël et Malick) sont d'autres exemples de compromis sur lesquels bien des couples s'accordent. Du fait de leurs origines multiples (perses, hébraïques, latines, arabes, etc.), les prénoms ci-dessous sont particulièrement prisés par les couples mixtes.

Filles : Aïda, Alya, Ambre, Ambrine, Anissa, Asia, Awa, Aya, Baya, Daria, Dayana, Dayane, Delia, Donia, Elhora, Emna, Farah, Genna, Hawa, Iliana, Ilyana, Ines, Jade, Jasmine, Jihane, Kenza, Leila, Lila, Lily-Nour, Lina, Linda, Louna, Maya, Mina, Nadia, Naïma, Naya, Ness, Nima, Noha, Nora, Nour, Sara, Saria, Selma, Sofia, Soraya, Syrine.

Garçons : Adam, Adel, Adil, Amal, Amine, Anis, Basil, Bilal, Driss, Elias, Eddy, Ilian, Ilias, Jad, Jilani, Kaël, Kamil, Kenzo, Lounis, Maelick, Maksen, Marwan, Nabil, Naël, Nassim, Noam, Noé, Ounis, Rayan, Rayane, Sahel, Samy (et Sam), Sélim, Sofian, Tarik, Yanis, Younès.

.../

Les prénoms arabes en France *(suite)*

Le top 20 des prénoms arabes en France

Ci-dessous le palmarès des prénoms arabes les plus attribués dans l'Hexagone. Précisons que ces derniers se positionnent dans le top 200 français projeté pour 2014. Les multiculturels Adam, Rayan, Lina, Lila, Maya et Sofia ont été inclus même s'ils ne présentent pas nécessairement une identité arabe prépondérante. Les voici, présentés par ordre décroissant d'attribution :

Filles : Lina, Ianaya, Yasmine, Aya, Lyna, Assia, Sara, Maya, Maïssa, Kenza, Manel, Lila, Nour, Marwa, Maryam, Leïla, Naïla, Nora, Amina, Sirine.

Garçons : Adam, Mohamed, Rayan, Naël, Ilyes, Amine, Kaïs, Soan, Younès, Ayoub, Amir, Ibrahim, Mehdi, Yassine, Naïm, Wassim, Youssef, Adem, Nassim, Imran.

À *noter* : en Belgique, les prénoms arabes occupent une place importante dans le palmarès bruxellois. Dans le tableau féminin, Lina, Aya, Ines et Yasmine figurent parmi les 10 premières attributions. Le top 10 masculin est quant à lui dominé par Mohamed, Adam, Rayan et Ayoub.

---

pape et un saint qui fonda les monastères du mont Jura au Vᵉ siècle. Malgré ce passé riche en histoire, Romain peine à se manifester avant la fin du XXᵉ siècle en France. Il s'élance comme un prénom neuf à la fin des années 1960 pour briller au 3ᵉ rang masculin en 1987-1988. Bien qu'il ait passé le flambeau à Roman et Romane, il reste un prénom choisi par les parents aujourd'hui. Caractérologie : connaissances, spiritualité, sagacité, décision, caractère.

Roman   🌳 7 000 **TOP 300** ⬇

Romain (latin). Roman est particulièrement attribué en Allemagne, en Occitanie et dans les pays slaves et anglophones. Variantes : Romane, Romann, Romano, Romin. Caractérologie : sagacité, connaissances, détermination, spiritualité, volonté.

Romaric   🌳 5 000 **TOP 900** ⬇

Célèbre, puissant (germanique). Masculin français. Variantes : Romarick, Romary. Caractérologie : curiosité, courage, dynamisme, indépendance, logique.

Romarin

Rosée de mer (latin). Ce prénom est porté par moins de 30 personnes en France. Caractérologie : intelligence, savoir, méditation, décision, caractère.

Roméo   🌳 6 000 **TOP 200** ➡

De Rome (latin). Roméo est très répandu en Italie. Caractérologie : pratique, enthousiasme, adaptation, communication, volonté.

Romuald   🌳 19 000 **TOP 2000** ⬇

Glorieux gouverneur (germanique). En dehors de l'Hexagone, Romuald est particulièrement usité en Pologne. On peut estimer

R

495

que moins de 30 enfants seront prénommés ainsi en 2014. Variante : Romualdo. Caractérologie : créativité, raisonnement, pragmatisme, communication, optimisme.

Ronald 🌟 3 000

Qui conseille avec sagesse (germanique). Masculin anglais. On peut estimer que moins de 30 enfants seront prénommés ainsi en 2014. Variantes : Ron, Ronaldo. Caractérologie : dynamisme, audace, direction, logique, caractère.

Ronan 🌟 15 000 (TOP 400) ➡

Petit phoque (irlandais). Dans l'Hexagone, Ronan est plus particulièrement attribué en Bretagne. Caractérologie : vitalité, achèvement, stratégie, ardeur, décision.

Ronel

Chant de Dieu (hébreu). Ce prénom est porté par moins de 100 personnes en France. Caractérologie : autorité, énergie, innovation, ambition, raisonnement.

Rony 🌟 1 500 ➡

Qui conseille avec sagesse (germanique). Ce diminutif de Ronald est connu dans les pays anglophones. On peut estimer que moins de 30 enfants seront prénommés ainsi en 2014. Variantes : Ronnie, Ronny. Caractérologie : idéalisme, réflexion, intégrité, altruisme, dévouement.

Roque

Reposé (germanique). Ce prénom est porté par moins de 100 personnes en France. Caractérologie : méthode, ténacité, raisonnement, engagement, fiabilité.

Rosan 🌟 600

Rose (latin). Caractérologie : méthode, fiabilité, engagement, ténacité, détermination.

Rosario 🌟 650

Rose (latin). Variantes : Rosaire, Rosalio, Roscoe, Roselin, Rosemond. Caractérologie : énergie, séduction, audace, découverte, originalité.

Roshan 🌟 110

Lumière brillante (persan), éclairé (sanscrit). Caractérologie : adaptation, pratique, communication, générosité, enthousiasme.

Ross

Cheval (germanique), promontoire (gaélique). Masculin écossais et anglais. Ce prénom est porté par moins de 100 personnes en France. Caractérologie : ambition, force, habileté, management, passion.

Rowan 🌟 350 ↘

En ascension, bois de santal (sanscrit), roux (irlandais). Également dérivé du patronyme irlandais O'Ruadhán (« descendant de Ruadhán »). Caractérologie : achèvement, vitalité, résolution, stratégie, ardeur.

Roy 🌟 550 ⬇

Roi (latin). Masculin anglais. Variante : Rex. Caractérologie : sécurité, persévérance, efficacité, honnêteté, structure.

Ruben 🌟 9 000 (TOP 100) ↗

« C'est un fils ! » (hébreu). Ce prénom biblique est établi de longue date dans les communautés juives. Les puritains anglophones ont relancé sa carrière au XVIIe siècle, mais il est longtemps resté inconnu en France. Il ne cesse d'y grandir depuis son émergence dans les années 1980. Caractérologie : équilibre, famille, éthique, influence, exigence.

Rubens 🌟 750 (TOP 2000) ⬇

« C'est un fils ! » (hébreu). Caractérologie : sagacité, connaissances, spiritualité, organisation, résolution.

Ruddy 3 000

Loup renommé (germanique). Masculin anglais. On peut estimer que moins de 30 enfants seront prénommés ainsi en 2014. Caractérologie : rectitude, générosité, humanité, ouverture d'esprit, rêve.

Rudolphe 450

Loup renommé (germanique). Variantes : Rudolf, Rudolph. Caractérologie : caractère, rectitude, humanité, logique, rêve.

Rudy 19 000 TOP 500

Loup renommé (germanique). Rudy est très répandu dans les pays anglophones. Variantes : Rody, Rudi. Caractérologie : énergie, découverte, audace, séduction, originalité.

Ruel

Ami de Dieu, terre rouge (hébreu). Ce prénom est porté par moins de 30 personnes en France. Caractérologie : intuition, fidélité, médiation, adaptabilité, relationnel.

Rufino

Roux (latin). Masculin italien, espagnol et portugais. Ce prénom est porté par moins de 100 personnes en France. Variantes : Ruffin, Rufin, Rufus. Caractérologie : intuition, médiation, relationnel, fidélité, analyse.

Rui 1 500

Loup renommé (germanique). On peut estimer que moins de 30 enfants seront prénommés ainsi en 2014. Caractérologie : adaptation, communication, enthousiasme, pratique, générosité.

Rumwald

Gouverneur célèbre (germanique). Ce prénom est porté par moins de 30 personnes en France. Caractérologie : réceptivité, diplomatie, loyauté, sociabilité, résolution.

Rupert

Brillant, gloire (germanique). Masculin allemand, néerlandais et anglais. Ce prénom est porté par moins de 100 personnes en France. Caractérologie : habileté, ambition, amitié, force, passion.

Russell

Comme un renard (anglo-saxon). Ce prénom est porté par moins de 100 personnes en France. Variantes : Russ, Russel. Caractérologie : spiritualité, résolution, sagacité, originalité, connaissances.

Ryad 3 000  TOP 400

Jardin (arabe). Caractérologie : enthousiasme, réalisation, pratique, communication, adaptation.

Ryan 15 000  TOP 200

Petit roi (irlandais). Porté par une vague d'inspiration irlandaise, Ryan a connu son apogée dans le top 80 français au début des années 2000. Il est très répandu en Irlande et dans les Pays-Bas. Saint Rhian, abbé gallois dont on sait peu de choses, aurait donné son nom à Llanrhian, un petit village du Pembrokeshire (pays de Galles). Variantes : Raïan, Rian, Rihan, Riyan, Ryane, Ryann, Ryhan. Caractérologie : structure, efficacité, persévérance, sécurité, détermination.

R

S

Saad 🌟 1 500 TOP 600 ↗
Heureux, que le destin favorise (arabe), l'aide de Dieu (hébreu). Variantes : Saadi, Saaïd, Saïdi. Caractérologie : originalité, philosophie, connaissances, spiritualité, sagacité.

Saber 🌟 850 →
Calme et patient (arabe). Caractérologie : rêve, humanité, rectitude, ouverture d'esprit, résolution.

Sabin 🌟 200
Habitant d'Italie centrale (latin). Variantes : Sabien, Sabino. Caractérologie : décision, rectitude, rêve, humanité, ouverture d'esprit.

Sabri 🌟 4 000 TOP 600 ↘
Calme et patient (arabe). Variantes : Sabir, Sabri. Caractérologie : ténacité, fiabilité, engagement, sens du devoir, méthode.

Sacha 🌟 30 000 TOP 50 🔍 ↗
Défense de l'humanité (grec). Caractérologie : découverte, énergie, séduction, audace, originalité.

Sadek 🌟 300 TOP 2000 →
Honnête, franc (arabe). Variantes : Sadak, Saddek, Sadok, Sédik, Seddik. Caractérologie : persévérance, structure, sécurité, honnêteté, efficacité.

Safi 🌟 250
Pur, ami préféré (arabe). Caractérologie : stratégie, achèvement, vitalité, leadership, ardeur.

Safir 🌟 400 TOP 2000 ↗
Porteur du message (arabe). Caractérologie : achèvement, ardeur, stratégie, vitalité, leadership.

Safouane 🌟 190
Pur (arabe). Variantes : Safwan, Safwane. Caractérologie : assurance, direction, audace, indépendance, dynamisme.

Sahel 🌟 300 TOP 2000 ↑
Conciliant (arabe). Variante : Sahil. Caractérologie : idéalisme, altruisme, dévouement, intégrité, réflexion.

Saïd 🌟 11 000 TOP 600 →
Heureux, que le destin favorise (arabe). Ce prénom est particulièrement répandu dans les communautés musulmanes francophones. Variantes : Sadi, Sadio, Saïdou. Caractérologie : sagesse, conscience, bienveillance, conseil, paix.

Salah 🌟 4 000 TOP 900 ↗
Bon, vertueux (arabe). Caractérologie : indépendance, charisme, courage, curiosité, dynamisme.

Salem 🌟 1 500 TOP 2000 →
Pur, intact, en sécurité (arabe). On peut estimer que moins de 30 enfants seront prénommés ainsi en 2014. Caractérologie : audace, découverte, originalité, énergie, séduction.

Salih 🌟 500 TOP 2000 ↘
Intègre, équitable (arabe). Variante : Saleh. Caractérologie : sécurité, structure, efficacité, honnêteté, persévérance.

Salim 🌟 8 000 TOP 400 →
Pur, intact, en sécurité (arabe). Variantes : Aslam, Salime, Salimou, Salman, Salmane, Slimen. Caractérologie : idéalisme, altruisme, intégrité, dévouement, réflexion.

Salomon 🌟 850 TOP 2000 →
Paix (hébreu). En dehors de l'Hexagone, Salomon est particulièrement usité dans les pays scandinaves. Caractérologie : vitalité, stratégie, achèvement, ardeur, caractère.

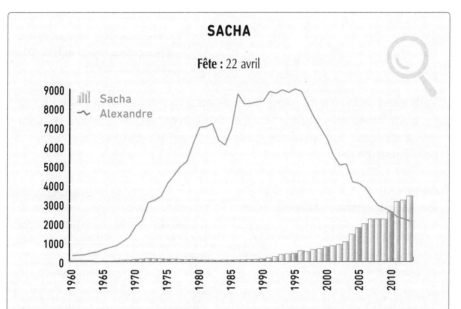

SACHA

Fête : 22 avril

Étymologie : du grec *alexein*, « repousser, défendre », et andros, « l'homme, l'ennemi », d'où la signification : « défense de l'humanité ». Cette forme russe d'Alexandre s'est propagée en Europe au début du xxᵉ siècle et en France à partir des années 1960. Son meilleur ambassadeur fut Sacha Guitry, dont les pièces de théâtre connaissent un succès persistant. Ce prénom a grandi dans l'ombre d'Alexandre, étoile du top 10 français de 1982 à 2002. Autant dire que sa décrue est arrivée à point : après avoir conquis l'élite parisienne, Sacha vient de bondir dans le top 20 national.

Sacha est attribué aux filles dans 3 % des naissances. Ce prénom est donc très masculin, bien plus que Sasha qui se répartit dans les deux genres (voir le zoom dédié aux prénoms mixtes).

Dans la sphère francophone, Sacha est inconnu au Québec mais il rencontre une faveur croissante en Wallonie et en Romandie. Sasha, la forme préférée des anglophones, est essentiellement féminine dans les pays de langue anglaise. Sa faveur est montée dans les années 1930 grâce à Sasha, la princesse russe du roman *Orlando*, de Virginia Woolf.

Note : Sy, le diminutif anglophone de Sacha, est porté par une vingtaine de filles en France.

Personnalités célèbres : Sacha Guitry (de son vrai nom Alexandre Georges-Pierre Guitry), comédien, acteur, dramaturge et metteur en scène, né à Saint-Pétersbourg en 1885 et mort

.../

S

499

Sacha *(suite)*

à Paris en 1957 ; Sacha Distel, guitariste, compositeur et chanteur français d'origine russe (1933-2004) ; Sacha Noam Baron Cohen, acteur et humoriste britannique, né en 1971 ; Sacha Judaszko, comédien et humoriste français, né en 1978.

Statistiques : Sacha est le 42e prénom masculin le plus donné en France depuis le début du XXIe siècle. On peut estimer qu'il sera attribué à un garçon sur 118 en 2014. De son côté, **Sasha** devrait prénommer un garçon sur 593 (contre une fille sur 705), et se placer au 208e rang du podium masculin.

Salvador 🌳 1 500
Sauveur (latin). Prénom espagnol. On peut estimer que moins de 30 enfants seront prénommés ainsi en 2014. Caractérologie : diplomatie, réceptivité, sociabilité, loyauté, raisonnement.

Salvator 🌳 550
Sauveur (latin). Caractérologie : rectitude, humanité, rêve, analyse, organisation.

Salvatore 🌳 3 000 ➡
Sauveur (latin). Salvatore est très répandu en Italie. On peut estimer que moins de 30 enfants seront prénommés ainsi en 2014. Forme corse : Salvadore. Caractérologie : énergie, découverte, audace, volonté, analyse.

Sam 🌳 4 000 **TOP 400** ↘
Son nom est Dieu (hébreu). De diminutif anglophone à prénom à part entière, Sam a fait son chemin : il est désormais attribué dans toutes les cultures judéo-chrétiennes. Caractérologie : bienveillance, conscience, paix, conseil, sagesse.

Samba 🌳 1 500 **TOP 1000** ➡
Le deuxième fils (Afrique de l'Ouest). Caractérologie : rêve, humanité, rectitude, ouverture d'esprit, générosité.

Sami 🌳 11 000 **TOP 200** ➡
Son nom est Dieu (hébreu), élevé, admirable (arabe). Ce prénom est particulièrement répandu dans les communautés musulmanes francophones. Caractérologie : paix, conscience, sagesse, bienveillance, conseil.

Samih 🌳 300 ➡
Généreux, magnanime (arabe). Caractérologie : curiosité, indépendance, courage, charisme, dynamisme.

Samir 🌳 16 000 **TOP 600** ↘
Conversation intime pendant la nuit (arabe). Ce prénom est particulièrement répandu dans les communautés musulmanes francophones. Variantes : Samire, Samyr, Sémir. Caractérologie : sens des responsabilités, famille, équilibre, influence, exigence.

Sammy 🌳 1 500 **TOP 2000** ➡
Son nom est Dieu (hébreu), élevé, admirable (arabe). On peut estimer que moins de 30 enfants seront prénommés ainsi en 2014. Caractérologie : vitalité, achèvement, ardeur, stratégie, réalisation.

Sampiero
Petit caillou (grec). Masculin corse. Ce prénom est porté par moins de 100 personnes en France. Caractérologie : paix, volonté, réalisation, bienveillance, conscience.

Samson 🌟 1 000 (TOP 2000) ➡
Soleil (hébreu). Masculin anglais. Caractérologie : idéalisme, intégrité, réflexion, volonté, altruisme.

Samuel 🌟 76 000 (TOP 50) 🔍 ➡
Son nom est Dieu (hébreu). Caractérologie : ambition, passion, force, habileté, management.

Samy 🌟 14 000 (TOP 200) ➡
Son nom est Dieu (hébreu), élevé, admirable (arabe). Samy est très répandu dans les pays anglophones. Caractérologie : structure, sécurité, persévérance, efficacité, réussite.

Sandro 🌟 4 000 (TOP 200) ⬆
Défense de l'humanité (grec). Sandro est très répandu en Italie. Caractérologie : vitalité, achèvement, stratégie, volonté, résolution.

Sandy 🌟 2 000 ⬇
Défense de l'humanité (grec). Masculin anglais. On peut estimer que moins de 30 enfants seront prénommés ainsi en 2014. Caractérologie : altruisme, réalisation, idéalisme, intégrité, réflexion.

Sanjay 🌟 200 ➡
Triomphant (sanscrit). Prénom indien d'Asie. Caractérologie : connaissances, sagacité, philosophie, originalité, spiritualité.

Santiago 🌟 950 (TOP 1000) ↗
Contraction espagnole de *santo* (« saint ») et Iago (forme dérivée de Jacques). Santiago est le patron de l'Espagne. Diminutif : Tiago. Caractérologie : curiosité, courage, détermination, dynamisme, indépendance.

Santu
Tous les saints (latin). Masculin corse. Ce prénom est porté par moins de 100 personnes en France. Variante : San. Caractérologie : communication, organisation, pragmatisme, optimisme, créativité.

Saphir 🌟 200 (TOP 2000) ⬆
Pierre précieuse bleue (grec), ambassadeur (arabe). Masculin anglais. Caractérologie : ambition, force, habileté, passion, ressort.

Sariel
Prince de Dieu (hébreu). Ce prénom est porté par moins de 30 personnes en France. Caractérologie : énergie, innovation, ambition, autorité, détermination.

Sarkis 🌟 120
Servir (latin). Masculin arménien. Caractérologie : audace, découverte, séduction, énergie, originalité.

Sasha 🌟 5 000 (TOP 200) ↗
Défense de l'humanité (grec). En dehors de l'Hexagone, Sasha est très répandu en Russie. Variante : Sascha. Caractérologie : optimisme, créativité, pragmatisme, sociabilité, communication.

Saturnin 🌟 400
Saturne (latin). Variante : Saturnino. Caractérologie : achèvement, stratégie, gestion, décision, vitalité.

Saül
Demandé par Dieu (hébreu). Désigné par le prophète Samuel, Saül devint le premier roi d'Israël. Ce prénom biblique est établi de longue date dans les communautés juives. Ce prénom est porté par moins de 30 personnes en France. Caractérologie : ardeur, achèvement, leadership, vitalité, stratégie.

Sauveur 🌟 1 500
Sauveur (latin). On peut estimer que moins de 30 enfants seront prénommés ainsi en 2014. Caractérologie : ambition, habileté, passion, détermination, force.

S

501

Saverio 🌟 250

Maison neuve (basque). Caractérologie : décision, ambition, force, habileté, caractère.

Savinien 🌟 300

Habitant d'Italie centrale (latin). Variantes : Savin, Savino. Caractérologie : optimisme, pragmatisme, créativité, communication, décision.

Scipion

Baguette de bois (latin). Ce prénom est porté par moins de 30 personnes en France. Caractérologie : fiabilité, méthode, analyse, sympathie, ténacité.

Scott 🌟 1 000 (TOP 1000) →

Écossais (celte). Masculin écossais et anglais. Variante : Scotty. Caractérologie : dynamisme, curiosité, courage, indépendance, organisation.

Sean 🌟 2 000 (TOP 600) ↘

Dieu fait grâce (hébreu). Cette forme irlandaise de Jean est assez répandue dans les pays anglophones. Caractérologie : enthousiasme, communication, pratique, adaptation, générosité.

Searle

Force (germanique). Ce prénom est porté par moins de 30 personnes en France. Caractérologie : paix, bienveillance, conseil, conscience, résolution.

Sébastian 🌟 1 500 (TOP 900) ↗

Respecté, vénéré (grec). Masculin anglais, allemand, scandinave et espagnol. Variante : Sebastiano. Caractérologie : rectitude, humanité, décision, ouverture d'esprit, rêve.

Sébastien 🌟 295 000 (TOP 500) ↓

Respecté, vénéré (grec). La forme latine Sebastianus, portée au Ve siècle par un empereur romain, est l'ancêtre du Sebastian anglais, allemand, scandinave et espagnol en usage au Moyen Âge. En France, Sébastien fait peu d'émules avant que *Belle et Sébastien* soit diffusé en 1965. Le nombre de ses attributions, décuplées par le succès de la série télévisée, le propulse au 1er rang masculin de 1975 à 1979, puis au 2e jusqu'en 1985. Son reflux s'est accentué au début du troisième millénaire. ◇ Capitaine dans l'armée de Dioclétien au IIIe siècle, saint Sébastien fut battu à mort par ses soldats lorsque ceux-ci découvrirent qu'il était chrétien. Il est le patron des prisonniers. Ce prénom fut également porté par un roi du Portugal au XVIe siècle. Caractérologie : ténacité, méthode, fiabilité, engagement, détermination.

Secondo

Second (latin). Ce prénom est porté par moins de 100 personnes en France. Variantes : Second, Segond, Segundo. Caractérologie : optimisme, communication, volonté, pragmatisme, créativité.

Sélim 🌟 5 000 (TOP 500) →

Pur, intact, en sécurité (arabe). Variante : Célim. Caractérologie : structure, persévérance, sécurité, détermination, efficacité.

Selyan 🌟 800 (TOP 500) ↑

Lune (grec). Variante : Celyan. Caractérologie : persévérance, structure, sécurité, efficacité, bonté.

Sémih 🌟 1 000 (TOP 800) ↘

Généreux, magnanime (arabe). Caractérologie : intégrité, idéalisme, altruisme, résolution, réflexion.

Sémy 🌟 150

Élevé, admirable (arabe). Caractérologie : force, ambition, habileté, passion, réussite.

SAMUEL

Fête : 20 août

Étymologie : de l'hébreu, « Son nom est Dieu ». Classique et intemporel dans les pays anglophones, où il s'est largement répandu, ce prénom peine à s'imposer en France. Malgré un envol prometteur dans les années 1960, sa carrière tourne court et s'abîme dans un parcours en dents de scie. Dernier épisode d'une longue aventure, Samuel s'impose dans le top 20 parisien en 2006, puis progresse dans les 50 premiers rangs français. D'aucuns y verront les signes d'un nouveau départ : Samuel ne rime-t-il pas avec Gabriel et Raphaël ? En arborant son « el » (« Dieu » en hébreu), ce trio est porté par la vague des prénoms bibliques. En attendant confirmation, le diminutif Sam est en recul (environ 200 naissances estimées pour 2014).

Samuel n'a pas attendu sa renaissance française pour triompher dans d'autres pays. Il s'affiche dans le top 50 wallon et a déjà franchi des cimes en Romandie et au Québec. En dehors de la zone francophone, il figure dans les 30 premiers choix des parents anglophones et espagnols.

Samuel, premier grand juge et prophète, désigna Saül comme le premier roi d'Israël, puis David à sa succession. Deux livres de la Bible portent son nom.

Samuel Beckett (1906-1989), romancier irlandais et auteur d'*En attendant Godot*, reçut le prix Nobel de littérature en 1969.

S

503
········

.../

Samuel *(suite)*

Samuel Morse (1791-1872), physicien américain, est l'inventeur du code morse, système de télécommunication abandonné par la marine en 1999.

Statistiques : Samuel est le 47ᵉ prénom masculin le plus donné en France depuis le début du XXIᵉ siècle. On peut estimer qu'il sera attribué à un garçon sur 245 en 2014.

Seng
Noble, luxe (vietnamien). Ce prénom est porté par moins de 100 personnes en France. Caractérologie : ouverture d'esprit, humanité, rêve, rectitude, générosité.

Septime
Septième (latin). Ce prénom est porté par moins de 100 personnes en France. Caractérologie : paix, décision, bienveillance, conscience, réussite.

Séraphin　🗽 1 500　TOP 2000　➡
Ardent (latin). Masculin français. On peut estimer que moins de 30 enfants seront prénommés ainsi en 2014. Variante : Seraphino. Caractérologie : action, rectitude, humanité, rêve, décision.

Serge　🗽 173 000　◎
Servir (latin). Ce nom porté par une puissante famille romaine se diffuse en Orient après le martyre de saint Serge de Rafasa, officier romain décapité pour sa foi en Syrie au IVᵉ siècle. Au fil des siècles, Serge et ses différentes graphies deviennent très fréquents en Grèce et dans la chrétienté orthodoxe. Au XVᵉ siècle, le moine Serge de Radonège devient le saint patron de la Russie, ce qui propulse Sergei au sommet des attributions. Et c'est sous l'influence de l'immigration russe, au début du XXᵉ siècle, que Serge émerge en Europe. Peu après son envol en Italie, dans les pays hispanophones et lusophones (Sergio),

Serge s'élance en France dans les années 1950. Il s'impose rapidement dans les 20 premiers rangs mais s'évapore à la fin du siècle. On peut estimer que moins de 30 enfants seront prénommés ainsi en 2014. Variantes : Serges, Sergei, Sergio, Serguei. Caractérologie : idéalisme, altruisme, réflexion, décision, intégrité.

Sergio　🗽 3 000　TOP 2000　◎
Servir (latin). Sergio est très répandu dans les pays hispanophones, lusophones et en Italie. En France, il est plus traditionnellement usité en Corse. Variante : Serjio. Caractérologie : direction, audace, dynamisme, indépendance, résolution.

Servan　🗽 300　◎
Qui est respectueux (celte). Prénom breton. Caractérologie : méditation, indépendance, savoir, intelligence, détermination.

Seth　🗽 120
Dieu a désigné (hébreu). Masculin anglais. Caractérologie : savoir, méditation, intelligence, indépendance, finesse.

Sévan　🗽 1 500　TOP 600　◎
Nom d'un lac d'Arménie (arménien). Caractérologie : méditation, indépendance, savoir, sagesse, intelligence.

Seven　🗽 140
Sept (anglais), variation de Sevan (arménien). Masculin anglais. Caractérologie : relationnel, adaptabilité, médiation, intuition, fidélité.

Séverin 🌟 1 500 →
Grave, sérieux (latin). Masculin français. On peut estimer que moins de 30 enfants seront prénommés ainsi en 2014. Variantes : Sever, Séverian, Severino. Caractérologie : réceptivité, décision, sociabilité, loyauté, diplomatie.

Seymour
Qui vit près de la mer (anglais). Masculin anglais. Ce prénom est porté par moins de 100 personnes en France. Caractérologie : force, ambition, habileté, réussite, logique.

Sezny
Rayon de soleil (celte). Ce prénom est porté par moins de 100 personnes en France. Caractérologie : vitalité, stratégie, ardeur, achèvement, leadership.

Shad 🌟 140
Bataille, guerrier (celte). Masculin anglais. Caractérologie : charisme, courage, dynamisme, curiosité, indépendance.

Shaï 🌟 300 ↘
Don, présent (hébreu). Caractérologie : ambition, énergie, innovation, autonomie, autorité.

Shawn 🌟 850 TOP 900 ↘
Dieu fait grâce (hébreu). Variantes : Shan, Shane, Shaun, Shun. Caractérologie : relationnel, adaptabilité, intuition, fidélité, médiation.

Sheldon 🌟 180 TOP 2000
Colline protégée (vieil anglais). Masculin anglais. Caractérologie : découverte, énergie, originalité, audace, volonté.

Sidi 🌟 1 000 TOP 2000 ↗
Habitant de Sidon (latin), lion (arabe). Variantes : Sid, Sidy. Forme composée rare mais en forte croissance : Sidi-Mohamed. Caractérologie : audace, énergie, originalité, séduction, découverte.

Sidney 🌟 1 500 TOP 2000 →
Habitant de Sidon (latin). Patronyme anglais ancien. Prénom anglophone. Sidon, l'une des plus vieilles cités de la Phénicie, aurait été fondée par Canaan, le petit-fils de Noé. Cette ville au destin exceptionnel surmonta la destruction infligée par les Perses (en 343), puis par les Assyriens (en 677). Située sur la côte libanaise, Sidon est appelée Sayda aujourd'hui. Variante : Saens. Caractérologie : persévérance, structure, sécurité, réussite, décision.

Sidoine 🌟 300 ↘
Habitant de Sidon (latin). Caractérologie : communication, caractère, enthousiasme, pratique, décision.

Siegfried 🌟 950 ↘
Victoire, paix (germanique). Siegfried est très répandu en Allemagne. Variantes : Siegfrid, Siegrid, Sigfried. Caractérologie : direction, audace, caractère, dynamisme, réussite.

Sigismond 🌟 120
Victoire préservée (germanique). Variantes : Sigmond, Sigmund. Caractérologie : caractère, dynamisme, direction, audace, réussite.

Silas 🌟 550 TOP 600 ↗
Demander (araméen). Masculin anglais. Caractérologie : bienveillance, conscience, paix, conseil, sagesse.

Silvain 🌟 650
Forêt (latin). Variantes : Seva, Silvano, Silver, Silvin, Silvino. Forme bretonne : Sev. Caractérologie : dynamisme, courage, curiosité, détermination, indépendance.

Silvère 🌟 1 000
Forêt (latin). Caractérologie : ouverture d'esprit, rectitude, humanité, rêve, décision.

S

Silvio 🎖 1 000 ➡
Forêt (latin). Prénom italien, espagnol et portugais. Variante : Silbio. Caractérologie : audace, énergie, découverte, originalité, raisonnement.

Simao 🎖 250 (TOP 800) ⬆
Qui est exaucé (hébreu). Ce prénom est particulièrement répandu au Portugal. Caractérologie : optimisme, communication, créativité, pragmatisme, sociabilité.

Siméo 🎖 250 (TOP 900) ⬆
Contraction de Simon et Théo. Caractérologie : spiritualité, indépendance, volonté, connaissances, originalité.

Siméon 🎖 2 000 (TOP 400) ↗
Qui est exaucé (hébreu). Simeon est répandu en Russie, en Bulgarie et en Serbie. Caractérologie : pragmatisme, communication, optimisme, détermination, volonté.

Simon 🎖 69 000 (TOP 50) ➡
Qui est exaucé (hébreu). Ce nom mentionné dans l'Ancien Testament est très ancien. Il fut porté par Simon Macchabée, gouverneur juif de la Judée et fondateur de la dynastie des Hasmonéens au IIe siècle avant J.-C. Il fut également porté par plusieurs saints, dont deux apôtres. Simon se diffuse au Moyen Âge, connaît un essor durant la Réforme, et maintient ses attributions dans les pays de culture judéo-chrétienne jusqu'au XIXe siècle. Son retour français est tardif, et somme toute modeste, puisqu'il ne perce pas au-dessus du 35e rang masculin à son pic (au début des années 1990). ◇ Simon est le nom originel de l'apôtre qui devint saint Pierre. Jésus choisit ce nom pour lui en référence à la mission dont il fut investi, celle de bâtir des églises « solides comme de la pierre ». Apôtre de Jésus lui aussi, saint Simon, appelé le « zélote », aurait prêché l'Évangile en Perse avant de mourir martyr. Dans l'Ancien Testament, Simon, le fils de Jacob et Léa, est le fondateur d'une des douze tribus d'Israël. ◇ Général et homme d'État sud-américain, Simon Bolívar combattit pour l'indépendance des colonies espagnoles d'Amérique. Il est le libérateur du Venezuela, de la Colombie, de l'Équateur et du Pérou. Variantes : Shimon, Siméo, Simson, Syméon, Symon, Ximun. Caractérologie : résolution, méditation, savoir, volonté, intelligence.

Sinan 🎖 1 000 (TOP 700) ⬆
Protecteur (arabe). Caractérologie : pratique, communication, décision, enthousiasme, adaptation.

Sinclair 🎖 140
Se rapporte à Saint-Clair, nom de plusieurs villages français. Patronyme écossais assez courant. Caractérologie : sécurité, structure, efficacité, résolution, persévérance.

Sixte 🎖 300 ➡
Lisse, poli (grec). Caractérologie : audace, découverte, résolution, énergie, originalité.

Sliman 🎖 750 ⬇
Intact, d'origine (arabe). Caractérologie : dynamisme, curiosité, résolution, courage, indépendance.

Slimane 🎖 2 000 (TOP 2000) ➡
Intact, d'origine (arabe). On peut estimer que moins de 30 enfants seront prénommés ainsi en 2014. Variante : Slim. Caractérologie : ambition, innovation, autorité, détermination, énergie.

Sloan 🎖 700 (TOP 600) ↗
Guerrier (celte). Masculin anglais. Caractérologie : spiritualité, sagacité, philosophie, connaissances, originalité.

Smaïl ⭐ 1 500
Forme arabe d'Ismaël : Dieu a entendu (hébreu). On peut estimer que moins de 30 enfants seront prénommés ainsi en 2014. Variante : Smaël. Caractérologie : idéalisme, altruisme, dévouement, intégrité, réflexion.

Smaïn ⭐ 1 000 ↘
Forme arabe d'Ismaël : Dieu a entendu (hébreu). Variante : Smaïne. Caractérologie : sociabilité, détermination, réceptivité, diplomatie, loyauté.

Soan ⭐ 3 000 (TOP 100) ↑
Variante de Sohan ou forme de Jean usitée dans les îles Wallis-et-Futuna. Variantes : Soane, Soann, Soen, Sohann, Sohane. Caractérologie : engagement, méthode, ténacité, sens du devoir, fiabilité.

Socrate ⭐ 150
Salut et paix (grec). Socrate, philosophe de la Grèce antique (Ve siècle avant J.-C.), n'a laissé aucun écrit. Il est connu par les témoignages de ses contemporains et les écrits de son disciple Platon. Caractérologie : humanité, rectitude, analyse, rêve, résolution.

Soen ⭐ 500 (TOP 800) ↗
Variante moderne de Soan, étoile (japonais). Caractérologie : habileté, ambition, management, passion, force.

Sofian ⭐ 6 000 (TOP 600) ↘
Dévoué (arabe). Caractérologie : innovation, ambition, autorité, énergie, détermination.

Sofiane ⭐ 20 000 (TOP 200) ↘
Dévoué (arabe). Ce prénom est particulièrement répandu dans les communautés musulmanes francophones. Variantes : Saufiane, Sofyan, Sofyane. Caractérologie : bienveillance, paix, conscience, conseil, résolution.

Sofien ⭐ 1 000 (TOP 2000) →
Dévoué (arabe). Variantes : Sofiene, Sofienne, Sofyen. Caractérologie : audace, énergie, originalité, découverte, détermination.

Sohan ⭐ 2 000 (TOP 200) ↑
Étoile (arabe), beau, magnifique (sanscrit). Variantes : Soane, Soann, Soen, Sohann, Sohane. Caractérologie : ambition, force, management, passion, habileté.

Sol
Soleil (latin). Dans la mythologie romaine, Sol est le dieu du Soleil. Ce prénom est porté par moins de 100 personnes en France. Caractérologie : dynamisme, audace, indépendance, assurance, direction.

Solal ⭐ 2 000 (TOP 400) →
Celui qui fraie un chemin (hébreu). Caractérologie : courage, curiosité, dynamisme, charisme, indépendance.

Solan ⭐ 450 (TOP 500) ↑
Solennel (latin). Variantes : Solane, Solann. Caractérologie : philosophie, originalité, connaissances, sagacité, spiritualité.

Soliman ⭐ 140
Paix (hébreu). Variante : Solly. Caractérologie : sociabilité, réceptivité, diplomatie, analyse, volonté.

Sonny ⭐ 2 000 (TOP 2000) →
Fils, garçon (anglais). Masculin anglais. Caractérologie : bienveillance, conscience, conseil, paix, sagesse.

Sony ⭐ 1 500 →
Fils, garçon (anglais). Masculin anglais. On peut estimer que moins de 30 enfants seront prénommés ainsi en 2014. Variante : Soni. Caractérologie : dynamisme, audace, assurance, direction, indépendance.

S

507

Sophian ⭐ 1 000 →
Dévoué (arabe). Caractérologie : action, audace, dynamisme, détermination, direction.

Sophiane ⭐ 900 →
Dévoué (arabe). Variante : Sophien. Caractérologie : action, bienveillance, paix, conscience, décision.

Sorel ⭐ 140 **TOP 2000**
Sorbier (allemand). Masculin anglais. Caractérologie : exigence, influence, famille, équilibre, patience.

Soren ⭐ 2 000 **TOP 300** ↗
Grave, sérieux (latin). Soren est très répandu dans les pays scandinaves. Caractérologie : leadership, vitalité, achèvement, stratégie, détermination.

Sosthène ⭐ 450 ↘
Celui dont la force est préservée (grec). Forme corse : Sostene. Caractérologie : conseil, conscience, paix, sensibilité, bienveillance.

Soufian ⭐ 650 ↑
Dévoué (arabe). Caractérologie : ténacité, méthode, fiabilité, détermination, raisonnement.

Soufiane ⭐ 3 000 **TOP 1000** →
Dévoué (arabe). Variantes : Souphiane, Soufien. Caractérologie : humanité, décision, rectitude, rêve, logique.

Souhéil ⭐ 400 **TOP 2000** →
Préparer, faciliter un projet (arabe). Variantes : Sohaïl, Sohéil, Souhaïl, Souhayl. Caractérologie : résolution, ambition, force, analyse, habileté.

Souleymane ⭐ 2 000 **TOP 400** ↗
Sain, intact, en sécurité (arabe). Variantes : Soleiman, Souleiman, Soulemane, Souleyman, Souliman, Soulimane, Sulayman,

Suliman. Caractérologie : ténacité, fiabilité, méthode, volonté, réalisation.

Sovan
Or (cambodgien). Ce prénom est porté par moins de 100 personnes en France. Variante : Sovann. Caractérologie : achèvement, vitalité, stratégie, ardeur, volonté.

Spencer
Qui distribue des provisions (anglais). Masculin anglais. Ce prénom est porté par moins de 100 personnes en France. Variante : Spence. Caractérologie : habileté, détermination, force, ambition, bonté.

Stan ⭐ 2 000 **TOP 500** →
Diminutif des prénoms formés avec Stan. Masculin anglais et néerlandais. Caractérologie : altruisme, réflexion, idéalisme, intégrité, dévouement.

Stanislas ⭐ 15 000 **TOP 400** →
Forme francisée de Stanislav : commandeur glorieux (slave). Variantes : Stanis, Stanislav, Stanislawa, Stany, Stanyslas. Caractérologie : famille, décision, gestion, équilibre, sens des responsabilités.

Stanislaw ⭐ 400
Commandeur glorieux (slave). Caractérologie : direction, dynamisme, décision, audace, gestion.

Stanley ⭐ 2 000 **TOP 700** →
Clairière rocailleuse (anglais). Masculin anglais. Caractérologie : famille, équilibre, organisation, sens des responsabilités, bonté.

Steed ⭐ 120
Habitant d'une ferme (anglais). Caractérologie : ardeur, vitalité, leadership, stratégie, achèvement.

Idées de prénoms triculturels

Le tableau ci-dessous propose une sélection de prénoms francophones et leurs équivalents anglophones et hispanophones. Cette sélection sera utile aux parents qui souhaitent trouver un prénom dont l'orthographe ou la prononciation reste identique dans de nombreuses régions du monde.

Prénom francophone	Prénom anglophone	Prénom hispanophone
Adam	Adam	Adam
Adrien	Adrian	Adrián
Aïdan	Aidan	Aiden
Alex	Alex	Álex
Angel	Angel	Ángel
Alexandre	Alexander	Alejandro
Adrien	Adrian	Adrían
Charles	Charles	Carlos
Daniel	Daniel	Daniel
Éric	Erik	Erik, Erico
Ethan	Ethan	Izan
Évan	Évan	Ivan
Gabriel	Gabriel	Gabriel
Hugo	Hugo	Hugo
Jérémie, Jérémy	Jeremy	Jeremías
Joseph	Joseph	José
Jules	Jules	Julio
Julien	Julian	Julián
Louis	Lewis, Luis	Luis
Lucas	Lucas, Luke	Lucas
Marc	Mark	Marcos, Marco
Martin	Martin	Martín
Michaël	Mickaël	Miguel
Nathan	Nathan	Natán
Nicolas	Nicholas	Nicolás
Noé	Noah	Noé
Oscar	Oscar	Óscar
Paul	Paul	Pablo
Raphaël	Raphael	Rafael
Ruben	Ruben	Ruben
Samuel	Samuel	Samuel
Simon	Simon	Simon
Théo	Theo	Téo
Thomas	Thomas	Tomás
Victor	Victor	Victor, Victoriano
Guillaume	William	Guillermo
Rayan, Ryan	Ryan	–
Zacharie, Zachary	Zachary	Zacarías

Steeve 🎏 10 000 (TOP 2000) ⬇

Couronné (grec). En dehors de l'Hexagone, ce prénom est particulièrement porté dans les pays anglophones. On peut estimer que moins de 30 enfants seront prénommés ainsi en 2014. Variantes : Steave, Steeves. Caractérologie : sécurité, efficacité, persévérance, structure, honnêteté.

Steeven 🎏 3 000 (TOP 2000) ⬂

Couronné (grec). Variante : Steevens. Caractérologie : idéalisme, dévouement, altruisme, intégrité, réflexion.

Steevy 🎏 700 ⬇

Couronné (grec). Variantes : Steevie, Stevie, Stevy. Caractérologie : sens des responsabilités, famille, équilibre, influence, réussite.

Stefan 🎏 2 000 (TOP 1000) ➡

Couronné (grec). Stefan est très répandu en Allemagne et dans les pays slaves méridionaux. C'est aussi un choix traditionnel basque. Caractérologie : intuition, fidélité, relationnel, médiation, adaptabilité.

Stellio 🎏 130

Étoile (latin). Variante : Stelio. Caractérologie : relationnel, décision, médiation, intuition, logique.

Sten

Cailloux (suédois). Masculin scandinave. Ce prénom est porté par moins de 100 personnes en France. Caractérologie : efficacité, sécurité, honnêteté, persévérance, structure.

Stéphan 🎏 12 000 ⬂

Couronné (grec). Masculin allemand. On peut estimer que moins de 30 enfants seront prénommés ainsi en 2014. Variantes : Stéfane, Stefano, Stéphann, Stéphanne. Caractérologie : médiation, fidélité, intuition, finesse, relationnel.

Stéphane 🎏 296 000 (TOP 700) ⬂

Couronné (grec). De nombreux saints, plusieurs papes et souverains ont porté ce prénom très répandu dans les pays occidentaux. Sous ses différentes graphies (Stephan, Stefan, Stephen), il s'épanouit dans les pays chrétiens, grecs et latins, dès les premiers siècles. Mais à la fin du Moyen Âge, Stéphane est progressivement remplacé par Étienne, une forme française du prénom apparue après lui. Stéphane devient très rare en France jusqu'au milieu XXe siècle. Il rejaillit alors, avec toute la fougue d'un prénom neuf, pour rejoindre les premiers rangs masculins dans les années 1970. Loin devant Étienne, Stéphane trône sur le classement français à deux reprises. Il reste visible jusqu'à la fin du siècle avant de sombrer dans l'abîme. Caractérologie : savoir, indépendance, méditation, intelligence, finesse.

Stephen 🎏 6 000 (TOP 2000) ⬂

Couronné (grec). En dehors de l'Hexagone, ce prénom est particulièrement porté dans les pays anglophones. Variantes : Stefen, Steffen. Caractérologie : paix, bienveillance, conscience, conseil, finesse.

Stevan 🎏 800 (TOP 2000) ➡

Couronné (grec). Ce prénom est plus particulièrement répandu en Serbie et dans les pays anglophones. Caractérologie : altruisme, idéalisme, intégrité, réflexion, dévouement.

Steve 🎏 22 000 (TOP 2000) ⬇

Couronné (grec). En dehors de l'Hexagone, ce prénom est particulièrement porté dans les pays anglophones. On peut estimer que moins de 30 enfants seront prénommés ainsi en 2014. Variantes : Steves, Stive, Stivy, Styve. Caractérologie : vitalité, achèvement, leadership, stratégie, ardeur.

Steven 🎀 32 000 (TOP 500) ⬇
Couronné (grec). Steven est très répandu dans les pays anglophones. Variantes : Steveen, Stevenn, Stewen, Stiven. Caractérologie : structure, persévérance, sécurité, efficacité, honnêteté.

Stevens 🎀 2 000
Couronné (grec). Masculin anglais. On peut estimer que moins de 30 enfants seront prénommés ainsi en 2014. Caractérologie : découverte, audace, originalité, énergie, séduction.

Stevenson 🎀 110
Fils de Steven (anglais). Masculin anglais. Caractérologie : sagacité, connaissances, caractère, originalité, spiritualité.

Stig
Le grand marcheur (scandinave). Ce prénom est porté par moins de 30 personnes en France. Caractérologie : assurance, audace, dynamisme, direction, indépendance.

Stuart 🎀 170
Qui prend soin (anglais). Ancien patronyme écossais. Variante : Stewart. Caractérologie : rectitude, humanité, rêve, ouverture d'esprit, gestion.

Styven 🎀 400 ⬇
Couronné (grec). Caractérologie : influence, équilibre, famille, sens des responsabilités, réalisation.

Suleyman 🎀 700 (TOP 2000) ➡
Sain, intact, en sécurité (arabe). Caractérologie : sociabilité, réceptivité, diplomatie, cœur, réussite.

Suliac
Soleil (celte). Masculin breton. Ce prénom est porté par moins de 100 personnes en France.

Variante : Suliag. Caractérologie : sociabilité, diplomatie, loyauté, réceptivité, bonté.

Sullivan 🎀 6 000 (TOP 1000) ⬇
Champ retourné sur une colline (vieil anglais). Patronyme anglophone assez répandu. Variante : Sulivan. Caractérologie : fidélité, médiation, intuition, relationnel, détermination.

Sully 🎀 2 000 (TOP 2000) ⬇
Nom de plusieurs villes et lieux situés dans le monde. Sully est également porté aussi sous forme de patronyme. On peut estimer que moins de 30 enfants seront prénommés ainsi en 2014. Caractérologie : achèvement, vitalité, ardeur, leadership, stratégie.

Sullyvan 🎀 1 500 (TOP 900) ↘
Champ retourné sur une colline (vieil anglais). Variante : Sulyvan. Caractérologie : altruisme, idéalisme, intégrité, réalisation, sympathie.

Sulpice 🎀 110
Aide (latin). Caractérologie : structure, persévérance, sécurité, amitié, détermination.

Sunny 🎀 550 (TOP 2000) ↘
Ensoleillé (anglais). Masculin anglais. Caractérologie : amitié, créativité, optimisme, communication, pragmatisme.

Sven 🎀 1 000 (TOP 1000) ➡
Jeunesse (scandinave). Prénom suédois et néerlandais. Variantes : Svenn, Swen. Caractérologie : bienveillance, paix, sagesse, conscience, conseil.

Swan 🎀 2 000 (TOP 400) ➡
Cygne (anglais). Prénom anglais. Caractérologie : générosité, pratique, enthousiasme, communication, adaptation.

Swann 🚩 3 000 (TOP 500) ↘

Cygne (anglais). Caractérologie : achèvement, vitalité, stratégie, ardeur, leadership.

Sydney 🚩 700 →

Habitant de Sidon (latin). Patronyme anglais ancien. Masculin anglais. Caractérologie : relationnel, intuition, fidélité, médiation, réalisation.

Sylvain 🚩 125 000 (TOP 900) ↓

Forêt (latin). Prénom français. Dans la mythologie romaine, Sylvain était le dieu des Forêts et des Champs. Caractérologie : pratique, communication, cœur, réussite, enthousiasme.

Sylvère 🚩 1 500

Forêt (latin). On peut estimer que moins de 30 enfants seront prénommés ainsi en 2014. Variantes : Sylve, Sylver. Caractérologie : connaissances, sagacité, cœur, réussite, spiritualité.

Sylvestre 🚩 2 000 ↓

Habitant de la forêt (latin). On peut estimer que moins de 30 enfants seront prénommés ainsi en 2014. Variantes : Silvester, Silvestre, Sylvester. Caractérologie : énergie, autorité, innovation, réalisation, sympathie.

Sylvian 🚩 550

Forêt (latin). Variantes : Sylvano, Sylvin. Caractérologie : communication, optimisme, réalisation, pragmatisme, bonté.

Sylvio 🚩 1 500 (TOP 2000) →

Forêt (latin). Prénom italien. On peut estimer que moins de 30 enfants seront prénommés ainsi en 2014. Caractérologie : enthousiasme, communication, réalisation, raisonnement, pratique.

Symphorien 🚩 120

Unir, porter (grec). Caractérologie : intelligence, savoir, méditation, réalisation, volonté.

T

Tadek

Père (celte). Masculin breton. Ce prénom est porté par moins de 100 personnes en France. Variantes : Tadec, Tadeck. Caractérologie : dynamisme, curiosité, courage, indépendance, charisme.

Tadeusz 🚩 450

Courageux (grec). Variantes : Tadéo, Tadeus, Tadeuz, Thadeus, Thadeusz. Caractérologie : organisation, sens des responsabilités, équilibre, famille, finesse.

Tahar 🚩 2 000 (TOP 2000) ↘

Pureté, innocence (arabe). On peut estimer que moins de 30 enfants seront prénommés ainsi en 2014. Variantes : Taher, Tahir. Caractérologie : pratique, communication, enthousiasme, adaptation, générosité.

Tal

Rosée (hébreu). Ce prénom est porté par moins de 100 personnes en France. Caractérologie : famille, équilibre, sens des responsabilités, influence, organisation.

Talal 🚩 180

Élégant (arabe). Variante : Talel. Caractérologie : autorité, énergie, innovation, ambition, organisation.

Talha 🇫🇷 250 TOP 2000 →
Fleur d'acacia (arabe). Caractérologie : conscience, paix, bienveillance, conseil, gestion.

Tam
Centre, cœur, esprit (vietnamien), diminutif écossais de Thomas. Ce prénom est porté par moins de 100 personnes en France. Caractérologie : connaissances, philosophie, sagacité, spiritualité, originalité.

Tan 🇫🇷 140
Nouveau (vietnamien). Caractérologie : achèvement, leadership, stratégie, vitalité, ardeur.

Tancrède 🇫🇷 600 TOP 2000 →
Noble paix (germanique). Caractérologie : sagacité, spiritualité, organisation, détermination, connaissances.

Taner 🇫🇷 180
Lumière du matin (turc). Caractérologie : efficacité, structure, sécurité, persévérance, résolution.

Tangi 🇫🇷 600
Chien ou guerrier de feu (celte). Caractérologie : sens des responsabilités, influence, équilibre, famille, résolution.

Tanguy 🇫🇷 18 000 TOP 900 ↓
Chien ou guerrier de feu (celte). Masculin français et breton. Variante : Tangui. Caractérologie : savoir, intelligence, méditation, organisation, bonté.

Tao 🇫🇷 2 000 TOP 300 →
Voie, méthode, création (chinois), respectueux de ses parents (vietnamien). Caractérologie : ouverture d'esprit, rectitude, humanité, rêve, générosité.

Taran
Paradisiaque (sanscrit). Se prononce « Tarane ». Taran est très répandu en Inde. Ce prénom est porté par moins de 100 personnes en France. Caractérologie : altruisme, intégrité, réflexion, résolution, idéalisme.

Tarek 🇫🇷 2 000 TOP 1000 →
Étoile du matin (arabe). Caractérologie : innovation, autorité, énergie, résolution, ambition.

Tarik 🇫🇷 4 000 TOP 2000 →
Étoile du matin (arabe). Variantes : Tarak, Tarick, Tariq. Caractérologie : découverte, énergie, originalité, audace, séduction.

Tayeb 🇫🇷 1 000 ↓
De nature calme et bienveillante (arabe). Caractérologie : passion, force, habileté, ambition, management.

Taylor 🇫🇷 600 TOP 2000 ↑
Tailleur (anglais). Patronyme anglais ancien. Masculin anglais. Caractérologie : autorité, énergie, organisation, innovation, analyse.

Tayron 🇫🇷 450 TOP 600 ↑
Du comté d'Eoghan (irlandais). Masculin anglais. Caractérologie : pratique, communication, enthousiasme, adaptation, résolution.

Ted 🇫🇷 500 →
Don de Dieu (grec). Caractérologie : intuition, médiation, adaptabilité, relationnel, fidélité.

Teddy 🇫🇷 23 000 TOP 400 ↘
Don de Dieu (grec). Ce prénom est plus particulièrement répandu aux États-Unis. Variantes : Teddie, Tedy, Theddy. Caractérologie : ténacité, méthode, fiabilité, engagement, sens du devoir.

T

513

Évolution des pratiques d'attribution des prénoms de 1900 à nos jours

Depuis l'assouplissement de la législation, en 1993, le répertoire des prénoms s'est élargi d'un tiers. Une expansion sans précédent qui s'explique par l'arrivée massive de prénoms nouveaux, et par la multiplication de variantes en tout genre. Qu'ils soient régionaux ou venus d'ailleurs, anciens ou inventés, ces prénoms originaux participent du désir des parents de donner une identité unique à leurs enfants (voir l'article dédié à ce sujet). Tant de changements en un peu plus d'un siècle... Nos arrière-grands-parents n'auraient jamais pu rêver avoir un tel embarras du choix ! Il faut dire que l'on recensait sept fois moins de prénoms attribués en 1900 qu'aujourd'hui.

La diversité, reflet de notre société moderne
En termes de diversité, la situation entre les deux époques est incomparable. S'il suffisait de citer 46 prénoms masculins et 60 prénoms féminins pour couvrir 80 % des naissances en 1900, il en faut respectivement... 450 et 970 aujourd'hui ! Le graphique ci-dessous montre l'accélération de cette tendance dans les années 1990. Notons que le nombre de prénoms est pratiquement deux fois moins élevé au masculin. La preuve que le registre féminin génère davantage d'innovations... du moins pour le moment.

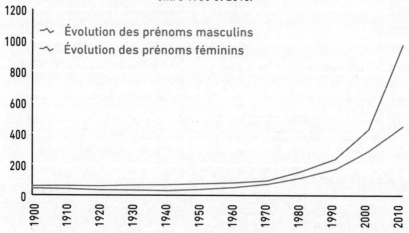

Évolution du nombre de prénoms représentant 80 % des attributions entre 1900 et 2010.

Au début du XXᵉ siècle, la faible diversité des choix engendrait une surreprésentation des prénoms phares dans la population. Songeons à cette réalité : en 1900, l'éventail des

.../

Évolution des pratiques d'attribution des prénoms de 1900 à nos jours (suite)

dix prénoms les plus attribués suffisait à désigner 42 % des bébés nés dans une maternité. Autrement dit, un nouveau-né avait pratiquement une chance sur 10 de se voir attribuer un prénom porté par la moitié des enfants du même sexe nés la même année. Les statistiques étaient encore plus impitoyables si le prénom choisi était en tête du palmarès. Ce qui, pendant la première partie du xxᵉ siècle, fut le cas de Marie et Jean. Il n'est pas étonnant que Marie ait été, en 1900, attribué à une fille sur 11. Par comparaison, Emma, la reine des prénoms féminins depuis 2005, est attribué à une fille sur 64. Ainsi, Emma a bien plus de chances d'être unique dans une classe d'école que Marie au siècle dernier ! Dans le graphique ci-dessous, le poids relatif de ces prénoms phares chute brutalement à la fin des années 1960. Notons que l'écart entre les filles et les garçons se resserre nettement au milieu des années 1990.

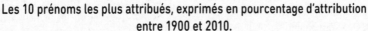

Les 10 prénoms les plus attribués, exprimés en pourcentage d'attribution entre 1900 et 2010.

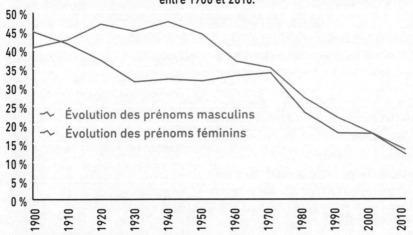

~ Évolution des prénoms masculins
~ Évolution des prénoms féminins

Le poids croissant des prénoms rares

Inévitablement, les prénoms rares représentent une part croissante du stock national des prénoms. Ainsi, la majorité des prénoms recensés (soit plus de 18 000 d'entre eux) sont portés par moins de 100 personnes en France aujourd'hui. Par contraste, le répertoire de prénoms portés par 10 000 à 100 000 Français est inférieur à 500 prénoms. Il diminue dramatiquement si l'on recherche les prénoms portés par plus de 500 000 individus : seuls Marie, Jean et Michel peuvent en effet répondre à cet appel. Ces témoins du temps passé ne laisseront pas d'héritiers susceptibles d'être aussi massivement portés…

Teiki

Le roi des dieux rêveurs (tahitien). Ce prénom est porté par moins de 100 personnes en France. Caractérologie : rectitude, rêve, humanité, générosité, ouverture d'esprit.

Télémaque

Combat, distance (grec). Dans la mythologie grecque, Télémaque est le fils d'Ulysse et de Pénélope. Ce prénom est porté par moins de 100 personnes en France. Caractérologie : rectitude, gestion, rêve, attention, humanité.

Télesphore

Qui déplace (grec). Ce prénom est porté par moins de 100 personnes en France. Caractérologie : équilibre, famille, sens des responsabilités, raisonnement, sensibilité.

Télio 🌟 350 TOP 1000 ↗

Ce dérivé de Telo vient probablement du grec *Theos*, Dieu. Telo, évêque de Llandav (pays de Galles) au VIᵉ siècle, est le patron de plusieurs villages bretons. Variantes : Teilo, Téliau, Télo, Thélau, Théliau, Thélio, Tilio. Caractérologie : intelligence, savoir, méditation, indépendance, logique.

Telmo

Protection divine (germanique). Masculin espagnol et portugais. Ce prénom est porté par moins de 100 personnes en France. Caractérologie : médiation, relationnel, intuition, fidélité, volonté.

Téo 🌟 7 000 TOP 200 →

Dieu (grec). Téo est particulièrement répandu en Italie dans les pays hispanophones. Caractérologie : efficacité, sécurité, persévérance, structure, honnêteté.

Teoman 🌟 300 ↓

Nom du chanteur et compositeur turc Fazli Teoman. On trouve également Téoman écrit avec l'accent aigu. Caractérologie : originalité, audace, découverte, énergie, caractère.

Térence 🌟 3 000 TOP 800 →

Tendre, gracieux (grec). Masculin anglais. Variantes : Terrence, Therence. Caractérologie : indépendance, sagesse, méditation, savoir, intelligence.

Terry 🌟 3 000 TOP 900 →

Tendre, gracieux (grec). Masculin anglais. Variantes : Tery, Therry, Théry. Caractérologie : séduction, énergie, découverte, originalité, audace.

Teva 🌟 700 ↘

Grand voyageur (tahitien). Écrit avec un accent, Téva signifie également « fruit de la nature » en hébreu. Caractérologie : optimisme, pragmatisme, communication, sociabilité, créativité.

Thaddée 🌟 250 ↑

Courageux (grec). Variantes : Thad, Thade, Thadée. Caractérologie : sensibilité, sociabilité, réceptivité, loyauté, diplomatie.

Thaï

Plusieurs (vietnamien). Ce prénom est porté par moins de 100 personnes en France. Caractérologie : fidélité, relationnel, adaptabilité, intuition, médiation.

Thaïs 🌟 450 TOP 500 ↑

Lien, bandage (grec). Ce prénom féminin est depuis quelques années attribué à un nombre croissant de garçons. Caractérologie : pratique, adaptation, communication, enthousiasme, générosité.

Thanh 🌟 350

Fin, clair, couleur bleue ou muraille (idée de solidité), achevé (vietnamien). Caractérologie : sens des responsabilités, équilibre, famille, influence, sensibilité.

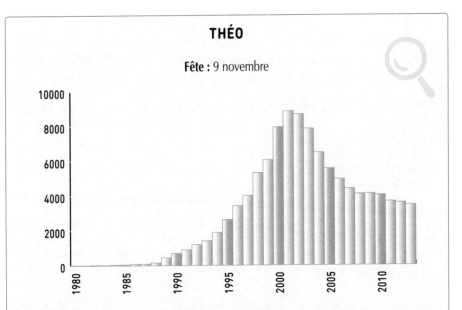

THÉO

Fête : 9 novembre

Étymologie : du grec *théos*, « Dieu ». Si Théo est un prénom à part entière, il fut longtemps utilisé comme diminutif de Théodore, Théobald, Théodose, Théophane et Théotime. Ces prénoms de tradition grecque se sont diffusés en Europe à partir du XVIᵉ siècle ; ils doivent leur côté rétro au pic d'attribution français qui les distingua au XIXᵉ siècle.

À la fin des années 1980, l'essor des prénoms courts fait pour la première fois surgir Théo dans l'Hexagone. Il prend l'avantage sur Théodore d'autant plus aisément que ce dernier est au plus bas de sa popularité. Dès lors, sa carrière est lancée. Théo prend la tête du classement au début des années 2000, et s'il faiblit nettement aujourd'hui, il reste le 17ᵉ choix préféré des Français.

L'essor de Théo a redonné des forces à Timothée et Théotime, auxquels Timéo doit une partie de son succès (voir le zoom qui lui est consacré). Chez les filles, Théoline, Théoxane, Théonie et Théotine ont fait quelques apparitions dans les maternités ; elles ont bien vite été rattrapées par la jeune Timéa.

Théo a séduit de nombreux parents francophones. S'il n'a pas encore percé dans le top 20 québécois, il évolue en haut des tableaux suisses romands et wallons. Mais son succès se mesure également dans les pays scandinaves et slaves (Teo). Ce qui n'empêche pas Théodore de briller en Russie et dans les contrées anglophones, où les parents l'apprécient beaucoup. Notons enfin l'émergence de Théau. Ce prénom ancien bénéficie de la gloire de Théo et réapparaît en France depuis les années 1990.

.../

T

517

Théo *(suite)*

Soldat de l'armée romaine au temps de Maximien (vers 303), **saint Théodore** fut martyrisé à Amasée (Turquie) après avoir déclaré sa foi et incendié un temple païen dédié à la déesse Rhéa. Théodore est le patron des soldats.

Personnalités célèbres : Theodore Roosevelt, président des États-Unis de 1901 à 1909, reçut le Prix Nobel de la paix en 1906 ; Théodore Géricault (1791-1824), peintre français auquel on doit *Le Radeau de la Méduse*.

Statistiques : Théo est le 3ᵉ prénom masculin le plus donné en France depuis le début du XXIᵉ siècle. On peut estimer qu'il sera attribué à un garçon sur 117 en 2014.

Thao  500 **TOP 600** ↑
Respectueux de ses parents (vietnamien). Caractérologie : vitalité, achèvement, stratégie, ardeur, leadership.

Théau 800 →
Dieu (grec). Caractérologie : innovation, autorité, énergie, sensibilité, organisation.

Thècle
Gloire de Dieu (grec). Ce prénom est porté par moins de 30 personnes en France. Caractérologie : stratégie, vitalité, ardeur, achèvement, attention.

Théo 103 000 **TOP 50** 🔍 →
Dieu (grec). Caractérologie : communication, pragmatisme, optimisme, créativité, attention.

Théobald
Peuple courageux (germanique). Théobald est plus particulièrement usité dans les pays anglophones, en Allemagne et en Alsace. Ce prénom est porté par moins de 100 personnes en France. Variantes : Téobald, Théobaldo. Caractérologie : sécurité, persévérance, structure, caractère, attention.

Théoden
Théoden est un personnage de fiction. Il est le roi de Rohan dans *Le Seigneur des anneaux*, de J. R. R. Tolkien. Dans l'Hexagone, les premières attributions de Théoden ont été recensées en 2004. Ce prénom est porté par moins de 100 personnes en France. Caractérologie : volonté, finesse, stratégie, vitalité, attention.

Théodore 6 000 **TOP 400** ↗
Don de Dieu (grec). Deux papes, deux empereurs et de nombreux saints ont illustré ce prénom. Soldat romain chrétien au IIIᵉ siècle, saint Théodore mourut martyr à Amasée, en Asie Mineure. Théodore est un prénom anglais et français. Variantes : Fedor, Feodor, Téodor, Téodore, Téodoric, Téodorick, Téodoro, Theodor, Théodoric. Caractérologie : altruisme, volonté, intégrité, idéalisme, finesse.

Théodose
Don de Dieu (grec). Théodose Iᵉʳ le Grand est le dernier empereur qui régna sur un Empire romain unifié. Il fonda la dynastie théodosienne qui vit fleurir les premiers empereurs d'Orient. Ce prénom est porté par moins de 30 personnes en France. Caractérologie : dynamisme, direction, sensibilité, indépendance, volonté.

Théodosio
Don de Dieu (grec). Ce prénom est porté par moins de 30 personnes en France. Variantes :

Téodosio, Théodose. Caractérologie : relationnel, intuition, attention, médiation, caractère.

Théodule ⭐ 190
Serviteur de Dieu (grec). Caractérologie : diplomatie, loyauté, volonté, sociabilité, écoute.

Théophane ⭐ 1 000 (TOP 2000) →
Apparition divine (grec). Variante : Téophane. Caractérologie : diplomatie, réceptivité, sociabilité, attention, loyauté.

Théophile ⭐ 8 000 (TOP 500) →
Qui aime les dieux (grec). Masculin français. Variantes : Téophile, Théofil, Théophil. Caractérologie : habileté, force, ambition, analyse, finesse.

Théotime ⭐ 1 000 (TOP 2000) ↘
Honorer Dieu (grec). Variantes : Théotim, Théotine. Caractérologie : attention, courage, caractère, curiosité, dynamisme.

Thibaud ⭐ 14 000 (TOP 500) ↓
Peuple courageux (germanique). Variantes : Thibauld, Thiébaud, Thiebault, Thiébaut, Thuriau, Thybault, Tibald, Tibaud, Tibauld, Tibault, Tibo. Caractérologie : sociabilité, réceptivité, diplomatie, organisation, loyauté.

Thibault ⭐ 49 000 (TOP 100) →
Peuple courageux (germanique). Masculin français. Caractérologie : pratique, communication, enthousiasme, adaptation, organisation.

Thibaut ⭐ 34 000 (TOP 300) ↓
Peuple courageux (germanique). Masculin français. Caractérologie : intégrité, idéalisme, réflexion, gestion, altruisme.

Thiefaine ⭐ 250 ↘
Apparition divine (grec). Variante : Tiephaine. Caractérologie : énergie, sensibilité, découverte, détermination, audace.

Thien
Celui qui est juste, bon et vertueux (vietnamien). Ce prénom est porté par moins de 100 personnes en France. Caractérologie : réceptivité, diplomatie, loyauté, sociabilité, sensibilité.

Thierry ⭐ 274 000 (TOP 2000) ↓
Gouverneur du peuple (germanique). Un roi des Francs et un saint fondateur de l'abbaye du Mont-d'Or (près de Reims) ont porté ce nom au VIᵉ siècle. Malgré sa notoriété, Thierry peine à se diffuser en France. C'est au cœur du XXᵉ siècle qu'il s'élance de nouveau, avec tant de vigueur qu'il lui faut moins d'une décennie pour atteindre l'élite des attributions. Le succès du feuilleton télévisé *Thierry la Fronde*, diffusé en 1963, a indéniablement soutenu son accession au trône (en 1965). On peut estimer que moins de 30 enfants seront prénommés ainsi en 2014. Variantes : Thierno, Tierry. Caractérologie : sécurité, persévérance, structure, ressort, finesse.

Thiery ⭐ 1 000
Gouverneur du peuple (germanique). Caractérologie : structure, persévérance, sécurité, ressort, finesse.

Thom ⭐ 250 (TOP 2000) →
Ananas, parfumé (vietnamien), diminutif anglophone de Thomas. Caractérologie : médiation, intuition, relationnel, fidélité, adaptabilité.

Thomas ⭐ 261 000 (TOP 50) 🔍 ↘
Jumeau (araméen). Variante : Thoma. Caractérologie : ténacité, méthode, fiabilité, sens du devoir, engagement.

Thomy ⭐ 180
Jumeau (araméen). Caractérologie : rectitude, humanité, rêve, générosité, ouverture d'esprit.

519

THOMAS, TOM

Fête : 28 janvier, 3 juillet

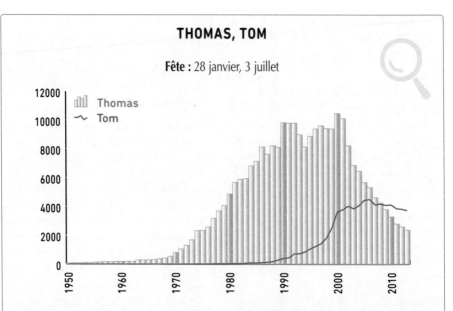

Étymologie : de l'araméen *toma*, « jumeau ». Ce vieux prénom doit sa notoriété au fait qu'il fut porté par de nombreux saints. Attribué depuis des siècles dans les pays anglophones, ce nom classique n'émerge pourtant pas en France avant les années 1980. De quelle manière comble-t-il son retard ! Propulsé par une croissance fulgurante, il s'impose à la tête des prénoms français en 1996 et s'y maintient pendant six ans. Aujourd'hui, son reflux le fait chuter dans le top 40 national mais il reste dans l'élite des attributions parisiennes.

En attendant plus ample dérive française, Thomas est encore prisé en Angleterre et en Australie. Son déclin américain est concomitant à celui observé au Québec et en Wallonie.

Cette situation affecte peu les perspectives de Tom. Bien qu'il soit impopulaire dans le pays de Tom Cruise, ce diminutif est attribué à près de 4 000 Français chaque année. Ce prénom, courant aux États-Unis au XIXe siècle, a été découvert dans les années 1980 en France. Porté par la vogue des choix courts et sa jeunesse, il devrait s'élever à la 15e place du palmarès national en 2014.

Saint Thomas, apôtre de Jésus au Ier siècle, est célèbre pour avoir douté de la résurrection du Christ avant de lui proclamer sa foi. Il est le patron des architectes et des maçons.

.../

Thomas, Tom (suite)

Saint Thomas d'Aquin vécut au XIIIᵉ siècle. Auteur de la Somme théologique, il est considéré comme l'un des plus grands théologiens de l'histoire chrétienne. Il est le patron des universités.

Personnalités célèbres : Thomas Hobbes (1588-1679), philosophe anglais ; Thomas Jefferson (1743-1826), président des États-Unis ; Thomas Paine (1737-1809), écrivain anglais ; Thomas Edison (1847-1931), inventeur américain du premier phonographe et de l'électricité.

Statistiques : Thomas est le 5ᵉ prénom masculin le plus donné en France depuis le début du XXIᵉ siècle. On peut estimer qu'il sera attribué à un garçon sur 173 en 2014. Placé au 12ᵉ rang du classement, **Tom** devrait prénommer un garçon sur 109.

Thong
Intelligent (vietnamien). Ce prénom est porté par moins de 100 personnes en France. Caractérologie : indépendance, dynamisme, audace, attention, direction.

Thony 🌟 450 ⬇
Inestimable (latin), fleur (grec). Caractérologie : innovation, énergie, autorité, sensibilité, ambition.

Tiago 🌟 6 000 TOP 100 ↗
Supplanter, talonner (hébreu). Voir Santiago. Tiago est très répandu au Portugal. Caractérologie : Intelligence, méditation, spiritualité, savoir, sensibilité.

Tibère
Autel, lieu saint (anglais). Ce prénom est porté par moins de 100 personnes en France. Variantes : Tiber, Tibor. Caractérologie : curiosité, courage, dynamisme, charisme, indépendance.

Tidiane 🌟 900 TOP 600 ↑
Prénom sénégalais dont l'origine est inconnue. Caractérologie : vitalité, achèvement, détermination, stratégie, ardeur.

Tien
Féerique (vietnamien). Ce prénom est porté par moins de 100 personnes en France. Caractérologie : pratique, communication, enthousiasme, générosité, adaptation.

Tifenn 🌟 180
Apparition divine (grec). Variante : Thiphaine. Caractérologie : courage, dynamisme, charisme, curiosité, indépendance.

Tilian 🌟 160 TOP 2000
Puissance, combat (germanique). Variantes : Tylan, Tylian, Tilien. Caractérologie : organisation, médiation, volonté, fidélité, adaptabilité.

Tilio 🌟 800 TOP 500 ↑
Ce dérivé de Telo vient probablement du grec *Theos*, Dieu. Telo, évêque de Llandav (pays de Galles) au VIᵉ siècle, est le patron de plusieurs villages bretons (Landeleau, Leuhan, Saint-Thélo et Montertelot). Variantes : Till, Tillo, Tylio. Caractérologie : intuition, relationnel, médiation, raisonnement, adaptabilité.

Tim 🌟 4 000 TOP 200 ↗
Honorer Dieu (grec). Tim est très en vogue dans les pays germanophones, anglophones et néerlandophones. Caractérologie : paix, bienveillance, conseil, conscience, sagesse.

T

521

Timaël 🎗 450 **TOP 300** ↑
Contraction de Timéo et Maël. Timaël a été attribué pour la première fois en France en 1999. Caractérologie : conscience, organisation, conseil, paix, bienveillance.

Timéo 🎗 22 000 **TOP 50** 🔍 ↑
Honorer Dieu (grec). Variantes : Thiméo, Thyméo, Timo. Caractérologie : vitalité, achèvement, caractère, ardeur, stratégie.

Timo 🎗 450 **TOP 1000** ↑
Honorer Dieu (grec). Masculin allemand, scandinave, espagnol, italien et néerlandais. Caractérologie : communication, pragmatisme, sociabilité, optimisme, créativité.

Timothé 🎗 10 000 **TOP 100** ↗
Honorer Dieu (grec). Masculin français. Caractérologie : idéalisme, finesse, volonté, intégrité, altruisme.

Timothée 🎗 16 000 **TOP 100** →
Honorer Dieu (grec). Disciple de Paul au Ier siècle, saint Timothée fut martyrisé à Éphèse (en Turquie). Timothée est un prénom français. Variantes : Timmy, Timon, Timoté, Timotei, Timotéo, Thimoté, Thimotée, Thimothé, Timothey, Tymothé. Caractérologie : dynamisme, curiosité, courage, attention, caractère.

Timothy 🎗 2 000 **TOP 600** ↗
Honorer Dieu (grec). Masculin anglais. Variante : Timoty. Caractérologie : réceptivité, ressort, loyauté, diplomatie, sociabilité.

Timour 🎗 200 →
De grande taille (hébreu). Variante : Timur. Caractérologie : paix, conseil, bienveillance, conscience, analyse.

Tin
Juste (latin). Ce prénom est porté par moins de 30 personnes en France. Caractérologie : originalité, sagacité, spiritualité, philosophie, connaissances.

Tino 🎗 2 000 **TOP 300** ↑
Diminutif des prénoms se terminant par « Tino ». Tino est un prénom italien. Caractérologie : sens du devoir, structure, honnêteté, efficacité, persévérance.

Tito 🎗 190
Honorable (grec). Masculin italien, espagnol et portugais. Forme francisée : Titien. Caractérologie : autorité, innovation, énergie, autonomie, ambition.

Titouan 🎗 17 000 **TOP 100** ↘
Petit Antoine (occitan). Malgré ses racines occitanes, Titouan est principalement attribué en Bretagne aujourd'hui. Bon nombre de parents choisissent ce prénom en hommage au navigateur et artiste Titouan Lamazou. Caractérologie : direction, dynamisme, audace, raisonnement, détermination.

Titus
Qui rend honneur (latin). Ce prénom romain est plus traditionnellement usité en Corse. Ce prénom est porté par moins de 100 personnes en France. Variante : Tiziano. Caractérologie : ambition, force, habileté, passion, gestion.

Tiziano 🎗 550 **TOP 1000** →
Qui rend honneur (latin). Prénom italien. Caractérologie : engagement, finesse, fiabilité, ténacité, responsabilité.

Tobias 🎗 950 **TOP 2000** ↘
Dieu est bon (hébreu). Tobias est particulièrement répandu dans les pays scandinaves et aux Pays-Bas. Variantes : Tobie, Toby. Caractérologie : sociabilité, pragmatisme, communication, créativité, optimisme.

TIMÉO

Fête : 26 janvier

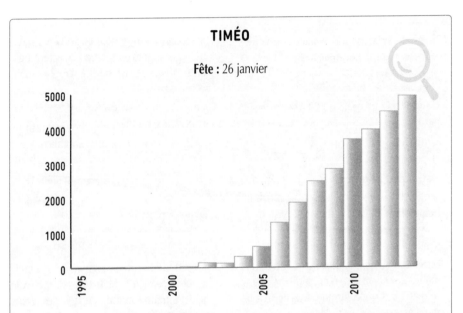

Étymologie : la traduction littérale du latin *timeo* par « craindre » est correcte, mais elle ne rend pas justice à ce prénom. Timéo puise, comme Timothée, ses origines du grec *timè*, « tenir en honneur », et *théos*, « Dieu », d'où le sens : « honorer Dieu ». Le premier Timéo de France naît en 1998, au moment où Théo s'envole au sommet du classement. Figure de proue des terminaisons en « éo », Théo aspire Mathéo, Hugo et Léo dans son sillage, puis fait renaître ses ancêtres Timothée, Théodore et Théotime. Bien que ces derniers se diffusent modestement, Time avec ses quatre lettres marque les esprits et fait son chemin. La combinaison avec Théo devient attrayante et ne tarde pas à se réaliser. Ayant rencontré un vif succès, Timéo devrait s'imposer au 5e rang du classement français en 2014.

Les produits dérivés de cette gloire émergent sous diverses formes. La création de Thiméo suit de près celles de Timaël (contraction de Timothée et Maël) et Timothéo. Mais ces derniers comptent moins d'adeptes que le dérivé allemand Timo, qui décolle outre-Rhin, ou le féminin Timéa. En dehors de l'Hexagone, Timéo pourrait s'imposer dans les tops 30 wallon et suisse romand, et dans le top 50 allemand (Timo). Timée, la version française de Timaeus, n'a jamais fait recette dans l'Hexagone. Son éclosion serait-elle imminente ?

Homme politique grec au IVe siècle avant J.-C., **Timoléon** délivra Syracuse et gouverna la ville sur le mode d'une démocratie modérée. Atteint de cécité, il se retira volontairement du pouvoir et mourut en 337 avant J.-C.

.../

T

Timéo *(suite)*

Timée de Syracuse (ou **Timaeus**), historien grec du IVe siècle avant J.-C, rédigea une volumineuse histoire des origines de la Sicile et des événements qui conduisirent à la première guerre punique.

Timée de Locres, philosophe grec pythagoricien, aurait vécu au Ve siècle avant J.-C. Il est cité par Platon dans ses Dialogues mais la preuve de son existence est mise en doute.

Timée le Sophiste, philosophe et grammairien grec, vécut au IIe ou IIIe siècle.

Statistiques : Timéo est le 45e prénom masculin le plus donné en France depuis le début du XXIe siècle. On peut estimer qu'il sera attribué à un garçon sur 84 en 2014. **Timothée** devrait prénommer un garçon sur 520 et figurer au 115e rang de ce palmarès.

Tobie
Dieu est bon (hébreu). Ce prénom est porté par moins de 100 personnes en France. Caractérologie : influence, famille, sens des responsabilités, exigence, équilibre.

Todd
Renard (anglais). Ce prénom est porté par moins de 100 personnes en France. Caractérologie : spiritualité, connaissances, originalité, philosophie, sagacité.

Tom 65 000 (TOP 50) 🔍 ➡
Jumeau (araméen). Caractérologie : pragmatisme, créativité, optimisme, sociabilité, communication.

Tomas 1 500 (TOP 800) ➡
Jumeau (araméen). Masculin écossais, espagnol, portugais, scandinave et tchèque. Variantes : Toma, Tomaso, Tomi. Caractérologie : découverte, énergie, audace, originalité, séduction.

Tomislav 120
Jumeau (araméen). Tomislav est particulièrement répandu en Croatie et en Pologne. Caractérologie : communication, pratique, enthousiasme, organisation, analyse.

Tommy 5 000 (TOP 700) ➡
Jumeau (araméen). Ce prénom est particulièrement recensé aux États-Unis. Caractérologie : originalité, audace, énergie, découverte, séduction.

Tomy 1 500 (TOP 2000) ↘
Jumeau (araméen). Masculin anglais. Caractérologie : énergie, ambition, innovation, autonomie, autorité.

Tong
Obéissant (vietnamien). Ce prénom est porté par moins de 100 personnes en France. Caractérologie : réceptivité, loyauté, sociabilité, diplomatie, bonté.

Toni 2 000 (TOP 1000) ↓
Inestimable (latin), fleur (grec). Caractérologie : persévérance, sécurité, honnêteté, efficacité, structure.

Tony 48 000 (TOP 200) ↘
Inestimable (latin), fleur (grec). Tony est répandu dans les pays anglophones. Variantes : Tonino, Tonio, Tonny. Caractérologie : diplomatie, sociabilité, réceptivité, loyauté, bonté.

Toufik 🌸 2 000 (TOP 2000) ⊙
Succès, harmonie (arabe). On peut estimer que moins de 30 enfants seront prénommés ainsi en 2014. Variantes : Tofik, Toufic, Toufike. Caractérologie : raisonnement, ambition, autorité, énergie, innovation.

Toussaint 🌸 1 500
« tous les saints » (latin). On peut estimer que moins de 30 enfants seront prénommés ainsi en 2014. Caractérologie : pratique, enthousiasme, communication, analyse, résolution.

Tran
Très précieux (vietnamien). Ce prénom est porté par moins de 100 personnes en France. Caractérologie : stratégie, achèvement, vitalité, ardeur, détermination.

Trevis 🌸 350 (TOP 2000) →
Le passeur (vieux français). Masculin anglais. Variante : Travis. Caractérologie : pragmatisme, créativité, communication, optimisme, résolution.

Trévor 🌸 250 →
Grande victoire (gallois). Ce prénom gallois est usité dans les pays anglophones. C'est aussi un choix traditionnel breton. Caractérologie : force, ambition, habileté, passion, caractère.

Tristan 🌸 37 000 (TOP 100) ⊙
Révolte, tumulte (celte). Ce prénom médiéval, rendu célèbre par la légende de *Tristan et Yseut*, est peu usité jusqu'à la fin du XXᵉ siècle. Il renaît dans les pays anglophones (particulièrement aux États-Unis) et en France, où il atteint le 50ᵉ rang en 2001. Malgré son déclin, Tristan est encore un prénom attribué aujourd'hui. ◇ Chevalier de la Table ronde, Tristan était éperdument amoureux d'Iseut la blonde mais il dut se résoudre à épouser Iseut aux blanches mains. Le récit de cette passion tragique a transcendé les siècles et inspiré nombre de poètes et musiciens. Caractérologie : diplomatie, sociabilité, décision, loyauté, réceptivité.

Trystan 🌸 1 500 (TOP 800) →
Révolte, tumulte (celte). Voir Tristan. Caractérologie : altruisme, intégrité, réflexion, détermination, idéalisme.

Tuan 🌸 170
Talent, savoir (vietnamien). Caractérologie : organisation, intuition, relationnel, médiation, fidélité.

Tudy
Acclamé par le peule (celte). Masculin anglais. Ce prénom est porté par moins de 100 personnes en France. Caractérologie : sagacité, spiritualité, connaissances, originalité, philosophie.

Tugdual 🌸 650 ⊙
Peuple, valeur (celte). Prénom breton. Caractérologie : dynamisme, curiosité, courage, gestion, réussite.

Tullio
Se rapporte au patronyme italien Tullius. Masculin italien. Ce prénom est porté par moins de 100 personnes en France. Caractérologie : stratégie, achèvement, vitalité, raisonnement, ardeur.

Txomin 🌸 200 ↑
Qui appartient au Seigneur (latin). Caractérologie : dynamisme, curiosité, indépendance, caractère, courage.

Ty
Bâtisseur de maisons (anglais). Ce prénom est porté par moins de 100 personnes en France. Caractérologie : humanité, ouverture d'esprit, rêve, rectitude, générosité.

T

525

Tyler ⭐ 750 TOP 500 ↑
Bâtisseur de maisons (anglais). Masculin anglais. Caractérologie : force, ambition, passion, habileté, bonté.

Tylian ⭐ 400 TOP 800 ↗
Puissance, combat (germanique). Caractérologie : humanité, détermination, rectitude, amitié, rêve.

Tyméo ⭐ 2 000 TOP 200 ↑
Honorer Dieu (grec). Caractérologie :

influence, caractère, équilibre, famille, sens des responsabilités.

Tyron ⭐ 950 TOP 500 ↗
Du comté d'Eoghan (irlandais). Variante : Tyrone. Caractérologie : relationnel, médiation, intuition, adaptabilité, fidélité.

Tyson ⭐ 450 TOP 2000 →
Braises (vieux français). Variante : Tayson. Caractérologie : adaptation, pratique, communication, générosité, enthousiasme.

U

Ugo ⭐ 9 000 TOP 400 ↘
Esprit, intelligence (germanique). Ugo est un prénom italien. Caractérologie : spiritualité, connaissances, sagacité, originalité, philosophie.

Ugolin
Esprit, intelligence (germanique). Ce prénom est porté par moins de 100 personnes en France. Caractérologie : logique, cœur, conscience, bienveillance, paix.

Ulrich ⭐ 3 000 ↓
Puissance (germanique). En dehors de l'Hexagone, Ulrich est plus particulièrement usité en Allemagne. On peut estimer que moins de 30 enfants seront prénommés ainsi en 2014. Variantes : Ulric, Ulrick, Ulrik, Ulrike, Ulrique. Caractérologie : ambition, force, management, habileté, passion.

Ulysse ⭐ 5 000 TOP 300 →
Courroucé (latin). Héros de la mythologie grecque, Ulysse est l'un des personnages principaux de l'*Iliade* et de l'*Odyssée*. Habile et

ingénieux, Ulysse invente le stratagème du cheval de Troie qui cause la perte de la ville. Dans l'*Odyssée*, Homère relate le voyage semé d'embûches qu'Ulysse doit surmonter pour regagner Ithaque, sa patrie. Ulysse est un prénom français. Variantes : Ulisse, Ulix, Ulyxes. Caractérologie : fidélité, relationnel, intuition, médiation, cœur.

Umberto ⭐ 500
Esprit brillant (germanique). Umberto est un prénom italien. Caractérologie : sécurité, persévérance, structure, volonté, raisonnement.

Umea
Enfant (basque). Ce prénom est porté par moins de 30 personnes en France. Caractérologie : ténacité, méthode, engagement, sens du devoir, fiabilité.

Urbain ⭐ 1 000
De la ville (latin). Variante : Urban. Caractérologie : organisation, résolution, médiation, relationnel, intuition.

Uriel ⭐ 300 TOP 2000 →
Dieu est ma lumière (hébreu). Prénom breton. Variantes : Uriah, Urias. Caractérologie : médiation, intuition, fidélité, relationnel, adaptabilité.

V

Vaclav

Gloire immense (slave). Masculin tchèque. Ce prénom est porté par moins de 30 personnes en France. Caractérologie : méditation, savoir, intelligence, sagesse, indépendance.

Vadim 🌟 1 500 **TOP 400** ⬆

Règne glorieux (slave). Ce prénom russe est répandu dans les pays slaves et en Roumanie. Caractérologie : structure, sécurité, persévérance, efficacité, honnêteté.

Vaea

Souverain qui a partagé l'océan (tahitien). Ce prénom est porté par moins de 30 personnes en France. Caractérologie : intuition, relationnel, médiation, fidélité, adaptabilité.

Vahé 🌟 160

Le meilleur (prénom arménien d'origine iranienne). Caractérologie : intégrité, altruisme, idéalisme, réflexion, dévouement.

Valentin 🌟 92 000 **TOP 50** ➡

Vaillant (latin). Le 14 février célèbre la mémoire de saint Valentin, un prêtre romain martyrisé par l'empereur Claudius au IIIᵉ siècle. Le culte dont il fit l'objet répandit le nom parmi les premiers chrétiens. Il se raréfia ensuite, et le pape qui choisit ce nom au IXᵉ siècle ne put enrayer son reflux. Valentin renaît au moment où un conte médiéval folklorique, *Valentin et Orson*, le remet au goût du jour (au XIIIᵉ siècle). Il se propage alors à l'Angleterre, où l'on trouve Valentine attribué dans les deux genres, et se manifeste plus irrégulièrement en France jusqu'à la fin du XXᵉ siècle. En 1996, Valentin s'est hissé au 12ᵉ rang masculin après un jaillissement soudain. Il jouit d'une certaine popularité aujourd'hui. ◇ L'origine de la Saint-Valentin, la fête des amoureux, remonte au XVᵉ siècle et à l'idée reçue que les oiseaux s'accouplent à ce moment-là. Variantes : Valentino, Valence, Valens. Forme basque : Balentin. Caractérologie : méditation, savoir, organisation, intelligence, résolution.

Valentino 🌟 950 **TOP 700** ➡

Vaillant (latin). Prénom italien. Caractérologie : méthode, logique, ténacité, caractère, fiabilité.

Valère 🌟 2 000 ⬇

Valeureux (latin). On peut estimer que moins de 30 enfants seront prénommés ainsi en 2014. Caractérologie : rêve, humanité, tolérance, rectitude, décision.

Valérian 🌟 2 000 **TOP 900** ➡

Valeureux (latin). Masculin français. Caractérologie : direction, indépendance, audace, dynamisme, résolution.

Valérien 🌟 200

Valeureux (latin). Caractérologie : courage, curiosité, détermination, indépendance, dynamisme.

Valéry 🌟 5 000 ➡

Valeureux (latin). Prénom russe. On peut estimer que moins de 30 enfants seront prénommés ainsi en 2014. Variantes : Valéri, Valeriano. Formes basques : Balere, Baleri. Caractérologie : intuition, relationnel, sympathie, médiation, réalisation.

Valmont

Protection du gouverneur (germanique). Ce prénom est porté par moins de 100 personnes en France. Variantes : Valmon, Valmond. Caractérologie : gestion, connaissances, spiritualité, caractère, sagacité.

V

527

Valter 🎌 200

Commander, gouverner (germanique). Caractérologie : bienveillance, paix, organisation, détermination, conscience.

Van 🎌 550

Bourg (arménien). Au Vietnam, Van est traditionnellement attribué comme deuxième prénom afin d'indiquer le sexe (masculin) de l'individu. Caractérologie : innovation, énergie, ambition, autorité, autonomie.

Vania

Diminutif russe d'Ivan (Jean en français) : Dieu fait grâce (hébreu). Ce prénom est porté par moins de 100 personnes en France. Variante : Vanya. Caractérologie : médiation, relationnel, intuition, fidélité, résolution.

Vartan

Qui offre des roses (arménien). Ce prénom est porté par moins de 100 personnes en France. Caractérologie : persévérance, structure, résolution, sécurité, efficacité.

Vassili 🎌 450 **TOP 2000** ➜

Roi (grec). Variantes : Vasili, Vassilis, Vassily, Wassily. Caractérologie : ambition, autorité, innovation, énergie, autonomie.

Veli 🎌 190

Frère (finlandais), gardien (turc). Caractérologie : enthousiasme, pratique, communication, adaptation, générosité.

Venceslas 🎌 250

Gloire immense (slave). Caractérologie : direction, indépendance, audace, dynamisme, assurance.

Véran

Vrai (latin), foi (slave). Masculin serbe. Ce prénom est porté par moins de 100 personnes en France. Variante : Verano. Caractérologie :

sens des responsabilités, équilibre, famille, détermination, influence.

Vianney 🎌 4 000 **TOP 800**

Se rapporte à Jean-Marie Vianney, curé d'Ars qui fut canonisé au XXᵉ siècle. Caractérologie : idéalisme, intégrité, altruisme, réussite, décision.

Vicente 🎌 1 000 ◑

Qui triomphe (latin). Prénom espagnol. Variante : Vicenzo. Caractérologie : influence, équilibre, famille, sens des responsabilités, exigence.

Victor 🎌 70 000 **TOP 50** ➜

Victorieux (latin). Ce nom porté par trois papes et plusieurs saints était répandu aux premiers temps du christianisme, mais il se raréfia au Moyen Âge. Il renaît à la fin du XVIIIᵉ siècle, juste avant la naissance de Victor Hugo (1802-1885), et devient très populaire dans le monde occidental. On l'aperçoit dans les 30 premiers rangs français au début du XXᵉ siècle avant de le voir s'écrouler, puis resurgir dans les années 1990. Il pourrait s'affirmer davantage dans les prochaines années. ◇ Soldat chrétien au IIIᵉ siècle, saint Victor mourut martyr à Marseille. Variantes : Bittor, Viance, Vic, Vicky, Victoric, Victorice, Viktor, Vitor. Caractérologie : famille, équilibre, influence, éthique, raisonnement.

Victor-Emmanuel 🎌 200

Forme composée de Victor et Emmanuel. Caractérologie : idéalisme, caractère, altruisme, intégrité, logique.

Victorien 🎌 4 000 **TOP 2000** ➜

Victorieux (latin). Masculin français. Variantes : Victorin, Victorino, Victorio, Vittorio. Caractérologie : spiritualité, volonté, sagacité, connaissances, analyse.

Le palmarès des 100 prénoms masculins du XXᵉ siècle

Les prénoms de ce palmarès sont classés par ordre décroissant d'attribution. Jean, Pierre et Michel sont les trois prénoms masculins les plus attribués du siècle dernier.

1. Jean	26. Maurice	51. Jean-Pierre	76. Ludovic
2. Pierre	27. Laurent	52. Albert	77. Benoît
3. Michel	28. Frédéric	53. Guillaume	78. Jérémy
4. André	29. Éric	54. Thomas	79. Fernand
5. Philippe	30. Julien	55. Gilbert	80. Benjamin
6. René	31. Pascal	56. Franck	81. Mickaël
7. Alain	32. Stéphane	57. Gilles	82. Jean-Luc
8. Jacques	33. Sébastien	58. Francis	83. Damien
9. Bernard	34. David	59. Jean-Claude	84. Xavier
10. Marcel	35. Thierry	60. Émile	85. Léon
11. Louis	36. Olivier	61. Denis	86. Eugène
12. Daniel	37. Raymond	62. Romain	87. Fabien
13. Roger	38. Guy	63. Anthony	88. Clément
14. Robert	39. Dominique	64. Cédric	89. Gabriel
15. Claude	40. Alexandre	65. Maxime	90. Adrien
16. Christian	41. Didier	66. Joël	91. Florian
17. Georges	42. Marc	67. Kevin	92. Jean-François
18. Henri	43. Yves	68. Hervé	93. Jonathan
19. Patrick	44. Charles	69. Patrice	94. Alexis
20. François	45. Serge	70. Fabrice	95. Lionel
21. Gérard	46. Bruno	71. Roland	96. Gaston
22. Christophe	47. Vincent	72. Sylvain	97. Loïc
23. Joseph	48. Antoine	73. Emmanuel	98. Michaël
24. Nicolas	49. Lucien	74. Arnaud	99. Jean-Marc
25. Paul	50. Jérôme	75. Mathieu	100. Victor

529

Vijay

Victoire (sanscrit). Vijay est très répandu en Inde. Ce prénom est porté par moins de 100 personnes en France. Caractérologie : réalisation, fiabilité, méthode, ténacité, engagement.

Vincent 🏆 215 000 (TOP 200) ⬇

Qui triomphe (latin). Vincent a été porté par plusieurs saints aux premiers siècles, mais c'est le culte voué à saint Vincent de Saragosse, martyr espagnol au IVe siècle, qui propage ce nom. Sous ses différentes formes, il devient plus fréquent en Europe à la fin du Moyen Âge, puis au XIXe siècle au moment où vécut Vincent Van Gogh (1853-1890). En perte de vitesse durant plusieurs décennies, Vincent renaît au cœur du XXe siècle et s'impose dans les 10 premiers rangs français au début des années 1980. Loin d'avoir disparu, ce prénom intemporel est encore souvent choisi par les parents. ◊ Prêtre au XVIIe siècle, saint Vincent de Paul consacra sa vie aux œuvres caritatives. Il fonda plusieurs confréries de Charité pour aider les pauvres, et la congrégation de la Mission pour la formation des prêtres. Variantes : Vince, Vincente, Vinny, Viny. Caractérologie : équilibre, influence, famille, exigence, éthique.

Vincenzo 🏆 2 000 (TOP 800) ↗

Qui triomphe (latin). Prénom italien. Caractérologie : rêve, rectitude, humanité, logique, caractère.

Vinh 🏆 140

Glorieux, honorable (vietnamien). Caractérologie : stratégie, leadership, vitalité, achèvement, ardeur.

Virgil 🏆 2 000 (TOP 2000) ⬇

Qui porte une canne (latin). Prénom anglais et roumain. On peut estimer que moins de 30 enfants seront prénommés ainsi en 2014. Caractérologie : curiosité, courage, dynamisme, indépendance, charisme.

Virgile 🏆 7 000 (TOP 500) ↘

Qui porte une canne (latin). Masculin français. Variantes : Virgyl, Virgilio.

Caractérologie : indépendance, direction, audace, cœur, dynamisme.

Virginien

Pur, vierge (latin). Ce prénom est porté par moins de 100 personnes en France. Variante : Virginio. Caractérologie : force, stratégie, chef, ardeur, vie.

Vital 🏆 850

Vie (latin). Dans l'Hexagone, Vital est plus traditionnellement usité en Occitanie. Caractérologie : dynamisme, audace, indépendance, direction, gestion.

Vito 🏆 750 ➡

Victorieux (latin). Caractérologie : pratique, enthousiasme, communication, générosité, adaptation.

Vittorio 🏆 450 ➡

Victorieux (latin). Prénom italien. Caractérologie : intuition, fidélité, médiation, adaptabilité, relationnel.

Vivian 🏆 2 000 ⬇

Vivant (latin). Vivian est répandu dans les pays anglophones et scandinaves. C'est aussi un prénom traditionnel occitan. On peut estimer que moins de 30 enfants seront prénommés ainsi en 2014. Caractérologie : dynamisme, curiosité, courage, résolution, indépendance.

Vivien 🏆 9 000 (TOP 900) ➡

Vivant (latin). Masculin français. Caractérologie : intégrité, idéalisme, altruisme, dévouement, réflexion.

Vladan

Prénom composé à partir des premières syllabes de Vladimir et Lénine. Vladimir Ilitch Oulianov Lénine est le nom complet du célèbre homme d'État russe (1870-1924). Masculin slave. Ce prénom est porté par moins de 100 personnes en France. Caractérologie :

rectitude, humanité, rêve, ouverture d'esprit, générosité.

Vladimir 🗺️ 2 000 (TOP 2000) →
Règne glorieux (slave). Vladimir est particulièrement répandu en Russie et dans les pays slaves. Caractérologie : sagacité, spiritualité, connaissances, philosophie, originalité.

Voltaire 🗺️ 140
Prénom révolutionnaire et pseudonyme de l'écrivain et philosophe français François-Marie Arouet (1694-1778). Caractérologie : pratique, enthousiasme, volonté, communication, analyse.

W

Waclaw
Gloire immense (slave). Masculin tchèque. Ce prénom est porté par moins de 100 personnes en France. Caractérologie : altruisme, idéalisme, intégrité, dévouement, réflexion.

Waël 🗺️ 3 000 (TOP 200) ↗
Celui qui cherche refuge dans la spiritualité (arabe). Variantes : Waïl, Wahil. Caractérologie : courage, curiosité, indépendance, dynamisme, charisme.

Wahib 🗺️ 500 (TOP 2000) →
Charitable (arabe). Variantes : Ouahib, Waheb. Caractérologie : spiritualité, connaissances, détermination, sagacité, sensibilité.

Wahid 🗺️ 650 ↑
Unique (arabe). Variantes : Ouaïd, Ouahid. Caractérologie : intégrité, idéalisme, réflexion, altruisme, décision.

Walbert
Mur consolidé (germanique). Masculin anglais. Ce prénom est porté par moins de 30 personnes en France. Caractérologie : rectitude, organisation, rêve, humanité, détermination.

Waldemar 🗺️ 110
Illustre commandeur (scandinave). Variante : Valdemar. Caractérologie : dynamisme, indépendance, curiosité, courage, détermination.

Waldo
Celui qui a arraché sa victoire (scandinave). Ce prénom est porté par moins de 100 personnes en France. Caractérologie : innovation, ambition, autorité, énergie, volonté.

Walid 🗺️ 10 000 (TOP 300) ↓
Nouveau-né (arabe). Variantes : Walide, Wallid. Caractérologie : structure, persévérance, efficacité, sécurité, détermination.

Wallace 🗺️ 150
Du pays de Galles (anglo-saxon). Masculin anglais et écossais. Caractérologie : pragmatisme, optimisme, sociabilité, communication, créativité.

Walter 🗺️ 5 000 ↓
Commander, gouverner (germanique). Walter est particulièrement répandu en Allemagne, dans les pays anglophones et scandinaves. On peut estimer que moins de 30 enfants seront prénommés ainsi en 2014. Variante : Walther. Caractérologie : connaissances, sagacité, organisation, spiritualité, résolution.

Waly 🗺️ 180
Du pays de Galles (anglo-saxon). Masculin anglais. Variantes : Wali, Wally. Caractérologie : méditation, indépendance, cœur, savoir, intelligence.

Wandrille ⭐ 550 ⬊
Nom de saint dont l'étymologie est inconnue. Caractérologie : stratégie, résolution, achèvement, ardeur, vitalité.

Warren ⭐ 4 000 (TOP 300) ⬈
Qui protège les jardins (germanique). Warren est très répandu dans les pays anglophones. Variante : Waren. Caractérologie : sagacité, connaissances, spiritualité, originalité, décision.

Wassil ⭐ 550 (TOP 1000) ➡
Maturation spirituelle (arabe). Variante : Wacil. Caractérologie : intuition, relationnel, médiation, fidélité, détermination.

Wassim ⭐ 7 000 (TOP 200) ⬈
Beau, gracieux (arabe). Variantes : Wacim, Wasim, Wassime. Caractérologie : communication, pragmatisme, créativité, optimisme, décision.

Wayne ⭐ 300 (TOP 2000) ➡
Qui construit des wagons (anglais). Masculin anglais. Caractérologie : originalité, énergie, audace, séduction, découverte.

Wenceslas ⭐ 500
Gloire immense (slave). Caractérologie : sociabilité, diplomatie, loyauté, bonté, réceptivité.

Wendel
Marcheur (germanique). Masculin allemand, néerlandais et grec. Ce prénom est porté par moins de 100 personnes en France. Variante : Wendelin. Caractérologie : idéalisme, intégrité, altruisme, réflexion, dévouement.

Wendy ⭐ 500 ⬇
Branche fine (germanique). Masculin anglais. Caractérologie : ardeur, vitalité, achèvement, stratégie, leadership.

Werner ⭐ 700
Armée protectrice (germanique). Werner est particulièrement répandu en Allemagne, aux Pays-Bas et dans les pays scandinaves. Variante : Wernert. Caractérologie : médiation, relationnel, fidélité, adaptabilité, intuition.

Wesley ⭐ 4 000 (TOP 400) ➡
Prairie de l'Ouest (anglais). Wesley est répandu dans les pays anglophones. Caractérologie : ambition, habileté, cœur, force, passion.

Wilfrid ⭐ 7 000 ⬇
Déterminé à amener la paix (germanique). On peut estimer que moins de 30 enfants seront prénommés ainsi en 2014. Variantes : Vilfrid, Wielfried, Wilf, Wilfred. Caractérologie : intégrité, altruisme, volonté, idéalisme, raisonnement.

Wilfried ⭐ 13 000 (TOP 2000) ⬇
Déterminé à amener la paix (germanique). Masculin allemand. On peut estimer que moins de 30 enfants seront prénommés ainsi en 2014. Caractérologie : dynamisme, courage, raisonnement, curiosité, volonté.

Wilhem ⭐ 650 ⬇
Protecteur résolu (germanique). Masculin allemand. Variantes : Wilhelm, Willelm, Willem, Willen. Caractérologie : savoir, intelligence, méditation, indépendance, sagesse.

Willem ⭐ 1 000 (TOP 2000) ⬇
Protecteur résolu (germanique). Willem est plus particulièrement recensé aux Pays-Bas aujourd'hui. Caractérologie : relationnel, sympathie, amitié, intuition, médiation.

William ⭐ 65 000 (TOP 100) ➡
Protecteur résolu (germanique). Dans sa conquête du trône anglais, Guillaume le

Conquérant (1027-87) a lancé la brillante carrière de William. Cette forme anglaise de Guillaume est devenue, avec John, un prénom classique très populaire dans les pays anglo-saxons. Voir Guillaume. Variantes : Vili, Viliam, Wiliam, Will, Willis, Willyam, Wylliam. Caractérologie : savoir, méditation, intelligence, indépendance, décision.

Williams 🏵 2 000 ◎
Protecteur résolu (germanique). Masculin anglais. On peut estimer que moins de 30 enfants seront prénommés ainsi en 2014. Caractérologie : force, ambition, passion, résolution, habileté.

Willy 🏵 16 000 (TOP 2000) ◎
Protecteur résolu (germanique). En dehors de l'Hexagone, Willy est plus particulièrement porté dans les pays anglophones et en Suisse alémanique. Variantes : Willi, Willie. Caractérologie : rectitude, humanité, rêve, ouverture d'esprit, sympathie.

Wilmer
Volonté, renommée (germanique). Masculin anglais. Ce prénom est porté par moins de 30 personnes en France. Caractérologie : stratégie, achèvement, vitalité, leadership, ardeur.

Wilson 🏵 2 000 (TOP 2000) ◎
Fils de William (anglais). Plus fréquent sous forme de patronyme anglophone. Variante : Williamson. Caractérologie : diplomatie, raisonnement, détermination, sociabilité, réceptivité.

Winfried
Ami de la paix (germanique). Masculin allemand. Ce prénom est porté par moins de 30 personnes en France. Variante : Winfrid. Caractérologie : sagacité, connaissances, spiritualité, volonté, originalité.

Winston 🏵 120
Pierre de joie (anglais). Masculin anglais. Caractérologie : sens des responsabilités, famille, équilibre, influence, décision.

Winter
Hiver (anglais). Masculin anglais. Ce prénom est porté par moins de 100 personnes en France. Caractérologie : ambition, force, management, passion, habileté.

Wissam 🏵 1 500 (TOP 700) ➔
Honoré de médailles (arabe). Variantes : Ouisam, Ouissam, Wisam. Caractérologie : pratique, communication, enthousiasme, détermination, adaptation.

Wissem 🏵 1 500 (TOP 600) ➔
Honoré de médailles (arabe). Variantes : Ouisem, Ouissem, Wisem. Caractérologie : sagacité, spiritualité, connaissances, originalité, décision.

Wit
Vie (polonais), blanc (néerlandais). Wit est plus particulièrement usité en Pologne et aux Pays-Bas. Ce prénom est porté par moins de 30 personnes en France. Variante : Dewitt. Caractérologie : connaissances, spiritualité, philosophie, sagacité, originalité.

Wladimir 🏵 750
Règne glorieux (slave). Variantes : Waldi, Waldimir. Caractérologie : passion, force, habileté, résolution, ambition.

Wladislaw 🏵 350
Gouverneur puissant et renommé (slave). Prénom polonais. Variantes : Vladislas, Vladislav, Vladislaw, Wadislas, Wadislav, Wadyslaw, Wladislas, Wladislav, Wladyslaw. Caractérologie : énergie, originalité, découverte, audace, décision.

Wolf

Loup (germanique). Dans l'Hexagone, Wolf est plus traditionnellement usité en Alsace. Ce prénom est porté par moins de 100 personnes en France. Variantes : Wolff, Wulf. Caractérologie : médiation, fidélité, relationnel, adaptabilité, intuition.

Wolfgang 🦃 500

Loup qui avance (germanique). Masculin allemand. Variante : Wolfang. Caractérologie : persévérance, sécurité, structure, efficacité, cœur.

Woody 🦃 120

Règne glorieux (slave). Masculin anglais. Caractérologie : audace, direction, indépendance, dynamisme, volonté.

Wulfran 🦃 140

Loup, corbeau (germanique). Variante : Wulfram. Caractérologie : curiosité, dynamisme, courage, résolution, analyse.

Wyatt 🦃 900 **TOP 400** ⬆

Combat, courage (germanique). Se rapporte également à un ancien patronyme anglo-saxon. Caractérologie : force, passion, management, ambition, habileté.

Xabi 🦃 450 **TOP 2000** →

Maison neuve (basque). Caractérologie : idéalisme, intégrité, altruisme, réflexion, dévouement.

Xan 🦃 400 **TOP 2000** →

Dieu fait grâce (hébreu). Prénom basque. Caractérologie : pragmatisme, optimisme, créativité, sociabilité, communication.

Xavier 🦃 102 000 **TOP 600** ⬇

Maison neuve (basque). Jésuite missionnaire au XVIe siècle, saint François-Xavier partit, à la demande du pape Paul III, prêcher en Indes orientales et au Japon. Il est le patron des missionnaires. Variantes : Jabier, Xabier, Xaver, Xidi. Caractérologie : connaissances, sagacité, spiritualité, détermination, volonté.

Xuan 🦃 130

Printemps, jeunesse (vietnamien). Caractérologie : famille, équilibre, sens des responsabilités, influence, exigence.

Yaacov 🦃 170

Supplanter, talonner (hébreu). Caractérologie : méthode, engagement, fiabilité, réussite, ténacité.

Yacin 🦃 750

Se rapporte aux premières lettres de la 36e sourate du Coran (arabe). Caractérologie : sagacité, connaissances, décision, spiritualité, cœur.

Yacine 🦃 13 000 **TOP 200**

Se rapporte aux premières lettres de la 36e sourate du Coran (arabe). Ce prénom

YANIS

Fête : 24 juin

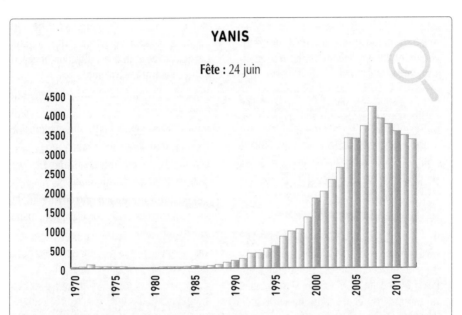

Étymologie : de l'hébreu *iohanan*, « Dieu fait grâce ». Après avoir embrassé les prénoms irlandais (Kylian), anglophones (Ethan), espagnols (Esteban) et italiens (Enzo, Matteo), les Français ont adopté cette forme grecque de Jean. Cette découverte est tardive puisque Yanis ne dépasse même pas le seuil des 70 naissances avant 1988. Qui aurait pu prédire l'engouement dont il fait l'objet la décennie suivante ? Sa croissance est telle qu'il intègre le top 20 français en 2006. Il devrait se poster au 25e rang du classement national cette année.

La fortune de Yanis a favorisé l'apparition de déclinaisons dont les sonorités sont proches : Yannis, Ianis, Iannis, Yanice, Yaniss et Yanisse émergent discrètement. Plus répandu que ces derniers, Anis progresse dans la communauté musulmane de France. Il grandit aujourd'hui dans le top 200 national.

En dehors de l'Hexagone, ou de la Grèce dont il est originaire, Yanis fait des émules dans les contrées francophones. Après avoir conquis la Wallonie, il se profile à l'horizon des prénoms québécois et vient de percer dans le top 50 suisse romand.

Personnalité célèbre : Iannis Xenakis (1922-2001), musicien français d'origine grecque.

Statistiques : Yanis est le 24e prénom masculin le plus donné en France depuis le début du XXIe siècle. On peut estimer qu'il sera attribué à un garçon sur 137 en 2014.

Y

535

est particulièrement porté dans les cultures musulmanes. Caractérologie : communication, enthousiasme, pratique, résolution, sympathie.

Yaël 🚩 3 000 **TOP 400** →
Forme bretonne et basque de Joël : chèvre sauvage (hébreu). Caractérologie : connaissances, spiritualité, sagacité, originalité, bonté.

Yamine 🚩 1 000 **TOP 2000** ⬇
Fleur de jasmin (arabe). Variante : Yamin. Caractérologie : persévérance, décision, structure, sécurité, réussite.

Yan 🚩 5 000 **TOP 2000** ↘
Dieu fait grâce (hébreu). Yan est également un patronyme chinois et un nom qui signifie : « hirondelle ». Ce prénom slave occidental est aussi un choix traditionnel basque. Variante : Yanne. Caractérologie : sécurité, persévérance, efficacité, structure, honnêteté.

Yani 🚩 800 **TOP 700** ↗
Dieu fait grâce (hébreu). Variante : Yanni. Caractérologie : efficacité, persévérance, détermination, structure, sécurité.

Yanick 🚩 2 000
Dieu fait grâce (hébreu). On peut estimer que moins de 30 enfants seront prénommés ainsi en 2014. Caractérologie : humanité, rectitude, sympathie, rêve, résolution.

Yanis 🚩 48 000 **TOP 50** 🔍 ↘
Dieu fait grâce (hébreu). Variantes : Yanice, Yaniss, Yanisse, Yannice. Caractérologie : découverte, audace, énergie, résolution, originalité.

Yann 🚩 81 000 **TOP 200** ↘
Dieu fait grâce (hébreu). Masculin français et breton. Caractérologie : humanité, rectitude, tolérance, générosité, rêve.

Yannick 🚩 82 000 **TOP 900** ⬇
Dieu fait grâce (hébreu). Masculin français et breton. Variantes : Yanic, Yanik, Yaniv, Yannic, Yannig, Yannik. Caractérologie : curiosité, dynamisme, courage, sympathie, résolution.

Yannis 🚩 13 000 **TOP 300** 🔍 ⬇
Dieu fait grâce (hébreu). Voir Yanis. Caractérologie : direction, dynamisme, indépendance, audace, détermination.

Yasin 🚩 2 000 **TOP 600** ↘
Se rapporte aux premières lettres de la 36e sourate du Coran (arabe). Variante : Yasine. Caractérologie : énergie, détermination, découverte, audace, originalité.

Yasser 🚩 1 500 **TOP 400** ↗
Riche (arabe). Variante : Yacer. Caractérologie : bienveillance, conscience, conseil, paix, détermination.

Yassin 🚩 4 000 **TOP 600** →
Se rapporte aux premières lettres de la 36e sourate du Coran (arabe). Caractérologie : bienveillance, paix, conseil, conscience, décision.

Yassine 🚩 15 000 **TOP 200** →
Se rapporte aux premières lettres de la 36e sourate du Coran (arabe). Ce prénom est particulièrement répandu dans les communautés musulmanes francophones. Caractérologie : sociabilité, diplomatie, réceptivité, décision, loyauté.

Yassir 🚩 950 **TOP 700** →
Riche (arabe). Caractérologie : autonomie, autorité, innovation, énergie, ambition.

Yasuo
Calme, pacifique (japonais). Ce prénom est porté par moins de 30 personnes en France.

Les prénoms vietnamiens en France

Dans les communautés vietnamiennes francophones et anglophones, une nouvelle génération de prénoms est en train d'émerger. Leur particularité est d'être composés de sons occidentaux et de suffixes vietnamiens. Lan, « l'orchidée », est particulièrement prisé par les parents. Le nombre de petites filles prénommées Y-lan et My-lan se propage d'autant plus que ces prénoms sont faciles à prononcer dans le monde entier. Très tendance également, les combinaisons utilisant les suffixes « Vi » et « Mi ». Nous les retrouvons bien souvent dans les prénoms mixtes.

Autres sonorités dans l'air du temps, les terminaisons en « an » ont permis à des perles rares d'émerger. Luan séduit de plus en plus de parents et pourrait un jour surgir sur les traces de Loan. En attendant, Thom, Tao, Nao et Tam enregistrent une croissance vigoureuse en 2012. On ne peut s'empêcher d'associer leur ascension au succès de Tom et Noa.

Caractérologie : humanité, rectitude, rêve, ouverture d'esprit, générosité.

Yazid  3 000 TOP 600
Le meilleur (arabe). Variante : Yazide. Caractérologie : intuition, ressort, médiation, relationnel, réalisation.

Yehiel
Que le Seigneur vive (hébreu). Ce prénom est porté par moins de 100 personnes en France. Caractérologie : audace, direction, dynamisme, action, bonté.

Yéhouda 🏆 130
Remercier (hébreu). Caractérologie : savoir, intelligence, volonté, méditation, réalisation.

Yen
Paix, hirondelle (vietnamien). Ce prénom est porté par moins de 30 personnes en France. Caractérologie : achèvement, vitalité, ardeur, stratégie, leadership.

Yeram
Bande d'oiseaux (arménien). Ce prénom est porté par moins de 30 personnes en France.

Caractérologie : habileté, force, détermination, réalisation, ambition.

Yeraz
Rêve (arménien). Ce prénom est porté par moins de 30 personnes en France. Caractérologie : communication, décision, pragmatisme, optimisme, action.

Ylan 3 000 TOP 200
Arbre (hébreu). Variante : Ylann. Caractérologie : connaissances, spiritualité, sagacité, originalité, bonté.

Ylies 1 000 TOP 500
Qui vient de Dieu (arabe), le Seigneur est mon Dieu (hébreu). Variante : Yliess. Caractérologie : savoir, méditation, intelligence, sympathie, résolution.

Yoah
Dieu, frère (hébreu). Ce prénom est porté par moins de 30 personnes en France. Caractérologie : structure, sécurité, persévérance, efficacité, honnêteté.

Y

537

Yoan 🎖15 000 **TOP 400** ⬇
Dieu fait grâce (hébreu). En dehors de l'Hexagone, Yoan est particulièrement répandu dans les pays slaves. C'est aussi un prénom traditionnel basque et breton. Caractérologie : autorité, ambition, autonomie, énergie, innovation.

Yoann 🎖41 000 **TOP 400** ➡
Dieu fait grâce (hébreu). Dans l'Hexagone, Yoann est plus traditionnellement usité en Bretagne et au Pays basque. Variantes : Ioannis, Yoane, Yoanne. Caractérologie : paix, bienveillance, conscience, sagesse, conseil.

Yoav 🎖160
Dieu, père (hébreu). Caractérologie : humanité, ouverture d'esprit, rêve, réalisation, rectitude.

Yoël 🎖600 **TOP 2000** ↗
Dieu est Dieu (hébreu). Caractérologie : pragmatisme, communication, créativité, optimisme, sympathie.

Yohan 🎖23 000 **TOP 300** ⬇
Dieu fait grâce (hébreu). Masculin français et basque. Caractérologie : rectitude, tolérance, générosité, rêve, humanité.

Yohann 🎖22 000 **TOP 600** ⬇
Dieu fait grâce (hébreu). Masculin français. Variantes : Yohanan, Yohane, Yohanne. Caractérologie : dynamisme, courage, indépendance, curiosité, charisme.

Yolan 🎖550 **TOP 1000** ➡
Aube (grec), violette (latin). Variante : Yoland. Caractérologie : méthode, ténacité, engagement, sympathie, fiabilité.

Yon 🎖300 ⬇
Colombe (hébreu). Caractérologie : humanité, rectitude, rêve, ouverture d'esprit, générosité.

Yonah
Colombe (hébreu). Ce prénom est porté par moins de 100 personnes en France. Caractérologie : réflexion, rêve, partage, fiabilité, intégrité.

Yonathan 🎖350 **TOP 2000** ↗
Dieu a donné (hébreu). Caractérologie : finesse, vitalité, achèvement, stratégie, ardeur.

Yoni 🎖3 000 **TOP 700** ⬇
Colombe (hébreu). Masculin français. Variantes : Yona, Yonni, Yony. Caractérologie : rectitude, humanité, rêve, générosité, tolérance.

Yoram 🎖250 ↗
Nom sacré (grec). Caractérologie : rectitude, rêve, ouverture d'esprit, humanité, réalisation.

Yoran 🎖300 ➡
Dieu est exalté (hébreu). Caractérologie : dynamisme, audace, direction, décision, indépendance.

Yorick 🎖850 ⬇
Labourer le sol (grec). Dans l'Hexagone, Yorick est plus traditionnellement usité au Pays basque. Variantes : Yorik, Yorrick. Caractérologie : idéalisme, altruisme, analyse, intégrité, réflexion.

Yoris 🎖300 **TOP 2000** ↗
Variation de Joris ou combinaison de prénoms présentant ces sonorités (exemples : Yohan et Loris). Caractérologie : courage, séduction, indépendance, charisme, curiosité.

Youcef 🎖4 000 **TOP 400** ↗
Équivalent arabe de Joseph : Dieu ajoutera (hébreu). Caractérologie : optimisme, créativité, cœur, pragmatisme, communication.

Youen 🎖700 **TOP 900** ↑
If (celte). Dans l'Hexagone, Youen est plus traditionnellement usité en Bretagne.

Caractérologie : habileté, passion, ambition, force, cœur.

Youenn 🎖️ 1 500 (TOP 700) →
If (celte). Prénom breton. Variantes : Youen, Youn. Caractérologie : méthode, cœur, ténacité, engagement, fiabilité.

Younès 🎖️ 11 000 (TOP 100) ↗
Proche de Dieu (arabe). Ce prénom est particulièrement répandu dans les communautés musulmanes francophones. Variantes : Yunus, Younus. Caractérologie : idéalisme, cœur, réflexion, intégrité, altruisme.

Youness 🎖️ 2 000 (TOP 500) ↑
Proche de Dieu (arabe). Variantes : Younesse, Younous, Youns, Younsse. Caractérologie : autorité, innovation, énergie, amitié, ambition.

Youri 🎖️ 3 000 (TOP 900) →
Forme francisée de Yuri, l'équivalent russe de Georges. Variantes : Iouri, Youry. Caractérologie : méditation, intelligence, raisonnement, savoir, indépendance.

Youssef 🎖️ 13 000 (TOP 200) ↗
Équivalent arabe de Joseph : Dieu ajoutera (hébreu). Ce prénom est particulièrement répandu dans les communautés musulmanes francophones. Variantes : Yossef, Yousef, Youssaf. Caractérologie : sociabilité, réceptivité, diplomatie, loyauté, bonté.

Youssouf 🎖️ 1 500 (TOP 500) →
Équivalent arabe de Joseph : Dieu ajoutera (hébreu). Caractérologie : conscience, bienveillance, conseil, paix, sagesse.

Yunus 🎖️ 850 (TOP 900) →
Équivalent arabe de Jonas : colombe (hébreu). Caractérologie : innovation, ambition, énergie, cœur, autorité.

Yusuf 🎖️ 2 000 (TOP 400) ↗
Dieu ajoutera (hébreu). Caractérologie : relationnel, intuition, fidélité, adaptabilité, médiation.

Yvain 🎖️ 500 →
If (celte). Masculin français et breton. Caractérologie : force, ambition, réussite, habileté, décision.

Yvan 🎖️ 22 000 (TOP 800) →
Dieu fait grâce (hébreu). Yvan est répandu dans les pays slaves et anglophones. Variantes : Yvani, Yovan. Caractérologie : vitalité, achèvement, ardeur, stratégie, réussite.

Yvane 🎖️ 200 ↓
Dieu fait grâce (hébreu). Caractérologie : méthode, engagement, fiabilité, réalisation, ténacité.

Yvann 🎖️ 1 500 (TOP 700) →
Dieu fait grâce (hébreu). Caractérologie : structure, efficacité, persévérance, sécurité, réalisation.

Yves 🎖️ 158 000 (TOP 2000) ↘
If (celte). Yves s'est diffusé en Bretagne dès le Moyen Âge en raison du culte voué à Yves Hélori de Kermartin (1250-1303), son saint patron. Avocat de profession, il se rendit populaire en défendant brillamment les plus pauvres avant de devenir prêtre. Yves est sorti de son berceau breton au début du XXe siècle et s'est progressivement diffusé dans l'Hexagone. Il s'est imposé dans les 10 premiers rangs masculins à la fin des années 1940. À l'image d'Yves Saint Laurent (1936-2008), Yves est spécifiquement français. On peut estimer que moins de 30 enfants seront prénommés ainsi en 2014. Variantes : Iv, Ivelin, Ioen, Yvelin, Yven, Wanig. Caractérologie : force, ambition, passion, réussite, habileté.

Y

Yves-Marie 🎌 1 000

Forme composée de Yves et Marie. Caractérologie : rectitude, humanité, rêve, résolution, réalisation.

Yvon 🎌 29 000 ⬇

If (celte). Masculin français et breton. On peut estimer que moins de 30 enfants seront prénommés ainsi en 2014. Variantes : Ivon,

Ivonig. Caractérologie : persévérance, structure, efficacité, sécurité, caractère.

Yvonnick 🎌 1 500

If (celte). On peut estimer que moins de 30 enfants seront prénommés ainsi en 2014. Variantes : Yvonic, Yvonick, Yvonnic. Caractérologie : dynamisme, courage, caractère, logique, curiosité.

Z

Zacharia 🎌 600 (TOP 2000) ↗

Dieu se souvient (hébreu). Attribué dans le Pays basque et les pays de cultures musulmanes, ce prénom d'origine hébraïque est plus multiculturel qu'il n'y paraît. Variantes : Sakaria, Zacharias, Zackaria, Zaccharia. Caractérologie : structure, persévérance, efficacité, sécurité, honnêteté.

Zacharie 🎌 3 000 (TOP 400) →

Dieu se souvient (hébreu). Un pape du VIIIᵉ siècle et plusieurs saints ont illustré ce prénom. Saint Zacharie, le père de saint Jean-Baptiste, est fêté le 5 novembre. ◊ Dans l'Ancien Testament, Zacharie le Prophète fait accélérer la reconstruction du Temple de Jérusalem. Variantes : Zaccharie, Zachari, Zakarie. Caractérologie : stratégie, vitalité, ardeur, achèvement, détermination.

Zachary 🎌 1 500 (TOP 500) →

Dieu se souvient (hébreu). Masculin anglais. Variantes : Zacchary, Zackary. Caractérologie : direction, audace, dynamisme, indépendance, action.

Zack 🎌 500 (TOP 700) ↑

Dieu se souvient (hébreu). Caractérologie : courage, dynamisme, indépendance, curiosité, organisation.

Zadig 🎌 300 (TOP 800) ↑

Passage (hébreu). Zadig est également le personnage central de *Zadig ou la Destinée*, un conte philosophique de Voltaire resté célèbre, publié pour la première fois en 1747. Caractérologie : ressort, diplomatie, sociabilité, réceptivité, réalisation.

Zahir 🎌 450 (TOP 1000)

Rayonnant (arabe). Variantes : Zaher, Zaïr, Zohir. Caractérologie : achèvement, vitalité, ardeur, leadership, stratégie.

Zaïd 🎌 450 (TOP 1000) ↗

L'ascète (arabe). Variante : Zayd. Caractérologie : méthode, ténacité, engagement, fiabilité, sens du devoir.

Zakaria 🎌 8 000 (TOP 200) ↗

Dieu se souvient (hébreu). Variantes : Zakari, Zakariya, Zakarya. Caractérologie : ténacité, méthode, fiabilité, sens du devoir, engagement.

Zakary 🎌 500 (TOP 2000) ⬇

Dieu se souvient (hébreu). Zakary est plus particulièrement usité dans les pays anglophones. Caractérologie : énergie, innovation, ambition, autorité, action.

Les prénoms anti-cote

Les parents qui souhaitent attribuer un prénom anti-cote sont de plus en plus nombreux. Afin de faciliter leurs recherches, nous avons sélectionné des prénoms qui devraient être attribués à moins de 50 enfants en 2014. Ils sont classés ci-dessous par ordre décroissant de fréquence pour chaque période donnée.

Les anti-cote du début du XXᵉ siècle (1900-1929)

Garçons : René, Maurice, Raymond, Fernand, Alfred, Alphonse, Edmond, Marie, Claude, Raoul, Roland, Désiré, Adolphe, Noël, Norbert, Yvon, Edgard, Gervais, Jean-Marie, Honoré, Casimir, Walter, Valéry.

Filles : Germaine, Yvonne, Marcelle, Renée, Lucienne, Marthe, Henriette, Georgette, Andrée, Raymonde, Odette, Berthe, Simone, Fernande, Paulette, Thérèse, Geneviève, Antoinette, Émilienne, Marie-Louise, Adrienne, Albertine, Julienne, Paule, Francine, Reine, Augusta, Alphonsine, Gisèle.

Les anti-cote de la période 1930-1949

Garçons : Bernard, Gérard, Claude, Jean-Pierre, Guy, Yves, Robert, Gilbert, Roger, Roland, Jean-Claude, Noël, Fernand.

Filles : Françoise, Christiane, Claudine, Jacqueline, Joëlle, Danielle, Bernadette, Marie-Christine, Mireille, Colette, Josette, Éliane, Danièle, Odile, Liliane, Jeannine, Huguette, Pierrette, Louisette.

Les anti-cote de la période 1950-1979

Garçons : Pascal, Didier, Gilles, Jean-Pierre, Serge, Patrice, Hervé, Jean-Luc, Francis, Jean-Marc, Jean-François, Jean-Michel, Jean-Paul, Jean-Louis, Jérôme, Fabrice, Bertrand, Régis, Jacky, Roger, Jean-Jacques, Jean-Philippe, Jean-Yves, Cyrille, Hubert, Jean-Christophe, Gérald, Farid, Stephan, Carlos, Erick, Gildas, Wilfried, François-Xavier.

Filles : Sylvie, Martine, Valérie, Véronique, Sandrine, Patricia, Stéphanie, Brigitte, Chantal, Laurence, Corinne, Dominique, Annie, Monique, Nadine, Évelyne, Karine, Pascale, Fabienne, Michèle, Carole, Annick, Jocelyne, Séverine, Marie-Christine, Muriel, Danielle, Josiane, Mireille, Maryse, Sabine, Sylviane, Magali, Frédérique, Régine, Viviane, Karine, Géraldine, Marie-Hélène, Maryline, Nadège, Marie-Pierre, Micheline, Roseline.

Les anti-cote de la période 1980-1999

Garçons : Rodolphe, Jérôme, Patrick, Thierry, Ghislain, Ludovic, Hervé, Sylvain, Pierre-Yves, Stephen, Renaud, Jean-Sébastien, Yannick, Wilfrid, Jamel, Frederick, Harold, Frank, Steve, Ronald.

Les prénoms anti-cote *(suite)*

Filles : Virginie, Laurie, Ingrid, Priscilla, Pamela, Dorothée, Betty, Karima, Allison, Jennifer, Bérengère, Violaine, Tiphanie, Solenne, Maïté, Laury, Marjolaine, Ségolène, Pascaline, Marielle, Shirley, Lorène, Jessy, Christel, Mallaury, Marylène.

Les anti-cote dans les années 2000
Voir l'encart « Vous avez dit "désuet" ? » p. 107.

Zaki
⭐ 400 **TOP 2000** ↘
Intelligent, pur (arabe). Variante : Zéki. Caractérologie : réceptivité, sociabilité, loyauté, diplomatie, bonté.

Zébulon
Exalté (hébreu). Ce prénom est porté par moins de 30 personnes en France. Caractérologie : découverte, audace, énergie, originalité, attention.

Zénon
⭐ 250
Hospitalier (grec). Variante : Zeno. Caractérologie : sociabilité, bonté, réceptivité, diplomatie, loyauté.

Zéphirin
⭐ 180
Vent doux (grec). Variante : Zéphyrin. Caractérologie : paix, conscience, conseil, bienveillance, action.

Zéphyr
⭐ 200 **TOP 2000** ↑
Vent doux (grec). Dans la mythologie grecque, Zéphyr était la personnification divine des vents. Variante : Zéphir. Caractérologie : audace, indépendance, dynamisme, ressort, direction.

Ziad
⭐ 1 000 **TOP 600** ↗
Croissance (arabe). Variantes : Ziyad, Ziyed, Zyad, Zyed. Caractérologie : ténacité, fiabilité, méthode, engagement, sens du devoir.

Zian
⭐ 300 →
Élégant (arabe). Zian est le héros du roman de Frison Roche *Premier de cordée*. Son succès n'a pas eu d'impact immédiat sur le prénom puisque le premier Zian de France est né en 1993, cinquante ans après la date de parution du livre. Caractérologie : curiosité, dynamisme, découverte, séduction, audace.

Zidane
⭐ 400 ↗
Ce patronyme a été enregistré en tant que prénom à l'état civil pour la première fois en 1948. Caractérologie : courage, dynamisme, curiosité, indépendance, détermination.

Zied
⭐ 500 **TOP 2000** ↑
Croissance (arabe). Caractérologie : habileté, ambition, passion, force, management.

Zinedine
⭐ 2 000 **TOP 700** →
L'emblème de la religion (arabe). Variantes : Zine, Zineddine. Forme composée : Zine-Eddine. Caractérologie : curiosité, dynamisme, indépendance, courage, charisme.

Zlatko
Doré (slave). Masculin slave méridional. Ce prénom est porté par moins de 100 personnes en France. Caractérologie : structure, persévérance, sécurité, efficacité, gestion.

Les prénoms autour du monde

Les effets de la globalisation n'épargnent pas les prénoms. De Melbourne à Washington, en passant par Paris, les stars du moment partent à la conquête de vastes empires. Ainsi, Adam, Ethan, Gabriel, Liam, Lucas (Iuca, Lukas), Gabriel, Nathan, Noah, Oscar et Samuel rencontrent un succès retentissant en Europe et dans les pays anglophones. Chez les filles, c'est à l'échelle planétaire qu'Anna, Alice (Alicia), Emma, Chloé, Éva (Ava), Léa, Lily, Olivia et Sophia (Sofia) se propagent. Dans le même temps, la décote des stars d'hier prend des ampleurs inédites. Ainsi, après avoir longtemps brillé, Nicholas, Thomas, Laura et Lucie (Lucy) accusent une décroissance généralisée dans de nombreux pays.

L'engouement pour les prénoms venus d'ailleurs est l'une des dynamiques de cette globalisation. Il permet la diffusion de prénoms oubliés, de choix inédits, inventés ou débusqués à l'autre bout du monde. Les parents désireux de trouver la perle rare ont d'autant plus de facilité qu'Internet leur ouvre toutes les frontières. Cette liberté s'est traduite par l'essor de prénoms hindous, perses, et indiens d'Amérique (exemples : Cheyenne, Indira) aux États-Unis comme en Angleterre. En France, cette quête d'exotisme a introduit des nouveautés chinoises (Meï, Tao), indiennes (Uma, Mani, Rohan), japonaises (Ken, Hanaé), slaves (Milan, Vadim, Mila, Tania), scandinaves (Liv, Solveig, Nils, Sven) et tahitiennes (Teva, Moana). Sans oublier l'introduction d'innombrables succès européens.

Au milieu de cette déferlante, la vague des prénoms anglo-américains est toujours puissante, mais l'influence des choix européens est devenue incontournable. La percée de petits noms italiens (Carla, Clara, Enzo, Matteo), grecs (Yanis), espagnols (Inès, Lola, Diego, Mateo, Pablo) et irlandais (Aïdan, Evan, Kylian, Nolan) n'est pas uniquement observée dans leurs terres d'origine. Ils se répandent dans toute l'Europe et bien au-delà (outre-Atlantique notamment).

Évidemment, tous les prénoms ne s'exportent pas n'importe où. Les succès de Maëlys, de Camille, Romane et Manon n'ont guère fait d'émules en dehors des contrées francophones. Il est vrai que ces sonorités sont spécifiquement françaises. Reste que pour s'adapter à un pays d'accueil, de petits moyens font souvent l'affaire. Pour s'épanouir en terres hispanophones, Anna se déleste souvent d'un « n ». Pour séduire les parents anglophones, quoi de plus simple pour Nicolas que d'arborer un « h » ? Il arrive aussi qu'un prénom change du tout au tout. C'est le cas d'Ethan qui s'est transformé en Izan pour conquérir l'Espagne. Une stratégie qui porte ses fruits.

Zoël

Vie (grec). Ce prénom est porté par moins de 30 personnes en France. Caractérologie : méthode, ténacité, sens du devoir, fiabilité, engagement.

Zohéir 160

Rayonnant (arabe). Variantes : Zohaïr, Zoher, Zohir, Zouhaïr, Zouheïr. Caractérologie : idéalisme, altruisme, réflexion, dévouement, intégrité.

Zoran 650

Fleur, blancheur lumineuse (arabe). Prénom slave méridional. Caractérologie : diplomatie, loyauté, réceptivité, détermination, sociabilité.

Zuri

Blanc (basque). Ce prénom est porté par moins de 30 personnes en France. Caractérologie : diplomatie, loyauté, réceptivité, sociabilité, bonté.

Sondage : Comment les parents choisissent-ils les prénoms de leurs enfants ?

Vous connaissez le sexe de votre bébé, mais au troisième trimestre de grossesse, vous hésitez encore sur le prénom à lui attribuer. Il faut dire que vous êtes exigeant(e) : ce prénom doit avoir une belle sonorité, il doit s'accorder avec votre patronyme et se conformer à bien d'autres critères. Cette situation est-elle courante ? Comment les autres parents choisissent-ils les prénoms de leurs enfants ? C'est dans l'objectif de répondre à ces questions qu'un sondage a été mis en ligne sur le site MeilleursPrenoms.com du 1er juillet 2012 au 1er juillet 2013.

Le questionnaire s'adressait aux parents et aux futurs parents. Au total, 1 279 personnes (dont 804 femmes) y ont répondu. La plupart des personnes interrogées (813 d'entre elles) habitaient en France, les autres résidaient principalement en Belgique, au Canada ou en Suisse. Plus du tiers des personnes sondées (38 %) attendaient un enfant au moment où elles ont participé au sondage.

◖ DES ÉLÉMENTS DÉTERMINANTS DANS LE PROCESSUS DE CHOIX

La sonorité, jugée très importante pour 63 % des parents, vient largement en tête des critères de choix. Viennent ensuite l'harmonie du prénom avec le patronyme et son originalité. Bien évidemment, d'autres éléments sont également pris en considération. Ainsi, la connotation sociale du prénom et son étymologie pèsent dans la balance, tout comme la mode, qui peut devenir un critère éliminatoire. Ainsi, un tiers des parents affirment avoir expressément évité les prénoms à la mode. Dans le même temps, le poids des traditions diminue : un prénom porté par un aïeul est jugé « très important » pour 3 % de sondés seulement. Mais le plus important est sans doute que 98 % des parents ne regrettent pas leur choix, quel qu'il soit.

◖ DE LA CONCEPTION À L'INSCRIPTION SUR LES REGISTRES D'ÉTAT CIVIL

La recherche d'un prénom peut sembler ardue, et pourtant elle reste une source de bonheur tranquille (dans 88 % des cas, le choix n'a pas occasionné de conflits). Pour préserver cette sérénité, une majorité de futurs parents évitent de partager leurs idées de prénoms avec leurs proches (famille ou amis). Pour ce qui est du timing, un tiers d'entre eux prennent le temps de mûrir leur décision en repoussant leur choix à la fin de la grossesse. En effet, la moitié des futurs parents affirment attendre le troisième trimestre (38 %) ou le jour même de la naissance (12 %) pour arrêter leur décision. Et que l'on ne croie pas que ce choix soit la seule affaire du père ou de la mère. Dans 80 % des cas, la décision est prise à deux. Un choix facilité pour 80 % des sondés qui demandent à connaître à l'avance le sexe de l'enfant. Pour ceux qui hésitent encore sur le premier prénom à donner, pas de panique, ils peuvent se rattraper sur leur deuxième ou troisième choix : en la matière, une majorité de parents inscrivent trois prénoms sur les registres d'état civil.

Ci-après les questions qui ont été posées aux parents et leurs réponses, exprimées en pourcentage.

Éléments influençant le choix d'un prénom

Quels ont été/sont selon vous les éléments ayant le plus d'importance dans la détermination du prénom de votre enfant?

Belle sonorité

Très important	63 %
Assez important	33 %
Peu important	3 %
Aucune importance	1 %
Expressément évité	0 %
Critère non applicable	0 %

Accord entre le prénom et le patronyme

Très important	34 %
Assez important	32 %
Peu important	17 %
Aucune importance	12 %
Expressément évité	1 %
Critère non applicable	4 %

Originalité
(prénom inconnu ou peu commun dans l'Hexagone au moment de l'attribution)

Très important	26 %
Assez important	34 %
Peu important	21 %
Aucune importance	11 %
Expressément évité	6 %
Critère non applicable	2 %

547

Éléments influençant le choix d'un prénom *(suite)*

Connotation sociale du prénom

Très important	21 %
Assez important	34 %
Peu important	25 %
Aucune importance	15 %
Expressément évité	1 %
Critère non applicable	4 %

Étymologie (origine et sens) d'un prénom

Très important	20 %
Assez important	31 %
Peu important	30 %
Aucune importance	17 %
Expressément évité	0 %
Critère non applicable	2 %

Créativité

Très important	7 %
Assez important	10 %
Peu important	17 %
Aucune importance	21 %
Expressément évité	29 %
Critère non applicable	16 %

Caractère identitaire (le prénom évoque une appartenance communautaire ou religieuse)

Très important	6 %
Assez important	10 %
Peu important	16 %

Éléments influençant le choix d'un prénom *(suite)*

Aucune importance	32 %
Expressément évité	20 %
Critère non applicable	16 %

Prénom porté par une personnalité célèbre, un héros de littérature, de cinéma ou de télévision

Très important	3 %
Assez important	6 %
Peu important	19 %
Aucune importance	38 %
Expressément évité	22 %
Critère non applicable	12 %

Prénom porté par un aïeul

Très important	3 %
Assez important	6 %
Peu important	25 %
Aucune importance	41 %
Expressément évité	12 %
Critère non applicable	13 %

Prénom à la mode

Très important	6 %
Assez important	10 %
Peu important	25 %
Aucune importance	23 %
Expressément évité	30 %
Critère non applicable	6 %

Éléments influençant le choix d'un prénom *(suite)*

Votre opinion...
Pour ou contre parler de ses idées de prénoms à ses proches ?

Pour	45 %
Contre	55 %

Le choix du prénom de votre enfant est / a-t-il été une source de conflits ?

Oui	12 %
Non	88 %

En aviez-vous parlé à vos proches (famille) ?

Oui	42 %
Non	58 %

En aviez-vous parlé à vos amis ?

Oui	39 %
Non	61 %

Vous êtes déjà parent...
Qui a eu une influence déterminante dans le choix du prénom ?
Choix de prénom du premier bébé

Le père	15 %
La mère	21 %
Les deux parents	62 %
Autre influence	2 %

Vous avez choisi le prénom que vous avez donné à votre premier enfant...

Avant la grossesse	16 %
Durant les deux premiers trimestres	34 %
Durant le troisième trimestre	38 %
Le jour de la naissance ou juste après	12 %

Éléments influençant le choix d'un prénom *(suite)*

Garçon ou fille ?
Durant la grossesse, vous avez demandé quel serait le sexe de votre premier enfant...

Oui	80 %
Non	20 %

Deux, trois, quatre prénoms...
Combien de prénoms avez-vous inscrits sur la fiche d'état civil à la naissance de votre premier enfant ?

Un seul prénom	28 %
Deux prénoms	26 %
Trois prénoms	40 %
Quatre prénoms et plus	6 %

Vous avez choisi un prénom rare.
Vous avez découvert ce prénom pour la toute première fois...

Dans un magazine	2 %
Dans un livre ou une encyclopédie sur les prénoms	18 %
Sur un site internet	24 %
Ce prénom est porté par une personnalité	19 %
Vous estimez l'avoir inventé	2 %
Des amis ou connaissances ont donné ce prénom à leur enfant	5 %
Vous ne vous rappelez plus la façon dont vous avez découvert ce prénom	6 %
Vous avez entendu ce prénom dans un lieu public (exemple : un parent a appelé un enfant ainsi)	6 %
Autre	18 %

Éléments influençant le choix d'un prénom *(suite)*

Avez-vous inventé le prénom que vous avez attribué à votre enfant ?

Oui   6 %

Non   94 %

Regrettez-vous le prénom que vous avez attribué à votre enfant ?

Oui   2 %

Non   98 %

Si oui, le prénom est-il jugé :

	Oui	Non
Trop répandu	11 %	89 %
Trop rare	12 %	88 %
Trop classique	10 %	90 %
Trop original	12 %	88 %
Trop connoté socialement	8 %	92 %
Ne correspond pas au tempérament de l'enfant	5 %	95 %
Ce prénom mixte a changé de genre dominant	8 %	92 %

Prénoms en fête

Les prénoms ci-dessous sont classés par ordre alphabétique et sont accompagnés de leurs jours de fête. Cette sélection inclut des prénoms répandus et d'autres qui le sont moins mais dont la croissance est prometteuse. Les prénoms cités dans les encadrés thématiques de cet ouvrage (prénoms régionaux, courants de prénoms dans le vent, palmarès des prénoms francophones, etc.) figurent dans ce répertoire.

A

Aaron	m	1er juillet
Abel	m	5 août
Abélard	m	5 août
Abraham	m	20 décembre
Achille	m	12 mai
Adam	m	16 mai
Adélaïde	f	16 décembre
Adèle	f	24 décembre
Adeline	f	20 octobre
Adrian	m	8 septembre
Adriana	f	8 septembre
Adrien	m	8 septembre
Adrienne	f	8 septembre
Agathe	f	5 février
Aglaé	f	14 mai
Agnès	f	21 janvier
Aidan	m	23 août
Aimé	m	13 septembre
Aimée	f	20 février
Alain	m	9 septembre
Alan	m	9 septembre ou 27 novembre
Alaric	m	29 septembre
Alban	m	22 juin
Albane	f	22 juin

Albanie	f	22 juin
Albert	m	15 novembre
Albin	m	1er mars
Aldo	m	17 septembre
Aldric	m	7 janvier
Alex	m	22 avril
Alexa	f	17 février
Alexandra	f	20 mars
Alexandre	m	22 avril
Alexandrine	f	2 avril
Alexane	f	17 février
Alexia	f	17 février
Alexis	m	17 février
Alexy	m	17 février
Alfred	m	15 août
Alice	f	16 décembre
Alicia	f	16 décembre
Aliénor	f	25 juin
Aline	f	20 octobre
Alison	f	16 décembre
Alix	f	9 janvier
Alix	m	9 janvier
Alizée	f	16 décembre
Aloïs	m	25 août
Alphonse	m	1er août

Alyssa	f	16 décembre
Amadéo	m	30 mars
Amanda	f	9 juillet
Amandine	f	9 juillet
Amaury	m	9 août
Amaya	f	13 septembre
Ambre	f	7 décembre
Ambroise	m	7 décembre
Amédée	m	30 mars
Amélia	f	19 septembre
Amélie	f	19 septembre
Ana	f	26 juillet
Anaëlle	f	26 juillet
Anaïs	f	26 juillet
Anastasia	f	10 mars, 15 avril
Anastasie	f	10 mars, 15 avril
Anatole	m	3 février
André	m	30 novembre
Andrea	m	30 novembre
Andréa	f	9 juillet
Andrée	f	9 juillet
Ange	m	5 mai
Angel	m	27 janvier
Angéla	f	27 janvier
Angèle	f	27 janvier
Angelina	f	27 janvier
Angeline	f	27 janvier
Angélique	f	27 janvier
Angelo	m	27 janvier
Anita	f	26 juillet
Anna	f	26 juillet
Annabella	f	26 juillet
Annabelle	f	26 juillet
Annaïg	f	26 juillet
Anne	f	26 juillet
Anselme	m	21 avril
Anthéa	f	5 octobre
Anthime	m	27 avril
Anthony	m	13 juin
Antoine	m	13 juin
Antoinette	f	27 octobre
Antonia	f	28 février
Antonin	m	5 mai
Antonio	m	13 juin
Antony	m	13 juin
Apolline	f	9 février
Ariane	f	18 septembre
Arielle	f	1er octobre
Armand	m	23 décembre
Armande	f	23 décembre
Armel	m	16 août
Armelle	f	16 août
Arnaud	m	10 février
Arno	m	10 février
Arthur	m	15 novembre
Astrée	f	27 novembre
Astrid	f	27 novembre
Aubin	m	1er mars
Aude	f	18 novembre
Audran	m	7 février
Audrey	f	23 juin
Auguste	m	7 octobre
Augustin	m	28 août
Augustine	f	28 août
Aure	f	4 octobre
Auregane	f	15 janvier
Aurel	m	20 juillet
Aurèle	m	20 juillet
Aurélia	f	15 octobre
Aurélie	f	15 octobre
Aurélien	m	16 juin
Auriane	f	4 octobre
Aurore	f	4 octobre
Austin	m	28 août

Auxane   f   ....   3 septembre
Ava   f   ....   6 septembre
Axel   m   ....   21 mars
Axelle   f   ....   21 mars
Aymeric   m   ....   4 novembre

B

Balthazar   m   ....   6 janvier
Baptiste   m   ....   24 juin
Barbara   f   ....   4 décembre
Barnabé   m   ....   11 juin
Barthélémy   m   ....   24 août
Basile   m   ....   2 janvier
Bastien   m   ....   20 janvier
Baudouin   m   ....   17 octobre
Béatrice   f   ....   13 février
Beatrix   f   ....   29 juillet
Bénédicte   f   ....   16 mars
Benjamin   m   ....   31 mars
Benoît   m   ....   11 juillet
Béranger   m   ....   26 mai
Bérangère   f   ....   26 mai
Bérenger   m   ....   26 mai
Bérengère   f   ....   26 mai
Bérénice   f   ....   4 février ou 4 octobre
Bernadette   f   ....   18 février
Bernard   m   ....   20 août
Berthe   f   ....   4 juillet
Bertille   f   ....   6 novembre
Bertrand   m   ....   6 septembre
Béryl   f   ....   29 juin
Bianca   f   ....   3 octobre
Bilal   m   ....   Pas de fête connue
Blaise   m   ....   3 février
Blanche   f   ....   3 octobre
Blandine   f   ....   2 juin

Boris   m   ....   2 mai
Brenda   f   ....   16 mai
Brendan   m   ....   16 mai
Briac   m   ....   18 décembre
Brian   m   ....   18 décembre
Brice   m   ....   13 novembre
Brieuc   m   ....   1er mai
Brigitte   f   ....   23 juillet
Bruna   f   ....   6 octobre
Brunelle   f   ....   6 octobre
Bruno   m   ....   6 octobre
Bryan   m   ....   18 décembre

C

Calista   f   ....   14 octobre
Calixte   f   ....   14 octobre
Camélia   f   ....   14 juillet ou 5 octobre
Cameron   m   ....   14 juillet
Camille   f   ....   14 juillet
Camille   m   ....   14 juillet
Candice   f   ....   3 octobre
Candy   f   ....   3 octobre
Capucine   f   ....   5 octobre
Carine   f   ....   24 mars, 7 novembre
Carl   m   ....   2 mars, 4 novembre
Carla   f   ....   17 juillet
Carole   f   ....   17 juillet
Caroline   f   ....   17 juillet
Casimir   m   ....   4 mars
Cassandre   f   ....   Pas de fête connue
Catherine   f   ....   24 mars ou 25 novembre
Cathy   f   ....   24 mars ou 25 novembre
Cécile   f   ....   22 novembre
Cécilia   f   ....   22 novembre
Cédric   m   ....   7 janvier
Céleste   f   ....   19 mai

Célestin	m	19 mai
Célestine	f	19 mai
Célia	f	22 novembre
Célian	m	21 octobre
Célie	f	22 novembre
Céline	f	21 octobre
César	m	15 avril
Chaïma	f	Pas de fête connue
Chantal	f	12 décembre
Charlène	f	17 juillet
Charles	m	2 mars, 4 novembre
Charley	m	2 mars, 4 novembre
Charlie	f	2 mars, 4 novembre
Charlie	m	2 mars, 4 novembre
Charline	f	17 juillet
Charlotte	f	17 juillet
Charly	m	2 mars, 4 novembre
Charlyne	f	17 juillet
Chiara	f	11 août
Chloé	f	5 octobre (date admise)
Chris	m	21 août
Christelle	f	24 juillet
Christian	m	12 novembre
Christiane	f	24 juillet
Christina	f	24 juillet
Christine	f	24 juillet
Christophe	m	21 août
Christopher	m	21 août
Chrystal	f	24 juillet
Chrystel	f	24 juillet
Cindy	f	9 juin
Claire	f	11 août
Clara	f	11 août
Clarisse	f	12 août
Claude	f	15 février
Claude	m	15 février
Claudette	f	15 février

Claudia	f	15 février
Claudie	f	15 février
Claudine	f	15 février
Cléa	f	13 juillet
Clélia	f	13 juillet
Clémence	f	21 mars
Clément	m	23 novembre
Clémentine	f	23 novembre
Cléo	m	19 octobre
Clio	f	4 juin
Clothilde	f	4 juin
Clotilde	f	4 juin
Clovis	m	25 août
Colette	f	6 mars
Colin	m	6 décembre
Coline	f	6 décembre
Colleen	f	6 décembre
Colombe	f	31 décembre
Colombine	f	31 décembre
Colyne	f	6 décembre
Côme	m	26 septembre
Conrad	m	26 novembre
Constance	f	23 septembre
Constant	m	23 septembre
Constantin	m	21 mai
Coralie	f	18 mai
Coraline	f	18 mai
Corentin	m	12 décembre
Corentine	f	12 décembre
Corinne	f	18 mai
Cynthia	f	9 juin
Cyprien	m	16 septembre
Cyriaque	m	8 août
Cyrielle	f	18 mars
Cyril	m	18 mars
Cyrille	m	18 mars

D

Daisy	f	5 octobre
Damien	m	26 septembre
Dan	m	11 décembre
Dana	f	11 décembre
Daniel	m	11 décembre
Danièle	f	11 décembre
Danielle	f	11 décembre
Danny	m	11 décembre
Dany	m	11 décembre
Daphné	f	5 octobre
Daphnée	f	5 octobre
Dauphine	f	26 novembre
Dave	m	29 décembre
David	m	29 décembre
Davy	m	20 septembre
Debbie	f	21 septembre
Débora	f	21 septembre
Déborah	f	21 septembre
Delphine	f	26 novembre
Denis	m	9 octobre
Denise	f	15 mai
Diana	f	9 juin
Diane	f	9 juin
Didier	m	23 mai
Diego	m	23 mai
Dimitri	m	26 octobre
Dimitry	m	26 octobre
Dolorès	f	15 septembre
Dominique	f	8 août
Dominique	m	8 août
Domitien	m	7 mai
Domitille	f	7 mai
Donald	m	15 juillet
Donatien	m	24 mai
Donatienne	f	24 mai
Donovan	m	15 juillet

Dora	f	11 février
Doria	f	25 octobre
Dorian	m	25 octobre
Doriane	f	25 octobre
Dorine	f	11 février
Doris	f	25 octobre
Dorothée	f	6 février
Doryan	m	25 octobre
Dustin	m	21 juin
Dylan	m	Pas de fête connue

E

Eddy	m	5 janvier
Edgar	m	8 juillet
Édith	f	16 septembre
Edmond	m	20 novembre
Edmonde	f	20 novembre
Édouard	m	5 janvier
Edwige	f	16 octobre
Edwin	m	12 octobre
Églantine	f	5 octobre
Éléa	f	Pas de fête connue
Elena	f	18 août
Eléonore	f	25 juin
Élia	f	20 juillet
Élian	m	20 juillet
Éliane	f	20 juillet
Élias	m	20 juillet
Élie	m	20 juillet
Élina	f	20 juillet
Éline	f	18 août
Eliot	m	20 juillet
Eliott	m	20 juillet
Élisa	f	17 novembre
Élisabeth	f	17 novembre
Élise	f	17 novembre

557

Élisée f	14 juin	
Ella f	1er février	
Elliot m	20 juillet	
Elliott m	20 juillet	
Élodie f	22 octobre	
Éloi m	1er décembre	
Éloïse f	15 mars	
Elouan m	28 août	
Elsa f	17 novembre	
Émeline f	27 octobre	
Émelyne f	27 octobre	
Émeraude f	29 juin	
Émerence f	23 janvier	
Émeric m	4 novembre	
Émie f	19 septembre	
Émile m	22 mai	
Émilia f	19 septembre	
Émilie f	19 septembre	
Émilien m	12 novembre	
Émily f	19 septembre	
Emma f	19 avril	
Emmanuel m	25 décembre	
Emmanuelle f	25 décembre	
Emmeline f	27 octobre	
Emmy f	19 septembre	
Emy f	19 septembre	
Enguerrand m	25 octobre	
Enora f	14 octobre	
Enza f	13 juillet	
Enzo m	13 juillet	
Éric m	18 mai	
Erik m	18 mai	
Erika f	18 mai	
Ernest m	7 novembre	
Ernestine f	7 novembre	
Erwan m	19 mai	
Erwann m	19 mai	

558

Erwin m	25 avril
Estéban m	26 décembre
Estée f	1er juillet
Estelle f	11 mai
Esther f	1er juillet
Ethan m	Pas de fête connue
Étienne m	26 décembre
Eudelin m	19 novembre
Eudes m	19 novembre
Eudoxie f	1er mars
Eugène m	13 juillet
Eugénie f	7 février
Eulalie f	12 février ou 10 décembre
Eva f	6 septembre
Evaëlle f	24 mai ou 6 septembre
Evan m	3 mai
Ève f	6 septembre
Éveline f	6 septembre
Évelyne f	6 septembre
Even m	3 mai
Evrard m	14 août
Ewen m	3 mai

F

Fabian m	20 janvier
Fabien m	20 janvier
Fabienne f	20 janvier
Fabio m	20 janvier
Fabiola f	27 décembre
Fabrice m	22 août
Fanny f	9 mars
Fanta f	5 novembre
Fantin m	30 août
Fantine f	30 août
Fany f	9 mars
Faustine f	15 janvier

Félicia	f	10 mai
Félicie	f	10 mai
Félicien	m	9 juin
Félicienne	f	10 mai
Félicité	f	7 mars
Félix	m	12 février
Ferdinand	m	30 mai
Fernand	m	27 juin
Fernande	f	27 juin
Firmin	m	11 octobre
Flavie	f	12 mai
Fleur	f	5 octobre
Flora	f	24 novembre
Flore	f	5 octobre
Florence	f	1er décembre
Florent	m	4 juillet
Florentin	m	24 octobre
Florentine	f	24 octobre
Florestan	m	5 octobre
Florian	m	4 mai
Floriane	f	4 mai
Florie	f	5 octobre
Florine	f	1er mai
France	f	9 mars
Francesca	f	9 mars
Francesco	m	24 janvier, 4 octobre
Francine	f	9 mars
Francis	m	24 janvier, 4 octobre
Franck	m	24 janvier, 4 octobre
François	m	24 janvier, 4 octobre
Françoise	f	9 mars
Freddy	m	18 juillet
Frédéric	m	18 juillet
Frederick	m	18 juillet
Frédérique	f	18 juillet

G

Gabin	m	19 février
Gabriel	m	29 septembre
Gabriella	f	29 septembre
Gabrielle	f	29 septembre
Gaël	m	17 décembre
Gaëlle	f	17 décembre
Gaétan	m	7 août
Gaétane	f	7 août
Garance	f	5 octobre
Gary	m	5 décembre
Gaspard	m	28 décembre, 6 janvier
Gaston	m	6 février
Gatien	m	18 décembre
Gauthier	m	9 avril
Gautier	m	9 avril
Geneviève	f	3 janvier
Geoffrey	m	8 novembre
Geoffroy	m	8 novembre
Georges	m	23 avril
Georgette	f	15 février
Georgie	f	15 février
Gérald	m	5 décembre
Géraldine	f	5 décembre
Gérard	m	3 octobre
Germain	m	28 mai
Germaine	f	15 juin
Ghislain	m	10 octobre
Ghislaine	f	10 octobre
Gianny	m	24 juin
Gilbert	m	7 juin
Gilberte	f	11 août
Gildas	m	29 janvier
Gilles	m	1er septembre
Gina	f	3 janvier
Ginger	f	7 janvier
Gino	m	16 juin

559

Giovanni	m	24 juin
Gisèle	f	7 mai
Giulia	f	8 avril
Gladys	f	29 mars
Glenn	m	11 septembre
Gontran	m	28 mars
Goulven	m	1er juillet
Grace	f	21 août
Grégoire	m	3 septembre
Grégory	m	3 septembre
Guénaelle	f	3 novembre
Guibert	m	7 juin
Guilaine	f	10 octobre
Guilhem	m	28 mai
Guillaume	m	10 janvier
Guillemette	f	10 janvier
Gurvan	m	3 mai
Gustave	m	7 octobre
Guy	m	12 juin
Gwen	f	21 février
Gwenael	m	3 novembre
Gwenaelle	f	3 novembre
Gwendal	m	18 janvier
Gwendoline	f	14 octobre
Gwenn	f	21 février
Gwladys	f	29 mars

H

Habib	m	27 mars
Hadrien	m	8 septembre
Hanna	f	26 juillet
Harold	m	1er novembre
Harry	m	13 juillet
Heidi	f	16 octobre
Helena	f	18 août
Hélène	f	18 août

Héloïse	f	15 mars
Henri	m	13 juillet
Henriette	f	13 juillet
Henry	m	13 juillet
Herbert	m	20 mars
Hermance	f	25 septembre
Hermine	f	9 juillet
Hervé	m	17 juin
Hilarie	f	13 janvier
Hilary	f	13 janvier
Hilda	f	17 novembre
Hildegarde	f	17 septembre
Hippolyte	m	13 août
Honoré	m	16 mai
Honorine	f	27 février
Hortense	f	11 janvier ou 5 octobre
Howard	m	16 mai
Hubert	m	3 novembre
Hugo	m	1er avril
Hugues	m	1er avril
Huguette	f	1er avril
Humbert	m	25 mars
Hyacinthe	m	17 août

I

Ida	f	13 avril
Igor	m	5 juin
Illoa	f	18 août
Ilona	f	18 août
Inès	f	10 septembre
Ingrid	f	2 septembre
Inna	f	20 janvier
Ioan	m	24 juin
Iphigénie	f	9 juillet
Irène	f	5 avril
Iris	f	4 septembre

Irma	f	24 décembre
Isaac	m	20 décembre
Isabelle	f	22 février
Isaline	f	22 février
Isaure	f	4 octobre
Iseult	f	22 février
Isidore	m	4 avril
Ivan	m	24 juin
Ivana	f	30 mai

J

Jack	m	3 mai, 25 juillet
Jackie	f	8 février
Jacky	m	3 mai, 25 juillet
Jacob	m	20 décembre
Jacqueline	f	8 février
Jacques	m	3 mai, 25 juillet
Jade	f	29 juin
James	m	3 mai, 25 juillet
Jan	m	24 juin
Jane	f	30 mai
Janice	f	30 mai
Janine	f	30 mai
Jasmine	f	5 octobre
Jason	m	12 juillet
Jean	m	24 juin
Jean-Baptiste	m	24 juin
Jeanne	f	30 mai
Jeff	m	8 novembre
Jefferson	m	8 novembre
Jeffrey	m	8 novembre
Jenna	f	30 mai
Jennifer	f	3 janvier
Jenny	f	3 janvier
Jérémie	m	1er mai
Jérémy	m	1er mai

Jérôme	m	30 septembre
Jerry	m	30 septembre
Jessica	f	4 novembre
Jessie	f	4 novembre
Jessy	f	4 novembre
Jessy	m	4 novembre
Jim	m	3 mai, 25 juillet
Jimmy	m	3 mai, 25 juillet
Joachim	m	26 juillet
Joan	m	24 juin
Joanna	f	30 mai
Joanne	f	30 mai
Jocelyn	m	13 décembre
Jocelyne	f	13 décembre
Jodie	f	5 mai
Joël	m	13 juillet
Joëlle	f	13 juillet
Joey	m	13 juillet
Joffrey	m	8 novembre
Johann	m	24 juin
Johanna	f	30 mai
Johanne	f	30 mai
John	m	24 juin
Johnny	m	24 juin
Jonas	m	21 septembre
Jonathan	m	1er mars
Jordan	m	13 février
Jordane	f	13 février
Jordane	m	13 février
Jordi	m	23 avril
Jordy	m	23 avril
Joris	m	23 avril
José	m	19 mars
Josée	f	19 mars
Joseph	m	19 mars
Joséphine	f	19 mars
Josette	f	19 mars

Joshua	m	1er septembre
Josiane	f	19 mars
Josselin	m	13 décembre
Josseline	f	13 décembre
Josué	m	1er septembre
Joyce	f	19 mars
Judicael	m	17 décembre
Judith	f	5 mai
Jules	m	12 avril
Julia	f	8 avril
Julian	m	2 août
Juliana	f	8 avril
Juliane	f	8 avril
Julie	f	8 avril
Julien	m	2 août
Juliette	f	30 juillet
Juline	f	8 avril
Juste	m	14 octobre
Justin	m	1er juin
Justine	f	12 mars

K

Kaïa	f	24 mars ou 25 novembre
Karelle	f	24 mars, 7 novembre
Karen	f	24 mars, 7 novembre
Karine	f	24 mars, 7 novembre
Karl	m	2 mars, 4 novembre
Katell	f	24 mars ou 25 novembre
Kathia	f	24 mars ou 25 novembre
Kathleen	f	24 mars ou 25 novembre
Kathy	f	24 mars ou 25 novembre
Katia	f	24 mars ou 25 novembre
Katy	f	24 mars ou 25 novembre
Kelian	m	8 juillet
Kelly	f	8 juillet
Kenny	m	11 octobre

Kenza	f	Pas de fête connue
Ketty	f	24 mars ou 25 novembre
Kevin	m	3 juin
Kiara	f	11 août
Kilian	m	8 juillet
Killian	m	8 juillet
Klervi	f	3 octobre
Kristel	f	24 juillet
Kylian	m	8 juillet
Kyllian	m	8 juillet

L

Ladislas	m	27 juin
Laeticia	f	18 août
Laetitia	f	18 août
Lalie	f	12 février ou 10 décembre
Lana	f	18 août
Landry	m	10 juin
Lara	f	26 mars ou 1er décembre
Larissa	f	26 mars
Laura	f	10 août
Laurane	f	10 août
Laure	f	10 août
Laureen	f	10 août
Laureline	f	10 août
Lauren	f	10 août
Laurena	f	10 août
Laurence	f	10 août
Laurène	f	10 août
Laurent	m	10 août
Laurette	f	10 août
Lauriane	f	10 août
Laurie	f	10 août
Laurine	f	10 août
Laury	f	10 août
Lauryn	f	10 août

Lauryne	f	10 août
Lazare	m	23 février
Léa	f	22 mars
Léana	f	10 novembre
Léandre	m	27 février
Léane	f	10 novembre
Lena	f	18 août
Lenaïc	m	18 août
Lenaïg	f	18 août
Léo	m	10 novembre
Léocadie	m	9 décembre
Léon	m	10 novembre
Léonard	m	6 novembre
Léonie	f	10 novembre
Léonore	f	25 juin
Léontine	f	10 novembre
Léopold	m	15 novembre
Léopoldine	f	15 novembre
Lexane	f	17 février
Lia	f	27 juillet
Liam	m	10 janvier
Liane	f	27 juillet
Lila	f	27 juillet
Lili	f	27 juillet
Lilian	m	27 juillet
Liliane	f	27 juillet
Lilou	f	15 mars ou 27 juillet
Lily	f	27 juillet
Lina	f	27 janvier
Linda	f	28 août
Line	f	27 janvier
Lio	f	27 juillet
Lionel	m	10 novembre
Lisa	f	17 novembre
Lise	f	17 novembre
Lison	f	17 novembre
Livia	f	5 mars

Loan	f	28 août
Loan	m	28 août
Loana	f	28 août
Loane	f	28 août
Loïc	m	25 août
Loïck	m	25 août
Loïs	m	25 août
Loïse	f	15 mars
Lola	f	15 septembre
Lolita	f	15 septembre
Lorène	f	10 août
Lorenzo	m	10 août
Lorette	f	10 août
Loriane	f	10 août
Lorine	f	10 août
Loris	m	10 août
Lorraine	f	10 août
Lou	f	15 mars
Lou	m	25 août
Lou-Anne	f	28 août
Louane	f	28 août
Louis	m	25 août
Louisa	f	15 mars
Louise	f	15 mars
Louison	m	25 août
Louison	f	15 mars
Louka	m	18 octobre
Loup	m	29 juillet
Louna	f	9 juin
Luc	m	18 octobre
Luca	m	18 octobre
Lucas	m	18 octobre
Luce	f	13 décembre
Lucia	f	13 décembre
Lucie	f	13 décembre
Lucien	m	8 janvier
Lucienne	f	8 janvier ou 13 décembre

563

Lucile	f	13 décembre
Lucille	f	13 décembre
Lucy	f	13 décembre
Ludivine	f	14 avril
Ludovic	m	25 août
Ludwig	m	25 août
Luigi	m	25 août
Luis	m	25 août
Luna	f	9 juin
Luka	m	18 octobre
Lydia	f	3 août
Lydie	f	3 août
Lynda	f	28 août
Lysiane	f	17 novembre

M

Maddy	f	22 juillet
Madeleine	f	22 juillet
Madeline	f	22 juillet
Madison	f	14 mars
Maé	f	24 mai
Maël	m	24 mai
Maëliss	f	24 mai
Maëlle	f	24 mai
Maëlwenn	f	24 mai
Maëlys	f	24 mai
Maeva	f	30 octobre
Magali	f	16 novembre
Magalie	f	16 novembre
Magdalena	f	22 juillet
Maguy	f	16 novembre
Mahaut	f	14 mars
Maï	f	15 août
Maia	f	15 août
Maïana	f	26 juillet ou 15 août
Maïlys	f	15 août

Maïna	f	15 août
Maïté	f	15 août
Maïwenn	f	15 août
Malaury	f	15 novembre
Malcolm	m	9 juin
Mallaury	f	15 novembre
Malo	m	15 novembre
Malorie	f	15 novembre
Malory	f	15 novembre
Malory	m	15 novembre
Malvina	f	5 octobre
Mandy	f	23 décembre
Manel	f	25 décembre
Manoël	m	25 décembre
Manon	f	15 août
Manuel	m	25 décembre
Manuela	m	25 décembre
Manuella	f	25 décembre
Marc	m	25 avril
Marceau	m	16 janvier
Marcel	m	16 janvier
Marcelin	m	6 avril
Marceline	f	17 juillet
Marcelle	f	31 janvier
Marco	m	25 avril
Mareva	f	15 août ou 6 septembre
Margaux	f	16 novembre
Margot	f	16 novembre
Marguerite	f	16 novembre
Maria	f	15 août
Mariam	f	15 août
Mariane	f	26 mai
Marianne	f	26 mai
Marie	f	15 août
Marielle	f	15 août
Marilou	f	15 mars ou 15 août
Marilyn	f	15 août

Marilyne f	15 août	
Marin m	3 mars	
Marina f	20 juillet	
Marine f	20 juillet	
Marion f	15 août	
Marius m	19 janvier	
Marjolaine f	16 novembre	
Marjorie f	16 novembre	
Marlène f	22 juillet	
Martha f	29 juillet	
Marthe f	29 juillet	
Martial m	30 juin	
Martin m	11 novembre	
Martina f	30 janvier	
Martine f	30 janvier	
Mary f	15 août	
Maryam f	15 août	
Maryline f	15 août	
Maryne f	20 juillet	
Maryse f	15 août	
Matéa f	21 septembre	
Mateo m	21 septembre	
Mathéis m	21 septembre	
Mathéo m	21 septembre	
Mathias m	14 mai	
Mathieu m	21 septembre	
Mathilda f	14 mars	
Mathilde f	14 mars	
Mathis m	21 septembre	
Mathurin m	14 mars	
Matisse m	21 septembre	
Matteo m	21 septembre	
Matthew m	21 septembre	
Matthias m	14 mai	
Matthieu m	21 septembre	
Maud f	14 mars	
Maude f	14 mars	

Maurane f	15 août	
Maureen f	15 août	
Maurice m	22 septembre	
Maurine f	15 août	
Max m	14 avril	
Maxence m	20 novembre ou 26 juin	
Maxime m	14 avril	
Maximilien m	14 août	
Maximin m	29 mai	
May f	16 novembre ou 15 août	
Mayeul m	11 mai	
Maylis f	15 août	
Médard m	8 juin	
Médéric m	29 août	
Megan f	16 novembre	
Mégane f	16 novembre	
Mélaine f	6 janvier	
Mélanie f	26 janvier ou 31 décembre	
Mélany f	26 janvier ou 31 décembre	
Melchior m	6 janvier	
Mélina f	21 septembre	
Mélinda f	21 septembre	
Méline f	21 septembre	
Mélisande f	21 septembre	
Mélisandre f	21 septembre	
Mélissa f	21 septembre	
Mélodie f	1er octobre	
Mélody f	1er octobre	
Mercedes f	24 septembre	
Meriem f	15 août	
Meryem f	15 août	
Meryl f	15 août	
Mia f	15 août	
Michaël m	29 septembre	
Michaëlle f	29 septembre	
Michel m	29 septembre	
Michèle f	29 septembre	

Micheline	f	19 juin
Michelle	f	29 septembre
Mickaël	m	29 septembre
Miguel	m	29 septembre
Mikaël	m	29 septembre
Mike	m	29 septembre
Mila	f	16 septembre
Miléna	f	15 août ou 18 août
Milène	f	15 août ou 18 août
Mina	f	10 janvier
Mireille	f	15 août
Moïra	f	15 août
Moïse	m	4 septembre
Mona	f	27 août
Monica	f	27 août
Monique	f	27 août
Morane	f	16 mai
Morgan	f	8 octobre
Morgan	m	8 octobre
Morgane	f	8 octobre
Muriel	f	15 août
Murielle	f	15 août
Mylène	f	15 août ou 18 août
Myriam	f	15 août
Myrtille	f	5 octobre

N

Nadège	f	18 septembre
Nadia	f	18 septembre
Nadine	f	18 février ou 18 septembre
Nancy	f	26 juillet
Naomi	f	21 août
Naomie	f	21 août
Narcisse	m	29 octobre
Nastasia	f	27 juillet
Natacha	f	27 juillet

Nathalie	f	27 juillet
Nathan	m	24 août
Nathanaël	m	24 août
Nathanaëlle	f	24 août
Nelly	f	18 août ou 26 octobre
Nelson	m	3 février
Nestor	m	26 février
Nicolas	m	6 décembre
Nicole	f	6 décembre
Niels	m	6 décembre
Nikita	f	6 décembre
Nils	m	6 décembre
Nina	f	15 décembre, 14 janvier ou 16 septembre
Ninon	f	15 décembre
Noah	m	10 novembre
Noan	f	21 janvier
Noé	m	10 novembre
Noël	m	25 décembre
Noélie	f	25 décembre
Noéline	f	25 décembre
Noëlle	f	25 décembre
Noëllie	f	25 décembre
Noémie	f	21 août
Nolan	m	6 décembre
Nolwen	f	6 juillet
Nolwenn	f	6 juillet
Nora	f	25 juin
Norbert	m	6 juin

O

Océane	f	2 novembre
Octave	m	20 novembre
Octavie	f	20 novembre
Odette	f	20 avril
Odile	f	14 décembre

Olga	f	11 juillet
Olivia	f	5 mars
Olivier	m	12 juillet
Olympe	f	17 décembre
Ombeline	f	21 août
Ophélie	f	18 juin
Orane	f	4 octobre
Oriane	f	4 octobre
Orlane	f	13 mai
Ornella	f	18 août
Oscar	m	3 février
Othon	m	2 janvier
Otto	m	2 janvier

P

Pablo	m	29 juin
Pacôme	m	9 mai
Paola	f	26 janvier ou 12 mars
Paolo	m	29 juin
Pascal	m	17 mai
Pascale	f	17 mai
Pascaline	f	17 mai
Patrice	m	17 mars
Patricia	f	17 mars
Patrick	m	17 mars
Paul	m	29 juin
Paula	f	26 janvier
Paule	f	26 janvier
Paulette	f	26 janvier
Paulin	m	11 janvier
Pauline	f	26 janvier
Peggy	f	16 novembre
Pénélope	f	18 août
Perle	f	16 novembre
Perrine	f	31 mai ou 29 juin
Peter	m	29 juin

Pétronille	f	31 mai
Philémon	m	22 novembre
Philibert	m	3 mai
Philippe	m	3 mai
Philippine	f	3 mai
Philomène	f	10 août
Pierre	m	29 juin
Pierrick	m	29 juin
Placide	m	5 octobre
Pol	m	12 mars
Prescilia	f	16 janvier
Prescillia	f	16 janvier
Prisca	f	18 janvier
Priscilla	f	16 janvier
Priscillia	f	16 janvier
Prosper	m	25 juin
Prudence	f	6 avril ou 6 mai

Q

Quentin	m	31 octobre
Quitterie	f	22 mai

R

567

Rachel	f	15 janvier
Rachelle	f	15 janvier
Rafaël	m	29 septembre
Ralph	m	7 juillet
Ramon	m	7 janvier
Randy	m	21 juin
Raoul	m	7 juillet
Raphaël	m	29 septembre
Raphaëlle	f	23 février
Raquel	f	15 janvier
Raymond	m	7 janvier
Raymonde	f	7 janvier

Rébecca	f	23 mars
Régine	f	7 septembre
Régis	m	16 juin
Réjane	f	7 septembre
Rémi	m	15 janvier
Rémy	m	15 janvier
Renan	m	1er juin
Renato	m	19 octobre
Renaud	m	17 septembre
Renaude	f	17 septembre
René	m	19 octobre
Renée	f	19 octobre
Reynald	m	17 septembre
Rhoda	f	23 août
Richard	m	3 avril
Rita	f	22 mai
Robert	m	30 avril
Roberte	f	30 avril
Roberto	m	30 avril
Robin	m	30 avril
Roch	m	16 août
Rodolphe	m	21 juin
Rodrigue	m	13 mars
Roger	m	30 décembre
Roland	m	15 septembre
Rolande	f	13 mai
Romain	m	28 février
Roman	m	28 février
Romane	f	28 février
Romaric	m	10 décembre
Romée	f	25 février
Roméo	m	25 février
Romuald	m	19 juin
Romy	f	25 février
Ronan	m	1er juin
Rosa	f	23 août
Rosalie	f	4 septembre
Rosane	f	23 août

Rose	f	23 août
Roseline	f	17 janvier
Roselyne	f	17 janvier
Rosie	f	23 août
Rosine	f	11 mars
Rozen	f	30 août
Ruben	m	22 août
Ruby	f	29 juin
Rudy	m	21 juin
Ruth	f	3 juillet
Ryan	m	8 mars

S

Sabine	f	29 août
Sabrina	f	29 août
Sacha	f	20 mars
Sacha	m	22 avril
Safia	f	25 mai
Sahra	f	9 octobre
Sally	f	9 octobre
Salomé	f	22 octobre
Salomée	f	22 octobre
Salomon	m	25 juin
Sam	m	20 août
Samantha	f	20 août
Sammy	m	20 août
Samson	m	28 juillet
Samuel	m	20 août
Samuelle	f	20 août
Samy	m	20 août
Sandie	f	20 mars
Sandra	f	20 mars
Sandrine	f	2 avril
Sandy	f	20 mars
Sara	f	9 octobre, 24 mai
Sarah	f	9 octobre
Saturnin	m	29 novembre

Scott	m	28 juillet
Sean	m	24 juin
Sébastien	m	20 janvier
Segal	m	18 octobre
Ségolène	f	24 juillet
Séléna	f	25 septembre
Selma	f	21 avril
Séraphin	m	12 octobre
Séraphine	f	9 septembre
Serge	m	7 octobre
Servane	f	1er juillet
Séverin	m	27 novembre
Séverine	f	27 novembre
Shania	f	30 mai
Sibel	f	9 octobre
Sibylle	f	9 octobre
Sidonie	f	21 août
Siméon	m	18 février
Simon	m	28 octobre
Simone	f	19 février
Sixtine	f	3 avril
Sofia	f	25 mai
Soizic	f	9 mars ou 5 novembre
Solange	f	10 mai
Solena	f	25 septembre
Solène	f	25 septembre
Solenn	f	25 septembre
Solenne	f	25 septembre
Soline	f	17 octobre
Sonia	f	25 mai
Sophia	f	25 mai
Sophie	f	25 mai
Stacie	f	10 mars, 15 avril
Stacy	f	10 mars, 15 avril
Stanislas	m	11 avril
Stecy	f	10 mars, 15 avril
Steeve	m	26 décembre
Steeven	m	26 décembre

Stefan	m	26 décembre
Stella	f	11 mai
Stéphane	m	26 décembre
Stéphanie	f	2 janvier ou 26 décembre
Stephen	m	26 décembre
Sterenn	f	21 octobre
Stessy	f	10 mars, 15 avril
Steve	m	26 décembre
Steven	m	26 décembre
Suzanne	f	11 août
Suzie	f	11 août
Suzy	f	11 août
Sven	m	26 février
Svetlana	f	20 mars
Sybille	f	9 octobre
Sydney	f	21 août
Sydney	m	21 août
Sylvain	m	4 mai
Sylvaine	f	4 mai
Sylvestre	m	31 décembre
Sylvette	f	4 mai
Sylvia	f	5 novembre
Sylviane	f	5 novembre
Sylvie	f	5 novembre

569

T

Talia	f	27 juillet
Tamara	f	1er mai
Tanguy	m	19 novembre
Tania	f	12 janvier
Tatiana	f	12 janvier
Téa	f	11 février
Teddy	m	9 novembre
Téo	m	9 novembre
Terence	m	21 juin
Terry	m	21 juin
Tess	f	1er ou 15 octobre

Tessa	f	1er ou 15 octobre
Thadée	f	28 octobre
Thaïs	f	8 octobre
Théa	f	11 février
Théana	f	11 février
Thelma	f	21 avril
Théo	m	9 novembre
Théodora	m	11 février
Théodore	m	9 novembre
Théophile	m	13 octobre
Théotime	m	16 mai
Théoxane	f	24 janvier
Thérésa	f	1er ou 15 octobre
Thérèse	f	1er ou 15 octobre
Thibaud	m	8 juillet
Thibaut	m	8 juillet
Thierry	m	1er juillet
Thomas	m	28 janvier, 3 juillet
Tiago	m	25 juillet
Tifany	f	6 janvier
Tifenn	f	6 janvier
Tiffanie	f	6 janvier
Tiffany	f	6 janvier
Tim	m	26 janvier
Timéa	f	26 janvier
Timéo	m	25 janvier
Timothé	m	26 janvier
Timothée	m	26 janvier
Timothy	m	26 janvier
Tina	f	24 juillet ou 28 août
Tiphaine	f	6 janvier
Tiphanie	f	6 janvier
Tiphany	f	6 janvier
Titouan	m	13 juin
Tom	m	28 janvier, 3 juillet
Tommy	m	28 janvier, 3 juillet
Tony	m	13 juin
Tracy	f	1er octobre ou 15 octobre

Tristan	m	12 novembre
Trixie	f	13 février
Trystan	m	12 novembre
Typhaine	f	6 janvier
Tyrone	m	1er octobre

U

Ugo	m	1er avril
Ulrich	m	10 juillet
Urbain	m	19 décembre
Uriel	m	1er octobre
Urielle	f	1er octobre
Ursula	f	29 mai ou 21 octobre
Ursule	f	29 mai ou 21 octobre

V

Vadim	m	15 juillet
Valentin	m	14 février
Valentine	f	25 juillet
Valère	m	1er avril
Valérian	m	1er avril
Valériane	m	1er avril
Valérie	f	28 avril
Valéry	m	1er avril
Vanessa	f	4 février
Venceslas	m	28 septembre
Véra	f	18 septembre
Vérane	f	11 novembre
Véronique	f	4 février
Vicky	f	15 novembre
Victoire	f	15 novembre
Victor	m	21 juillet
Victoria	f	15 novembre
Victorien	m	23 mars
Victorine	f	23 mars
Vincent	m	22 janvier, 27 septembre

Vincente	f	4 juin
Violaine	f	5 octobre
Violette	f	5 octobre
Virgil	m	5 mars
Virgile	m	5 mars
Virginie	f	7 janvier
Vital	m	28 avril
Viviane	f	2 décembre
Vivien	m	10 mars
Vladimir	m	15 juillet

W

Walter	m	9 avril
Wanda	f	17 avril
Wandrille	f	22 juillet
Wassily	m	2 janvier
Wendy	f	17 avril
Werner	m	19 avril
Wilfrid	m	12 octobre
Wilfried	m	12 octobre
Wilhem	m	10 janvier
William	m	10 janvier
Willy	m	10 janvier
Winnie	f	5 janvier
Winona	f	5 janvier
Wladimir	m	15 juillet

X

Xavier	m	3 décembre
Xavière	f	3 décembre

Y

Yaël	f	13 juillet
Yaël	m	13 juillet

Yaëlle	f	13 juillet
Yan	m	24 juin
Yanis	m	24 juin
Yann	m	24 juin
Yannick	m	24 juin
Yannis	m	24 juin
Ylona	f	18 août
Yoan	m	24 juin
Yoanie	f	30 mai
Yoann	m	24 juin
Yohan	m	24 juin
Yohann	m	24 juin
Yolaine	f	11 juin
Yolande	f	11 juin
Yolène	f	11 juin
Youcef	m	19 mars
Youri	m	23 avril
Youssef	m	19 mars
Ysabel	f	22 février
Ysaline	f	22 février
Yvain	m	19 mai
Yvan	m	24 juin
Yves	m	19 mai
Yvette	f	13 janvier
Yvon	m	19 mai
Yvonne	f	19 mai

Z

Zacharie	m	5 novembre
Zachary	m	5 novembre
Zakaria	m	5 novembre
Zélia	f	17 octobre
Zélie	f	17 octobre
Zéphir	m	26 août
Zéphirin	m	26 août
Zoé	f	2 mai

Notes

577

583